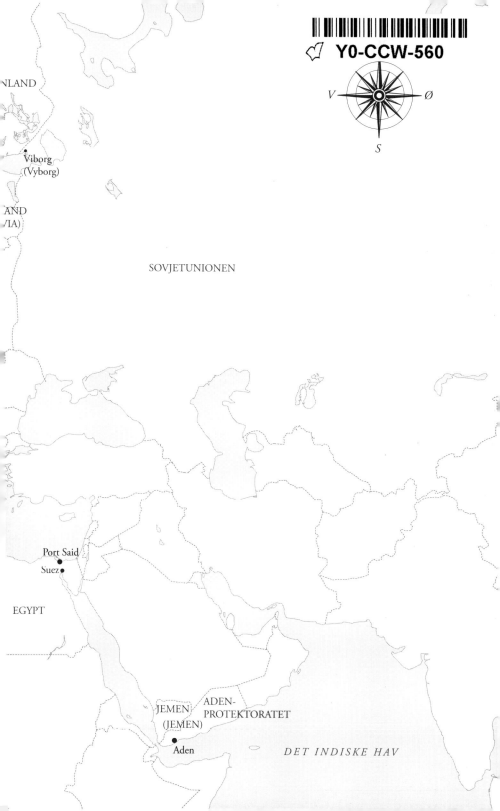

NLAND

Viborg
(Vyborg)

AND
/IA)

SOVJETUNIONEN

V ⚓ Ø

S

Port Said
Suez

EGYPT

JEMEN   ADEN-
        PROTEKTORATET
(JEMEN)

Aden   DET INDISKE HAV

EN SJØENS HELT

Jon Michelet

EN SJØENS HELT
Skogsmatrosen

Roman

FORLAGET OKTOBER
2012

JON MICHELET *En sjøens helt. Skogsmatrosen*

© Forlaget Oktober AS, Oslo 2012
Bokomslag: Egil Haraldsen & Ellen Lindeberg | EXIL DESIGN
Omslagsbilde: Riksarkivet, PA-1209 NTBs krigsarkiv uf-118
Satt med Sabon 10,5/12,6
hos OZ Fotosats AS
Papir: 70 g. Holmen Book Cream 1,8
Trykk og innbinding: ScandBook AB, 2013
8. opplag, 2013

ISBN 978-82-495-0917-1

www.oktober.no

Denne boka er et diktverk. Navn på handelsskip er i hovedsak oppdiktede navn. Der det dreier seg om virkelige skip, er dette markert med ei stjerne, f.eks. D/S *Gyda**. Hendelser knyttet til skip markert med stjerne er virkelige hendelser. Krigsskip større en korvetter er uten unntak virkelige skip.

Flere opplysninger om arbeidet med romanen finnes i etterordet.

Kilderegister og litteraturhenvisninger, samt en del tilleggsopplysninger, finnes på internett: www.oktober.no/nor/Boeker/Skjoennlitteratur/Romaner-noveller/En-sjoeens-helt og www.jonmichelet.com

Spørsmål og kommentarer ønskes velkommen, og kan sendes til: jon-mic@online.no

Kapittel 1

En gutt spenner på seg skiene for å legge av sted på en ferd ut i den store verden. Gutten er ikke kledd i et typisk skiantrekk. Han går i blå langbukser med press, og grå tweedjakke. Under jakka har han en tjukk ullgenser. På hodet har han ei østerdalslue med lang skygge og øreklaffer, på hendene vanter, om halsen et hjemmestrikka, mørkebrunt skjerf. På ryggen bærer han en ryggsekk som har vært med ham på mange jaktturer – både på elgjakt, harejakt og toppjakt på storfugl – og i tømmerskauen. For ikke å glemme revejakta, der faren og han legger ut åte og skyter fra ei glugge i ei utløe. De er kløppere når det gjelder å ta skogens største luring, mikkelfanten.

Det er seint på formiddagen søndag den 17. desember 1939. Gutten står på det hjemlige tunet foran det rødmalte huset som foreldrene hans fikk bygget i 1920, året før han ble født.

Huset ligger i hjertet av Sør-Norge, på en bakkekam i skogbrynet ovenfor stasjonsbyen Rena i Østerdalen. Over huset hvelver himmelen seg, klar og vinterblå. Bjørkevedsrøyk stiger til værs fra pipa, og han trekker inn den gode angen av brent never. Den lave sola nå like før vintersolverv får det til å gnistre i snøkrystallene i bakkene. Det er ti–tolv minusgrader.

Gutten trekker klaffene på lua nedover ørene. Han klapper den gamle elghunden Brakar, som går i løpestreng på tunet.

Småsøsknene hans er ikke hjemme. Stein og Britt er på søndagsskolen, og lillesøster Karin er hos noen naboer der hun har lekekamerater. Han tok farvel med søsknene på lørdagskvelden. Da tok han også farvel med faren sin, som skulle opp i otta for å dra på arbeid og kjøre lokomotiv på Rørosbanen. Det er bare mora hans, Margit, som er hjemme.

Hun står på tunet, og har tatt på seg ei svart- og hvitprikkete lusekofte som hun har strikka sjøl. På hodet har hun et svart- og hvitstripete skaut som dekker de lyse krøllene hennes.

Hun klemmer gutten.

«Ha en god reise til Orienten, da, Halvor,» sier hun. «Husk at du skal spare en god del av hyrepengene dine til motorsykkel. Og så lover du meg at du ikke skal tatovere deg.»

«Lover,» svarer Halvor.

Han kunne ha lyst til å si at han ikke akter å komme hjem fra Hong Kong som Tom Peng Pung, at han ikke har tenkt å la seg shanghaie inn i ei tatoveringssjappe i Shanghai. Men i dette avskjedens øyeblikk passer det ikke å servere blødmer til ei mor som ikke kan fordra snikksnakk.

«Vi kommer til å savne deg i jula,» sier hun.

«Det kommer mange juler etter denne,» sier han. «Nå *må* jeg dra, skal jeg rekke toget.»

«Ha det bra, gutten min.»

Halvor griper om håndtakene på skistavene av bambus, og planter trinsene i snøen.

Han retter på ryggsekkreimene, staker av gårde på det flate tunet, snur seg, vinker med den høyre staven og roper: «Vi sees til sommeren!»

Svaret fra mora kommer som et ekko, «til sommeren».

Han setter utfor i den slake løypa, får god fart på silkeføret. Brakar bjeffer etter ham.

Løypa snor seg gjennom små skogholt og mellom hus der det ryker fra pipene. Her på Rena ånder det av fred. Ingen skulle trodd at det er krig i verden.

Dette vil bli den siste skituren hans på lenge. Han nyter den og trekker den skarpe vinterlufta djupt ned i lungene.

Inne i et skogholt roper han: «Her kommer jeg, kjing-kjong-Kinamann-land!»

Huff, det var et barnslig rop. Godt ingen hørte ham.

Tidligere i sitt attenårige liv har han bare vært i Kjeppkina, som er navnet veteraner i trelastfarta på Østersjøen bruker når de snakker om Bottenviken. Nå venter det *virkelige* Kina på ham.

Løypa ender nede på flata, der tettbebyggelsen i Rena sentrum begynner.

Halvor staker seg fram på bilveien det siste stykket til jernbanestasjonen. Han ser røyken velte opp fra pipene på Rena Kartonfabrikk, Kartongen. Der arbeider nesten en tredjedel av de 1500 menneskene som bor på Rena.

Han sniffer inn fabrikkrøyken, den har en eim av kokt treflis.

Det er samme lukta som i østfoldbyene Moss, Sarpsborg og Halden, som alle har store papirfabrikker. Noen gamlinger som vokste opp på Rena før Kartongen kom, mener at røyken fra fabrikkpipene lukter dritt. Men de får ikke gehør fra nye generasjoner, som mener at røyken lukter penger og hører den moderne tida til. Ja, røyken fra Kartongen er et signal om at Rena kanskje i nær framtid kan vokse fra å være en stasjonsby til å bli en virkelig by. Her er plass til mer treforedlingsindustri. Det er forsmedelig at Hedmark, landets største skogfylke, har mindre slik industri enn kystbyene i lille Østfold fylke, der det knapt vokser mer skog enn i Åmot herred.

Over den mektige Glomma, som ennå har åpne råker, ligger frostrøyk.

Han hører et lokomotiv fløyte nord i dalen. Han liker lyden av togfløyta. Er ikke sønn av en lokomotivfører for ingenting! Det er et nordgående tog, på vei mot Røros, som fløyter. Sjøl skal han ta sørgående tog til Oslo.

På parkeringsplassen ved stasjonsbygninga står farens grålakkerte Opel Kadett. Halvor spenner av seg skiene og fester dem på skistativet på biltaket. Han huker av seg ryggsekken, finner fram skoene, tar av seg skistøvlene og kipper på seg skoene. Støvlene legger han på forsetet i Kadetten. Det er ingen som låser bilene sine på Rena.

Han tenker på kjerra som bilen til faren sin, enda den like mye er mors. De fikk råd til den luksusen det er for en arbeiderfamilie å ha privatbil da det helt overraskende kom en bra slump arvepenger fra en av mors onkler som hadde utvandret fra Lista til havnebyen Duluth i Minnesota. Men det er blitt fars bil siden det er han som har sertifikat, kan mekke motor og legge på snøkjettinger.

Halvor går inn på stasjonens toalett. Han har stått på ski iført penbuksa si og tweedjakka. Nå tar han av seg ytterklærne og flår av seg ullundertøyet og ullgenseren han har hatt under. Ulltøyet, lua og vantene pakker han i ryggsekken, som er full av klær. Men nok klær til en sjøreise er det ikke. For penger han har tjent i tømmerskauen, skal Halvor kjøpe seg mer utstyr i Oslo. Han skal investere i en koffert – en suitcase, som sjøfolk sier – oljehyre og sydvest og et par gode sjøstøvler.

Han tar på seg hvitskjorta og finner fram et knallrødt slips som han har fått i avskjedspresang av faren sin. Slipset, sa faren hans, skal minne ham om at han kommer fra Røde Rena. Han stiller seg foran speilet og knytter en windsorknute på slipset. Gransker speilbildet sitt. Det er da en nesten voksen mann han får øye på? Han er nok fullt utvokst nå. Så kjempehøy er han ikke blitt, men han måler da 178 centimeter på strømpelesten og er høyere enn faren sin. Muskler har han fått som tømmerhogger, på fiske i Skagerrak og som sjømann på Nordsjøen og Østersjøen.

Han fisker kammen opp av bukselomma og prøver å gre håret bakover. Han har arvet det lyse håret av mora si, men ikke fått krøllene hennes. Håret hans er gjenstridig bust som har en tendens til å stå rett til værs i stille vær. Når han har sola og vinden i ryggen, blåser panneluggen fram som en fane. Han burde kanskje ha klipt seg, men har ikke lyst til å ofre luggen. Et jævla bustehue er og blir han!

Kammen dypper han flere ganger i vann fra krana. Å få håret til å ligge flatt på hodet er umulig, men han får til en slags sveis.

De brune øynene har han definitivt fra mor si. Det er ikke så vanlig med brune øyne på Rena. En kveld da han hadde tatt seg en tår over tørsten, sa faren hans at han trodde at Margit måtte være av fanteslekt der nede på Sørlandet, hvor hun kommer fra. Da lo mora hans og sa at hun godt kunne tenke seg å leve et liv fritt som fantens.

Rastløsheten sin tror Halvor at han også har etter mora, som liksom aldri kan sitte stille, og som har elsket sommerturene deres til sin barndoms by Flekkefjord.

Faren hans er vant til et liv på skinner.

Halvor blir ikke ferdig med å studere åsynet sitt i speilet. Burde han anlagt en liten bart under nesa? Han har skjeggvekst nok til det, og må barbere seg hver dag. Men det er bare jålebukker som går med bart.

Han flekker tenner. Tannstellet hans er bra. Han har nettopp vært hos tannlegen, som bare fant to små hull å fylle. Han skal ikke bli en sånn vørslaus type som skofter tannpussen og må ønske seg gebiss til 30-årsdagen.

Nesa hans er kraftig og litt spiss. Den peker ørlite grann til venstre, akkurat som snurrebassen hans gjør.

I venterommet ruller Halvor seg en sigarett av karva blad. Den sterke tobakken har han blitt vant til i tømmerskauen. Han tenner røyken med ei fyrstikk og blåser røykringer mot taket.

Hvis han hadde fått viljen sin, ville han ikke ha vært på vei sørover til Oslo nå, men østover til Finland, for å melde seg som frivillig til finnenes kamp mot sovjetrusserne.

Han har hatt en langvarig krangel med faren sin om dette. Lokomotivfører Paul Skramstad er kommunist og representerer Norges Kommunistiske Parti i herredsstyret i Åmot, der Rena er administrasjonssentrum og har mesteparten av befolkninga. Kommunistene har hatt ordføreren i Åmot så lenge Halvor kan huske. Fra 1926 har ordføreren vært en fyrbøter fra Kartongen som heter Ole Hermandsen. Ved valget i 1937, da faren hans for første gang sto på lista, ble NKP og Arbeiderpartiet jamnstore, med sju representanter hver. De borgerlige har til sammen bare fem representanter. Så, jo da, Rena er et knallrødt sted i et ellers lyserødt Norge. Far Paul og ordfører Hermandsen – som de av og til har hatt på kaffebesøk hjemme – er av den overbevisning at Sovjetunionen ikke hadde noe valg når det gjaldt å angripe Finland. Hadde finnene gått med på Sovjetunionens rimelige krav om bytte av territorier, ville det ikke blitt noen krig.

«Hvis du vil ut i verden igjen,» sa faren hans, «får du heller dra til sjøs i oversjøisk fart, sånn som du har drømt om så lenge.»

«Jeg er atten år og må kunne bestemme over mitt eget liv,» svarte Halvor.

«Til Finland drar du bare over mitt lik,» sa far Paul.

«Så får det bli sjøen og langfart.»

«Det får det vel bli, da. Men jeg liker det ikke, nå som imperialistmaktene driver krig på havet.»

«Norge er nøytralt i krigen,» sa Halvor.

«Vi har allerede hatt tap av skip og mannskaper. Husk *Rondas* krigsforlis. Det var en stygg affære. Norge var nøytralt også under verdenskrigen fra 1914 til 1918. Likevel mistet to tusen sivile norske sjøfolk livet i den krigen.»

«Jeg vet det,» sa Halvor. «Men jeg har nå en gang denne drømmen om sjøen.»

Mor Margit var også sterk motstander av at han skulle dra til finnenes krig som soldat, men av en helt annen grunn enn farens.

Drømmen om sjøen ble tent i Halvor da han var liten gutt og var på sommerferie hos tante Ellinor og onkel Henry i Flekkefjord. Onkel Henry, broren til mora hans, hadde vært sjømann i utenriksfart og seilt på alle hav som matros og båtsmann. Så falt han ned i et lasterom og brakk ryggen. Han måtte begi sjøen, men kom seg såpass at han kunne bedrive litt fiske fra snekka si.

Å dorge makrell ute i havsranda på Listafjorden lengst sør i Norge var det fineste Halvor visste.

Hver sommer var Halvor i Flekkefjord, og så å si hver sommerferiedag var han ute på sjøen med onkel Henry. I sol og regn var de ute, og fisk fikk de som bare fanden. Halvor lærte å pilke torsk og sette flyndregarn.

Da Halvor var blitt tretten år gammel, fant onkel Henry fram manilatau i båthuset og lærte ham knoper og stikk, og å spleise tauverk.

Halvor lærte både øyespleis og den spleisen onkel Henry med et skrått flir kalte kattkuk. Den spleisen, på enden av en tautamp, het egentlig kronetakling. Men ingen fullbefaren norsk sjømann ville finne på å kalle den annet enn kattkuk. Med et enda skråere flir lærte onkelen nevøen sin å slå den spleisen han kalte fittespleis.

Når de to var aleine, likte onkel Henry å snakke om jenter han hadde møtt i fjerne havner, på øyer der det suste i palmer og glitra i koraller på strendene. En gang var han på ei øy i Stillehavet der jentene gikk i skjørt av bast, og null og niks mer. Det var brune jenter med bare bryster. Skulle de pynte seg, hengte stillehavsjentene blomsterkranser om halsen. Når ukulelene spilte opp, danset de hula-hula-dans.

«Jeg fikk sjøl hengt en blomsterkrans om halsen,» sa onkel Henry.

Hver sommer når skoleferien var over, var Halvor lite lysten på å dra hjem til innlandet og Rena. Han tenkte at det hadde vært bedre om onkel Henry hadde vært faren hans, sånn at han kunne bo ved salt sjø hele året.

Sommerne på Sørlandet gjorde noe med språket hans. Som sønn av foreldre som hadde kommet flyttende til Rena i voksen alder, talte han ikke hedmarksdialekt hjemme. Heller ikke fabrikkarbeiderungene han lekte med og gikk på skolen sammen med, og som var barn av foreldre fra mange kanter av landet, snakket tjukk he'mærking. Men noe dialekt kom det jo over Halvors lepper. Den ble slipt ned av tante og onkels bløte språk, og han vente seg av med å si «je» og «itte».

Da Halvor var ferdig med folkeskolen på forsommeren 1935, hadde de en veldig disputt hjemme om hva han skulle gjøre. Han hadde gjort det bra på skolen, fått Særdeles tilfredsstillende i norsk og en S også i geografi.

Foreldrene hans ville at han skulle begynne på middelskolen i Elverum. Halvor ville reise på fiske i Skagerrak.

Det ble Elverum og middelskolen og liv på hybel hos farens søster, Olga, som var blitt enke i ung alder, etter at den fæle tub'en tok mannen hennes.

Den skoleflinke og lærenemme Halvor var blitt inderlig skoletrøtt og vantrivdes i klassen i Elverum. Enda så glad han var i ord og språk, fikk han lite ut av undervisninga i tysk og engelsk, som besto av altfor mye grammatikkpugging. Han kjedet vettet av seg i religionstimene og hatet gymnastikktimene med linjegym og lukt av sure turnsko.

Ikke kom han godt overens med tante Olga heller. Noen ganger syntes han at hun var et helsikes hurpete hespetre. Andre ganger spjåka hun seg ut med malte lepper, rouge på kinnene og utringet kjole, og oppførte seg på en slik måte at han følte at hun la an på ham.

Nei, Elverum var ikke noe blivende sted for Halvor, som drømte om å legge slavelivet som skolegutt bak seg og bli *mann*. Men han ville virkelig ikke bli innviet til manndommen av sin egen tante!

Han rømte fra Elverum til Flekkefjord. Det ble et voldsomt oppstyr. Men han sto på sitt overfor foreldrene under lange telefonsamtaler. De hadde fått innlagt telefon hjemme på Rena, etter påtrykk overfor Telegrafverket fra Norges Statsbaner, som ville at lokomotivfører Skramstad enkelt skulle kunne tilkalles til ekstravakter. Tante Ellinor og onkel Henry hadde ikke telefon, så Halvor måtte ta telefonene fra mor og far i en kolonialbutikk. Heldigvis sto apparatet i butikkens bakrom, sånn at ikke hele Flekkefjord fikk vite om den harde disputten hans med foreldrene.

Han sto på sitt. Han ville ut på fiske. Dermed basta!

Våren 1936 skaffet onkel Henry hyre til Halvor på en fiskebåt som deltok i vårsildfisket i Skagerrak, *Amalie* av Flekkefjord. Om bord i *Amalie* var han med på å øse opp havets sølv, den gjeve silda. Båten kom ut i en vårstorm utenfor Lindesnes. Halvor holdt på å krepere av sjøsjuke. Han måtte ofre til havgudene, han spøy seg tom. Han tenkte at sjølivet ikke var noe for ham. Men dagen etter var han like fin igjen. *Amalie* var gått så langt ut til havs at Halvor ikke kunne se land. Alt han kunne se, var hav, horisont og himmel.

Synet ga ham en enorm frihetsfølelse. Måker fløy langs hekken på *Amalie*. Halvor tenkte på uttrykket «fri som fuglen». Han følte seg fri som fuglen. Han visste der og da at havet hadde grepet taket i ham, og at havet aldri ville slippe dette taket.

Da sildefisket var over, fikk han en attest fra skipper Otmar Sønniksen på *Amalie* der det sto at han hadde skikket seg vel og var en dugelig sildefisker og sjøgutt.

Han mønstret av i Flekkefjord og fikk hyre for sommeren som dekksgutt på den lille damperen *Feda*, som gikk i kystfart mellom byene på Sørlandet. Fra *Feda* gikk han i land i Kristiansand på 15-årsdagen sin, den 18. august 1936. Også fra skipper Ulrik Linland på *Feda* fikk han en fin attest.

Attestene fra *Amalie* og *Feda* la han fram da han høsten 1936 søkte om hyre som dekksgutt på den vesle nordsjødamperen *Flink*, tilhørende det lille og ukjente rederiet Sommerfeldt A/S i Kristiansand, der rederen var kaptein om bord i rederiets eneste skute. Han fikk dekksgutthyra. Under den myndige skipperen Alfred Sommerfeldt seilte Halvor med *Flink* med all slags gods over Nordsjøen, den gamle, den grå.

Sommerfeldt var en god læremester og ga dekksgutten sin kunnskaper om alskens sjømannsskap og enkelte av navigasjonens mysterier.

De gjorde også noen tokter i Østersjøen, og frøys i en beinkald førjulsvinter inne i isen i Finskebukta, på vei ut fra Finlands nest største by Viborg med ei tømmerlast. Skipper Sommerfeldt hadde ikke råd til å betale for å få en finsk isbryter til å bryte råk for *Flink*. De hadde flaks. Et stort dansk lasteskip fra rederiet A.P. Møller i København, *Emma Mærsk*, kom forbi og lagde råk ut til åpent vann for den lille norske skuta.

Skipper Sommerfeldt ropte i roperten en hjertens takk til kollegaen sin høyt der oppe på danskens kommandobru. Den danske kapteinen ropte tilbake at det skulle s'gu bare mangle, da han anså nordmenn nærmest som landsmenn.

Til Halvor, som sto til rors da *Flink* var kommet ut av ishelvetet, sa Sommerfeldt at hvis han hadde hatt samme talent for rederidrift som danske Albert Peter Møller, hadde han vært mangemillionær for lenge siden. For A.P. Møller hadde mot slutten av 1930-tallet bygd opp en flåte av skip med Mærsk-navn, som i antall kunne måle seg med norske Wilhelmsens flåte av skip med navn på T.

Halvor ble rykket opp til jungmann om bord i *Flink*, og siden til lettmatros. Han lærte seg å røyke og drikke øl på havnekneipene, og han lærte stygge ord på fremmede språk, «fuck you», «vittu», «pit» og «Scheisse», samt en god del penere gloser som han førte inn i glosebøker han hadde i kahytten. De sa *kahytt* og ikke *lugar* på *Flink*. Kahytten delte han med resten av dekksmannskapet, en dekksgutt, en jungmann og en matros. Interessen hans for språk var kommet tilbake etter at han slapp å sitte og slite bukseræva på skolebenken.

Han vokste ut av gutteklærne og gutteskoene sine og måtte begynne å bruke voksne størrelser.

I to år seilte han med *Flink*. Så fikk han høsten 1938 en stygg hoste. Skipper Sommerfeldt fryktet at det kunne være tub.

Doktoren i Kristiansand fant ingen tuberkulose. Men hosten ville ikke gi seg. Halvor reiste hjem til Rena for å komme til hektene. Han var tilgitt hjemme for rømminga si, og ble tatt vel imot av både foreldre og småsøsken. Mor Margit ga ham så rikelig med rigabalsam at han ble kvalm av det. Hun mente at han hadde fått hosten fordi det ikke er noe planteliv på havet, og dermed lite surstoff i havlufta. Hun hadde klokkertro på at han ville bli frisk av den surstoffrike lufta i skogkledde Østerdalen.

Moderens tro slo til, og Halvor kunne puste som aldri før.

Med Brakar dro faren og han på elgjakt. De skjøt en okse og to kuer i terrenget øst for Sjøli ved Storsjøen. Det var Halvor som tok oksen, på sytti–åtti meters hold, med et skudd som traff midt i hjerteregionen.

Da frosten satte seg i bakken førjulsvinteren 1938, var Halvor frisk nok til å begynne å jobbe i tømmerskauen vest for Osensjøen. Han ble med i et hogstlag som skulle hogge i skogeier Bertrand Didrichsens skog.

Halvor hogg seg gjennom vinteren og trivdes bra med det. Sommeren 1939 dro han til sjøs igjen. Det var ikke på langfart, akkurat. Han fikk et sommervikariat som lettmatros på ferja *Steilene,* som seilte på Indre Oslofjord mellom Oslo og Nesodden.

Da vikariatet var over, meldte han seg på hyrekontoret ved Grev Wedels plass i Oslo for å få ei skikkelig hyre. Det han ble tilbudt, var hyre som jungmann. Det syntes han ikke han kunne akseptere, siden han snart var 18 år og hadde fartstid som lettmatros.

Derfor vendte han nesa hjemover og jobba på trelastavdelinga på Kartongen til elgjakta begynte høsten 1939. Denne gangen tok faren og han to okser og to kalver i terrenget ved Sjøli. Så startet hogstsesongen. Da bar det for Halvors del ut i Didrichsens skog igjen, med hogstlaget.

Men han begynte, der ute i skauen, å kjenne en virkelig hard dragning mot sjøen. Dette suget etter hav måtte han gjøre noe med, og han sendte en søknad, med vedlagte attester, til rederiet Wilh. Wilhelmsen i Tønsberg om hyre som lettmatros om bord i et av rederiets skip i oversjøisk fart. Han håpet at det ville være god mulighet for å få den hyra, nå som det var brutt ut krig i verden og det var blitt farligere å ferdes på havet. Det var nok ikke kø ved hyrekontorene, selv om en og annen grisk jævel kanskje ville la seg friste av krigsrisikotillegget til å dra ut på bøljan blå.

I august og september hadde store norske tankskip som hadde ligget ubemannet i opplag i Oslo og Bergen, forlatt opplagsbøyene og kommet i fart med gode frakter. Disse tankerne krevde ny bemanning. Også stykkgodsflåten trengte nye mannskaper. Mange av sjøfolkene som hadde seilt ute under Den store krigen fra 1914 til 1918, orket ikke tanken på å seile under en ny krig, og mønstret av. Derfor antok Halvor at det var selgers marked for en som ville selge arbeidskrafta si til rederkapitalen.

Antakelsen hans viste seg å holde stikk. Bare fire–fem dager etter at han hadde sendt søknaden, kom det svarbrev fra Wilhelmsen. Brevet kom ikke fra Tønsberg, der han trodde rederiets kontor lå – siden alle Wilhelmsen-skipene han hadde sett, hadde Tønsberg som hjemmehavn, det sto malt i hekken på dem – men fra rederiets hovedkontor i Oslo. I brevet sto det at han kunne få hyre som lett-matros på rederiets linjeskip *Tomar*, med påmønstring i Oslo mandag den 18. desember. Hyrekontrakten hadde halvannet års varighet og ga rett til fri hjemreise fra nordeuropeisk havn etter kontraktens utløp.

I brevet sto det ingenting om hvor *Tomar* skulle hen. Halvor ringte til Wilh. Wilhelmsen i Oslo og forhørte seg. Han fikk vite at *Tomar* skulle på reise til Det fjerne østen. Ingenting kunne passe Halvor bedre enn det.

«Buddha, here I come!» ropte han og gjorde et rundkast av glede. Så spilte han «Mandalay» på munnspillet sitt, et riktig fint og blankpussa Hohner Chromonica-instrument, som mor Margit hadde kjøpt i Tyskland den gangen hun jobba som hushjelp i Kiel, lenge før hun ble fru Skramstad. Munnspillet fikk han som en slags konfirmasjonspresang, selv om han ikke sto til konfirmasjon.

Søster Britt sang med på «Mandalay» så godt hun kunne: «Det går en vei til Mandalay, og det er flyvefiskens vei.»

Han sneiper sigaretten i messingaskebegeret i venterommet. Sørgående tog kommer inn på Rena stasjon.

Halvor klyver om bord og finner en vindusplass på babord side.

Toget skrangler av gårde. Halvor kjenner en smerte i ribbeina nede på høyre side. Den siste dagen i skauen hadde han et uhell. Han fikk saga i beknip i en granlegg. Han prøvde å røske saga laus. Så falt treet, og han kom seg ikke unna, men fikk hele grana over seg. Det gikk ikke verre enn at han fikk et hardt slag i brystet av ei grein. De andre karene sa at han burde fraktes ut på sleden som ble trukket av Storsjøbronen. Men Halvor mente han kunne gå hjem på ski, og det greide han. Ribbeina er nok ikke brukket. Da ville han ikke sittet her på toget. Nei, ribbeina har bare fått seg en trøkk seksten. Det er til å leve med.

Han får si som faren hans alltid gjør når noen fryser eller har skada seg: Du lyt tåle det, Blessomen.

Det er ei linje fra sagnet om jutulen og Johannes Blessom. På en ferd opp gjennom Gudbrandsdalen sammen med en annen kar hadde Blessomen glømt vottene sine og frøys på nevene. «Du lyt tåle det, Blessomen,» sa mannen, «for nå er det ikke langt att til Vågå.»

Ja, han tåler det, for nå er det ikke langt att til Oslo.

Kapittel 2

I ei av sidelommene på ryggsekken har Halvor to bøker. Den ene boka er Nytestamentet. Det fikk han med seg av mor Margit. Hun er kveker, den eneste kvekeren på Rena. Kvekerreligionen sin hadde hun med seg da hun flyttet fra det blide Sørlandet til Rena. Hun praktiserer den ikke så strengt, men en from kvinne er hun, og en flittig bibelleser. Et par ganger i året reiser hun til Oslo for å møte andre trosfeller i Vennenes Samfunn og oppleve det hun kaller «det indre lys» under kvekernes stille gudstjenester, der alle sitter tause.

Halvor er ikke døpt og konfirmert, ettersom kvekerne har avskaffet dåp og konfirmasjon. Han har aldri vært med på en kvekergudstjeneste og er ikke medlem av kvekernes lille samfunn. I prinsippet er han hedning siden han ikke er innskrevet i kirkebøkene. Men Halvor regner seg som en kristen. Når det gjelder trosspørsmål, har han alltid hørt mer på sin kvekermor enn på sin kommunistiske og ateistiske far. Når mor Margit var så sterkt imot at Halvor skulle melde seg som frivillig soldat i Finland, var det fordi kvekerne alltid har nektet å gjøre krigstjeneste.

Hun har plantet i ham et bilde av en allmektig Gud som han kan be til og søke trøst hos. Det er ikke så ofte han ber. Men da han lå under grana i skauen og ikke visste om han var hardt skadet, sendte han opp en liten bønn til Gud.

Mor Margit og far Paul lever greit med at den ene er kveker og den andre kommunist. Faren sier at kvekerne på en måte er revolusjonære, fordi de ikke har noe presteskap og avviser alle ytre autoriteter. Horder av kvekere ble kastet i fengsel, akkurat som radikalerne i Russland i tsartida. Far Paul liker å si: «Jeg må respektere en tro der tilhengerne ikke tar av seg hatten for noen, og sier du til alle.»

Men Halvor vet at der der var noe kvekerne drev med i begynnelsen, i England på 1600-tallet. Nå er de ikke lenger oppviglere, men et fredens folk. Norske kvekermenn av i dag tar av seg hatten.

Og mor sier De til fru skogeier Didrichsen, den jåla, når hun kommer spradende gjennom Rena i persianeren eller minkpelsen sin.

Halvor tror han har arvet moras føyelighet, men også hennes ubøyelighet i saker som er av avgjørende betydning for henne. Som søndagsskolen. Kommunistfaren hans ville naturligvis ikke at ungene skulle gå på søndagsskolen og bli opplært i kristelighet. Men det ville mor, og på dette punktet var hun sta som et esel. Ordet kveker kommer av «quake», å skjelve. De første kvekerne skulle skjelve for den levende Gud, men ikke for noen annen makt. Og mor skalv ikke da hun sto på sitt overfor far. Halvor gikk hele den gørrkjedelige søndagsskolen. Nå er det Stein og Britts tur, og snart må Karin til pers. Det er ingen bønn. Det vil si, det er nettopp *bønn* det er, og ikke bare én bønn, men tusenvis.

Kvekerne er få i Norge, men i USA teller de hundre tusen, og i den britiske kolonien Kenya i Afrika nesten like mange. Dit dro tante Reidun fra Flekkefjord som misjonær. Hun bor nå i USA, og naturlig nok i kvekerstaten Pennsylvania, som blir kalt Quaker State. Der lager de Quaker State Oil, som ifølge reklamen er «motoroljenes champagne». Det er i statens hovedstad, Harrisburg, hun har slått seg ned. Der arbeider hun som nåtlerske på en skofabrikk. Selv om hun er ugift og bare har en arbeiderlønn å leve av, bor hun – hvis fotografiene hun har sendt, ikke lyver – i et fint, lite hus med en hageflekk og utsikt over Susquehanna River. Da hun fikk høre at Halvor hadde reist til sjøs, skrev hun og sa at han måtte komme og besøke henne hvis skipet hans anløp Baltimore.

Med *Flink* kom han seg jo ikke over Dammen. Men nå skal han ut på de sju hav, og da havner han vel før eller siden i Baltimore, slik tusenvis av norske sjøfolk gjør hvert år. Fra Baltimore til Harrisburg er det bare ti–tolv norske mil med jernbanen.

Den andre boka i ryggsekklomma er en liten protokoll med blått shirtingbind. Halvor tar opp boka og legger den på bordet i togkupeen. På permen har han skrevet «Dagbok for Halvor Skramstad». Dagboka begynte han å skrive på 18-årsdagen sin, fredag den 18. august.

Det var dagen etter at Polen stengte grensa mot Tyskland i Oberschlesien. Situasjonen mellom de to landene var veldig spent. Men krig kunne det vel ikke bli?

«Fornuften vil vel seire,» skrev han optimistisk i dagboka.

Så angrep Adolf Hitlers Tyskland den 1. september Polen på bred front. To dager etter kom det krigserklæring fra Storbritannia og Frankrike. Verden var rystet i sine grunnvoller.

Halvor leser det han skrev den 3. september: «Jeg må innrømme at jeg har blandede følelser for den nye storkrigen. Det vil komme til å skje mye forferdelig. På den annen side merker jeg at blodet bruser raskere enn vanlig i årene mine ved tanken på at verden skal komme til å bli endret på en dramatisk måte, i min levetid. At gammalt rukkel vil bli sopt vekk, at det blir nye tider.»

Han rynker på nesa. Nå er han på vei til krigens hav. I løpet av krigens første måneder har det foregått fæle ting på dette havet. Ja, det er på havet det skjer. På landjorda er det ingen kamper mellom de allierte og tyskerne. Det er ikke sånn at blodet hans fryser til is ved tanken på hva som kan vente ham på havet, men blodet bruser virkelig ikke lenger.

Halvor blar fram til de sidene i dagboka der han har skrevet om krigshendelser på havet og i havnebyene. Han kikker også på det han har skrevet om Vinterkrigen i Finland, der faren hans og han har stikk motsatte oppfatninger.

«Torsdag 14. september. I går ble Ronda* av Bergen minesprengt utenfor Nederland. Det var det første norske skipet som gikk tapt i denne krigen. Det var et supermoderne motorskip, bygget i 1937, tilhørende skipsreder Mowinckel, han som har vært statsminister tre ganger. 17 personer på Ronda omkom, deriblant kapteinen, kapteinens kone og tre passasjerer. Skipet sank så raskt at mannskapet ikke rakk å sette ut livbåtene. De 20 overlevende hoppet over bord, berget seg med en arbeidsbåt som fløt opp og på en flåte laget av lukelemmer. De drev i 58 timer mot kysten før de ble reddet av en italiensk båt og satt i land i Vlissingen.

Det må ha vært 58 kalde timer i arbeidsbåten og på flåten. Huttetu!

Torsdag 28. september. Warszawa har kapitulert, og dermed også Polen. Sovjetiske styrker har gått inn i Polen fra øst. I praksis eksisterer ikke den polske staten lenger. Et stort land, tilintetgjort på mindre enn en måned!

På Vestfronten er det så stille at det knapt kan kalles en front. Britiske fly har bombet havnebyene Cuxhaven og Wilhelmshaven, som jeg jo kjenner fra min tid som lettmatros på Nordsjøen.

Søndag 1. oktober. Det meldes at <u>Takstaas</u>* av Arendal og <u>Jern</u>* av Haugesund er senket av tyske ubåter. Ingen omkomne, heldigvis. Jeg mener å huske at vi lå med <u>Flink</u> ved siden av <u>Jern</u> i Newcastle en gang.

Søndag 15. oktober. Det britiske slagskipet <u>Royal Oak</u> er senket av en tysk ubåt inne på havna i Scapa Flow på Orknøyene. Ingen forstår hvordan ubåten kom seg gjennom ubåtsperringene. Det er også uforståelig at tyskernes torpedo greide å trenge gjennom slagskipets panserstål. 800 marinefolk omkom.

Torsdag 16. november. Mye å gjøre i skauen. Bor på koie sammen med resten av firemannslaget mitt. Sliten når jeg kommer hjemom en tur, sånn som i dag da jeg skulle hente reint tøy som mor har vasket. (Det trengtes, de flanellskjortene og underbuksene jeg ga mor, stinket skogsarbeidersvette og ganske alminnelig møkk.)

Det er meldt at et av Norges største tankskip, <u>Arne Kjøde</u>* på 16 000 tonn dødvekt, på reise fra Karibien til Europa er blitt senket av en tysk ubåt nord for Hebridene i Skottland. Det meldes at det heldigvis ikke var omkomne på bergensbåten.

Lørdag 18. november. Jeg møtte journalist Bernt Ove Kvamme fra avisa Østlendingens Rena-kontor på gata i ettermiddag. Han kunne fortelle at fem mann av en 40 manns besetning gikk tapt med olje-tankeren <u>Arne Kjøde</u>. De fem døde ikke av selve torpederingen, men som følge av at en livbåt kantret på et stormpisket hav, i grov sjø. Mens mange av mannskapet klamret seg til kjølen på livbåten, så de kapteinen og stuerten drive bort på en åre.

De overlevende fra de to livbåtene ble reddet av en britisk tråler og en britisk destroyer, eller <u>jager</u>, som vi sier på norsk. Tankskipet tilhørte rederen Jacob Kjøde i Bergen. Det var på vei fra Aruba i Nederlandske Antiller til Nyborg i Danmark.

Kvamme sa at det var skammelig at tyskerne torpederte et nøytralt skip i fart mellom en havn tilhørende det nøytrale Nederland og en havn i nøytrale Danmark. Han sa at det var blitt diskutert i pressekretser hvorvidt <u>Arne Kjøde</u> virkelig var Norges største tanker. Målt i brutto registertonn var den det, med sine 11 019 brt. Men målt i dødvekttonn er <u>O.A. Knudsen</u>* av Haugesund og <u>Thorshavet</u>* av Sandefjord med sine 16 150 tonns lastekapasitet større enn bergenseren var.

Kvamme mente at mannskapet på <u>Arne Kjøde</u> var typisk for bergensbåter. 26 mann var bergensere, folk fra Bergen by og Laksevåg, mens 7 var striler fra det øvrige Hordaland.

Det tyskerne bygde med flid og stolthet, sa journalist Kvamme, det greide de å senke med letthet, ja sikkert med glede. Han fortalte at <u>Arne Kjøde</u> var bygd av tyskere og splitter nytt. Skipet ble sjøsatt fra Deutsche Werft i Hamburg høsten 1938. Det gikk fra Hamburg rett i opplagsbøya i Bergen, og begynte ikke å seile igjen før i august i år. Det var altså på sin aller første tur med oljelast om bord at bergenseren ble senket.

Fredag 1. desember. Sovjetunionen har angrepet Finland. Far og jeg hadde en heftig diskusjon om det. Jeg synes angrepet er urettferdig, og jeg sa at finnene kanskje er seigere enn russerne tror. Det blir en vinterkrig, og det passer kanskje de finske skiløpertroppene bra.

Søndag 3. desember. Tapene til handelsskipsfarten er blitt offentliggjort. 134 britiske skip er senket av miner eller ubåter. 12 franske, 18 tyske og 78 nøytrale skip. Jeg vet ikke nøyaktig hvor mange av de nøytrale skipene som var norske. Det ble ikke opplyst i avisartikkelen.

Far hadde med hjem et eksemplar av Aftenposten som en av konduktørene hadde funnet på toget og gitt ham. Aftenposten brakte et fotografi fra Vinterkrigen av likene av sovjetiske soldater. Soldatene fra Den røde armé lå stivfrosne, i underlige, spøkelsesaktige stillinger, i snøen ute på en innsjø. Det sto i bildeteksten at de drepte hadde gått i et perfekt arrangert finsk bakhold, 'et sted i Karelen'.

Far kalte bildet for finsk krigspropaganda. Jeg sa at bilder vel ikke lyver.

Far ropte: Aftenposten er en helvetes antisovjetisk, pro-finsk fascistblekke!

Mor kom inn i stua og ba oss roe oss, sånn at Karin kunne få sovne. Far fortsatte, med litt lavere stemme, å skjelle og smelle på den finske hærens øverstkommanderende, general Carl Gustaf Mannerheim.

Vi skal aldri tilgi Mannerheim, sa far. Under borgerkrigen mellom de hvite og de røde i Finland var Mannerheim den store, hvite slakteren. Den gangen da jeg var fireogtjue år gammel, var det <u>jeg</u> som pønsket på å melde meg som frivillig i Finland, på de revolusjonæres side. Da var du ikke så mye som et glimt i din faders øye, Halvor. Det var nærmest uutholdelig for meg å sitte her hjemme og få nyhetene om at Mannerheims tropper meide ned våre røde kamerater for fote.

Men du dro jo ikke, sa jeg.

Nei, det var i 1918, og jeg hadde nettopp møtt henne som skulle bli din mor. Det holdt meg tilbake. Dessuten hadde jeg godt håp om at rettferdigheten og de røde ville vinne til slutt. Det håpet knuste Mannerheim. Men president ble han ikke da han stilte til valg i 1919. Til det var Mannerheim altfor forhatt i arbeiderklassen, ja langt inn i småborgerskapets rekker. Men han drømmer nok fortsatt om et Stor-Finland som skal erobre en bra bit av sovjetisk territorium. Slike storfinske griller vil Den røde armé garantert sette en stopper for.

Jeg sa noe om de sterke forsvarsverkene i Mannerheim-linja på Det karelske nes.

Far sa at sovjetstyrkene ville komme til å rulle over Mannerheim-linja som om den skulle være laget av papp. Han påsto at Mannerheim oppfant konsentrasjonsleiren lenge før Hitler kom på tanken. I den største leiren i Finland, i Lahti, omkom flere tusen røde fanger av sult og sykdom.

Han mente at det var en skam at norske radio- og avisfolk som dekket ski-vm i Lahti i fjor, ikke nevnte at det var 20 år siden Mannerheim lot sine landsmenn dø i kz-leiren i den finske ski-metropolen og sånn sett et tragisk jubileum.

Det ble ikke noen videre heftig disputt mellom far og meg. Etter tiraden hans mot Mannerheim var det som om peppen hadde gått ut av ham.

Far var sliten etter dobbeltskift på Rørosbanen, og jeg er hjemme fra skauen med en forkjølelse som kanskje er influensa.

Fredag 8. desember. Hadde feber i går kveld. Og jævlig mareritt om natta. Det kom av fotografiet i Aftenposten. I den vonde drømmen så jeg for meg en av de sovjetiske soldatene som lå stivfrossen i snøen og holdt seg på magen med tarmene tytende ut mellom fingrene. Så begynte tarmene hans å bevege seg, ja de begynte å bukte seg som ormer i et ormebol. På fotografiet var det også avbildet en soldat som hadde fått skutt bort hele hodet. I drømme hørte jeg den hodeløse soldaten snakke til meg.

Gudhjelpemeg!

Da jeg våknet av marerittet, tenkte jeg at det var meg som hadde fått hodet bortskutt. Forkjølelsesfeberen hadde gitt seg, men jeg fikk en annen slags feber, som vel kan kalles angstfeber.

Får prøve å glemme den hodeløse sovjetsoldaten så fort jeg kan.

Mandag 11. desember. Svarbrev fra Wilhelmsen! Lettmatroshyre i utenriksfart!

Onsdag 13. desember. Etter at jeg hadde ringt Wilhelmsen, fikk jeg i posten tilsendt en seilingsrute for skipet, pluss et stensilert ark med opplysninger om skipets tonnasje, lasterigg og maskineri, og om kapteinen. Tomar av Tønsberg ble sjøsatt fra verftet Burmeister & Wain i København i 1930 og er på 10 000 tonn dødvekt. Kaptein om bord er Ivar August Nilsen, 52 år, fra Oslo.

Vi skal laste i Nord-Europa og Middelhavet før vi går gjennom Suezkanalen. Endepunkt for seilasen østover er etter planen den britiske kronkolonien Hong Kong, men det kan eventuelt bli Shanghai i selve Kina.

Jeg snakket om ruta med far. Han mente at anløp i Shanghai var tvilsomt. Japanerne har erobret denne Kinas største havneby under felttoget sitt i Kina, der de også har tatt hovedstaden Peking. Selv om Japan har stilt seg nøytralt i krigen mellom Storbritannia/Frankrike og Tyskland, mener far at det er sannsynlig at Japan før eller seinere vil ta Tysklands parti.

Det er sterke likheter mellom Hitlers nazisme og det autoritære og krigerske styresettet i Japan, sa far. Mens Tyskland vil ta hele Vesten, vil Japan ta hele Østen inkludert India. Hitler og den japanske keiseren og generalstaben hans ønsker å dele mesteparten av verden mellom seg, og prøve å nøytralisere USA og Sovjetunionen.

Nei, sa far, et skip under norsk flagg burde faen ikke anløpe Shanghai under japansk styre. Dit kan Wilhelmsen sende de skipene rederiet driver under Panama-flagg.

Jeg sa at jeg trodde Wilhelmsen ikke har noen skip registrert i Panama lenger, og at hele ww-flåten nå fører norsk flagg igjen.

Jeg håper du har rett, sa far. Det skulle bare mangle at Norges største rederi ikke fører det norske flagget på alle båter.

Så begynte han på en lang harang om de kinesiske kommunistenes geriljakrig mot japanerne.

Søndag 17. desember. Det tyske panserskipet <u>Admiral Graf Spee</u> senket på grunna i La Plata-floden i Sør-Amerika av britiske kryssere. Hitler ga ordre om at skipet skulle sprenges, og den ordren ble utført av kaptein Hans Langdorff.

Jeg skal pakke sakene mine. Så veldig mye å pakke har jeg jo ikke, så jeg rekker fint toget som går midt på dagen i dag.

Hallo, havet, her kommer jeg!»

Halvor kikker på det han har skrevet om kinobesøk sammen med Lisa Graaberget, som av onde tunger på Rena blir kalt Lisa Graberget. Da var de i følge med Magnus Midtli.

«Lørdag 2. desember. Var på komedien 'Hu Dagmar', som var ganske morsom. Det var bare Lisa og meg, uten Magnus. Vi satt på bakerste benk, og det ble litt småklining og puppeklemming. Jeg passet på å gjøre Lisa oppmerksom på at det ikke er alvorlig ment fra min side, at jeg antakelig snart drar til sjøs, og at vi derfor ikke kan bli kjærester.

Lisa er jo en fristerinne. Det sies at hun går med kardonger i veska og er klar for det meste. Hadde jeg ikke lyst til å komme i buksa på Lisa? Jeg vet sannelig ikke. Av en eller annen grunn har jeg ikke så voldsomt stor seksualtrang. Det kan skyldes alle de fæle havneludderne jeg møtte i Nordsjøens havner. De skremte meg mer enn de lokket meg.»

Halvor tenner en røyk, lukker øynene og tenker på Lisa. Pene, gærne og ville Lisa. Hun lot ham få smyge fingrene under brystholderen sin. Klart han kommer til å savne henne. Men slik er jo sjømannens lodd, han vil alltid savne sitt hjemlige landskap og de hjemlige jentene. Sine kjære. Bikkja.

Om et halvt år er han hjemme igjen fra Østen-turen og kan klappe Brakar. Lisa kan han nok ikke klappe. Hun har sikkert funnet seg en fyr. Det vil være bra for henne å få fast følge og bli kvitt stempelet hun har som flyfille.

Burde han ha droppa sjømannsdrømmen og heller satset på å bli racerbilkjører? Han har fått kjøre Kadetten på lite trafikkerte veier innover mot Lindberget og Julussmoen. Faren hans mener at han har et brukbart talent for bilkjøring, og har latt ham få fleske til så grus og snø skvatt.

Han blar opp i dagboka: «23. august. Engelskmannen John Cobb har satt en fantastisk ny fartsrekord for biler. Han kom opp i 595 kilometer i timen da han kjørte på saltsjøen ved Bonneville i Utah i USA. Det skulle vært noe å bli den første til å kjøre en bil i over 600 kilometer i timen. Ja, kanskje bli den første til å bryte lydmuren med bil! Men hvordan skal en gutt fra enkle kår i et avsides fillehøl som Rena i lille Norge greie å finansiere en karriere som superbilfører? Å spørre skogeier Didrichsen om pengestøtte vil være å tale for døve ører. Didrichsen er en pengepuger og gjerrigknark.»

Nei, noen ting blir bare dagdrømmer.

Halvor har hørt at det har vært holdt forsvarsøvelser i Oslo der hele byen er blitt mørklagt. Og luftvernøvelser. Midt i Studenterlunden er det blitt stilt opp en luftvernkanon.

Nå som toget nærmer seg hovedstaden, kan Halvor se at byens lys er tent.

Kapittel 3

Toget ruller inn på Østbanestasjonen i Oslo under en skydekt, mørk desemberhimmel. Halvor blir stående en stund på Jernbanetorget og trekke inn storbylufta. Her lukter liflig av eksos. Karl Johans gate er pent pynta med girlandere og store klokker av pappmasjé med glitter på, og festlig opplyst i anledning den kommende jula. Ja, Oslo glitrer som et smykke!

Halvor beundrer julepynten og utstillingene i butikkvinduene. Det oser velstand og framgang i Oslo. De harde trettiåra er i ferd med å ebbe ut.

Han går til hotell Bondeheimen, der han har bestilt rom. Det er kanskje ikke så sjømannsmessig å bo på Bondeheimen, men det var der han fikk et rimelig hotellværelse for natta.

På Kaffistova spiser han flesk og duppe.

Etter den tunge maten trenger han en øl. Hvorfor ikke prøve Grand Café? Der koster nok et glass pils skjorta, eller kanskje både skjorta og mansjettknappene. Men han har aldri vært på berømte Grand, og han har brukbart med tømmerpenger i lommeboka.

Halvor sitter blant fiffen på Grand, nyter sin svindyre øl og studerer søndagskveldens folkeliv. Det er en del damer her med utringninger som han ellers bare har sett maken til i rød-lykt-områdene i havnebyene ved Nordsjøen. Andre damer bærer reveskinn rundt halsen.

Noen av disse revene er det kanskje han som har skutt.

Da han kom inn i kafeen, følte han straks det historiske suset på Grand. Han ble stående som en kop fra bøgda og glane på alle de pene menneskene. Han hadde skrubbet neglene og tatt på seg hvitskjorta, det røde slipset og penjakka. Likevel følte han seg nærmest som en uflidd lassis.

Han lytter til stemmesurret i kafeen. Han tenker at utlendinger som tror det norske folket er et fåmælt folk, burde ta seg en tur på Grand og høre hvordan nordmenn snakker i strie strømmer. Hadde man funnet en metode for å utvikle elektrisitet av preik, hadde ikke Norge behøvd å bygge ut flere fossefall.

To eldre damer slår seg ned ved bordet hans. Det har han ingenting imot, men han synes de dufter veldig sterkt. Er det noe Halvor ikke kan utstå, så er det all slags parfyme og eau de cologne. Han kommer fra det man kaller et møblert hjem. Men det er et *uparfymert* hjem. Det andre kaller godlukt, kaller mora hans for vondlukt. Hvis faren hans trenger å desinfisere et barberingssår, bruker han ikke etterbarberingsvann, men det som kalles «denna», denaturert sprit.

Halvor bestiller et glass pils til.

Kelneren kommer som et olja lyn med ølet.

En herre som røyker sigar, sitter ved nabobordet sammen med to yngre menn. Sigarrøykeren har Nansen-bart, og den er røykgul på undersida. Den ene av de to unge har håret gredd med midtskill, den andre med sideskill. Alle tre bærer mørkeblå blazere med store, broderte emblemer på brystlommene. Disse emblemene skal vel signalisere at de er med i en eller annen eksklusiv klubb. Eller kanskje det er firmamerker?

Trekløveret er godt fyrt med ei blanding av portvin og bayer, det som kalles «grønn genser».

Nansenbarten sier et ord som får Halvor til å spisse ørene. Var det «rondo», som i musikken? Nei, det var *Ronda*, skipsnavnet.

«Vi må nøkternt regne med at mange flere skip blir minesprengt, slik som *Ronda*,» sier Nansenbarten. «Vi som er i meglerbransjen, må være ytterst parate. Det vil bli vår jobb – på kort varsel – å skaffe ny, passende tonnasje til erstatning for sprengte skip. Det må dere ha klart for dere, gutter.»

Midtskillen og Sideskillen nikker.

«Hva sier Silberstein i Bremen om *Ronda* og *Arne Kjøde*?» spør Midtskillen.

«Herr Silberstein kan jo ikke være så åpenhjertig nå som han var før,» svarer Nansenbarten. «Han er pålagt sensur og driver nok også selvsensur. Men ryktet som verserer i meglerhusene i Bremen og Hamburg, går ut på at *Ronda* traff på en mine av en ny og meget farlig type. Det er antakelig slutt på de gammeldagse hornminene som drev for vær og vind. Det ville være ulikt tyskerne om de ikke eksperimenterer energisk med nye minevåpen. Det viser seg at de har bygd opp en ubåtflåte som er mye mer slagkraftig enn vi kunne ane, jevnfør den vanvittige aksjonen mot *Royal Oak*. Men skal de greie å blokkere havnene i Storbritannia, trenger de miner, masse miner, effektive miner. Det snakkes om miner som kan slippes fra fly i små fallskjermer. Disse minene vil kunne lande presist der hvor britisk skipsfart er mest sårbar. Jeg tenker da på munningene av Thames og Tyne, på Liverpool Bay og Bristol Channel.»

«Fy fanden, for et scenario,» sier Sideskillen.

«Hva med bergenstankeren?» spør Midtskillen.

«Silberstein sa at han og alle de andre på kontoret fant senkningen av *Arne Kjøde* ytterst beklagelig. Ja, han gjentok det flere ganger, 'sehr bedauernswert'. Men tysk presse insisterer på at ubåtkapteinen, som naturligvis ikke er navngitt i avisene, var hundre prosent sikker på at det var et britisk tankskip han fyrte torpedoen mot. I det dårlige lyset så han ingen nøytralitetskjennetegn på skipet.»

«Dårlig lys?» sier Sideskillen. «Klokken var da for pokker ti på morgenkvisten da det smalt!»

«Husk at det var voldsomt ruskevær i farvannet nord for Butt of Lewis, og at det kan være morgenmørkt i november,» sier Nansenbarten. «Jeg synes det hører med til historien at den britiske marinens oppførsel også var kritikkverdig. Både forskipet og akterskipet på *Arne Kjøde* fløt som korker etter at skipet var blitt kløvd i to. De to vrakdelene kunne vært brakt til havn i Skottland og klinket sammen igjen, eller kanskje sveiset sammen med nymotens teknikk. Men hva gjorde Royal Navy? Noen halvhjertede forsøk på å ta forskip og akterskip på slep. Og så, boom, boom!»

«De plaffet i filler restene av *Arne Kjøde* med kanonild og senket hele stasen,» sier Sideskillen.

«Ja, ja,» sukker Midtskillen. «Det er i alle fall ikke synd på Johan Ludwig Mowinckel og Jacob Kjøde. Bergensrederne vet å forsikre seg mot krigsforlis. På det feltet har de alltid vært fremsynte.»

«De er forsikret i huet og ræva,» sier Sideskillen. «Eller rævholet, som de sier i Bergen. Det snakkes forresten om at en oppkomling der borte, en som heter Reksten, opererer skipene sine uten forsikring.»

«Det kan jeg dementere,» sier Nansenbarten. «Hilmar Rekstens skip er like godt assurert som andres skip. Minst like godt. Jeg har hatt gleden av å møte ham i Bergen. En type som Reksten bør være en våt drøm for oss skipsmeglere. Han er djerv og ikke redd for å ta risiko. Nei, skål, da gutter!»

Det skåles.

Sideskillen sier: «Det er merkelig at jeg aldri har hørt Silberstein snakke om at han har problemer i dagens Tyskland fordi han er jøde.»

«Hitler er utvilsomt en råtamp,» sier Nansenbarten. «Men nazistenes ledere er ikke så dumme at de lager trøbbel for Bremens mest betydelige skipsmegler. I en krigssituasjon der sjøtransporten er viktig, trenger Hitler å stå på god fot med tyske meglere og redere.»

«Kan hende Silberstein likevel har trøbbel,» sier Midtskillen. «Men at han holder det for seg selv, og ikke meddeler det til oss på telefon eller per telegram. Han har for eksempel aldri nevnt at han ble utsatt for overgrep under Krystallnatten.»

«Det kan være av den enkle grunn at han ikke ble utsatt for terror eller fortrydeligheter,» sier Nansenbarten.

De tre skåler for at ikke et hår vil bli krummet på Silbersteins hode.

Nansenbarten sier: «Vi får glede oss over at hele den norske handelsflåten i dag er ute av opplagsbøyene. Husk, gutter, at for bare syv år siden lå skipene tett i tett i bøyene i Bjørvika her i Oslo. Intet syn er mindre vakkert for meg enn synet av et skip i opplagsbøye.»

«Ti av skipene som lå i opplag i Bjørvika, var Wilhelmsen-båter,» sier Sideskillen. «Det er rart å tenke på at vårt største rederi kunne fått seg en knekk under krisen, ja kanskje gått dukken. Men nå stiger ratene for hver dag. Det er virkelig gylne tider.»

«Gloria tider!» roper Midtskillen.

«Vi kan være på vei inn i en ny gullalder for norsk skipsfart,» sier Nansenbarten. «Onde tunger kommer til å beskylde oss i norsk shipping for å håve inn krigsprofitt. Vær forberedt på å bli kalt krigsprofittører, gutter. Og ha svaret på rede hånd: Det er havet vi nordmenn lever av, og det må gjelde enten det er fred eller krig i verden. Da må vi si som den romerske feltherren Pompeius sa da flåten hans, lastet med dyrebart korn, kom ut for en storm på vei fra Afrika hjem til Roma. Det var i år 56 før Kristi fødsel, men ordene gjelder den dag i dag: 'Navigare necesse est, vivere non est necesse.'»

Halvor vet hva de romerske ordene betyr. Han så dem på en veggdekorasjon i en bar i Zeebrugge. Eller kanskje det var i Oostende? I Belgia var det i alle fall. Bardama kunne litt norsk og oversatte for ham: «Seile nødvendig er, leve ikke er nødvendig.»

Jævla tullprat, tenkte han den gangen, og jævla tullprat tenker han nå.

«Romerne var høye på pæra,» sier Sideskillen. «De kalte Middel-havet for Mare Nostrum, Vårt Hav. Det samme prøver Mussolini å blære seg med nå.»

«Mussolini er en storsnutet drittstøvel,» sier Midtskillen.

«Akkurat som det passer seg for en diktator som kommer fra et land som i kartet ser ut som en drittstøvel,» sier Sideskillen. «Før eller siden vil Mussolini få ballerusken i hjulaksel'n.»

De to unge karene ler høyt og lenge og tømmer bayerglassene sine.

Nansenbarten kverker sigaren i askebegeret og sier: «Så så, gut-ter. Ikke glem at vi i Scanfruit Brokers tjener en del av våre surt ervervede skillinger på å befrakte skip i fruktfarten mellom Sicilia og Fastlands-Italia og Skandinavia.»

«Jeg kunne heller tenke meg å *befrukte et skip i fraktfarten*,» sier Sideskillen.

«Du begynner å bli dritings,» sier Midtskillen. «Men det kunne faktisk ligne deg å ville knulle en bananbåt.»

Latteren ved nabobordet vil visst ingen ende ta, og nå ler også Nansenbarten.

«Vel,» sier han når latteren endelig har stilnet. «Norge må som sjøfartsnasjon belage seg på å tåle en del maritime tap i denne nye krigen. Er vi beredt til det?»

«Alltid beredt!» roper Midtskillen.

«Det er sånt de sier i guttespeider'n,» sier Sideskillen. «Vet du hva de sier i pikespeider'n?»

«Ingen anelse,» svarer Midtskillen.

«De sier 'alltid bedekket!'»

Halvor tenker at hvis det går an å dø av latter, kommer de to unge skipsmeklerne til å stryke med på momangen. De bæljer og slår seg på lårene.

«Ja, ja,» sier Midtskillen da latterkula har gitt seg. «Det gikk skeis for *Ronda* og *Arne Kjøde*, og vesle *Jern* sank som det jern-støkket hun var. Vi må regne med et visst svinn der ute på havet.»

«Der sa du det forløsende ord!» roper Sideskillen. «*Et visst svinn!* I enhver forretning er det jo et visst svinn. Grønnsakhandle-ren mister tomater og agurker. Den som driver isenkramsjappe, mister skruer og muttere. Vi mister båter, store båter og små båter.»

Halvor gripes av trang til å reise seg og spy utover skipsmekler-bordet. Å rive skalpen av både Midtskillen og Sideskillen. For noen bajaser! Men så er det vel akkurat det de to driver med, bajaseri. Innerst inne kan de umulig mene det de slenger om seg med. Hvis de hadde mistet noen – en far, en bror – på *Ronda* eller *Arne Kjøde*, ville de ikke sittet her på Grand og vært så kjepphøye.

Han har aldri før møtt noen fra shippingmiljøet i Oslo. Disse tre meklerne oppfører seg i fylla som karikaturer. De minner ham om de kyniske skipsrederne fra Bergen i Nordahl Griegs skuespill «Vår ære og vår makt», rederne som spekulerte i norske sjøfolks liv under Den store krigen, og som slo seg opp i jobbetida etter krigen. Ja, de tre meklerne har likhetstrekk med Griegs rederfigurer Mathisen, Freddy og Konraden. Grieg tok hardt i da han skildra hvor ekkelt dette trekløveret var. Han skulle jo skrive et drama med fyrbøter Vingrisen som helt og rederne som skurker.

Det slår Halvor at Nansenbarten, Midtskillen og Sideskillen oppfører seg som om Grand Café skulle være en teaterscene. At de tre spiller roller, og at fylla får dem til å finne fram til all dritten i seg. På havnekneipene har han sett sjøfolk oppføre seg som apekatter når de har fått for mange drammer under vesten. På en pub i Leith i Skottland opplevde han at en gjeng trauste havnearbeidere ble til brautende bøller da pubinnehaveren ropte «time please» og det var slutt på serveringa.

Atmosfæren på Grand, som for Halvor har fortont seg kontinental og jovial, virker nå lummer. Midtskillen og Sideskillen begynner å krangle om hvilken side av Oslofjorden som er den beste. Halvor forstår det slik at Midtskillen kommer fra Gressvik ved Fredrikstad, og at Sideskillen kommer fra Vallø utenfor Tønsberg.

«Vestfold er kapteinssiden, mens Østfold er og blir matrossiden,» sier Sideskillen.

«Vi har kveldsolen,» sier Midtskillen. «Og vi har tungindustrien. Hva har dere av industri i Vestfold, om jeg tør spørre?»

«Vi har noen av verdens mektigste rederier, vi har Anders Jahre og Wilhelmsen. Ikke minst har vi verdens største hvalfangstflåte. Vi er hvalfangærær i blodet, mens dere på matrossiden må læres opp i det vide og det brede for å forstå hva som er bak-fram på en harpun.»

Halvor sitter og tenker på at han skal ut med en båt fra Vestfold. Der om bord vil det sikkert være mange vestfoldinger. Han er glad for at *Tomar* ikke er fra Østfold. Han foretrekker kvikke vestfoldinger framfor treige østfoldinger. Nå vet han for så vidt ikke mye om Østfold, der han bare har vært på en skoletur for å se på de store papirfabrikkene. Men han syntes det virket som om østfoldinger og østerdøler er av samme trauste ulla.

Han misunner Midstkillen og Sideskillen. Ikke fordi de skal tjene krigsprofitt, men fordi de kommer fra virkelige sjømannsfylker der svabergene vaskes av saltvann, og ikke fra innlandet sånn som ham.

Nansenbarten sier: «Kjære kolleger, husk at i prinsippet er ikke krigsprofitt vesensforskjellig fra annen profitt. Kapital som ikke gir profitt, er død og meningsløs kapital. Vil vi at vårt firma skal være profitabelt? Naturligvis! Tanken på profitt er det som får blodet vårt til å bruse. Nå bruser blodet litt ekstra på grunn av krigsprofitten.»

Krigsprofitten! Ved tanken på den blir Halvor heit om ørene.

De to eldre damene betaler for rødvinen sin og går. En høyvokst og bredskuldret, pen og meget velkledd mann med mørkt hår som er gredd med en flusk i panna, stiller seg ved Halvors bord.

«Du ser ut som du trenger selskap,» sier mannen. «I orden at jeg slår meg ned en liten stund?»

Halvor tenker at en sånn smukkas og laps ikke kan være en boms, så han nikker og sier «vær så god».

Etter en halvtime bryter Halvor opp fra bordet han har delt med skuespilleren Henning Vendelbu. Det er første gang han er blitt utsatt for åpenlys flørt fra en mann.

Ute på Karl Johans gate danser snøfnugg over fortauet. Halvor strekker ut tunga og smaker på snøkrystallene.

En jævla heimføding er han ikke. Han har vært utaskjærs og skal utaskjærs igjen. Han er ikke ukjent med storbyenes hemmelige lidenskaper og laster. Han synes han parerte Vendelbus flørting ganske bra.

Han slår et slag bortom Studenterlunden. Der står luftvernkanonen dekket av et lag nysnø. Den nedsnødde kanonen ser ikke veldig krigersk ut der den står i ensom majestet. Oslo måtte vel hatt *flere hundre* slike kanoner for å kunne forsvare seg mot et større flyangrep.

Noen har stukket ei flaske ned i kanonløpet. Halvor trekker ut flaska. Det er ei tomflaske med etikett fra Frydenlunds bryggeri. Han slenger den tomme ølflaska i en søppelkurv.

Tilbake på Bondeheimen finner Halvor fram Mora-kniven fra ryggsekken. Med kniven skjærer han skyggen av østerdalslua si. Dermed har han laget seg ei bra vinterlue som ikke ser ut som den kommer fra bondeknølenes rike.

Kapittel 4

Tidlig om morgenen mandag den 18. desember 1939 begir Halvor seg med ryggsekken på ryggen fra Bondeheimen gjennom sentrumsgatene i retning Sjømennenes Hus ved Grev Wedels plass i nærheten av Akershus festning. Det er et par minusgrader, sur vind og snødrev i lufta. Kulda merkes sterkere i den fuktige sjølufta i Oslo enn den gjør i tørrlufta hjemme på Rena.

Sjømennenes Hus er lett å finne, for et skilt med Norsk Sjømannsforbunds merke, et anker og bokstavene NSF, stikker ut fra husveggen. Det er et flott nybygg Sjømannsforbundet har fått reist. Bygninga huser ikke bare forbundets kontorer. Her finnes også hovedstadens hyrekontor og sjømannslegekontor, så her har en sjømann alt på ett sted.

Halvor går opp tre trapper og setter seg på venteværelset til legekontoret. Han vil gjerne tenne seg en røyk, men det er hengt opp strenge skilt som forteller at det er røykeforbud i værelset.

Han blar i en brosjyre fra Sjømannsforbundet. Der står det at Norges handelsflåte er den fjerde største i verden, etter Storbritannias, USAS og Japans. Flåten er nå på 4,8 millioner bruttotonn. Det er ingen andre nasjoner som har en mer moderne flåte enn Norges, der dampskip de siste årene er blitt erstattet av teknisk overlegne motorskip, som nå utgjør 60 prosent av flåten. I forhold til folketallet har ingen andre nasjoner tilnærmet så mye tonnasje som Norge. I denne mektige flåten har forbundet drevet arbeidet sitt fra 1910. Det har vært et vellykket arbeid. Fra å ha levd under trellekår i seilskutetida og i den tidlige dampskipsepoken er norske sjøfolk nå blitt frie menn med akseptable hyrer og sosiale forhold som er blant de beste i noen sjøfartsnasjon.

Forbundets medlemstall har økt sterkt mot slutten av 1930-tallet, og er nå oppe i 37 000. Tilveksten i den seineste tid skyldes at forbundet har greid å rekruttere fire tusen sjøfolk fra hvalfangstflåten og en god del av mannskapene i havfiskeflåten. Ti tusen av forbundets medlemmer seiler i innenriksfart. Den største andelen av medlemmene seiler i utenriksfart. I dette fartsområdet søker forbundet å bedre organisasjonsprosenten radikalt, særlig ved å opprette avdelingskontorer i større havner i utlandet.

«Norsk Sjømannsforbund,» står det, «er en av verdens sterkeste sjømannsorganisasjoner. Forbundet kan i slagkraft måle seg med både britiske og amerikanske forbund, og henter sin styrke gjennom samholdet blant medlemmene.»

Halvor ropes inn til sjømannslegen, doktor Arvid Dahlgren, som er kjent for å være med i den ytterst radikale sosialistgruppa Mot Dag.

«Slapp helt av, Skramstad,» sier doktoren og myser på ham gjennom tjukke brilleglass.

Halvor består synstesten greit. Så kommer den spennende prøven på fargeblindhet. Han tok ikke den prøven da han skulle ut med *Flink*. Hvis han ikke kan se forskjell på rødt og grønt, kan han vinke farvel til lettmatroshyra. For ingen får seile dekksmann som ikke kan se forskjell på ei rød babords lanterne og ei grønn styrbords.

Uten plunder ser han rødt der det skal være rødt og grønt der det skal være grønt.

Tuberkulinprøven viser at han ikke har tub.

Han blir slått på begge knærne med en liten hammer. Refleksene hans er i orden.

«Jeg smæsja noen ribbein i tømmerskauen,» sier Halvor.

Doktor Dahlgren trykker på ribbeina hans, så hardt at Halvor holder på å miste pusten.

«Brist, men ikke brudd,» sier doktoren. «Du får passe deg litt med å ta for harde tak i et par uker. Hvor går turen hen?»

«Til Det fjerne østen,» svarer Halvor. «Med m/s *Tomar* til Wilhelmsen.»

Dahlgren sier at han blir litt misunnelig ved tanken på tropesol og palmesus. Han spør: «Er du sønn av lokomotivfører Skramstad, som sitter for NKP i herredsstyret i Åmot?»

«Ja,» svarer Halvor. «Kjenner du ham?»

«Nei, men Norge er et lite land, og vi motdagister følger nøye med på det som foregår i lokalpolitikken, ikke minst i de radikale bastionene. Min kollega doktor Kristian Marstrander, som også er med i Mot Dag, var nylig på Rena og holdt sitt kjente foredrag

'Modernitet og seksualitet'. Da han kom tilbake til Oslo, orienterte han meg om den politiske stoda i Åmot.»

«Jeg var på Folkets Hus og hørte på doktor Marstrander,» sier Halvor.

«Gjorde foredraget inntrykk på en ung mann som deg?»

«Ja, absolutt. Marstrander er veldig frilynt og snakker virkelig rett fra levra. Jeg var der sammen med ei venninne. Hun sa at Marstranders ord om den frie seksualiteten var som manna fra himmelen for henne.»

«Hun er ikke den eneste kvinnen som synes Marstranders ord er gefundenes fressen,» sier Dahlgren.

Halvor må tenke på Lisa Graaberget som satt med åpen munn – med kraftig rødmalte lepper – og slukte Marstranders ord.

«Kommer *Tomar* til å anløpe spansk havn underveis til Østen?» spør doktor Dahlgren.

«Vi skal ifølge seilingsruta til Malaga.»

«Det er kommet meldinger om at Francos seirende falangister – måtte faen ta dem – trakasserer røde norske sjøfolk i spanske havner. Særlig i Barcelona og Valencia. Så vær forsiktig med hva du sier, og svar benektende hvis myndighetspersoner – tollere, politifolk fra Guardia Civil – spør deg om du eller noen i familien din har tilknytning til sosialistiske eller kommunistiske partier. Har du slektninger som deltok på republikkens side i borgerkrigen?»

«Ja,» svarer Halvor. «Fars fetter Oscar Hedemann var i Bataljon Thälmann og stupte ved fronten foran Madrid.»

«De nidkjære Franco-folkene skal ha lister over norske frivillige som kjempet i den internasjonale bataljonen. De sjekker sjøfolk opp mot disse listene. Siden du ikke heter Hedemann, er det vel neppe noen fare. En siste advarsel, om noe ganske annet. Bruk kondom!»

«Skal bli, doktor.»

Dahlgren gir Halvor fire små pakker som han kaller «profylaktiske pakninger».

Halvor går ned trappa til hyrekontoret i første etasje og foretar der den formelle påmønstringa på *Tomar*. Skipets navn, stillinga hans – lettmatros – og påmønstringsdatoen blir skrevet inn i den blå sjøfartsboka hans.

Fra hyrekontoret går han opp til Sjømannsforbundet, NSF. Om bord i *Amalie*, *Feda* og *Flink* var det ingen fagorganiserte. Da han seilte med *Steilene* på Indre Oslofjord, ble han av en av matrosene spurt om å melde seg inn i sjøfolkenes forbund. Det gikk ikke, ettersom han var medlem av Skog- og landarbeiderforbundet, og ingen kan være medlem samtidig i to forskjellige forbund i Arbeidernes faglige landsorganisasjon. Siden han bare var sommervikar på Nesoddbåten, ville han ikke si fra seg medlemskapet sitt i skogsarbeidernes forbund.

Nå er tida kommet for å skifte forbund.

Halvor treffer på ei hyggelig kontordame, Hilda Lorentzen. Hun gir ham ei lita rød bok, som er medlemsboka i NSF, og klistrer inn kontingentmerke for desember. Månedskontingenten koster ikke mer enn han betalte for ølene på Grand.

«Velkommen om bord til oss,» sier Hilda Lorentzen.

Halvor ber henne ta kontakt med Skog- og landarbeiderforbundet og slette medlemskapet hans der.

Det lover hun å gjøre.

Han vandrer videre til sjømannsbutikken Corner i Prinsens gate. Der kjøper han en romslig suitcase, oljehyre og sjøstøvler, en overall av blåtøysstoff, et par fôrede arbeidshansker til vern mot flisete wire, litt undertøy og sokker. To arbeidsskjorter av rød- og svartrutet flanell. En rød islender med hvite prikker.

I siste lita kommer han på at han også trenger køyklær. Selv om noen rederier har begynt med det, holder ikke søkkrike Wilhelmsen køyklær til mannskapet. Han kjøper to gode og tjukke tepper av grå ull – blankiser – et blankistrekk, putevar og laken.

Ekspeditøren på Corner spør om han også vil ha pute.

Det takker Halvor nei til. Han synes ikke han kan komme trekkende om bord med ei pute. Til pute kan han bruke undertøy og skjorter.

Mens ekspeditøren flirer, prøver Halvor å stappe køyklærne ned i den allerede fulle suitcasen. Det nytter ikke.

«Vi har tilbud på sjømannssekker,» sier ekspeditøren. «Vi har fått inn et parti sekker fra Marinens overskuddslager.»

Halvor kjøper en rimelig sjøsekk av lyseblå seilduk. Det ser litt rart ut at det står stempla Kongelige Norske Marine på sekken, siden han ikke har vært i Marinen. Men det får gå.

På *Flink* hadde han med seg sin egen plett, en bulkete blikktallerken kjøpt i en brukthandel i Kristiansand. Og sitt eget blikkrus, kniv, skje og gaffel.

Han spør om ekspeditøren vet om Wilhelmsen holder skaffetøy.
«De er notorisk kjipe i Wilhelmsen,» svarer ekspeditøren. «Men det er ikke et uhygienisk rederi, så du vil få kurant og lettstelt skaffetøy om bord. Så vidt jeg vet, får også mannskapene i Wilhelmsen ekte porselenskrus. Du slipper til og med å vaske opp skaffetøyet. Det gjør messegutten.»

Halvor har nå fått så mye pargas å drasse på at han unner seg å ta en drosje ut til Filipstadkaia, som ligger lengst vest i Oslos havneområde.

Drosjebilen, en Buick med en eldre kar iført skyggelue og lærjakke bak rattet, kjører over det som nå er blitt den store Rådhusplassen ved Pipervika. Halvor har et barndomsminne om at han gikk her sammen med mor og far den gangen det lå fullt av små, falleferdige hus i Pipervika. Det var på den første byturen hans da han var seks år gammel. Nå er hele rasket revet. Oslos nye, majestetiske rådhus står reist ved plassens nordside, bygget av rød murstein og med to karakteristiske, firkantede, ruvende tårn, «Geitostene».

Halvor ser at det er lys i flere vinduer, og spør drosjesjåføren om Rådhuset nå er blitt ferdig.

«Ferdig blir det visst *aldri*,» svarer sjåføren. «Det drøyer og drøyer. Grunnsteinen la dem ned i enogtredve, og nå skriver vi niogtredve. Og ingen jævla politiker kan si når byens storstue skal bli innvia. Skulle jeg ha jobba like seint som rådhusbyggera, kunne jeg ha trukket bilen for hånd som om den skulle ha vært ei kjerre. Men det har da fløtta inn en del kontorister i Rådhuset. De fleste er vel stempelsvingere for den helvetes forbannede skattefuten.»

I vestre ende av Rådhusplassen står en mann og veiver med ei rød lykt foran en gravemaskin. Han stenger gata mellom Vestbanestasjonen og Akers Mekaniske Verksted.

Drosjesjåføren bråbremser.

«Nå graver'em grøfter igjen,» sier han. «Det er alt Oslo kommune bryr seg om. Spa opp alle gatene annethvert år, og kreve inn ublu skatter. Etter pikkpakket ditt å dømme ser det ut som du skal mønstre ut?»

«Ja, det skal jeg.»

«Jeg misunner deg ikke stormene og sjøsjuken. Men to ting misunner jeg deg, og det er sjømannsskatten, og at du kan legge tusen sjømil mellom deg sjøl og skattefuten. Jeg skulle gjerne hatt hele

Atlanteren mellom meg sjøl og Oslo kemnerkontor. Futen ser det som sin fremste oppgave å flå oss hederlige drosjesjåfører som om vi skulle være kaniner. Og når futefaen har flådd skinnet av meg, peprer han en stakkars, naken skrott med beskyldninger om fusk og fanteri. At jeg kjører svart som kølet i ei kølabinge? Forbanna humbug. Jeg kjører hvitt som snøen i Holmenkollen. At jeg blir millionær av tipset jeg får? Tipset holder til salt i grauten, det er sannheten. At jeg er en ærlig mann? Legg merke til at jeg slår av taksameteret nå som vi har fått en stopp her.»

Drosjesjåføren finner fram ei sigarettpakke, blå, med et heste-hode som motiv. Han tenner en sigarett.

«Blue Master,» sier han. «Den nye toasted-sigaretten til Tiede-mann som kom i forfjor. Den er'kke så verst. Du får unnskylde at jeg ikke byr deg en sigg. Men den norske røyken er faenmeg blitt så steindyr at det er rein luksus å ta seg en blås. Det er like før en stakkars taxidriver må begynne å pelle sneiper på Jernbanetorget!»

«Så ille er det vel ikke?» sier Halvor.

«Nei, men det er gæli nok. Det er jo en enorm fordel dere sjø-gutta har. Billig røyk, ekte amerikansk. Så fort skuta er kommet utafor den norske tollgrensa, får dere vel nærmest kasta sigarett-kartongene etter dere. Jeg har hørt at dere ikke betaler mer for en kartong Chesterfield enn jeg betaler for ei pakke av den blå mærra.»

«Vi får rimelig røyk, men ikke *så* billig,» sier Halvor.

«På toppen av det hele har dere gratis kost og losji. Vet du hvor mye jeg måtte betale for en skarve leilighet på Bjølsen? Det er rik-tignok en moderne kåk med badekar og klosett. Men den kosta mer enn Buick'en jeg kjører. Boligprisene her i by'n stiger til værs like bratt som et fly fra sjøflyhavna på Gressholmen.»

«Jeg trodde at flyene nå bruker landbanen på Fornebu?»

«Ja, det har du fordømre meg rett i. Vi fikk omsider åpna lan-dingsstripa på Fornebu den første juni. Det tar bare litt tid å venne seg til at hovedflystasjonen vår ikke er ute ved Gressholmen, men på det som var et bondejorde i Bærum. Fornebu er det eneste som gir meg litt håp om å overleve som drosjekusk. Det er heldigvis en bra bit å kjøre dit. Kakser som har råd til å fly, har også råd til å betale drosje. Og råd til å ete i kafeen på Fornebu. Vi har en del venting der ute når flyene er forsinka, og mat må en jo ha. Men på Fornebu koster en simpel kålrulade så mye at du skulle tro det var en chateaubriand du betalte for. I matveien er dere sjøfolka jaggu privilegerte. Dere blir servert tre–fire varme måltider om dagen uten å betale fem flate øre for det. Her hjemme har vi snart ikke råd til annet enn skaus og flatbrød.»

Mannen ved gravemaskinen veiver med ei grønn lykt, og Halvor trekker et lettelsens sukk. Hvis han hadde vært ved teateret sånn som skuespiller Henning Vendelbu, skulle han ha skrevet et revynummer om drosjesjåføren. Det nummeret skulle hete «Ved Klagemuren».

Drosjen nærmer seg Filipstadkaia og svinger inn mellom to gusjegule lagerskur. På det ene skuret står det skrevet «WILHELMSEN» med store, lyseblå bokstaver. Sjåføren sier at her ved skuret må han stoppe. Han har ikke lov til å kjøre helt ut på brygga.

Ved kaia ruver et enormt, svartmalt skrog som det går ei hvit stripe langs.

«Det blir vel en del sjalabais på deg nå framover,» sier sjåføren. «Dere sjøfolk er jo ikke kjent for å spøtte i glasset. Øl, whisky og genever får dere til gi-bort-priser i havnesjappene. Men damene på Reeperbahn i Hamburg og i Paradise Street i Liverpool, dem må dere saktens spandere rosa champagne på og betale i dyre dommer for? Fra kvinnfolka i den geskjeften får dere vel stadig ikke noe gratis?»

Halvor synes ikke dette er spørsmål som krever svar. Han betaler sjåføren og gir femti øre i tips.

«Skuta di ser bra ut,» sier sjåføren. «Du skal ikke om bord i en jævla plimsoller. Her om dagen måtte jeg kjøre en gresk matros fra Grønlikaia til Legevakta. Han hadde brukket armen. He speak a little English. Forsto jeg den degosen rett, var holken han sto om bord i, så rusten at han hadde tråkka tvers gjennom dekket. Sånn er det med greske skip. Rustlørjer og dødsfeller hele bunten. Hvor går reisa di?»

«Til Det fjerne østen,» svarer Halvor.

«Da vil du jo finne ut om det stemmer at japsejentene har musa på tvers.»

Halvor takker for turen.

Han plasserer bagasjen sin under takskjegget på Wilhelmsenbygget, i le for sønnavinden som blåser friskt inn fra fjorden, og i ly for snødrevet. Han er glad for at han har tatt på seg ullgenseren under tweedjakka, har et tjukt skjerf om halsen og den maltrakterte østerdalslua på huet.

Halvor tenner seg en Karva blad-rullings og blir stående og ta synet av titusentonneren *Tomar* innover seg, i all sin velde.

Hun er et m/s, et motorskip, og dermed typisk for den moderne norske handelsflåten. *Flink* var et d/s, et dampskip. ss er blitt navnet til Hitlers verste bøller og bødler, Schutzstaffel-folkene. Men siden dampskipene begynte å seile tidlig på 1800-tallet, har ss i hele det britiske imperiet og i USA vært den ærerike forkortelsen for steam ship.

Tomar er et linjeskip. Det betyr at hun seiler i faste ruter, ikke i trampfart som en tramp, en lasaron, mellom alle mulige havner.

Halvor studerer henne fra for til akter. Hun ligger med styrbord side til kai. Helt forut står ei lita, mannshøy mast. Det er gjøsstanga, der et flagg kalt gjøsen kan festes. Nå har *Tomar* heist rederiflagget, med en lyseblå w på hvit bunn, som gjøs.

Styrbords anker, svartmalt og svært, er halt opp til flensen i ankerklysset. Klysset er egentlig røret som ankerkjettingen går ned i, og som fører gjennom bakkdekket og ut til skutesida. Men Halvor har ofte hørt ordet ankerklyss bli brukt om den gropa i skutesida der ankeret hviler for å få dekning for vind og sjø, sånn at det ikke skal røskes laus.

Aktenfor ankeret er skipets navn malt, hvitt på svart.

Bakkdekket er det aller forreste dekket, framme i baugen. Dette dekket ligger litt høyere enn hoveddekket – eller værdekket – på skuta. Det går leidere på babord og styrbord side fra hoveddekket opp til bakkdekket, opp på bakken. Der på bakken vil han stå når han skal være utkikksmann. Da vil han stå ved rekka forut, som av en eller annen grunn blir kalt svineryggen. Halvor misliker det ordet, kanskje fordi han aldri har fått noen forklaring på *hvorfor* det heter svineryggen.

Han ser skipsklokka som er rigga til på ei lita mast der framme. På denne skal han, når han går utkikk, slå slag når de møter andre skip ute på havet. Klokka på *Tomar* gnistrer av blankpussa messing.

Bakom skipsklokka kan han tydelig se det gråmalte ankerspillet og skimte de gråmalte fortøyningsvinsjene som brukes når trossene skal hales teite. *Tomar* ligger fortøyd med to baugtrosser av solid manilatau. Nederst på hver av trossene, like over kaia, er det festet store blikkskjermer. Dette er rotteskjermer. De skal forhindre at rotter kravler om bord langs trossene. Nå er jo ikke Oslo kjent som et rottehøl, og Halvor har sjelden sett skip bruke rotteskjermer her. Men i Wilhelmsen tar man tydeligvis ingen sjanser.

På de usle tautampene de fortøyde *Flink* med, brukte de aldri rotteskjermer, selv ikke i rotteplasser som Hull og Esbjerg, der det koker langs kaiene av udyra som lever av avfallet fra fiskeindustrien. Og den rotta som våget seg om bord i *Flink*, ville nok bli et lett bytte for den alltid skrubbsultne skipshunden Halvliter'n, som hadde fått navnet sitt fordi de fikk den om bord i en havneby i Lettland med det velklingende navnet Ventspils.

Hvitmalte lufterør stikker opp på bakkdekket og ved lastelukene om bord i *Tomar*. Noen sjøfolk kaller disse store lufterørene for svanehalser, men svanehalser skal man egentlig bare kalle de mye mindre lufterørene som brukes til utlufting av tanker for olje og vann.

Formasta rager til værs, hvitmalt og rank. Moderne lasteskip har beholdt et par master, selv om de ikke fører seil. Dette er noe mer enn sentimental arv fra seilskutetida. Formasta har feste for blokkene som løfter lastebommene ved de to forreste lastelukene, ener'n og toer'n. Den har også feste for en stor bom som har toppen dekket av ei seildukshette. Det må være tungløftsbommen. Den skal kunne løfte kolli på hundre tonn. Det betyr at *Tomar* er i stand til å laste lokomotiver, tanks og store elektriske generatorer.

Den hvite linja som strekker seg i hele skrogets lengde, skal markere at *Tomar* er et linjeskip. Halvor vet at mange Wilhelmsenseilere kaller den hvite linja for sulteranda. Norges største rederi har ord på seg for å være det mest påholdne rederiet. De gjerrigste stuertene på verdenshavene skal finnes om bord i de femti skipene som seiler for Wilhelmsen.

Halvor har hørt ei historie om det, som fortelles i havnebyene og visstnok skal være sann. Et omreisende tivoli i Norge hadde en kjempesterk mann som en av attraksjonene sine. Kjempen kunne kryste en sitron med den ene hånda til det bare var skallet igjen av sitronen. Så ropte han: «Hvis noen i salen greier å få klemt en eneste dråpe til ut av denne sitronen, betaler jeg vedkommende tusen kroner!»

Helt bak i tivolisalen reiste det seg en gammal pusling som rusla opp på podiet, mens publikum peip. Puslingen greip den sønderknuste sydfrukten, og klemte uten dikkedarer fem–seks dråper saft ut av sitronen. Både kjempen og publikum måpte.

«Hvordan pokker greide en liten fysak som Dem å skvise ut de dråpene?» spurte kjempen.

«Ingen sak,» svarte puslingen. «Jeg har seilt stuert hos Wilhelmsen i tredve år.»

Stuertene blir ivrig oppmuntret til knipsk sparsommelighet av folkene på rederikontoret. Berømt blant sjøfolk er Wilhelmsens smørsirkulære som en gang midt på 1930-tallet ble sendt fra kontoret til stuertene på alle skip, og som ble avslørt av en troløs kokk som hadde fått nok av gjerrigheta om bord. I sirkulæret fra Wilhelmsen het det at før smøret ble satt på bordet i messene, måtte man passe på å varme det litt fordi det ble brukt mer smør når smøret var kaldt.

Ja vel, tenker Halvor. Det finnes verre ting enn å måtte ete oppvarmet smør. Om bord i *Flink* hendte det rett som det var at de slapp opp for smør midt i Nordsjøen.

Tomar er i alle fall et vakkert skip.

Den forreste, hvitmalte overbygninga midtskips topper seg i kommandobrua. Midt på brua ligger styrhuset, eller rorhuset, som har en front av blanklakkert teak. På hver side går bruvingene helt ut til de er i flukt med skutesida. Bruvingene er viktige utkikkspunkter, både til havs og ved havneanløp. Der oppe står styrmennene og bruker peileskivene til å peile fyr og landemerker. Der står losene og gir ordre når skipet skal klappe til kai.

Noen skip har dekk over bruvingene, men på *Tomar* er det åpne bruvinger. De er bare dekket av seilduk som er montert på en lett rigg av stålrør. På toppdekket over styrhuset er det montert ei lita signalmast. Der sitter ei lanterne som Halvor regner med at er den forreste topplanterna som skal lyse hvitt når skipet er i sjøen. Den grønne styrbords sidelanterna ser han i lanternekassa i forkant av bruvingen.

Ei rund, hvitmalt antenne med en diameter på en drøy meter er montert ved siden av signalmasta. Det er radiopeilingsantenna. Den er dreibar, med et dreieratt nede i bestikklugaren.

Første gang Halvor hørte ordet bestikklugar, var da han fikk bli med skipper Sommerfeldt på *Flink* på ei omvisning om bord i Fred. Olsens nye linjeskip *Bristol*, som lå ved kai i Sunderland. Han trodde at bestikklugaren var en lugar der man oppbevarte spisebestikket om bord på store skip, pletter, kniver og gafler, og da han sa det, holdt kaptein Gudmund Stavseth på *Bristol* på å le seg i hjel.

Halvor lærte der og da at bestikklugaren heter det den gjør fordi det er der navigatørene, ved kartbordet, foretar beregninger av posisjoner og kurser – gjør opp sitt bestikk. Lugaren er ikke noen hvileplass, men et arbeidsrom i akterkant av styrhuset der man kan ha lys på om natta, mens styrhuset skal ligge i mørke, slik at de som går på vakt der, kan se andre skips lanterner, fyrlys og blinkene fra lysbøyer.

På *Bristol* var det en brisk i bestikken. «Det er skipperbenken,» sa kaptein Stavseth. «Der kan jeg ta meg en strekk hvis jeg må være lenge på brua.»

Kaptein Stavseth demonstrerte radiopeileren. Han stilte inn peilerens mottaker på frekvensen til et radiofyr i nærheten. Så vidt Halvor forsto, var det en radiosender på fyret St. Mary's, det hvitmalte, 38 meter høye sjømerket i Whitley Bay ved den nordlige innseilinga til Newcastle og Sunderland.

«Prøv å peile, unge mann,» sa Stavseth til Halvor og ga ham et par øretelefoner. Halvor fikk beskjed om å dreie på rattet til han fikk inn det svakeste lydsignalet fra radiofyret.

Han tok på seg øretelefonene, hørte en veldig skarp lyd og dreide det vesle rattet som roterte antenna, til han fikk inn en ytterst svak pipetone. Han ga øretelefonene tilbake til *Bristol*s kaptein, som lytta til signalet og sa: «Her har vi nok funnet minimum, ja. Godt. Hvis vi nå peiler et annet radiofyr her på østkysten av England, vil krysspeilingen gi oss posisjonen vår. Men den trenger vi jo ikke å vite nå som vi ligger trygt ved kai.»

Om bord ei lita balje som *Flink* hadde de naturligvis ikke noe så gjevt som en radiopeiler. Men styrmann Kornelius Benum, som var et teknisk geni, lagde en primitiv peiler av et radioapparat med ei sirkelformet antenne viklet av koppertråd. Underveis mot Bergen i tett tåke greide Benum å få inn et fyr med kjenningssignalet MA, på frekvensen 321,6 kiloherz. Det var Marstein radiofyr, det første radiofyret i Norge, opprettet et par år etter at Halvor ble født, i 1923. De styrte gjennom tåka inn mot kysten etter radiosignalet, og det var bare så vidt at ikke *Flink* rente seg opp i fjæresteinene på Marsteinen.

Den forreste, hvitmalte overbygninga på *Tomar* har i forkant fire rader av det som på land ville bli kalt vinduer, men som på et skip kalles ventiler. I den øverste raden er det tolv firkantede ventiler. Bakom disse holder nok kapteinen og eventuelle passasjerer til, i lugarer og salonger. Under kommer en rad med åtte mindre og runde ventiler, slike som landkrabber kaller koøyer. Og under der igjen den laveste raden med enda mindre ventiler. De laveste og minste ventilene slipper antakelig inn lys til styrmennenes lugarer og offisersmessa.

«Et stort skips ventiler gjenspeiler skipets rangorden,» sa kaptein Sommerfeldt en gang.

På båtdekket på det forre midtskipet på *Tomar* henger en livbåt i livbåttaljene, som er festet til davitene. Når det er en livbåt på styrbord side, regner Halvor med at det også er en livbåt på babord side. I skrivet fra Wilhelmsen sto det at skipet er utstyrt med fire livbåter, hvorav én er en motorlivbåt. På den forreste livbåten han kan se fra kaia, er det ingen propell. Da er det nok babords livbåt som er motorlivbåten.

Mellom forre og aktre midtskip ligger ei lasteluke, treer'n. Det aktre midtskipet er mye lavere enn det forre. Det som dominerer dette midtskipet er skorsteinen. Den rager høyere enn kommandobrua, men er lavere og mer omfangsrik enn de høye, slanke skorsteinene på eldre dampskip. På den svartmalte skorsteinen er Wilhelmsens fremste kjennemerke malt. Det er to lyseblå ringer.

Fargene på skorsteinen er det som har gitt opphav til sjøfolks spottende omkved om Wilhelmsen: «Wilhelmsen Line, black and blue – nothing to eat and plenty to do.» De som vil si det riktig flott og få et enda bedre rim, bruker forkortelsen ww med engelsk uttale: «Dobbelju, dobbelju – black and blue – nothing to eat and plenty to do.»

Noe sant er det nok i dette. Men Halvor har aldri hørt om noen som har sulta i hjel om bord hos Wilhelmsen, og han har på havnekneipene og i sjømannskirkene møtt gamle rederiseilere som har stått om bord i Wilhelmsen-skip siden Ålesund brant, og som har hatt mer enn rikelig både av bukflesk og dobbelthaker.

Rederiets offisielle motto har ikke noe med «black and blue» å gjøre. Mottoet, som brukes i rederireklamen og skal være godt kjent verden over, er «For Speed and Service».

Opp av skorsteinen stiger ei lita strime gråhvit røyk. Det er nok røyken fra en hjelpemotor som kjøres for å gi strøm til lampene om bord og til skipets lastevinsjer. Hovedmotoren, en sekssylindret dieselgigant av Burmeister & Wains berømte fabrikat, kjøres ikke nå som skipet ligger ved kai. Beistet som driver propellen, skal kunne gi *Tomar* en fart på opptil femten–seksten knop. Reine racerbåten!

Det aktre midtskipet er også hvitmalt og har et par rader med ventiler i forkant. Dette er ganske sikkert ventilene til maskinistenes lugarer. Opp foran midtskipet rager to langstrakte lufterør som skal gi frisk luft til dem som strever og jobber i det heite maskinrommet.

På det aktre båtdekket henger en livbåt i de davitene som er synlige for Halvor. Da han kom hjem etter seilasen med *Flink* og skulle forklare lillebror Stein hva en davit er, sa han at det er en liten bom som brukes når livbåtene om bord på store skip skal settes på vannet. Stein spurte om når livbåtene må brukes. Halvor svarte at det er når skipet synker. Da sa Stein at hvis han hadde vært sjømann, ville han bodd om bord i livbåten for å ha det trygt og godt hele tida. Da Halvor lo av dette, begynte lille Stein å grine. Han lot seg trøste da han fikk noe nytt og merkelig å tygge på, en Wrigley Spearmint tyggegummi som storebroren hans hadde fått om bord i en yankee i Hartlepool.

«Smakte det bedre enn kvae?» spurte Halvor.

«Mye søtere.»

«Da blir det nok slutt på at vi skjærer kutt i grantrærne.»

Om bord i *Flink* hadde de verken daviter eller livbåt, bare en liten lettbåt som kunne settes på sjøen i ei håndvending. Den ville ikke duge til stort for livberging etter havari i en skikkelig nordsjøstorm. Men den usle lettbåten var alt de trengte å ha som redningsbåt, ifølge bestemmelsene i Sjøfartsloven og Sjødyktighetsloven for småskip i fart på Nordsjøen og Østersjøen. Det var i alle fall hva kaptein Sommerfeldt sa om lovens bokstav.

Halvor ble ofte misunnelig når han fra *Flink*s dekk så større skip med reale livbåter om bord. Da vesle *Victoria*, ei skute av *Flink*s type, sprang lekk og begynte å synke i en storm utenfor Skottland, ga mannskapet jamnt faen i hele lettbåten og spikra i hui og hast sammen en flåte av dekkslasta, som var pitprops, gruvetømmer. På pitpropsen kom karene seg inn mot strendene ved Aberdeen, der de ble reddet av en skotsk tråler.

Det skal være rikelig med plass i de fire livbåtene på *Tomar* til hele mannskapet på 38 og til eventuelle passasjerer. Wilhelmsens linjeskip kan ha opptil tolv passasjerer om bord, og de kan boltre seg i den skjære luksus, har han hørt. På andre skip av samme type og størrelse som *Tomar* har Halvor sett at alle de fire livbåtene har vært plassert på båtdekket på det aktre midtskipet. Han synes anordninga på *Tomar* er fornuftig. Skulle skipet bli kløyvd på midten av en eksploderende mine eller torpedo, vil de som befinner seg på det forre midtskipet, kunne gå i båtene der, mens de som er akterut, kan bruke de aktre båtene.

På skutesida er det, i anledning krigen, foretatt en dekorasjon. Her er skipets navn malt med store, hvite bokstaver: TOMAR. Under står det med like store bokstaver: NORGE. Tre brede bånd i rødt, hvitt og blått er malt helt ned til vannlinja.

Dette er nøytralitetsmerket som skal vise tydelig for tyskere, engelskmenn og franskmenn at *Tomar* kommer fra et lite land som har stilt seg nøytralt til krigen mellom stormaktene i Europa.

Merket vil kanskje komme til nytte hvis de blir praia av et krigsskip. Men mot drivende miner hjelper det jo ikke en dritt, og det er miner som er den store faren for nøytrale skip i europeiske farvann.

Over merket henger det noe som ser ut som digre klokker, og som Halvor ikke kan forstå hva er. Kanskje det er varselklokker som skal brukes til å slå alarm?

I akterkant av nøytralitetsmerket står to karer på ei stilling som er hengt ut i tau fra rekka. De to står støtt på de smale stillingsplankene, svinger malerkoster og maler den hvite linja. Halvor skjønner ikke hvordan malinga kan feste seg når det er kuldegrader, snødrev og stor luftfuktighet. Men det er ikke hans problem, det er problemet til båtsmannen og førstestyrmannen om bord i *Tomar*.

Han lar blikket vandre over lastebommene aktenfor det aktre midtskipet, ved firer- og femmerluka. Disse bommene er festet til et mastehus ved foten av aktermasta, som er like høy som formasta. Mellom de to mastene er det strakt noe som på avstand ser ut som en tynn tråd. Det er skipets radioantenne.

Han gruer seg litt til å begynne å jobbe i hele skogen av bommer. Det vil bli noe ganske annet enn å håndtere *Flink*s enkle rigg. En skau av bommer og en jungel av gaiere og preventere som brukes til å svinge og sikre bommene. Han kommer til å gjøre feil og dra i en taugaier når han egentlig skal kjøre en preventerwire på bomnokken.

Men han finner vel ut av det etter hvert.

Enda mer gruer han seg til å måtte klatre i de høye mastene. For han har en smule høydeskrekk. Det går seg nok til, og en vakker dag henger han sikkert og holder seg i en tautamp i mastetoppen, like behendig som en orangutang holder seg i en liane.

Helt akterut er poopen. Det er ingen ordentlig overbygning, bare en forhøyning av dekket. I forkant er poopen hvitmalt, og der finnes ventilene til mannskapsmessa. Det skal være nymotens felles messe for hele mannskapet på *Tomar*, ikke adskilte messer for dekksfolk og maskinfolk, og heller ingen underoffisersmesse.

Halvor kan også se ventilene til mannskapslugarene på styrbord side. Der, antakelig i en av de akterste lugarene, skal han innkvarteres. Og der skal han bo i atten måneder, minst. Hvis han er i Østen når kontraktens atten måneder utløper, må han stå om bord og vente på avmønstring til de kommer til nordeuropeisk havn.

Hans siste ord til mor var «vi sees til sommeren». Dette er avhengig av at *Tomar* kommer tilbake til Oslo etter Østen-turen, og at han kan få seg noen dagers landlov for å dra hjem til Rena.

I seilskutetida bodde menige sjøfolk i en ruff helt forut på skipet, under bakkdekket. Den gangen het det «å seile foran masta». I dag kan man godt si at man «seiler over propellen», men dette er ikke blitt noe vanlig sjømannsuttrykk. Halvor vet at han må forberede seg på å høre bråket fra propellen, særlig i grov sjø når propellen hviner på tomgang i løse lufta, og så klasker ned i sjøen og arbeider tungt så det durer i hele skroget akterut.

Over poopen er det rigga et spinkelt seilduksdekk, som knapt er noe mer enn et solseil til beskyttelse mot sola i tropene og mot regn og snø i kalde farvann.

Tomar er det som kalles «a three island ship». Sett på avstand ute på havet vil *Tomar* synes som tre øyer. Den største øya er det forre midtskipet, den nest største er det aktre midtskipet, og den minste er poopen. Bakken på *Tomar* er så høy at den kanskje også vil synes som ei øy i det fjerne. Men han har aldri hørt om noe som blir kalt «a four island ship».

På flaggstanga i hekken vaier det norske flagget. Det er et splittflagg med to spisser øverst og nederst og ei lita tunge i midten. Det minner om det norske orlogsflagget, men signaliserer ikke at *Tomar* har noen tilknytning til Marinen. Splittflagget kan skipet føre fordi det frakter post for den norske staten til oversjøiske destinasjoner. Halvor kan ikke se det fra der han står, men han vet at det i splittflagget er et hvitt felt der det står «Post», med ei gyllen krone over.

I hekken under flagget står navnet på skipet og hjemmehavna, Tønsberg. Alle ww-skip har vestfoldbyen som registreringshavn, etter at skipene under Panama-flagg ble flagget hjem igjen. Wilhelmsen-flåten har bidratt til å gjøre lille Tønsberg til en av verdens store sjøfartsbyer når det gjelder tonnasje.

Halvor lar blikket vandre langs skansekledninga. Dette er «gjerdet» som strekker seg på dekket langs skipssida helt fra baugen til forkant av poopen. Skansekledninga er bygd av stålplater med ribber på innsida. Den har smale åpninger nede ved dekk. Dette er spygattene, som overvann og spylevann på dekk kan renne ut gjennom, eller en sjøsjuk stakkar kan spy gjennom. Forut og akterut er det også noen større, runde halegatt som trossene kan hales gjennom.

Langs dekket på poopen går ingen skansekledning. Der er det bygd ei rekke av stålrør som det er spent tau mellom. Ordet rekke blir også brukt om øverste del av skansekledninga. Ingen sjømann vil si at han står og lener seg over skansekledninga. Han vil si at han lener seg over rekka, at han spytter over rekka, eller pisser over rekka, hvis han ikke bruker spygattet for å gjøre det enklere for seg å late vannet. Eller han vil si at han står og henger ved relinga.

I skansekledninga midtskips er det ei åpning. Der oppe står en mann i mørk styrmannsuniform. Hvis Halvor hadde blitt spurt om hvor styrmannen står, ville han svart at han står på fallrepet. Dette betyr ikke at styrmannen der oppe er en linedanser som står og stepper på et reip. En gang i tida betydde fallrep nettopp reip, men i dag har det fått en annen betydning.

Om hva ordet fallrep betyr i dag, har det vært ført mange friske krangler blant norske sjøfolk i messene og på havnekneipene. Noen påstår at fallrepet er den trappa som settes ut fra dekk ned til kaia. Andre mener at fallrepet er det tauet som går langs trappa for å beskytte folk mot å ramle i sjøen mellom skutesida og kaia.

Da han kom hjem til Rena etter å ha overhørt en slik diskusjon, bestemte Halvor seg for å undersøke saka på Folkebiblioteket, der han hadde vært en flittig besøkende i folkeskoletida og sittet med nesa i verdensatlaset, i Tarzan-bøker og i *Jungelboken* av Rudyard Kipling.

På biblioteket fikk han hjelp av bibliotekar Ragnhild Knappen til å undersøke ordet «fallrep». I Norsk Riksmålsordbok fant hun ei forklaring som han noterte seg og lærte utenat til bruk i kommende kneipedisputter: «åpning i et skibs skanseklædning gjennem hvilken man går om bord i eller forlater skipet.»

Han merket seg at ordet kom fra det hollandske «valreep», som var et reip man brukte til å gli nedover når man skulle gå i båtene, og at uttrykket «å stå på fallrepet» egentlig ble brukt til sjøs om det øyeblikket da man forlater et skip, gjerne et synkende skip. Så ble uttrykket vanlig også på land for å betegne at man forlater et sted, eller at man forlater livet.

«I romanen Segelfoss by,» sa frøken Knappen, «bruker Knut Hamsun ordet for å betegne at noen ligger for døden. 'Jeg gjør sygebesøk nu saa at si paa faldrebet,' skriver han.»

Hun anbefalte ham ei bok av Kipling som nettopp var kommet på norsk. Halvor lånte *Havets helter på de store banker* og leste om drama og eventyr på Newfoundlandsbankene. Den boka slukte han i ett jafs.

Styrmannen som står på *Tomar*s fallrep, kan ikke være noen frysepinn, for han har stått der en stund nå, iført bare den tynne uniformen med hvitskjorte og slips under.

Når Halvor skal entre om bord, må han ikke drite seg ut ved å si at han kom opp fallrepstrappa. Det ordet har gått ut av bruk. Nå heter det *gangveien*. På *Flink* hadde de ingen gangvei. De gikk i land og om bord på et par sammenspikra planker. Wilhelmsenbåten har en flott gangvei, som ser ut som om den er laget av aluminium, eller malt med aluminiumsmaling.

Han får slutte å stå og glane og se til å komme seg opp den gangveien.

Halvor går langs kaia med ryggsekken på ryggen, sjøsekken over venstre skulder og suitcasen i høyre neve.

Tomar laster papirruller. Rullene henger og dingler i lastestroppene.

Det kommer et rop fra en bryggesjauer ved rekka høyt der oppe: «Gå for svarte faen ikke under hengende last, gutt!»

Halvor styrer skrittene sine vekk fra den hengende lasta.

Han begynner å gå opp den bratte gangveien. Det er ikke fritt for at det kribler litt i magen. Han skal om bord i et nytt skip, og ethvert skip er en egen liten verden. Hva slags verden er *Tomar* av Tønsberg?

Kapittel 5

På fallrepet står styrmannen med den mørke uniformen. På jakke-ermene hans er det to gullstriper, og buksene har knivskarp press. Det går gjetord om det strikte uniformsreglementet i Wilhelmsen. Denne styrmannen gjør ikke skam på reglementet. Halvor husker ikke i farta om de to stripene signaliserer at mannen er førstestyr-mann eller annenstyrmann.

Halvor flytter suitcasen sin over i venstre neve og håndhilser på styrmannen, som er storvokst og har et kraftig håndtrykk.

«Jeg er den nye lettmatrosen,» sier Halvor.

«Du er Skramstad fra Rena?»

«Ja, det er meg.»

«Jeg er annenstyrmann Johan Granli. Velkommen om bord. Du kommer med ryggsekk, ser jeg. Vi liker ikke ryggsekker her i Wil-helmsen. Det finnes folk i rederiet som mener at ryggsekker til sjøs betyr ulykke. Gå på lugaren og gjem den bort. Du har nest akterste lugar på styrbord side. Den deler du med en annen lettmatros, en nordlending som heter ...»

Halvor får ikke tak i navnet styrmannen sier. Det høres ut som både «gauk» og «stær». Men navn etter to fugler kan vel ingen ha? Jo, forresten, det finnes ei øy ved Fredrikstad som heter Kråkerøy.

Halvor går gjennom korridoren på styrbord side av poopen, til den nest akterste lugaren. Døra er lukket. Han banker på.

En kortvokst, mørkhåret gutt på hans egen alder åpner. Gutten lukter sterkt av etterbarberingsvann.

De håndhilser.

«Geir Ole Gaukvær,» sier gutten, som er kledd i noe som ser ut som en konfirmasjonsdress som han har vokst ut av.

«Halvor Skramstad. Jeg er den nye lettmatrosen. Jeg kommer fra Rena. Hvor i landet er du fra?»

«Vinje.»

«Jeg trodde du var nordlending, ikke telemarking.»

Geir Ole forklarer at han kommer fra det Vinje som er en del av tettstedet Bø i Vesterålen, i Nordland.

Det er en spartansk innredet lugar. To køyer plassert over hverandre, med to store skuffer under underkøya. Et garderobeskap. Et lite, utslagbart bord med to pinnestoler ved. På bordet ligger en bunke ark som det er tegnet på med fettstifter. Geir Ole skynder seg å rydde bort arkene.

Foran lysventilen henger et lyseblått gardin. Her er en knøttliten kommode som hadde passet bedre i ei dukkestue.

På skottet under ventilen er det montert en radiator som det kommer varme fra, men det er likevel kjølig på lugaren. Halvor merker seg at skottet der ventilen sitter, ikke er isolert.

Det er rett og slett innsiden av skutesida, det er gråmalte stålplater. Han tenker at det vil bli helvetes hett på lugaren når de kommer til tropene, på varmen, som det heter.

På bordet står et overfylt porselensaskebeger merket Cinzano.

«Røyk?» spør Geir Ole og holder fram ei pakke Chesterfield.

«Takk som byr.»

De setter seg ved bordet og røyker.

Geir Ole Gaukvær har stått om bord i et snaut halvår og vært med på en tur til Australia som jungmann. Her i Oslo fikk han opprykket til lettmatros. Han trives ikke så verst på *Tomar*. Det er voldsomt streng style om bord. Typisk Wilhelmsen. Men man venner seg til det. Geir Ole spør om Halvor har hørt det bli sagt at nå som det er krig, er det ingen stor forskjell på striper og dongeri på norske skip. Det har ikke Halvor hørt, men han sier at det kanskje er sant.

Geir Ole sier at dette ikke gjelder på *Tomar*. Her føler karene i uniform seg høyt hevet over gutta i dongeriklær. Det eneste unntaket er tredjestyrmannen, som er en ganske gemenslig type. Denne styrmannen blir på *Tomar* ikke kalt Treastørmann, men kort og godt Trean. Det vanlige er at det er tredjemaskinisten som blir kalt Trean, men her er det altså styrmannen.

«Hva har du å si om skipperen?» spør Halvor.

«Hæstkuk!» svarer Geir Ole. Så melder han at kaptein Ivar Nilsen fra Skøyen i Oslo sikkert ikke er av de verste tyrannene til sjøs. Skipperen ser ut som en liten fløtepus. Ingen skulle tro at kaptein Nilsen noen gang har seilt matros og dratt i en wire. Men gutta har funnet ut at de ikke skal dømme ham etter utseendet. For bak en dvask fasade skjuler det seg en hard negl. Og mannen som om bord står nest etter Gud, har et øye på hver finger.

En gang da Geir Ole hadde pussa messingen i styrhuset så alt sammen skein som ei sol, kom kaptein Nilsen for å inspisere. Han kikka inn i låsene i styrhusdørene og påpekte at nøkkelhullene ikke var pussa *innvendig.* Så Geir Ole måtte dra gjennom hullene med stålull dynka i pussemiddel.

Ulikt skippere flest slår kapteinen rett som det er av en prat med gutta som går vakt på brua. Da tiltaler han karene med «du». Han blir stram i maska og avbryter samtalen tvert dersom han ikke blir tiltalt tilbake med «De». Hvis noen har gjort en tabbe, hender det at kapteinen sier «De» til vedkommende.

«Er maten så fæl som det går rykter om?» spør Halvor.

«Æ kan ikkje anna enn kicke på kosten,» svarer Geir Ole.

Det vesterålingen savner mest av alt, er fersk fisk. Han synes det er merkelig at stuerten ikke kunne få om bord fersk fisk i Oslo. Stuert Bjarne Dyrkorn fra Spjelkavik ved Ålesund er etter Geir Oles oppfatning en utfattelig gjerrigknark, selv til å være i Wilhelmsen.

«Måtte han tykje ta stuerten,» sier Geir Ole.

Han sier at det han finner merkeligst med livet i handelsflåten, er å seile rundt på sjøen uten å trekke fisk opp av den. Han har rodd fiske siden han lærte å gå. Og det er fisker han er og blir. Til sjøs i utenriksfart har han reist for å legge seg opp penger til å kjøpe en liten sjark.

Da vil han bli skipper på egen skute. Der om bord skal det ikke pusses mye messing!

Geir Ole har vært en tur i land om formiddagen for å telefonere hjem til familien i Bø. Nå skifter han til arbeidstøy. Han må gå for å holde vakt i lasterommet. De har fått om bord en del kasser til norske ambassader. I disse ambassadekassene skal det være brennevin. Kapteinen er redd for at bryggearbeiderne som laster papir, skal forgripe seg på ambassadekassene. De er fæle til å snause av lasta, sjauerne i Oslo.

Halvor pakker ut sakene sine. Suitcasen får så vidt plass når han stiller den på høykant i garderobeskapet. Ryggsekken stuer han bort i skuffen under underkøya. Han åpner skuffene i kommoden. De to øverste skuffene er Geir Oles. I en av dem ligger ei hvit porselensflaske merket Old Spice.

Halvor åpner ventilen for å lufte ut lukta av røyk og Old Spice. Toalettene ligger helt akterut. Halvor tar med seg askebegeret for å spyle innholdet ned i dass. I toalettrommet står et par mann i lyseblå overaller i et virvar av rør og rørstumper. På ryggen til den ene står det skrevet et firmanavn, Rørleggermester Strand.

Halvor spør hva de to driver på med.

«Innstallerer dusj,» svarer den ene. «Det er ingen måte på hva slags luksus dere sjøfolk får nå for tida. Her blir det til og med varmt vann i dusjen. Det er vel på grunn av krigen at dere blir bortskjemt på denne måten. Hva har du i krigsrisikotillegg?»

«Det er fireogtjue kroner i døgnet i farvannet fra Nordsjøen til Gibraltar,» svarer Halvor.

«Jøss, du blir den reine krøsus.»

«Kanskje vi skulle slutte å knoge for mester Strand og mønstre ut?» sier den andre rørleggeren.

«Nei, ikke på vilkår,» svarer kollegaen hans. «Jeg velger å ligge trygt bak ryggen på madamen framfor å risikere å få ei mine eller en torpedo eksploderende midt i ratata.»

Tilbake på lugaren prøver Halvor madrassen i overkøya og blir godt fornøyd. Det er en skikkelig springmadrass med fjærer i – noe ganske annet enn halmmadrassen om bord i *Flink*.

Han rer opp køya med laken og blankiser.

Klokka tolv er det middag i mannskapsmessa.

Halvor tar runden og håndhilser på de nye skipskameratene sine. Han merker seg særlig båtsmannen, tømmermannen og matrosene.

Det serveres saltkjøtt, flesk og erter.

Halvor blir sittende tvers overfor en liten, tettvokst mann i førtiårsalderen. Han har glatt, lyst, bakoverstrøket hår som er blitt tynt i vikene, og rynker nok i panna til at han kan skru hatten på. Dette er båtsmann Georg Jørgensen fra Hurum. Han har tatovert bomsemerket, tre prikker, mellom tommelfingeren og pekefingeren på høyre hånd.

«Jeg er sjefen for de dårlige tider,» sier båtsmann Jørgensen. «Ingen kaller meg annet enn Båsen. Og hvem pokker er så du? Det lukter skau og granbar av deg, gutt. Trean fortalte meg at du kommer fra Rena. Det er jo faenivold oppi Østerdalen. Har du pissa på saltvann før?»

Halvor sier at han har seilt i fart på Nordsjøen.

«Med hvilken båt?» spør Båsen.

«*Flink* av Kristiansand.»

«Flyter den vesle nordsjødrageren ennå?» sier Båsen. «Sist jeg så 'a, sto hu på grunn ved Grisenesa.»

«Grisenesa?»

«Kapp Gris-Nez ved Stredet ved Dover, gutt. På froskeeternes side. Hadde ikke *Flink* vært så utgammal, kunne vi kanskje ha brukt henne som *livbåt* her om bord. Og du har forhalt direkte fra den prammen til denne titusentonneren?»

«Ikke direkte,» svarer Halvor. «Jeg har holdt på med tømmerhogst hjemme en stund.»

«En tømmerhogger!» roper Båsen, reiser seg og taler til hele forsamlinga. «Det var jo det jeg sa. Granskau og kongler. Jeg har fått en skogsmatros å slite med, karer. En skogsmatros fra Østerdalen! Som om her ikke er tullinger nok på dekk fra før! Hva blir det neste vi blir sendt i krigen med? Sauegjetere fra Snertingdal, fjøsnisser fra Valdres og griserøktere fra Indre Enfold?»

Båsen høster spredt latter.

En ung fyr iført oljeflekket overall roper: «Du forsnakka deg, Båsen. Jeg var brennsikker på at du ville si grise*pulere* fra Indre Enfold.»

«Jeg fører da høvisk tale?» svarer Båsen. «Men du burde gå og vaske truten din, Erasmus Montanus.»

Nå blir det voldsom latter, og den som ler mest, er han som blir kalt Erasmus Montanus.

Båsen dumper ned på stolen sin igjen, tenner en sigarett og blåser en serie perfekte røykringer i retning Halvor.

«Ja ja, Skogsmatrosen,» sier han. «Jeg skal ikke rævkjøre deg, men jeg skal kjøre deg hardt. Du kommer til å skrive brev hjem til mora di og si at du angrer på den dagen du ble født. Her om bord er det hårda bud, som svensken sier. Her er det ingen slinger i valsen. Her er det ikke noe om og men. Er du medlem i junien?»

«Junien?»

«U-n-i-o-n. Den gode gamle Norsk Matros- og Fyrbøterunion. Av de jævla pampene på land døpt om til Norsk Sjømannsforbund, etter at vi tok opp kokkeslaskene i Union. Du får ikke ta i så mye som en malerkost her om bord før du har meldt deg inn i Union. Det vil jeg si deg klart og utvetydig. Forstått?»

«Jeg er allerede medlem,» svarer Halvor. «Jeg meldte meg inn i forbindelse med påmønstringa her om bord.»

«Very well,» sier Båsen. «Det du sa nå, formildner mitt sinn. Er du kjent med de pliktene og rettighetene du har som medlem i et forbund tilslutta Landsorganisasjonen?»

«Til en viss grad. Faren min er medlem i jernbanearbeidernes forbund.»

«Så far din er konduktør på toget?»

«Nei, han kjører lok.»

«Det er bra,» sier Båsen. «Da har han vel lært sønnen sin å holde seg på skinnene. Her på skuta vil jeg at alt skal gå på skinner. Jeg er ikke bare Båsen, jeg er også tillitsmann for Union. Etter utbruddet av den nye storkrigen er det blitt innført ei forsøksordning for Union på *Tomar* og en del andre skip. Vi har dannet ei skipsgruppe av forbundets medlemmer her om bord. Det er ikke møteplikt på gruppemøtene. Men du har vel alt lært meg såpass å kjenne at du forstår at jeg ikke vil ta det nådig opp dersom du famler med ditt glittvær.»

Halvor stusser over Båsens siste ord.

«Glimrer med ditt fravær,» sier Erasmus Montanus.

«Just det,» sier Båsen.

Han sneiper med en skjødesløs bevegelse sigaretten sin i en fleskesvor på pletten. Det synes Halvor er uappetittelig. Selv om bord i ei primitiv skute som *Flink,* ville ingen funnet på å sneipe sigaretten i matrestene.

«Da er det på'n igjen etter middagen,» sier Båsen. «Dekken, dekksgutt Ottesen, og Milde Måne, jungmann Mildestad, har fått en fridag og er i land. Det betyr at du må ta bakstørn.»

«Gjelder bakstørnen også oppvasken i messa?»

«Nei, den tar messemannen når han kommer om bord fra land-lov. Han er kineser fra Macao, som er Portugals koloni i Kina. Ålreit fyr, og unionmann, vår mister Cheng. Du må bare ikke finne på å låne penger av'n. Cheng har lært av det portugisiske bank-vesenet hjemme i Macao å ta ågerrenter.»

Halvor hadde ikke tenkt seg at den første jobben han skulle bli satt til, var jævla bakstørn. Han skrubber styrbords korridor med grønn-såpe, vasker dørken i den trange mannskapssalongen og tørker støv av bøkene i det lille skipsbiblioteket i salongen. Til slutt skurer han dassene, til muntre tilrop fra rørleggerne.

Han unner seg en røyk ved rekka på poopen. En svær, svart bil kommer kjørende langs kaia og parkerer ved gangveien. Det er den største personbil Halvor har sett, og han lurer på om det kan være en Cadillac. Bilen blir kjørt av en sjåfør med uniform og blank skygge på lua.

Ut av bilen skrider to herremenn iført fotside, lysebrune kamelhårsfrakker og med svarte bowlerhatter på hodene. Den yngste av de to tar gangveien i raske klyv, den eldste må stoppe midtveis for å trekke pusten.

De to ser ikke ut som sjøfolk, og heller ikke som tollere eller syndere. Kan det være folk fra regjeringa? Lite trolig. Arbeiderpartiets statsråder kjører neppe rundt i Cadillac.

Halvor kler på seg oljehyre og sjøstøvler og melder seg for Båsen, i båtsmannssjappa i det forre mastehuset. I sjappa lukter det intenst av white spirit. Båsen gir ham en rusthammer med spisst nebb, ei stålbørste, et spann rødmønje og en malerkost. Han får beskjed om at han skal pikke rust på svanehalsene på poopen, børste til det blir blankt, og så flekke med mønja.

Det er ikke så mye rust på svanehalsene, men det er en god del vabler i hvitmalinga. Han pikker i vei, får malingsflak i øynene og tenker at det burde finnes arbeidsbriller til vern mot malingsrusk og rustpartikler.

Han som blir kalt Erasmus Montanus, kommer opp på poopdekket for å ta seg en røyk, og byr Halvor en Camel.

De blir stående og se på Oslo by, som desembermørket senker seg over, og hvor gatelys og lysreklamer blir tent.

Erasmus Montanus er smører og har dermed samme rang i maskinen som Halvor har på dekk.

«Hvorfor har du fått et så merkelig oppnavn?» spør Halvor. «Kommer ikke det navnet fra et skuespill av en bergenser som het Fredrik Holberg?»

«*Ludvig* Holberg het han, ifølge Chiefen, maskinsjef Stanley Vadheim, som har sett stykket i København.»

Smøreren forteller at han er en enkel sjel fra Skollenborg ved Kongsberg, og slett ingen filosof sånn som Holbergs komediefigur, som egentlig het Rasmus Berg. Sjøl heter han Rasmus Jondal. Rasmus er ikke det beste fornavnet å ha til sjøs, fordi det å bli tatt av en brottsjø kalles å bli tatt av Rasmus. Fjerdemaskinisten om bord, Kvarten, er så overtroisk at han ikke ville ta navnet Rasmus i sin munn. Dermed ble det, som om en spanjol skulle ha sagt det, Erasmus. Siden han er fra Kongsberg-kanten, ble det logisk nok også Montanus.

«Det er et bedre oppnavn enn jeg hadde på forrige båten, der jeg var maskingutt,» sier Erasmus. «Om bord på Amerikalinjens *Tyrifjord* ble jeg først kalt for Bollenskorg, og så ble det forkorta til Bollemusa.»

De snakker om det å jobbe i maskinen, som er et dødsens sted å være hvis skuta får et torpedotreff i maskinrommet.

Halvor sier at han priser seg lykkelig over å være dekksmann.

Erasmus og han får selskap på poopen av dekksgutten og jungmannen, som kommer om bord bærende på papirposer. De viser stolt fram skjerf, luer og votter de har kjøpt.

Dekksgutt Harald Ottesen forteller at han er en ekte araber ifra Haugesund. Halvor spør om hvorfor folk fra sildebyen blir kalt arabere. Det har dekksgutten ikke noe svar på, og mer har han ikke å si om seg og sitt. Han er en tynn stælk som ikke gjør mye ut av seg.

Jungmann Kristoffer Mildestad er rund og blid og mer meddelsom. Han sier at han er fra Ishavsbyen, Nordens Paris, men at han ikke kan påberope seg å være ekte tromsøværing av gammel, fin årgang. For han er kvart lappjævel, kvart finnjævel, kvart russerfaen og kvart lyngsværing. Når alt kommer til alt, synes han det er ei fenomenalt frisk blanding. Av mormora si, som bor i ei gamme på Kvaløysletta og driver med reinsdyr, har han lært å stoppe blod. Av morfaren, som kom fra Karesuanto i Tornedalen og slo seg til som skomaker i Tromsø, lærte han seg en del finsk. De aller fleste kan jo si «satana perkele», men han kan også si for eksempel «ratsuhevonen», som betyr ridehest. Farmora fra Arkhangelsk, som kom til Tromsø gjennom pomorhandelen, lærte ham å koke tevann på samovar. Farfaren var – eller *er* – en vagabond fra Furuflaten i Lyngen. Han dro til Statene og ble først togloffer, så smuglergangster i forbudstida og siden innbruddstjuv. I Chicago ble han skutt med rifle under et innbrudd i en villa i Oak Park, hos en doktor Hemingway. Han ble lam fra livet og ned. Det siste som er sett av ham, er at han trilla rundt i rullestol sammen med en gjeng dagdrivere ved havna i Monterey i California. Der ble han observert av en frysemaskinist fra Drabeng i Lyngen, som var om bord i Lorentzen-rederiets M/S *Rio Bravo,* som lå i Monterey og lastet frosne reker. Gamle gangster Mildestad var på stort humør og ba maskinisten hilse hjem til alle kjente. Det var i åtteogtredve. Siden har det ikke vært livstegn fra gubben.

Seint på ettermiddagen er *Tomar* ferdig lastet og klar til avgang fra Oslo. Halvor strever sammen med Geir Ole, Milde Måne og araberen fra Haugesund med å legge trelemmene på enerluka og toerluka. Lukelemmene er så tunge at man skulle tro de var laget av den harde eika som brukes i jernbanesviller, ikke av furuplank.

Det er hardt arbeid, men ikke verre enn i tømmerskauen.

På treerluka må de legge på skjærstokkene. Dette er lange stålbjelker som ligger på tvers av luka for å gi støtte til lemmene. De kan ikke legges på bare med håndmakt, men må løftes med wirestropper av en av lastevinsjene.

Båsen kjører vinsjen som løfter skjærstokkene.

Halvor og Milde Måne strever med å få sin ende av en skjærstokk ned i det isete sporet i lukekarmen.

Det vanker grov kjeft fra Båsen.

«Snittefiker!» roper Båsen. «Snittefik Skramstad fra innerste granskauen og snittefik Mildestad fra ytterste Gokkoland!»

De to prøver å pirke ut isen med bare fingrene.

«Jeg har blitt kalt mye rart,» sier Halvor. «Men hva faen mener Båsen med å rope 'snittefik'?»

Milde Måne forklarer det, og de får seg en god latter.

Tømmermannen, Flise-Guri, kommer med et kubein og får pirka løs isen i sporet. Skjærstokken smetter på plass.

Så er det på med lemmene, som er isglatte. Nå gjelder det å trå varsomt og ikke gå på trynet ned på dekket under. Det vil bli et fall på fire–fem meter.

Turen kommer til lukepresenningene. De er stivfrosne og vanskelige å strekke ut.

Halvor står og fikler med et presenningshjørne som han ikke får på plass. Båsen kommer og forteller ham på ny hva slags fittesnik han er. Så blir Båsen travel med å skjelle ut de andre unggutta.

Flise-Guri, som er en mann i femtiårsalderen, med grånende skjeggstubb, dulter borti Halvor.

«Ja ja, du Skogsmatrosen,» sier Flise-Guri. «Ikke bry deg så mye om Båsen. Det er et jævla kjeftament på'n. Men så lenge han holder seg unna spriten, gjør han ikke en katt fortred. Bli med meg, så skal jeg vise deg hvordan vi tenner solene.»

Tenne solene? tenker Halvor. Er det en sånn spøk som førstereis-gutter blir utsatt for? Sånn som når førstereisen får en pøs med potetskrell og blir bedt om å mate kjølsvinet. Eller når gutten får en tom pøs og beskjed om å hente vakuum i maskinrommet. Eller når han får ordre om å hente blå overledning hos skipselektri-keren.

Lydig dilter Halvor i hælene på Flise-Guri.

Ved gangveien er det et stort og et lite skap på skottet. Fra det store skapet finner Flise-Guri fram tre skjøteledninger. Stikkontak-tene plugger han inn i støpsler i det lille skapet.

Deretter plugger han inn i skjøteledningsstøpslene tre stikkon-takter som henger over rekka.

Et skarpt lys blender Halvor. Han bøyer seg over rekka for å se hvor lyset kommer fra.

Det kommer fra de store klokkene han trodde kunne være alarm-klokker. Disse klokkene er altså skjermer på kraftige lamper som er hengt ut for å lyse opp nøytralitetsmerket under seilas i mørket.

Lyset fra solene er flott, men også en påminnelse om at det er krig i verden.

Halvor blir med Flise-Guri til tømmermannssjappa i det aktre maste-huset. Der dufter det av sagflis og benarolje. Halvor blir tildelt to sekker med lukekiler i.

«Kilene er av hickory,» sier Flise-Guri. «Det er samme flotte hardvedsmateriale som brukes i hoppski. Så det er ikke *alt* det spa-res på her i Black and Blue.»

Halvor følger Flise-Guri når han går runden sin og med ei solid klubbe slår kilene inn mellom lippene på lukekarmen og skalke-jernene, som holder presenningene på plass.

«Stikk ned på kaia og pell av rotteskjermene,» sier Flise-Guri.

Halvor går i land. Tauene som binder blikkskjermene til trossene, er stivfrosne, og han har et svare strev med å få opp knutene.

Tomar gir tre lange støt i fløyta for å signalisere avgang. Da Halvor kommer til gangveien, nedlessa med rotteskjermer, er gang-veien i ferd med å bli halt opp. Han tar sats det beste han har lært i hoppbakken, og greier å bykse opp på den nedre gangveisplat-tingen. Der snubler han i sine egne bein. Det klirrer av blikk som fra et skramleorkester, og han hører noen le oppe ved fallrepet.

Men han kommer seg da om bord, og unngår det forsmedelige å bli akterutseilt i Oslo etter å ha vært en halv dag på *Tomar*.

Halvor løper fram til bakken, der han skal være på post under fortøyning og avgang. Der er baugtrossene i ferd med å bli tromla inn på vinsjetromlene.

«Er det *nå* du finner det for godt å komme og hjelpe til med å ta fortøyningene?» roper Båsen.

Halvor svarer ikke. Han griper ei diger trosse og begynner å kveile den opp. Med det samme vet han at han gjør noe feil, men kan ikke komme på hva det er.

Båsen stiller seg ved siden av ham med hendene hoftefest.

«Jaså, du fittesnik over alle fittesniker,» sier Båsen. «Dere kunne kanskje ikke klokka engang om bord i *Flink*? Dere trodde vel at urviseren gikk motsols og ikke medsols? Husk, Skogsmatrosen, at dette er siste fordømte gang jeg ser deg kveile ei trosse motsols.»

Halvor begynner å kveile trossa medsols.

«Alle grønnskollinger får ei tabbekvote av meg,» sier Båsen. «Men hvis du bruker opp kvota allerede første dagen her om bord, da setter du faenmeg verdensrekord.»

En rødmalt taubåt hjelper til med å buksere *Tomar* ut fra Filipstadkaia.

Skuta stevner forbi Dyna fyr i snøværet, som har tjuknet til. Av Oslo by er det bare noen bleike lys å se akterut.

Halvor blir satt til å spyle dekk. Han er glad for at han skaffet seg oljehyra og sjøstøvlene.

I støvlene har han mors hjemmestrikka sokker. På hodet har han østerdalslua. Det var lurt at han beholdt øreklaffene på lua da han kutta av skyggen.

Mens han spyler, plystrer han en stubb.

Han er til sjøs igjen. Han er på vei til Østen! Livet er sannelig paradisisk. Så er det en slange ved navn Båsen i paradiset. Det får han leve med.

Han spyler *Tomar*s dekk så grundig som det aldri er blitt spylt før.

Halvor har fått åtte–tolv-vakta. Det er tredjestyrmannens vakt. Han har noen fritimer før han skal på vakt.

I messa er det pytt-i-panne til kveldsmat, med ett speilegg per mann. Det hadde vært godt med to egg, men man tager det som gives.

Halvor setter seg på lugaren og skriver i dagboka: «Oslofjorden, mandag 18. desember 1939. Jeg håper <u>Tomar</u> vil vise seg å være et greit skip. Alt det som var uvant i dag, blir vel en vanesak om en liten stund. Jeg er glad for at mor ikke hørte Båsen kalle meg f-snik. Det ville hun ha funnet gudsbespottelig. Hvor mye mener Båsen med all kjeftinga si? Kanskje han er god på bunnen?

Gaukvær rimer på skvær, og jeg tror jeg har fått en skvær lugarkamerat. Navnet har han fra ei øy i havgapet ved Bø, Gaukværøya. Gjøk har det nok aldri vært på øya, for det vokser ikke trær der, men det er hekkeplasser for havørn der. I vikingtida var Gaukværøya et av de største fiskeværene i Vesterålen. Nå er det bare bestefaren til Geir Ole og en håndfull andre mennesker som bor på øya. Hvis det ikke kommer ny havn med solid molo, frykter Geir Ole at øya vil bli fraflyttet.

Jeg liker den sing-song nordlandsdialekten hans, selv om jeg må konsentrere meg for å forstå alt Geir Ole sier. Når han sier 'sjyen', mener han ikke skyen, men sjøen. Han ser mer ut som en sydlending enn en nordlending. Han mener at den svarte luggen hans er en arv fra en av forfedrene hans, som kom fra Italia. En gang på 1400-tallet forliste en skute fra Venezia i Lofoten. Italienerne måtte overvintre, og bedåret kvinnene mens mennene var ute på fiske.

Geir Ole uttaler navnet sitt så det også høres sydlandsk ut, Geirole. Vi må bli enige om at vi skal prøve å holde litt kustus på lugaren. Ikke slenge klær og saker rundt omkring. Kanskje jeg kan få ham til å bruke litt mindre Old Spice?

Geir Ole har et pinup-bilde hengende over køya. Det forestiller en negerdame som ikke er kledd i noe annet enn en bunt bananer rundt hoftepartiet. Jeg er glad for at mor ikke er her og kan se det bildet!

Vi er nå underveis til Rotterdam i Nederland, en av verdens største havnebyer. Der var jeg aldri under min seilas på Nordsjøen.

Jeg har laget ei hodepute av noe undertøy og lagt Nytestamentet under hodeputa. Ikke at jeg kommer til å lese så mye i det, men det kjennes kjekt å ha det liggende der som en slags livsforsikring.

Milde Måne fortalte meg at han hadde hørt i radioen at Sovjetunionen er blitt utelukket fra Folkeforbundet etter angrepet på Finland. Det syntes Milde Måne var skammelig, men jeg mente at det var til pass for Josef Stalin!

Det er en egen radiotelegrafist her om bord. Han blir bare kalt Gnisten. Fra Gnisten vil vi få nyheter i form av radiopresse, som er ark med nyheter som blir hengt opp på ei tavle utenfor mannskapssalongen. I salongen er det et stort radioapparat som vi kan høre nyheter i, og naturligvis musikk.

Jeg har tatt med meg fra skipsbiblioteket en norsk utgave fra 1937 av romanen <u>Tatt av vinden</u> (<u>Gone with the Wind</u>) av Margaret Mitchell. Handlingen er fra Sørstatene under borgerkrigen i USA, og det skal være veldig romantiske greier. Romanen er nå blitt filmet med Vivien Leigh og Clark Gable i hovedrollene. Filmen har nettopp hatt premiere i USA. Den blir kalt en virkelig storfilm.

Tredjestyrmannen som jeg skal gå vakt med, heter Dagfinn Kvalbein. Trean er opprinnelig fra Vestlandet, men har vært bosatt i Holmestrand i Vestfold i mange år. På min vakt går også matros Åge Sildebogen fra Larkollen i Østfold. Han er en eldre ungkar som seilte ute under forrige krig. Hans store lidenskap skal være å spille bridge. Det kan jo ikke jeg, men jeg kan vel lære meg det, selv om jeg ikke er noen stor kortspiller. Det er rart at en gammel kar som Sildebogen ikke går dagmann, men sjøvakter. Det skal være etter hans eget ønske. Siden det atter er krig, vil han gjerne være på brua hvis det skjer noe katastrofalt.

Det får vi håpe at det ikke gjør.

Her om bord gås det utkikk frampå bakken. Gruer meg til det, i desemberkulda. Får pakke på meg alt jeg har av klær.

Jeg føler meg godt utstyrt og klar for det meste. Mitt oppnavn her om bord blir nok det Båsen har satt på meg, Skogsmatrosen. Det er i alle fall bedre enn Bollemusa, og jeg skammer meg ikke over å være Skogsmatrosen. En mann kommer fra der han kommer fra, og jeg er østerdøl, født der elva Rena møter Glomma. Dette elvemøtet har gitt herredet mitt navnet Åmot. I tømmerskauen har jeg lært meg et og annet knep som kan komme til nytte også under sjølivet. Jeg er blitt Union-mann slik det sømmer seg for en som kommer fra det røde fylket Hedmark.

Jeg trenger en kjeft kaffe før jeg skal på vakt.»

De skal kvitte losen ved Færder fyr ytterst i Oslofjorden. Det blåser vestakuling. Sjøen går hvit. Av og til når Halvor ser slike hvite bølgekammer på rekke og rad, tenker han at de minner om en saueflokk på vandring.

Sammen med gamle Åge skal han henge ut losleideren. Det er en tung leider med trinn av teak. De fester leidertauene til rekka med halvstikk, og lemper ut leideren.

I siste lita ser Halvor at halvstikket hans er feil slått. Han kaster seg fram og griper tautampen som har løsna. Han får slått et ordentlig stikk.

Det skulle tatt seg ut at det første han presterte etter at *Tomar* var kommet ut i åpent farvann, var å miste losleideren på sjøen!

De vinker farvel til losen, som entrer behendig ned til losskøyta.

«Du får gå og sette ut loggen,» sier Åge.

Sette ut loggen? tenker Halvor. Kan det være lureri? Om bord i *Flink* var loggen den boka der skipper Sommerfeldt og styrmann Benum førte inn kurser og observasjoner. Den boka ville ingen finne på å hive på sjøen.

«Du har kanskje aldri satt ut en slepelogg før?» sier Åge.

«Nei,» svarer Halvor.

De to går akterover til poopen. Fra et skap finner Åge fram en langsmal messingpropell som er festet til ei lang line. Med en karabinkrok fester han enden på lina til et telleverk som er montert på rekka. Han nullstiller telleverket.

«Har du klokke?» spør Åge.

«Ja.»

«Da tar du tida. På brua vil de ha nøyaktig tid for utsleppet.»

Halvor trekker opp venstre erme på oljehyra og ser på Certina'en som han fikk da han var femten. Dekkslysene på poopen gjør det lett å se urskiva og viserne. Han venter til sekundviseren står på tolv.

«La gå!» roper han.

Åge hiver ut propellen, og lina rauser ut.

«Og du har?» spør Åge.

«Nitten femogfemti blank.»

Halvor tar over roret fra Geir Ole klokka 20.00. Han stiller seg bak rattet og griper med svette håndflater om knaggene. Han får oppgitt kompasskursen han skal styre, 195 grader. Det svake lys-skinnet fra ei lita pære lyser opp kompassrosa.

Kompassnåla svinger over mot 180 grader. Halvor gir litt styr-bord ror for å holde titusentonneren opp mot vinden.

Tomar har losset siste rest av lasta fra Australia i Oslo, og i Oslo ble det ikke tatt om bord så mye last til Østen. Derfor flyter skuta høyt på vannet og fanger mye vind.

Hun lystrer roret og virker takk og pris ikke vanskeligere å styre enn vesle *Flink* var.

Tredjestyrmann Kvalbein kommer ut fra bestikklugaren. Han håndhilser på Halvor, som håper at Trean ikke la merke til hvor svett han er i hånda.

Trean stiller seg i breibeint positur ved styrhusvinduet. Han er en lyshåret mann på Halvors størrelse, og må være i slutten av tjueåra. Han har på seg ei mørkeblå battledressjakke med epåletter på skuldrene. På hver epålett er det ei gullstripe. På hodet bærer han ei lue med blank skygge. Foran på lua er det et emaljert hvitt emblem med en lyseblå w i.

Tomar girer over mot babord igjen. Halvor gir styrbord ror. Han gir litt for mye, og nåla peker på 205 grader. Sakte får han dreid skuta tilbake på kurs.

Nå greier han å holde henne mellom 190 og 200 grader.

Trean snur seg mot ham. I det svake lyset fra kompasset kan Halvor se at det er noe rart med overleppa til Trean. Han tror at styrmannen kanskje er blitt operert for hareskår.

«Vær lett på labben,» sier Trean. «Hun er litt kilen på roret når vi seiler i ballast.»

«Ja vel,» svarer Halvor. Han tenker at det er bra at det går an å få kirurgene til å fikse et hareskår slik at det nesten ikke synes. Han følte sterkt da han leste i *Markens grøde* om Inger som var haramynt.

«Hvordan går det med Kartongen på Rena?» spør Trean.

«Det var krise for noen år siden. Men nå er det full rulle.»

«Bra,» sier Trean. «Jeg liker å følge med på Norges industri. Lille Holmestrand er jo en industriplass. Har du hørt om Nordisk Aluminiumsindustri?»

«Nei,» svarer Halvor.

«Men Høyang gryter har du hørt om? De finnes snart i hvert eneste norske hjem.»

«Ja, Høyang er vel et viden kjent merke.»

«Høyang kommer fra Holmestrand. Far min jobber på valseverket, der de valser ut aluminiumsplatene som det lages gryter av.»

Kulingen fra vest øker på. Skuta ruller, mer enn en skulle tro at en titusentonner ville rulle. Halvor setter sjøbein. Han kjemper med kvalmen. Det salte kjøttet og flesket og pytt-i-panna vil opp fra magen. Han svelger og svelger. Ikke faen om han skal spy på styrhusdørken!

Da rortørnen er over og han blir avløst av gamle Åge, må Halvor kapitulere for sjøsjuken og spy over rekka på båtdekket.

Han løper ned til mannskapsmessa og skyller munnen mange

ganger med vann. Tenner en røyk, en av Chesterfieldene til Geir Ole, men sneiper sigaretten etter et par trekk.

Han pakker på seg tre skjorter, ullgenseren og oljehyra og går fram på bakken for å holde utkikk. Over østerdalslua har han tredd sydvesten.

Det er et par–tre minusgrader. Vinden som kommer inn fra styrbord, får det til å virke mye kaldere.

Tomar setter nesa ned i sjøen. Halvor dukker ned bak ankerspillet for å beskytte seg mot sjøsprøyten.

Han holder på å fryse nesa av seg, og vikler skjerfet rundt ansiktet, bare med ei smal glipe foran øynene.

Trean har bedt ham være spesielt på utkikk etter fiskebåter, som ofte kan ha ganske svake lanterner.

Sjøsprøyten gir seg litt. Halvor tramper fram og tilbake på bakken og slår regelmessig floke. Det er rart at tre minusgrader på havet virker kaldere enn tredve minus i tømmerskauen.

Han lengter tilbake til *Flink*, der dekksvakta alltid holdt seg i styrhuset, som var fyrt som ei badstu.

Og han var det som priset seg lykkelig over å være dekksmann! Herregud, som han misunner Erasmus Montanus, som akkurat nå går på vakt i et godt og varmt maskinrom og sjonglerer med ei pussefille, drøpper en smøreoljeskvett histen og pisten.

Han får øye på et svakt lys ute i nattemørket om styrbord.

Han slår ett slag på skipsklokka.

Akterut ser han lyssveipet fra Færder, lavt i horisonten, i ferd med å forsvinne.

Farvel, gamle Norge!

Økta frampå bakken er over. Halvor har fått beskjed om å ta med kaffe opp til styrmannen, og koker kaffe i pantryet i messa. Kvalmen har sluppet taket i ham. Han drikker sjøl en kopp skåldheit kaffe, og tar noen trekk av en røyk, før han bærer brettet med stålkanna og porselenskruset med to lyseblå ringer på opp i styrhuset.

Der stiller han på slaget ti.

Han legger merke til at det ikke blir slått glass, slik han trodde det ble gjort på store båter.

«Vi slår ikke glass?» sier han.

«Nei,» svarer Trean og nipper til kaffen. «Vi har kutta ut å plinge i bjella hver hele og halve time. Så å si alle mann har armbåndsur, og det henger store veggur på skottene i alle messene.»

Natt i Skagerrak og stiv kuling.

Kurs 200 grader.

Halvor synes han holder kursen tålelig bra. Han gjør vel jobben sin som han skal?

Skipsklokka klinger frampå bakken, med tre slag.

Flere lysprikker dukker opp rett forut.

Trean gransker lysene i kikkerten.

«Fiskebåter,» sier han. «Kom styrbord over, Skramstad. Vi skal ikke inn i den mølja av fiskere.»

Halvor gir styrbord ror.

«Steady så!» sier Trean.

«Steady så,» gjentar Halvor.

Lysprikkene danser forbi ute på babord.

«Kom tilbake på kurs to hundre grader,» sier Trean.

«Kurs to hundre.»

Kompassnåla legger seg pent til rette på 200 grader.

En mann kommer inn i styrhuset fra bestikklugaren og glemmer å dra for forhenget som skal blende lyset fra bestikken. Mannen er i femtiårsalderen og ganske liten og tjukkfallen, med grå stenk i håret. Han har hengt ei uniformsjakke over skuldrene, uten å stikke armene ned i ermene. På ermene er det fire gullstriper. Altså er mannen ingen ringere enn kaptein Ivar August Nilsen.

Kapteinen bråvender og trekker for bestikkforhenget.

Styrhuset blir igjen mørkt, og kapteinen skrider som en skygge bort til Trean.

«Jeg la merke til at De foretok en brå kursendring, styrmann Kvalbein,» sier kapteinen.

«Fiskebåter i farvannet,» svarer Trean. «Vi er klar av dem nå.»

«Godt.»

Kapteinen kommer bort til Halvor, og blir så vidt synlig i skjæret fra kompasslampa. Han har hansker på hendene, og tar av seg hansken på høyre hånd. Halvor slipper en rorknagg og strekker ut sin høyre hånd. Kapteinen har et bløtt håndtrykk, fingrene hans er hvite og mjuke som marsipanpølser.

«Halvor Skramstad,» sier Halvor.

«Velkommen om bord,» sier kapteinen. «Ifølge papirene dine har du ikke all verdens fartstid.»

«Nei, det er sant,» svarer Halvor.

«*Tomar* er definitivt *ikke* noe *skoleskip*,» sier kapteinen og ler en knapt hørbar latter. «Men i krigstid får vi i handelsflåten se det som vår plikt å lære opp unge sjøgutter så godt vi kan. Du har allerede stiftet bekjentskap med båtsmann Jørgensen. Han var en liten pyse da han seilte dekksgutt og jeg tredjestyrmann på *Tigris*. Nå er han blitt en skikkelig hardhaus som det står respekt av. Du vil få en god læremester i båtsmann Jørgensen.»

«Ja visst,» svarer Halvor. «Det har De sikkert rett i.»

«Du kommer fra Rena?»

«Det stemmer.»

«Fin plass, Rena,» sier kapteinen. «Jeg eier en bil, en Ford. Det er en A-modell fra nittentredve. Den minste varianten. Todørs, med firesylindret motor. Kjerra er ikke noe fartsvidunder. Men jeg har da fått henne opp i hundre på Steinsletta på Ringerike. Når jeg har ferie, liker jeg godt å kjøre riksvei nummer tre opp gjennom Østerdalen. For en som har sett så mye hav som meg, er det godt å få glane på massevis av skau. Madamen liker seg best når vi kommer opp på fjellvidda ved Røros. Jeg foretrekker skauen. Det følger en egen ro med skog. Det fremgår av attestene dine at du har vært på tømmerhogst for skogeier Bertrand Didrichsen og skikket deg bra.»

«Ja, jeg har halvannen sesong i tømmerskauen.»

«Det er realt arbeid,» sier kapteinen. «Norge hadde ikke vært mye til land hvis det ikke var for tømmeret, Lofotfisket, vannkraften og handelsflåten. Spiller du noe instrument?»

«Jeg har med meg et munnspill, men det er lenge siden jeg har øvd ordentlig på det.»

«Da får du sette i gang å øve, Skramstad. Jeg har tenkt å tromme sammen et lite skipsorkester som kan underholde oss på julaften. Slik det ser ut, får vi jula under land i Rotterdam.»

Halvor er kommet litt ut av kurs. Forsiktig retter han opp skuta.

«Vi skal nå snart inn i farvannet der *Ronda* ble minesprengt,» sier kapteinen.

«Hva tenker en ung mann som deg om det?»

«Det får vel stå sin prøve,» svarer Halvor.

«Det er den rette holdning,» sier kapteinen. «Ubegrunnet frykt er unødvendig frykt.

Leden inn til Rotterdam skal være grundig minesveipet av hollenderne. Det er folk som kan sine saker, og som har førsteklasses minesveipere.»

Kapteinen tenner en sigarett.

«Vi hadde storfint besøk i dag,» sier Trean.

«Ja, det skal gudene vite,» sier kapteinen. «Hans majestet rederen kom feiende med Cadillac'en sin og gikk om bord på uanmeldt inspeksjon, med junior på slep. Det var enda godt at vi i siste liten fikk strøket hvitmaling over rustflekkene på skroglinjen. Ellers hadde det nok blitt huskestue. Senior var forskrekket over at vi innreder dusjrom både for dekks- og maskinbesetningen. Heldigvis har jeg ryggdekning for dusjene både hos skipsinspektørene på kontoret og budsjettfolkene. Senior spurte to ganger om jeg hadde kalkulert kostnadene ved bruk av varmtvann i dusjene. Junior er litt mer moderne oppi nøtta. Han mente at bedret hygiene vil føre til større arbeidseffektivitet om bord.»

«Det er jo poenget med dusjene,» sier Trean.

«Det dreier seg også om trivsel,» sier kapteinen. «Vi seiler nå på krigshavet. Det minste vi kan gjøre, er å by gutta litt mer trivelige forhold. Junior er opptatt av fysisk fostring om bord og mente at skipsidretten vil komme til å blomstre. Han foreslo at vi skulle kjøpe inn noe han kalte et ping-pong-bord. Jeg er rimelig sportsinteressert, men nå må jeg spørre en yngling som Dem, styrmann Kvalbein. Hva faen er ping-pong?»

«Det er en slags tennis i miniatyr, som utøves ved et grønnmalt bord med et lite nett på midten, og så slår man en uhyre lett ball fram og tilbake med små racketer med gummibelegg. Sporten blir også kalt bordtennis.»

«Kan det ikke holde at gutta spiller *lommetennis?*» sier kapteinen og ler den lave latteren sin. Trean ler med, og Halvor må flire der han står bak rattet.

«Jeg skal spørre messemann Cheng om råd,» sier Trean. «Bordtennis er populært i Kina. Cheng har fortalt meg at han har deltatt i Macao-mesterskapet i ping-pong og vunnet en pokal der borte.»

Kapteinen veksler noen ord med Trean om værmeldinga og kurser som skal styres, sier «fortsatt god vakt» og forsvinner inn i bestikklugaren.

«Bra skipper,» sier Trean etter at det har gått en stund. «Kaptein Nilsen sa at det ikke er nødvendig å gå utkikk på bakken når det blåser og skvetter såpass. Det betyr at du kan ta neste utkikk på bruvingen. Men nå kan du kanskje slutte med en ting.»

«Hva da?»

«Å skrive navnet ditt med kjølvannsstripa!»

Halvor rødmer der han står bak rattet. Han er da ikke *så* mye ute av kurs?

«Bare fleipa,» sier Trean. «På denne andre rortørnen din har du holdt kursen ganske bra.»

Halvor avløses av Åge og går utkikk på babords bruving. Det er surt, men ikke så jævlig surt som frampå bakken.

Han har fått låne en kikkert av Trean.

I kikkerten får Halvor øye på to hvite topplanterner. Han går inn i styrhuset, varsler styrmannen og gir ham kikkerten.

«En sværing,» sier Trean. «Vi får sende en hilsen med Aldislampa.»

Skipet nærmer seg raskt. Det er opplyst som et juletre. Fra hundrevis av ventiler kommer det lys.

Trean hiver på seg en duffelcoat, kommer ut på bruvingen og plugger inn den store morselampa. Han sender et signal til det andre skipet. Det klikker rytmisk i Aldis'ens vippespeil. Straks kommer det svar tilbake i form av korte og lange lysglimt som Halvor ikke kan tyde. Det blir en ganske lang signalveksling før de to skipene passerer hverandre på kloss hold.

«Det der var sannelig min hatt Amerikalinjens passasjerskip *Trondhjemsfjord*,» sier Trean og hever stemmen for å bli hørt i blesten. «Hun er på vei til Oslo fra New York, via Kristiansand og Bergen. Det er merkelig. Jeg trodde Amerikalinjen hadde Bergen som eneste anløpshavn i Norge etter at krigen brøt ut. Men kanskje de høye herrer på Jernbanetorget har funnet ut at det igjen er blitt trygt for passasjerskipene deres å seile langs kysten fra Bergen til Oslo.»

Halvor vet hvorfor Trean snakker om Jernbanetorget. Der ligger Amerikalinjens prektige hovedkvarter, NAL-bygget, som er et landemerke i Oslo. Men han lurer på en ting. Det er passasjerskipets navn. Han spør: «Hvorfor heter hun *Trondhjemsfjord* og ikke *Trondheimsfjord*?»

«Svaret er enkelt,» sier Trean. «Hun ble sjøsatt og døpt før trønderhovedstaden skiftet navn til Trondheim i 1931.»

Kvart på tolv kommer annenstyrmann Granli opp på bruvingen. Der blir han stående uten å si noe, han bare stirrer ut i mørket.

Så sier han plutselig til Halvor: «Du har vært heldig med vakta di, Skramstad. På vakta mi, den berømmelige hundevakta, vil denne stive kulingen blåse seg opp til sterk. Kan hende vi får liten storm.»

På slaget tolv dukker en søvndrukken Milde Måne opp for å avløse Halvor på utkikken.

«Han tykje nedi ildmørja har funne opp hundevakta,» sier Milde Måne.

«God vakt,» sier Halvor.

Blåser det mer? Jo, han merker at vinden øker på. Han velger å vente på gamle Åge så de kan ta følge til poopen. Det sjøer kanskje en del over akterdekket, og det ville være for dumt om han ble tatt av Rasmus etter å ha vært om bord i bare et halvt døgn.

Halvor kjenner seg litt sjøsjuk igjen. I messa spiser han flatbrød og drikker vann. Det er en bra kur mot sjøsjuken.

Åge har tent snadda si, funnet fram en kortstokk og legger kabal.

Halvor har et spørsmål: «Hvorfor kom styrmann Granli opp på brua et helt kvarter før vakta hans begynte?»

«Det er en regel som er innført i Wilhelmsen og flere andre store rederier,» svarer Åge. «Styrmenn som skal på vakt etter mørkets frambrudd, skal komme opp i god tid før de går på, for å venne øynene til mørket.»

«Hvor i landet kommer Granli fra?»

«Et sted som heter Hyggen. Ved Drammensfjorden. Det er en enda mindre plass enn Larkollen. Førstestyrmann Nyhus er fra mine kanter. Fra en knøttliten fjord i Rygge herred som heter Årefjorden, og som knapt synes på et kart i stor målestokk over Østfold-kysten. Men Nyhus har fått seg belgisk kone og bor nå i Antwerpen med henne og to småpjokker. Du ser steinsens trøtt ut, gutt. Gå og kryp i loppekassa.»

«Enn du sjøl?»

«Gamle folk sover lite. Jeg blir sittende til jeg får idioten til å gå opp.»

«Idioten?»

«Kabalen heter så.»

«Ja, det visste jeg vel i grunnen,» sier Halvor.

Han går til lugaren, flår av seg alle plaggene unntatt underbuksa og henger dem i skapet. I underkøya ligger Geir Ole og drømmer kanskje om at han ror fiske på bankene ved Bø og haler opp sei og skrei. Halvor klyver opp i overkøya, kryper under blankisene og får varmen tilbake i kroppen.

Raskt ber han en aftenbønn. Så slukner han.

Kapittel 6

Halvor sitter i mannskapssalongen med dagboka foran seg på bordet. Han skriver: «Rotterdam, julaften, år 1939 etter Jesu Kristi fødsel i Betlehem. Jeg er i byen som mange hevder er verdens største havneby når det gjelder inn- og utskipet tonnasje, større enn både New York og London.

De fleste av gutta er gått i land etter julefeiringen. Jeg har valgt å bli om bord. Jeg er litt forkjølet, og det gjør forbasket vondt i ribbeina når jeg hoster. Det rare med brustne ribbein er at de ikke gjør så vondt til å begynne med, men så blir de verre og verre.

Vi hadde skinkesteik til julemiddag. Ikke noe å si på den steika! Karamellpuddingen var også bra.

Etter middag spilte vårt lille skipsorkester for alle mann i offiserssalongen. Orkesteret besto av: annenstyrmann Johan Granli, gitar, motormann Pablo Ortega som er spanjol og har seilt lenge på norske båter, banjo, matros Åge Sildebogen, trekkspill, og undertegnede på munnspill.

Vi hadde bare fått øvd to ganger, så helt reint klang det neppe. Jeg spilte solo på 'Ol' Man River', 'Donkeyserenaden', 'En duft av røde roser' og 'Violetta', og kom levende fra det. Ja, det vanket til og med applaus.

Styrmann Granli er litt av en surpomp. Men han er dødsgod på gitaren.

Sitter nå i salongen sammen med matros Åge. Vi har spilt noen omganger canasta. Han slo meg alle gangene. Han er ikke noen kvikkas, men han er en racer med kortstokken!

Vi lytter til julesanger i radioen, fra stasjonen Hilversum, som jeg tror er her i Nederland. Språket som snakkes mellom sangene, høres i alle fall ut som hollandsk. Men det kan jo også være belgisk, da disse to språk er ganske like.

Åge leser en bok av Mikkjel Fønhus. Boka er ganske ny. Den utkom i forfjor og heter <u>Beveren bygger ved Svartkjenn</u>.

Jeg liker meg godt her om bord i <u>Tomar</u>. Men Båsen er etter meg støtt og stadig.

Vi har lastet stål i stenger og plater, maskiner og biler for Det fjerne østen. Sammen med Båsen, Flise-Guri (tømmermann Odd Egil Tveiten, fra Svelvik, 55 år), matros Sigurd Hemmingsen (24 år, fra Lilleaker i Oslo) og matros Otto Rønning (29 år, fra Børsa i Sør-Trøndelag) har jeg arbeidet med å stemple bilkassene på mellomdekket. Vi bruker firtoms boks og gamle dunnagematerialer.

Gudskjelov er jeg vant med å håndtere planker etter jobben på Trelastavdelinga og ganske god til å snekre, så Båsen fikk ikke så mye å kjefte på meg for. Han brukte bare f-snik-ordet et par ganger.

Flise-Guri har funnet en hjemløs kattunge på brygga. Han puttet den i frakkelomma og tok den med om bord. Vi har dermed fått en skipskatt. Den er ganske vilter av seg. Vi har døpt den Ramot, som er skipets navn stavet baklengs. <u>Tomar</u> er for øvrig oppkalt etter en borg i Portugal.

I sjøen på vei hit spurte Milde Måne meg om jeg hadde hørt et rykte som går om en masse skumle penger kapteinen fikk av rederen i Oslo. Jeg hadde ikke hørt om det. Milde Måne sa at salonggutten, da han serverte kaffe til skipsrederen, rederens sønn og kapteinen, hadde sett rederen stikke til kapteinen en tjukk konvolutt. Da rederen og junior gikk fra borde, glemte kapteinen konvolutten på salongbordet. Salonggutten, 17 år gamle Sivert Høyby fra Kragerø, så sitt snitt til å kikke i konvolutten. Den var full av svære, grønne pengesedler.

Milde Måne regnet med at dette måtte være dollarsedler, antakelig hundredollarsedler. Han mente at det enorme dollarbeløpet enten var en hemmelig bonus fra rederen til kapteinen, eller skulle brukes til å bestikke havnesjefer og tollere i Østen.

Har salonggutt Sivert virkelig turt å fortelle deg om dette? spurte jeg.

Nei, svarte Milde Måne. Sivert fortalte det til stuerten, som fortalte det til kokken, som så hadde fortalt det til secondkokken og byssegutten. Det var Byssen, som kommer fra Brønnøysund, som fortalte Milde Måne om dollarbunken.

Byssen sier mye rart, sa jeg. Han påstår at det i sin tid var et digert troll som kjørte pikken gjennom Torghatten og skapte det berømte hølet i fjellet. Kan hende historien om pengekonvolutten er et typisk byssetelegram?

Man skal kanskje ikke bry seg så mye om sånne løse rykter som oppstår i byssa. Milde Måne fortsatte likevel å fabulere om alle dollarsedlene, og hva han skulle ha gjort med pengene dersom han hadde fått kloa i dem.

Den finske armé har startet en motoffensiv mot Den røde armé på Petsamo-fronten helt oppe i nord. Finnene ser ut til å mestre Vinterkrigen bra. Det er leit at jeg ikke kan være enig med far når det gjelder forholdet mellom Finland og Sovjetunionen.

I denne stund går mine tanker til dem der hjemme på Rena. Jeg håper far, som er julekokken, fikk til svoren på ribba. Jeg håper Stein, Britt og Karin ble fornøyd med de presangene jeg hadde lagt igjen til dem. En speiderkniv til Stein, to dukkehussenger til Britt og en stor pakke glansbilder til Karin. Til far ga jeg ei flaske akevitt, og til mor en roman av Nordahl Grieg, <u>Skibet gaar videre</u>. Denne boka ga jeg til mor også for å glede far, siden Grieg jo er kommunist som far er.

Det er godt at Norge er et fredens land og at det ikke er vi nordmenn som er i krig med russerne! Da hadde jeg kanskje ligget som soldat ved fronten i Finnmark eller Troms nå, i en iskald skyttergrav med kuler susende rundt ørene.

Åge kom seg gjennom den forrige krigen uten å bli minesprengt eller torpedert. I den krigen mistet Norge to tusen sivile sjøfolk, så Åge var heldig som overlevde. Men han sier at han fikk granatsjokk etter en kanonade mot damperen <u>Alby</u> av Moss. Det var en tysk jager som skjøt mot <u>Alby</u> utenfor øya Sylt i Nordsjøen. Midtskipet ble pepra helt i filler. Tre nordmenn, en finne og en svenske på mosseskuta ble drept.

Åge sier at han gjerne skulle vært sammen med søsteren sin på juleandakten i det lille kapellet i Larkollen, der han og søsteren bor. Han har fortalt at Larkollen ved århundreskiftet var et veldig fattig sted, grunnet feilslått sildefiske i mange år. I Rygge herred, der Larkollen ligger, er det en fin kirke som er helt fra middelalderen. Storbøndene i Rygge ville ikke ha de skitne fattigfolkene fra Larkollen trampende rundt i den fine kirken sin. Derfor fikk bøndene herredsstyret til å bygge et eget kapell for larkollingene.

Jeg må nok si at de snobbete bøndene minner om enkelte Wilhelmsen-offiserer.

Nå, takk for i aften og til køys!»

Det er 1. juledag om kvelden. Halvor er blitt med noen av gutta i land. De sitter på Bar Norge i Katendrecht, som er sjappeområdet ved havna i Rotterdam. Ved nordmennenes bord sitter Båsen, Flise-Guri, Geir Ole, Hemmingsen og motormann Osvald Smaage fra Aukra på Møre-kysten. Smaage er jevnaldrende med tømmermannen, men ser eldre ut. Mange års slit som fyrbøter på kullfyrte dampskip har satt spor i det furete ansiktet hans. Han har fått stiv rygg og greier ikke å sitte helt rett, luter seg fram over bordet.

De drikker øl fra store glass, og genever fra små drammeglass. I Bar Norge henger noen vinterbleike horer. Baren er pynta med et lite juletre, glitter og små, røde lamper som blinker uavlatelig. En av horene er ganske ung og pen, med hjerteformet ansikt og kastanjebrunt hår. Hun kommer og setter seg ved bordet.

Led meg ikke inn i fristelse, tenker Halvor og heller innpå en dram. Han har da kyssa jenter, men han har aldri gjort det med ei jente. En gang i Dundee i Skottland med *Flink* var det ei barjente som knadde ham i underlivet til det gikk for ham, men det gjelds jo ikke som samleie.

Jenta som har satt seg ved bordet, sier at hun heter Marina.

«Hu Marina er din, Skogsmatrosen,» sier Båsen, som er blitt god og brisen. «Det er deg den lekre berta vil gå med.»

«Jeg har ikke tenkt å gå med henne,» sier Halvor.

«Du har da vel hatt deg en beta før i livet?» sier Båsen. «Eller er du en jomfru fra bøgda, kanskje?»

«Jeg er verken fra bøgda eller jomfru.»

«Nei vel,» sier Båsen. «Da får du bevise det. Skal du være en av oss sjøfolk, må du leve som oss. Da er det ikke noe dill, dall, dolom. Da er det pang på rødbetan, som svensken sier. Da går du med Marina og får deg en hurdestynd.»

«Jeg vil ikke ha noen hyrdestund med henne,» sier Halvor.

«Når du er i Roma, gjør som romerne,» sier Båsen.

Marina ser ut til å ha oppfattet noe av samtalen. Hun setter seg på Halvors høyre kne.

Han dytter henne skånsomt bort.

«Dette er det verste jeg har sett,» sier Båsen. «Skogsmatrosen avviser ei dame som er helt vill etter ham. Hva sier dere til det, gutter?»

Ingen sier noe.

Hemmingsen, som er en svær brande med rødgult hår, kremter, tar seg en dram og sier omsider: «Å ha seg fitte er en frivillig sak. Slutt nå for faen å plage Skogsmatrosen, Båsen.»

«Plage?» sier Båsen. «Plager jeg noen i dette ærede selskapet? Plager jeg kanskje noen av dere om bord? Jeg gjør bare rett og skjel for meg i jobben min. Det skal være orden i sysakene. Det skal være ship shape, Wilhelmsen style. Er det noen som er imot det? Opplat da deres røst, kamerater!»

«Du gjør en utmerka jobb om bord, Georg,» sier Flise-Guri. «Men i fylla skal du liksom alltid plukke deg ut en hakkekylling.»

«Hva mener du med hakkekylling, Flise-faen?» sier Båsen og tømmer et halvt ølglass i én slurk.

«Gløm det,» sier Flise-Guri.

Marina setter seg på ny på kneet til Halvor. Han lar henne sitte. Hun trekker den rosa silkekjolen sin halvveis opp på låret.

«Glømme det?» sier Båsen. «Jeg glømmer aldri noen ting. Nå ser dere alle sammen at den såkalte hakkekyllingen er kåt som en hane. Han lar frøken Marina kle seg naken på fanget sitt. Han kommer til å gjøre som jeg sier. Han kommer til å pule henne med det vesle kødderasket han har.»

«Pule, ja,» sier Marina. «Pule norske gutt.»

«Nei, vi skal ikke pule,» sier Halvor.

«*Nei, vi skal ikke pule,*» hermer Båsen. «Hva slags jævla dydsmønster later du som du er, Skogsmatrosen? Du er bare en fittesnik.»

Halvor løfter Marina vekk fra kneet sitt. Hun dumper ned på Hemmingsens fang.

«Jeg liker ikke at du kaller meg fittesnik, Båsen,» sier Halvor.

«Så du *liker* det ikke? Jeg gir da vel jamnt faen i hva du liker eller ikke liker!»

Flise-Guri sier: «Slapp nå litt av, Båsen.»

«Jeg er helt avslappa, Flise-faen,» sier Båsen. «Vil dere alle sammen se hvor totalt avslappa jeg er?»

Plutselig reiser Båsen seg og hytter med knyttet neve oppunder nesa på Halvor.

Halvor slår vekk knyttneven.

«Han slo!» roper Båsen. «Skogsmatrosen slo meg!»

Båsen sender i vei et svingslag som treffer Halvor under høyre øre. Halvor reiser seg for å ta igjen. I farta soper han med seg noen glass som faller på golvet og knuses. Han vakler og holder på å snuble.

Hemmingsen har flyttet bort Marina fra fanget sitt. Han reiser seg og griper Båsen i begge jakkeslagene, løfter ham opp fra golvet og holder ham sprellende i lufta.

«Springskalle?» sier Hemmingsen. «Eller holder du fred, Båsen?»

«Du kommanderer faen ikke meg, din drittgutt!» roper Båsen.

«Nei vel,» sier Hemmingsen. «Men jeg kan kanskje pælme deg tvers gjennom lokalet?»

«Det blir verst for deg! Du får diplisin... disiplinærstraff av skipper Nilsen.»

«Det var *du* som begynte å lage trøbbel,» sier Hemmingsen. «Nå setter jeg deg pent ned på dørken igjen. Så går jeg med frøken Marina, og du går stille og rolig om bord, Båsen.»

«Ikke faen!» roper Båsen og gugger ut ei spyttklyse som treffer Hemmingsen midt i fleisen.

Hemmingsen foretar en rotasjon som en sleggekaster og slenger fra seg Båsen. Båsen flyr halvveis gjennom Bar Norge og lander borte ved bardisken. Damene som sitter på barkrakkene, hyler.

Det singler i knuste glass som har falt ned fra disken.

Men båtsmann Jørgensen fra Hurum er en harding. Han reiser seg og børster bort glasskår fra buksa. Han blør fra et kutt i kinnet og får en borddduk av bartenderen, tørker bort blod. Uten å si et ord spaserer Båsen ut fra Bar Norge med bordduken presset mot kinnet.

Hemmingsen går til bardisken og får en serviett som han tørker bort spyttet i ansiktet med.

Bartenderen ber nordmennene forlate Bar Norge.

«Trøbbel om bord i morra,» sier Flise-Guri.

«Garantert trøbbel,» sier Hemmingsen. «Jeg blir nok innkalt på teppet til kaptein Nilsen. Men jeg har dere gutta til vitner overfor skipperen når det gjelder hvem som begynte bråket og som spytta meg i trynet. Nå tar jeg med meg frøken Marina og gjør det en mann skal med ei dame.»

Arm i arm forlater Hemmingsen og Marina baren.

Geir Ole og motormann Smaage setter kursen mot nærmeste skjenkested. Det er ikke mange meterenes vandring, for barene ligger som perler på ei snor i rød-lykt-distriktet i verdens største havneby.

Flise-Guri spør Halvor om han vil gå om bord.

«Ja,» sier Halvor.

Han sjangler gjennom Katendrecht sammen med tømmermannen. Det regner lett i Rotterdam.

Kapittel 7

Halvor sitter på lugaren og skriver: «Fredag 29. desember. Vi har kurs ut i Biscaya.

Båsen viste seg som en real kar etter tumultene på Bar Norge. Han rapporterte ikke til kapteinen. Han stilte med en plasterlapp i ansiktet på 2. juledag og sa ikke et kvidder om det som hadde hendt. Vi arbeidet sammen med stempling av landbruksmaskiner og traktorer i firerluka. Ikke en eneste gang kalte Båsen meg f...snik.

Før avgang fra Rotterdam hadde vi møte i skipsgruppa av Norsk Sjømannsforbund (Union). Skipstillitsmann Båsen ledet møtet som om ingenting skulle ha skjedd på Bar Norge. Han sa at gruppa trengte ny sekretær. Den forrige sekretæren var lettmatrosen som mønstret av i Oslo, og som jeg fikk stillingen til.

På en eller annen måte hadde Flise-Guri fått rede på at jeg har et ufullført år på middelskolen. Han tok ordet og sa at det i forsamlingen var en mann med noe høyere utdanning, nemlig lettmatros Skramstad. Han foreslo meg som sekretær. Det ble stemt ved håndsopprekning. Alle mann, inklusive Båsen, rakte opp hånda. Jeg er blitt Båsens sekretær!

Etter møtet måtte jeg føre protokollen. Det var en kort innførsel. Den dreide seg først om et punkt som gjaldt krigsrisikotillegg borte i Fjerne østen, der Japan jo driver krigføring mot Kina. Vi skal telegrafere til forbundet om krigsrisikotillegget for Østen-seilas. Resten av innførselen gikk ut på at jeg var blitt valgt til sekretær.

Byssen, Monrad Stortorgnes, gikk i land like før avgang fra Rotterdam. Han hadde stått sine 18 måneder på <u>Tomar</u> og hadde dermed krav på avmønstring. Han hadde fått tilbud om hyre som second – annenkokk – på <u>Thorsvik</u>, tilhørende Thor Dahls rederi i Sandefjord. Dette er et av Norges eldste tankskip, en dampdrevet firetusentonner som ble bygd så tidlig som i 1893. Vi ertet Byssen med at han skulle om bord i den gamle lørja. Men han var strålende fornøyd med å slippe unna potetskrellingshelvetet, som er byssegutters lodd. Vi fikk om bord en ny byssegutt, 17 år gamle Kevin Dunvegan fra Skottland.

Hadde et par slitsomme rortørner i tett trafikk gjennom Stredet ved Dover, der ferjene mellom Dover og Calais piler fram og tilbake.

Trean var rasende.

De helvetes ferjene følger ikke sjøveisreglene! ropte han. De respekterer ikke vikeplikten!

Heldigvis var det klarvær og god sikt. Ute på styrbord kunne vi se de hvite klippene ved Dover. Neset som Båsen kaller Grisenesa, kunne jeg ikke skille ut fra det øvrige lave kystlandskapet på fransk side av stredet.

Men et jæskla mas var det. Vi måtte vike for ei ferje som ikke vek for oss, slik den skulle ha gjort, og vi passerte kloss aktenom ferja, farlig nær. Noen passasjerer på dekk vinket til oss. Vi vinket ikke tilbake fra brua på <u>Tomar</u>.

Kaptein Nilsen var hele tida i styrhuset, men ga ingen ordrer til Trean.

Da vi var kommet ut av den verste kryssende trafikken og inn i Den engelske kanalen, spurte kapteinen meg plutselig om hva jeg mener om muhammedanismen som religion.

Jeg ble svar skyldig. Det var jo et overraskende spørsmål. Jeg mumlet noe om at jeg regner meg som kristen.

Kapteinen fortalte at på turen til Australia hadde de med som passasjer en emigrant som var en engelsktalende tunisisk advokat. Med tunisieren hadde han hatt mange interessante samtaler om muhammedanismen.

Muhammedanismen kan bli en mektig religion, mente kaptein Nilsen. Han la ut om at i dag er flertallet av muhammedanerne fattige. De er fattige arabere, indere, malayer og ostindere. Men de vil nok løfte seg ut av fattigdommen, og da blir ikke Muhammed til å spøke med. Muhammedanismen er en mer moderne religion enn kristendommen. Vi kristne holder oss jo med en merkverdig tredobbel guddom, Gud, Jesus og Den hellige ånd, mens muhammedanerne har én eneste Gud, og det er Allah.

Trean flirte da kapteinen hadde forlatt styrhuset. Han sa: Det ville være typisk for kaptein Nilsen om han gikk over til Muhammed. Vår kjære skipper er en spesiell person. Det ryktes at han har begynt å lese i Koranen. Snart får vi vel utdelt bønnematter og må begynne å knele mot Mekka alle mann.

Jeg sa at det trodde jeg ikke noe på, og Trean svarte at det selvfølgelig var spøkefullt ment.

Da jeg gikk fra siste rortørn klokka tolv, var styrmann Granli kommet opp på bruvingen og sto og speidet i kikkerten mot en båt som kom stevnende mot oss.

Han sa til meg: Der kommer jaggu navnesøstra di, Skramstad.

Jeg skjønte ikke hva han mente. Granli rakte meg kikkerten. Jeg studerte skipet, som var av samme type som <u>Tomar</u>, men litt mindre og eldre. Så fikk jeg øye på navnet i baugen.

Der sto det faktisk <u>Skramstad</u>*!

Granli sa: Så du visste ikke at det fantes en båt med samme navn som deg i handelsflåten vår?

Jeg svarte at det hadde gått meg hus forbi, enda jeg ofte har studert skipslista i Norges Handels- og Sjøfartstidende. Men i den lista står det jo navn på tusen forskjellige norske skip.

Vi hilste med flagget til M/s <u>Skramstad</u>, og fikk en hilsen tilbake fra skuta.

Granli sa at hun ble bygget i Hamburg midt på 1920-tallet, tilhører rederiet A.F. Klaveness i Oslo og seiler i trampfart over hele verden – world wide. Sist han så henne, var i Surabaya på Java for tre år siden, da han var der med Wilhelmsens <u>Tai Feng</u>.

Vi har passert øya som alle norske navigatører ifølge Trean kaller Høysand. Egentlig heter denne øya vest for Normandie Île d'Ouessant. Trean tok meg med inn i bestikken. Han viste meg hva han hadde skrevet i dekksjournalen. Der sto det: 'Passert tvers av Høysand kl. 11.35.'

Jeg synes det er fint at det finnes ei øy på kysten av Frankrike som vi nordmenn har gitt et eget navn.

Trean liker å vise meg hvordan han arbeider med å sette ut bestikket i kartet. Han har lært meg forskjellen på magnetisk kurs og rettvisende kurs, og vist meg hvordan man tegner strømpiler i kartet for å beregne avdriften.

Værmeldingen for Biscaya er dårlig. Storm fra vest. Riktig ruskevær.

Vi har fått vår første radiopresse. Hjemme i Norge har en film om stortyven Gjest Baardsen hatt premiere med Alfred Maurstad i hovedrollen. Gjest framstilles som en folkehelt, en som stjal fra de rike og ga til det fattige, akkurat som Robin Hood i Sherwood-skogen i England. Jeg skulle gjerne sett den filmen, for Maurstad var fantastisk i <u>Fant</u>.

Fra Vinterkrigen i Finland var det intet nytt. Det tyder vel på at finnene holder fronten.»

Tomar stevner inn i en overhendig vinterstorm i Biscaya.

Halvor synes at havet ser ut som fjellvidda i Rendalsfjellet når snøen fyker over vidda.

Toppene blåser av bølgene og blir til hvitt, drivende skum. Noe liknende har han aldri opplevd i Nordsjøen.

Det uler i riggen på *Tomar*. Veldige sjøer vasker over forskipet, der lukene heldigvis er forsvarlig skalket med skalkejern og luke-kiler. Det syder og skummer på dekk. Det knaker i skroget så en skulle tro at skipsnaglene vil ryke og sprette pokkerivold.

Å styre går likevel ganske greit. Når Halvor står til rors, må han bare passe på å presse skuta opp mot vestaværet. Sjøsjuken har helt sluppet taket i ham.

Han blir tørnet ut på frivakta si om ettermiddagen av Båsen.

«Vi har en løs kanon på dekk,» sier Båsen. «En av traktorene i firerluka har slitt seg. Vi må få temma det beistet før det slår høl i skutesida.»

Halvor, Åge, Hemmingsen og Rønning går sammen med Båsen og Flise-Guri ned i mannhullet ved firerluka.

Det er et uhyggelig syn som venter dem der nede. Som en vill okse farer den løsslitte traktoren fram og tilbake, kræsjer flere ganger i skutesida og lager fliser av treverket i garneringa.

«Forslag?» sier Båsen.

«Lasso,» svarer den tagale trønderen Rønning. Han lager en lasso av lastestropper. Etter tre–fire forsøk greier han å plassere lassoløkka over den løpske traktorens ratt. De haler alle seks mann i lassoen, og greier å tjore lassoen til lasteromsleideren. Rønning våger seg frampå og skyver et par lukelemmer innunder traktorens hjul. Beistet blir stående stille.

Hemmingsen og Flise-Guri på den ene sida og Båsen, Rønning og Halvor på den andre sida får plassert firtoms boks som stabili-serer traktoren så noenlunde. Raskt følger de på og sager til pas-sende boks som de kan støtte ordentlig opp med. De sparer ikke på verken boks eller tauverk, som de surrer traktoren med. Til slutt

ser den ut som Gulliver der han ligger bastet og bundet av dverg-
folket.

«Vel blåst, karer,» sier Båsen.

De går over stemplinger og surringer på de andre traktorene. Alt
ser ut til å være i orden.

Nyttårsaften blir det ingen feiring på grunn av stormen.

Halvor skriver i dagboka: «Biscaya, 1. nyttårsdag 1940. Sliten etter
strabaser med løpsk traktor. Gikk av vakt ved midnatt. Da var det
altså blitt et nytt år. Full storm. Mye overvann. Kraftig setting, og
voldsomme bunnslag når skuta deiser ned fra bølgetoppene. Spent
på hva året 1940 vil bringe. Kanskje kan det bli en fredsslutning
mellom Storbritannia/Frankrike og Tyskland. Noen særlig krig-
føring er det jo ikke mellom partene, annet enn på havet. Krigen
blir av engelskmennene kalt noe sånt som 'liksomkrigen'. Og intet
fornuftig menneske vil vel tilbake til skyttergravshelvetet slik det
var i Den store krigen.»

Stormen løyer ved Kapp Finisterre helt nordvest i Spania, kappet
der jorda endte i gamle dager.

Fra bruvingen gransker Halvor kappets mørke silhuett.

Tirsdag den 2. januar anløper *Tomar* Lisboa. I Lissabon, som Åge
kaller byen, skal de bare ta om bord et mindre parti vin i trefat og
en del kasser med kork laget av barken fra korkeika.

Førstestyrmann Anton Nyhus, som både er mindre av vekst enn
Granli og ser yngre ut, sier at det ikke blir anledning til å gå i land.

Halvor skulle gjerne ha tatt en titt på Portugals vakre, gamle
hovedstad, men det får bli en annen gang.

Det blir kjapp avgang fra Lisboa.

I det reineste vårværet passerer *Tomar* forbi Gibraltar. Smul sjø,
laber bris, klar himmel og såpass varmt at Halvor kan sitte i bare
skjorteermene på en taukveil på poopen, ta seg en røyk og beundre
engelskmennenes fjellfestning ved passasjen mellom Europa og
Afrika.

Britene holder ennå The Rock, som de kaller Gibraltar. Da general
Francisco Franco og fascistene hans i slutten av mars 1939 vant Den
spanske borgerkrigen, ble det antatt at Franco ville forsøke å kaste
britene ut av Gibraltar. Noe slikt har Franco ikke våget seg på.

Halvor står til rors på det blå Middelhavet langs Costa del Sol.

Torsdag den 4. januar anløper *Tomar* byen Malaga i Spania. Der skal de laste et større parti vin.

Halvor går i land i den milde kvelden, iført tweedjakka og penbuksa og blankpussede sko. Han går aleine. En bris kommer inn fra sjøen og får det til å suse i Malagas palmekroner. I gatene i den eldgamle byen triller hestedrosjer med dombjeller på. Han er i Syden nå, for første gang i sitt liv. Han gir en pesetasseddel til ei tiggerkone på et gatehjørne. Her er mange invalider fra borgerkrigen å se. Noen har bare ett bein og humper rundt på krykker. En mann kjører i rullestol. Han har fått begge beina bortskutt.

Fra en bar hører Halvor lyden av musikk han tror må være flamenco. Baren heter Bodega Pepe. Han går inn.

Der spiller et lite sigøynerorkester, og ei dame i flammerød kjole danser ganske vilt, klakker hælene i golvet og klimprer med kastanjetter.

Ved et bord sitter den spanske motormannen på *Tomar*, Pablo Ortega.

Halvor spør om han kan få sitte med ham.

«Claro, amigo,» sier Pablo.

De to deler en karaffel rødvin. Pablo klapper takten til musikken. Halvor faller også inn i den hissige rytmen. Ute på golvet danser noen få par, og de danser energisk.

Det blir til at Pablo og Halvor deler en ny karaffel rødvin.

Ei jente kommer uoppfordret og setter seg ved bordet deres. Hun sier at hun heter Juanita. Hun er mørk som en sigøyner, men har et ansikt som enten er pudret bleikt, eller som aldri har vært i sola. Munnen hennes er smurt med lilla leppestift. Halvor henter et glass til henne og skjenker i vin. Han er blitt litt ustø i ganglaget og tummelumsk i hodet av den heftige musikken.

Juanita snakker med Pablo.

Pablo sier til Halvor: «Señorita Juanita vil gå med deg, Skogens matros. Hun ikke koste plenty. Koste bare lite grann.»

«Jeg vil ikke det,» svarer Halvor. «Fortell henne at jeg synes hun er ei pen jente, men at jeg ikke vil gå med henne.»

«Okey,» sier Pablo og snakker til Juanita.

Han sier: «Hun si du er pen gutt. Hun si du ikke vite hva du gå glippen av.»

Halvor må le av dette «glippen av».

Pablo og Halvor er i gang med den tredje karaffelen. Juanita sitter stand by ved bordet. Halvor reiser seg og byr henne opp til dans. Siden han ikke kan flamenco, må hun føre ham. Hun fører ham tett. Han kjenner brystene hennes mot bringa si. Hun er kortvokst, og han legger merke til at hun har tjukke legger. Han kan ikke la være å kikke ned i utringninga på den svarte kjolen hennes. Det buer seg av pupper der.

Halvor prøver å trampe med hælene i golvet slik de andre danserne gjør. Han har sko med lærsåler, og får det til å smelle ganske bra.

Juanita legger hendene sine på korsryggen hans. Hun fører hendene lenger ned og klemmer til rundt rumpeballene.

Det er et dirty trick. Hva annet kan han gjøre enn å gjengjelde det?»

«Vamos,» sier Juanita. «Vamos para un hotel.»

Det må vel bety at hun vil at de skal gå til et hotell.

Halvors hode gløder.

Hvorfor ikke? tenker han. En gang må jeg bli kvitt den jævla dyden min. Og nå er det ikke Båsen som presser meg. Nå bestemmer jeg sjøl.

Han gjør opp regninga med Pablo og sier at han blir med Juanita.

«Du gjøre godt valg,» sier Pablo. «Fin pike. Veldig ren og pen.»

«Ikke si noe om dette til de andre gutta,» sier Halvor.

«Jeg er ikke mann som snakke for mye.»

Juanita og Halvor går ut i den milde natta. Gata er mørk. Hun griper hånda hans og leier ham.

Som et lam til slakterbenken, tenker Halvor.

Det er ikke langt til hotellet.

Halvor betaler det han blir forlangt av pesetas, til den mannlige resepsjonisten.

Juanita leier ham inn på et rom i annen etasje. Det eneste møbelet i rommet er ei stor seng, med et sengetrekk i samme flammerøde stoff som flamencodanserinnas kjole.

Han spør etter toalettet. Det er i gangen, og det er helt i orden, ikke noe møkkahøl. Han pisser lenge og vel og vasker snurrebassen sin under springen.

Inne på rommet har Juanita kledd av seg. Hun har virkelig ganske tjukke legger. Hun har bryster som står rett ut, med brystvorter som kastanjenøtter.

Hun har et svart triangel.

Raskt kler Juanita av ham. Pikken hans reiser seg. Hun trer på ham en gummi, som sitter ganske stramt.

«Vamos, mi amor,» sier hun.

Juanita legger seg på ryggen på sengeteppet og åpner seg for ham.

Det går for Halvor nesten med det samme. Det var litt av en eksplosjon!

Da er han ikke jomfru lenger.

Han går på toalettet og vasker seg.

Juanita trekker på ham en ny gummi. Nå greier han å holde på satsen. Han kan ikke nekte for at han nyter i djupe drag. Han visste ikke at det var *så* forbanna godt! Alt det han har gått glippen av da han var om bord i *Flink* og var på barer i nordsjøhavnene.

Så vrikker Juanita veldig på seg og presser underlivet sitt mot hans mens hun stønner voldsomt. De stønnene er kanskje skuespill. Men skuespillet virker på Halvor, og han spruter som en hval.

De kler på seg.

Kritisk mønstrer Juanita den tynne pesetasbunken Halvor gir henne.

«Poco,» sier hun. «Muy poco.»

Det skal vel bety at det er for lite pesetas.

Juanita peker på skoene hans. Halvor skjønner hva hun mener. Hun vil ha skoene hans som ekstrabetaling.

Da får han vel i herrens navn gi henne skoene sine. Hvis hun vil ha skoene, kan hun like gjerne få sokkene også.

Halvor går barbeint gjennom Malagas gater. Brusteinene under føttene hans er kjølige. Det er tross alt januar. Han setter sin lit til at Malaga har flinke gatefeiere, som har feiet fortauene reine for glass-skår og dritt.

Halvor skriver i dagboka: «Middelhavet, 6. januar 1940. Underveis fra Malaga til Genova i Italia. Der skal vi laste et lite parti biler og kontormaskiner. I Malaga brøt jeg for første gang et av budene i Moseloven. Jeg har bedt Gud om tilgivelse. Jeg må vedgå at jeg ikke vet hvor oppriktig bønnen min var. Jeg syndet, men følte meg ikke som noen <u>stor</u> synder. Jeg gjorde ikke Juanita noe ondt. Hun er gatepike i en fattig by i et borgerkrigsherjet land. Hun har et levebrød som folk forakter. Men kanskje er hun katolikk god som noen. Hun bar et lite gullkors om halsen.

Det hadde naturligvis vært best om det ikke fantes prostitusjon i verden, og at alle seksuelle handlinger sprang ut av kjærlighet. Slik er det nå engang ikke. Verden er som den er. Far min sier at kommunismen vil forandre verden på alle måter, også på den måten at salg av seksuelle tjenester forsvinner. Men av lugarkamerat Geir Ole, som har vært i Leningrad da <u>Tomar</u> lastet for turen til Australia, har jeg fått høre at det finnes prostituerte i byen som bærer navnet til verdenshistoriens største kommunist.

I Malaga pulte jeg bokstavelig talt skoa av meg!

Jeg får kjøpe meg et par nye pensko i Genova. Italienerne skal jo ha flott skotøy.

Heldigvis kom jeg meg usett om bord. Vaktmannen ved gangveien satt og sov. Ingen av gutta så meg komme spradende barbeint.

Nei, jeg er ikke veldig skyldbetynget. Det skjedde i Malaga som en gang <u>måtte</u> skje, hvis jeg ikke skulle levd livet avholdende som en munk. Anger og ruelse er ikke min stil.

Da jeg spiste frokost etter mitt lille spanske eventyr, smilte messemann Cheng underfundig til meg og gjorde et veldig tydelig tegn. Han formet pekefingeren og tommelen på venstre hånd til en ring, og så stakk han høyre hånds pekefinger raskt fram og tilbake i ringen.

Har kinesere en sjette sans som gjør at de vet når noen har hatt seg dame?

Da vi seilte østover fra Malaga, i farvannet i Middelhavet som kalles Alboránsjøen, kunne vi plutselig se snøfjell ruvende over kystens berglendte landskap.

Annenstyrmann Granli satt på treerluka og studerte fjellene i kikkert.

Jeg sa til ham at jeg ikke visste at det finnes snøfjell i Spania.

Sierra Nevada, sa Granli. Det betyr den snødekte fjellkjeden. Det er vintersportssteder der oppe, hvor spanjoler fra overklassen står slalåm. Den høyeste toppen i sierraen heter Mulhacén og er mer enn tusen meter høyere enn Galdhøpiggen.

I de gråbrune fjellsidene kunne jeg se hvite landsbyer som så ut som snøballer noen hadde slengt fra seg.»

Kapittel 8

Halvor skriver: «Messinastredet, fredag den 12. januar 1940. Vi stevner gjennom stredet mellom Fastlands-Italia og Sicilia. Her er i likhet med i Dover-stredet en del ferjetrafikk på tvers av vår kurs. Får håpe vi ikke kolliderer. Jeg sitter på poopen og fører dagbok. Det er vårlig mildt.

Har fra her jeg sitter på styrbord side, akkurat nå fenomenal utsikt til den snødekte toppen av vulkanen Etna. Fjellet ser ut som en gigantisk kransekake med en klatt glasur på toppen.

Det ble ikke noe av anløpet i Palermo. Ifølge byssetelegrafen skal dette skyldes at havnemafiaen der i byen hadde stilt krav via Wilhelmsens lokale shippingagent som rederiet ikke fant det mulig å etterkomme. Det er ikke bare i Palermo at det finnes mafia i havna. Mafia er det også i Genova havn. Det fikk jeg bittert erfare.

Det hadde seg slik at jeg satt lastevakt i treerluka. Jeg syntes jeg fulgte godt med på hva sjauerne foretok seg. Da vi skulle stemple lasta før avgang, viste det seg at ei trekasse var brutt opp. I den kassa var det Olivetti skrivemaskiner. Et dusin skrivemaskiner var stjålet.

Ikke skjønner jeg hvordan sjauerne ubemerket fikk med seg tjuvgodset i land. Men de gikk jo i tjukke vinterjakker, og noen av dem hadde vide frakker. Likevel. Å greie å bære med seg skrivemaskiner!

Jeg ble kalt inn på teppet til førstestyrmann Nyhus, som er ansvarlig for lasting og lossing. Han ga meg skikkelig oppstrekk og var brysk. Mer brysk enn jeg mener det var grunn for, da jeg umulig kunne være klar over hvor utspekulerte og velorganiserte havnearbeiderne i Genova var. Særlig irriterte Nyhus seg over at han måtte skrive en tyverirapport med kopier både til rederiet og forsikringsselskapet.

En ripe i lakken for meg.

Du lyt tåle det, Blessomen.

Skipskatten vår, Ramot, har ikke vist seg etter Genova. Vi antar derfor at Ramot har gått i land og gjort italiener av seg.

Det samme ser det ut til at Milde Måne har gjort. Nå kan det vel hende at han bare ble sørgelig akterutseilt. Men dersom han har arvet egenskapene til bestefaren, er det mulig at tromsøværingen har rømt i Genova, at han nå går på loffen i Nord-Italia og vil forsøke å slutte seg til mafiaen etter hvert.

Vi gjør bra fart på det blanke Middelhavet. For en bil er ikke en fart på snaue 30 kilometer i timen noe å skryte av, men for et stort skip er det ikke verst.»

Hemmingsen kommer og avbryter Halvor i skrivinga. Matrosen fra Lilleaker spør om de skal gå og handle.

«Hva slags tullpreik er det?» sier Halvor.

«Slappen er åpen. Du kan si hva du vil om stuert Dyrkorn, men han børser ikke med slappen.»

«Slappen?»

«Slapkista til stuerten,» sier Hemmingsen.

Halvor blir forklart hva slapkista er. Det er ingen kiste, det er stuertens vareutsalg, en slags liten krambod der han selger sigaretter, fyrstikker og lightere, sjokolade, mineralvann, tannpasta, såpestykker, sysaker og av og til arbeidsskjorter, undertøy og sokker.

Hemmingsen spør om ikke Halvor er klar over at slappen er åpen hver fredag ettermiddag når *Tomar* er i rom sjø.

«Nei,» svarer Halvor. «Det visste jeg ikke. Ingen har sagt et ord til meg om slappen. Om bord i *Flink* hadde vi verken stuert eller slapkiste.»

«Hvordan i helvete har du fått kjøpt deg røyk her om bord?» spør Hemmingsen.

«Jeg har kjøpt de røykpakkene jeg har trengt, for en billig penge av messemann Cheng.»

«Og Cheng, den lille luringen av en businessmann, fortalte deg ikke om slapkista?»

«Nei, han gjorde ikke det. Men jeg spurte jo ikke heller.»

I slappen kjøper Halvor to kartonger Camel. Han liker best Chesterfield, men tenker at det er riktig å kjøpe Camel nå som de skal til Suezkanalen og ganske sikkert kommer til å få se kameler langs kanalbreddene. Han kjøper to store sveitsiske Toblerone-sjokolader, en tube amerikansk Colgate tannpasta og to stykker amerikansk Palmolive-såpe. Det eneste norske produktet stuerten selger, er appelsinbrusen Solo, som brygges av Tønsberg Bryggeri etter en spansk oppskrift. Halvor synes Solo er i søteste laget, men kjøper fem flasker fordi smaken av Solo er en smak hjemmefra.

Tomar ankommer Port Said ved det nordlige innløpet til Suez-kanalen mandag den 15. januar.

Det er ventetid for å komme inn i kanalen. De ankrer på reia, der det ligger et dusin andre skip til ankers, og bruker ventetida til å holde livbåtmanøver.

Halvor har fått sin plass i den forre babords livbåten, som er den eneste av de fire båtene som har motor. Det går greit å få satt båten på sjøen, og den lille bensinmotoren starter på første slaget.

Motorlivbåten med Granli ved roret tøffer i ring rundt *Tomar*, og de som er så heldige å være om bord, vinker til de andre karene som må ro sine livbåter og bakser fælt med årene. Det er ikke så lett å ro når man må ha på seg et klumsete livbelte laget av store korkplater. Og hett er det i den vindstille lufta i Port Said, så roerne peser og svetter.

Båsen, som befinner seg i motorlivbåten, sier som sin hjertens mening at han regner livbeltene som ubrukelige hvis det kommer til en akutt nødssituasjon og folkene må hoppe fra dekk og ned i sjøen.

«Vi kommer til å brekke nakken alle mann hvis vi må hoppe på havet med all den jævla korken på oss,» sier Båsen. Han vil ta opp på neste Union-møte at *Tomar* skal anskaffe moderne livvester av gummi som kan blåses opp til passe størrelse før man hopper, og så til full størrelse når man er kommet i vannet.

Et rykte brer seg på *Tomar* om at grunnen til at de må vente, er at det er fare for sabotasje i kanalen. Tyskland skal ha vervet hemmelige agenter i Egypt, og utstyrt disse agentene med lette dykkerdrakter og surstofflasker. Når skip på vei gjennom smale strekninger i kanalen må stoppe fordi det kommer motgående trafikk, vil dykkerne svømme ut og feste små miner på skrogene. Disse minene kalles limpets.

Selv om de er små, har de utrolig kraftige sprengladninger. En eneste velplassert limpet kan være nok til å sende ei skute rett til bunns. Kapteinene har, ifølge ryktet, fått ordre om at hvis skip de fører, blir sprengt, skal de prøve å kjøre skuta for full fart inn mot kanalbredden og så langt opp på land som mulig. Dette for å hindre at hovedløpet i kanalen blir stengt. Det vil være litt av et kupp for Hitler dersom han greier å sperre Suezkanalen, som er så livsviktig for det britiske imperiet.

Båsen mener at det er råttent at krigsrisikotillegget sluttet å dreie ved passering Gibraltar, og at det burde vært tillegg fram til og med passering Suezkanalen.

Tomar letter anker og klapper til kai i Port Said. På kaia patruljerer en tropp britiske soldater med stålhjelmer og utsvettede uniformer. Soldatene bærer hver sin Thompson maskinpistol. Det kan ikke være lett å være tysk agent ved Suezkanalen når det kryr av soldater med tommyguns.

Noen av ambassadekassene om bord i *Tomar* blir heist i land. Hemmingsen tror at de skal til den norske ambassaden i Kairo. Det blir livlig diskusjon i messa om hvorvidt Norge har en ambassade i Kairo eller ei.

Diskusjonen stopper brått da Milde Måne dukker opp i messa. Han er naturligvis dagens sensasjon. Han stråler som om han skulle være Blide Sol.

Han benekter at han ble akterutseilt i Genova fordi han forsov seg hos et kvinnfolk. Nei, han hadde tatt toget opp til Torino. Så bomma han på toget tilbake igjen, og da han kom til Genova, var *Tomar* avgått.

Båsen spør om hva faen jungmannen hadde å gjøre helt oppe ved Alpene. Skulle han se på Fiat-fabrikken?

Milde Måne gjør seg kostbar og vil ikke si noe om hva som var formålet med Torino-turen. Men han er ikke vanskelig å presse. Så han forteller at han dro til Torino for å se på det verdenskjente likkledet som finnes der, og som har et avtrykk som er satt på kledet av ingen ringere enn Jesus Kristus.

Flise-Guri sier at han aldri har oppfattet at Milde Måne har religiøse anfektelser.

Milde Måne svarer at det har han ikke heller. Det var ikke av religiøse grunner at han dro til Torino. Han ville undersøke om det gikk an å bemektige seg Jesus-likkledet.

Det går et sus gjennom messa.

«Så du ville rappe verdens mest berømte tøystykke?» sier Båsen. «Du besitter faen meg frekkhetens nådegave!»

Milde Måne sier at dersom han hadde kunnet få tak i likkledet og selge det til en privat samler, ville han ikke behøve å gjøre et arbeidsslag mer i sitt liv. Det viste seg at kledet var strengt bevoktet, så det måtte nok en hel bande til for å stjele det.

«Hva blir det neste?» spør Flise-Guri. «Hvis vi kommer til Le Havre, vil du kanskje ta toget opp til Paris og prøve å knabbe Mona Lisa fra Louvre-museet?»

Milde Måne sier at det har han aldri tenkt på, men at det høres ut som en god idé for den rette mann med talent og vågemot.

Han sier at selv om det ble bomtur i Torino, har reisa til Port Said vært en fenomenal opplevelse. Det å seile rundt på havet med seine skip er bare for trøttinger. Det er himmelrommet og flyvemaskiner som gjelder! Han har hatt sin første flyreise, og det skal ikke bli den siste, det sverger han på. Mens *Tomar* tøffa langsommelig fram over Middelhavet, har han besøkt åtte hovedsteder.

«Nå ljuger du,» sier Hemmingsen.

«Nei, æ lyg ikkje,» svarer Milde Måne. Han forteller at han først tok toget fra Torino til Roma. Derfra fløy han til Tirana, som er hovedstad i det lille kongedømmet Albania. Ferden gikk videre til Athen, og så til Nicosia på øya Kypros. Selv om Kypros er britisk kronkoloni, må Nicosia regnes som en hovedstad så god som noen. Flyet dro videre til Beirut i Libanon. Så var det et par korte strekk til Damaskus, som er hovedstad i Syria, og til Jerusalem, som er hovedstad i Palestina. Til slutt fløy han inn mellom pyramidene og gikk inn for landing i Kairo.

Båsen sier: «Du er klar over at du vil få et saftig trekk i hyra for alt det den vidunderlige flyturen kosta?»

Jo da, det er Milde Måne klar over. Men om han så må seile gratis til Hong Kong, har det å komme seg på vingene vært verdt det.

Halvor får brev hjemmefra. Brevet er sendt med luftpost og har kanskje vært ute på samme flytur som Milde Måne. Alt står bra til hjemme, bortsett fra at Brakar har fått et stygt sår på venstre forbein.

«Det ser ut som et bittsår,» skriver mor i brevet. «Vi tror at det kan være en mår eller grevling som har bitt den kjære hunden vår.»

Halvor skynder seg med å skrive et kort svarbrev, der han forteller at alt er vel, at han er ved god helse, og at jobben om bord går greit. Nå skal han kanskje stå til rors gjennom Suezkanalen. Det er snakk om at det bare er matroser som får rortørn gjennom kanalen, men av tredjestyrmann Kvalbein har han fått høre at han er kompetent til å styre i kanalen.

Han bestemmer seg for å sende et postkort med kamelmotiv til Lisa Graaberget.

«Du får unnskylde at jeg rabler,» skriver Halvor til Lisa, «men nå er kanallosen kommet om bord, og vi skal snart seile. Losen ser ut som en sånn engelskmann som du ser på filmer fra tropene. Han har beige shorts og beige knestrømper, og beige tropehjelm på hodet. Losene i Suez skal være meget strenge. Hvis et skip går på grunn i kanalen, kan det bli et usalig kaos. Goodbye! Halvor.»

En hel gjeng egyptere er også kommet om bord. Egypterne skal bistå ved fortøyning på de smaleste stedene i kanalen, og rigge til kraftige lyskastere framme i baugen, til bruk for å lyse opp den trange leia under nattseilas.

Klokka halv ti om formiddagen kaster *Tomar* loss i Port Said.

Halvor står sammen med Flise-Guri ved rekka.

«Suez er blitt en gammal og velprøvd kanal,» sier Flise-Guri. «Jeg seilte gjennom her med damperen *Lyngør* av Arendal på dagen for femtiårsjubileet. Det var den syttende november nittennitten, og det var stor festivitas med fyrverkeri langs breddene og ekte fransk champagne til alle mann om bord. Det var jo franskmennene som ledet arbeidet med å bygge kanalen. Men nå er det engelskmennene som har bukta og begge endene her. Egypt er ikke lenger britisk protektorat. Det ble det slutt på tidlig på nittentjuetallet. Siden har landet i prinsippet vært et sjølstendig kongedømme. Men kongen er en liten fettklump ved navn Farouk, og han er i lomma på engelskmennene. De har full militær kontroll over hele kanalsonen, alle de sytten norske milene fra Port Said til Suez by.»

«Jaså,» svarer Halvor. «Tror du Milde Måne bløffa om det der med likkledet i Torino?»

«Klart han bløffa,» svarer Flise-Guri. «Han var nok hos en señorita i streeten i Genova og koste seg så inderlig at han glemte avgangstida vår. Tromsøværinger er notorisk svære i kjeften, og det var ei fin røverhistorie han fortalte.»

«Enn *åtte* hovedsteder?»

«Høres ut som ei kronglete flyrute. Men om flytrafikken over Middelhavet og i Midtøsten vet jeg ingenting.»

Klokka ti går Halvor opp i styrhuset og tar over rattet fra Åge.

Tomar seiler gjennom et ørkenlandskap dominert av sand og gråhvit stein, med spredte småpalmer og busker, på kanalens grågrønne vann.

Losen, mister Stewart, har anlagt en smal, mørk mustasje som ser ut som den er sverta, og som sitter på en typisk engelsk stiff upper lip.

Han stirrer på Halvor og sier til kaptein Nilsen: «Your helmsman looks very young. Is he an ...»

Det kommer et ord som Halvor ikke forstår, men som det ser ut til at kapteinen forstår.

«No, my helmsman is not a *baby*, of course,» sier kapteinen.

«I did not say he is a baby,» sier mister Stewart.

Etter en del palaver mellom los og kaptein blir misforståelsen oppklart. Det losen spurte om, var om Halvor er en AB, som er den engelske forkortelsen for able bodied seaman, matros.

«My helmsman is kapabel of steering,» sier kaptein Nilsen.

«We'll check out if he is capable,» sier mister Stewart. «If he is not, I'll command him down from the bridge.»

Stewart vender seg mot Halvor og sier: «Starboard easy.»

«Starboard easy,» svarer Halvor.

«I didn't hear a *Sir*, young man.»

«Aye, aye, starbord easy, Sir,» sier Halvor.

Han prøver å følge med på konversasjonen mellom los og kaptein. På middelskolen sa læreren hans at han hadde godt språkøre. Han forstår en god del engelsk etter seilasen med *Flink* til britiske havner, og liker å plukke opp ord og uttrykk, selv om han ikke fører glosebøker på *Tomar*.

Mister Stewart holder et helt lite historisk foredrag for kaptein Nilsen, og Halvor forstår det meste losen sier: Allerede faraoene i det gamle Egypt satte arbeidsfolk og slaver i gang med å grave ut en kanal gjennom det lave eidet mellom Middelhavet og Rødehavet. Historikerne strides om hvorvidt faraoene lyktes. Men i år 500 før Kristus greide persernes konge, Dareios, å skape sjøveis forbindelse fra Nilen til Rødehavet.

Under romernes styre i Egypt føyk kanalen igjen med sand fra ørkenen. Så kom de arabiske erobrerne, som greide å gjenåpne den gamle kanalen. Men så kom ørkensanden feiende med vinden og begrov vannveien igjen.

Da Napoleon ledet den franske invasjonen av Egypt i 1798, mente han at kanalen burde graves ut. Men Napoleons egyptiske eventyr ble kortvarig. Det var først på midten av 1850-tallet at franskmannen Ferdinand de Lesseps fikk virkeliggjort et kanalprosjekt, som ble finansiert med fransk og britisk kapital.

Kaptein Nilsen sier: «Did you know, Mister Stewart, that the Norwegian writer Henrik Ibsen was present as guest of honour at the celebration of the opening of the Suez canal?»

«Henry who?» sier Stewart.

«Henrik Ibsen,» svarer kapteinen snurt. «The William Shakespeare of Norway.»

«I didn't know you had a Shakespeare in Norway. I imagine you are a people of sailors, fishermen and lumberjacks, with very little interest for literature.»

«We have had three Nobel prize winners of literature in this century.»

«Have you, really? Who are they?»

«Bjørnstjerne Bjørnson, Knut Hamsun and Sigrid Undset.»

«Sorry, captain Nelson,» sier Stewart. «Never heard of any of them. But I know of that clever ski jumper from Norway, Mister Rudd. He won a gold medal in the last Olympic championship, didn't he?»

«Yes, Mister Birger Ruud won in Garmisch-Partenkirchen three years ago.»

«That was, in my opinion, a Nazi event, just like the summer Olympics in Berlin, which became a showcase for Adolf Hitler. Great Britain, the United States and all other democratic nations should rather have boycotted the whole Nazi Olympic shebang.»

Halvor merker seg ordet «shebang», som han aldri har hørt før. Det må bety noe sånt som hele sulamitten. Han kunne ha lyst til å si til los Stewart at det norske landslaget i fotball banket gørra ut av Tyskland i Berlin, og at Hitler på tribunen sikkert holdt på å drite i buksa av bare forbitrelse og ikke fikk mye nazipropaganda ut av den matchen. Men han føler på seg at det ikke er riktig av en skarve rormann å gripe ordet.

«There will be no Olympic games next year if the war still goes on,» sier kaptein Nilsen og ser sørgmodig ut ved tanken. «Mister Ruud would, I guarantee you, have taken a new gold medal. Nobody can beat him in the ski jump hill.»

Stewart sier til kapteinen at det er godt for Norge at det nå er brutt ut krig mellom Frankrike og Storbritannia mot Tyskland. For en shippingnasjon som Norge vil krigen være gull verdt. Fraktratene stiger, og kommer til å stige enda mer. Norge vil tjene inn millioner av franske franc og pund sterling. Og tyske mark, som nå er blitt en verdifull valuta igjen. Akkurat som det nøytrale Norge tjente fett på den forrige verdenskrigen, vil det stadig nøytrale Norge sko seg på denne nye krigen. De norske skipsrederne kommer på ny til å gamble med skip og mannskaper ved å påta seg farlige oppdrag for stormaktene. Går det galt, får rederne assuransen, mens sjøfolkene havner på havets bunn.

Kaptein Nilsen er blitt rød i de ellers bleike kinnene og tørker svette av panna med et lommetørkle som allerede er søkkbløtt. Han sier at han vil påpeke at landet hans ga England mye assistanse med norske skip under hele krigen fra 1914 til 1918, og at norsk skipsfart betalte en høy pris for krigsinnsatsen. Halvparten av den norske handelsflåten ble senket. Nesten to tusen norske sjøfolk omkom under krigsforlis.

«That many?» sier losen. «Can you prove this, captain Nelson?»

«If you come to Norway, I will invite you to the Sailors' Memory Hall in Stavern,» sier kapteinen. «There are the names of almost two thousand Norwegian sailors inscribed on copper plates. They all died in the Great War.»

«Really,» sier los Stewart. Han gir ordre om å redusere farta fra slow til dead slow, og går ut på styrbords bruving for å inspisere noen lektere og en taubåt som ligger ved kanalbredden.

Kapteinen forteller Trean og Halvor at to av navnene på minneplatene i Stavern er navnene til onklene hans, farens yngre brødre.

«Jeg kunne ha stått der selv, på en av kopperplatene,» sier han. «Jeg var tredjestyrmann om bord i fullriggeren *Magdalena* av Lillesand. Hun ble torpedert nær Land's End i november nittensytten, i en fæl storm. Jeg overlevde sammen med seksten fra *Magdalena*s mannskap i livbåten. Men skipet mistet åtte gode menn. Kapteinen vår, Brynjulf Torstensen, gikk ned med skipet. To av karene døde om bord i livbåten, av frost og utmattelse.»

Losen kommer inn i styrhuset igjen. Farta økes til slow. Det er Halvor glad for. På dead slow har de nesten ikke styringsfart.

Mister Stewart besværer seg over Norges nøytralitet, som han sammenlikner med Irlands.

«Look at Ireland!» sier han. «The Irish Republic will not join Britain in the war against Hitler. And even worse, the government in Dublin denies Britain naval bases that we badly need in Ireland. The Irish have shown themselves not only to be goddamned terrorists. To me they are a bunch of cowardly buggers!»

«Did you say beggars, Mister Stewart?» spør kapteinen.

«No, I said *buggers*.»

«Meaning what?»

«Men who have sexual intercourse with other men, like Catholics and Muslims seem to prefer.»

Kaptein Nilsen ser ut til å ha tatt denne grusomme salven mot irlendere, katolikker og muhammedanere personlig. Nå er han ikke bare rød i kinnene, han er blitt rød i hele toppen. Men han svarer ikke losen. Han trekker ut på bruvingen.

«Midship's rudder,» sier Stewart til Halvor.

«Midship's rudder, din drittsekk,» svarer Halvor og legger roret midtskips.

«What did you say there, young man?»

«I said *drittsekk*. It means *Sir* in Norwegian.»

«You do indeed have a funny language,» sier Stewart.

«They also have a funny language in Ireland,» sier Halvor. «When they speak their own language, and not English, they say *pit* when they mean *Sir*.»

«Watch your steering,» bjeffer Stewart.

«Watch the steering, aye, aye, pit,» svarer Halvor og fryder seg. Dette ordet «pit» plukka han opp på ei havnekneipe da *Flink* en gang våget seg ut av Nordsjøen og helt bort til Londonderry i Nord-Irland. Det er det gæliske ordet for fitte.

Etter endt rortørn stiller Halvor seg ved rekka på båtdekket, puster ut, tar seg en røyk og studerer den ensformige ørkenen. Hva er det som troner der på toppen av ei sanddyne?

Det er en beduin med hvit kjortel som sitter stolt på ryggen av kamelen sin. Kamelen er større og mer langbeint enn Halvor hadde forestilt seg.

Styrmann Granli kommer ut på båtdekket.

«Flott kamel der inne,» sier Halvor og peker.

Granli kaster et blikk mot bredden.

«Jo da,» sier han. «Brukbar størrelse på dyret. Men vi sier ikke 'kamel' på norsk når det dreier seg om en skapning med bare én pukkel og ikke to. Da heter det *dromedar*.»

Dromedar kan du sjøl være, tenker Halvor.

Ved byen Ismailia kommer bombåter ut til *Tomar*. Halvor har hørt om de legendariske handelsmennene Moses og Abraham som har spesialisert seg på å selge Suez-suvenirer til norske sjøfolk. Og anførerne for flokken av kremmere som kommer om bord, presenterer seg ganske riktig som Moses og Abraham, far og sønn.

Abraham kan herme stavangerdialekten og sier, til stor munterhet blant nordmennene, at han er en solbrent stavangergutt. Da Moses får greie på at dekksgutten er fra Haugesund, erklærer han at det er «huggelig treffe araber landsmann». Latteren vil ingen ende ta.

Abraham insisterer på at Halvor skal kjøpe en kamelsadel av ekte lær, med pynt av fargede glassperler. Hva pokker skal han med en perlepynta kamelsadel?

Egypteren later som han blir veldig sur, og påstår at han har solgt tusenvis av sadler til «norska sjøgutta». Mulig det. Men kanskje har de fleste av disse sadlene drevet i land på fremmede kyster, etter å ha blitt kasta over bord av sjømenn som fant ut at sadlene ikke gikk an å bruke som sittestoler og bare tok opp plass på trange lugarer.

Nå falbyr Abraham en statuett som forestiller den vakre dronning Nefertiti. Den er av svart tre, som Abraham bedyrer er «ekteste ibenholt». Halvor veier statuetten i hånda. Den er virkelig tung, så treverket er nok det sjeldne og kostbare ibenholt. Han pruter prisen ned fra femti norske kroner til femten, og blir eier av Nefertiti.

Geir Ole kjøper også en Nefertiti.

De to går til lugaren for å slappe av litt. Geir Ole begynner å pusse statuetten sin med en fuktig klut. Dermed gnukker han av svart maling, og lyst treverk åpenbarer seg.

Hvordan kan det da ha seg med tyngden på statuetten?

Geir Ole pirker med lommekniven i bunnen av Nefertiti. En tre-propp faller ut, og Geir Ole pirker videre.

Det viser seg at Nefertiti er fylt med bly.

Skal de springe opp på dekk og gjøre om handelen? De blir enige om at denne affæren ikke er noe å lage kvalm av. Det å bli lurt er en del av gamet i Suezkanalen.

De begynner heller å rigge til et vindfang, som de plasserer i ventilen. Vindfanget er lagd av den ene halvdelen av et stort blikkrør som er blitt kløyvd på langs. De stiller det inn slik at åpninga peker forover. Nå som skuta seiler for sakte fart på kanalen, kommer det ikke mye frisk luft inn, men de regner med å få bedre lufting når *Tomar* går for full fart sørover i det heite Rødehavet.

Båsen kommer og kommanderer Geir Ole og Halvor opp på båtdekket. Der skal de hjelpe til med å sette ut en av *Tomar*s livbåter, som skal brukes til å ro i land ei fortøyningstrosse. Gjengen på seks egyptere viser med fakter at de er i stand til å sette ut livbåten sjøl. Livbåten låres med en wire fra hver davit. Wiren glipper plutselig på den ene vinsjenokken og raser ut.

En av egypterne får foten i ei løkke på wiren, som brått strammes av den tunge livbåten.

Foten rives tvers av. Det er et uhyggelig syn å se den avrevne foten – med sandal på – fare gjennom lufta, ledsaget av en liten sky av blodig skum. Foten lander i kanalen. Egypteren svimer av og blir liggende som livløs på dekket.

Halvor løper og henter styrmann Granli, som har ansvaret for førstehjelp om bord.

Det kommer ikke mye blod fra det gapende såret, men Granli setter for sikkerhets skyld turniké på egypterens lår.

Halvor står til rors gjennom de nesten uttørkede Bittersjøene. Bildet han har på netthinnen av den avrevne foten, plager ham. Han kjemper med kvalmen.

Kaptein Nilsen er stadig på brua, men veksler ikke mange ord med mister Stewart. Det er Trean som har tatt over konversasjonen med losen. Praten går om engelske fotballklubber.

Stewart er tilhenger av en klubb han kaller Pompey, som spiller hjemmekampene på stadionet Fratton Park.

Halvor skjønner ikke hvilken klubb det dreier seg om. Han har aldri hørt om verken Pompey eller Fratton Park. Litt følger han med på resultatene fra fotballen i England og Norge, men han er ikke noen ihuga fotballfan.

Han føler seg bedre orientert da Trean snakker om sitt favorittlag, The Magpies. For Halvor har vært en gang på St. James' Park og sett Newcastle United spille på hjemmebanen sin, iført de svart- og hvitstripete draktene som har gitt klubben kallenavn etter skjæra.

Først da Stewart begynner å snakke om triumfen i fjorårets cupfinale, da Pompey knuste Wanderers 4–1, demrer det for Halvor at losen snakker om laget fra en av havnebyene i Sør-England, Portsmouth, som ligger et stykke øst for rivalen sin, den mye større havnebyen Southampton. For det var Portsmouth som slo knock-out på Wolverhampton Wanderers i den siste cupfinalen.

«It was a pity that Pompey did not meet The Scum in the Football Association cup final,» sier Stewart.

«The Scum?» sier Trean.

«Bloody Southampton.»

I det fjerne ser de hetedisen over Rødehavet. Halvor går av vakt, lar kvalmen få fritt utløp og spyr over rekka.

Ved ankomst til Suez red kommer en britisk lege om bord med los-båten. Den skadde egypteren, som stønner av smerte og har fått morfin, fraktes i land i losbåten.

Halvor spør Trean om hva han tror vil bli stakkarens skjebne når han må greie seg uten høyre fot i et fattig land som Egypt. Vil han ende opp som tigger ved pyramidene, og overleve på småskillinger fra turistene?

Trean svarer at så vidt han vet, er alle som jobber i Suezkanalen dekket av kanalkompaniets forsikring. Den invalidiserte egypteren vil kanskje få en så bra slump penger at han kan åpne en liten butikk i basaren i Kairo.

Kapittel 9

Halvor skriver: «Rødehavet, torsdag 18. januar. Vi hadde et par drøye stopp på grunn av trøbbel i maskinen. Det var kluss med kjølevannspumpene. Ikke rart at pumpene går varme, for når man kommer inn i den tropiske sonen i Rødehavet (vel ett døgns seilas sør for Suez), er det virkelig hett!

Under stoppene slengte Geir Ole ut fiskesnøret sitt. Vi andre lo av ham da han begynte å pilke i Rødehavet. Sannelig halte han opp fire fisker! De var alle av samme art og hadde en viss likhet med makrell, bare at de var mye større.

Geir Ole ville ikke spise dem, da nordlendinger ikke spiser makrell. Nordpå mener de at det brune kjøttet i makrellen stammer fra druknede fiskere som makrellen har spist.

Vi andre fikk Cheng til å steike rødehavsmakrellen i pantryet. Kineseren sa at fiskene var en delikatesse, og de var virkelig velsmakende. Cheng og jeg åt en halv fisk hver.

Det skjedde noe ganske forferdelig med dekksgutt Harald fra Haugesund. Han hadde satt seg i en fluktstol på båtdekket for å sole seg. Så sovnet han. Da han ble funnet av Båsen, hadde han svære vabler i huden på brystet, lårene og leggene.

Solskadene var så smertefulle at Harald skrek som en stukken gris. Han fikk behandling av styrmann Granli, som forsiktig la på omslag som var dyppet i en pøs vann med isbiter oppi.

Vi som så på, spurte om ikke dekksgutten burde smøres med brannsalve. Granli sa at salve bare ville gjøre vondt verre, og at det var nedkjøling som gjaldt. Da Harald fortsatte å hyle av smerte, ga Granli ham en sprøyte morfin.

Harald ligger ennå i skipets sykelugar. Han får tilsyn hver time, men ikke kalde omslag lenger, bare rikelig med kald drikke. Det første døgnet hadde han høy feber og lå og fablet i villelse. Nå har kroppstemperaturen hans begynt å nærme seg normale 37 grader.

Vi som ser til ham, har fått streng beskjed av Granli om ikke å prøve å fjerne hudrestene fra vablene. Harald har fortsatt fryktelig vondt, men får ikke morfin. Granli er veldig bestemt på at morfin bare skal brukes i ytterste nødsfall.

Jeg sitter på madrassen min, som jeg har flyttet ut på poopdekket. Her på varmen kan vi gutta akterut sove oppå poopen og få litt kjøling av fartsvinden skuta lager. Der har vi en fordel framfor offiserene, som pent må holde seg på lugarene sine.

Det drypper svette fra panna mi ned på dagboksidene. Jeg har en ny dagbok med stive permer. Den kjøpte jeg i Suezkanalen.

Under turen gjennom Rødehavet vil vi passere havnebyen Jeddah i Arabia. Der går det hver dag i land tusenvis av pilegrimer som skal til den hellige byen Mekka. Mon tro om kaptein Nilsen en gang vil gå i land i Jeddah for å begi seg på pilegrimsreise til Mekka? Det er vel svært lite sannsynlig!

Jeg hadde bakstørn i kapteinens lugar og skrubba dørken så godt jeg kunne. Grunnen til at jeg måtte ta vaskejobben, var at salonggutt Sivert var blitt alvorlig syk med en blødende diaré som ikke vil gi seg. På nattbordet til kapteinen lå sannelig Koranen, i engelsk utgave med grønt skinnbind med gullskrift på. Det må tilføyes at på nattbordet lå også Bibelen, samt en bunke av tidsskriftet Farmand, som faren min alltid har sagt er et reaksjonært tidsskrift og et talerør for de verste kapitalistiske blodsugerne i Norge.»

Tomar passerer under ei formiddagsvakt på kloss hold et stort, flott og moderne norsk tankskip som er på vei nordover til Suez. Det er m/t *Vivian* av Oslo, tilhørende Olaf Ditlev-Simonsens rederi.

Trean utveksler morsesignaler med skipet og kan fortelle at *Vivian* er på vei fra Abadan i Den persiske gulf til Milford Haven på De britiske øyer.

Halvor har merket seg at tankskip har bare én overbygning midtskips og én på poopen, over maskinrommet. Begge overbygningene på *Vivian* er malt like gnistrende hvite som på noe Wilhelmsenskip.

Synet av *Vivian* står i sterk kontrast til et syn som Halvor opplever seinere samme dag, tidlig på ettermiddagen. Han arbeider overtid med rustpikking på bakkdekket. Under en pause i arbeidet ser han voldsom svart røyk forut. Han løper opp på brua for å varsku styrmann Granli om at det kan være et skip som står i brann der framme.

Granli ler.

«Det er nok bare kølarøyk fra en eldgammel steamer som er fyrt med dårlig kull,» sier han. «Det kan være et arabisk slaveskip som er på vei fra Port Sudan til Jeddah.»

«*Slaveskip*, i våre dager?» sier Halvor.

«Ja, slike skip finnes,» sier Granli. «Araberne henter slaver i Sudan. Det foregår ennå slavefart over Rødehavet.»

Halvor blir nysgjerrig og blir værende på styrbords bruving.

Det er en eldgammel rustholk som er i ferd med å krysse foran dem, med veldig mye røyk veltende ut av skorsteinen. Granli gransker henne i kikkerten.

«Dæven,» sier han. «Nå tror jeg nesten ikke mine egne øyne. Se på det skipsnavnet, Skramstad.»

Han rekker Halvor kikkerten.

Halvor kan lese skipets navn, som står malt i baugen med ruststrimede, hvite bokstaver.

Det står *Tista*. Under er det skriblet noe med arabiske skrifttegn.

Granli sier at Tista er navnet på elva som munner ut ved Halden.

«Den skræbbete båten kan umulig være en *haldenser?*» sier Halvor.

«Faen vet,» svarer Granli.

På dekket til *Tista* står en mengde mørkhudede mennesker, alle sammen voksne, muskuløse mannfolk. De er nakne bortsett fra små lendekleder som de har viklet rundt livet. Det som er merkelig, er at alle sammen har rødt hår.

Noen av dem vinker til Granli og Halvor, som vinker tilbake. Det er ingen slavelenker å se, og ingen slavedrivere med pisk.

De to nordmennene får øye på et par mennesker i styrhuset på *Tista*, men styrhusvinduene er så sotete at det er umulig å se hva slags folk det er som har kommandoen om bord der.

«Se på flagget!» utbryter Granli.

Flagget på flaggstanga til *Tista* er groskittent, sikkert på grunn av all røyken. Men det er ingen tvil, det er det norske flagget i rødt, hvitt og blått.

I hekken på skipet kan de tydelig lese *Tista* og Fredrikshald, med arabiske skrifttegn under. Halvor husker godt da Fredrikshald skiftet navn til Halden. Det var da han gikk i første klasse på folkeskolen. Lærerinnen hans, frøken Hanestad, var knallpatriotisk av seg og svært fornøyd med at enda en danskekonges navn ble strøket fra et norsk bynavn, etter at Kristiania ble Oslo tre år tidligere. Han minnes at han var oppe på tavla og skrev «HALDEN» med store, barnslige bokstaver.

Halvor sier til Granli at den gamle damperen sikkert er kjøpt av arabiske slavehandlere som ikke har tatt seg bryet med å skifte navn og flagg på skuta.

«Vi får håpe det,» svarer Granli. «Men husk at det finnes brådne kar i alle land og at vi ikke skal være naive. Kan hende det sitter en bande lugubre typer på et rederikontor i Halden og gjør gode penger på slavetrafikken på Rødehavet.»

Halvor nevner det påfallende røde håret til mennene på *Tista*.

Granli sier at han har sett sudanesiske slaver om bord i slaveskip før, i en havneby i Sudan ved navn Sawakin. Han har også sett folk han mistenkte var slaver i Jeddah, der de var sjauere i havna. Det skal være en skikk blant slavene at de setter inn håret med rødfarget kumøkk for å pynte seg.

Han stikker inn i bestikken og henter boka *Norges skipsliste*. I fortegnelsen over alle norske seilende skip finner de ikke noe skip ved navn *Tista*.

Granli sier: «Vår ære og vår makt har norske skip oss brakt. Det hadde pokker ikke vært mye ærerikt dersom slaveskipet var norsk. Men vi får vel frikjenne Halden.»

Halvor spør om sudaneserne virkelig blir holdt som slaver i Arabia, om ikke sjauerne i Jeddah får litt lønn.

«Slavehandel er mye mer utbredt i vår tid enn folk flest er klar over,» svarer Granli. «Etter mange års trelldom i Arabia får slavene fra Sudan kanskje ei bukse og ei skjorte når de er utslitt og blir sendt tilbake til hjemlandet.»

«Det er fælt å tenke på,» sier Halvor.

«Ja, det er ingen oppbyggelig tanke.»

Halvor skriver: «Helvetesporten, lørdag 20. januar. Vi passerer nå gjennom stredet Bab el Mandeb ved utløpet av Rødehavet til Adenbukta. Dette stredet blir av norske sjøfolk kalt Helvetesporten. Det er et passende navn, for her er en temperatur slik man forestiller seg at den kan være nede hos Gammel-Erik.

Stredet er smalt, men vi kan ikke se land fordi det er skjult av dis.

Radiopresse: Finnene har utslettet en hel sovjetisk armé-divisjon.

De har også slått Den røde armé tilbake på Salla-fronten. Det dreier seg altså om betydelige finske seire.

Norske frivillige har reist til Finland. Det opplyses at finnene ikke vil sette de frivillige i kamp, men la dem tjenestegjøre bak fronten.

Hjemme samles det inn ryggsekker til Finland. Målet skal være femti tusen. Kunne jeg sendt ryggsekken min (som styrmann Granli ikke likte) til Finland, så skulle jeg gjort det.

Vi skal nå til den britiske kronkolonien Aden på Arabia-halvøya for å bunkre. I Aden skal araberne, med tysk støtte, visstnok planlegge et opprør mot de britiske koloniherrene, men om dette vites ingenting sikkert.

I messa er det satt fram salttabletter for at vi skal kompensere for saltet vi svetter ut. Vi svelger tablettene med vann blandet med lime-juice. Den c-vitaminrike limejuicen ble tidlig i seilskutetida tatt i bruk av engelskmennene for å forebygge skjørbuk under lange sjø-reiser. Det er derfor engelske båter den dag i dag blir kalt 'lime-juicers'. Dette har igjen ført til at amerikanere foraktelig kaller engelskmenn for 'limeys'. Det har jeg hørt yankee'er si på barer i England. Det er rart å tenke på at det som er blitt et skjellsord, egentlig har sin opprinnelse i et fornuftig tiltak for å bedre sjøfolks helse.

På overtid på turen gjennom Rødehavet malte jeg med hvit-maling på skottet på båtdekket. Jeg kom til å søle litt maling på det grønnmalte dekket. Båsen brukte f...snik-ordet, men uten fynd og klem.

Jeg har for lenge siden lest ut <u>Tatt av vinden</u>. Boka var søtsuppe, men god underholdning. Nå leser jeg en bok av Mikkjel Fønhus. Den heter <u>Skogenes eventyrer, fortellingen om en rev</u>. Fønhus skriver så livat om reven at man som leser nesten tror man er en rev. Boka fikk meg til å angre på at jeg har lagt ut åte og skutt rødrev.»

Tomar ankommer Aden og ankrer ved havna ved Steamer's Point. Aden er en by som ligger under svarte fjell, og der det er varmt som i en bakerovn. Det må være minst førti grader i skyggen, og det er ikke mye skygge å finne.

Halvor misunner ikke de britiske soldatene som marsjerer i gatene med stålhjelmer og svette kakiuniformer. Araberne i sine hvite kjortler har det bedre.

Han har fulgt salonggutt Sivert Høyby til en britisk lege oppe i byen, Dr. Crawford. Høyby er en gutt så tynn at han må kunne kalles mager. Den fæle diareen hans plager ham fortsatt.

Nå venter Halvor på doktorens venteværelse. Der roterer ei stor rottingvifte i taket. Han blar i et engelsk blad som handler om jakt og fiske. Han tenker at han bør se til å lære seg mer engelsk.

Sivert kommer ut fra doktoren. Han er likbleik.

«Hva sa doktoren?» spør Halvor.

«Han sa en hel del som jeg ikke forsto. Han ga meg en boks piller og skrev opp sykdommens navn på et ark papir.»

Sivert gir Halvor arket. Der står: «Bleeding ulcer of the stomach.»

«Hva betyr ulcer?» spør Sivert.

«Jeg vet ikke,» svarer Halvor. Han håper at ulcer ikke betyr kreft. En 17-åring kan da ikke ha fått kreft?

De finner en bokhandel som selger engelske bøker. Sivert har fått en del britiske pund av Gnisten til å betale legen med. Det er blitt noen pund til overs. Halvor låner penger av Sivert og kjøper en heftet utgave av «Oxford Dictionary». Enda boka er på over tusen sider, koster den bare tre pund.

De står i bokhandelen og blar opp på «ulcer»: «open sore forming poisonous matter (on the outside or inside surface of the body).»

Halvor sier: «Bleeding ulcer of the stomach må bety blødende magesår. Jeg var redd ulcer kunne bety kreft, men det gjør det altså ikke. Du blir nok helt fin igjen.»

«Vi får satse på det,» sier Sivert.

De to norske sjøguttene tar en taxi fra Aden by og ut til Steamer's Point, som ligger en halvtimes biltur fra sentrum. Det er så varmt i solsteika at det er utrolig at ikke asfalten på bilveien smelter. De snakker om at det helt sikkert går an å steike speilegg på asfalten i Aden.

Plutselig begynner Sivert å gråte.

«Jeg er glad i speilegg,» sier han. «Men hvis jeg spiser et speilegg når vi kommer om bord, går det bare tvers igjennom meg.»

Halvor prøver å trøste ham og ber om å få se på pilleboksen. På etiketten står det «opium». Halvor skrur lokket av boksen. Den er full av små, grønne kuler.

«Du skal spise opium,» sier han til Sivert. «Det er sikkert godt for magen, og så får du deg en fin rus i tillegg, din heldiggris.»

Etter å ha bunkret dieselolje og drikkevann avgår *Tomar* fra Aden den 22. januar 1940, med kurs for George Town på øya Penang utenfor Malayahalvøya.

Kapittel 10

Storhavet!

Det indiske hav er så stort at det får Nordsjøen til å fortone seg som ei badebalje og Middelhavet som en plaskedam.

Tilsynelatende endeløst er oseanet, og blått som blåveis om våren i Norge.

Dette er virkelig blåmyra.

Her svever flygefiskene mellom toppene på de slake dønningene, og her går veien til Mandalay. Her steiker tropesola.

Iført bare shorts og slippers står Halvor til rors. Kaptein Nilsen kommer inn i styrhuset og spør: «Hvordan liker du deg på havet, Skramstad, du som kommer fra skogsbygdene?»

«Jeg trives veldig bra på det åpne havet.»

Kapteinen er også iført shorts. Kritthvite. På den ene lomma er det et par rødbrune flekker, antakelig rustflekker. Kanskje Sivert, som vasker kapteinens klær, har kommet til å vaske shortsen sammen med et plagg med metall på, for eksempel en glidelås.

Halvor er sikker på at den pertentlige kaptein Nilsen ikke hadde tatt på seg en rustflekket shorts dersom han hadde lagt merke til flekkene. Kapteinen har på seg ei kortermet, nystrøket hvitskjorte med epåletter med fire gullstriper på. Underarmene hans og leggene er nesten like hvite som klærne han går i. På både armer og bein har kapteinen kraftig, mørk hårvekst.

Halvor tenker at kapteinen, halvnaken som han er, burde fortone seg som mindre betydningsfull enn han gjør i full uniform. Men slik er det ikke. Kaptein Nilsen er en mann som har det som kalles pondus. Om han så hadde stilt på brua i bare underbuksa, ville ingen vært i tvil om at han er sjefen om bord.

«Har du hørt om den østerrikske psykoanalytikeren Sigmund Freud?» spør kaptein Nilsen.

«Freud?» sier Halvor. «Jo da, jeg har hørt om ham. Han er berømt.»

«Freud brevvekslet med en fransk filosof, Romain Rolland,» sier kapteinen. «Franskmannen mente at kilden til all religiøsitet er en følelse av evighet, av enhet med universet. Rolland kalte denne følelsen for *oseanfølelsen*. Ordet er blitt et begrep hos Freud, og jeg synes det er et godt begrep. Vi som er så heldige å være sjøfolk på oseanene, får nok lettere oseanfølelsen enn hva landkrabbene gjør. Merk deg det ordet, Skramstad: oseanfølelsen.»

«Ja, det skal jeg merke meg.»

«Du som kommer fra Rena, vet kanskje at det på verdenshavene seiler et skip som heter *Rena**?» sier kaptein Nilsen.

«Nei, det var jeg ikke klar over.»

«Det er en åttetusentonner. Et motorskip, bygd i Danmark for Møller-rederiet i nittenfireogtyve. Et par år senere ble hun kjøpt av Amerikalinjen, og seilte i mange år som *Førdefjord*. I forfjor ble hun solgt til et lite og ganske ukjent rederi i Oslo, Bing & Pedersen. Så ble det dannet et skipsaksjeselskap som heter Rena, og som eier henne. Dette selskapet tror jeg drives av en kar som heter Sommerfeldt.»

«Kapteinen på *Flink*, som jeg seilte på Nordsjøen med, het Sommerfeldt,» sier Halvor.

«Kanskje han er en slektning av Oslo-rederen.»

«Hvorfor heter hun *Rena*?»

«Sannelig om jeg vet,» svarer kaptein Nilsen. «Jeg har hørt at skipsreder Aaby i Oslo har kjøpt seg inn i aksjeselskapet Rena. Aaby eier en herregård i Østfold. Det er en prektig gård som heter Evje, i Rygge. Jeg var der en gang som guttunge sammen med faren min, og mange år senere i et middagsselskap. Hovedbygningen ser ut som et lite, engelsk slott. Bygget ble i sin tid reist av skipsreder Johan Thorne i Moss, som drev med seilskuter. Faren min var kaptein på Thornes fullrigger *Høvding**. Thorne ble statsråd og medlem i direksjonen i et av de små aksjeselskapene som utgjorde konglomeratet Wilhelmsen, Dampskibsaktieselskabet Wabana. Sønnen hans, Ivan, ble rammet av krakket i nitteniogtyve og måtte selge Evje til Aaby. Reder og godseier Aaby har kanskje venner som er skogeiere i Østerdalen, og kan ha fått kapital til A/S Rena derfra. Det finnes visse bånd mellom rederikapitalen og skogeierkapitalen. For å sikre seg på lang sikt investerer rederne i skog, og skogeierne i skip. Det er snakk om at skipsreder Erling Samuelsen i Oslo vil kjøpe seg gård og grunn og skau på Koppang i Østerdalen, og at han vil flytte rederikontoret dit. Men han kommer neppe til å ha

Koppang som registreringshavn. Nåvel. Det er kanskje ikke så spennende for en lettmatros å høre om alt hva kaksene foretar seg.» «Jo da,» svarer Halvor. «Det er interessant å høre om hva klasse... overklassen driver med.» Nå holdt han på å bruke et ord faren hans bruker, *klassefienden*. Det var da enda godt at ikke *det* glapp ut av ham!

«Wilhelmsen hadde også et skip som het *Rena**,» sier kapteinen. «Det var en damper, bygd i Sunderland i nittenelleve. Jeg førte gamle *Rena* som kaptein på hennes siste reise i fireogtredve. Det var ikke noen spesielt hyggelig tur, må jeg si. Det var en atmosfære av det franskmennene kaller *tristesse* om bord. For vi seilte henne på hennes aller siste tur til Grimstad, der *Rena* skulle hogges til spiker.»

«Jeg trodde alle Wilhelmsens båter hadde navn på т,» sier Halvor.

«Ikke de gamle dampskipene, og ikke tankerne. Vi har hatt tank-skip i Wilhelmsen-flåten som het *San Joaquin**, *La Habra**, *Maricopa**, *Madrono** og *Mantilla**. Nå er de solgt, alle sammen. En gang var Wilhelmsen det største tankskipsrederiet i Norge. I dag er det bare én eneste tanker igjen i flåten vår. Det er *Mirlo**, en damp-drevet ellevetusentonner sjøsatt i nittentoogtyve. Jeg skal være den siste til å kritisere rederiledelsens disposisjoner. Men det er surt å se hvilken fremgang Westfal-Larsen i Bergen har hatt med sine tankskip opp gjennom tredveårene. Ja, for en oslomann som meg er det forjævlig å måtte konstatere at et bergensrederi er blitt Nor-ges største innen tankfart.»

En ettermiddag står Halvor framme på bakken og ser på en flokk delfiner som leiker omkring baugen på *Tomar*. Delfinene holder greit følge med skipet, som pløyer havet med en fart på femten knop. Ja, rett som det er, stikker delfinene av for full fart og for-svinner forut.

Så kommer de tilbake og jumper lystig i baugsjøen.

Halvor får selskap av annenstyrmann Granli.

«Delfiner er virkelig flotte skapninger,» sier Halvor.

«Vi sier ikke delfiner til sjøs,» svarer Granli. «Vi sier *springere*.»

Ja vel, tenker Halvor, så har jeg lært meg *det*.

Kanskje det er hans tur til å gi Granli en korreks? Kan han det? Ja, visst pokker kan han! Han er blitt varm i trøya om bord i *Tomar* nå, så han sier: «Da vi møtte slaveskipet i Rødehavet, sa du 'vår ære og vår makt har norske skip oss brakt'. Det er ikke et helt riktig sitat. Vi lærte Bjørnstjerne Bjørnsons 'Norsk sjømandssang' på skolen. Det er den som begynner med 'Den norske Sjømand er et gjennembarket Folke-Færd', og som slutter med 'vor Ære og vor Magt har *hvide Sejl* os bragt'.»

«Du har et poeng, Skramstad,» svarer Granli. «Men nå er det ingen hvite seil igjen i handelsflåten vår, så da må det gå an å si 'norske skip' isteden.»

«Så klart,» sier Halvor.

«Har du sett skuespillet *Vår ære og vår makt* av Nordahl Grieg?»

«Nei, men jeg har lest det. Du har sett det?»

«Når får en sjømann gått i teater?» svarer Granli. «Jeg har også måttet nøye meg med å lese stykket. Det er merkelig med Grieg. Han var konservativ og medlem av Fedrelandslaget, akkurat som meg. Så snudde han på flisa og ble radikaler og kommunist. 'Vår ære og vår makt' er slett ikke noen dårlig skildring av norske sjøfolks skjebne under Den store krigen. Skipsrederne i Bergen er så følelseskalde og pengegriske som enkelte redere kan være, og den sosialistiske fyrbøteren Vingrisen om bord i *Vargefjell* er tatt på kornet. Men ellers er stykket *mucho propaganda*, som spanjolene sier.»

«Fedrelandslaget, er du med der?»

«Jeg *var*,» sier Granli. «Jeg ble med fordi Fridtjof Nansen var en av stifterne, og han var min store helt. Som norske sjøoffiserer flest er jeg ingen tilhenger av revolusjon og sosialisme, men av de nasjonale verdiene våre. Vi seiler for flagg og fedreland. Og jeg var ganske aktiv i Fedrelandslaget under valgkampen i nittentredve, da jeg gikk på styrmannsskolen i Oslo. Men så var jo Nansen død den våren i tredve, og jeg syntes agitasjonen vår mot Arbeiderpartiet i løpet av høsten var litt for rabiat. Så jeg ble passivt medlem, og under stortingsvalget i treogtredve var jeg ute og seilte. Foran valget i seksogtredve meldte jeg meg ut. Det var fordi lederne i Fedrelandslaget lefla med Quisling og begynte å bli fordømt Hitler-vennlige. Vet du hvem som er det politiske idealet mitt nå?»

«Mowinckel?»

«Han er en dyktig reder, men ingen stor politiker. Og så er han litt for mye bergensbesteborgerskap etter min smak. Jeg hadde aldri trodd jeg skulle stemme på partiet til en jødisk herremann fra Oslos beste vestkant. Men det var det jeg gjorde i seksogtredve. Da stemte jeg Høire på grunn av Carl Joachim Hambro, han som nå er førstepresident i Stortinget. Hambro er en glup fyr. Han er etter min mening den eneste av gubbene på Tinget som har baller.»

«Martin Tranmæl har da sannelig baller,» sier Halvor. «Tranmæl har talegavene i orden. Men den røde oppvigleren sitter ikke på Tinget, takk og lov. Vil du stemme på Arbeiderpartiet under valget til høsten?»

«Jeg ville kanskje ha gjort det, men jeg har ikke stemmerett ennå.»

«Det tenkte jeg ikke på,» sier Granli. «Du ser jo ganske voksen ut. Det er godt du ikke kan stemme på Arbeiderpartiet, for da blir det én stemme mindre til Johan Nygaardsvold og den jævla suppegjengen av en mindretallsregjering som har vanstyrt Norge i snart fem år. Det er merkelig med de borgerlige partiene. De har flertall på Tinget, men det er liksom som om de seiler i kontrari vind hele tida og aldri får orden på styringa.»

Granli og Halvor tenner seg hver sin sigarett og blir stående og røyke i taushet.

Granli bryter tausheten: «Vi står nå framme ved svineryggen. Vet du hva det navnet kommer av, Skogsmatrosen?»

«Nei, jeg har ingen peiling.»

«Det var egentlig en diger tømmerstokk som de la ankeret på i seilskutetida.»

De går for å spise kveldsmat.

Det er stekt, hermetisk torskerogn til kvelds. Dette er ikke blant Halvors favoritter, og han merker at appetitten har minsket under tropeseilasen, samtidig som tørsten er blitt umåtelig. Men hvis han ikke spiser, vil han ende opp med å få beriberi, sånn som sjøfolk fikk før i tida. Han greier å tvinge i seg fire skiver rogn.

Halvor jobber to–tre timer overtid etter middag hver eneste hverdag når *Tomar* er i sjøen. Overtidspengene, ei krone i timen, kommer godt med, for nå som krigsrisikotillegget er borte, har han bare grunnhyra. Den er svært beskjeden, skarve 97 kroner i måneden.

Båsen har gitt Halvor i oppdrag å pikke rust av ankerspillet. Han trodde aldri at det kunne være så mange kriker og kroker på et ankerspill!

Han banker med rustpikka så malingsflak og rust fyker om ørene på ham. For at han ikke skal få rusket i øynene, har han lånt et par solbriller av Trean.

Etter råd fra Trean har han på seg ei arbeidsskjorte, enda så varmt det er. Trean har advart ham om faren for å få hudkreft av tropenes sol. På hodet har Halvor knytta et lommetørkle, rundt halsen bærer han en svetterag. Med seg framme på bakken, der ankerspillet står, har han ei flaske drikkevann.

Ankerspillet er pikka reint, mønja og malt skinnende grått.

Halvor blir bedt av Båsen om å male de delene av ankerkjettingene som er synlige mellom spillet og ankergattet.

«Kan nå det virkelig være nødvendig?» spør Halvor. «Når vi lar ankrene gå, blir vel malinga slitt bort i ankerklysset.»

«Gjør som du blir bedt om, Skogsmatrosen,» sier Båsen. «Her om bord er det Wilhelmsen style og ingen dikkedarer.»

Halvor maler ankerkjettingene svarte.

Han spør Båsen om han også skal male all den kjettingen som ligger skjult i kjettingkassene. Da flirer Båsen og sier at det får være måte på style, selv i Wilhelmsen.

Han setter Halvor i sving med å skrape, pusse og lakkere trinnene i losleiderne. Det er fint arbeid, og det kan utføres på båtdekket, i skyggen av en av livbåtene. Halvor tar den tida han trenger, og unner seg rikelig med pauser i varmen.

Han henger ved rekka og røyker.

Nede i sjøen ser han en brun skygge. Det må være ryggskjoldet på en kjempesvær havskilpadde. Bak skyggen stikker en svart, spiss trekant opp av vannet. En haifinne! Kanskje haien forfølger skilpadda?

Hvordan dette dramaet forløper, vil han aldri få noe svar på, for skilpadde og hai forsvinner i kjølvannet.

Salonggutt Sivert Høyby er stadig klein i magen og har tatt over sykelugaren etter at skårungen Harald ble bra av forbrenningsskadene sine. Sivert må holde køya døgnet rundt. Harald, Milde Måne, Geir Ole og Halvor må skifte på å ta økter med bakstørn i kapteinens lugar, offiserslugarene og salongen. Men de slipper å servere kapteinen og offiserene mat. Den jobben tilfaller byssegutt Kevin. Han kommer fra fattige kår på øya Skye. Styrmennene skryter av ham og sier at Kevin er den fødte kelner.

I kveldinga sitter Milde Måne, Geir Ole, Halvor og Kevin på poopen og spiller poker om sigarettpakker.

Halvor trekker da den lærdom at det ikke lønner seg for norskinger å spille poker med en skotte. Før de vet ordet av det, har Kevin vunnet en kartong Camel fra ham og en kartong Chesterfield fra Geir Ole. Milde Måne bløffer med kort som er bare ræva, og vinner en kartong fra Kevin. Men skotten er sleip og heldig og vinner kartongen tilbake med en straight flush.

Den 28. januar nærmer *Tomar* seg Åttegraderskanalen mellom Lakkadivene og Maldivene.

Trean viser Halvor farvannet i overseilingskartet fra British Admiralty. Eight Degree Channel går mellom øygruppene som i kartet heter Laccadive Islands og Maldives. I kartet ser øyene ut som fluelorter.

«Farlig farvann,» sier Trean. «Vi skal ikke rote oss borti noen av disse lave øyene og korallrevene.»

Litt før klokka tolv går Trean ut og måler solhøyden med sekstanten. Han forsvinner inn i bestikken for å regne ut breddegraden de befinner seg på.

Han kommer ut igjen i styrhuset og sier til Halvor, som står til rors: «Vi er prikk på åtte grader tjue minutter nordlig bredde. Hvis navigasjonen vår stemmer, skal vi snart få øye på Minicoy Island ute om babord.»

Kaptein Nilsen kommer opp i styrhuset. Han har på seg shorts, hvit skjorte og slips. Slipset bruker han i anledning av at det er søndag. Halvor synes det ser litt komisk ut å bruke slips når man går i shorts.

Noe hvitt kommer til syne i horisonten langt mot nord. Det er ikke overbygninga på et skip, det er ei lita øy.

«Minicoy,» sier kapteinen. «Da har vi navigert presist, styrmann Kvalbein.»

«Det har vi,» svarer Trean stolt. «Vi traff pang på rødbetan, som Båsen sier.»

Kapteinen gransker Minicoy i kikkerten.

Han spør Trean: «Har du noen formening om hvorfor Minicoy er helt hvit?»

«Jeg tenker at øya kan være et korallrev som kreftene i jordskorpa har løftet opp av havet,» svarer Trean.

Kapteinen vender seg til Halvor.

«Enn du, Skramstad? Noen teori?»

«Kan hende øya består av kalkstein, sånn som klippene ved Dover,» sier Halvor.

«Det er ikke umulig,» sier kapteinen. «Personlig tror jeg hvitfargen kommer av at hele øya er dekket av guano.»

«Guano?» sier Halvor.

«Fuglemøkk. Jeg seilte i min ungdom i guanofart på øyene på Stillehavskysten ved Sør-Amerika. Fæl fart med stinkende last. Det er fantastisk hvor tjukke lag skitt millioner av sjøfugl kan lage på ei lita øy.»

Gamle Åge kommer inn i styrhuset.

Kapteinen sier: «Vi diskuterer hvorfor øya Minicoy er hvit. Hva tror du om den saken, matros Sildebogen?»

Åge svarer: «Ifølge en legende fra seilskutetida er Minicoy brudesløret til ei indisk prinsesse som flykta over havet fra en ond prins hun ikke ville gifte seg med.»

«Ikke dårlig,» sier kapteinen. «Et brudeslør i havet.»

India får de ikke se. Men de seiler ganske nær den store øya Ceylon ved Indias sørspiss, i svinnende dagslys.

Enda det ikke er hans vakt, står Halvor på babord bruving med kikkerten, som han allernådigst har fått låne av førstestyrmann Nyhus.

Han speider mot den sørligste pynten på Ceylon, Dondra Head. Han har så innmari lyst til å se elefanter. Er det en flokk som vandrer på palmestranda der inne? Han skimter grå skygger som *kan* være elefanter.

Plutselig girer *Tomar* hardt styrbord over, og Nyhus slår halv fart på maskintelegrafen.

Halvor speider forover. I havet står en mann. Der står flere menn. Han skjønner ikke hva det er han ser. Så går det opp for ham at det må være fiskere i farkoster så spinkle at man ikke får øye på kanoene ved første øyekast.

Mennene i de smekre kanoene er magre og mørke. På hodene bærer de hvite turbaner. Med nevene hytter de etter det fremmede skipet som har pløyd seg gjennom fiskefarvannet deres.

Halvor håper at skipet hans ikke har fått noen av fiskerne i propellen.

Tomar dreier tilbake på den opprinnelige kursen og stevner fram for full fart.

På rortørn på kveldsvakta greier ikke Halvor å få fiskerne ved Ceylon ut av hodet. Han sier til Trean og Geir Ole, som er kommet opp i styrhuset med kaffe til styrmannen, at det er rart at det skal være sånn forskjell på folk rundt om på kloden, at det må være et fælt liv å være fisker i en liten kano.

«Si ikke det,» svarer Trean. «Hjemme i landsbyen er kanskje en fisker som har egen kano, blant dem som er best stilt. Det er verre for folk som tilhører pariakasten og ikke eier noe som helst, som lever fra hånd til munn, på almisser.»

Geir Ole sier at han gjerne skulle ha prøvd å fiske fra en sjark ved Ceylon og sett hva fangsten ble.

Trean sier: «En gang i framtida får fiskerne i indiske farvann kanskje ordentlige båter å fiske fra, med motorer, og med lanterner så de kan bli sett fra store skip som passerer. Utviklingen i verden går framover, også her borte i det fattige Østen. For bare et par generasjoner siden var norske fiskere fattigfolk som plaska rundt i robåter, eller i småbåter med svært enkel seilrigg. Nå er hele fiskeflåten vår motorisert.»

«Ikkje heile,» sier Geir Ole. Han forteller at bestefaren hans ennå ror og seiler når han skal ut fra Gaukværøya og sette garn eller liner. Han tilføyer at det fisket bestefaren driver, nærmest er for en pensjonisthobby å regne. Det er til matauk for ham og kona, og så selger han en og annen kveite hvis han haler storinger opp fra djupet.

Plutselig blir Geir Ole kneppstille.

«Hva er det med deg, Gaukvær?» spør Trean. «Er du dårlig?»

Geir Ole sier at han bare fikk sånn hjemlengsel av å tenke på å trekke opp storkveite på en hemmelig fiskeplass bestefaren hans har ved Litløy fyr.

Halvor skriver: «Vi har passert en øygruppe som heter Nicobar Islands. Den hadde jeg aldri hørt om før. Det finnes tusenvis av øyer jeg aldri har hørt om, stadig nytt land å se for en ung mann. Det er noe av gleden ved sjølivet. Vi fikk riktignok ikke øye på noen av Nicobar Islands, men nå vet jeg at øyene finnes.

Like før solnedgang spurte styrmann Granli meg om jeg ville være med og akkompagnere ham når han skulle holde en liten solnedgangskonsert. Vi slo oss til på firerluka med gitar og munnspill og fikk snart et publikum. Jeg fulgte Granli ganske greit, men det skar seg under 'Bolero' av Ravel. Det var som om jeg hadde fått rusk i min Hohner Chromonica.

Granli er helt rå til å spille 'Bolero'. Enda satsene til Ravel gjentar og gjentar seg, fikk Granli dem til å lyde som om de var friske og nye hver gang. Og hvilken fart han holder! Han klimprer i vei som en lynkjapp spanjol.

Han har fortalt meg at han ble sykeavmønstret i Alicante i Spania den gangen han seilte matros. Han hadde pådratt seg en lei lyskebrokk som måtte opereres. Mens han gikk og ventet på ny båt, meldte han seg på et gitarkurs. Det var i Alicante han lærte seg spansk tempo.

Vi kom til å snakke om at Alicante var et stronghold for dem jeg holdt med, lojalistene, under Den spanske borgerkrigen. Da sa Granli at han var glad for at Alicante og resten av Spania var kommet på Francos hender.

Det er vanskelig å forsone seg med at han er så reaksjonær, men jeg glemmer det når vi spiller sammen.

Granli sier at når han blir gammel og grå, skal han slå seg ned i Alicante, nyte livets aftensol og spille i et orkester på en restaurant. Jeg sa at det ville være høyst uvanlig for en norsk pensjonist å slå seg ned i Spania. Da svarte Granli: Jeg driter i om det er uvanlig. Jeg vil mye heller bo i Alicante enn i Antwerpen. Hadde jeg spilt tuba, kunne jeg bodd i Belgia, men det er gitarist jeg er.»

Halvor går av kveldsvakt vest av Sumatra. Det er stjerneklart, og blikkstille, fløyelsblank sjø. Stjernene speiler seg i havet. Han kjenner virkelig oseanfølelsen i sjela si. På havet er det ingen grenser, ingenting som sperrer. Havet er ubegrenset. Oseanfølelsen må dreie seg om at man får kontakt med det ubegrensede.

Han går helt akterut på poopen og pisser over rekka. Urinen hans blander seg med tropehavets salte vann. Det føles nesten litt høytidelig å tenke på det, på denne enheten mellom menneske og hav.

Den 2. februar går *Tomar* til kai i George Town. Det er mørk tropekveld, og det høljregner.

På kaia står en hvitmalt ambulanse.

Sivert Høyby blir båret ned gangveien på en båre. Noen har lagt en regnfrakk over gutten, som er så bleik at det ser ut som om det ikke er blod igjen i ham.

Halvor står ved rekka med foldede hender og ber en bønn for 17-åringen Sivert.

Regnet i George Town er svalende etter heten i Det indiske hav. Ambulansen forsvinner mellom lagerskurene på kaia.

Trean stiller seg ved siden av Halvor.

«Det går nok bra med salonggutt Høyby,» sier Trean. «Her i Malaya er det britisk kolonistyre, og i denne byen, George Town, er det et sykehus drevet av britene. Høyby vil få den beste pleie og det beste stell.»

«Vi får håpe det,» sier Halvor.

«Høyby er jo bare unggutten. Ungdommer tåler en trøkk. Han kommer seg på beina igjen.»

«Hva heter kreft på engelsk?» spør Halvor.

«Kreft heter 'cancer',» sier Trean. «Det er lett å huske. Cancer betyr kreps på latin. Krepsens vendesirkel, som vi passerer når vi kommer nordfra inn i tropene, heter Tropic of Cancer på engelsk.»

Halvor sitter på lugaren og skriver: «George Town, Malaya, lørdag kveld den 3. februar 1940. Vi er snart ferdig utlosset i George Town. Det som skulle i land her, var en del traktorer, blant annet beistet som sleit seg i Biscaya-stormen, noen biler og forskjellig stykkgods i kasser.

Møtet mitt med Østen ble ikke så eventyrlig som jeg hadde håpet. Jeg var en tur i land, og det var temmelig skuffende. Her var ingen flotte, forgylte pagoder å se, og heller ingen elefanter. Folket her er muhammedanere, og jeg så en moské med et tårn. Tårnet heter vel en minaret. Ellers er bebyggelsen ganske europeisk i byens sentrum, bare mer fattigslig enn vi er vant til i Europa. I gatene var det mye skitt og smuss, og utenfor sentrum var det rett og slett søplete.

Over fastlandet – Malayahalvøya – lå et lavt, ullent skydekke.

Her i George Town bor ikke bare malayer, men også en del kinesere. Jeg var i en butikk og kjøpte ei skjorte av en kinamann. Skjorta har et mønster av blå sommerfugler. Kinamannen sa at det var 'real silk', men jeg tror skjorta er av kunstsilke. Den er litt klam å ha på seg i den fuktige varmen.

Jeg var innom en bar og drakk en drink som blir kalt Singapore Sling. Den var all right, men litt for søt etter min smak.

I gatene går de innfødte kvinnene med skaut etter muhammedansk skikk. Inne på baren satt lettkledde jenter som var brune i huden og hadde vakre, skjeve øyne. Noen av dem hadde hvite eller rosa blomster i håret. Om det var ekte blomster eller papirblomster, vet jeg ikke.

Jeg lot meg ikke friste eller lokke av de malayiske skjønnhetene, og gikk pent og pyntelig om bord.

Inn på havna her kom en flotilje med tre britiske kryssere og fem jagere. Det er imponerende krigsskip. Og som det heter: Britannia rules the waves!

Det takker vi nordmenn for. Tenk hvordan det ville sett ut dersom det var Tyskland som var herre på verdenshavene!

Den røde armé har iverksatt en offensiv mot finnene i Karelen. Det meldes at Sovjet-styrkene snart kan komme til å gå løs på Mannerheim-linjen. Jeg håper den linjen virkelig er så sterk som finnene har skrytt av at den er.

Intet nytt fra Vestfronten, for å si det med en tittel på en bok som jeg nå leser, av den tyske forfatteren Erich Maria Remarque. Foran i boka står den tyske tittelen, Im Westen nichts Neues. Det er en veldig sterk bok om det harde soldaterlivet i skyttergravene under den forrige krigen. Søle, lus og død. Vi får virkelig håpe det ikke blir like ille under denne nye krigen!

På grunn av den antimilitaristiske tendensen i boka er den forbudt i Hitlers Tyskland.

Remarque ble forfulgt og måtte dra i eksil til Sveits. Derfra har han nå reist til USA.

Vi skal videre herfra til Port Swettenham, som også er i Malaya. Den havna svarer ifølge Trean til navnet sitt. Port Swettenham skal være et svettehøl.

Telegram fra Norsk Sjømannsforbund (det tok sin tid) angående krigsrisikotillegg. Vi får intet tillegg for seilasen til Hong Kong, da farvannet der ikke regnes som krigssone.

Båsen kom her på lugaren vår for å bomme røyk av meg. Han hadde vært i land og var full som ei alke. Grov i kjeften som vanlig. Men nå var det ikke meg han lot kjeften sin gå utover, det var styrmennene som fikk sine pass påskrevet.

Jeg fikk omsider Båsen til å gå for å sove ut rusen.

Geir Ole er ikke kommet fra land. Jeg tørner nå inn. Håper resten av Østen blir mer eventyrlig.»

Kapittel 11

Halvor skriver: «Singapore, onsdag 7. februar. Vi la til kai her i går etter å ha ventet til ankers på reden et par dager. Navnet Singapore skal bety 'Løvebyen'.

Må si jeg stadig er nokså skuffet over Østen. Port Swettenham var virkelig et svettehøl. Singapore er en møkkete plass! Var i land i går kveld på ei sjappe like ved havna. Jeg nøyde meg med et par øl. Det var Tiger Beer, som skal være tilsatt en del kinin til beskyttelse mot malaria.

Jeg bestemte meg for å gå tidlig om bord, og gikk da gatelangs aleine, på fortauer fulle av rusk og rask.

Plutselig kom en flokk menn løpende etter meg. I gatelyset så jeg at de var indere. Et par av dem bar turbaner.

Jeg hadde jo ikke gjort disse inderne noe. Jeg var edru og hadde ikke slengt noen ukvemsord til dem. De begynte å huie og skrike.

Jeg tok beina fatt og løp så fort jeg kunne, med den hylende flokken etter meg.

Heldigvis nådde jeg porten inn til havneområdet før flokken av indere nådde meg. Der, i gate'n, var det væpnede vakter. Disse vaktene hadde inderne tydeligvis respekt for, for flokken prøvde ikke å ta seg gjennom gate'n.

Jeg var berget. Jeg skjønner ikke hva jeg kan ha gjort disse inderne. Det går ingen hellige kuer i gatene i Singapore, som er en by dominert av kinesere. Ikke hadde jeg vært i nærheten av noe indisk tempel eller noen annen helligdom heller.

Kanskje inderne var blitt krenket av en annen hvit mann og ville ta sin hevn på meg?

Vi hadde kluss med kjølevannspumpene i Malakkastredet, mellom Malaya og den store øya Sumatra. Vi venter her i Singapore på at en annen Wilhelmsen-båt, M/S <u>Tigris</u>, skal ankomme hit på sin rute vestover fra Japan. <u>Tigris</u> har om bord reservedeler til pumpene.

Vi har losset maskiner, biler og en hel del ruller med avispapir. Her i Singapore skal det utkomme aviser på både engelsk, kinesisk, malayisk og indisk.

Trean sier at Singapore er en såkalt kosmopolitisk by. Byen kan være så kosmopolitisk som den bare vil for meg. Jeg trives ikke her.

Det er fælt å kalle en så verdensberømt havneby for et møkkahøl, men det gjør jeg uten å blunke.»

Halvor skriver: «Floden Menam, ved Bangkok, fredag ettermiddag 16. februar 1940. Vi ligger nå i elva sør for hovedstaden Bangkok i Siam, eller Thailand, som landets offisielle navn ble i fjor. Det er litt forvirrende med landets navn. Vi bruker Siam og Thailand om hverandre, men foretrekker Siam. Navnet på elva er også forvirrende. Den heter Chao Phraya, men vi kaller den bare for Menam, som er et gammelt navn losen brukte da vi seilte opp hit.

Vi kom opp Menam i går kveld. Jeg sto til rors. Jeg så lysene fra noe jeg – romantiker som jeg er – trodde var pagoder. Det viste seg å være lysene på et oljeraffineri. Vi passerte raffineriet og kom opp i en strekning av elva der det var jungel på begge kanter, bare med noen spredte lys fra små landsbyer.

Plutselig var det full stopp i maskinen. Kaptein Nilsen svor og bannet. Han ropte i rørtelefonen ned til maskinrommet. Derfra fikk han beskjed om at det var trøbbel med de hersens kjølevannspumpene igjen. Den siamesiske losen ga beskjed om at vi måtte ankre opp for ikke å bli tatt av strømmen. I rasende fart lot vi begge ankere gå.

Så lå vi der i nattemørket og hørte frosker kvekke i sumpene inne på land.

Om morgenen kom et veldig fuglekvitter fra jungelen, og jeg hørte sinte skrik som nok kom fra apekatter. Langs elvebreddene vokser bambuskratt. Bakom krattet står tett-i-tett med høyvokste jungeltrær. Det er ingen bebyggelse på elvebreddene. Men det kommer røyk opp mellom trærne noen steder, så her ligger nok hus eller landsbyer.

Jeg gikk akterut for å henge ut det norske flagget.

Det ligger fire mindre dampskip til ankers ikke langt unna oss.

Disse ankerliggerne, som er britiske og siamesiske, venter på å gå til kaiplass i Bangkok.

Det ble en het dag uten den minste bris langs elva, og det var ikke mye vi mannskaper gadd gjøre, verken på dekk eller i maskinen.

Tigris var forsinket til Singapore fra Japan, så vi gikk fra Singapore før vi hadde fått reservedelene til pumpene. Disse delene skal nå bli sendt fra Singapore til Bangkok med jernbanen som går opp langs Malayahalvøya, noe som ifølge Chiefen kan ta sin tid.

Utpå ettermiddagen kom tre kanoer ut til Tomar. I disse kanoene var det jenter. De var kledd i saronger, et plagg som brukes av malayer og siamesere og vikles rundt kroppen. Ei av jentene, tydeligvis en anfører, ropte opp til oss: Hello Norway ship! Give to us girls white paint, planks and ollerops.

Ollerops er hva vi nordmenn kaller gammelt tauverk, fra de engelske ordene 'old ropes'. Jeg syntes det var rart at de siamesiske jentene kunne et slikt norsk ord, og tenkte at vi ikke kunne være den første norske båten som hadde ankret på Menam.

Vi låret fire–fem halvfulle hvitmalingsspann, en del dunnagebord og ollerops til jentene.

We come back! ropte anføreren.

Kaptein Nilsen sto på bruvingen og så det hele foregå. Han sa ingenting.

Jentene padlet kanoene inn til den vestre elvebredden. De løftet sakene vi hadde gitt dem, opp på hodene sine, og forsvant med grasiøs gange inn i bambuskrattet. Jeg regner med at det er det siste vi vil få se til disse jentene. Det der 'we come back!' var sikkert bare noe anføreren ropte for å erte oss gutta på Tomar. Likevel kaster jeg av og til et lengselsfullt blikk mot vestre elvebredd, her jeg sitter på poopen og skriver. Jeg er full av dagdrøm og toskeskap!»

I kveldinga kommer noen av jentene padlende tilbake til Tomar i to kanoer. De fortøyer kanoene til losleideren. De entrer om bord, og plutselig står jentene i en liten flokk på dekk foran poopen. Anføreren sier: «We pay you back, Norway sailor boys.»

Halvor skjønner ikke med en gang hva hun mener.

Anføreren smiler bredt og sier: «My name Sirikit. We girls pay you back with love for the things you give to people in poor villages.»

Det begynner å demre for Halvor hva som er på gang. Men det er noe som ikke stemmer. For jentene er ikke kledd eller sminket som prostituerte, de er på ingen måte utmaiet. De virker som landsens jenter, landsbyjenter, enkelt kledd i saronger av bomull og uten leppestift og smykker. Bare anføreren Sirikit bærer et tynt gullhalsbånd og har en splitt i sarien som gjør at litt av låret hennes synes.

Hun peker på ei jente og sier: «Her name Tae.»

Så peker Sirikit på Halvor.

«Miss Tae likes you,» sier hun. «What your name?»

«My name is Halvor,» sier han og fomler med å tenne en sigarett.

«You bring Miss Tae to your cabin,» sier Sirikit. «You make love.»

«What?» sier Halvor.

Sirikit ler, og de andre jentene begynner å knise. De er virkelig fortryllende jenter, og mest fortryllende er for Halvors blikk hun som heter Tae.

Halvor er forskrekket over hvor ung denne Tae er. Men de siamesiske jentene er jo ganske små og ser svært unge ut.

«How old is she, Miss Tae?» spør han.

«Seventeen,» sier Sirikit. «And you, Norway sailor boy, how old?»

«Eighteen,» svarer Halvor.

«You go with her and make fucki-fucki.»

Halvor rødmer og ser opp mot båtdekket på det aktre midtskipet. Der står et par av maskinistene og glaner, og der dukker kaptein Nilsen opp.

Hva skal jeg gjøre? tenker Halvor.

Båsen kommer ut på dekk, og for en gangs skyld er han ikke grov i kjeften. Han holder munn og ser faktisk ganske himmelfallen ut der han står og ser på jenteflokken.

Matros Hemmingsen sier: «Gå med den jenta, Skogsmatrosen, før jeg stikker av med henne.»

Milde Måne roper at han er klar til å gå med jenta når som helst og hvor som helst, og at han ikke engang skal ha *betalt* for å gi henne en omgang eller to.

Tae er kledd i en honninggul sarong. På føttene har hun gummislippers som ser ut som de er skåret ut av gamle bildekk. Det mørke håret hennes er kortklipt. Hadde hun vært en gutt, ville Halvor tenkt at hun har det som i Norge kalles potteklipp. Men hun er virkelig ingen gutt, hvis han skal dømme etter de små brystene som kuver seg under sarongen. Hun er hoftesmal, ja vel, men hun utstråler ... hva heter det, det som han leste om i en novelle i Hjemmet? «Feminin ynde», sto det i bladet.

Halvor tramper ut sigarettgloa på dekk og sier: «Okey, folkens, da går miss Tae og jeg oss en liten tur.»

Han griper Taes arm, og de går over dekket mot døra som fører inn til lugarene på poopen.

Hvert øyeblikk venter Halvor å høre et rop. Et kommandorop fra kaptein Nilsen, som brøler at han ikke vil ha horeri om bord. Eller et drittrop fra Båsen: «Så du skal på *barnerov* nå, din helsikes fittesnik fra inni granskauen!»

Men det er helt stille. Halvor har aldri hørt det så stille om bord i *Tomar* før. Her høres ingen ljomende lastevinsjer, ikke motordur – går ikke engang lysmotoren? – og ikke sjø som vasker langs skroget. Skipet flyter på den blikkstille, mørke elva, der strømkvervene ikke lager hørbar lyd. En kveldsbris har blåst opp. Den tar tak i litt tørt løv som kom blåsende om bord fra jungelen på øya Ko Khram, som de passerte i sterk monsunvind i Bangkokbukta på vei inn mot Menams munning. Det rasler i bladene.

Halvor geleider Tae inn i korridoren og inn på lugaren sin. Heldigvis er Geir Ole på ankervakt på brua, så han har lugaren for seg sjøl.

«Welcome to my cabin, Miss Tae,» sier han, slår av taklampa og tenner leselampa over Geir Oles køye, som for en gangs skyld er ordentlig oppredd.

Tae svarer ikke, og setter seg på den ene stolen. Halvor tar plass på den andre stolen. Han vet ikke hvor han skal gjøre av hendene sine. Taes ansiktsuttrykk får ham til å tenke på Mona Lisa.

Halvor byr henne en sigarett.

Hun vifter med de små hendene, fingerneglene er korte og uten lakk. Han byr henne en Tiger Beer fra Singapore. Hun vifter med hendene. Han finner fram ei flaske Coca-Cola. Det vil hun visst gjerne ha, og han åpner flaska så spruten står.

Dette får Tae til å le, og latteren hennes lyder slik han tenker små tempelklokker i Orienten må lyde.

Halvor tenner en røyk.

«You really like me, Miss Tae?» spør han.

Hun sier noe han ikke forstår, det er vel siamesiske ord.

Hva nå?

«You like a kiss?» sier han.

«Kiss,» svarer Tae smilende.

«Yes, kiss,» sier han.

«Kiss,» gjentar hun.

Halvor bøyer seg over bordet og gir Tae et kyss på panna. Hun ler og gjør gjengjeld ved å gi ham et lett kyss midt på truten.

Så reiser hun seg, og med en enkel bevegelse smyger hun seg ut av den honninggule sarongen. Hun har ingenting under. Ikke truse og ikke brystholder.

Hun står naken foran ham. Han glor på henne som en besatt. Brystene hennes er små og minner ham om umodne frukter. Hun har lite hår nedentil, bare et skimt av mørkt dun.

Halvor vrenger av seg singleten, shortsen og underbuksa. Han prøver å skjule ståpikken sin med hendene, men den jævelen smetter ut av grepet hans og peker mot venstre slik den alltid gjør.

Han finner fram en av doktor Dahlgrens profylaktiske pakninger og trer på seg en gummi av merket Prokal. Tae ler tempelklokkelatteren sin.

De legger seg på underkøya.

Han utforsker dunet hennes med et par fingre. Han tror hun er klar for det de skal gjøre.

Halvor legger seg oppå henne. Tae lukker øynene samtidig som hun skiller lårene og åpner seg for ham.

Han trenger forsiktig inn i henne. Tae støter imot med underlivet og begynner å bestemme rytmen. Halvor skjønner at hun ikke er noen nybegynner i senga.

Han frykter at det vil gå for ham før de er kommet ordentlig i gang. Han strammer kjevene og prøver å tenke på noe annet enn det Tae og han holder på med, noe idiotisk. Et uttrykk som han alltid har syntes er dustete, dukker opp i hjernen hans. Det er et uttrykk som brukes når folk er på fest hjemme i Norge, «å sette tenna i tapeten». Han prøver å se for seg Renas verste fylletullinger sette tenna i tapeten, men synet glipper for ham, og han må se på Taes nydelige ansikt. Nå slår hun øynene opp, og hun slikker seg om munnen med tungespissen.

Han sukker djupt, men greier å holde igjen.

Tae vogger ham som om hun skulle være en liten båt på et tjern. Han vogger med i hennes takt.

Plutselig kjenner han de små hendene hennes ta tak i rumpeballene hans. Det er forbausende hvor mye kraft hun har i klypene. Hun trekker ham inntil seg. Og så gjør hun noe merkelig med underlivet sitt, som han er inne i, det som han under seksualforedraget til doktor Marstrander lærte at heter skjeden. Tae kniper skjeden sammen. Det kjennes helt vidunderlig for Halvor. Så slipper hun opp, kniper sammen, slipper opp. Kniper!

For første gang i livet har han en følelse av å ha ekte elskov. Alt han har av motstandskraft, fordunster. Han kjenner at det han har på lager, kommer nå.

«I am coming, Miss Tae!» roper Halvor.

Hun roper ikke tilbake, men svarer med en lav gurgling.

Han spruter så han tror gummien vil sprekke.

Tae gir fra seg et lite skrik, som en fugl i jungelen.

De blir liggende dørgende stille. Svetten på kroppene deres er som et lim som gjør at de er blitt uatskillelige.

Langsomt trekker Halvor seg ut, så det ikke skal lekke fra gummien hans. Da han løfter seg fra Taes kropp, lyder det ritsj-ratsj fra svett hud. Lysebrun hud og norskbleik hud.

Halvor klyver ut på lugardørken og blir stående og svaie, ør i hodet. Han vrenger av seg den brukte gummien og gjemmer den i en av kommodeskuffene sine. Han fikk streng beskjed av doktor Dahlgren om at han skulle vaske penis etter samleie. Men han har jo faen ikke noe vann! Okey, så får han bruke den siste slanten på Tiger-flaska. Så der står han der, da, ute på Menam flod i Siam og vasker staven sin med øl.

Tae setter seg i lotusstilling på køya. Halvor tenner en sigarett og ligger på ryggen og røyker. Han gir henne sigaretten for at hun skal ta et trekk. Det gjør hun, og får ei hostekule.

Han reiser seg opp og banker henne i ryggen.

Hun stumper sigaretten i messingaskebegeret Geir Ole har montert på køyekanten.

«You are very beautiful,» sier Halvor.

Tae svarer med siamesiske ord som lyder som en sang.

Omsider får de viklet omkring seg et par håndklær og går til dusjrommet for å vaske av seg svetten.

I dusjen står Hemmingsen sammen med anføreren, hun som heter Sirikit. Begge er kliss nakne.

Uten å sjenere seg for sin nakenhet går Sirikit ut av dusjen, peker på Halvor og sier: «You go Samut village with Miss Tae. You go family house.»

«What do you mean?» spør Halvor.

«Tae very hungry after make love,» sier Sirikit. «You go Tae family house. You eat roast pork. You make more fucki-fucki. Bring cigarettes.»

Før Halvor vet ordet av det, sitter han i kanoen med en kartong Camel i fanget, mens Tae padler med vante åretak mot land på Menams vestre bredd. De drar kanoen opp i sivet og inn i bambuskrattet. Med seg i kanoen har de et par spann hvitmaling, en kveil ollerops og en liten stabel dunnagebord.

Det er stappmørkt, og jungelen er full av rare lyder. Tae peker på malingspannene og en bunt ollerops. Halvor stikker sigarettkartongen innafor bukselinninga på shortsen, henger olleropskveilen rundt halsen og griper malingsspannene. Tae løfter opp dunnagebordene og plasserer dem på hodet.

De går langs en smal jungelsti. Halvor er redd for slanger, skorpioner og andre skumle kryp. Han har bare slippers på føttene. Han skvetter til hver gang han hører en lyd eller kommer borti bladene i det tette lauvverket.

Flere stier løper sammen til en større sti. Halvor får øye på en klynge lys lenger framme. Det må være lys fra lykter, kanskje parafinlamper.

Han ser flere hus, en liten landsby. Alle husene er bygd på påler.

To smågutter kommer løpende på stien. De huier og ler. Men hva slags fæl sykdom er det de lider av? De bare overkroppene deres er dekket av hvite prikker og flekker. Kan det være spedalskhet?

Ivrig tar guttungene malingsspannene fra Halvor og løper mot husene.

Tae setter kursen mot et hus midt i landsbyen.

Der står to litt større gutter og maler huspålene med hvitmaling som kommer fra spann fra *Tomar*. Også disse guttene har hvite prikker og flekker på seg. De svinger malerkostene så Wilhelmsens dyrebare maling skvetter.

Tae legger fra seg plankene ved huset. Foran huset brenner et bål. Over bålet henger en liten gris på spidd, og det lukter liflig av svinesteik.

Ned langs en stige fra husets høyt hevede første etasje kommer en mann på Båsens alder klatrende. Han ser like senesterk ut som Båsen. Han har på seg en lyseblå sarong som dekker kroppen fra magen til knærne. Halvor tenker at mannen må være faren til Tae.

Hvordan vil far i huset reagere på å få besøk av en hvit mann som han må ha god grunn til å tro har bolla seg med den unge, pene dattera hans? Vil han i blindt raseri prøve å kvele Halvor med olleropskveilen?

Halvor skynder seg å ta av seg kveilen. Han rekker den til mannen, som ikke tar imot, så han legger den på bakken.

Mannen blir stående strunk, med et uutgrunnelig uttrykk i ansiktet. Så sprekker ansiktet opp i et smil, og han løfter begge hendene og legger håndflatene sammen.

Halvor besvarer hilsenen på samme måte, ved å legge håndflatene sammen.

Mannen roper på en av de malingsflekkede småguttene. Guttungen kommer pilende, tar olleropskveilen og løper av sted til et annet hus.

Halvor gir Camel-kartongen til mannen. Han flerrer den åpen, tar ut ei sigarettpakke og tenner straks en røyk med en glødende kvist fra bålet, inhalerer djupt.

Han har sikkert gått lenge uten røyk, tenker Halvor.

Huset er i to etasjer. Veggene er av bambusrør, med store gliper mellom rørene. Pålene huset står på, er av et mer solid materiale. En ungeflokk kommer myldrende ned stigen. Ungene samler seg rundt Halvor og ler seg halvt i hjel. De ler nok ved synet av den rare mannen med lys hud og lyst hår.

Mannen, som antakelig er Taes far, jager småungene bort. Han griper Halvor i armen og tar ham med bort til en huspåle som guttene ikke har rukket å male. På den pålen kryper svære beist av noen maur. Det er kanskje stokkmaur, som er i stand til å jafse i seg hele kåken.

Halvor skjønner vitsen med hvitmalinga på pålene. Den har samme funksjon som når fruktdyrkere hjemme i Norge hvitmaler eller kalker nedre del av trestammene for å unngå angrep av maur eller andre insekter.

Mannen tenner en ny sigarett med sneipen fra den første.

Småungene kommer bærende med noen enkle benker som godt kan være snekra av dunnage fra *Tomar*. De plasserer benkene rundt bålet.

Halvor blir budt å sitte. Han får bålrøyken i øynene, og tårene hans triller. Ungene hyler av latter. Om ikke annet har han skapt munterhet i landsbyen Samut.

En voksen kvinne kledd i heldekkende sarong i samme honninggule farge som Taes kommer ned stigen. Hun hilser på Halvor på samme måte som mannen gjorde. Kvinnen, som kan være Taes mor, setter seg på en av benkene. Hun spytter på bålet. Spyttet er rødt.

Jøss, hun spytter blod, tenker Halvor.

Kvinnen blir sittende rolig og smiler til Halvor. Hun har blod på tennene.

Hvordan kan hun være så rolig når hun har kjeften full av blod? Og hvordan kan hun tygge med blødende munn? For hun tygger på et eller annet. Det ene kinnet hennes buler ut.

Kvinnen gir Halvor en oransjerød frukt på størrelse med ei plomme. Han smaker på frukten. Safta er bitter som bare faen, og han spytter ut den jævlige plomma.

Ungene spruter ut i latter.

Kvinnen finner fram en ny frukt. Med fingrene plukker hun bort skallet og fruktkjøttet.

Inni er ei lita nøtt som ser ut som ei hasselnøtt uten skall.

«Betel,» sier hun.

Betel? Halvor skjønner ingenting. Betel er navnet på pinsevennenes bedehus på Åsvang i Stange på Hedemarken. Der vanker kusina hans, Hilda Ree, og taler i tunger slik pinsevenner gjør. Betel er også navnet på skipene som Den indre Sjømannsmisjon sender ut til byer og steder i Norge der fiskeriene foregår. Betelskipene tilbyr fiskerne både frelse og medisinsk behandling. Onkel Henry liker ikke betelmisjoneringa, men fikk en gang i Skudeneshavn kurert en forferdelig tannbyll om bord i et betelskip.

«Betel,» gjentar kvinnen og gir Halvor nøtta.

Halvor skal til å putte nøtta i munnen da Tae dytter til ham og skjærer grimaser. Han tolker det som at Tae ikke vil at han skal spise nøtta.

Nå begynner det å demre for Halvor, som minnes et fotografi han så i en reportasje i Arbeidermagasinet. Reportasjen handlet om kolonistyret i Nederlandsk Ostindia og undertrykkelsen av folket der. Bildet forestilte ei eldre kone med bul på kinnet. I bildeteksten sto det noe sånt som: Denne bondekona, som er fotografert i en av rismarkene på Java, finner trøst under det harde arbeidet ved å tygge betelnøtter. Nøttene inneholder et sterkt rødt fargestoff. Derfor tror turister som kommer til Java, at selv fattige kvinner på landsbygda har råd til å bruke leppestift.

Voksne og barn gir seg i kast med å ete den grillstekte smågrisen. Her forsyner man seg med fingrene, og Halvor følger lokal skikk og bruk. Kjøttet er sterkt krydra med noe som må være chilipepper. Halvor har fått et krus hjemmelagd øl som han svelger ned kjøttbitene med.

Ølet smaker helt grusomt, som om det skulle være brygga med pytonslanger som hovedingrediens. Men han drikker pyton-ølet for å være høflig.

Tae forsyner seg glupsk av grisen. Halvor skjønner ikke hvordan hun kan ete så mye og samtidig være så slank og smekker i kroppen. Det er kanskje ikke hver dag de har kjøtt å spise i landsbyen Samut.

Ungene har funnet ut at de kan bruke tomme malingsspann som trommer, og trommer i vei.

Etter mye rop og skrik og latter forstummer tromminga, og freden senker seg rundt bålet. Halvor og mannen han tror er Taes far, sitter og tar seg en røyk sammen. I kruset sitt har Halvor fått noe sterkt å drikke. Det er et blankt fluidum som ikke smaker så jævlig som ølet, men som river like mye i halsen som norsk heimebrent. Han regner med at han er blitt servert det Båsen kaller jungeljuice.

«Nuay,» sier faren til Tae, smiler og prikker Halvor på brystet. «Nuay, nuay.»

Kanskje Nuay er det siamesiske ordet for Norway?

Halvor er blitt veldig tørst av det peprede kjøttet. Han prøver å forklare det for Tae med fakter, og Tae henter ei parafinlykt, griper ham i armen og leier ham ut av landsbyens lysskjær og inn i svarte skauen. Der skvetter Halvor av noe han tror er avsindig menneskelatter. Han roer seg ned. Det er nok bare siamesiske frosker som kvekker utrolig høyt.

I lysskjæret fra lykta ser Halvor at det er murt opp noe som viser seg å være en brønn, med ei taurulle som det henger en liten pøs i. Tae firer ned pøsen, haler den full opp igjen og byr ham vannet å drikke.

Er det noe han er blitt advart mot om bord, så er det å drikke vann i Østen. Det kan man få både kolera og dysenteri av.

Men han er så jævlig tørst, så det får våge seg. Brønnvannet smaker friskt og godt. Han drikker halve pøsen, og Tae drikker resten.

Hun lener seg mot ham.

«Kiss,» sier hun.

Halvor kysser henne. Hun stikker tunga si inn i munnen hans og leiker med hans tunge. Han har jo hørt om tungekyss, men han var ikke sikker på om det fantes i virkeligheten.

Hadde det ikke vært for moskitoene som biter, kunne de stått lenge ved brønnen og kyssa.

De går tilbake mot landsbyen.

Plutselig setter Tae fra seg lykta og drar opp sarongen. Vil hun at de skal gjøre det *her*, midt i villmarka?

Nei, det er tisse hun vil. Hun setter seg på huk på stien og tisser lenge og vel. Halvor følger eksempelet hennes og slår lens i buskaset.

Halvor har fått i seg krus nummer to med jungeljuice. Nå kaller han mannen som holder ham med selskap, for Pappa Tae, og Pappa Tae kaller ham for Alo.

Halvor sitter ved bålet og føler seg som Askeladden i eventyret.

Frua i huset spytter rødt på bålets glør, som er i ferd med å brenne ut, og gjesper.

Gjespe gjør også Tae, prinsessa i eventyret.

Det er leggetid i landsbyen.

Hva skjer nå? tenker Halvor. Finnes det et anneks til huset som han kan sove i?

Prinsessa leier ham bort til stigen. Hun klyver opp, og han følger etter. De entrer en ny stige og kommer opp i pålehusets øverste etasje. Der står ei brei seng med et stort, luftig moskitonett over. Halvor har en mistanke om at det er foreldrenes seng, men at Tae får bruke den i anledning besøket fra Nuay. Kan han virkelig legge seg i den senga? Det vil kanskje være uhøflig *ikke* å gjøre det.

De to kryper inn under moskitonettet og legger seg i senga, som har en madrass vevd av fibre som ser ut som de er skåret ut av barken på et tre. På ei lita kasse som tjener som nattbord, står ei brennende parafinlampe. Tae blåser ut lampa. Hun tar av seg sarongen. Halvor beholder underbuksa på. Han synes det vil være usømmelig å kle seg helt naken så lenge hele familien sitter våken nedenunder.

Han blir liggende stiv som en pinne ved siden av Tae. Han lytter til skravlinga fra første etasje. Et spedbarn gråter, men vogges i ro. Lampene der nede blir blåst ut, og praten forstummer i det mørklagte huset.

Tae kiler Halvor på magen og ballesteinene og kjæler med staven hans, som svulmer opp.

Det som er som bare faen, er at han har glemt å ta med seg ei profylaktisk pakning. Doktor Dahlgrens strenge advarsel mot ubeskyttet seksuell omgang ringer i ørene hans.

Tae setter seg over skrevs på magen hans. Hun løfter seg opp, griper den stive staven hans og vil føre den inn i seg. Han kan da ikke nekte henne det? Etter all den siamesiske gjestfriheten han er blitt vist, må han gjøre som husets datter ønsker. Noe annet vil være et brudd på Siams regler for god oppførsel. Ja, det vil være den reine, skjære imperialisme! Hvis han ikke byr på det han har, vil han oppføre seg som en arrogant, blærete hvit mann, som en engelsk overlord, en fransk overkikador.

Risken med å pule uten dong får han ta. Han kan ikke tro at Tae er noen smittebærer. Hun har ligget med gutter før – og kanskje med voksne menn. Men samtidig virker hun uskyldsrein. Ja, hun er *rein*, det er Halvor overbevist om.

Han lar det stå til, og Tae trer seg ned på ham. Heldigvis knirker ikke senga mens hun rir ham. Barkfibrene stikker ham i ryggen, men de er mjuke og fjærende.

Rittet går over fra galopp til trav. Til slutt stilner det helt av. De blir liggende tett omslynget og sovner som barn.

Halvor våkner av at han hører hanegal. Han skjønner ikke hvor han er. Er han på en bondegård i Østerdalen? Eller på ei seter? Uansett hvor han er, er han ikke aleine. Han kjenner den varme kroppen til et menneske ved siden av seg. Han stryker forsiktig over kroppen. Den er naken og ikke veldig stor. Han ligger sammen med ei naken, lita budeie. Gudene vet hva de har gjort sammen!

Halvor slår opp øynene. De må ligge i ei gissen utløe, for han kan se gjennom sprekkene i veggen og ut på morgenlyset. Det står et merkelig, høyvokst tre der ute. Treet har ingen greiner. I toppen vokser det lange blader. Der henger ei diger klase av store, grønne nøtter.

Kokosnøtter!

Han er i Siam, i en siamesisk landsby. Hun som ligger ved siden av ham, er ingen budeie, men lille miss Tae. Om natta pulte de av hjertens lyst helt til de slukna. Og nå ligger de her, i finsenga i familiens hus.

Hva vil skje? Vil han bli kjeppjagd av den sinte faren til Tae, av en hel sinna landsby?

Den enslige hanen får følge av flere. Hanene i Samut galer som bare pokker.

Han kjenner røyklukt. Den kommer kanskje fra frokostbål som er fyrt opp i landsbyen. Hva spiser de til frokost i Siam? Det er neppe havregraut, det er nok ris.

Et spedbarn gråter i etasjen under. Halvor hører pludder av stemmer der nede fra. Det høres ikke ut som sinte stemmer.

Han kryper ut av senga. På et lite bambusbord står et vaskevannsfat. Han kan ikke huske at dette fatet sto der da de gikk og la seg. Han stavrer bort og kjenner på vannet. Det er lunkent. Ved fatet ligger et par kluter. Han griper en klut og vasker seg på det som blir kalt strategiske steder.

Han finner ikke underbuksa si, som Tae trakk av ham før de satte i gang. Men shortsen sin finner han, og trekker den på seg. I lomma ligger røykpakke og Zippo-lighter. Med skjelvende hender tenner han en Camel. Han blir stående og røyke og kjenner at frykten for det fremmede slipper taket i ham, at hendene hans roer seg. Han kikker på klokka si. Den viser fem over seks.

Han sneiper sigaretten og studerer Tae. Hun ligger på magen med armene i kors under hodet. Morgenlyset får den lysebrune kroppen hennes til å se ut som om den er forgylt.

Halvor lister seg bort til senga og klyper henne forsiktig i rumpa.

Hun snur seg rundt og slår opp gluggene. Øynene hennes ser ut som mandler.

«Oh,» sier hun, og så tar hun seg til skrittet. «Oh,» gjentar hun. «Very much fucki-fucki,» sier Halvor.

Tae begynner å le. Halvor trekker den slutning at han ikke kan ha gjort alvorlig skade på musa hennes, og at hun ikke bryr seg om at hun kanskje er litt sår i understellet. Han er litt sår sjøl.

Hun går til vaskevannsfatet, tar en rein klut og gjør helt usjenert morgentoalettet sitt, med grundig underlivsvask.

Hun tar på seg en mørkerød sarong.

Underbuksa til Halvor er sporløst forsvunnet. Han har lest et sted at den amerikanske forfatteren Ernest Hemingway aldri bruker underbukser, så da kan vel også han greie seg uten.

Tae klyver ned stigen til første etasje, og Halvor følger etter. I første etasje er det folketomt. De klyver videre ned til bakken. Halvor svelger en slimklump i halsen. Hvordan vil Taes familie reagere når han dukker opp sammen med henne etter den heite natta?

Familien sitter på benkene ved bålet. Over bålet henger ei jerngryte.

Halvor løfter hendene og samler dem til en hilsen.

Mannen han tenker på som Pappa Tae, reiser seg og gjengjelder smilende Halvors hilsen.

Halvor puster letta ut.

Tae og han går til brønnen og drikker vann. Det gjør Halvor godt å få bort den emne smaken av jungeljuice.

Tilbake ved bålplassen setter Tae og han seg på en ledig plass på en av benkene. I gryta er det ris. Risen blir servert i små porsjoner i palmeblader. I tillegg til risen er det en grønnsak som ser ut som salat, og som smaker syrlig, som bladene av syre som de tygde på da han var liten.

Halvor peker på klokka.

«I go ship,» sier han. Egentlig har han det ikke så travelt med å komme om bord, men han må snarest i buskene for å gjøre et høyst nødvendig ærend.

Tae følger ham på stien ned mot elva. Halvor går i buskene og gjør det han må. Han tørker seg med noen store blader.

Nede ved elva vasker han hendene med gjørme og vann.

Han peker på kanoen og ut mot skipet, som ligger ruvende midt ute i elva. Tae gir ham et tegn som han oppfatter som at de skal vente.

Det høres latter oppe fra jungelen og så rasling i bambuskrattet.

Hemmingsen kommer ut fra krattet sammen med Sirikit. Hun er kledd i en rosa sarong og har pynta seg med en rosa blomst i håret.

«Fy tusan,» sier Hemmingsen og gliser. «Det var litt av ei natt. Av snurrebassen min er det bare ei lita slintre igjen.»

«Samme her,» svarer Halvor.

Sirikit glir ut av sarongen og vasser naken ut i elva for å ta seg et morgenbad. Tae gjør det samme. De to jentene plasker rundt inne på grunna.

«Vi kan vel ikke være dårligere enn damene,» sier Hemmingsen. «Vi får ta oss et bad i bare nettoen.»

De to nordmennene kler av seg og legger på svøm, men ikke langt ut, av frykt for å bli tatt av strømmen. Halvor liker seg ikke helt. Kanskje det er krokodiller her som kan finne på å bite av ham redskapen. Det ville være synd, nå som han for alvor har fått erfare hvor godt det er å ha den.

Nordmennene kommer seg vel i land, setter seg på kanoen og tar seg en røyk.

«Vi får kanskje komme oss om bord,» sier Halvor.

«La oss vente på han tromsøværingen,» sier Hemmingsen. «Milde Måne har også tilbrakt natta i Samut village, i huset ved siden av der Sirikit og jeg var. Jeg lurer på om han har kommet i klammeri. Utpå morrasida var det hyl og skrik utenfor nabohuset.»

Milde Måne kommer ut av krattet. Han ser fæl ut. Et øye er klistra igjen, skjorta hans er revet i stykker og henger i laser. Han har blødende skrammer på halsen og brystet. Sårene ser ut som kloremerker.

Milde Måne er ikke i sitt vante lystige humør.

«Æ tabba mæ ut,» sier han.

«Hvordan da?» spør Hemmingsen.

Milde Måne svarer ikke. Mutt og tverr setter han seg på en av toftene i kanoen.

Sirikit og Tae fører en rask samtale.

«We know what did this boy,» sier Sirikit og peker på Milde Måne. «This boy no more come Samut village! No good butterfly! Siam girls think butterfly very, very bad.»

«Yes,» sier Hemmingsen. «Butterfly very bad.»

«Me, Miss Sirikit, and Miss Tae, no like butterfly, no, no, no,» sier Sirikit og vifter med en dirrende pekefinger mot Hemmingsen og Halvor. «If you boys do butterfly, we kill you!»

«We will do no butterflying,» svarer Hemmingsen. «I promise, and my friend promise.»

Halvor sier: «What are we talking about?»

«Shut up, Skogsmatrosen!» kommanderer Hemmingsen. «Nå padler vi stille og rolig om bord, så skal jeg forklare deg en del ting siden.»

De skyver kanoen ut. Tae og Halvor griper hver sin padleåre, mens Sirikit og Hemmingsen fører en lavmælt samtale. Milde Måne sitter og sturer.

Kanoen nærmer seg *Tomar*. Det er ikke en kjeft å se på skuta. Den virker forlatt, som om det har vært pest eller mytteri om bord.

Halvor fortøyer kanoen i losleideren.

«We come back in evening,» sier Sirikit. «We come six o'clock.»

«Maybe we cannot steal more paint from the ship,» sier Hemmingsen.

«If you bring tin can milk for children, very good,» sier Sirikit.

«You bring shirts for daddies. You bring anything. Don't forget cigarettes.»

«We will not forget,» svarer Hemmingsen.

Han og Halvor vinker farvel til de to jentene.

De rusler akterover. På et ellers øde akterdekk møter de Båsen. Han svirrer rundt barbeint, bare iført en shorts som han har lagd av ei avklipt dongeribukse. Det står en voldsom eim av ham.

«Jeg har fått i meg jævla mye jungeljuice i natt,» sier Båsen. «Det ble en skikkelig overdose. Jeg tror ikke det er forsvarlig at jeg arbeider i dag. Det beste er nok at jeg går til køys med det samme.»

«Helt enig,» sier Hemmingsen.

«Da setter du og Flise-Guri gutta i arbeid, Hemmingsen?»

«Ja visst.»

Kapittel 12

I messa har Cheng dekket på til frokost for alle mann. Den eneste som sitter til bords, er Halvor. Han langer i seg seks brødskiver med leverpostei og drikker to krus svart kaffe.

Han peker på Chengs kortermede, hvite skjorte.

«You have many more shirts?» spør Halvor. «Can you sell me two white shirts?»

«Sí,» svarer Cheng. «Have camisas brancas. White shirt. Muito barato. Very cheap price for amigo.»

Halvor går på lugaren og får på seg underbukse, en rein shorts og ei t-trøye.

Han fyller ei vannflaske. Presis klokka åtte stiller han på brua for å avløse Geir Ole og gå ankervakt.

Han må vekke Geir Ole, som sitter på ei livbeltekasse og sover søtt.

Også annenstyrmann Granli har sovnet på ankervakt. Halvor finner ham på benken i bestikken, der han ligger og snorker. Han vekker Granli, som banner og sier at faen skulle gå den dritale ankervakta hele natta mens alle andre er i land.

Geir Ole spør om hvordan det var i jungelen. Halvor svarer at det var slett ikke verst, og spør om hvorfor Geir Ole ikke ville dra i land, men tok ankervakta hans kvelden i forveien.

Nordlendingen sier at han er så innihelvetes redd for edderkopper. Han har hørt at det skal være edderkopper så store som en manns hånd i jungelen i Siam, og at det vokser hår på dem. Disse hårete beista vet han at heter tarantuller. En tarantull kan drepe en mann med ett eneste stikk av den giftige kloa si.

«Jeg tror det heter *tarantell*,» sier Halvor.

Geir Ole sier at det er samme farsken hva det heter. Han har spurt styrmann Granli om råd, og Granli mente at han lider av araknofobi.

«Araknofobi, du,» sier Halvor. «Fint skal det være om så hele ræva henger ute. Kan det kureres, sånn araknofobi?»

Geir Ole sier at Granli tror lidelsen kan kureres dersom man blir bitt av en tarantull og ikke dør av det. Men det vil han ikke ta sjansen på. Ikke på vilkår!

Han sier at han har hatt det helt ålreit om bord mens alle gutta var i land. Da mørket falt på, hengte han ut ei sol fra rekka på poopen og prøvde å lystre fisk.

«Fikk du noe, Kokkovær?» spør Halvor. Kokkovær er et kallenavn han har begynt å bruke på lugarkameraten sin når lettmatros Gaukvær utfolder seg på det mest lidenskapelige som fisker. Ingen andre om bord kaller nordlendingen for Kokkovær.

«Æ fekk berre nokka ufesk og nokka ål,» svarer Geir Ole.

Han beskriver ufisken som svære beist med lange, tynne barter. Førstestyrmann Nyhus fikk se fisken og mente at det dreide seg om et tropisk fiskeslag som på norsk kalles malle. Han trodde at fisken absolutt var spiselig. Nyhus har greie på fisk. I guttedagene var han med på å sette kilenøter etter laks på Østfold-kysten. Geir Ole våget ikke prøve seg på bartefisken. Men Cheng og han kokte ei gryte ål som smakte alle tiders. Cheng fant på å tilsette en god porsjon karri i ålegryta, og ål i karri er en matrett Geir Ole virkelig kan anbefale.

Nå vil han prøve fiskelykken igjen. Han har hørt av Nyhus at det skal gå en slags asiatisk sjøørret i Menam, og har fått Erasmus Montanus til å lage en håndfull sluker til seg av bladene på teskjeer han har rappa i messa.

«Skitt fiske,» sier Halvor.

Han er steintrøtt etter nattas strabaser og får lyst til å sette seg på livbeltekassa og dorme som Geir Ole. Men hvert øyeblikk kan Trean eller kaptein Nilsen dukke opp.

Han marsjerer fram og tilbake på styrbords bruving i morgensola, som varmer, men ikke steiker. Det blåser en lett bris opp langs Menam.

En blankpussa mahognibåt legger til ved losleideren. Opp fra båten entrer kaptein Nilsen, Nyhus, Trean, Chiefen og to av maskinistene.

Motorbåten, som nok er en taxibåt, legger fra igjen og stevner ut på floden, mellom alle farkostene som det kryr av nå på morgenkvisten. De fleste båtene er slike som Halvor har lært kalles sampaner.

Noen av dem er så små at de kan vrikkes fram med ei stor åre som er festet i akterstevnen. De større sampanene har seil og prøver å utnytte morgenbrisen. Mange av sampanene er lastet til ripa. Én er full av ender som sitter i trange bur og kvakker forferdelig. En annen er lastet med kokosnøtter og ananas, en tredje med kyllingbur som er stablet fire og fire i høyden.

Kanoer piler fram og tilbake mellom sampanene. Større skip, dampere og motorskip, uler iltert i fløyta der de prøver å bane seg fram uten å renne noen i senk.

Litt før klokka ni kommer Trean opp på brua og ut på babords bruving. Han ser trøtt ut og lukter parfyme.

«Så du er på plass, Skramstad,» sier han.

«Jo da.»

«Du var en tur i land?»

«En svipptur, ja.»

«Det er nå jeg nesten angrer på at jeg ble styrmann,» sier Trean. «Vi offiserer kan jo ikke herje rundt i bushen her i Siam sånn som dere gutta kan. Men noen av oss hadde en riktig fin tur opp til Bangkok sentrum, havnet på en eksklusiv nattklubb full av snertne damer og … ja, resten kan du jo tenke deg.»

Halvor nikker stumt.

Et mektig, hvitmalt passasjerskip med tre ruvende, gule skorsteiner kommer i stor fart ned langs elva, støter uavlatelig i fløyta og jager bort småbåtene.

I baugen på passasjerskipet står navnet *Himalaya*.

Baugsjøen fra *Himalaya* treffer en sampan lastet med levende griser. Sampanen tar inn vann over esinga, og Halvor frykter den skal kantre. Men den skjøre farkosten holder seg flytende. Grisene hyler. Kvinner og menn om bord i sampanen øser for livet.

«Engelskmann,» sier Trean og peker på *Himalaya*. «Engelskmennene oppfører seg altfor ofte som om de eier hele verden. Nå bryter de fartsgrensa her på elva så det suser. Man kan bli møkka lei av englendernes evinnelige preik om at de hersker i et imperium der sola aldri går ned.»

Himalaya passerer *Tomar* på kloss hold. Hvitkledde passasjerer på promenadedekket vinker til Trean og Halvor, som uten entusiasme vinker tilbake. I hekken på skipet vaier Union Jack.

«P&O Line-båt,» sier Trean. «P&O er et av verdens aller største rederier, og gammelt i passasjertrade'n på Østen.»

«Hva står P og O for?» spør Halvor.

«Pacific and Orient, vil jeg tro. Men nå ble jeg plutselig usikker. Jeg skal sjekke i ei bok vi har i bestikken.»

Trean kommer tilbake fra bestikken, og sier: «*Peninsular* and Orient.»

Gamle Åge kommer for å ta over ankervakta. Han har tatt på seg kakiskjorte, kakibukse og en medtatt tropehjelm som kler ham riktig godt. Åge kunne gå for å være en gammel sersjant i den britiske kolonihæren.

Trean sier at *Tomar* ligger godt til ankers uten å dregge, og at det spørs om de vil greie å få halt ankrene opp av gjørma igjen.

Da han går ned til middag, får Halvor øye på et papirark som er hengt opp på oppslagstavla utenfor mannskapsmessa. En motormann som heter Leif Eiebakke, en eldre vestfolding, stopper også opp ved tavla. Eiebakke og Halvor leser teksten:

«Til mannskapet på M/S TOMAR. Skipets kaptein og ledende befalsmenn vil gjøre mannskapet oppmerksom på at det er strengt forbudt å 'orge' noe av skipets utstyr og materiell, så som maling, old ropes og dunnagematerialer, og alt øvrig annet. Slike saker skal under vårt opphold på Chao Phraya River ikke føres i land av mannskapet eller av folk av Siam/Thailand-nasjonalitet. Mannskapet bes merke seg at slik 'orging' er å anse som tyveri i henhold til sjøfartslovgivningen og Straffeloven i Norge, og derved straffbar handling. Man innskjerper at promiskuøse innfødte kvinner ikke har adgang om bord i TOMAR, og vil påminne om at å innlate seg med slike innfødte kvinner under landlov kan medføre fare for veneriske sykdommer og smittsomme tropesykdommer som malaria, gulfeber og spedalskhet. Man vil også innskjerpe at ankervakter skal gås etter det oppsatte vaktskjema, at de som går ankervakt fra kl. 08.00 til 12.00 skal arbeide overtid fra etter middag til utskei, og at arbeidstiden for dagmenn på dekk og i maskinen, fra 07.00 til 17.00, skal overholdes nøye.

Ivar A. Nilsen, skipsfører – Anton Chr. Nyhus, førstestyrmann – Stanley Vadheim, førstemaskinist – Bjarne Dyrkorn, stuert.»

«Bevare meg vel,» sier motormann Eiebakke. «Det der får man kalle *eine grausame Salbe*.»

«Ja, fy flate,» sier Halvor. «Hva mener de med 'promiskuøse'?»

«En promiskuøs person er en person som har et tøylesløst

seksualliv,» sier Eiebakke. «Vi har ikke så mye av det i Stokke, der jeg kommer fra. Men det er jo utbredt i store deler av verden. Ikke minst her i Siam. Etter hva jeg har hørt, da. Selv holder jeg meg til Skriftens lære.»

Til middag er det daff kjøttpudding, og fruktsuppe uten frukt til dessert.

Flise-Guri, som Halvor aldri har hørt kicke på noen ting, opplater sin røst: «Stuerten kunne faen brenne meg spandert frisk frukt i fruktsuppa nå som vi er her hvor det bugner av all slags sydfrukter. Er alle mann enig?»

«Alle mann enig!» ropes det fra bordene.

Det ropes også ukvemsord om skrivet fra kapteinen og offiserene.

Etter middag ber Hemmingsen Halvor om å bli med på lugaren sin. De setter seg på hver sin stol. Hemmingsen spretter et par flasker Tiger. De skåler ved å klinke flasker.

Halvor spør hva «Chr.» i førstestyrmann Nyhus sitt navn står for. Hemmingsen mener det kan stå for *Chronometer*, siden Nyhus er så nøye med at alle om bord skal passe klokka til punkt og prikke.

Halvor peker på et fotografi som henger på skottet. Det er et oppstilt fotballag som er avbildet. På en trykt tekst under bildet står det: «Liulls A-lag, sesongen 1935.»

«Er du den karen som det er tegnet en hvit sirkel rundt hodet på?» spør Halvor.

«Ja, det er meg,» svarer Hemmingsen. «Jeg hadde snaua meg med barbus den gangen. Jeg ble senterhalf på A-laget før jeg hadde fylt tjue.»

«Merkelig navn, Liull,» sier Halvor.

«Det er navnene på Lilleaker og Ullern som er slått sammen. Lilleaker er der vi arbeidergutta kommer fra. Langs Lysakerelva på Lilleaker ligger fabrikker på rekke og rad. Vi lager alt fra dynamitt til margarin, og så har vi Mustad, som er verdens største produsent av fiskekroker. På Nedre Ullern bor funksjonærene og småsjefa. Oppi Ullernåsen bor millionærene. Det er litt av et klasseskille i Liull, men på mystisk vis henger klubben sammen. Vi lilleakergutta dominerer på fotballbanen og brytematta, mens snobben tar seg av bandy og slalåm.»

«Er du bryter?»

«Ja, for pokker. Du la kanskje merke til at jeg hadde en viss øvelse da jeg slengte Båsen i femte veggen på Norge Bar i Rotterdam. Men det var ikke sport vi skulle snakke om. Du så ikke ut til å forstå hva jentene våre mente med 'butterfly'.»

«Det betyr vel sommerfugl på engelsk?»

«Ganske riktig. Og jentene – ikke bare her i Siam, men fra Santos til Batavia – hater at vi gutta flyr som sommerfugler fra blomst til blomst. Har du funnet deg ei jente, enten det er ei proff hore i Friedrichstrasse i Hamburg, en geisha i Yokohama eller en village girl her i Siam, skal du holde deg til den jenta. Det er en uskreven lov. Hadde jeg bestemt, skulle det stått som en paragraf i Sjømannsloven: Når du er i havn, hold deg til samme kvinne og driv ikke butterflying.»

«Jeg er helt enig,» sier Halvor.

«Da skåler vi for det.»

De klinker flasker.

«Du skjønner,» sier Hemmingsen, «jenter som Sirikit og Tae føler noe for oss. Hva faen heter det? Et ord som begynner på 'hen'.»

Halvor tenker seg om.

«Henrykkelse?» sier han.

«Nei, ikke henrykkelse,» svarer Hemmingsen. «Det er å ta for hardt i.»

«Henførelse?»

«Niks,» sier Hemmingsen. «Nå kom jeg på det: *hengivenhet*. De føler hengivenhet, og den skal vi gjengjelde. Jentene her i Siam er ikke pripne og puritanske som så altfor mange jenter i Norge. Det nyter vi godt av når vi er i Siam, men vi skal ikke utnytte det til å knulle vilt omkring. Vi skal oppføre oss som gentlemen. Jeg har kryssforhørt jungmann Mildestad. Han dreit på draget oppe i village'n. Og for den dritinga fikk han så øra hang av meg. Tosken fra Tromsø ble med ei kjekk jente hjem og fikk så mye fitte som noen mann kan be om. Så fikk han ikke sove etterpå. Han fikk hetta av at det fløy flaggermus gjennom kåken. Så han gikk ut og svima rundt i village'n. Der møtte han ei litt eldre dame som ifølge Sirikit er nokså tussete i huet. Han ga dama ei pakke sigaretter, og hun bød seg fram for ham. De satte i gang. Dette ble oppdaga av folka i huset der han var gjest. Han fikk stryk som fortjent og skal være glad for at jenta hans ikke klorte øya ut på'n. Jungmann Mildestad kan aldri vise seg i Samut village mer. Gjør han det, kommer kvinnfolka der til å skjære pikken av ham.»

Det banker på døra, og den glir opp.

Den som står i døråpninga, er Milde Måne. Han er rikt dekorert med plasterlapper og har et øye som ser ut som ei plomme som noen har tråkka på, men har gjenvunnet sitt gode humør.

«Hva faen vil du, din forbanna sosemikkel?» sier Hemmingsen.

Milde Måne holder fram et papirark.

«Æ har laga en skrivelse,» sier han. «Til kapteinen og offiseran.» «Om hva da?» spør Hemmingsen. «Den fruktesløse frukt-suppa?»

Milde Måne forklarer at skrivelsen er et svar på skrivet som ble hengt opp ved mannskapsmessa, og at han i all stillhet vil henge skrivelsen opp utenfor offisersmessa.

«Få se,» sier Hemmingsen og griper arket. Halvor flytter på seg så han også får lese. Det står:

«Man vil gjøre Kaptein og øvrige af Skibets Offiserer om bord i M/S TOMAR oppmerksom paa at aa innlate seg med promiskuøse innfødte Quinder paa Luxusbordell i Bangkok City og ha Ærotiske Æskapader med Prostituerte er i strid med Sædelighetsloven baade i Siam/Thailand og i Norge, og dertil i strid med Ægteskabsloven i Norge for dem Offiserer som er gifte Personasjer. Slik innlatelse med prominente innfødte Damer kan ifølge Norsk Lov straffes med Fængsel i inntil tre Aar, eller med Bøter som svir værre en Pissmaur. Ved gjentatte Tilfælder utført av over-brunstige Offiserer eller Kaptein kan der straffes med Tyve Slag av Den Nihalede Katt, rulling i Tjære og Fjæder, eller i særdeles grove Tilfælder med Kjølhaling. I helt Extreme Tilfælder vil angjeldende Offiser eller Kaptein maatte gaa Planken paa Piraters Vis og maa paaregne aa ende som Føde for Haiene. Man vil dessforuten paapeke at slikt Horeri er i strid med Moseloven og vil føre til at man flyver fra Syndens Pøl like lukt ned i Hælvetes Flammer.»

Hemmingsen og Halvor ser på hverandre. Så gapskratter de i kor.

«Jeg hadde aldri trodd du skulle få meg til å le, din kødd fra Gokk,» sier Hemmingsen. «Du burde gå i land og slå deg opp på å skrive revy. Hvor har du den pussige rettskriving fra?»

Milde Måne forklarer at han har prøvd å etterlikne stilen til et bysbarn av seg, en filosof og fjellklatrer som heter Peter Wessel Zapffe, og som skriver vittige artikler på et gammelmodig språk i lokalavisene i Tromsø.

De tre diskuterer hva skrivelsen skal undertegnes med.

«Union?» foreslår Halvor.

«Nei, da blir Båsen hakkende gæren,» sier Hemmingsen. «Jeg har det. Du skal naturligvis undertegne med Kong Neptun.»

Kapittel 13

Pappa Tae åpner cellofanen den hvite skjorta er pakket inn i. Han smiler bredt og holder opp skjorta slik at alt folket, kvinner og barn, kan se gaven Halvor har gitt ham.

Alle som er samlet rundt bålet, smiler og ler. Av Trean har Halvor hørt at Siam blir kalt Smilets land.

Pappa Tae tar på seg skjorta. Han gir fra seg et lite skrik, og på skjortebrystet kommer en blodflekk til syne.

Knappenålene! tenker Halvor. De to skjortene han kjøpte av Cheng, var nye og pakket i uåpnede cellofanpakninger. Når skjorter pakkes, settes det inn knappenåler som skal få dem til å ligge pent i pakka.

Pappa Tae tar forsiktig av seg skjorta og plukker ut knappenålen som stakk ham. Han finner flere knappenåler. De større guttene, lømlene i ti–tolvårsalderen, vil ha nålene. De begynner å stikke hverandre og vil vise at de er modige og ikke skriker. Så begynner gutta å stikke småungene, og det blir naturligvis hyl og skrik. Kjeftesmella til Mamma Tae går, og det blir ro rundt bålet.

Halvor gripes av lengsel etter småsøsknene sine. Så forskjellige liv de lever, søsknene hans hjemme på rolige Rena og barna i det myldrende Siam! Her lever folk sånn som de gjorde i Norge for hundre år siden, bortsett fra at det finnes et par sykler i Samut village. Men her er ikke elektrisk strøm, ikke telefon og ikke radio. Noen bil har han aldri sett komme til landsbyen, og det er kanskje ikke bilvei hit. Ifølge Sirikit går en del av ungene på skole et par ganger i uka. Slett ikke alle får skolegang, og det er mange som aldri lærer seg å lese og skrive. Halvor vet ikke om Tae kan det.

Han gir en pappkartong med to dusin bokser Viking-melk til Mamma Tae. Det er tydelig at hun har sett slike bokser før, for hun åpner raskt en boks med et par knivstikk gjennom lokket. Ungene, de minste først, stiller seg i kø og får hver sin boks. De drikker så det skummer hvitt om munnen på dem.

Pappa Tae får en kartong sigaretter. Det er Chesterfield denne gangen.

For skjortene og Chesterfield-kartongen betalte Halvor messe-mann Cheng med engelske pund han hadde igjen etter oppholdet i Aden. Cheng ville ikke ha de lokale siamesiske pengene, bhat, som Halvor hadde fått en liten bunke av hos Gnisten.

Et par norske ord har Cheng lært seg. Det ene er «gærninger», som sjøfolk bruker om alle fremmede lands valutaer, bortsett fra engelske pund, amerikanske dollar, svenske og danske kroner, finske og tyske mark, samt nederlandske gylden. Det andre ordet er «geitost».

«No like dinheiro de Tailandia,» sa Cheng da Halvor ville gi ham bhat-sedler. «No like geitost, no like gærninger.»

Kartongen med Viking-melk, som han fant fram fra et av sine utallige gjemmesteder, skulle ikke Cheng ha betalt for. Med en blyant tegnet han hammer og sigd på den brune pappen på Viking-kartongen. Han pekte på hammer-og-sigd-symbolet, og så pekte han på seg sjøl. Deretter skribla han raskt tegnet for pund og teg-net for dollar og pekte atter på seg sjøl. Halvor valgte å tolke dette som at Cheng sympatiserer med kommunismen, men samtidig er veldig glad i penger. Det var antakelig den røde sympatien som gjorde at han ville gi bort gratis boksemelk til sultne unger i Siams jungel.

Søndagsfrien for mannskapet på *Tomar* ble bekjentgjort i et skriv hengt opp på tavla ved messa, undertegnet av kaptein Nilsen og de tre andre befalhaverne.

Kan hende Kong Neptuns muntre skrivelse hadde fått lederkvar-tetten til å tenke seg litt om? I alle fall ble det kunngjort av kaptein Nilsen & Co. at det vaktgående dekksmannskapet ville bli fritatt for ankervakt på søndag, og at slik vakt ville bli utført av styrmen-nene aleine. En planlagt stempeloverhaling av en av skipets hjelpe-motorer var besluttet utsatt.

Stor jubel om bord.

Halvor støtte på annenstyrmann Granli like før han skulle reise i land med Sirikits og Taes kano.

«Fabelaktig skrivelse dere gutta hadde kokt i hop,» sa Granli. «Strålende satire! Jeg har ikke ledd så mye siden Christopher Hornsruds Arbeiderparti-regjering måtte gå av i februar nittenåtte-ogtjue etter å ha hatt makta i bare fjorten dager. Dessuten kan du informere alle gutta om at gulfeber overhodet ikke forekommer her i Asia. Denne mest dødelige av alle febertyper finnes bare i tropisk Afrika og tropisk Sør-Amerika, og i Mellom-Amerika.»

Nå, på lørdagskvelden i Samut, viser Halvor fram hammer-og-sigd-symbolet på Viking-kartongen til Pappa Tae. Her i Samut burde de jo være kommunister alle sammen, fattige som de er. Men Pappa Tae reagerer ikke, verken positivt eller negativt. Lever de så isolert i Samut at kommunistsymbolet er ukjent for dem?

Tae sitter og studerer en tom Viking-boks, som om hun prøver å lese teksten på etiketten.

Mamma Tae henger ei jerngryte over bålet. Hun gir beskjeder til et par av de større guttene og et par av jentene.

Snart kommer de fire tilbake med hver sin sprellende og kaklende høne.

Mamma Tae henter en stor jungelkniv og kapper med en vant bevegelse huet av hønsene. Raskt blir de ribba og rensket, og så havner de plums i gryta. Det er igjen to fulle melkebokser. Innholdet havner i gryta sammen med røde grønnsaker som Halvor regner med er chili, og bunter av noe som ser ut som sukkererter.

Seig, men velsmakende høne. Jungeljuice. En tur til brønnen for å drikke vann sammen med Tae, og litt klining på vei tilbake. En røyk sammen med Pappa Tae.

Kunne jeg hatt det bedre? tenker Halvor. På toppen av alt har han fri hele søndagen. Da skal han bli med Pappa Tae og Pappa Sirikit på jobb. De to er kolleger av ham; de er tømmerhoggere.

Sirikit har fortalt om det til Hemmingsen og Halvor. Det er tømmerhogst som er inntektskilden i Samut. Hogsten kaster skammelig lite av seg for hoggerne. Skogeieren – antakelig en siamesisk Didrichsen – stikker av med fortjenesten. Dermed er folk i landsbyen nødt til å leve nærmest i naturalhusholdning, slik folk på bygdene i Norge gjorde i gamle dager.

Månen kommer opp over jungelens trekroner, og det er leggetid i Samut.

Villskapen har gått av Tae og Halvor. De ligger og nyter hverandre i et dovent samleie der de nesten ikke beveger kroppene, i den vanlige europeiske stillinga, misjonærstillinga.

«Du, Tae, er min tropiske orkidé,» hvisker Halvor.

Halvor skriver i dagboka: «Menam-floden, torsdag 22. februar kl. 02.30. Alle gode ting må ta slutt. Vi har nå fått reservedelene til pumpene om bord, og maskingjengen er i full gang med å montere delene. Vi dekksmannskaper fikk jævlig streng beskjed av Nyhus i går kveld om at vi pent hadde å holde oss om bord. Vi skal lette anker og gå opp til Bangkok straks kjølevannspumpene fungerer.

Jeg kjenner ingen trang til å sove og må dessuten passe litt på Geir Ole. Som belønning for at han har tatt kveldsankervaktene for meg, fikk han en flaske jungeljuice.

Han drakk altfor mye altfor fort. Ikke bare måtte han spy, han fikk også noen kramper eller spasmer eller hva jeg skal kalle det.

Nå ligger han i køya og har sovnet. Men av og til går det rykninger gjennom kroppen hans, og han er grønnbleik i trynet.

På søndag var jeg både i tømmerskauen og i teater. Da morgenen opprant, gikk Hemmingsen, Sirikit og jeg til hogstfeltet, som lå en halvtimes gange fra landsbyen. Tae var ikke med, fordi hun hadde sin månedelige. Pappa Tae og Pappa Sirikit hadde stått opp i otta og gått i forveien.

Hemmingsen hadde med seg fotografiapparatet sitt, et lite, hendig Leica-apparat som han fikk råd til å kjøpe etter at han vant en pen slump i Pengelotteriet.

Han sa at hvis han hadde vunnet med et hellodd, ville han ha kunnet kjøpe seg motorsykkel for gevinsten. Men han hadde bare kjøpt et halvlodd og måtte nøye seg med kamera.

Jeg spurte hva slags motorsykkel han ville ha kjøpt hvis han hadde hatt nok penger. Hemmingsen sa at han godt kunne tenke seg en ganske ny og flott type sykkel fra Tsjekkoslovakia. Det er et merke som heter Jawa, og 500-kubikkeren derfra skal være helt rå, men også rådyr.

Jeg sa at jeg sparer til å kjøpe meg en tradisjonell engelsk Norton, også den en 500-kubikker. Ny Norton får jeg neppe råd til. Det får holde med en brukt som ikke er kjørt altfor hardt.

Det var pussig at mens vi gikk og snakket om motorsykler, hørte vi plutselig noe som lød som en rusende motorsykkel i skauen.

Vi to nordmenn ble storligen forbauset da vi kom fram til hogstfeltet og oppdaget at de har <u>motorsag</u> i Siam, der forholdene jo ellers er enkle.

Det var første gang jeg så en motorsag i aksjon. Det var en tysker som heter Stihl, som for noen år siden oppfant motorsaga. Stihl-sager har vært i bruk i Sverige, og en sånn sag har vært prøvd i Trysil. Det leste jeg om i Teknisk Ukeblad, der det også var bilde av saga. Motorsaga har ikke slått an i Norge, fordi Skogsarbeiderforbundet mener at den er for tung og vanskelig å håndtere og for farlig. Skogeierne mener, på sin side, at motorsaga er for dyr i drift, fordi den sluker voldsomt mye bensin og sagkjedeolje. Dessuten er sagkjedene kostbare.

Pappa Tae og Pappa Sirikit stoppet saga da vi kom, og viste den stolt fram. Saga var, ifølge Sirikit, av det japanske fabrikatet Tanaka. Den så ut som en kopi av Stihl-saga. Japanerne er jo kløppere til å kopiere oppfinnelser fra Vesten.

Jeg kjente på sagbladene på kjedet som roterer langs kanten på en langsmal stålplate, det såkalte 'sverdet'. Bladene var kvasse som bare fanden.

Motorsaga må holdes av to mann, én i hver ende.

Pappa Tae og pappa Sirikit startet opp saga. Den bråkte forferdelig. Blir motorsager vanlige, er det slutt på skogens ro!

Det er teak de hogger i skogen ved Samut. Teaktrærne er velvoksne. De kan bli opptil 50 meter høye og ha en diameter på to til tre meter nederst på stammen. Trærne her var cirka 30 meter høye og hadde en diameter på halvannen meter.

De to fedrene skar kjapt et fellesnitt i det treet som skulle hogges. Så begynte de å sage for alvor. Det gikk virkelig unna, så sagflisen skvatt!

De var bare iført kortbukser og slippers. Jeg tenkte at jeg aldri ville jobba med et beist av en motorsag uten å ha beskyttelsesutstyr. For hva vil skje om de får forkiling og kast på saga? Da kan det gå med både armer og bein, det kan bli det reine blodbad.

Treet, den digre rusken, falt nøyaktig der det skulle, mellom to andre trær. Hemmingsen sa at for ham så det ut som om de to hoggerne hadde savvy, men at det var vel jeg den rette til å dømme om, siden jeg har vært tømmerhogger.

Ja, svarte jeg. De har savvy. De vet hva de driver på med.

Teak er jo ved siden av mahogni det mest kostbare av treslag, og brukt verden over på grunn av sin holdbarhet og bestandighet for sjøvann. Det finnes ikke noe passasjerskip i verden som ikke har rekker av teak, og kanskje dekk av teak. Teak betyr luksus og kvalitet!

Derfor var det interessant å se teaken som rått tømmer. Teak slik den brukes på skip, er jo mørkebrun. Kuttflaten på den stammen som nå var felt, viste at treet hadde en grågul ytterved. Jeg spurte Sirikit om dette, og hun sa at ytterveden ikke blir brukt til annet enn brensel. Resten av kuttflaten var gyllenbrun som huden til Tae, men med et grønnskjær i. Teak må altså modnes for å få den dype, brune løden.

Stammen ble kuttet i stokker på seks–sju meters lengde.

Sagmuggen har en fin krydderaroma, nesten som kanel.

De to hoggerne felte to trær til. Da trærne skulle kappes til stokker, gikk saga treigt.

Jeg fikk kjenne på sagtakkene. De var blitt veldig sløve, og Pappa Tae og Pappa Sirikit begynte å sette opp sagkjeden med hver sin fil.

Jeg spurte Sirikit om hvorfor saga ikke tålte mer enn tre trær før den måtte settes opp.

Forklaringen var at teaktreet suger opp en god del sand fra skogbunnen. Derfor sløves sagtakkene så fort.

Vi hørte voldsom romstering i krattet ved hogstfeltet.

Elephants come, sa Sirikit.

Og ut av krattet kom virkelig en elefant, med en rytter på nakken. Jeg fikk se min første elefant her i livet! (Jeg kom meg aldri til dyreparken Hagenbeck da vi lå i Hamburg med <u>Flink</u>.) Dyret var ikke fullt så stort som jeg hadde forestilt meg elefanter, men det hadde prektige støttenner av kritthvitt elfenben og en veldig kraftig snabel. Den grå huden var rynkete og minte om barken på et eiketre.

Fire elefanter til dukket opp.

Flokken var virkelig et fantastisk flott syn. Dessuten var den arbeidsom. Rytterne, som alle fem bar hvite turbaner og røde saronger, ga elefantene ordre ved å dulte til dem med små kjepper og gi dem tilrop.

Lydig løftet hver elefant opp hver sin teakstokk med snabelen. Det var den reineste sirkusforestilling.

Hemmingsen fotograferte som en gal.

Faen så synd at jeg ikke har <u>fargefilm</u>! ropte han.

Med stokkene i snablene luntet dyrene av gårde, fulgt av muntre tilrop fra Pappa Tae og Pappa Sirikit. De to måtte fortsette å hogge. Jeg forsto det slik at de hadde en viss kvote de måtte felle hver eneste dag, hverdag som helligdag.

Jeg spurte Hemmingsen om det virkelig finnes fargefilm som kan kjøpes og brukes av vanlige folk. Han sa at både amerikanske

Kodak og tyske Agfa lager fargefilm. Kodaks film er dyr og vanskelig å få framkalt. Agfacolor, derimot, er ganske rimelig og enkel å framkalle, så tyskerne er i ferd med å erobre markedet for fargefilm. Han hadde tenkt å kjøpe Agfacolor i Rotterdam, men så rota han bort pengene på Norge Bar.

Hemmingsen har tatt en del bilder av Tae og meg som jeg gleder meg til å få se.

Hemmingsen, Sirikit og jeg bega oss tilbake til Samut. Dagen var heldigvis ikke voldsomt het, det var nesten kjølig i skogen. Moskitoene var heller ikke så innpåslitne. Det var jeg glad for, for myggstikkene mine klødde som bare pokker.

Nå sover Geir Ole uten rykninger.

Da vi kom tilbake fra hogstfeltet, hadde Tae kviknet til og var oppe og gikk på tunet ved familiens hus.

We go theatre, sa Sirikit.

Theatre? sa Hemmingsen og jeg.

Yes, very good theatre.

Vi to nordmennene flirte litt av det. Teater her ute i jungelen, liksom. Jentene gikk for å pynte seg.

De kom tilbake og hadde virkelig dollet seg opp i hvite saronger, med pudder på kinnene, blodrød leppestift på truten, halskjeder og øreringer av sølv. På føttene hadde de sølvfargede pensko. Tae så plutselig ut som en voksen dame.

Jeg ba Sirikit si til henne at hun 'look very nice'. Men sant å si foretrekker jeg Tae uten maling og dingeldangel.

Det ble voldsom brudulje da vi skulle gå av sted. Småsøsknene til jentene – Sirikit har fem, og Tae har fire – forlangte å få være med. De måtte bestikkes med sukkertøy av mødrene sine for å bli hjemme.

Etter tyve minutters gange kom vi ut på en vei med dype traktorspor. En traktor, en sliten Ford, passerte oss med et digert lass teakstokker på hengeren. Traktoren spydde ut beksvart dieselrøyk, til stor irritasjon for de mange som gikk langs veien. For her var virkelig blitt folksomt av pent pyntede kvinner og menn. Noen av herrene gikk i dress, hvitskjorte og slips. Mange av damene bar paraplyer og fargerike parasoller. Det var nok ikke til beskyttelse mot regn, for himmelen var blå, men til beskyttelse mot solas stråler. Hemmingsen og jeg, i våre svette T-trøyer og ikke altfor reine kakishorts, følte oss som boms i denne mengden.

Vi passerte frodige rismarker. Aldri før har jeg sett noe så grønt som disse markene.

Vi kom inn i en liten by der de fleste husene var bygd på påler, men hvor det også var hvitkalkede murhus. Det krydde av folk i byen. Her var noen få biler av et merke vi nordmenn ikke kjente, sannsynligvis japanske.

Vi fulgte den stimlende mengden og kom fram til en plass der det var bygd en scene. Forestillingen var allerede i gang. Oppe på scenen danset og sang en masse skuespillere iført kostymer som glitret av gull, sølv og perler. De ble akkompagnert av musikere som spilte på fløyter, flate trommer med bjeller på og et strengeinstrument som minnet om en norsk langeleik.

Are we too late for the show? spurte Hemmingsen.

No, no, svarte Sirikit. Hun fortalte at teaterstykket ville vare resten av dagen.

Jeg sa til Hemmingsen at det var første gang jeg var på teater, og at det var rart at det skulle bli i Siam.

Hemmingsen sa at han hadde sett en teaterforestilling i Folkets Hus på Lilleaker under kommunevalgkampen i 1934. Da opptrådte en av tramgjengene til Arbeidernes Ungdomsfylking med revy og sang. Det var en sånn agitasjons- og propagandagruppe etter sovjetisk mønster, sa Hemmingsen. Agit-prop. Ganske fengende, og AUF-erne var flinke til å drite ut de borgerlige partiene og kapitalistene i Ullernåsen.

Jeg sa at det jeg husket fra kommunevalgkampen i 1934, var at Arbeiderpartiet da innførte hammeren som partiets symbol, på flagg, faner og valgplakater.

Hemmingsen spurte meg om jeg kunne se forskjell på hvem som var damer og hvem som var herrer oppe på scenen.

Nei, svarte jeg.

Det er enkelt, sa han. De som har sverd, er mannfolkene.

Han sa at han ikke hadde sett flottere kostymer siden han var på karnevalet i Bahia i Brasil.

Jeg spurte Sirikit hva stykket handlet om.

It is the Thai kings and soldiers fighting the Chinese kings and soldiers, svarte Sirikit. The Chinese always wanted to take Thailand. They never make it. We fight and win every time.

Jeg lurte på om damene på scenen også var soldater.

The women are women, sa Sirikit.

Ja vel, tenkte jeg.

Sirikit holdt et helt lite foredrag om hvor stolt thaifolket er.

Nobody can make victory against Thai people, sa hun. Thailand never was colony for anybody. We are not like India, Burma, Malaya, French Indo-China, Dutch East India and Philippines. Thailand always independent!

Vi burde ta en skål for Thailand, sa Hemmingsen. Her må vel gå an å få kjøpt øl.

Han forsvant i folkehopen og kom tilbake med fire grønne flasker med kjølig dogg på.

De hadde faen meg <u>isboks</u>, sa Hemmingsen.

Cheers for Thailand! ropte vi to nordmennene.

Noen i mengden klappet, mens andre hysjet oss ned.

Aldri har en kald øl smakt meg bedre, for nå var ettermiddagssola virkelig begynt å brenne.

Tae drakk også.

Etter en times tid sa Hemmingsen at nå begynte sangen og musikken å bli ganske monoton.

Vi hadde sett at en hel del kinesiske konger, og hærskarer av kinesiske soldater, var blitt ofre for thaikrigernes sverd. De drepte kineserne falt om på scenen og ble slept ut. Men straks var de på beina igjen og fortsatte å fekte med sverdene sine.

Tae hadde tømt sin ølflaske. Jeg tror ikke hun er så vant til alkohol, eller kanskje var det på grunn av den månedlige. Hun så i alle fall temmelig susete ut, og jeg måtte tørke av henne leppestift som hun hadde greid å gni utover ansiktet.

Plutselig falt hun om kull, besvimt. Sirikit ga henne et par ørefiker, og hun kom til bevissthet igjen. Men hun var veldig pjusk og klarte bare så vidt å gå.

Hemmingsen og jeg skiftet på å bære henne i brannmannsløft tilbake til Samut village.

I løpet av søndagskvelden ble Tae i bedre form. Vi gikk og la oss under moskitonettet, og sov tett sammen helt til hanene gol.

Mandag og tirsdag var jeg om bord på dagtid og jobbet, eller <u>lot</u> som jeg jobbet, med rustpikking.

Båsen var vred og ropte: Dere gutta går bare her og dasser!

Da sa Hemmingsen: Vi er nødt til å disponere energien vår fornuftig. Det er harde tak i jungelen om nettene. Det er mye tøffere enn å være med i norgesmesterskapet i bryting!

Båsen måtte le, og lot oss fortsette å dasse.

Natt til mandag og natt til tirsdag overnattet Hemmingsen og jeg i Samut.

Onsdagskvelden kom Tae og Sirikit ut i kanoen. Hemmingsen og jeg klatret ned losleideren, og vi satte oss på toftene. Hemmingsen forklarte at vi ikke kunne gå i land, og Sirikit oversatte for Tae. Jeg så at hun ble lei seg og fuktig i blikket, men hun gråt ikke.

Jeg hadde greid å tigge enda en kartong Viking-melk fra Cheng. Sirikit tok imot kartongen.

Viking melk, sa hun. Så satte hun fra seg kartongen, tok et skikkelig balletak på Hemmingsen og sa: Viking melk. Plenty!

Vi lo alle en befriende latter i avskjedens stund. Jeg ga Tae et langt farvelkyss. Noen av gutta som hang over rekka, plystret, men det ga jeg blaffen i.

Kanoen med de to jentene om bord forsvant på mørke Menam.

Hemmingsen og jeg har fått en papirlapp med Taes og Sirikits adresse. Jeg kan skrive til Tae med følgende på konvolutten: Miss Tae Damkoeng, c/o Miss Sirikit Sinok, poste restante, Thonburi, Thailand.

Thonburi er den nærmeste større byen til Samut.

Sirikit fortalte meg at Tae kan lese og skrive på sitt eget språk, og at hun forstår noen europeiske bokstaver. Men Sirikit sa at hun naturligvis blir nødt til å oversette brev på engelsk fra meg for Tae, og spurte om det var greit for meg.

No problem, sa jeg.

Vi har gitt Sirikit en lapp med våre fulle navn, og adresse: Wilhelmsen Lines, Oslo, Norway.

Landsbyen Samut vil for alltid ha en plass i hjertet mitt.

Vil jeg noen gang få møte Tae igjen?

Hvem vet?

Etternavnet hennes er lett å huske. Det er bare å tenke på en dam, ei ku og ei eng.

Er så det Hemmingsen og jeg og flere av de andre gutta har opplevd av erotikk her ved elva, ekte kjærlighet?

Jeg spurte skotske Kevin om det. Han har også hatt hete jungelnetter her.

We have a good time, svarte Kevin. If it is real love? I couldn't care less!

Geir Ole sover nå som en liten engel.

Jeg må snart ta meg en hardt tiltrengt strekk.

Har jeg syndet under denne Ærotiske Æskapade? Ja, det har jeg vel unektelig, ifølge Bibelens lover og påbud.

I am sorry, God and Jesus. But not that very much sorry!

For synden var så søt, og straffen for den synes for meg å være uendelig langt borte, ja noe dill som teologiske tåkefyrster har funnet på. Det er bare de som med overlegg skader eller dreper mennesker eller dyr, som fortjener hard straff, og den bør de få her på jorda og ikke i det hinsidige.

Jeg prøvde å behandle Tae som om hun virkelig skulle vært kjæresten min, og i Nytestamentet står det jo at størst av alt er kjærligheten.

Nei, jeg føler meg absolutt ikke som noen horkarl. Hvis jeg er blitt forandret som person av dette siamesiske eventyret, er det ikke i negativ retning, men i positiv. Jeg har lært meg å ha ordentlig seksuelt samkvem med en kvinne, ja mer enn det. Nå har jeg lyst til å bruke et stort ord som aldri før har kommet over mine lepper eller ut av min penn. Det er ordet elske. Tar jeg for hardt i hvis jeg sier at jeg har lært å elske her i jungelen ved Menam?»

Kapittel 14

Tomar losser i Bangkok. I ei av bilkassene som losses, skal det være en Mercedes Benz med skuddsikre glass som skal til selveste kongen i det selvstendige kongedømmet Siam/Thailand. Ulikt de andre landene i Sørøst-Asia er dette landet ikke under vestlig koloniherredømme. Kongen heter Rama den åttende, men blir også kalt for Ananda Mahidol. Landet styres som et militærdiktatur, men det er ikke mange soldater å se på kaiene og i gatene i Bangkok.

Mesteparten av lasta som skal i land, er papirruller. Havnearbeiderne i Bangkok er småvokste karer og ingen muskelbunter. Men seige er de. De jobber i heten så svetten siler, og de har teken når de manøvrerer ruller på fire hundre kilo og stropper dem opp. Arbeidsantrekket for sjauerne som holder på i lasterommet, er shorts, singlet og gummislippers. De som står ved vinsjene, og de som står på brygga og tar imot papirrullene, bærer alle sammen grønne tropehjelmer. Hjelmene har luftehull i toppen.

Halvor henger over rekka og røyker sammen med Milde Måne. Blåveisen til tromsøværingen har åpnet seg, og kloremerkene har grodd uten tegn til betennelse.

Nede på brygga kommer en siamesisk mann vandrende. Det er sikkert en kontorist, for han er kledd i langbukser, hvitskjorte og slips. Kontoristen strener inn under et dinglende hiv med papirruller.

«Gå for faen ikke under hengende last, mann!» roper Halvor.

Kontoristen skjener sidelengs som ei krabbe, vekk fra faresonen.

Halvor synes det er veldig lenge siden han sjøl fikk dette ropet slengt etter seg på Filipstadkaia i Oslo.

Han sier til Milde Måne: «Det er rart å tenke på at på alt dette papiret, som er lagd av trauste norske grantrær, skal det trykkes aviser, blader og bøker med bokstaver som knapt noen nordmann kan lese.»

Milde Måne svarer at det kanskje finnes norske misjonærer ute i bushen i Siam som kan lese siamesisk. Han har ei tante fra Birtavarre i Kåfjord i Troms som er misjonær i Kina og kan snakke og skrive kinesisk. Sist de hjemme i Tromsø hørte fra denne tanta, Olufine, skrev hun at hun hadde tenkt å gi opp misjonsvirksomheten og slutte seg til kommunistene for å slåss mot de japanske okkupantene.

«Æ har bra løst til å gjør' som ho Olufine,» sier Milde Måne.

Han røper en plan han har klekket ut. Han akter å rømme i Hong Kong, reise inn i landet og finne tante Olufine og kommunistenes styrker. Da vil han melde seg til tjeneste som pilot i det røde flyvåpenet og bombe gørra ut av den keiserlige japanske hær.

Halvor sier at det vel er tvilsomt om kommunistene i Kina har noe flyvåpen.

Milde Måne sier at hvis det ikke finnes røde fly, skal han bli med på å orge fly. Han mener at det bør være fullt mulig å dra fra Kina inn i Burma og stjele en sveit engelske fly der.

«Men kan du fly?» spør Halvor.

«Æ har det i mæ,» svarer Milde Måne. «Æ e den fødte pilot.»

Lastebiler fullastet med teakplanker kjører opp på brygga. Lasting av teaken begynner umiddelbart i de rommene på shelterdekket som er blitt ledige etter at papirrullene ble losset.

Halvor liker ikke det han ser. For det at *Tomar* nå laster i Bangkok, betyr at de ganske sikkert ikke skal tilbake hit på hjemtur mot Europa.

Ferdig losset og lastet stevner *Tomar* søndag den 25. februar om ettermiddagen for sakte fart ned floden fra Bangkok.

Halvor står sammen med flere av gutta ved rekka underveis. Han håper å få se en kano med Tae og Sirikit om bord når skuta nærmer seg ankerplassen på Menam.

Tomar nærmer seg Samut.

På elva ligger flere kanoer med jenter om bord. De andre gutta vinker, huier og kaster sigarettpakker ned til jentene. Tae og Sirikit er ikke blant dem.

Halvor står taus sammen med Hemmingsen.

«Faen, nå ble jeg litt skuffa over jentene våre,» sier Hemmingsen.

Men fra bakom en sampan med et tårnhøyt lass av bambusrør dukker det fram en kano som padles av ei jente i rosa sarong og ei jente i honninggul sarong.

Halvor og Hemmingsen vinker som gale, og Tae og Sirikit vinker tilbake. Jentene padler kanoen så tett opptil *Tomar* som de tør.

Hemmingsen kaster ei lita pappeske ned til dem, og Sirikit svarer med slengkyss, mens Tae sitter stille og alvorlig på sin tofte.

Halvor og Hemmingsen følger kanoen med blikket til de bare kan se en rosa og en honninggul prikk.

«Grein du en skvett?» spør Hemmingsen.

Halvor må innrømme det.

«Jeg måtte også felle en liten tåre,» sier Hemmingsen. «Det har jeg ikke gjort siden den gangen jeg var dekksgutt og ble slått til blods med en tautamp av en sinnssyk styrmann om bord på *Bolivar*. Det var i Rio de Janeiro. Da vi kom hjem til Norge, ble styrmannen lagt inn på Dikemark asyl. Jeg håper han aldri kom ut av gærnehuset.»

«Hva var det i eska du kastet til jentene?»

«Bare en liten bunke gærninger som jeg hadde igjen. Et læretui med sysaker som jeg aldri har brukt. En boks med antiperspirant.»

«Hva er antiperspirant?» spør Halvor.

«Det er en nymotens krem du skal smøre i armhulene for å unngå svette. Noe parfymert klin som jeg ble lurt til å kjøpe i Marseille. Ingenting for mannfolk, men kanskje jentene våre kan ha glede av det.»

Halvor går på vakt klokka 20.00 og tar sin rortørn i bukta som i Admiralty-kartet blir kalt Gulf of Siam. Været er stille. Himmelen sprakende stjerneklar.

Trean og kaptein Nilsen diskuterer en alvorlig episode hjemme i Norge. Halvor har fått episoden med seg fra Gnistens radiopresse. I Jøssingfjorden i Sokndal herred i Rogaland er det tyske tankskipet *Altmark* blitt bordet av marinesoldater fra den britiske jageren *Cossack*. De norske skipene på nøytralitetsvakt greide ikke å stoppe den britiske jageren da den gikk inn i Jøssingfjorden.

Det kom til skuddveksling mellom briter og tyskere, og seks tyskere ble drept. Soldatene fra *Cossack* befridde 300 britiske sjøfolk som ble holdt som fanger, og førte de befridde fangene til Storbritannia.

Kaptein Nilsen sier: «Jeg forstår de skarpe tyske reaksjonene på dette britiske bruddet på norsk nøytralitet. Jeg håper at britene med dette ikke bringer Norge inn i krigen.»

«Jeg må si at jeg for en gangs skyld holder med engelskmennene,» sier Trean. «Det var et vågestykke å gå inn i Jøssingfjorden og befri de fangede sjøfolkene.»

«Ja visst,» sier kapteinen. «Men dette vågestykket kan komme til å koste Norge dyrt. Nøytraliteten vår må vi kjempe for med nebb og klør.»

Gnisten, Roy Borge fra Rolvsøy i Østfold, kommer inn i styrhuset. Han er nærsynt og bruker briller med tjukke glass. Det mørke håret har han gredd med en snorrett sideskill.

«Vi har over Hong Kong Radio fått et syklonvarsel fra det meteorologiske observatoriet i Hong Kong,» sier Gnisten. «I Sørkinahavet venter det oss et svært kraftig lavtrykk og en tropisk syklon. Syklonen har senter ved Paraceløyene. Vindstyrken er godt over femogseksti knop. Da snakker vi om en kraftig taifun. Hong Kong melder at taifunen kan komme til å øke i styrke til hundre knop eller mer. I så fall vil det dreie seg om det meteorologene har begynt å kalle supertaifuner.»

«Det var da en fanden så ubeleilig overraskelse,» sier kaptein Nilsen. «Februar er ikke høysesong for taifuner i Kinahavet. Det er lenge siden jeg har vært borti en tropisk syklon. Vi får friske opp kunnskapene våre om hvordan man holder seg i utkanten av dævelskapen, styrmann Kvalbein. La oss ta en titt på navigasjonsinstruksene i læreboken i meteorologi.»

Kapteinen og Trean går inn i bestikken. Halvor går ut fra at de der inne foretar beregninger angående den ventede taifunen og planlegger hvilken kurs som vil være den beste å følge til Hong Kong. Han prøver å regne om vindstyrken i knop til kilometer i timen. Hundre knop blir over 185 kilometer i timen. Det vil bety at vinden vil komme brasende mot dem med mye større fart enn et hurtigtog.

Tirsdag den 27. februar på formiddagsvakta passerer *Tomar* ei tropegrønn øy utenfor kysten av Fransk Indokina. Halvor står til rors.

«Ikke la deg lure av at øya ser idyllisk ut, Skramstad,» sier Trean. «Dette er Poulo Condor, som er Østens svar på den franske Djeveløya utenfor Guyana i Sør-Amerika. Poulo Condor er den beryktede fangeøya til de franske koloniherrene i Indokina. Her sitter ingen hardbarka forbrytere, bare politiske fanger. Sosialister og kommunister og visstnok også en del buddhistiske munker som har yppa seg mot koloniveldet. Det går rykter om at fangene der inne ikke sitter i celler, men i bur som minner om tigerbur. Liker du fransk-menn?»

«Jeg har aldri vært i Frankrike,» svarer Halvor. «En gang var en gjeng franskmenn med Nesoddbåten, der jeg var lettmatros. De var drita fulle. En av dem ramla på sjøen ved Oksval, og det var så vidt vi fikk berga ham fra å drukne.»

«Jeg liker franskmenn bedre enn engelskmenn,» sier Trean. «Franskmenn er så arrogante at det blir nesten morsomt. Dessuten lager de tre ganger så god mat som i England. For ikke å snakke om vinen! Har du noen gang prøvd å drikke engelsk søtvin?»

«Nei, never ever.»

«Prøv det aldri, engelsk vin er bare kliss. Det jeg misliker med franskmenn, er at de driver et råttkolonivelde. Det skal være det reineste slaveri for dem som arbeider på gummiplantasjene i Fransk Indokina. Der har vært voldsomme opprør mot franskmennene, og opprørene er blitt knust med stor brutalitet av franske soldater og fremmedlegionærer. Det verste er at Frankrike holder seg med fange-øyer, som forekommer meg å være en anakronisme i vår moderne tid. Et sted som Poulo Condor burde vært lagt ned for lenge siden.»

Trean forteller at han om bord i stykkgodsskipet *Aldebaran* av Haugesund seilte sammen med en indokinesisk kokk som hadde vært med på et opprør mot de franske og greid å rømme landet før han havnet på Poulo Condor. Denne kokken, en flink fyr i byssa, kom fra byen Saigon i den delen av Fransk Indokina som fransk-mennene kaller Cochin-Kina. Kokken fra Saigon sa at når landet hans en gang i framtida ble fritt fra det franske veldet, da ville ikke landet hans lenger hete Cochin-Kina, men Vietnam.

Foran dem ligger Sørkinahavet tropeblått og stille. Sola steiker. På himmelen er det bare lette fjærskyer.

Da Halvor blir avløst ved roret av Åge, tar Trean ham med inn i bestikken og viser ham Paracel Islands i Admiralty-kartet.

«Skummel øygruppe,» sier Trean. «Lave holmer og korallrev. Dette er ingenmannsland. Både Frankrike og Kina gjør krav på Paracel, men ingen har tatt herredømmet der, og det finnes ingen fast bosetning. Da blir det som med alt herreløst land i verden. Det finnes ingen fyr der. Ikke den minste fyrlykt.»

Halvor studerer navnene i kartet. Det må være britiske og ame-rikanske sjøfolk som har gitt de fleste øyene i Paracel navn, for de små øyene har navn som North Reef, Lincoln Island, Discovery

Reef, Money Island, Tree Island og Triton Island. Noen øyer har mer fremmedartede navn, som Vuladdore Reef og Passu Keah Reef.

Trean peker med passeren på et rev som heter Bombay Reef, og som ligger i den sørøstlige utkanten av arkipelet. Bombay Reef er det revet *Tomar* vil passere nærmest underveis til Hong Kong.

Trean forteller at han seilte sammen med en skipper som het William Tengelsen. Som ung matros var Tengelsen i 1899 med på å gå på grunn på Bombay Reef med barken *Mathilde* av Arendal. *Mathilde* var ingen gammel holk bygd av tre, men til seilskute å være et godt skip bygd av stål. En taubåt kom ut fra Da Nang i Fransk Indokina og fikk trukket *Mathilde* av grunnen. Men stålplatene i skutebunnen hadde fått sånn medfart av revet at seilskuta sank under slepet til Da Nang.

Halvor sier: «Vi får holde oss unna Bombay Reef.»

«Det kan du ta deg faen på at vi skal.»

Grytidlig om morgenen tirsdag den 27. februar skifter sjøen farge. Den blir med ett grå som gammel, utbrukt motorolje.

I horisonten i nordøst tårner det seg opp en svart vegg av skyer foran *Tomar*.

Halvor er blitt tørnet ut i otta og arbeider sammen med resten av dekksgjengen med å legge ekstra surringer på livbåtene.

Lukejernene og lukekilene av tre blir kontrollert. Flise-Guri denger til lukekilene så voldsomt at det skal bli vanskelig å få dem løs igjen.

Tomar endrer kurs fra nordøst til rett øst, og stevner fram på oljeblank sjø.

Halvor går på vakt på brua klokka åtte. Trean tar ham med inn i bestikken og peker på barometeret som er montert på skottet, en rund boks av messing med glasslokk. Bak glasset er det ei hvit skive med to visere på. Den ene viseren er av blank messing. Den andre er svartmalt.

Med en skrue som går gjennom glasset, kan messingviseren stilles. Trean stiller denne viseren slik at den ligger over den svarte viseren.

«Du vet at barometeret måler lufttrykket?» spør Trean.

Halvor nikker.

«Standard trykk ved havflata er 1013 millibar,» sier Trean. «Som du ser, har vi nå et trykk på 995 millibar. Dette trykket vil garantert falle som en stein når vi får lavtrykket over oss for alvor.»

«Hvor lavt kan trykket falle?»

«Amerikanerne har som vanlig verdensrekorden. De har målt vanvittig lave 871 millibar i en taifun ved Filippinene. Jeg håper vi ikke kommer så langt ned, for da vil det være som om bunnen faller ut av havet.»

Trean knipser med fingrene på barometerglasset. Den svarte pila forlater messingpila, beveger seg i et rykk mot venstre og stopper på 990 millibar.

«Her går det unna,» sier Trean.

Halvor står til rors. Det er så trykkende hett at han går i bare singlet, shorts og slippers.

Trean sier: «Du Skramstad, har du lest romanen *Taifun* av Joseph Conrad?»

«Nei, det har jeg ikke,» svarer Halvor.

«Det er kanskje like greit,» sier Trean. «For i *Taifun* oppfører ikke styrmennene seg særlig bra når skuta trues av undergangen. Skuta er et lite dampskip som heter *Nan-Shan* og seiler under siamesisk flagg. Kaptein om bord er engelskmannen McWhirr. Han er en typisk sindig britisk skipper, og han er forfatteren Conrads store helt. Men jeg synes McWhirr oppfører seg som en komplett idiot når taifunen truer. Han har – akkurat som oss navigatører her om bord i *Tomar* – lest i læreboka om hvordan man skal navigere for ikke å komme inn i de verste vindsonene i en taifun. Denne lærdommen tar McWhirr ikke det ringeste hensyn til. Han styrer *Nan-Shan* rett inn i taifunens sentrum.»

«Hvorfor pokker gjør han det?» spør Halvor.

«For å slippe å seile tre hundre nautiske mil ekstra til bestemmelsesstedet, som er Fuchow på Kina-kysten. Ved å være så gjerrig setter McWhirr skuta, de engelske offiserene og mannskapsmedlemmene, og ikke minst de kinesiske passasjerene om bord, i den største fare. Midt under taifunen får annenstyrmannen panikk og knekker sammen i et nervesammenbrudd. McWhirr ser seg nødt til å slå ham rett ned. Førstestyrmann Jukes på *Nan-Shan* er heller ikke av hel ved. Under strabasene i den allerhelvetes, forjævlige vinden holder Jukes på å gi opp. Vi får tro at vi har mer is i magan her om bord i *Tomar*, og at vi, mannskap og offiserer, er i stand til å opptre som et fornuftig kollektiv i farens stund.»

Trean er nok skikkelig nervøs foran møtet med taifunen, for Halvor har aldri hørt ham så snakkesalig før. Trean gir seg i kast med ei forklaring på hvorfor norske sjøfolk er bedre i stand til å takle en taifun enn det britiske sjøfolk er. Det er fordi det ikke er så voldsomt klasseskille mellom mannskap og offiserer på norske båter som det er i den britiske handelsflåten. Ingen blir styrmann på et norsk skip uten å ha gått gradene fra dekksgutt til jungmann, lettmatros og matros. På britiske båter er systemet slik at offiserene begynner som kadetter, for deretter å stige til værs på en egen karrierestige som vanlige sjøfolk ikke kan klatre i.

«Tidlig på tjuetallet prøvde Wilhelmsen som første norske rederi å innføre et system med offisersaspiranter etter britisk mønster,» sier Trean. «Aspirantene het offisielt apprenticer, men ble bare kalt prenticer. Systemet ble en fullstendig fiasko. Prenticene følte seg uglesett av offiserer som hadde gått gradene, og forhatt av mannskapet. Slike spradebasser med liksom-offisersluer hadde ingen plass om bord i norske skip. Dessuten betalte rederiet, på typisk Wilhelmsen-vis, elendig hyre til prenticene. De tjente faktisk dårligere enn dekksgutter. Ordninga gikk i oppløsning av seg sjøl.»

Så forteller Trean at han en gang sto om bord i M/S *Morgengry* av Trondheim, som fraktet levende sauer fra Australia til arabiske havner.

«De sauene ble bedre behandlet enn kineserne om bord i *Nan-Shan*,» sier Trean. «Sauene sto i solide innhegninger. De fikk rikelig med fôr og vann. Oppdaget vi en sau som så litt slakk ut, fikk dyret en real slurk brennevin. I Conrads bok har kaptein McWhirr stua to hundre kinesere sammen på et dekk nede i et lasterom. Dette er arbeidsfolk som har tjent seg opp en håndfull sølvmynter hver ved å arbeide i årevis i utlandet. Nå skal disse folkene, som engelskmennene kaller coolies, hjem til Kina. Men ingenting er gjort om bord i *Nan-Shan* for å sikre kuliene en menneskeverdig tur. De har ingen køyer å sove i, ikke noe å koke maten på, ikke noe avtrede. Kistene deres, der de har de få sakene og sølvmyntene sine, er ikke blitt forsvarlig surra. Under taifunen slenges kistene hit og dit og blir knust til pinneved. De stakkars, panikkslagne, fattige kineserne slåss om myntene som fyker rundt. McWhirr beordrer en motvillig styrmann Jukes ned i lasterommet, og styrmannen får spent opp et tau som kineserne kan holde seg i. Når det er gjort, sier kaptein McWhirr stolt at han ville behandle kineserne fair. Ved å henge opp en jævla taustump! Det er tydelig at forfatteren Conrad også synes at den tautampen er et førsteklasses eksempel på engelsk fair play. Conrad er en stor forfatter, ja visst. Egentlig var han polakk som gjorde engelskmann av seg. Og han ble mer erkebritisk enn noen brite. Han mente at det var britene som bar det Kipling kalte the white man's burden. At det var britene som måtte bære børa for alle folk de koloniserte. Har du lest noe av Knut Hamsun?»

«Vi leste *Victoria* i klassen da jeg gikk på skolen i Elverum,» svarer Halvor.

«Nå ryktes det hjemmefra at Hamsun støtter Hitlers Tyskland i denne nye krigen,» sier Trean. «Hva tenker du om det?»

«Jeg synes ikke at det å støtte Tyskland er all right.»

«Nei, det er ikke bra,» sier Trean. «Hitler er en helvetes rabiesgæren hund, og nazistene lever i den politiske blodtåka. Men jeg forstår på en måte Hamsun. Han har gjennom et langt liv sett seg drita lei på det engelske snobberiet. Og jeg tar meg i å ønske at det jævla snørrhovne britiske imperiet burde få seg en på tygga. Sett gjennom det britiske imperiets briller er vi nordmenn faen ta meg en slags kulier, vi også.»

Halvor tenker at det ikke er mange timene siden han hørte Trean rose den britiske aksjonen i Jøssingfjorden. Men han sier ikke noe om det, for han har ikke lyst til å utløse en ny nervøs taleflom fra Treans munn.

Tomar seiler mot den svarte veggen, som strekker seg langs hele horisonten og er umulig å komme utenom. De seiler inn i den. En vegg av vann. Halvor har aldri sett maken til nedbør. Det bøtter ned ti ganger så jævlig som på en dårlig dag i Bergen. Det er som om de seiler gjennom et fossefall. Og det de skal ut på, kan vel nærmest sammenliknes med å sette utfor Niagarafossen i ei tønne.

Midt på formiddagsvakta er det blitt køla mørkt. Mørket splittes av voldsomme lyn, og tordenen raller som om det skulle sitte et kjempesvært og drita fullt troll inne i skyene.

Hva vil skje dersom et lyn slår ned i en av mastetoppene på *Tomar*? Vil hele skuta bli ladet med høyspenning og fungere som en gigantisk elektrisk stol der de blir grilla, alle mann?

Halvor spør Trean.

«Et stålskip som vårt er ikke så utsatt for å bli ødelagt av lyn,» sier Trean. «Det var faktisk verre på treskutene i seilskutetida. De fikk rett som det var master og rigg spjæra av lyn. Hos oss vil et voldsomt lyn mest sannsynlig bli ledet via metallet i skroget og ned i sjøen. Men jeg ville nødig være om bord i en tankbåt fullastet med bensin når det lyner sånn som nå.»

Halvor går på utkikk på bruvingen i fossregnet. Plutselig ser han at noe som minner om en svak lysreklame, blir tent i toppen av formasta. Der blafrer et flakkende, spøkelsesaktig, blått lys. Det blå lyset begynner å danse ned langs masta. Så flæsjer lyset opp på lufterørene og samsonpostene i akterkant av bakken.

Han stormer inn i styrhuset og rapporterer til Trean om det blå lyset.

«Take it easy,» sier Trean. «Det lyset er bare Sankt Elms ild og helt ufarlig. Lyset kommer av en utladning av elektrisitet, en såkalt korona-utladning.»

«Kan man få støt av den strømmen?»

«Neppe. Den elektriske spenningen og strømstyrken er ikke større enn hva man får fra et lommelyktbatteri. Om bord i *Morgengry* opplevde vi en voldsom Sankt Elms ild ved øya Socotra utenfor Afrikas Horn. Vi hadde en del sauebukker på dekk. Det lyste faen meg blått av horna deres.»

«Jøss,» sier Halvor.

«Ja, det så skummelt ut. Men ingen av sauebukkene tok skade av det. Vi ga dem en dram, og så var de like gode igjen.»

«Hvorfor heter det Sankt Elms ild?»

«Det et navn vi har fra sjøfarerne fra det gamle Venedig. Italienske sjøfolk hadde Sant'Elmo som sin skytshelgen. De trodde det var denne helgenen som sendte dem lyset som danset på rigg og rær.»

Vinden inne i tordenværet er merkelig spak.

Men så kommer den, som i eventyret om nordavinden som tok melet fra gutten, den kommer som sluppet ut av en sekk.

Tomar kaster på seg i de voldsomme vindrossene.

Men de har vinden rett imot, så styringa går forholdsvis greit. Bølgene er ikke så enormt store. *Tomar* stamper i motsjøen. Hvitt skum fråder inn over fordekket.

Kent-screenene, som er to runde, hurtigroterende glasskiver montert i styrhusvinduene, er slått på for at folkene på brua skal ha sikt forover gjennom regnet og sjøsprøyten.

Trean sier: «Foreløpig blåser det bare mellom sterk storm og full storm. Det vil nok bli verre.»

Og verre blir det. Barometeret fortsetter å falle. Nå melder Trean at det står på under 950.

Halvveis ute i vakta har taifunen økt på til orkans styrke og vel så det. Det blåser for mye til at de kan gå utkikk på bruvingen. En dryppende våt Åge er kommet inn i styrhuset.

Kaptein Nilsen har lagt seg på benken inne i bestikken for å ta seg en blund.

Skipets fart er redusert til det minimumet de trenger for å ha styring. Maskintelegrafen, som er made in Glasgow, står på dead slow.

Trean sier: «Det er målt vindkast på over tre hundre kilometer i timen i taifuner. Vi er ikke i nærheten av det.»

«Men det blåser kattunger,» sier gamle Åge.

«Det kan man trygt si,» sier Trean og tenner seg en røyk.

«Jeg har ikke sett makan siden jeg seilte gjennom en hurricane i Karibien i nittentjue,» sier Åge. «Det var med *Isegran* av Fredrikstad. Vi fikk knust to livbåter og mista en redningsflåte.»

Hele *Tomar* er nå dekket av skumføyka. Bølgehøyden har økt til femten meter, kanskje tjue.

Tomar setter baugen ned i en bølgedal, og Halvor er redd for at hun skal renne seg rett ned i havsens djup. Han skjelver i knærne der han står bak rattet. Men hun kommer opp av bølgedalen. Hun kommer opp!

Halvor må beundre gamle Åges ro. Trean, derimot, ser ut som om han er blitt smått skjelven. Han setter sjøbein slik en styrmann skal, men av og til tar han noen merkelige, trippende dansetrinn.

Førstestyrmann Nyhus og annenstyrmann Granli kommer inn i styrhuset. De tre styrmennene holder et kort rådslag.

Nyhus sier: «Det er for farlig for folk å gå forover fra poopen. Det bryter veldig over akterdekk. Det var godt at vi under oppholdet i Oslo fikk kranglet oss til å få installert telefon mellom brua og messa. Jeg ringer akterut og sier at karene som skal ha tolv–firevakta, får holde seg der de er. Det betyr at dere to, Sildebogen og Skramstad, må belage dere på å gå ei ekstra vakt. Jeg skal få ordna smørbrød og kaffe til dere, og dere må gjerne ta dere en røyk.»

Nyhus griper telefonrøret og ringer til mannskapsmessa.

Han fører en kort samtale.

«De fleste av karene er samlet i messa,» sier han.

Halvor overlater rattet til Åge. For Halvor er det greit med den ekstra vakta. Det er bedre å være på brua under taifunen enn å sitte og trøkke i messa. Til lugaren ville han ikke turt å gå.

Han klamrer seg til maskintelegrafen og tenner seg en sigarett. Det føles rart å stå sånn midt i styrhuset og røyke. Han blir litt kvalm av sigaretten og sneiper den i messingaskebegeret, som er festet under styrhusvinduet.

Et voldsomt vindstøt flytter *Tomar* sidelengs i sjøen. Gamle Åge banner og sverter ved roret.

En skulle tro det var umulig for vinden å øke mer, men ut gjennom hundevakta fra midnatt øker den. Ja, vinden uler på havets vidde som tusen ulver på Rørosvidda.

Alt omkring *Tomar* er hvitt skumrokk. Veldige sjøer bryter over baugen, så kraftige at en skulle tro at ankerspillet ville bli smadra.

Byssegutt Kevin kommer vaklende inn i styrhuset med et fat smørbrød, ei kanne kaffe og kopper til styrmennene og Åge og Halvor.

Halvor står over smørbrødene, men får i seg kaffe. Han er litt uvøren med koppen, og kaffe skvalper ut på kokosmatta på styrhusdørken. Ingen bryr seg med det.

Kaptein Nilsen kommer inn i styrhuset. Han har svarte ringer under øynene. Halvor synes han aner et snev av redsel i kapteinens øyne, og dette synet setter en støkk i Halvor.

Hvis en garva kaptein er redd, da må det være virkelig fare på ferde.

Kaptein Nilsen stiller et spørsmål til annenstyrmann Granli, som nå har tatt over vakta etter Trean: «Hva tror du om vindstyrken, Granli?»

«Jeg vil anslå styrken til hundre knop,» svarer Granli. «Kanskje betydelig mer i de verste vindkastene. Opp mot hundreogfemti.»

«Vi er godt klar av Bombay Reef?»

«Godt klar.»

«Barometeret står på 910,» sier kaptein Nilsen. «Bånn i bøtta.»

Den storvokste Granli har trøbbel med å holde seg på beina. Han har grepet tak i teakstanga under styrhusvinduene og setter sjøbein så godt han kan. Den kortvokste kapteinen har lettere for å holde balansen. Halvor står på utkikk ved siden at kapteinen, som er blank i ansiktet av fuktighet og lukter ramt av svette.

Et berg av en grønnsvart, hvitskummende sjø velter inn over fordekket og treffer en av de gulmalte lastebommene av stål som er lagt ned og surra grundig med wire i bomholderne ved enerluka.

«Svarte faen!» roper Granli. «Der gikk styrbords bom ved ener'n over bord. Den jævla bommen knakk som ei fyrstikk. Vi får håpe vi ikke får'n i propellen.»

Kaptein Nilsen sier ingenting.

Et nytt fjell av en sjø kommer veltende.

«Herregud,» sier kapteinen.

Babords lastebom sliter seg fra bomklaven og surringa. Bommen blir stående og peke som en nikotingul finger ut i sjøkovet.

Det neste fjellet av frådende vann røsker løs babords bom og slenger den over bord.

«Ufattelig,» sier kaptein Nilsen. «Man skulle forsverge at dette var mulig. På et stort, moderne skip som vårt, en titusentonner.»

Åge har stått tjue minutter bak rattet. Han klager over at han er sliten i armene. Halvor avløser.

Kaptein Nilsen kommer ut fra bestikken og melder at barometeret har sunket til under 900 millibar. Så lav barometerstand kan han ikke huske å ha opplevd før.

Kapteinen roper i talerøret til maskinrommet og får svar.

Han sier til karene i styrhuset: «Stanley melder at alt er vel i maskinen. Vi får takke Skaperen for at vi fikk ordnet kjølevannspumpene i Bangkok.»

Halvor må spenne alt han har av muskler i armene for å holde *Tomar* på kurs. Han slåss mot en taifun i Kinahavet. Det har tusenvis av sjøfolk gjort før ham, på skuter som var dårligere enn *Tomar*. Han skal greie det. Han biter tenna sammen.

Han får en overraskende oppmuntring av styrmann Granli: «Du holder kursen bra, Skramstad.»

Det verker i Halvors armer, men verre er det at han begynner å bli sliten i beina. Det prikker noe jævlig i føttene.

Åge avløser ved rattet.

Halvor legger seg på dørken og spreller med beina for å få i gang blodomløpet i føttene.

Granli sier: «Du kunne gjort karriere som sprellemann, Skramstad.»

Prikkinga i Halvors føtter gir seg. Han blir liggende og holde seg til maskintelegrafen. Glir bort i en døs.

Halvor purres fra halvsøvnen og avløser Åge.

Granli sier til Halvor: «Jeg tror ikke vi har seilt inn i den farlige kvadranten. Heldigvis.»

Halvor vet ikke hva som menes med den farlige kvadranten. Det må ha noe med taifunen å gjøre. Han er for sliten til å spørre.

Han har blodsmak i kjeften. Kanskje han har bitt seg i tunga?

Vinden viser ingen tegn til å løye. Men bølgene blir ikke høyere. De er vel blitt så høye som bølger på havet kan bli.

Tomar skakes av et voldsomt brott.

Bombay Reef! tenker Halvor.

Skuta pløyer seg sakte videre. Så har de altså ikke truffet revet.

Og skroget holder, sjøl om det knaker i sammenføyningene.

Halvor sender en tanke til københavnerne som bygde skuta. Verftsarbeiderne gjorde skikkelig arbeid da de klinka skutas stålplater sammen. Det takker han for.

Gnisten kommer inn i styrhuset. Håret hans er ikke lenger så pertentlig gredd. Han sier: «Hovedantennen er blåst faenivold. Men jeg får inn signaler på nødantennen. Saigon Radio melder at taifunen er på vei nordover fra Paracel Islands, i retning den kinesiske øya Hainan. Hong Kong Radio forteller at det har vært målt vindkast i Sørkinahavet på over hundreogfemti knop.»

«Det var det jeg trodde,» sier Granli. «Fy for helsike. Hundreogfemti knop!»

Gnisten sier: «Et japansk lasteskip, *Nagasaki Maru*, tar inn vann, har sendt ut sos-signal og ber om assistanse.»

«Japanerens posisjon?» spør Granli.

Gnisten myser gjennom de tjukke brilleglassene sine på en papirlapp og sier: «Sytten grader og ti minutter nordlig bredde, etthundreogtolv grader fem minutter østlig lengde.»

Granli forsvinner inn i bestikken, og kommer raskt tilbake.

«Japaneren befinner seg nord for Paracel Islands,» sier han. «Vi har ingen mulighet for å gå til unnsetning.»

Det er, umerkelig i skybankenes mørke, blitt kveld. Førstestyrmann Nyhus avløser Granli.

«Det er ikke noe hyggelig syn, dette havet,» sier Nyhus. «Havet koker faen danse meg som vann i en kjele.»

«Barometerstanden er nede i 885,» sier Granli.

«Fy for flateste helvete,» sier Nyhus.

Halvor henger over rattet, støl i alle lemmer. Åge har lagt seg rett ut på styrhusdørken og holder seg til natthuset der kompasset er montert. Kapteinen har forlatt styrhuset for å ta seg en hvil på lugaren.

Nyhus, denne pluggen av en mann, strever ikke så fælt som Granli med å holde balansen.

Nyhus sier: «Taifuner pleier å øke i styrke ved daggry.»

«Er det mulig?» spør Halvor.

«Vi får se, Skramstad. Vi får se.»

Flise-Guri kommer inn i styrhuset.

Nyhus spør: «Hvor faen kommer du fra?»

«Jeg inspiserte lasterommene,» sier Flise-Guri. «Fant ingen lekkasjer. Så ble været så jævlig at jeg ikke kunne gå akterover. Jeg tok meg en strekk på dørken i byssa. Det ble ikke mye soving. Jeg sklei fram og tilbake som et såpestøkke på et badegølv.»

«Kan tenke meg det,» sier Nyhus.

«Løyer'n snart?» spør Flise-Guri.

«Vi får se,» svarer Nyhus. «Jeg skulle gitt lillefinger'n for en vindmåler. I Fred. Olsen har de vindmålere. Men her i Wilhelmsen skal det jo spares på alt unntatt hvitmalinga.»

«En vindmåler hadde vel i grunnen ikke hjulpet oss noe særlig,» sier Flise-Guri.

Tømmermannen tilbyr seg å ta over roret for Åge.

Nyhus sier at Halvor kan ta seg en strekk på benken i bestikken. Halvor legger seg på benken og må klamre seg til karmen for ikke å rulle av. Han forstår ikke hvordan kapteinen greide å ligge og hvile her.

Han lukker øynene og ser stjerner og måner. Han tenker på at han er i Kinahavet, på den andre siden av kloden i forhold til Norge, og at han slåss på det fremmede havet mot den fremmedartede stormen sammen med styrmenn med hverdagslige norske navn som Granli og Nyhus.

Noen røsker i ham. Halvor slår øynene opp og ser at den som røsker, er Granli.

«Jaggu fikk du deg en god blund, Skramstad,» sier Granli. «Nå må du ta over ved roret. Gamlekara er helt gåene.»

«Hva er klokka?» spør Halvor.

«Den er halv ett på natta.»

«Har taifunen begynt å gi seg?»

«Nei,» sier Granli. «Den blåser med uforminsket styrke.»

Halvor drikker kald kaffe og får i seg et par smørbrød.

Han tar rattet fra Flise-Guri.

Tømmermannen setter seg bardus på dørken, tar seg til brystet og sier at han kjenner et sting i lungene.

«Gå og legg deg i bestikken,» sier Granli.

Flise-Guri kravler på alle fire inn i bestikken.

Hvor er Åge? tenker Halvor. Så får han øye på gamle Åge, som ligger sammenkrøpet ved styrbord styrhusdør. Han har stabla noen kokosmatter ved siden av seg for ikke å skli fram og tilbake. Det lekker litt vann inn under styrhusdøra, men det vannet ser ikke ut til å gjøre Åge noe.

Tomar girer voldsomt over til babord, og krenger ti–femten grader over.

«Skjerp deg, for helvete, Skramstad!» roper Granli.

Halvor spenner hver fiber i kroppen, og greier å tvinge skuta opp mot vinden.

«Steady så!»

«Steady så,» gjentar Halvor.

Alt blir en vane her i verden. Også det å styre en norsk titusentonner over Kinahavet gjennom en supertaifun blir en vane. Det er som å kjøre berg-og-dal-bane gjennom kjempesjøene.

Halvor husker den gangen han kjørte en virkelig berg-og-dal-bane. Det var i København, da han lå der med *Flink*. Da dro han til Tivoli. Første gangen han kjørte banen på Tivoli, var han så redd at han holdt på å pisse på seg. Etter fem turer var det skikkelig skøy. Etter ti turer begynte det å bli kjedelig.

«Nå må du faen ikke duppe av bak rattet!» roper Granli.

«Skal bli,» svarer Halvor.

«Hjelper det hvis jeg snakker til deg?»

«Fint om du snakker, ja.»

«Det er bygget to fine nye hoppbakker på Rena,» sier Granli. «Har du hoppa der?»

«Ja, i den største bakken,» svarer Halvor.

Det er ikke helt sant. Men han har i alle fall stått ned unnarennet.

Så fjernt Rena og hoppbakkene der virker nå! Rena er i en annen verden enn den han befinner seg i, taifunens verden.

«Hvor langt hoppa du?» spør Granli.

«Femogfemti meter.»

«Hva jobber faren din med?»

«Kjører lokomotiv på Rørosbanen.»

«Enn mora di?»

«Hjemmeværende husmor.»

«Hva heter Norges høyeste fjell?»

«Glittertind.»

«Nei, det er Galdhøpiggen,» sier Granli.

«Vi lærte Glittertind på skolen.»

«La gå med det. Glittertind er høyest hvis du tar med snøskavlen på toppen. Norges største øy?»

«Er ikke det Senja?»

«Feil, det er Hinnøya.»

Granli tar med Halvor på en rundtur i Norges og verdens geografi. Slik holder de på med spørsmål og svar, og det er et godt botemiddel mot Halvors søvnighet. Denne spørreleken gjør også ulveulinga til vinden mindre skremmende. Noen ganger treffer Halvor blink med svarene, andre ganger svarer han i hytt og pine.

«Hvilke to land deler øya Hispaniola i Karibien?» spør Granli.

«Det ene landet er vel Tahiti.»

«Nesten,» svarer Granli. «*Haiti*. Og det andre?»

Halvor ser for seg en dominobrikke og svarer at det er et eller annet med domino.

«Bra,» sier Granli. «Dominikanske republikk.»

Kaptein Nilsen kommer opp i styrhuset igjen sammen med Trean. Kapteinen er rød i øynene, som om han har grått. Det skyldes vel søvnmangelen.

Kapteinen sier: «Jeg tror taifunen blåser seg opp ved daggry. Men så vil det løye litt i åttetiden. Jeg føler det på gikta.»

Trean avløser Granli.

Åge kommer seg på beina og tar over for Halvor. Åge greier en halvtime til rors, så må Halvor på'n igjen. Skuta stamper og slingrer verre enn noen gang.

Byssegutten kommer med nykokt kaffe. Gudene vet hvordan Kevin har greid å koke den kaffen.

Flise-Guri har kviknet til og får i seg en kjeft kaffe. Men han klager over at det stikker i bringa, og får beskjed av Trean om å legge seg i bestikken igjen.

Kaffen pigger opp Halvor. Han føler at han har fått nye krefter til å mestre roret. Det er et rått slit, men det er ikke verre enn hva han har vært med på under de hardeste øktene i tømmerskauen.

Nyhus avsløser Trean.

Kapteinen sier til Nyhus: «Matros Sildebogen må få sove der borte i kroken sin. Lettmatros Skramstad ser ut som om han er ganske utslitt. Kanskje du tar over roret en stund, Nyhus?»

«Ja visst,» svarer Nyhus.

Halvor gir over rattet til førstestyrmannen. Det er ikke fritt for at Halvor fryder seg litt da skuta med selveste førsten ved roret tørner styrbord over, krenger som ville faen og tar halve det frådende Kinahavet inn over dekk.

Men Nyhus har ikke glemt sine matroskunster, og manøvrerer *Tomar* stødig opp mot vinden.

Regnet gir seg. Skydekket slår sprekker, som det siver litt morgenlys gjennom. Men taifunen øker ikke i styrke ved daggry. Det virker faktisk som den dabber ørlite av.

Halvor står ved siden av kaptein Nilsen, som nå lukter verre enn noen gra geitebukk.

Kapteinen sier: «Jeg håper vi ikke er på vei inn i bull's eye.»

Halvor greier å stille et spørsmål: «Hva mener du med bull's eye?»

Kapteinen blir stram i maska og stirrer på Halvor med stivt blikk. Er det fordi Halvor har stilt et tåpelig spørsmål? Nei, det må være fordi han sa «du» og ikke «De».

«Det skal jeg fortelle Dem, Skramstad,» sier kapteinen. «Bull's eye er senteret i taifunen. I senteret kan det ofte være blikkstille. Men det er en farlig plass å være. Kommer man ut derfra i feil kvadrant, kan vinden bli et lite helvete.»

Halvor synes vinden *er* et lite helvete, enda den har løya litt.

Kapteinen spør ham: «Har De lest Joseph Conrads roman *Taifun?*»

«Ja da,» svarer Halvor. Han orker ikke en ny Conrad-leksjon.

«Da husker De at kaptein McWhirr førte *Nan-Shan* rett inn i bull's eye. Conrad skriver ikke om hvordan vinden var etter passering av bull's eye. Men han forteller at *Nan-Shan*, da hun endelig nådde Fuchow, så ut som om hun var blitt skutt i filler av granatild. Fullt så fæl ser vel ikke *Tomar* ut.»

Halvor kjenner øyelokkene sige igjen. Det svir i øyekrokene. Det smaker salt av leppene hans. Det må være salt vinden har brakt med seg. Kanskje han også har fått salt i øynene?

Vinden bedager seg virkelig så det monner.

Kan de være kommet inn i det farlige bull's eye?

Halvor avløser Nyhus ved roret. Flise-Guri får beskjed av kapteinen om at han kan gå på lugaren sin og køye, og at han må melde fra dersom han får mer trøbbel med lungene.

Kapteinen gjør en sving inn i bestikken, kommer tilbake til styrhuset og melder: «Vi kan ikke være i bull's eye. For der skal trykket i taifunen være lavest, og nå har barometeret gått *opp* ti millibar.»

«Very well,» sier Nyhus. «Da er vi kanskje gjennom den verste dritten.»

Klokka åtte har det løya såpass at kapteinen ringer akterut og ber vakthavende mannskaper om å komme på brua.

Geir Ole og Hemmingsen kommer opp, forvåkede i ansiktene.

Halvor og Åge går akterover. Noen solstreif glimter til gjennom revnene i skydekket. Men sjøene bryter ennå over akterdekket, så de går hånd i hånd som to barn på vei til skolen.

En brottsjø glefser etter dem, men får dem ikke.

De kommer seg inn i messa. Der ligger og sitter slitne karer.

Motormann Osvald Smaage reiser seg og roper: «La oss gi gamle Åge og Skogsmatrosen applaus, karer, for vel overstått lang vakt.»

Det klappes.

Halvor tror han aldri har følt seg så stolt og lykkelig før. Han har målt sine små menneskekrefter med en av de sterkeste kreftene som kan rase på jordkloden, og han vant. Han har vært med på å beseire den djevelske taifunen!

Han kommer seg til lugaren. Der har Geir Ole laget til slingrebrett av kryssfiner og plassert brettene ved køyekarmene både i underkøya og overkøya.

Mørbanka kryper Halvor til køys.

Han takker Geir Ole for slingrebrettene. Han takker Gud for at han kom seg gjennom den drøye taifunvakta.

Kapittel 15

Halvor sitter på lugaren med et krus kaffe og en tent sigarett mellom leppene. Han skriver i dagboka: «Hong Kong, mandag 4. mars 1940. Min lykke over å ha overlevd taifunen varte ikke lenge. For her i Hong Kong fikk vi et telegram fra Malaya med det triste budskapet om at salonggutt Sivert Høyby er død på hospitalet i George Town. Vi fikk ikke vite noe mer om dødsårsaken. Jeg tror ikke det kan ha vært magesår som tok livet av gutten fra Kragerø. Jeg har spurt styrmann Granli, som også mener at Sivert kanskje hadde kreft, eventuelt en eller annen form for dødelig blodsykdom. Arme gutt!

Hong Kong skal bety 'Duftende havn'. Jeg kjenner ikke noen spesiell duft her. Selv om vi er sør for Krepsens vendesirkel og stadig er i tropene, blåser en ganske kjølig sjøbris. Trean sier at Hong Kong har et subtropisk klima. Temperaturen er under 20 grader, og det kjennes forfriskende etter all heten vi har hatt siden Suez.

Vi ligger ved kai i Kowloon på fastlandet, med fin utsikt over Victoria Harbour til Hong Kong-øya. På havna er det voldsom trafikk. Det er moro å se de kinesiske djunkene som dumdristig prøver å krysse seg fram i vrimmelen. Mange av djunkene har slitne seil som ser ut som de er sydd sammen av seildluksfiller, de reineste lappetepper. Ved bryggene ligger hundrevis, kanskje tusenvis, av djunker som brukes som bolig i den overbefolkede millionbyen. Det bygges svimlende høye hus alle vegne.

Hong Kong (som på kinesisk heter Xianggang) har en meget vakker beliggenhet mellom frodige grønne åser og med en skjærgård av små øyer, og minner sånn sett om Oslo, men der stopper likheten. Oslo virker som en søvnig, gammeldags småby i forhold til denne hektiske maurtua av en metropol.

Fra kaia skal vi om noen dager forhale til et skipsverft i Kowloon for å få montert nye lastebommer til erstatning for bommene taifunen tok.

Jeg hadde trodd det skulle være flere engelskmenn i en britisk kronkoloni, men her er så å si bare kinesere å se. De har skapt en rik handels- og industriby som er blitt Asias største finanssentrum. Her er det kapitalisme for alle penga! Men bak den glitrende fasaden er det nok mye fattigdom, og her skal være hundretusener som er blitt slaver av opium.

I dag kom sjømannsprest Andreas Aanderaa fra Den Norske Sjømannsmisjon om bord. Han er en storvokst mann i femtiårsalderen. Han kom ikke i prestekjole, men i lys tropedress og med panamahatt på hodet. Jeg syntes han så mer ut som en skipshandler enn en prest. På ringfingeren på høyre hånd hadde Aanderaa en giftering. På en finger på venstre hånd bar han en stor signetring av gull.

Jeg vet ikke hvorfor, men jeg liker ikke at menn bærer andre ringer enn forlovelses- eller giftering. Man skal jo ikke skue hunden på hårene, men jeg følte meg ikke helt bekvem med denne Aanderaa som en prest jeg skulle betro meg til.

Jeg spurte likevel Aanderaa om han hadde tid til en kort samtale på tomannshånd på min lugar. Det hadde han.

Jeg sa til presten at jeg ikke skjønte hva som var Herrens mening med å rive bort Sivert Høyby, i en alder av bare 17 år.

Sjømannsprest Aanderaa svarte at Herrens veier er uransakelige. Det var et svar jeg hadde vanskelig for å slå meg til ro med, og dette sa jeg til presten.

Jeg fortalte så om mine synder i Malaga og ved Bangkok.

Aanderaa så litt oppgitt ut. Han har vel sikkert hørt mange tilsvarende historier fra sjøfolk som har betrodd seg til ham.

Jeg er et syndig menneske, sa jeg.

Gå da bort og synd ikke mer, sa Aanderaa med Jesu Kristi ord.

Presten måtte travle videre for å besøke andre norske sjøfolk i Hong Kong. Flagget vårt er å se alle vegne i havna. Her ligger et tjuetall norske skip.

Vi har fått vite at taifunen som rammet oss, var den verste i Sørkinahavet på ti år. Det japanske lasteskipet Nagasaki Maru, som var i havsnød nord for Paraceløyene, er kommet inn hit. Det skipet fikk atskillig juling i taifunen. Japaneren ligger ved kai med sterk styrbord slagside, og fra lensepumpene fosser det vann.

Vi på <u>Tomar</u> var svineheldige. All skaden vi fikk utenom to tapte lastebommer, var noen innslåtte bordganger i en av babords livbåter, samt at vi mistet en liten malerflåte som ble brukt til maling av skutesida når vi lå i havn.

Det ryktes at dampskipet <u>Haifeng</u> er kommet bort i taifunen. Denne damperen er norsk og seiler i fart på Kina og andre havner i Østen. <u>Haifeng</u> har norsk kaptein og norske offiserer på dekk og i maskinen. Mannskapet er kinesere, såkalt China Crew, slik det er på mange små norske dampere som tøffer rundt mellom havnene i Kina og det øvrige Østen.

Styrmann Granli mener at <u>Haifeng</u> kanskje kan ha greid å ta seg inn til en eller annen kinesisk uthavn, og at det derfor ikke er sikkert at skuta er gått tapt.

Messemann Cheng har fått noen opptjente feriedager og reist hjem til Macao. Det er ikke langt dit, bare en liten ferjetur over munningen av Pearl River. Macao er kjent for sine spillekasinoer. Cheng mener at planetene nå står i en gunstig posisjon for ham slik at han vil ha vinnerlykke. Han forklarte meg dette ved å tegne de forskjellige planetene. Særlig er det Saturn med ringene som står 'muito bem', meget bra.

Cheng sa at han regner med at han vil vende tilbake til <u>Tomar</u> som millionær. Jeg tenker at hvis han blir millionær, gidder han ikke å komme tilbake for å tjene ei lusen messemannshyre på 55 kroner måneden.

Dekksgutt Harald har tatt over jobben i messa. Det går ikke så bra. Han har aldri vært veldig kjapp i vendinga, men nå går det som lusa på tjærekosten med ham. Han kløner og knuser pletter og hankene på krus når han vasker opp. Vi lurer på om han kan ha fått et slags varig solstikk etter at han ble forbrent i Rødehavet. Det som er ekstra merkelig, er at han ikke snakker så fort som han gjorde før. Den kvikke haugesundsdialekten hans har dabbet av, og han prater treigere enn noen bonde i Østerdalen.

Jeg spurte Granli om det, i all fortrolighet. Han sa at han frykter at dekksgutt Ottesen kanskje lider av noe som kalles <u>bradyfreni</u>. Det er, ifølge Granli, en sykdom som gir seg utslag i treghet i de psykiske funksjonene. Når det går utover taleevnen, kalles det <u>bradylali</u>.

Granli sa at dersom Harald skal bli sykeavmønstret med disse brady-greiene, må talen hans bli abnormt treig. Så galt fatt er det ikke ennå.

Jeg har også nevnt Haralds problem for Båsen, siden han er skipstillitsmann. Båsen sa at den beste medisinen for dekksgutten sikkert var å slå ham i huet med noe hardt.

Dette syntes jeg var veldig flåsete sagt. Så jeg tok mot til meg og sa til Båsen at Union må ta medlemmenes helse på større alvor.

Båsen føyk ikke opp i drittsinne slik jeg hadde fryktet. Du har fakta faen et poeng, Skogsmatrosen, sa han.

Båsen lovet at han skulle ta saken opp med førstestyrmann Nyhus og be om å få sendt Harald i land til legesjekk.

Med min egen helse er ingenting i veien. Jeg har inspisert staven jevnlig siden vi forlot Bangkok, og den er helt i orden. Jeg hadde tillit til at Tae var rein, og den tilliten var hun altså verdig.

Tredjemaskinisten vår, Erling Wahl fra Hammerfest, har hatt fæl feber. Det antas at han har fått malaria under oppholdet vårt på Menam. Han fikk kinin av Granli underveis hit til Hong Kong, og har nå vært til doktor her og fått enda større doser kinin, samt noe annen medisin som jeg ikke har fått med meg navnet på.

Enda så mange myggstikk jeg fikk, har jeg ikke hatt det minste snev av feber. Bank i bordet!»

Halvor skriver: «Hong Kong, torsdag 7. mars. Jeg har vært i land og kjøpt en liten radio av japansk fabrikat, av merket Aiwa. Apparatet kan ta inn sendinger både på langbølgen, mellombølgen og kortbølgen. På kortbølgen er det mest skurr og sus, men på de to andre bølgene får jeg inn flere stasjoner. Det er jo mye kinesisk preik, men også musikk. Jeg fikk inn et jazzorkester som spilte veldig bra.

Jeg prøvde å spille noen av jazzlåtene på munnspillet mitt. Det lød nok temmelig surt.

Presten Aanderaa advarte meg mot å oppsøke opiumsbulene her i Hong Kong. Det har jeg ikke tenkt å gjøre!

Geir Ole sier at han har skrekkelig lyst til å røyke opium, bare for å ha prøvd det. Jeg viderebrakte prestens advarsel til ham. På opiumsbulene kan en hvit mann gjerne bli robba til skinnet når han er i opiumsrus, og Aanderaa fortalte om norske sjøfolk som måtte gå slukøret om bord i bare underbuksa.

Vi losser nå ut den siste lasten fra Europa, stålet fra Rotterdam. Kinesiske arbeidere blir jo ofte kalt kulier. Jeg synes ikke det går an å kalle havnearbeiderne i Hong Kong for kulier. De virker ganske velfødde, velkledde og velorganiserte. Alle mann bruker lette skyggeluer, og de fleste går i blåtøysoveraller eller dongeriklær. Arbeidet går unna i en fei, svært effektivt.

Det ble sagt av førstestyrmann Nyhus at hvis Japan vil utvide sin krigføring i Kina og angripe Hong Kong, har den britiske kronkolonien ikke en sjanse. Hong Kong skal være godt befestet, og britiske krigsskip breier seg på havna. Jeg tror i motsetning til Nyhus at japanerne skal få noe å bryne seg på hvis de prøver seg på Hong Kong.

Vi skal seile herfra til Filippinene. Vi skal til en liten by som heter Dumaguete. Byen ligger på øya Negros, ganske langt sør i det filippinske arkipelet. Der skal vi laste et større parti kopra for De-No-Fa i Fredrikstad. Kopra er den fettrike innmaten i kokosnøtter.

Vi har fått en ny salonggutt om bord. Han heter Ståle Bangsund og er ti år eldre enn meg. Altså egentlig altfor gammel til å jobbe som salonggutt. Men han har ikke tidligere fartstid fra sjøen. Han har arbeidet for en skipsmekler i Hong Kong og levd sammen med en kinesisk kvinne. Så kom han i konflikt med kvinnens familie og måtte derfor forlate Hong Kong i hui og hast. Han er fra Haslum i Bærum utenfor Oslo.»

Ny innførsel i dagboka: «Hong Kong, mandag 11. mars. Etter et par dagers venting har vi nå fått plass ved kaia på verkstedet i Kowloon. Arbeidslaget som kom om bord, er ledet av en vindtørr, liten nordmann som er godt oppe i årene og en underlig skrue. Han påstår at han heter Bjørn Bjørn, og at tipptippoldefaren hans var dikterhøvdingen Petter Dass. Etternavnet Bjørn har han etter hjemplassen på øya Dønna på kysten av Helgeland, i nærheten av Sandnessjøen. Der har han ikke vært siden han dro til sjøs før Den store krigen, i 1912. I mange år seilte han fjerdemaskinist, kvart, på norske dampere i fart på Kina.

Det er ikke mye Nordlands Trompet igjen i denne etterkommeren til Petter Dass. Bjørn Bjørn snakker ikke nordlending lenger, men en ubestemmelig dialekt, et ganske gammelmodig norsk.

Bjørn Bjørn skrøt av at han har en hel hærskare unger rundt omkring i kinesiske havner. Kineserne blir forskrekket når han oppgir tallet. Det er ikke det at han har så kolossalt mange barn, som forskrekker dem, men selve tallet. Han har regnet ut at han har fireogførti unger. Fire-tallet betyr ulykke for kineserne, og 44 betyr dermed dobbelt ulykke.

Han sa: De fire ungene jeg har her i Hong Kong, ute i Tai Wan Tau der jeg bor sammen med den nåværende kjerringa mi, de ungene skinner som solen dagen lang.

Til arbeidslaget på seks mann snakket Bjørn Bjørn et språk som jeg oppfattet som flytende kinesisk. Arbeidslaget hadde med seg et gassveiseapparat om bord, til å sveise fast 'ørene' som de nye bommene skal festes i. Bommene har vi fått fra et nederlandsk motorskip som totalhavarerte på The Great Barrier Reef ved Australia og ble slept hit til Hong Kong for opphogging.

Chiefen og Nyhus ville at arbeiderne heller skulle bruke et splitter nytt elektrisk sveiseapparat vi fikk om bord i Rotterdam. Det er et NAG-apparat, som er laget i Oslo.

Mellom Bjørn Bjørn og de to offiserene på <u>Tomar</u> ble det et voldsomt munnhuggeri om dette sveiseapparatet. Bjørn Bjørn nektet å ta det i bruk før han fikk snakke med skipselektrikeren vår. Problemet er at vi ikke har noen Trikker om bord, fordi det er manko på trikkere i handelsflåten.

Etter mye om og men startet en av kineserne NAG-apparatet. Han fikk på seg en maske med mørkt glass foran øynene til beskyttelse mot 'sveiseblinket', som oppstår når den elektrisk ladede sveisetråden berører stålet.

Jeg fulgte nøye med på sveisingen fordi jeg har god lyst til å lære meg å sveise. Den som er en dreven sveiser, kan få jobb så å si hvor som helst i verden.

Alt gikk bra helt til kineseren skulle sette inn ny sveisetråd. Da fikk han et voldsomt elektrisk støt fra det høyspente apparatet. Jeg tror de fleste nordmenn ville begynt å brøle av smerte og redsel etter å ha fått seg en sånn sabla karamell. Fra kineseren kom det ikke et knyst. Han danset rundt på dekk som en spinnvill dervisj, men skrek ikke.

Apparatet ble slått av da ny sveisetråd ble satt inn. Deretter fortsatte kineseren å sveise, og han lagde riktig presise sveisesømmer.

Geir Ole kom om bord natt til i dag, helt grønn i trynet. Han og Milde Måne hadde røykt opium. Selve rusen var ikke så voldsom. Det som var så jævlig, fortalte Geir Ole, var at han plutselig begynte å se tarantuller overalt. Da han og Milde Måne kom seg ut av opiumsbula, sa Milde Måne at han hadde sett en helsikes masse flaggermus.

Til middag i dag hadde vi det sedvanlige mandagssaltkjøttet. Det begynner å bli harskt, så jeg sto over og gikk i land og spiste en god porsjon chop suey på en kafé havnearbeiderne bruker. Milde Måne var med og lot seg spandere på. Jeg rev i en øl til hver av oss til maten.

Jeg spurte Milde Måne om hvorfor han, som er den fødte pilot, er så redd for et lite dyr som har vinger og kan fly.

Han svarte at det ikke er vingene og flygingen han er redd for, men at han frykter flaggermus fordi de er vampyrer og suger blod av mennesker og dyr. Hvis en flaggermus har bitt en hund med rabies, vil det mennesket som blir bitt i neste omgang, også få rabies.

Kem farsken vil ha rabies? sa Milde Måne.

Nei, sa jeg. Det høres ikke lystelig ut å begynne å skumme av fråde om kjeften, bli klin kokos, få kramper og dø med forferdelige smerter.

Vi snakket ikke om Milde Månes plan om å stikke av til kommunistene. Jeg regner med at han har slått fra seg det tullet.»

Med de nye bommene i forkant av enerluka på plass forhaler *Tomar* til lastekai for å ta om bord et mindre parti stykkgods.

Halvor spør styrmann Granli om dette med vampyrflaggermus. Granli er i usedvanlig godt humør, og det lukter whisky av ham. Han sier at blodsugende flaggermus ikke forekommer i Asia. Her lever alle flaggermusarter av insekter, sånn som hjemme i Norge, samt at de spiser frukt, bær og honning.

«Du må til Sør-Amerika for å finne vampyrer», sier Granli. «Der har jeg opplevd dem. Jeg gjorde noen turer opp Amazonas-floden som matros på en liten damper som het *Belem* og var eid av en kjeltring i Son hjemme i Norge, men seilte under Honduras-flagg. Vi gikk opp den mektige river'n helt til Iquitos i Peru for å laste kautsjuk, altså rågummi. Til Iquitos er det samfulle tre hundre norske mil fra Atlanterhavet. Det er faen tute meg en drøy reise motstrøms på Amazonas. Og så må man ofte gå med sakte fart, selv når det er lite strøm, fordi elvelosen hele tida må være på vakt for å kunne manøvrere unna nye sand- og mudderbanker som uavlatelig danner seg i elva. Om nettene kom flaggermusene. Vi sov i hengekøyer på dekk fordi det var for hett på lugarene. De små, bevingede beista liker best å bite en mann i stortåa. De lager et bittelite hull som de suger blodet gjennom. Et slikt hull kan silblø i mange dager. Så vi lærte oss til å sove med støvlene på.»

«Var det noen som fikk rabies?» spør Halvor

«Nei, ikke som jeg vet om,» svarer Granli og ånder tung whisky-dunst på Halvor. «Men det var en av de andre norske gutta, en fyr-bøter fra Rørvik i Nord-Trøndelag som vi kalte for Einstein fordi han bare hadde én stein i pungen, som ble skutt på med forgiftede piler av indianere. Det skjedde faktisk mens Einstein satt på trikken.»

«Sa du *trikken?*»

«Ja, jeg sa trikken,» sier Granli og viser et av sine sjeldne smil. «Iquitos er en merkelig by. Den ligger midt i tjukkeste jungelen. Det går verken vei eller jernbane dit. Alt gods må fraktes opp Amazo-nas. Men det er mye penger i Iquitos på grunn av gummitrade'n. Derfor har folka der bygd en moderne by. De har til og med elek-trisk drevet sporvogn. Indianerne på de kanter er naturligvis jævla misfornøyde med at peruanerne har bygd en by midt i deres terri-torium. Så de sniker seg fram i buskene og foretar raid mot inn-trengerne.

Trikken der Einstein var passasjer, var på vei gjennom en liten park da det plutselig begynte å hagle med små piler. Konduktørene hadde haglgevær med seg og plaffa løs på buskene der indianerne lå i skjul. Einstein, som gikk i bare shorts og T-trøye, plukka ut små pilspisser fra et lår og en arm. Det blødde ikke noe særlig fra sårene, og han forsto ikke hvorfor de andre passasjerene som var blitt truf-fet, fikk sånn forferdelig panikk og ropte og skreik om doktor og ambulanse. Han tenkte at det var best å roe seg ned med en øl eller to. Så han gikk av trikken, fant en bar der det var søte damer, og begynte å leske sin tørste strupe. Plutselig ropte en av damene *azul, azul!* Det betyr blå på spansk. Einstein kikka på låret sitt og armen. Begge deler var blitt mørkeblå. Han kasta seg i en taxi og kom seg til hospitalet. Vel framme begynte han å få innihelvetes smerter. Doktorene ga ham motgift mot pilgiften, og et par saftige morfin-sprøyter i ræva. Armen og låret begynte å hovne opp til dobbel størrelse. Doktorene sa *amputación.* Da ropte Einstein *no amputa-ción, por favor!* Han hadde greid seg godt her i livet med sin ene stein, men tenkte at det ville bli vanskelig å seile som fyrbøter med bare én arm og ett bein.»

«Gikk det bra?» spør Halvor, byr Granli en Camel og tenner en sjøl.

«Sånn passe,» svarer Granli. «Han overlevde i alle fall. Vi gikk manngard etter Einstein i Iquitos og fant ham til slutt på hospitalet.

Da hadde doktorene greid å drenere masse puss og gørr ut av de skadde lemmene hans. Men den jævla giften hadde spist opp muskler, sener og nerver. Vi andre gutta skjønte at Einstein aldri ville få full førlighet igjen, og det forsto han også sjøl. Rederkjeltringen i Son hadde heldigvis tegnet sykeforsikring for mannskapet. Slik forsikring er absolutt ikke vanlig på Honduras-båter. Skipets agent i Iquitos, señor Vargas, var en real kar. Han lovet å ordne alt til det beste for skipskameraten vår. Siden fikk vi høre at Einstein var blitt fløyet fra Iquitos til Lima, hovedstaden i Peru, på kysten av Stillehavet. Der ble han lappa sammen, sånn at han beholdt arm og bein. Det fortalte han i et brev han sendte oss på *Belem*. Et par år seinere fikk jeg et postkort fra Einstein. Da var han blitt fyrvokter på Nordøyan fyr ute på havstrekningen Folda sør for Rørvik. Lærdommen er: Ta aldri trikken i Iquitos.»

«Jeg tror jeg foretrekker Briskebytrikken i Oslo,» sier Halvor.

Granli sier at han må inspisere lasta de tar om bord i ener'n. Det er leketøy og juletrepynt som skal til København.

«Slik er sjømannens lodd,» sier han. «Å frakte gummi ut av ville jungelen og junk fra Hong Kong.»

Halvor skriver: «Sørkinahavet, torsdag 14. mars 1940. Vi seilte i ettermiddag fra Hong Kong uten Milde Måne om bord. Han har virkelig rømt, fantasten fra Tromsø. Han la igjen et brev på lugaren der han skrev at han takket for gode dager om bord i Tomar og bød oss alle farvel.

'Nå føler jeg meg kallet til større eventyr her i livet,' skrev han.

Han tok bare med seg en lett suitcase. Sjøsekken med køyklær og arbeidsklær lot han stå igjen, med en lapp oppi der det sto at vi gutta kunne dele blankiser og tøy mellom oss.

Jeg skjønner ikke hvordan jungmann Kristoffer Mildestad skal greie seg i Kina uten penger. Han må ha vært blakk som ei kjerkerotte da han rømte, for på grunn av trekken i hyra til å dekke flyutgiftene fra Italia til Port Said fikk han ikke utbetalt en eneste Hong Kong-dollar. Han hadde ikke råd til en chop suey på havnearbeiderkafeen engang.

17 år og på loffen i Kina! Jeg ville aldri ha våget det. Å kaste seg ut i et fremmed folkehav med kanskje så mye som en halv milliard mennesker!

Cheng kom om bord like før avgang. Han så mer ut som ei ribba høne enn som en millionær. Saturn må ha sviktet ham.

Etter kveldsmaten prøvde jeg å fritte ut Cheng om kommunistene i Kina, som Milde Måne skrøt av at han vil slutte seg til. Misjonærtanta hans, Olufine, tror jeg forresten er et fantasifoster.

Cheng fant et papirark og tegnet med svart blyant et kart over Kina. Med rød blyant tegnet han hammer og sigd sør i Kina, og så satte han et kraftig kryss over kommunistsymbolet. Han tegnet en strek tvers gjennom landet fra sør til nord. Så reiste han seg og lot som om han marsjerte. Oppe i nord tegnet han fjell, og midt i fjellheimen tegnet han hammer og sigd.

Jeg tolket dette som at kommunisthæren har forflyttet seg fra sør til nord gjennom en utrolig lang marsj. Hvis så er tilfelle, vil Milde Måne være temmelig sårbeint dersom han noensinne når fram til kommunistene.

Det er rart at vi i Vesten ikke har hørt et kvidder om en så betydelig forflytting av en hær som den kommunistene ser ut til å ha foretatt i Kina. Men det er jo så få nyheter vi får fra det veldige landet, og mye av det vi får høre, er vrøvlete japansk propaganda om hvor fortreffelig alt er i de delene av Kina som Japan okkuperer.

Fra Finland, derimot, får vi konkrete, pålitelige nyheter. De er nedslående. Vi fikk radiopresse i kveld. Finnene har tapt Vinterkrigen. Mannerheim-linjen var ikke av papp, slik min kjære far påsto. Likevel ble Den røde armés overmakt for stor, og finnene måtte strekke våpen.

I Moskva har en finsk delegasjon vært nødt til å undertegne en fredsavtale med Sovjetunionen. Ordet 'ydmykende' ble ikke brukt i den radiopressemeldingen vi fikk. Men avtalen må være ydmykende for finnene. Den innebærer at de må gi fra seg 35 000 kvadratkilometer av territoriet sitt. Finland mister store skog- og jordbruksarealer i Karelen, og sin nest største by og viktigste trelasthavn, Viborg.

Da jeg var i Viborg med <u>Flink</u>, kunne jeg ikke forestilt meg at denne absolutt helt finske byen skulle bli sovjetisk. Det er den blitt nå. Det sies at en halv million finner må rømme de områdene Stalins Sovjet grabber til seg. Det eneste lyspunktet er at Finland, som jo var under russerne fram til Oktoberrevolusjonen i 1917, fortsetter å eksistere som selvstendig stat. Finnene er dermed stadig våre nordiske brødre og ikke under fremmed åk.

Noe mer hyggelig! Hemmingsen fikk framkalt filmene sine i Hong Kong og tatt papirkopier av de beste bildene. Jeg fikk en stor kopi av et fotografi av Tae og meg, tatt ved bålplassen ved huset i Samut på dagtid. Jeg må ha fått røyk i øynene, for jeg sitter med gluggene lukket og ser ut som en dust. Tae ser med sine mandeløyne rett i kameraets linse og smiler sitt skjønneste smil.

Jeg har lagd en ramme til bildet av noen lekter jeg fikk av Flise-Guri. Bildet henger nå på skottet over køya mi.

Med havnelosen i Hong Kong fikk Hemmingsen og jeg sendt i land en konvolutt med fotografier til de to jentene i Samut. Vi rakk ikke å skrive noe brev. Men et bilde sier jo mer enn mange ord.

Været er stille og fint. Smul sjø. Ingen taifuner er meldt i Kina-havet, der vi stevner sørover mot Filippinene.»

Kapittel 16

Halvor sitter akterut på poopen og hører at vinden får det til å rasle i palmeblader inne på stranda. Han skriver i dagboka: «Dumaguete, Filippinene, søndag 17. mars 1940. Vi hadde en grei seilas hit fra Hong Kong, bortsett fra en episode i Mindoro-stredet, som går mellom øya Mindoro i det filippinske arkipelet og den lille øya Busuanga. Jeg sto til rors. Det var klart, fint vær og ikke noe strøm. Vi fikk øye på en liten, hvitmalt dampbåt som var i ferd med å krysse stredet.

Ifølge sjøveisreglene hadde dampbåten vikeplikt for oss. Men den vek ikke unna. I siste liten ga Trean meg ordre om å legge hardt babord over. Vi krysset like bak damperen, som var en passasjerbåt der det krydde av passasjerer om bord. De var sikkert flere hundre. Det kunne ha blitt litt av en katastrofe dersom vi hadde rent den vesle farkosten i senk. Mange av passasjerene hadde nok druknet, og andre hadde kanskje blitt haimat. Det er mye hai i farvannet her, og vi ser ofte haifinner som bryter vannskorpa.

På øya Mindoro er det høyeste fjellet høyere enn Glittertind. Men det er dekket av frodig, grønn jungel helt til topps. Trean tok meg med inn i bestikken og viste meg navnet på en av byene på øya. Den heter Bongabong. Man skulle bodd i Bongabong, levd livet bong og spilt på gongong!

'Gå da bort og synd ikke mer,' sa presten Aanderaa til meg i Hong Kong.

Dumaguete er en plass som innbyr til syndig levnet og Ærotiske Æskapader. Byen har bare én kai, og der ligger vi og laster kopra. På kaia er det reist ikke mindre enn tre små havnekneiper. Kneipene er bygget av bambus, og vi kaller dem for Bambus Bars. I den midterste kneipa har de en grammofon. Lyden fra den grammofonen høres utmerket godt i nabobarene. Det er mange jenter på kneipene, og de står ikke noe tilbake i skjønnhet for de siamesiske jentene.

Forskjellen mellom Samut og Dumaguete er at jentene vi møter her, er åpenlyst og utilslørt prostituerte, voldsomt sminket og lettkledde. Jeg går ikke på Bambus Bars. Jeg fikk en opplevelse i landsbyen i Siam som jeg har tenkt å leve en stund på. Det ville være helt feil å ta seg et kjapt nummer i et av bakrommene på en av Bambus Bars. Da vil jeg tilsmusse noe fint jeg bærer på.

Hemmingsen er enig. Vi hadde nettopp en samtale her på poopen. Vi skal ikke tro at jentene i Samut er kjærestene våre, sa Hemmingsen. Kan hende Sirikit og Tae nå har padlet ut til en ny båt på ankerplassen i Menam og får maling, ollerops og dunnage. At de i kveld vil sove med et par sjømenn fra Spania eller Sverige, eller kanskje til og med noen jævla greske grisefanter.

Vi drakk Coca-Cola og pratet om jentene 'våre' i Samut i forhold til jentene på Bambus Bars.

Det er den forbannede katolisismen som hersker her på Filippinene, sa Hemmingsen. Det var spanjakkene som innførte katolisismen da de tok øyene som koloni og kalte dem opp etter en eller annen kong Filip. Det er mange hundre år siden. Men der hvor pavekjerkas folk går i land, har de en egen evne til å bite seg fast. I katolske land er ei jente enten madonna eller hore. Sånn er det ikke i Siam, der folk er buddhister. Der har de en annen seksualmoral. Vi forstår selvsagt ikke så mye av den buddhistiske moralen, forstokkede lutheranske protestanter som vi er. Men vi fikk til fulle nyte godt av den friheten jentene i Samut har, og av familienes utrolige gjestfrihet. Hemmingsen sa at skulle han blitt med ei jente hjem her i Dumaguete, måtte han vært gift med henne.

Hva gjør en ung mann som vil holde seg unna Bambus Bars?

Jeg ble med Geir Ole og fisket fra poopen en stund. Han egnet med kjøttslintrer, og vi dro en masse småhai som kalles 'tiburones de arena' av de filippinerne som snakker spansk, og 'sand sharks' av de som snakker engelsk. Haikjøttet er uspiselig, det smaker piss. Cheng ba oss skjære av finnene, som han vil koke haifinnesuppe på.

Vi fikk en liten rokke med lang hale. Ytterst på halen var det en kvass pigg. Jeg fortalte Geir Ole at piggen kunne være like giftig som kloa på en tarantull. For jeg leste en gang i et ukeblad om en mann i Australia som ble drept av ett eneste hogg fra en rokkepigg.

Ka tykje? sa Geir Ole og kastet resolutt rokka over bord.

Jeg ble lei av å fiske og sa at jeg ville i land og strekke på beina. Skitt fiske, Kokkovær, sa jeg til Geir Ole.

Av en av arbeiderne som laster kopraen, fikk jeg, for et par pakker sigaretter, leid en sykkel.

I går, lørdag, syklet jeg en ganske lang tur på forferdelig hullete veier vestover på øya Negros, gjennom utallige kokospalmelunder.

Da jeg kom tilbake til Dumaguete by, var det blitt kveld. Jeg hørte dansemusikk fra et lokale og gikk inn der. Dette var et sted for de innfødte, og jeg var eneste utlending. Orkesteret hadde to mann på gitar, en på kornett, en på piano, en på en slags mandolin og en trommeslager. Musikken var ikke ulik Hawaii-musikk.

Jeg tok meg en øl, og hadde ikke tenkt å by opp noen av de lokale jentene på dans.

Så ble jeg budt opp! Av en riktig vakker pike. Hun hadde på seg en lilla kjole som så ut som en ballkjole, med rysjer og puffer og jeg vet ikke hva. På venstre kinn hadde hun en ganske stor føflekk, som noen kanskje ville kalt skjemmende, men som jeg syntes bare understreket hennes skjønnhet. I håret hadde hun en ekte lilla blomst, som det duftet av. Jeg tror blomsten heter hibiskus. Navnet hennes var vanskelig å få tak på. Jeg syntes det hørtes ut som navnet på radioen min, Aiwa.

Så jeg døpte henne Aiwa. Hun var veldig god til å danse, og danset meg god, for å si det slik. Det gikk unna! Aiwa gjorde ingen tilnærmelser til meg. Vi danset i all uskyldighet, uten den minste flørting, så lenge at jeg fikk gnagsår på høyre hæl. Jeg tenkte at det var best å holde seg til én og samme jente hele kvelden. Jeg fikk jo en leksjon om 'butterflying' av Hemmingsen i Siam.

Orkesteret spilte en siste vals. Aiwa geleidet meg bort til et bord der det satt en gjeng mannfolk. Sjefen for disse mennene var en fyr med stråhatt trukket ned i panna. Han så ut som en skikkelig mafiatype.

Han snakket bryskt til meg, på gebrokkent engelsk. Etter atskillig palaver forsto jeg hva han var ute etter. Han ville at jeg skulle betale en amerikansk dollar for hver dans jeg hadde danset med Aiwa!

Så mye penger hadde jeg slett ikke på meg. Jeg forklarte at jeg måtte dra til skipet mitt for å hente penger.

Vi kjørte ned til koprakaia i mafiatypens bil, en Chevrolet som hadde sett sine beste dager. Heldigvis satt Trean på en av Bambus Bars, og han kunne låne meg tjue dollar.

Mafiatypen kjørte meg tilbake til danselokalet.

Jeg satte meg på sykkelen og syklet tilbake til <u>Tomar</u>. I stupmørket kolliderte jeg med et stort dyr som gikk midt i veien. Jeg trodde dyret var en vannbøffel, men det viste seg å være en kjempediger, svart gris.

Grisen hylte. Jeg lå og kavet i søla. Hadde noen sett det, ville de nok ledd seg i hjel.

Kom vel om bord. Har vasket skjorta med det blå sommerfuglmønsteret rein for søle. Skjorta henger nå på en klessnor her på poopen hvor jeg sitter, og danser muntert i ettermiddagsbrisen. Denne brisen, som kommer inn fra Sulu Sea, er en velsignelse her i Dumaguete, for her er det hett.

Lastingen går seint. Det skyldes ikke at havnearbeiderne er late. Så fort de får en haug kopra levert på kaia, hiver de kopraen om bord i store nett, som kan åpnes automatisk, slik at koprabitene drysser ned i lasterommet. Problemet er at det er for få lastebiler som frakter kopra fra kokosplantasjene til havna, og at disse bilene stadig bryter sammen. Enten ryker fjæringa, eller så koker radiatorene, eller begge deler.

Vi har fått et brev om bord fra den norske konsulen i George Town. Brevet ble hengt opp på radiopressetavla. Det forteller at salonggutt Sivert Høyby er blitt begravet på en kristen kirkegård i George Town.

Ja vel, så ligger han i vigslet jord. Det er jo bra. Men han er død, sørgelig død. Jeg prøver å se for meg at Gud har hentet ham til seg, men jeg greier ikke framkalle et slikt bilde for mitt indre øye. Alt jeg ser, er en mager gutt fra den norske småbyen Kragerø som ligger og råtner i ei kiste i Malayas fremmede, tropiske jord.

I største hemmelighet har engelskmennene sendt verdens største passasjerskip ut på jomfrutur fra Liverpool til New York. Det dreier seg om <u>Queen Elizabeth</u>*. Skipet er på 83 637 brutto registertonn, 314 meter langt og 36 meter bredt. Det kan gjøre en fart på hele 28 knop. Under seilas i fredstid kan <u>Queen Elizabeth</u> ta 2200 passasjerer og vil ha en besetning på 1200 personer.

Ved ankomst New York den 7. mars fikk skipet en storslagen mottakelse. Styrmann Granli mener at det er helt usannsynlig at skipet vil gå i passasjerfart over Nord-Atlanteren nå som det er krig. Han tror at skipet vil bli brukt som troppetransportskip.

Granli mener at det kan fraktes så mange som 20 000 soldater på én tur med Queen Elizabeth. Da blir det nok trangt om saligheta.

Det norske skipet Haifeng er ikke kommet til rette etter taifunen. Skipet regnes derfor som totalforlist. Sju nordmenn og toogtjue kinesere forsvant med Haifeng. Må fred være med dem.

Har hatt en liten disputt med Geir Ole. For å gjøre seg lekker for jentene på Bambus Bars har han dynket seg med en overdose Old Spice. Jeg orker ikke den lukta, og det fortalte jeg ham i reine ordelag. Han ble muggen. Men lugarkameraten min er ikke langsint av natur.

Vi skal ikke tilbake til Hong Kong når vi omsider blir ferdige her i Dumaguete. Vi skal en tur innom Singapore, men bare for å bunkre drivstoff og vann. Så skal vi gå opp Malakkastredet til Port Swettenham for å laste gummi og tinn.

Vannet ved kaia her er reint og friskt. Vi har hengt ut en losleider fra poopen og bader og koser oss, selv om vi ikke helt liker småhaiene som kretser rundt skuta. Filippinerne har forsikret oss om at sandhaier ikke spiser mennesker.

Haifinnesuppa Cheng kokte, ble riktig god. På smak minnet den om sursild.

Etter den spansk-amerikanske krigen i 1898 har amerikanerne hersket over Filippinene, men her i Dumaguete er det ingen amerikanske soldater å se. Jeg spurte Trean om amerikanernes styrker på Filippinene i dag.

Corregidor, sa Trean. Amerikanerne har bygd en formidabel fjellfestning på øya Corregidor ved innløpet til Manila-bukta. Der er det fullt av hemmelige tunneler og bunkere og voldsom bestykning med kanoner. Det er ikke uten grunn at Corregidor blir kalt Østens Gibraltar. Amerikanerne har også en base i Subic Bay, der US Navy holder en sterk flåtestyrke. Så på Filippinene nytter det ikke for japanerne å yppe seg med militære eventyr.

Nå ser jeg snart ikke hva jeg skriver lenger, for sola går ned med ekspressfart, slik den alltid gjør i tropene. Solas siste stråler forgyller en mektig, hvit skybanke som tårner seg opp i vest. Jeg har lært av Trean at det vi hjemme kaller haugskyer, til sjøs kalles cumulusskyer. Når man ser slike gylne skyer, er det ikke vanskelig å forstå hvorfra menneskene har hentet sitt bilde av Guds himmel.

Sitter du i Himmerik som en engel ved Guds trone, Sivert? Jeg har dessverre vanskelig for å tro det. Jeg begynner å bli en tviler.»

Kapittel 17

Det er blitt april måned i året 1940. *Tomar* stevner over Det indiske hav.

Det har vært en tur med en del venting. Først var det å vente på kopra i Dumaguete. Da full kopralast endelig var inne, satte *Tomar* kursen over Sulusjøen, seilte gjennom Balabac-stredet mellom Borneo og Palawan, krysset Sørkinahavet som lå stille og fredelig, og ankom Singapores red.

Der ble de liggende og kjede seg et par døgn før de kom til bunkerskaia. Det var tydelig at myndighetene i Singapore prioriterte bunkring av britiske skip framfor norske.

Tomar seilte opp Malakkastredet til Port Swettenham. De kastet anker på en ankerplass i roveret, omgitt av mangroveskog. Ikke bare var plassen et svettehøl. Den var også et moskitohøl, og nå var det høysesong for innpåsliten mygg.

Båsen sammenkalte til møte i skipsgruppa. Et krav om at det skulle skaffes myggnetting for montering i ventilene i mannskapslugarene, ble enstemmig vedtatt og ført i protokollen av sekretær Halvor.

Myggnetting kom om bord og ble montert opp.

Tomar gikk etter noen døgns ankring til kai i Port Swettenham. Skipets to tanker beregnet på vegetabilske oljer og kautsjuk ble fylt opp med flytende gummi. Så begynte lasting av gummi i store, gråhvite baller. Lastinga gikk greit, men det var problemer med leveranser av gummiballene fra plantasjene på Malayahalvøya til kai i Port Swettenham. Plantasjene greide ikke å levere nok av den krigsviktige rågummien, og transportkapasiteten på veier og jernbaner var sprengt.

Mannskapet døpte *Tomar* om til M/s *Ventefjord*.

Trean sa til Halvor at han syntes Sør-Amerika kunne få hatt gummien sin for seg sjøl.

189

«Det var naturligvis en forbanna engelskmann, Henry Wickham, som i 1876 lurte tollerne i Brasil og smuglet ut frø fra det brasilianske gummitreet, slik at det britiske imperiet skulle få gummitrær,» sa Trean. «Brasilianerne hadde hengt Wickham dersom de hadde fakka ham. Det er ikke sikkert at gummileveranser fra Østen blir avgjørende for krigsutfallet. Tyskerne er kommet langt i å framstille syntetisk gummi, et stoff de kaller buna.»

De lastet tinn i barrer. Stablene av det blanke, skinnende metallet ble stua på nest nederste dekk.

Halvor spurte førstestyrmann Nyhus om hvorfor ikke den tyngste lasta ble plassert helt i bunnen av skipet.

«Det har med skipets stabilitet å gjøre,» svarte Nyhus. «Tyngdepunktet skal ikke være *for* lavt. Vi må sørge for å ha riktig metasenterhøyde.»

«Hva betyr det?»

«Hvis du vil ha svaret ordrett fra læreboka i lastelære, er metasenteret skjæringspunktet mellom oppdriftens angrepslinje og fartøyets diametralplan når det ligger med noen få graders krengning.»

Halvor tørket svetten av panna med ragen sin.

«Det der ble du kanskje ikke så mye klokere av?» sa Nyhus med et flir.

«Nei, jeg forsto ikke bæret.»

«Lastelære er et komplisert fag. Det forutsetter at man har kunnskap om matematikk, kjemi og fysikk. Alt det lærer vi på styrmannsskolen. Folk flest aner ikke hvor mye teoretisk kunnskap en skarve styrmann må ha. Hvis du vil, kan jeg vise deg lasteplansjene våre og regnestaven min. Trean sier at du er nysgjerrig og vitebegjærlig.»

«Det er jeg nok til vanlig,» svarte Halvor. «Problemet er at her i Port Swettenham er det så jævla varmt at jeg tror jeg ville komme til å gange to med to og få fem.»

«Ja, det er helvetes hett,» sa Nyhus. «Når jeg skal foreta kompliserte kalkyler her i Swettenham, tigger jeg isbiter av stuert Dyrkorn. Og så setter jeg styrmannslua mi med en ispose inni på huet og beregner deplasement og oppdriftskraft og hele dritten. Har jeg flaks, finner jeg kanskje riktig metasenterhøyde før isen har smelta. Hvis *Tomar* kullseiler i Det indiske hav, har jeg regna klin gærent. Da får jeg skylde på at jeg fikk heteslag.»

Men nå er *Tomar* omsider ute i rom sjø og luft det går an å puste i uten å pese som ei bikkje. De har lagt den store øya Sumatra bak seg. Datoen er torsdag 4. april. Kursen er blitt satt over storhavet mot Adenbukta.

Halvor står til rors.

Gnisten, Roy Borge, kommer inn i styrhuset. Som vanlig har han på seg hvitskjorte og slips. Brillene har han hengende i ei snor rundt halsen.

Gnisten sier: «Det skal bli godt å komme hjem til Fredrikstad.»

«Ja, det skal bli såre godt å komme hjem,» sier Trean. «Jeg gleder meg til en norsk pils, uten tilsatt kinin.»

«Enig,» sier Halvor.

«Jeg skal gå på restaurant Bjørnen i Plankebyen og drikke seks halvlitere på strak arm,» sier Gnisten.

På kveldsvakta mandag den 8. april har kaptein Nilsen og Trean en livlig passiar i styrhuset mens Halvor står til rors. Det vil si: Det er kapteinen som står for snakkinga denne tropekvelden, der han stiller på brua iført kakishorts, kortermet kakiskjorte og lærsandaler.

Halvor tror han forstår kapteinens behov for av og til å komme til styrhuset og snakke. Kapteinen lever som en eremitt om bord. I de lange stundene han sitter aleine for seg sjøl i lugaren eller salongen, får han mye på hjertet.

Det ryktes at kapteinen ikke tåler trynet på den nye salonggutten, Bangsund. Mellom de to skal det ha oppstått en isfront. Bangsund synes det ligger under hans verdighet å være lydig tjener for kapteinen. Det skjønner Halvor godt. Men Bangsund måtte rømme fra Hong Kong og får finne seg i å ha en drittjobb en stund. Når kapteinen ikke kan snakke med ham som serverer ham maten, øker vel behovet hans for å meddele seg.

«Jeg skal ha en velfortjent ferie når vi kommer til Norge,» sier kapteinen. «Da skal jeg bile til Trysil. Madamen og jeg har en hyttetomt på hånden der. Tomten ligger oppunder Trysilfjellet, på et sted som heter Fageråsen. Og der er virkelig fagert, med vid utsikt over skogstraktene.»

«Så De kommer til å slå til på denne tomta?» spør Trean.

«Jeg regner med det, under forutsetning av at det blir bygd bilvei helt frem og strukket strømledning. Jeg er for bedagelig anlagt til å leve et villmarksliv. Helst skulle jeg også hatt telefon på hytta. En av mine største gleder når jeg er i land, er å kunne telefonere til slekt, venner og bekjente. Det kan forresten være en fordel i tilfelle krig å bo på hytte i Trysil.»

«I tilfelle krig?»

«Krig med russerne. Overkommandoen i Oslo frykter et angrep fra Sovjetunionen mot Finnmark. Men hvem vet om Stalin vil nøye seg med Finnmark. Kanskje han vil prøve å ta hele Norge. Vet De hvem jeg tror er Stalins forbilde?»

«Ivan den grusomme?» sier Trean.

«Godt forslag, Kvalbein. Men personlig tror jeg det er tsar Peter den store Stalin ønsker å bli målt opp mot. Peter den store gjorde Russland til en sjømakt da han anla havnebyen ved Nevas utløp som skulle komme til å bære hans navn til bolsjevikene byttet navnet til Leningrad. Stalin har rustet opp Murmansk by ved Nordishavet slik at den er i ferd med å bli en millionby, og forbedret Murmanbanen. Han har, med bruk av straffanger, fått gravd en kanal som forbinder Østersjøen via Ladogasjøen og Onegasjøen med Kvitsjøen. Dermed har han befestet Sovjetunionens makt ved havet i nord. Hvis Stalin ekspanderer militært og erobrer hele Norge, har han gjort noe Peter den store bare kunne drømme om. Da er Sovjetunionen plutselig blitt en *atlantisk* sjømakt.»

«Huff,» sier Trean, «vi får håpe det ikke går troll i ord.»

«Hvis madamen og jeg er på vinterferie på hytta i Trysil, og Den røde armé rykker raskt sørover gjennom Hedmark, kan vi flykte over grensen til Sverige,» sier kapteinen.

Gnisten kommer inn i styrhuset.

«Foruroligende nyheter hjemmefra,» sier han. «Britiske krigsskip har lagt ut minebelter i norsk farvann, angivelig for å stoppe malmtransporten fra Narvik til Tyskland.»

«Og hva gjør vår kjære regjering?» sier kaptein Nilsen. «Regjeringen Nygaardsvold sitter vel vaglet opp uten å gi fra seg et pip.»

«Nei, regjeringen har sendt en kraftig protest til London mot denne krenkelsen av norsk suverenitet og nøytralitet.»

«Godt,» sier kapteinen. «For her snakker vi om et nøytralitetsbrudd i stjerneklassen. Det må vel De også være enig i, styrmann Kvalbein?»

«Ja, britiske miner langs kysten vår er no bloody good,» sier Trean. «Det er illevarslende.»

«Den andre nyheten dreier seg om et torpedert tysk skip,» sier Gnisten. «Lasteskipet *Rio de Janeiro** er blitt senket utenfor Lillesand. Det var et halvt tusen snauklipte og uniformerte menn om bord, og mange hester. Folkene fra *Rio de Janeiro* er blitt brakt i land i havnebyer på Sørlandet. De unge tyskerne har fortalt at de skulle til Bergen.»

«Bergen?» sier kaptein Nilsen. «Det tror jeg ingenting på. 'Bergen' kan være en forsnakkelse eller misforståelse. Stedet *Rio de Janeiro* var på vei til, kan være Berwick, den nordligste byen i England. Kanskje Hitler vil sende i land tropper der for å avskjære Skottland fra England.»

«Vil ikke Hitler konsentrere seg om å ta Sør-England?» sier Trean. «Jeg ser for meg at Herman Görings sterke Luftwaffe vil begynne den lenge varslede bombingen av London.»

«Kanskje Hitler håper at skottene vil opprette en uavhengig republikk,» sier kapteinen. «La oss ikke glemme tyskernes agentvirksomhet og aksjoner i Irland midt under forrige krig. Da tenker jeg på påskeopprøret i Dublin i nittenseksten. Tyskerne forsøkte iherdig å smugle våpen til opprørerne. Dere kjenner kanskje historien om den falske norske skuta *Aud**?»

Verken Trean eller Gnisten svarer.

«Den tyskvennlige irske opprøreren Roger Casement fikk organisert en våpentransport fra Tyskland til Irland. Det tyske skipet *Libau*, ført av kaptein Karl Spindler, ble kamuflert som norske *Aud*. Til og med sjøkartene og bøkene på brua var norske, og mannskapet skal ha lært seg noen norske gloser. Lastet med våpen til opprørerne seilte *Aud* mot Irland. Utenfor Cork på sørøstkysten ble *Aud* oppbrakt av det britiske krigsskipet *Bluebell*. Tyskerne hadde plassert sprengladninger om bord i *Aud*, og senket sitt eget skip. Kaptein og mannskap ble satt i britisk krigsfangenskap. Roger Casement ble arrestert, dømt for høyforræderi og hengt i London. Påskeopprøret ble slått ned av den britiske hæren, og lederne henrettet. De fikk etter min mening som fortjent.»

«Unnskyld meg,» sier Gnisten til kapteinen. «Jeg må innrømme at jeg har en ganske annen oppfatning enn Dem når det gjelder påskeopprøret i Dublin. Etter min mening var det en rettferdig arbeideroppstand mot århundrelang engelsk undertrykkelse av det irske folket. Man kan se på opprøret som det første forsøket i Europa på å gjøre sosialistisk revolusjon. Det kom jo før oktoberrevolusjonen i Russland i nittensytten.»

«Så De, telegrafist Borge, er tilhenger av sosialistisk revolusjon?» sier kaptein Nilsen.

«Nei, jeg er sosialdemokrat og tror på en fredelig vei til sosialismen i Norge. Men jeg har alltid hatt sympati for irenes frihetskamp. Jeg regner faktisk opprørslederen James Connolly som en av mine helter.»

«Connolly ble dømt til døden og skutt av britene,» sier kapteinen med ampert tonefall. «Hvilke andre helter har De, Borge? Marx og Lenin?»

«Nei, på ingen måte. En av heltene mine er vår norske arbeiderleder Marcus Thrane. Men min største helt er en sambygding av meg, Rolvsøys store sønn Hans Nielsen Hauge. Han ledet et religiøst opprør på grasrota som har hatt effekt til denne dag.»

«Så de påberoper Dem å være *både* kristelig haugianer og sosialist?»

«Foreldrene mine er gammeldagse bønder og haugianere. Selv er jeg mer moderne og frilynt. Men jeg ser faktisk ingen stor motsetning mellom haugianismens enkle tro og flid og en fredelig sosialisme.»

«Man skal høre mye rart før ørene faller av,» sier kapteinen.

Han begynner å skjelle ut den skotske arbeiderklassen, som han mener kan være like troløs og forræderisk som den irske.

«Jævla pisspreik,» sier Halvor. Men han sier det lavt, så ingen hører ham. Det knyter seg i magen på ham av forbitrelse. Det er forjævlig å måtte stå bak rattet som et umælende krek.

Halvor og Åge sitter i messa og nyter en sigarett og ei pipe etter kveldsvakta.

«Det er utrolig hva slags dritt skipperen kan få seg til å slenge om arbeidsfolk i Irland og Skottland,» sier Halvor. «Av og til skulle jeg ønske jeg kunne putte en kork i talatuten på'n.»

«Jeg bryr meg aldri en døyt om hva skippere mener om ditt og datt,» sier Åge. «Jeg liker ikke at engelskmennene har minelagt norskekysten. Det er et varsel om ufred og styggedom. Akkurat nå skulle jeg ønske jeg satt og bøtte sildegarn i naustet mitt hjemme i Larkollen. Det er tid for å ta vårsilda nå. Når jeg mønstrer av i Oslo etter denne turen, skal jeg hjem og sette ny motor i snekka mi. Jeg har lagt meg opp penger til det. Som østfolding burde jeg velge en motor fra Fredriksstad Mek. Men jeg tror jeg kjøper en motor fra Mandal. En åtte hestekrefters Marna bensinmotor. Ingen båtmotor går så stille og fint som en Marna. Du kan forresten gratulere meg med dagen.»

«Ja vel?» sier Halvor.

«Vi skriver niende april nå, og på den datoen ble jeg født i atten-åtti.»

«Så du kan feire et rundt år! Vi må få kokken til å lage i stand ei bløtkake til deg.»

«Hvor skulle kokken få kremfløte fra, midt ute på Det indiske hav?» sier Åge. «Det får holde med ei fyrstekake. Vi får se hva dagen bringer før vi tenker på kake. Jeg har en uggen følelse for denne sekstiårsdagen min.»

Kapittel 18

Halvor sitter på madrassen sin på poopen og svetter, selv om han har plassert seg i skyggen under soldekket. Det blåser en akterlig vind, heten er trykkende og lufta lummer som foran et tordenvær. Han skriver med skjelvende hånd i dagboka: «Det indiske hav, tirsdag 9. april 1940, om ettermiddagen (i tidssone 4½ time foran norsk tid). Ufattelige og tragiske hendelser har inntruffet. Jeg kan nesten ikke tro det jeg hører av nyheter fra Danmark og Norge. Verden vil aldri bli den samme etter dette, det må jeg bare innse.

Da jeg gikk av formiddagsvakta, fikk jeg beskjed av førstestyrmann Nyhus om at jeg ikke skulle jobbe overtid etter middag, slik det har vært vanlig på denne turen. Nyhus forklarte dette med at overtidsbudsjettet om bord er brukt opp.

Jeg var glad til for å slippe rustbanking i tredve graders varme, og bar etter middag (biff med løk, og maizenapudding) madrassen min opp på poopen og la meg i den lille luftning som var der, for å ta en real middagshvil.

Jeg sovnet og hadde en fæl drøm.

Jeg ble vekket av Geir Ole, som røsket i meg og ropte om 'tyskeran, de hælsikes tyskeran'.

Ørsken spurte jeg hva han maste om. Geir Ole snakket som en foss. Jeg oppfattet det han sa som at tyskerne hadde gått til aksjon på kysten av Norge, og min tanke var at det måtte være en aksjon med minesveipere for å sveipe bort de engelske minene.

Da ropte Geir Ole at tyskerne hadde angrepet Horten.

Nå tøyser du, Kokkovær, sa jeg. Hvorfor faen skulle tyskerne angripe <u>Horten</u>? Hva skal Adolf Hitler med Bastøferja?

Geir Ole bannet og svor og sa at jeg måtte forstå alvoret. Han fortalte at tyske marinefartøyer tidlig om morgenen, norsk tid, hadde gått inn i marinehavna i Horten og skutt med skarpt mot den norske minesveiperen <u>Rauma</u> og mineleggeren <u>Olav Trygvason</u>.

Med <u>skarpt</u>? sa jeg.

Geir Ole sa at han var veldig bekymret fordi han har en fetter som tjenestegjør på Olav Trygvason.

Skjøt nordmennene tilbake med skarpt? spurte jeg.

Geir Ole sa at ifølge de meldingene Gnisten har fanget opp fra Norge, hadde både Rauma og Olav Trygvason besvart tyskernes ildgivning. En tysk minesveiper var blitt senket av nordmennenes kanoner, antakelig med tap av mange tyske liv. Også på de norske skipene var det mange sårede, og kanskje også noen drepte.

Skjønne' du nu ka som føregår, din toillpeis? ropte Geir Ole. Norge e i krig med tyskeran!

Jeg kunne ikke tro på ham. I mitt ørskne hode valgte jeg å tenke at det som hadde skjedd i Horten, var et slags uhell. En arbeidsulykke, nærmest. En mindre, ubetydelig trefning. Men så begynte det å demre for meg at Horten jo er et viktig strategisk mål. Der ligger den norske Marinens hovedbase på Karljohansvern.

Med hender som skalv litt, tente jeg en Camel og bød Geir Ole en.

Hemmingsen kom opp på poopen sammen med Erasmus Montanus og motormann Smaage. Etter det vi hadde sammen i Siam, kaller Hemmingsen meg ikke Skogsmatrosen, men Halvor.

Så du lå her og snorksov på madrassen din, Halvor, sa Hemmingsen. Mens vi som var våkne fikk verdens verste nyheter. Tyskerne har valsa over Danmark og gått til storstilt angrep på Norge.

Er vi virkelig i krig med Tyskland? spurte jeg.

Hemmingsen svarte: Ja, lille Norge er i krig med Nazi-Tyskland, verdens sterkeste og råeste militærmakt.

Makter vi å forsvare oss? spurte jeg.

Vi får håpe det, Halvor, sa Hemmingsen. Det meldes at Oscarsborg festning ved Drøbak har greid å senke den tyske angrepsflåtens flaggskip, krysseren Blücher, som var underveis til Oslo. Hundrevis, kanskje tusen, tyske marinegaster og soldater skal være drept i eksplosjonene eller druknet.

Arme jævler, sa jeg.

Så ble jeg fortalt at tyskerne hadde gått til angrep på Arendal, Kristiansand, Egersund, Bergen, Trondheim og Narvik. Det skal også ha vært trefninger mellom norske og tyske marinestyrker ved Stavanger.

Verst har det gått for oss nordmenn i Narvik, sa Erasmus. De to gamle panserskipene våre som var stasjonert der, hadde ikke nubbesjans mot en flotilje av moderne tyske jagere. Både Norge og

Eidsvold ble senket etter kortvarig kamp. Det skal være store tap av norske marinefolk. Hundre døde på Norge, og mer enn hundre-ogfemti på Eidsvold.

Hemmingsen sa at så store tap har nok ikke Marinen vår hatt siden Tordenskiolds tid.

Smaage fortalte at det var blitt skutt fra Kvarven fort ved Bergen mot den tyske krysseren Königsberg. Kvarven hadde fått inn flere treffere. Krysserens skjebne er uviss.

Også fra Odderøya fort ved Kristiansand er det skutt mot en tysk krysser og flere andre fiendtlige krigsskip.

Kaptein Nilsens snakk om sovjetisk invasjon i Norge og tysk invasjon for å avskjære Skottland var altså bare tankespinn. Tøv. Kapteinen bør ha en flau smak i kjeften i dag.

Det vi fikk, var et storstilt angrep fra Hitler på Danmark og Norge. Vil det gå med våre to land slik som det gikk med Polen? At Danmark og Norge blir utradert og opphører å eksistere som nasjonalstater?

Hva skjer hjemme på Rena? Heldigvis er far for gammel til å bli mobilisert til krig mot tyskerne, og Stein for ung. Men hvis nazistene virkelig får herredømme i Norge, hva vil da skje med min kommunistiske far?»

Halvor går framover på dekk og hører sinte stemmer ved treerluka. Det er Trean og Båsen som står der og skriker til hverandre.

«Det er bare piss å legge skylda på engelskmennene!» roper Båsen.

«Den engelske minelleggingen av norske farvann var en provokasjon,» sier Trean.

«La gå med det,» svarer Båsen. «Det var toskete av London. Men de engelske minene hadde ikke en dritt med den tyske invasjonen av Danmark og angrepet på Norge å gjøre. Engelskmennene hadde jo ikke lagt ut en eneste mine ved Jylland. Et så jævla omfattende angrep som det mot Norge, må Hitler ha planlagt i månedsvis.»

«Tyskerne er veldig gode til å improvisere og handle raskt når situasjonen innbyr til det.»

«Prøv å få inn i den lille nøtta di, Trean, at en invasjon i stor skala faen ikke er noe du improviserer! Det er ikke jazz tyskerne spiller, det er det store, godt planlagte krigsspillet.»

«Du bør moderere språkbruken din, båtsmann Jørgensen, når du snakker til en offiser.»

«Helvete heller,» sier Båsen. «Norge er i krig. Da får dere kara med striper tåle at vi uten striper snakker rett fra levra. Nå skal jeg opp til skipperen og be om at skipsgruppa i Union får en orientering av Gnisten om hva han har fanga opp av meldinger.»

Til Halvor sier Båsen: «Sammenkall alle mann unntatt vaktene til Union-møte i messa.»

«Skal bli,» svarer Halvor.

Han går runden og kaller inn til møte.

Etter en kattevask og et skjorteskift stiller Halvor i messa. Folk sitter der med vantro lysende i ansiktene. Det utenkelige har skjedd. Fedrelandet er i krig for første gang siden Norge ble fritt fra danskeveldet i 1814.

Telegrafist Roy Borge kommer inn i messa. Det dogger på brilleglassene hans. Han har glemt å gre skillen og glemt å ta på seg slipset. I armhulene på den lyseblå skjorta har han store svetteringer. Han legger fra seg en liten bunke notatark på et av bordene i messa.

«Ordet er ditt, Borge,» sier Båsen.

«Det viktigste jeg har å si, handler om Bergen, Oslo, Narvik, Kristiansand og Horten. Jeg har flere ganger prøvd å kalle opp Rundemanen radio i Bergen. Rundemanen svarer ikke. Det kan jeg ikke tolke som annet enn at tyskerne har uskadeliggjort eller inntatt Rundemanen. Det er derfor grunn til å frykte at Bergen er okkupert av tyskerne. Det samme ser dessverre også ut til å gjelde Oslo. Selv om *Blücher* er senket ved Oscarsborg, skal tyskerne ha greid å få inn krigsskip til Oslo havn. Tyske fly, og muligens også fallskjermsoldater, skal ha landet på Fornebu flyplass og ødelagt norske fly. Kortbølgesendingen til BBC melder at tyske soldater er sett marsjerende i Oslos gater, visstnok på 'the main street', altså Karl Johan.»

«Det var som svarte faen,» sier Båsen. «Men *slåss* vi ikke? Har vi ikke *mobilisert* Hæren?»

«Jeg vil tro vi har mobilisert,» svarer Gnisten. «Noen sikker informasjon om det har jeg ikke.»

«Det er utrolig,» sier motormann Eiebakke. «Jeg har selv vært i Hæren som korporal. Det må jo være gitt ordre over radio om full mobilisering!»

«Ka med kongen og regjeringa?» spør Smaage. «Ka med Stortinget?»

«Jeg vet ingenting sikkert,» svarer Gnisten. «Det får være en trøst at det i alle fall ikke er kommet meldinger om at konge, regjering og stortingsmedlemmer er tatt av tyskerne. Når det gjelder Narvik, er dere vel informert om senkningen av *Norge* og *Eidsvold*?»

«Ja,» svarer Båsen. «Den tragedien har vi hørt om. Dekksgutt Harald fra Haugesund har en eldre bror som tjenestegjør – *tjeneste-gjorde* – som signalmann på *Eidsvold*. Vi får håpe han har greid seg.»

«La oss be for ham,» sier motormann Leif Eiebakke.

«Dette er ikke noe bønnemøte,» sier Båsen. «Den som vil be for folk og fedreland, får gjøre det på privaten, på lugaren.»

Salonggutt Ståle Bangsund, som har flysertifikat for sjøfly fra Hong Kong og kan litt om flyvåpen, sier: «Har vi fått fly på vingene for å kjempe mot Luftwaffe?»

«Sorry,» svarer Gnisten. «Jeg vet ingenting om den norske fly-innsatsen. Boston Radio har meldt om tapet av norske marinefar-tøyer i Narvik. Boston snakket om 'two battleships sunk'. Noen slagskip var jo ikke akkurat de to gamle panserskipene våre. Boston hadde også en annen merkelig melding. Det ble sagt at 'a Nor-wegian Nazi colonel' uten kamp overga landstridsstyrkene våre i Narvik til tyskerne.»

Geir Ole sier at han tror han vet hvem denne naziskurken er. Det må være oberst Konrad Sundlo. Han har vært med i Nasjonal Sam-ling siden starten og er en av Nordlands mest beryktede nazister. Oberst Sundlo har hatt kommandoen i Narvik i noen år.

Flise-Guri erklærer at det er besynderlig at ei regjering utgått av Arbeiderpartiet har overlatt det militære ansvaret for Norges største eksporthavn til et NS-medlem.

Hemmingsen roper at han vil hjem for å slåss mot nazikrapylet.

Kokken, Filip Emanuel Fitjar fra Leirvik på Stord, spør om hvor-dan det har gått med krysseren *Königsberg* etter fulltrefferne fra Kvarven.

Gnisten svarer at han ikke kjenner den tyske krysserens skjebne. Han forteller at tysk radio melder om en vellykket ilandstigning fra tyske marinefartøyer i Kristiansand.

«Jeg er godt kjent i Kristiansand,» sier Halvor. «Vi har hørt at det ble skutt fra Odderøya. Det er en veldig sterk kystfestning. Jeg kan ikke skjønne hvordan tyske krigsskip kan ha kommet uskadd forbi Odderøya.»

«Nei, det er gåtefullt,» sier Gnisten. «Det som har skjedd i Horten, er også merkelig. Jeg har vært i kontakt med en radioamatør i Borre ved Horten. Han fortalte om skytingen på havna mellom norske og tyske krigsskip. Men han meldte videre at Horten i løpet av dagen ble overgitt til tyskerne uten kamp. Norske soldater ble jaget sammen på Marinens hovedverft av tyske tropper. Nordmennene fikk beskjed om å kle seg i sivil og reise hjem. Det skal de ha gjort.»

«Forbanna feiginger!» roper Hemmingsen.

«Kujoner!» roper Erasmus Montanus.

«Rolig nå, gutter,» sier Båsen. «Vi må passe oss for å bli dømmesyke. Jeg kjenner Horten godt. Det er en skoleby for Marinen. Der ligger Sjøkrigsskolen og Sjømilitære korps. Jeg var en tur innom korpset som utdanner underordnet befal før jeg fant ut at Marinen ikke var noe blivende sted for meg. Mens jeg var i Horten, diskuterte vi ofte hvor dårlig landforsvaret av Marinens hovedby i Norge egentlig er. Kadettene på Sjøkrigsskolen og gutta i korpset har ikke andre våpen enn noen Krag-Jørgensen-rifler.»

Eiebakke sier: «En Krag er ikke mye å stille opp med mot tyskernes Maschinengewehr, Kugelspritze og hva de nå kaller all våpendævelskapen sin.»

«Like forbanna har noe gått galt med forsvaret vårt i Horten og de andre byene,» sier Flise-Guri.

«Hvem skal vi putte blame'n på?» spør kokk Fitjar, som har seilt på amerikanske båter.

«Vi som står på dekk og dørk, må rette anklagene våre mot det øverste nivået,» sier Båsen. «Det er den politiske og militære ledelsen hjemme i Norge som er ansvarlig dersom førstelinjeforsvaret vårt har vært så dårlig som det ser ut som. Alt tyder på at generaler og politikere ble tatt på senga. De har lulla seg inn i nøytralitetens sløvsinn. De har stirra seg blinde på den sovjetiske trusselen og ikke tatt Hitlers stormannsgalskap på alvor.»

«Det var da voldsomt til talegaver du har fått, Georg,» sier Flise-Guri.

Båsen ler og tenner en sigarett. Messa er stinn av røyk, og her lukter ramt av svette.

«Vi må snart la Gnisten få gå tilbake til radiorommet,» sier Båsen. «Flere spørsmål?»

Geir Ole spør om tyskerne har gått i land i Lofoten og Vesterålen, Harstad og Tromsø.

Gnisten sier at det ikke er kommet meldinger som tyder på det.

«Me går med ein stor last kopra for Fredrikstad,» sier Smaage. «Ka vil skje med den lasta?»

Gnisten sier at det vil være avhengig av krigens gang. Foreløpig stevner *Tomar* på sin planlagte kurs mot Adenbukta.

«Tyskernes angrep på Norge er så dristig at det nesten må kunne kalles *dumdristig*,» sier Båsen. «Hitler har strukket forsynings-linjene sine veldig langt. Vi må kunne forvente at engelskmennene og franskmennene vil prøve å skape trøbbel for Wehrmacht i Norge. Kanskje vi kommer hjem til et land under alliert kontroll, og et fritt Fredrikstad.»

«Vil hyra vår fortsette å dreie?» spør Hemmingsen. «Hva vil skje hvis kontakten vår med rederiet blir brutt?»

«Det kan jeg ikke svare på,» sier Gnisten. «Kapteinen, første-maskinisten, førstestyrmannen og stuerten skal holde et skipsråd i morgen. Da vil vi kanskje få vite mer.»

«Et *skipsråd*?» sier Båsen. «Du kan hilse de høye herrer og si at jeg som tillitsmann om bord forlanger å få være med på det skipsrådet.»

«Jeg vet ikke om det i Sjømannsloven finnes noen hjemmel for slik deltakelse,» sier Gnisten.

«Tvers igjennom lov til seier! Ikke går der andre veier, som Rudolf Nilsen skrev,» sier Båsen. «Vi skal som Union for pokker *kreve* at jeg får bli med på det rådet. Det er det minste skipsledelsen kan gjøre nå som vi har en ekstravagant situasjon.»

«Ekstra*ordinær*,» sier Bangsund.

«Ekstra-hva-faen,» sier Båsen. «Jeg foreslår at vi vedtar her og nå at jeg skal delta på rådsmøtet, og at vi ikke finner oss i avslag på kravet.»

«Hva hvis det *blir* avslag?» sier Flise-Guri.

«Da får vi sette makt bak kravet, karer!»

«Hva slags makt skulle det være?» spør Åge. «Å kreve deltakelse i et skipsråd ville vært utenkelig under Den store krigen.»

«Under den krigen var Union en baby,» sier Båsen. «Nå har Union blitt voksen og fått muskler. Vi lever midt i det århundret som kommer til å bli kalt *fagforeningenes århundre*. Vi på dekk og dørk har kampmidler som kan *tvinge* skipperen og kompani til å høre på oss.»

«Hva tenker du på?» spør Flise-Guri.

«Noe jævla enkelt,» svarer Båsen. «At vi setter oss.»

«*Setter oss*?» sier Hemmingsen.

«Ja, at vi setter oss på ræva, alle mann. Vi går til det som blir kalt *sit down-streik*. Ingen går på vakt på dekk, i maskinen og i byssa. Vi nekter simpelthen å arbeide.»

Det blir susende stille i messa.

Båsen blåser ut et par røykringer.

«Dette er uhørt,» sier motormann Eiebakke. «Det er i strid med både Skriftens lære og Norges lov. Det er ikke bare oppvigleri. Jeg vil kalle det *mytteri*. Hvis vi går til streik, vil alle mann bli satt i land i Aden.»

«Sludder,» sier Båsen. «Hvor skal *Tomar* i så fall få mannskap fra? Skal kaptein Nilsen hyre en bande arabere i Aden? Nå som Norge er i krig, er vi gutta som seiler, verdt vår vekt i gull. Da må vi kjenne vår besøkelsestid og ikke la oss plukke på nesa.»

«Styrmennene, maskinistene og stuerten kan holde skuta gående ganske lenge uten oss,» sier Flise-Guri.

«Sant nok,» sier Båsen. «Men vi har et trumfkort, gutter! Skipsførerne, styrmennene og maskinistene har sine egne forbund. Radiotelegrafistene er for få til å ha eget forbund. Derfor har Union åpnet for at gnistene kan bli med hos oss. I Singapore tok jeg med en mann fra skuta vår på det berømte Hotel Raffles, spanderte en Singapore Sling på ham og vervet ham til Union. Dere kan jo gjette hvem det er?»

Alles blikk retter seg mot telegrafist Roy Borge. Han rødmer, og brillene hans blir så dogget av svette at han må ta dem av seg.

«Er *du* medlem i Union?» spør Hemmingsen.

«Ja, det er jeg,» svarer Gnisten.

«Jøss,» utbryter Halvor og flere andre.

«Da er spørsmålet, Roy,» sier Båsen. «Blir du med oss hvis vi går til sit down?»

«Når jeg er blitt med i en fagforening, vil jeg gjøre som foreningens flertall beslutter,» sier Gnisten.

«Sånn skal det låte,» sier Båsen. «Tredjestyrmann Kvalbein har litt erfaring med radiotelegrafi. Men Trean er ingen proff gnist sånn som vår mann Roy Borge. Er det noen kaptein Nilsen ikke vil miste i vår ekstra*ordinære* situasjon, så er det en av den norske handelsflåtens mest dugelige telegrafister. Da har vi snakka lenge nok. Vi går til avstemning. Sekretæren vår, lettmatros Skramstad, får være ekstra nøye med å føre protokoll. Har du spissa blyanten, Skogsmatrosen?»

Halvor nikker.

«Her stemmes,» sier Båsen. «De som går inn for sit down dersom skipets tillitsmann ikke får bli med på skipsrådet, forholder seg rolige. *Comprende*, motormann Ortega?»

«Jeg forstå,» sier Pablo Ortega. «Jeg gå for streik sit down.»

«*Understand*, messemann Cheng?» spør Båsen.

«No sure,» svarer Cheng.

Ortega og Cheng veksler noen ord på spansk. Halvor tenker at det er bra at spansk og portugisisk ikke er mer forskjellige språk enn svensk og norsk. Han hører ordet «greve» bli sagt flere ganger. Det har neppe noe med grever og baroner å gjøre, det betyr nok streik.

«Okey,» sier Cheng. «*Uma greve de sit down.*»

«Bra,» sier Båsen. «De som er imot, viser det ved håndsopprekning.»

Motormennene Eiebakke og Smaage rekker armen i været. Det samme gjør kokk Fitjar. Dekksgutt Harald løfter armen, men lar den falle igjen.

«Vel blåst,» sier Båsen. «Skramstad fører ingen navn på stemmegivere i protokollen, bare avstemningsresultatet. Da har de høye herrer fått noe å tygge på.»

Kapittel 19

Halvor går til rors klokka åtte om kvelden. Alle tre styrmennene, kapteinen, førstemaskinist Vadheim og stuert Dyrkorn er samlet i styrhuset. Der hersker en trykket stemning.

Tomar seiler på blankt vann under en overskyet himmel. Av og til faller regndrypp på styrhusvinduene. Det er varmt og fuktig som i et drivhus i styrhuset.

Solene som opplyser nøytralitetsmerket, er slukket, men skipet seiler med tente lanterner.

Plutselig står kaptein Nilsen ved siden av Halvor.

«Si meg, Skramstad,» sier kapteinen, «var De med på dette rabaldermøtet i mannskapsmessen?»

«Jeg er medlem i Union.»

«Det var ikke det jeg spurte Dem om. Var De på møtet i den såkalte skipsgruppen?»

«Ja,» svarer Halvor. «Og det var slett ikke noe rabaldermøte.»

«En trussel om streik!» bjeffer kapteinen. «Tror dere jeg finner meg i det? Ingen uvedkommende skal få delta i mine skipsråd. Dermed basta!»

Halvor kommer ut av kurs og må gi mye ror for å rette opp skuta. Han hører slag fra klokka framme på bakken, der Åge går utkikk.

«Skip på babord baug!» roper Trean.

Kaptein Nilsen går tilbake til sin post ved styrhusvinduet. Det er Halvor glad for.

Han har aldri før sett skipperen så opphisset, og han føler seg ikke kallet til å ta en diskusjon med kaptein Nilsen.

Trean går ut på babord bruving med Aldis-lampa, notatblokk og lommelykt. Raske lyssignaler splitter tropenattas mørke. Det fremmede skipet passerer bare noen kabellengder foran *Tomar*.

«En dansk broder,» sier Trean da han kommer inn i styrhuset igjen. «Det var *Nikolaus T. Neergaard* av København, underveis fra Durban til Bombay med stykkgods. Her er hva danskene meldte, ifølge det jeg har rablet ned på blokka: 'Kaptein Anker Rasmussen og hans besætning ønsker jer nordmænd hæld og lykke i kampen mot tyskerne', og 'Vi misunner jer som kan kæmpe'.»

«Jeg vet ikke om den kampen er noe å misunne oss,» sier kaptein Nilsen.

Det blir stille i styrhuset.

Granli kremter som om han vil si noe, men sier ingenting. Kapteinen byr på sigaretter. Det lyser i sigarettglør.

«Thorvald Staunings regjering og kong Christian av Danmark har innstilt all militær motstand og overgitt seg til tyskerne,» sier kapteinen. «Det var nok det klokeste de kunne gjøre. Til gjengjeld for våpenstillstanden har tyskerne garantert at Danmarks politiske uavhengighet og territorielle integritet vil bli respektert. Danskene får beholde sin hær og flåte. Hva har vi nordmenn fått?»

«En mulighet til å kjempe for friheten vår,» sier Granli.

«Jeg hadde ikke ventet meg slikt kraftpatriotisk tøv fra Dem, styrmann Granli,» sier kapteinen. «Vi har fått en krig på nakken som vi er dømt til å tape. I motsetning til danskene har vi ikke fått noen som helst garantier fra Tyskland om politisk uavhengighet eller at Norge får beholde sitt territorium uinnskrenket.»

Chief Vadheim sier at politiske garantier fra Hitler ikke er verdt papiret de er skrevet på. Stuerten sier seg enig med Chiefen. Trean erklærer at det er umulig å stole på en bedrager og folkeforfører som Hitler, og at Norge må kjempe mot nazismen. Nyhus mener at fortsatt væpnet kamp er det eneste som kan redde Norge fra undergangen.

«Hva er det som går av dere, mine herrer?» roper kaptein Nilsen. Han slår på lyset i styrhuset, og Halvor blendes og kommer ut av kurs.

«Nå jeg vil se dem jeg snakker med, rett i øynene,» sier kapteinen. «Det ser ut som Norges militære styrker har gått i oppløsning. Tyskerne har uten plunder tatt de større byene. Vi må anta at kong Haakon og regjeringen Nygaardsvold er på vill flukt. Kongen er etter alt å dømme redusert til en simpel rømling! Og dere babler om kamp. Det riktige vil være å slutte fred med Tyskland øyeblikkelig, og håpe på best mulige vilkår.»

Granli går ut på bruvingen, hiver sigarettstumpen på sjøen og kommer inn igjen i styrhuset. Styrmannslua hans med det hvite overtrekket har fått noen regnværsflekker.

«Unnskyld at jeg sier det, kaptein Nilsen,» sier Granli. «Men det De sa nå, var rein og skjær defaitisme.»

«*Defaitisme!*» roper kapteinen. «Nå står ikke verden til påske. Jeg har en annenstyrmann som beskylder meg for defaitisme, og en radiooffiser som vil gå til streik mot meg. Er alle mann om bord blitt rebeller? Må jeg til slutt forskanse meg i bestikken med min revolver?»

«Ta det med ro,» sier Granli. «Det er nye tider nå. Og hvilken skade kan det gjøre om båtsmann Jørgensen får være med på skipsrådet?»

«Jeg tenker ikke på skade,» svarer kapteinen. «Det jeg tenker på, er det fullstendig uhørte i kravet fra mannskapet.»

Gnisten kommer inn i styrhuset med en liten bunke telegrammer i neven.

«Jaså, der er De, Borge,» sier kapteinen. «Jeg vet ikke om jeg ønsker å snakke med Dem nå som De er blitt Union-mann og vil streike mot meg. Fatt Dem i korthet.»

«Kongen og regjeringen skal være kommet til Hamar,» sier Gnisten.

«Hva med Stortinget?» spør Nyhus.

«Er stortingspresident Hambro med til Hamar?» spør Granli. «Hambro er den eneste jeg stoler på at kan holde hodet kaldt når Norge er i krig.»

«Jeg har ingen nyheter om Stortinget og Hambro,» sier Gnisten. «Oslo radio har sendt ut ordre til alle norske skip i utenriksfart om umiddelbart å sette kurs for tysk havn. Eventuelt italiensk havn, eller annen nøytral havn. Kaptein Erik Ottestad på Wilhelmsens *Tristan*, som befinner seg i Middelhavet, har sendt oss melding via Suez radio om at han ikke vil etterkomme tyskernes ordre. Han er bound for La Spezia i Italia, men vil gå til franskmennenes flåtehavn Oran i Algerie.»

«Godt,» sier kapteinen. «De kan sende melding tilbake igjen til min gode venn Ottestad på *Tristan* om at heller ikke *Tomar* vil etterkomme ordre fra Tyskland. Vi følger bare ordre fra norsk myndighet eller rederiet. Selv om vi har en regjering på flukt, er den landets øverste myndighet inntil annen regjering er valgt på lovlig vis. Har De greid å komme i kontakt med rederiet?»

«Nei, dessverre,» sier Gnisten. «Jeg trodde jeg hadde forbindelse med Jeløy radio ved Moss, men hvis det var en forbindelse, ble den straks brutt. BBC melder om store ansamlinger av svenske troppestyrker ved Norges grense. Spesielt nevnt ble Charlottenberg ved jernbanelinjen mellom Oslo og Stockholm, Ed ved banen mellom Oslo og Göteborg, Abisko ved Ofotbanen og Storlien ved banen mellom Trondheim og Jämtland.»

«BBC kan man normalt stole på,» sier kapteinen. «Er det noen her som tror at denne oppmarsjen betyr at Sverige vil benytte anledningen og rykke inn i Norge for å dele landet vårt med Tyskland?»

Det svares et unisont «nei», og Halvor gir sitt besyv med i neikoret.

«Da tenker vi for en gangs skyld likt,» sier kapteinen. «Det svenskene gjør, er ganske enkelt å styrke grenseforsvaret sitt så ikke tyskerne skal få griller i hodet og innbille seg at de kan ta Sverige i samme jafset som de tok Danmark og gikk løs på Norge. Hva bør vi frykte?»

Chiefen sier at han regner med at svaret er Sovjetunionen.

«Ganske riktig,» sier kaptein Nilsen. «Jeg har merket meg at Hitler ikke har gått til angrep i Troms og Finnmark. Det samme har sikkert også Stalin merket seg. Kan hende det til og med finnes en avtale mellom Berlin og Moskva om deling av Norge. Stalin får ta våre to nordligste fylker. Før vi vet ordet av det, kan Norges skjebne bli som Polens. Landet blir delt i to okkuperte soner og opphører å eksistere som nasjonalstat.»

Ved midnatt blir Halvor avløst ved roret av Hemmingsen. Det er blitt stille i styrhuset. Chiefen, stuerten, Nyhus og Trean har gått ned. Kapteinen tar seg en strekk på benken i bestikken.

Halvor spør Granli om det er i orden at han blir værende på brua. Han har ikke ro i kroppen til å gå på lugaren og køye, og er så utrolig sugen på flere nyheter om krigen i Norge.

«Greit,» sier Granli. «Du får holde deg ute på babord bruving.»

Etter en halvtimes tid kommer Granli ut på bruvingen for å trekke friskt luft. Regnet har renset atmosfæren, og *Tomar* har fått en liten bris inn forfra.

«Kjølig og fint her ute,» sier Granli. «Vet du hvem Nikolaus T. Neergaard var?»

«En skipsreder, kanskje,» svarer Halvor.

«Nei, han var statsminister i Danmark. I to perioder.»

«Hvordan pokker vet du sånt?»

«Jeg har alltid likt å følge med på den hjemlige politikken og verdenspolitikken. Neergaard representerte partiet Venstre, som er et konservativt parti etter min smak. Jeg har i alle år vært en ihuga motstander av fagorganisering og har nekta plent å la meg verve til Norsk Styrmandsforening. Nå som Norge er i krig, vil jeg vurdere å melde meg inn.»

«Kan jeg tenne en røyk?» spør Halvor.

«Bare røyk, Skramstad. Vi får tro at tyskerne ikke har noen ubåter her i Det indiske hav.»

«Hva har tyske ubåter med sigaretten min å gjøre?»

«Under Den store krigen, da skipene seilte mørklagte, hendte det at tyske ubåtskippere fyrte av en torpedo når de gjennom periskopet fikk øye på ei sigarettglo på et skipsdekk.»

De to røyker i taushet.

Inne i styrhuset står Hemmingsen og plystrer på melodien fra filmen *Sången om den eldröda blomman*. Er det noe som virkelig er forbudt i Wilhelmsen, er det å plystre mens man står til rors!

Men Granli reagerer ikke på plystringa.

Halvor spør: «Hvem kommer danske skip til å seile for nå som Danmark er tatt av tyskerne?»

«Umulig å si. Kanskje en del danske skippere prøver å danne en uavhengig dansk flåte. Milliondollarspørsmålet er hvem *vi*, vi nordmenn, kommer til å seile for.»

«Hva tror du?»

«Akkurat nå går spørsmålet om hvordan de skal forholde seg til tyskernes ordre, som en løpeild mellom skipperne i den norske handelsflåten. Det kan finnes en og annen nazikaptein som velger å følge den fordømte ordren om å gå til tysk havn. Men det store flertallet vil ikke ta diktat fra tyskerne. Vi får håpe det kan dannes en fri norsk handelsflåte. At vi kan seile med flagget heist og hodet hevet. Det vil være en jævlig dårlig start på krigsseilasen dersom dere gutta går til streik. Dere må faen ikke la dere lede av et brushode som Båsen.»

«Det er ikke annet enn rett og rimelig at Union får delta i skipsrådet.»

«Når var det noe som het *rett og rimelig* til sjøs?» sier Granli.

«Skipperens ord må være skipets lov.»

«Vi lever ikke i seilskutetida lenger.»

«Kaptein Nilsen er under et voldsomt press. Han er redd for å miste ansikt, som kineserne sier. Det dummeste mannskapet på *Tomar* kan gjøre nå, er å la skipperen miste ansikt. Da får vi et nervevrak av en kaptein her om bord. Jeg har foreslått et opplegg for ham som gjør at det kan holdes skipsråd med deltakelse fra mannskapet, uten at det virker som om kaptein Nilsen har gitt etter for press og streiketrussel fra Union.»

«Hva slags opplegg?»

«Det vil du få vite i morra.»

Tomar seiler inn i en regnbyge. Halvor og Granli lar seg dusje av det forfriskende regnet.

«Vi må forberede oss på en lang, seig krig,» sier Granli. «Noen blir alltid gratispassasjerer også når det er krig. Men vi sjøfolk kommer ikke til å få noe gratis. For oss blir det hårda bud.»

Hemmingsen roper inne fra styrhuset: «Har den helvetes jævla bygdetullingen *tatt makta i Norge?*»

Granli løper inn i styrhuset. Halvor smyger seg etter ham og stiller seg i den mørkeste kroken. Han ser at både Gnisten og kaptein Nilsen er kommet opp.

«Hva er det du bæljer om, Hemmingsen?» roper Granli.

«Hør på hva Gnisten har å si,» svarer Hemmingsen.

Kaptein Nilsen tenner lyset i styrhuset. Gnisten står der med håret rett til værs og brillene på snei.

«Hva har De å si, telegrafist Borge?» spør kapteinen. «De vekket meg fra min slummer, og jeg syntes de sa navnet Quisling.»

«Det stemmer,» sier Gnisten. «Vidkun Quisling har holdt en tale over Oslo radio klokka halv åtte i kveld norsk tid. Meldingene om hva han har sagt, er sprikende på de forskjellige radiokanalene. Men det som står fast, er at Quisling har proklamert at han har tatt over som statsminister.»

Det blir knepp stille i styrhuset. Alt som høres, er den fjerne duren fra maskinen og drypp av tropisk regn mot styrhusvinduene.

Kaptein Nilsen bryter stillheten: «Quisling statsminister? Det høres ut som et *statskupp*. Hva har skjedd med regjeringen Nygaardsvold?»

«Quisling hevder at Nygaardsvolds regjering har fratrådt,» sier Gnisten. «BBC bruker uttrykket 'stepped down' om det Quisling sa.»

«Hva sier Nygaardsvold selv om denne utrolige hendelsen?» spør kapteinen.

«Det har jeg ingen informasjon om,» sier Gnisten. «Regjeringen har jo flyktet til Hedmark og har sikkert problemer med å kommunisere med utlandet. Min personlige mening er at Nygaardsvold umulig kan ha gitt fra seg makten til en politiker som Quisling, som har så minimal støtte i folket.»

«Jeg er helt enig med telegrafist Borge,» sier Granli. «Quisling har alltid vært en bløffmaker: Vi husker det berømmelige pepper-attentatet han påsto han var utsatt for. Jeg tror han har prøvd seg på en desperat bløff nå også.»

«Men sikre kan vi ikke være,» sier kapteinen.

«Jeg føler meg rimelig sikker,» sier Granli. «Selv brukte De ordet 'statskupp', kaptein Nilsen. Og det er nok dekkende. Statskupp og jævla landsforræderi.»

«Et statskupp i *radioen*,» sier Gnisten. «Dette må være første gang i historien at det er blitt begått statskupp i radio.»

«Quisling er faen meg frekkere enn flatlusa,» sier Granli.

«Jeg må be Dem passe språkbruken Deres, styrmann Granli,» sier kapteinen. «For øvrig er jeg enig med Dem. Hva mer sa frek-kasen Quisling i den fordømte talen sin?»

Gnisten fisker noen krøllete notatark opp av bukselomma si, ret-ter på brillene og sier: «Det jeg har notert, er nokså rablete, og jeg er ikke sikker på at alt er korrekt oversatt fra engelsk. Han begynte med å si at Tyskland var kommet for å hjelpe Norge på grunn av den britiske mineleggingen. Så sa han at når regjeringen Nygaards-vold var gått av, var det Nasjonal Samlings plikt å overta regjerings-makten. Han sa at det var hensiktsløst å gjøre militær motstand. Han kalte slik motstand for kriminell ødeleggelse. Han oppfordret spesielt offiserene i Hæren, Marinen, Luftvåpenet og Coastal Defence ...»

«Coastal Defence må være Kystartilleriet,» sier Granli.

«Ja visst,» sier Gnisten. «Quisling oppfordret offiserene til å legge ned våpnene. Han nevnte navn på regjeringsmedlemmer han har utnevnt. Da dette ble nevnt på BBC, hadde jeg nokså dårlig mot-tak, og flere av navnene var ukjente for meg. Men jeg fikk med meg at 'landowner' Frederik Prytz er utnevnt til finansminister, og poli-timester Jonas Lie til justisminister.»

Kaptein Nilsen tenner en sigarett og byr Granli og Gnisten. Han får øye på Halvor, som står musestille i kroken.

«Hva gjør du her på broen, Skramstad?» spør kapteinen. «Dette er ikke din vakt.»

«Jeg er her fordi jeg brenner etter å få nyheter fra Norge,» svarer Halvor.

«Ja vel, det kan man jo forstå. Du kan bli værende.»

«Den jævla Quisling!» sier Halvor.

«En sånn helsikes pikk!» roper Hemmingsen.

«Dere matroser får holde meningsytringene deres for dere selv,» sier kapteinen, slukker styrhuslyset og henvender seg til Gnisten. «Uttalte Quisling seg om handelsflåten?»

«Det ble ikke referert noe om handelsflåten.»

«Er De sikker på at godseier Prytz ble nevnt som Quislings minister?»

«Absolutt.»

«Det er en skjebnens ironi,» sier kaptein Nilsen. «Prytz tjente seg en formue på skogbruk i stor skala i Russland før revolusjonen. Da han kom tilbake til Norge, kjøpte han godset Storfosen på kysten av Trøndelag. Det var på denne gården en av Henrik Ibsens heltinner bodde på femtenhundretallet. Fru Inger til Østråt. Ibsen beskriver henne som den siste forkjemperen for norsk selvstendighet. Nå har altså herren til Østråt gått inn i en regjering som vil overgi Norge til Tyskland og utslette vår selvstendighet. Quisling regjerer helt åpenbart på tyskernes bajonetter.»

«Er nå det så sikkert?» sier Granli. «Tyskerne er ikke kommet til Norge for å gjøre seg populære. Men de er ikke politiske idioter, og de vil vel prøve å sette inn en marionettregjering som har større folkelig støtte enn den banden Quisling kan tromme sammen. Jeg kan ikke tenke meg at Quisling har fått med seg andre enn NS-folk i en kuppmakerregjering. Kan hende han ikke har ryggdekning i det hele tatt hos den tyske overkommandoen i Norge. Ja, jeg mistenker at han har utført et *one man show.*»

«Vel talt, styrmann Granli,» sier kapteinen. «De har kanskje et poeng. Men la oss ikke glemme at Quisling var i audiens hos Hitler så sent som i desember i fjor. Hvordan tror dere Quislings tale ble tatt imot ved radioapparatene hjemme i Norge?»

«Det var nok langt mellom heia-ropene og applausen,» sier Gnisten. «Jeg kan formelig høre fy-rop og eder og forbannelser. Nasjonal Samling har aldri vært i nærheten av å få et stortingsmandat. Og så oppkaster lederen, for ikke å si *føreren,* seg til statsminister!»

«Ja, det har heldigvis gått skeis for NS i valgene,» sier kapteinen. «Ved siste kommunevalg, det var vel i syvogtredve, fikk NS så vidt jeg vet bare valgt inn fem herredsstyrerepresentanter i hele landet. Tre av dem var i ditt hjemfylke, Skramstad, stemmer ikke det?»

«Jo,» svarer Halvor. «NS kom inn i Elverum og Trysil, og så tror jeg den tredje representanten i Hedmark kom inn i Våler. Men de to nazistene som kom inn i Åmot ved valget i fireogtredve, røyk ut ved siste valg. Så det går ikke an å kalle Hedmark for et nazifylke.»

«Du bør gå og få deg litt søvn, unge mann,» sier kaptein Nilsen.

«Død over Quisling og alle hans lakeier!» sier Halvor.

Han stuper i bingen og slukner momentant.

Kapittel 20

Halvor og Flise-Guri møtes før frokost ved oppslagstavla utenfor mannskapsmessa. De leser teksten på det maskinskrevne arket som er hengt opp:

«Melding til mannskapet på M/S TOMAR. I den situasjonen Norge er kommet opp i, med militært angrep fra Tyskland og Quislings proklamasjon av seg selv som statsminister, har jeg funnet grunn til å invitere til en uformell rådslagning, der også representanter for mannskapet skal delta. For offiserene deltar førstemaskinist Vadheim, førstestyrmann Nyhus og stuert Dyrkorn, samt radiooffiser Borge. Fra mannskapet innkalles én fra hvert departement om bord: båtsmann Jørgensen fra dekkspersonalet, motormann Smaage fra maskinpersonalet og kokk Fitjar fra byssepersonalet. Det som vil bli drøftet, er saker vedrørende skipets krigsseilas, sikkerhetsforanstaltninger, hyrespørsmål m.v. Rådslaget finner sted i min salong kl. 13.00 i dag, onsdag 10. april 1940. Ivar A. Nilsen, skipsfører.»

«Dette er faen knuse meg et Columbi egg,» sier Flise-Guri. «Skipperen redder ansikt på den måten. Han behøver ikke holde noe formelt skipsråd, men kan likevel ta Båsen med på råd og dermed unngå streik. Gadd vite hvordan Båsen reagerer på dette budskapet.»

Båsen dukker opp iført malingsflekkede shorts laget av ei dongeribukse. I ei slire i beltet henger Båsens uunnværlige følgesvenn, Mora-kniven. Han leser raskt igjennom skrivet.

«Akseptabelt,» sier Båsen. «Vi i Union skal ikke være flisespikkere og prinsippryttere. Det viktigste for oss er at mannskapet blir tatt med på råd.»

Halvor spiser en god porsjon havregraut til frokost. På grauten har han jordbærsyltetøy og melk. I Hong Kong fikk de om bord en liten maskin, ei jernku, som lager en slags melk av tørrmelkspulver, margarin og vann. Melka fra jernkua er ikke noe særlig å drikke, men den går fint til graut. Det er også kokte egg, ett per mann.

Halvor kakker toppen av egget sitt. Han tenker på det Columbus gjorde da han fikk et egg til å stå ved å klaske toppen i bordet. Styrmann Granli gjorde klokt i å gi skipperen råd om å gjøre et kompromiss ved å holde et uformelt rådslag. Det er synd Granli ikke er mer radikal. Han kunne blitt en bra politiker for arbeiderklassen i Norge.

«Guerra for Norway very bad,» sier messemann Cheng. «Mister Ling very bad hombre.»

«Yes, the war is very bad,» sier Halvor. «But who is Mister Ling?»

«Traidor de Norway,» sier Cheng. «Mister Quiz Ling.»

Halvor må le. Han hadde aldri trodd han skulle le av å høre forræderens navn. Heretter skal han kalle mannen for Quiz Ling, for å gjøre ham mindre farlig, latterlig.

Han tar med seg kaffekruset opp på poopen. Det er ennå regn i lufta, og et svalt drag. Temperaturen er nok under tredve grader. Sjøen i Det indiske hav ligger blågrå med slak dønning.

På poopen sitter Erasmus Montanus på en taukveil, leser i et gammelt nummer av ukebladet Skib o'hoi og kjøler seg ned før han skal gå på vakt i maskinrommet, der det er oppunder femti varmegrader.

Halvor tenner en Camel og tar noen djupe morradrag.

«Skal tro hvor Milde Måne befinner seg nå,» sier Erasmus.

«Kanskje han er ute i bushen i Kina og ikke aner at Norge er i krig med Tyskland.»

«Tror du de røde gulingene vil la en hvit mann slutte seg til deres rekker?»

«Jeg vil da tro det,» svarer Halvor. «Kommunismens parole er jo 'proletarer i alle land, foren dere!'.»

Halvor går til rors klokka åtte. Kaptein Nilsen er på plass på brua og ser ut som han ikke har sovet stort.

Gnisten kommer inn i styrhuset. Han er rød i øynene av nattevåk, men har skiftet skjorte og fått gredd håret.

«En god nyhet hjemmefra,» sier Gnisten. «BBC melder at en tysk krysser er senket ved Kristiansand.»

«Strålende,» sier kapteinen. «Vet De mer om senkningen?»

«Det dreier seg om den lette krysseren Karlsruhe. Den ble senket i går kveld, klokka atten Greenwich Mean Time, av en britisk ubåt. Det skal ha skjedd i en posisjon ti nautiske mil sør for et fyr BBC kaller Aksoy.»

«Fyret må være Oksøy,» sier Trean. «Modig gjort av en britisk ubåt å stikke nesa inn i Skagerrak nå som det koker av tyske krigsskip der. Har du mer informasjon, Roy?»

«Ikke så mye,» svarer Gnisten. «Krysseren *Karlsruhe* skal ha vært på vei tilbake til Tyskland etter å ha satt i land tropper i Kristiansand.»

Kapteinen, Trean og Gnisten snakker om det merkelige at *Karlsruhe* og de andre tyske skipene kom seg forbi Odderøya festning.

«Godt at krysserens skjebne likevel ble beseglet,» sier kapteinen. «Da vil jeg be Dem, Borge, om å henge opp en radiopresse om *Karlsruhe*. Mannskapet trenger all den oppmuntring det kan få, i denne tunge tid for Norge.»

Da han går på utkikk på styrbord bruving, får Halvor øye på en røykstrime i horisonten forut. Han varsler Trean.

Et gråmalt krigsskip dukker opp, med røyk veltende fra skorsteinen.

Trean gransker skipet i kikkerten.

«Ser ut som en britisk jager,» sier han. «Det var da faen som hun ryker. De må ha dårlig kull eller dårlig olje. Jeg skal banne på at engelskmennene kommer til å praie oss.»

Jageren nærmer seg med stor fart. Det skummer hvitt om baugen som pløyer seg gjennom dønningene. Kanonløpene peker truende ut over havet.

Kaptein Nilsen slår dead slow på maskintelegrafen.

Trean gjør klar Aldis-lampa.

Jageren sakker av på farta og legger bi et par kabellengder fra *Tomar*.

Halvor kan lese navnet som står skrevet med gullbokstaver på navnebrettet av teak: «HMS TRINCOMALEE».

Fra brua på *Trincomalee* kommer en serie lynraske morsesignaler.

«Faen,» sier Trean. «Signalmannen deres må ha fått i seg for mye rom. Han sender så kjapt at jeg ikke greier lese ham. Jeg sender: Reduce signal speed, please.»

Signalene fra *Trincomalee* kommer saktere. Trean forteller kaptein Nilsen hva britene spør om. Det dreier seg om last og bestemmelsessted.

Det blir en ganske lang signalutveksling.

Trincomalee ruser maskinen og spyr ut røyk.

«Hva var det siste signalet de sendte?» spør kaptein Nilsen.

«You may proceed to Aden,» sier Trean. «Allernådigst! Engelsk-mennene oppfører seg faen ta meg som om de skulle eie hele Det indiske hav.»

«I praksis gjør de faktisk det,» sier kapteinen. «Man kan tenke på Det indiske hav som en britisk innsjø. Havet er omkranset av imperieland på alle kanter, fra Australia til Kenya, fra Aden til India. Det blir som romernes Middelhav. Det indiske hav er britenes Mare Nostrum.»

Kapteinen slår full speed ahead på maskintelegrafen.

Halvor kjenner at det rykker i skroget, og hører den vante duren fra maskinen når den akselererer opp til fullt turtall. Men det er noe han savner. Hva er det?

Det er gleden over at skipet kommer i fart. Han har alltid gledet seg over at *Tomar* setter speeden opp etter et havneanløp eller en stopp i maskinen i rom sjø. Hans dragning mot sjøen har vært en dragning etter å være i *bevegelse*. Den stadige bevegelsen mot nye mål har vært sjømannsyrkets største fortrinn for ham. Han må ha arvet trangen til fart fra faren sin, som suser av gårde på blanke stålskinner.

Nå er gleden hans dempet. De skal til Aden. Men hva så? Hvor skal *Tomar* etter Aden?

Halvor bærer på et spørsmål han ikke har turt å stille til noen om bord: Hva hvis rederiet Wilh. Wilhelmsen beordrer *Tomar* hjem til Fredrikstad med kopralasta til De-No-Fa?

Han mistenker ikke sjefene i rederiet for å være nazister. De er sikkert gode nordmenn. Men tyskerne har i løpet av ett eneste døgn fått så stor makt i Norge at de har ødelagt landets normale styre-sett, jagd konge og regjering til Hedmark og tatt kommandoen i de største byene. Hitler holder Norge i et jerngrep som sikkert vil bli strammere og strammere.

Tyskerne vil sette mye inn på å få *Tomar* til Fredrikstad. Det kan lages noen tusen tonn margarin av kopraen. Kanskje står i dette øyeblikk en tysk admiral på Wilhelmsens kontor og roper til rederi-ledelsen: «Bringen sie *Tomar* heimat, meine Herren! Oder ...»

Admiralen får gastene han har med seg, til å rette maskinpisto-lene sine mot rederne.

«Oder pang-pang-pang!»

Eller som de ropte i skolegården i Elverum når de skulle spille onde torturtyskere:

«Wir haben doch andere Methoden!»

Hvordan vil kaptein Nilsen reagere hvis han får vite at Wilhelmsens ledere blir holdt som gisler inntil *Tomar* ligger ved kaia ved Glommas utløp?

Hva slags skip blir det neste som praier *Tomar*? En italiensk jager i Middelhavet som beordrer dem inn til Palermo? En tysk jager i Nordsjøen som beordrer dem til Hamburg?

Midt under middagen, som er smakelig bacalao etter en oppskrift Cheng har gitt til kokken, kommer Gnisten til mannskapsmessa.

«Kongen og regjeringen står fast mot tyskerne og Quisling,» sier Gnisten. «Kongen er blitt oppsøkt av Tysklands sendemann, doktor Curt Bräuer. Tyskeren ba kong Haakon utnevne Quisling til statsminister. Det nektet kongen. Konge og regjering har sendt ut en appell til det norske folk om at Norge ikke skal bli noe lydrike for Tyskland.»

Det klappes i messa. Motormann Smaage foreslår at det ropes et tre-ganger-tre hurra for kongen. Det ropes, men ikke veldig kraftfullt.

«Hvor *er* kongen?» spør Flise-Guri.

«Så vidt jeg forstår, er kongen og regjeringen i Elverum,» svarer Gnisten.

«Og mobiliseringa?» spør Båsen.

«Det er litt uklart.»

«Uklart!» fnyser Båsen. «Hvis det ikke er full militær mobilisering, da må faen ta alle generaler og admiraler og Nygaardsvold og hele hans regjering!»

«Norske soldater har møtt tyske soldater med kraftig ildgivning på et sted som heter Midtskogen,» sier Gnisten. «Det er en gård ved riksveien mellom Hamar og Elverum. Tyskerne var på jakt etter kongen, kronprins Olav og regjeringen. Tyskerne ble slått og måtte trekke seg tilbake.»

«Bravo!» roper Båsen. «Den kampen kan ha reddet mye for Norge.»

En ung, stillfaren motormann som heter Eivind Stokkan og kommer fra øya Hitra, spør om kongen og kronprinsen er på flukt over til Sverige.

«Det vet jeg ingenting om,» svarer Gnisten. «Siden kronprinsesse Märtha er svensk, er det vel ikke umulig at i alle fall *hun* flykter til

218

Sverige, og at hun tar med seg barna, Ragnhild, Astrid og lille Harald. Jeg har en annen god nyhet hjemmefra i tillegg til kongens nei til Hitler. Den tyske krysseren *Königsberg* er blitt senket i Bergens havn.»

«Jøss, det høres utrolig ut,» sier Flise-Guri. «Hvordan skjedde det?»

«Krysseren skal ha vært skadet etter kamp med norske kystbatterier. Den lå ved en kai som jeg i BBCs sending oppfattet at het Skoltenborgkaien.»

«Skollenborg er der jeg kommer fra,» roper Erasmus Montanus. «Og der er det ingen kai, for hjemplassen min ligger midt i landet.»

«*Skoltegrunnskaien*,» sier motormann Smaage.

Båsen sier: «Men Gnisten, hvordan i helvete kan noen greie å senke en tysk krysser midt i tjukkeste Bergen?»

«*Königsberg* ble angrepet av en sveit britiske stupbombefly,» sier Gnisten. «Det skal ha vært seksten fly av typen Blackburn Skua. Mest sannsynlig greide de å knekke *Königsberg* med svære, panserbrytende bomber. Styrmann Granli sier at flyene må ha operert fra en base på Orknøyene. Granli mener at det er første gang i verdenshistorien at et stort krigsskip blir senket av fly.»

Flere av karene i messa løfter vannglassene sine og skåler for at det er blitt skrevet verdenshistorie i Bergen. Det skåles også for at tyskerne har tapt tre dyrebare kryssere under angrepet på Norge. Diskusjonen går livlig om hvor mye en krysser koster å bygge. Noen mener at en krysser koster ti ganger så mye som et skip av *Tomar*s type, andre at en krysser koster hundre ganger så mye.

Gnisten sier: «Bombeflyene het Skua. Ifølge min engelskordbok heter *skua* på norsk *storjo*. Noen som vet hva en storjo er?»

«Det veit æ,» sier Geir Ole. «Heime kalle' vi fuggelen for shetlandskråka.»

«Jeg har ikke tid til mer fuglepreik,» sier Båsen. «Lett på ræva, motormann Smaage. Vi skal i audiens hos hans majestet kaptein Nilsen.»

De to som skal på rådslag, går for å ta på seg penklær.

Geir Ole fortsetter å fortelle om fuglen som hekker på Shetland og kommer på streiftog langs norskekysten om sommeren. Storjoen er en mørkebrun sjøfugl som herjer like fælt som sin navnebror tyvjoen og eter alt den kommer over av egg og fugleunger.

Etter kveldsmaten innkaller Båsen til møte i mannskapsmessa for å orientere om rådslaget med kapteinen sammen med Smaage og kokken:

Salonggutt Bangsund griper ordet før møtet er satt.

«Hvor er vi på vei? Skal vi til Aden?»

Han uttaler Aden på engelsk vis, Aiden, mens de andre gutta sier A-d-e-n.

Båsen sier: «Som dere sikkert har forstått av kursen vi styrer – rett vest – seiler vi som før bestemt, mot Aden. På formiddagsvakta ble vi praiet av en britisk jager. Britene har jo ingen myndighet over et norsk skip, men de kan kanskje finne på å *kapre* skip. Hvem vet i krigstid? Jageren *Trincomalee* signaliserte at vi kunne fortsette til Aden. Hva som skal skje når vi kommer dit, kunne ikke kapteinen svare på. Han avventer ordre fra rederiet eller lovlig norsk myndighet. Jeg sa at det sannelig er på høy tid at det kommer en ordre fra høyeste hold. En liten sak, karer, før vi går videre. Styrmann Granli har stilt en dagniose …»

«*Diagnose*,» sier motormann Smaage.

«Dia-hva-faen,» sier Båsen. «Granli mener at dekksgutt Harald lider av hard astma. Vi bør begrense røykinga på dette møtet av hensyn til vår kjære araber. Er det all right?»

Det nikkes, og sigaretter sneipes. Gamle Åge stikker pipa i sekk, det vil si i lomma.

Båsen sier: «Kaptein Nilsen har vært i telegrafisk kontakt med flere andre norske skippere. Ingen av dem akter å følge tyskernes oppfordring om å gå til tyske eller nøytrale havner. Det samme ser ut til å gjelde mange danske skippere. Kapteinen vår har telegrafert med en kompis han har på en Mærsk-båt. Denne danske skipperen sa at han aldri i verden vil seile for tyskerne.»

«Tyskland er jo Danmarks erkefiende,» sier Flise-Guri, «på grunn av striden om Slesvig. Danskene har hatt mang en bitter og blodig krig med tyskerne. Mens Norge aldri før har vært i krig med Tyskland.»

«Vi er en slags *debutanter*, da,» sier Erasmus Montanus, «i å krige med Tyskland.»

For den replikken høster han latter.

«Mærsk-båtene eies alle sammen av Møller,» sier Båsen. «Møller er Danmarks største rederi. Kompisen til vår kaptein mente at de fleste Mærsk-skipperne kommer til å nekte å seile for Hitler. Spørsmålet er da: *Hvem* skal Mærsk-båtene og Wilhelmsen-båtene seile for?»

«Vi får by oss fram til høystbydende,» sier Hemmingsen. «Én ting er sikkert, vi seiler bare hvis vi får amerikanske hyrer.»

Halvor har ofte hørt Hemmingsen snakke om amerikanske hyrer, som skal være tre ganger så høye som de norske.

Båsen sier: «Du får ri kjepphestene dine et annet sted, Hemmingsen. Kapteinen mener at den tyske militærmakta vil greie å erobre hele Norge, hvis dette er Hitlers strategiske mål. Når Norge er i krig med Tyskland, er vi de facto ... sa jeg det riktig?»

«De facto, ja,» sier Smaage.

«Norge er ifølge kapteinen de facto blitt på parti med Tysklands fiender. Det er dermed stor sannsynlighet for at vi kommer til å seile for de allierte.»

«Bra,» sier Åge. «Det som var jævlig under Den store krigen, var at vi nordmenn seilte for begge parter. Jeg holdt med England den gangen, men måtte like forbanna være med på å frakte krigsviktig last til Tyskland. På en måte er jeg *glad for* det tyske overfallet på Norge. Det tvinger oss til å *ta parti*. Når sant skal sies, var nøytraliteten under Den store krigen en ganske luguber affære. Den gjorde enkelte skipsredere søkkrike. Jeg håper på en krigsseilas der profitten ikke går rett i bankboksen til rederne. Jeg seiler gjerne for et fritt Norge, men ikke for et Norge der det er fritt fram for rederjævlene.»

«Vel talt, Åge,» sier Båsen. «Kaptein Nilsen framholdt at vi som seiler ute, vil kunne komme til å representere Norges frihet fra Hitler-veldet. Med stort og smått teller handelsflåten vår tusen skip. Kaptein Nilsen mente at spesielt tankskipene våre vil kunne spille en viktig rolle i krigen, hvis tankerne blir satt inn i fart på alliert side for å frakte olje og bensin.»

«Vi har et kvart tusen tankere under norsk flagg,» sier Flise-Guri. «Det er noe mer enn musa som pisser i havet.»

Båsen sier: «Jeg spurte om vi skulle ta en stopp her ute på blåmyra og male over nøytralitetsmerkene våre. Kapteinen sa at det kan vente. I morgen skal vi ha full livbåtmanøver, og Flise-Guri, jeg sjøl og førstestyrmann Nyhus skal gå gjennom utstyret i livbåtene og sjekke at alt er okey.»

Kokk Fitjar tar ordet og sier at han foreslo at det skal bli plassert fiskesnører i livbåtene. Til det svarte Nyhus at dersom det blir aktuelt å gå i båtene, vil alle mann få noe annet å tenke på enn å fiske. Da vil det stå om livet.

Geir Ole rekker hånda i været og sier: «Æ ska' ha med mæ snøre og angel i livbåten, det kan dokker ta gift på!»

Kokken sier at de har proviant om bord i *Tomar* for to måneder. Det vil bli mye hermetikk på slutten av disse to månedene, men ingen kommer til å dø av beriberi sånn som sjøfolk gjorde i seilskutetida, da all næring og alle vitaminer var kokt i filler i hermetikken.

Bangsund spør om det formelt er erklært krig mellom Norge og Tyskland.

Båsen svarer: «Dette spørsmålet ble reist i skipsrådet. Kapteinen sa at når Norges regjering har avslått å kapitulere for Tyskland, må det tolkes som en krigserklæring fra vår side.»

«Du kan kalle det kjepphest så mye du vil, Båsen,» sier Hemmingsen. «Vi kommer likevel ikke utenom spørsmålet om hyra. Hva med økt krigsrisikotillegg?»

«Hyra dreier etter normal tariff,» sier Båsen. «Union skal være godt forberedt på en krigssituasjon, og forbundsleder Ingvald Haugen arbeider sikkert i dette øyeblikk med risikotillegget.»

«Men hvor skal penga komme fra?»

Smaage sier at han spurte om det. Kapteinen svarte at sjefene i Wilhelmsen ikke er så dumme at de har lagt alle eggene i én kurv. Rederiet har bankkonto ikke bare i Oslo, men også i London, Stockholm og New York, og antakelig i Sveits. Dersom det skulle bli helt krise og disse kontiene blir tømt, vil rederiet kunne selge skip for å få råd til å betale hyrer, proviant, bunkersolje og havneavgifter til de skipene som er i fart. Det kaptein Nilsen ser som det største og mest akutte problemet, er assuransen av skip og last. *Tomar* er forsikret mot sjøskade og krigsforlis i norske selskaper. Spørsmålet er om denne forsikringen fortsatt er gyldig etter det tyske angrepet.

Båsen pakker ut noe av gråpapir.

Han holder opp et fargelagt fotografi av kong Haakon iført admiralsuniform.

«Gave fra skipperen,» sier Båsen. «Kaptein Nilsen mente at det vil styrke marolen hvis vi henger opp kongen i messa. Du får spikre ei ramme til'n, Flise-Guri.»

Byssegutt Kevin Dunvegan fra Skottland reiser seg og erklærer at han stiller seg fullt og helt på Norges side i kampen mot Hitler. Det samme gjør motormann Ortega og messemann Cheng. De tre utlendingene får hjertelig applaus.

Kapittel 21

Halvor sitter i messa og skriver i dagboka: «India-oseanet, torsdag
11. april kl. 00.20. Sjokket over det uventede krigsutbruddet i
Norge sitter ennå i ryggmargen på meg. Det gjør meg nummen. Tan-
kene mine går til dem hjemme. Særlig er jeg engstelig for far. Hitler
og rakkerpakket hans har slått hardt ned på kommunistene i Tysk-
land, Østerrike, Tsjekkoslovakia og Polen. Hvis tyskerne virkelig
greier å erobre hele Norge, hva kan de da finne på å gjøre med far?

Her om bord har Båsen vist at han har en annen side som men-
neske enn den flåkjeftede bølla. Nettopp da vi trengte det, framsto
en skipstillitsmann som er på hugget.

Vi fikk en kort radiopresse fra Gnisten i går kveld. Det har den
10. april vært et sjøslag mellom britiske og tyske flåtestyrker på
fjorden ved Narvik. En britisk flotilje på fem jagere greide å senke
to tyske jagere og tre tyske transportskip. Men britene fikk også
senket to jagere, så det ble ingen britisk triumf, dessverre.

Jeg visste at Gnisten var bankkasserer i sparebankene i Rygge og
Råde før han tok radiotelegrafistskolen i Oslo og dro til sjøs. Men
jeg visste ikke at han også hadde vært ivrig radioamatør. Nå prøver
han å bruke det gamle nettverket sitt av radioamatører til å skaffe
oss nyheter som ikke blir sendt over de vanlige kringkasterne.

Mye av det trygge og velkjente ved skipstilværelsen er plutselig slått
om kull. Heldigvis er jeg ikke aleine om å oppleve dette. Det finnes
30 000 seilende norske sjøfolk, og brorparten av dem er i dag i fart
i utenriksflåten. Vi representerer det som kaptein Nilsen kaller 'den
norske utefronten'.

Det er en merkelig følelse å være del av den store strid mot Hitler
og hans tyranni, og samtidig kjenne seg som en liten og utrolig sår-
bar skrott. Et torpedotreff, og jeg kan være borte. En granatsplint,
og jeg kan ligge der silblødende og dødelig såret.

Jeg tenker at jeg burde vært soldat ved fronten i Norge nå. Det meldes at det er usedvanlig mye snø hjemme til å være langt ute i april. De norske soldatene som slåss mot tyskerne, utkjemper en vinterkrig som den finnene førte mot russerne. I en slik vinterkrig kunne jeg gjort nytte for meg som skiløper. Jeg kunne blitt en brukbar kurer. Eller jeg kunne i dette øyeblikk ha ligget som mitraljøsemann ved en skanse som skal forsvare Rena, en skanse bygd av tømmerstokker over riksvei 3, eller av jernbanesviller ved Åsta stasjon. Da kunne jeg gjort noe direkte og målrettet for å forsvare familien min mot de tyske angriperne.

Forskjellen mellom oss nordmenn og finnene er at Finland var mye bedre forberedt på et angrep fra Sovjetunionen enn vi var på et angrep fra Tyskland. Finnene hadde fått klare forvarsler fra Stalin. Burde ikke Norges regjering ha greid å få noen forvarsler om Hitlers angrepsplan? Båsen har jo rett når han sier at et slikt angrep må ha vært forberedt i månedsvis. Tusener av tyske soldater og offiserer må ha visst om at noe var i gjære. Hadde ikke Norge spioner i Berlin? Og om vi ikke hadde spioner, kunne vi ikke da ha fått opplysninger fra britiske eller franske spioner?

Finnene forsvarte seg mye mer profesjonelt enn vi har greid. Finlands general Mannerheim maktet å lure hele sovjetiske divisjoner i fella og knekke dem. Det er veldig lite trolig at våre norske tropper skal kunne greie noe tilsvarende. Det har vært noe halvhjertet og amatørmessig over det norske forsvaret i møtet med proffene fra Wehrmacht, Luftwaffe og Kriegsmarine. Den mest åpenbare mangelen er god militær og politisk ledelse. Hvor faen var generalstaben da det gjaldt som mest? Hvorfor gikk ikke Nygaardsvold til umiddelbar og total mobilisering?

Jeg føler meg skyldig i ikke å ha kjempet for en sterkere ledelse! Jeg kunne ha engasjert meg sammen med andre ungdommer og krevd sterkere politikere, et bedre forsvar. Parolen om det brukne gevær var feilaktig og slår fryktelig tilbake på Norge nå. Parolen skulle ha vært 'På aksel gevær!'

Min tanke er at Norge ville greid seg mye bedre i kampen mot Tyskland dersom Norge hadde vært en sosialistisk republikk med et veltrent forsvar med stor støtte i folket. Et forsvar der det ikke ville vært plass til nazistiske forrædere som oberst Sundlo i Narvik eller vankelmodige kommandanter på kystfortene våre.

En slik republikk kunne jeg ha kjempet for. Men jeg gikk der naiv og dum hjemme på Rena og hogg tømmer og ga blaffen i politikken.

Jeg elsker min mor høyt og hellig, og jeg respekterer hennes idealistiske kvekertro. Men tanken slår meg at jeg kanskje er blitt for sterkt påvirket av mors motstand mot militærvesen og autoriteter. 9. april har lært oss at vi trenger et kapabelt militærvesen og autoriteter som kan vise styrke når krise og krig rammer.

Fotografiet av kong Haakon er nå kommet opp på skottet i messa. Han ser ned på meg her jeg sitter og skriver. Han tar seg flott ut i admiralsuniformen sin. Men det er ikke en uniform han har gjort seg fortjent til gjennom militær strid. Det er en paradeuniform som han bærer fordi han er monark. Så har kongen i disse krigsdøgn kanskje vist seg som noe mer enn en paradefigur. Likevel kan jeg ikke fri meg fra tanken på at Norge hadde vært bedre stilt med en folkevalgt president, som sto i spissen for en handlekraftig regjering.

I styrhuset i kveld var det nettopp dette kaptein Nilsen ropte om: En regjering som bryter den fordømte tausheten sin, står opp og gir klare instrukser til norske kapteiner.

Kapteinen sa: Jeg har gjentatte ganger telegrafert til minister Colban ved vår legasjon i London, men den drittsekken av en diplomat verdiger meg ikke noe svar. Det burde vært en ministers oppgave å forklare oss kapteiner hvordan vi nå skal oppføre oss, og hva som kreves av oss.

Jeg sto til rors og undret meg på hvorfor Norge har en minister i London, og hva en legasjon er. Det var ikke før kaptein Nilsen hadde forlatt styrhuset – i raseri mot Trean! – at jeg fikk svar på dette. Trean sa da at Colban er Norges ambassadør i London, og at legasjonen bare er et finere ord for ambassaden.

Kaptein Nilsen sa – før han røyk i tottene på Trean – at han også hadde prøvd å få tak i Norges Rederforbunds representant i London, herr Hysing Olsen. Heller ikke fra Hysing Olsen hadde han fått noe svar.

Gnisten kom inn i styrhuset og sa: BBC har sendt ut en melding fra ITF og IMMOA, der alle danske og norske skip oppfordres til å gå til nærmeste britiske eller franske havn og avvente ordre.

ITF er Den internasjonale transportarbeiderføderasjonen. IMMOA er en forkortelse for International Merchant Marine Officers Association. Appellen til begge disse organisasjonene var nok særlig rettet mot danske skip, siden Danmarks regjering nå er i tyskernes

225

hule hånd. Det ble sagt i appellen at alle danske sjøfolk ville bli betraktet som venner og få vederlag for sine tjenester.

Kapteinen sa: Jeg tar ikke imot ordre fra transportarbeidere! Jeg venter på en ordre fra den norske regjering.

Gnisten sa: Jeg har lyttet på trafikk mellom danske skip. Danske kapteiner frykter at den danske utenriksflåten vil bli rekvirert av britene og kommandert til å seile under britisk flagg.

Under britisk flagg! utbrøt Trean. Hvis vi nordmenn blir beordret til å seile under Union Jack, går jeg sporenstreks i land. Jeg seiler ikke for Imperiet.

Kaptein Nilsen for opp: Så de vil gå i land, styrmann Kvalbein? De akter å desertere! Jeg har en potensiell desertør blant mine styrmenn.

Ærlig talt, kaptein Nilsen, sa Trean. Jeg finner meg ikke i å bli kalt desertør!

Kapteinen ropte: De er min underordnede, styrmann Kvalbein. De får finne Dem i å bli kalt det jeg kaller Dem. De må tåle at jeg kaller en spade for en spade.

Nei, sa Trean gjennom sammenbitte tenner. Jeg finner meg fakta faen ikke i å bli kalt desertør.

Kapteinen sa: Jeg akter ikke å ha noen disputt med Dem, styrmann Kvalbein. De får ha fortsatt god vakt! Farvel!

Det skal sies til skipperens forsvar at han kom opp i styrhuset igjen for å be om unnskyldning da jeg hadde min neste rortørn. Det luktet konjakk av ham, og han pattet på en feit havannasigar.

Han sa: De får ha meg unnskyldt, styrmann Kvalbein. Det var ikke bra at jeg blåste på topp som en gammal steamkjele. Jeg anser Dem slett ikke som noen desertør. Og jeg har seilt med verre tredjestyrmenn enn Dem. Denne krigen går på nervene løs, og verst akkurat nå er usikkerheten om skipets situasjon.

Trean sa at han aksepterte unnskyldningen.

Kapteinen lirte av seg et lite foredrag om hvordan han så for seg verdenskrigens videre gang. Han mente at Hitlers utrolige suksesser vil føre til at Franco i Spania, Mussolini i Italia og Kemal Atatürk i Tyrkia slår sine pjalter i hop med Adolf.

Da Trean sa at Atatürk var død for et par år siden, gjorde det ikke noe inntrykk på kapteinen. Såpass brisen var han.

Trean prøvde også å innvende at Tyrkia i oktober i fjor inngikk et forbund med Storbritannia og Frankrike.

Heller ikke dette gjorde noe inntrykk på kapteinen. Han sto på sitt og mente at Mussolini og Atatürk (Atatürks spøkelse, tenkte jeg der jeg sto taus bak rattet) vil gå løs på Grekenland. Det er tyrkernes drøm å mose grekerne én gang for alle, og Mussolini vil ha sin bit av den greske kaka.

Kapteinen var skråsikker på at det vil komme et angrep på det han kalte Frankrikes 'soft under belly'.

Han sa: I nord er Frankrike godt forsvart mot tyskerne med den sterke Maginot-linjen, som er noe ganske annet og sterkere enn finnenes Mannerheim-linje. Men i sør er de franske grensene mot Spania og Italia dårlig forsvart. Der finnes Frankrikes skjøre buk. Hitler forventer gjengjeld fra Franco for de tyske bombeflyenes innsats på falangistenes side i Den spanske borgerkrigen. Franco kan nok tenke seg å gå nordover og erobre den fruktbare Gironde-dalen og Bordeaux. Mussolini er ikke bare en jålebukk som ønsker å sole seg på den franske Rivieraen og spille som en keiser på kasinoet i Monte Carlo. Hvis italienerne rykker fram og tar franskmennenes flåtebase i Toulon, og kanskje Marseille, da har Mussolini gjort Hitler en kjempetjeneste.

Jeg vil ikke avskrive kapteinens analyse som bare fyllerør. Jeg misunner virkelig ikke kaptein Nilsen nå som vi seiler på det styrmann Granli tidligere i dag kalte 'usikkerhetens hav.' Men jeg misunner kapteinen at han kan ta seg en dram mens skuta er i rom sjø. Jeg kunne sannelig trengt en dram selv!»

Det blir innkalt til Union-møte i mannskapsmessa etter kveldsmat torsdag den 11. april. Båsen har bedt om en orientering fra Gnisten om siste nytt hjemmefra. Alle som har frivakt, har møtt fram, men telegrafist Roy Borge har ikke dukket opp.

«Hvor faen blir det av Gnisten?» sier Båsen og ser på vegguret på skottet. «Er det noe rot med tida? Har vi husket på å pinse klokka en time bakover nå som vi har seilt vestover inn i en ny tidssone?»

«Klokka ble pinset på min vakt,» sier Hemmingsen. «Vi ligger nå fire timer foran GMT.»

Gnisten kommer. Han har fått gredd håret og har på seg rein skjorte. Men han ser dødssliten ut og har svarte poser under øynene.

«Beklager forsinkelsen,» sier han. «Det er ganske dramatiske nyheter hjemmefra. Jeg måtte vente for å få med meg det aller siste. Er det noen her som kommer fra Elverum, eller har slekt eller venner der?»

«Jeg gikk på skolen i Elverum,» sier Halvor. «Og jeg har ei tante som bor der.»

«Yngstebroren min har nettopp flytta til Elverum fra Svelvik, der vi kommer fra,» sier Flise-Guri. «Han er lærer på folkehøgskolen i Elverum.»

«Da må jeg bare beklage at jeg har dårlig nytt om Elverum,» sier Gnisten. «Et stort antall tyske bombefly, kanskje så mange som tjue fly, har bombet stedet. Hele sentrum er rammet, og der raser kraftige branner. Det skal være mange sivile omkomne.»

I messa blir det helt stille.

Halvor kjemper for å holde gråten tilbake. Riktignok rømte han fra tante Olga i Elverum. Men hun er nå tross alt tanta hans, og hun bor i Leiret, som er Elverums sentrum. I et trehus. Som nå kanskje er blitt bombenes eller flammenes rov.

Han prøver å slå fra seg bildet av tante Olga som er bombet flat eller står i full fyr.

«Hvorfor akkurat Elverum?» spør Flise-Guri. «Der er det vel ingen jævel som har gjort en katt fortred.»

«Ifølge BBC er bombingen av Elverum en tysk hevnaksjon for at kong Haakon og regjeringen sa nei til tyskerne der,» sier Gnisten. «Kongen, kronprinsen og regjeringen har reist videre østover til Nybergsund i Trysil. Dessverre meldes det at tyske bombefly også har rettet harde angrep mot Nybergsund.»

«Men er kongen og Gubben drept?» spør Båsen.

«Det ser ut til at kongen og Nygaardsvold er i sikkerhet,» sier Gnisten. «Jeg har vært i kontakt med en radioamatør i Innbygda like nord for Nybergsund. Han var i Nybergsund da de tyske bombeflyene kom, og han melder at han så kongen og flere regjeringsmedlemmer flykte i sikkerhet for bombene. Kongen skal ha funnet dekning i et skogholt.»

«For svarte faen,» sier Båsen. «Her bomber gangsteren Görings piloter kongen vår så han må gjemme seg i ville skauen! Har vi ingen norske fly på vingene som kan plaffe ned de forbannade tyskerflyene?»

«Det meldes beklageligvis ingenting om norske motangrep i lufta,» sier Gnisten. «Det virker som om kongen er helt ubeskyttet mot tyske luftangrep.»

Motormann Stokkan fra Hitra sier at alt tyder på at konge og regjering er på flukt til Sverige. Så vidt han vet, er det kort vei fra Trysil til svenskegrensa.

«Det er tre norske mil fra Nybergsund til grensa vår mot Dalarna,» sier Halvor.

Motormann Smaage sier at magefølelsen hans forteller ham at kong Haakon og Nygaardsvold vil prøve å holde seg på norsk jord så lenge de kan.

«Magan din er lite å stole på, Smaage,» sier Båsen. «Si meg, Roy, hvis vi ikke kan slåss i lufta mot det overmektige Luftwaffe, slåss vi da på bakken?»

«BBC melder om væpnet norsk motstand flere steder,» sier Gnisten.

«Bravo,» sier Båsen. «*Hvor* slåss vi?»

«På BBC blir det ikke spesifisert noen kampsteder, og tyske radiostasjoner oppgir naturligvis ingenting annet enn tyske triumfer,» svarer Gnisten. «Det vesle jeg vet, har jeg fra en radioamatør hjemme i Rolvsøy. La meg kalle ham Mister X. Det var Mister X som i sin tid lærte meg opp. Vi hadde moro av å utvikle en temmelig avansert kode. Ja, den var så vrien at vi ikke alltid forsto hverandre, selv om vi satt med kodenøkkelen. Jeg nevner dette fordi vi i dag brukte den hemmelige koden vår for at Mister X ikke skulle komme til å gi krigsviktig informasjon til tyskerne. Hjemme i Østfold er Høytorp fort ved Mysen og Greåker fort ved Glomma mellom Sarpsborg og Fredrikstad nå fullt bemannet og kampklare. Dette er etter norske forhold sterke festningsanlegg. Men både Høytorp og Greåker har et fundamentalt problem under det angrepet Norge nå er utsatt for.»

Matros Otto Rønning sier at han tror han vet hva problemet er, og det er at kanonene peker feil vei.

«Nettopp,» sier Gnisten. «Kanonene peker mot Sverige.»

«Det må da vel gå an å snu de fordømte kanonløpene sånn at de peker mot tyskerne?» sier Båsen.

«Det tunge skytset kan nok ikke snus,» sier Gnisten. «Men det lette skytset og mitraljøsene kan naturligvis vendes mot tyske tropper som rykker østover fra Oslo.»

Gnisten forteller at Høytorp og Greåker ble bygd i forbindelse med unionsstriden for å forsvare Norge mot angrep fra Sverige. Fortene ble oppført som en del av den ytre forsvarslinja rundt Kristiania. Han kjenner Greåker fort best. Fortet ligger strategisk til – for en krig med svenskene – på en kolle over industristedet Greåker. Fortet har to 12 centimeters Schneider tårnkanoner med en skuddvidde på 11 000 meter, samt en hel del mindre skyts og mitraljøser. Krigsbemanning er om lag hundre soldater.

Høytorp fort er mye større. Det har en krigsbemanning på 800 soldater, og et fjellanlegg med over tusen meter tunneler. På Høytorp er det fire langtrekkende kanoner plassert i pansertårn. Der skal også være flere tunge haubitser og feltkanoner, og en antiluftskipskanon.

«Jeg er ikke altfor optimistisk når det gjelder Greåker og Høytorp,» sier Gnisten. «De to fortene er bygd for å understøtte offensive norske operasjoner mot tradisjonelle svenske styrker øst for Glomma. Jeg vet ikke om de vil greie å stå imot i nærkamp med tyske kommandosoldater som går på med dødsforakt, og jeg frykter bombing fra lufta. Tyskerne ser jo ut til å ha en formidabel bombeflystyrke i Norge allerede. Greåker har i sju år hatt status som reservefort. Min kilde Mister X mener at skytset der er dårlig vedlikeholdt, at fortet mangler luftvernskyts, og at kanonmannskapet ikke har fått skikkelig trening.»

Rønning spør om Gnisten vet noe om Hegra festning i Stjørdal.

Gnisten sier at han ikke vet annet om Hegra enn at det var en av festningene som ble anlagt etter 1905, for å beskytte Norge mot et svensk angrep som kunne dele landet vårt i to. Om situasjonen for Hegra etter det tyske angrepet har han ingen opplysninger.

Rønning forteller at da han var inne til militærtjeneste for fire år siden, var han med på å pusse kanoner som er lagret på Hegra. Kanonene var i prima stand. Det vil være en smal sak for dyktige folk å gjøre den nedlagte festningen kampklar. Han håper Hegra kan bite fra seg.

Båsen spør om det er kommet noe budskap fra regjeringa hjemme om handelsflåten.

«Nei,» svarer Gnisten. «Kaptein Nilsen er utålmodig, for å si det mildt. Men vi har ikke hørt et pip. Staben til ambassadør Morgenstierne i Washington har meddelt oss at vi ikke må følge tyskernes seilingsordre. Utover det hadde ambassaden i Washington ingen instrukser og ingenting å melde fra Nygaardsvold & Co.»

«Vi kan vel ikke forvente instrukser fra ei regjering som er på flukt,» sier Flise-Guri.

«Bedre med ei regjering på rømmen enn ingen regjering,» sier Erasmus Montanus. «Vår regjering er i alle fall ikke i lomma på tyskerne sånn som Danmarks regjering.»

Halvor skriver i dagboka: «India-oseanet, 11. april kl. 19.15. Jeg har vanskelig for å tro at hjemtraktene mine virkelig er bombet av tyske fly. Bomber over stille Elverum og trauste Trysil. Hvem skulle trodd <u>det</u>?

En fredens oase som Nybergsund var det siste stedet i verden jeg trodde skulle bli rasert av bomber. Jeg har gode minner fra et par skirenn der da jeg var guttunge.

Jeg leter etter et fremmedord jeg har på tunga, men ikke får fram.

Jeg har prøvd å be en bønn for tante Olga, men fikk ikke noe dreis på bønnen. Det var liksom ingen Gud der til å ta imot en bønn fra meg.

Fremmedordet er <u>surrealistisk</u>. Og ja, det er virkelig surrealistisk å tenke på den tyske bombingen i søndre del av Hedmark fylke.»

Halvor kommer opp i styrhuset og tar den siste rortørnen før midnatt.

Kaptein Nilsen er på brua, men utveksler bare av og til korte replikker med Trean.

Et klokkeslag fra Åge frampå bakken varsler skip om styrbord baug.

Det møtende skipet nærmer seg raskt, og det seiler med tente lanterner og ublendede ventiler. Trean griper Aldis'en, går ut på styrbords bruving og flæsjer et signal. Halvor vet at det han sender, er *Tomar*s navn og nasjonalitet fulgt av spørsmålet «what ship? what ship? what ship?».

Skipet som pløyer seg forbi dem gjennom dønningene og nattemørket, svarer ikke.

«Ships passing in the night,» sier kapteinen. «In the time of war.»

Halvor synes kapteinen lyder så melankolsk.

Annenstyrmann Granli kommer inn i styrhuset, kledd i langermet kakiskjorte med epåletter, og kakishorts med press i. På føttene har han hvite tennissko.

«Styrmann Kvalbein og jeg har hatt en disputt tidligere i kveld og blir ikke enige,» sier kaptein Nilsen. «Kvalbein mener at de norske styrkene som nå er i aksjon, bør fortsette å kjempe mot tyskerne. Jeg har fundert meget på dette, i lys av danskenes beslutning, og er i tvil. Danmark er i folketall en større nasjon enn Norge, og har lange tradisjoner med å krige mot Tyskland. Danskene kapitulerte nå uten sverdslag mot den tyske overmakt. Hva kan våre spredte og dårlig utstyrte tropper egentlig utrette mot Hitlers velsmurte krigsmaskin?

Bombingen av Elverum er kanskje bare en forsmak på hva som kan komme av brutale tyske luftangrep på norske byer. Hundreder, kanskje tusener, av uskyldige sivile vil bli drept. Kvinner og barn. Det kan bli spilt mye norsk blod til liten eller ingen nytte. Tyskerne kan komme til å utøve uhyrlige represalier hvis våre styrker fortsetter å krige. Er det kanskje på tide at vi nordmenn følger danskenes eksempel og strekker våpen? Hva er Deres mening, styrmann Granli?»

«Jeg ser poenget Deres,» svarer Granli. «Men min oppfatning er at vi må slåss for friheten.»

«Hittil har vi ikke fått melding om at en eneste tysk soldat er falt i strid på norsk jord,» sier kapteinen.

«Det falt vel en god del tyskere på Midtskogen,» sier Granli.

«Det har De sikkert rett i,» sier kapteinen. «Men det er ikke til å komme utenom at tyskernes tap, bortsett fra av marinefartøyer, synes å være helt ubetydelige.»

Kapteinen byr Trean og Granli på sigaretter.

Halvor følger de dansende, røde sigarettglørne med øynene der han står bak rattet, og kjenner et veldig røyksug.

«Norge er ikke fortapt ennå,» sier Granli. «Vi har et langstrakt og skogrikt land som det er kronglete å drive krig i. Norsk terreng egner seg godt til krigføring av den typen som kalles guerilla.»

«Hva legger De i begrepet guerilla?» spør kapteinen.

«Det er et spansk ord som oppsto under de spanske friskarenes kamp mot Napoleon. Det betyr egentlig småkrig. Man har prøvd å fornorske ordet til gerilja, men det synes jeg høres kunstig ut. Guerilla er en krig som drives av små grupper soldater på okkupert territorium eller bak fiendens linjer. Slik krigføring burde passe godt for oss nordmenn i kampen mot tyskerne. Bøndene oppunder fjellheimen i Telemark drev for mange hundre år siden guerilla mot danskekongens hær fordi de nektet å betale skatt til København.»

«Hva De vet, Granli,» sier kapteinen.

«Jeg vet da litt, jeg også,» sier Trean. «Jeg vet hva slags nasjonalitet det var på ubåten som senket *Rio de Janeiro*. Dere greier aldri å gjette det.»

«Nei vel,» sier kapteinen. «Så spytt ut, da mann.»

«Jeg hørte på bbc at det var en *polsk* ubåt.»

«Sier De det?» sier kapteinen. «Jeg visste at det finnes frie polske styrker i eksil i Storbritannia, men trodde ikke polakkene disponerte marinefartøyer.»

Granli sier med en liten latter: «Vi kan kanskje ikke sette vår lit til at polske tropper skal komme Norge til unnsetning i kampen mot Tyskland.»

«Hvorfor ikke?» spør Trean. «Frie polske soldater er ikke mange, men de ønsker garantert å slåss mot Hitler hvor som helst og når som helst. Jeg hørte på en radiosending fra Boston. Amerikanske militæreksperter regner med at det bare er et spørsmål om dager før britiske og franske styrker går i land i Norge for å stoppe tyskernes frammarsj.»

«Det hadde vært å håpe,» sier kapteinen. «Men det forutsetter nok at vi nordmenn fortsetter å slåss. Jeg har reist spørsmål ved om vi bør og kan det.»

Plutselig vender kapteinen seg mot Halvor og spør: «Hva mener en ung mann som deg, Skramstad?»

«Jeg er enig med styrmennene i at vi må slåss,» svarer Halvor. «Jeg synes det er flaut at jeg ikke kan være hjemme og kjempe. Fronten går vel akkurat nå i mine hjemtrakter, et sted i Østerdalen.»

«Så Norges soldater og vi sivilister i handelsflåten skal kjempe to the bitter end?» sier kaptein Nilsen.

«To the bitter end,» svarer Halvor. «Or to sweet victory.»

Kapittel 22

Det er blitt lørdag den 13. april. Halvor sitter i messa og drikker kaffe sammen med Åge før de skal gå på kveldsvakt. Åge legger Idioten og damper på pipa. Siden det ikke ble noen bursdagskake på ham i all hurlumheien 9. april, fikk han en stor fyrstekake etter lørdagsmiddagen.

Det er ennå et par biter igjen av kaka, og Halvor forsyner seg med dem.

Han går opp og tar rortørn.

Trean viser ham på vaktas første time hvordan man tar en asimut. Ordet skal komme fra arabisk, as-sumuth, som betyr vei eller retning. Å ta en asimut betyr å peile en stjerne og dermed kunne foreta en beregning som gjør det mulig å korrigere kompasset for deviasjon. Trean forklarer at deviasjonen skapes av de magnetfeltene som dannes av alt stålet skipet er bygd av. Dette til forskjell fra misvisning, som skapes av jordas magnetiske felt.

De har hatt skyet vær og en god del regn de siste dagene. I dag merkes det at de nærmer seg Den arabiske halvøya. Værlaget er tørrere, og det har lagt seg et fint belegg av flygesand på teakrekkene på bruvingene. Sanden er nok virvlet opp i en ørkenstorm i Arabia.

Trean går ut på bruvingen med peileskiva. Han skal benytte det klare været med storslagen stjernehimmel til å peile himmelens mest lyssterke fiksstjerne, Sirius, bikkja til jegeren Orion.

Han roper: «Nå!»

Halvor roper tilbake nøyaktig på graden hvilken kurs han ligger på.

Da rortørnen hans er over, blir han med inn i bestikken og ser hvordan Trean beregner Sirius-peilinga ved hjelp av ei gammel, slitt bok som heter *Azimut-Tabeller*. Beregningen ser ganske innviklet ut. Trean sier at det blir rein rutine for en styrmann å ta en asimut og beregne den.

Etter Sirius-peilingen korrigerer Trean kursen *Tomar* styrer med, to grader mot nord.

Kaptein Nilsen kommer opp på brua da Halvor skal gå fram på utkikk. Han sier at med så god sikt og så liten skipstrafikk er det greit at han går utkikk på bruvingen.

Gnisten og Granli kommer samtidig opp på brua ett kvarter før midnatt. De stiller seg på babords bruving, der Halvor står. Kapteinen og Trean kommer også ut på bruvingen. De står der i det tropiske fløyelsmørket og nyter den vesle fartsvinden skuta lager.

Kapteinen sier til Gnisten: «Nå er jeg spent på hvilke nyheter De har om dagens slag ved Fossum bro.»

«Noe *slag* kan det vel ikke kalles,» svarer Gnisten. «La oss kalle det en *betydelig trefning.* Siste nytt fra brua over Glomma mellom Spydeberg og Askim må vel kunne kalles både godt og dårlig nytt. Som jeg har fortalt Dem tidligere i kveld, hadde etthundreogtjue soldater fra Høytorp fort forskanset seg i en stilling ved Fossum bru. Hensikten var å stoppe tyskernes framrykking over Glomma. Ifølge min kilde, Mister X, kom det til voldsom skuddveksling mellom våre soldater og tyskerne. Det ble store tap på begge sider.»

«Hvor store?» spør kapteinen.

«Det anslås at tjue norske soldater mistet livet,» svarte Gnisten. «Samtidig skal tyskerne ha mistet atskillig flere soldater ved Fossum bru. Det positive er at vi nordmenn nå yter resolutt motstand enkelte steder og påfører tyskerne følbare tap.»

«Vi biter altså fra oss,» sa kapteinen. «Det er svært gledelig, og mer enn jeg hadde forventet. Disse tyve tapre soldatene fra broen i Østfold har ikke ofret livet forgjeves. En kamp som denne kan bli et vendepunkt i krigen. Eller hva tror dere, styrmann Granli og styrmann Kvalbein?»

«Det er nok for tidlig å snakke om et vendepunkt,» sier Granli. «Men det vil bli lagt merke til internasjonalt at tyskerne, som virket helt usårlige under felttoget i Polen, nå må blø i lille Norge.»

«Greide tyskerne å ta Fossum bru til slutt?» spør Trean.

«Det vet jeg ikke,» svarer Gnisten. «Det er vel dessverre trolig at tyskerne ble for overmektige da det kom til stykket.»

«Hva med dette fortet i nærheten av Fossum bru?» spør Granli. «Det er vel Høyfort det heter.»

«*Høytorp,*» sier Gnisten. «Jeg har ingen informasjon om fortets skjebne.»

Kapteinen forsvinner. Etter et par små minutter dukker han opp igjen på bruvingen med ei flaske og en stabel pappkrus.

«La meg få by dere på en Martell, mine herrer,» sier han. «Dette gjelder også deg, Skramstad, og matros Sildebogen.»

Til Halvors store forundring gir kapteinen ham to pappkrus som han fyller til randen med konjakk. Halvor stikker inn til Åge med det ene kruset.

Åge snuser på innholdet i kruset og spør: «Har det klikka for skipperen?»

«Jeg vet da pokker,» svarer Halvor.

Da han kommer ut igjen på bruvingen, løfter kaptein Nilsen kruset sitt. Han sier: «La oss skåle for heltene fra Fossum bru.»

De skåler.

«La oss så skåle for konge og fedreland,» sier kapteinen.

De skåler på ny.

«La oss skåle for kronprinsparet og for de to prinsessene.»

«Skål,» sier styrmennene og Gnisten, og Halvor hører Åge brumme et «skål» inne i styrhuset.

«La oss til slutt skåle for prins Harald, arvingen til Norges trone,» sier kapteinen.

Om dette skriver Halvor i dagboka etter endt vakt: «Under skålen for lille Harald opplevde jeg en sterk stemning av høytid. Ja, denne skålingen på bruvingen om bord i <u>Tomar</u> av Tønsberg i tropenatta er det mest høytidelige jeg har vært med på i mitt unge liv.

Da vi gikk ned fra vakt, sa Åge: Jeg vet ikke om det har hendt før i den norske handelsflåtens historie at en kaptein har budt på en real dram til vakthavende utkikksmann og rormann. En slant rom har kanskje forekommet. Men aldri før den fineste franske konjakk!

Jeg kommer nok til å sove som en stein og håper jeg slipper marerittet jeg hadde i går natt. Da drømte jeg at middelskolen i Elverum fikk en tysk fulltreffer, og at elevene ble knust til det ugjenkjennelige. De stakkars elevene lå der og så ut som lungemos. Tante Olga løp gjennom gatene i Leiret og prøvde å beskytte seg mot bomberegnet med paraplyen sin.

Ifølge Gnisten skal det ha vært førti drepte i Elverum. Jeg hadde fryktet at tallet på døde var høyere.»

På kveldsvakta søndag den 14. april kommer Gnisten inn i styrhuset mens Halvor står til rors og kaptein Nilsen og Trean tar seg en røyk sammen.

«Det er veldig gode nyheter fra Narvik,» sier Gnisten. «Royal Navy har satt inn et knusende støt mot tyskernes flåte. Dette er noe ganske annet enn slaget mellom britenes og tyskernes flotiljer av jagere på fjorden ved Narvik den tiende april. Det sjøslaget endte jo med tap for begge parter. Nå har en mektig britisk flåtestyrke, anført av slagskipet *Warspite*, slått til. Alle de sju gjenværende tyske jagerne i Ofotfjorden skal være senket.»

«Betyr dette at tyskerne har mistet *hele* flåten sin der oppe?» spør kapteinen.

«Ja, jeg tolker det slik,» svarer Gnisten.

«Du verden,» sier kapteinen. «Da kan vi endelig gratulere engelskmennene med en skikkelig seier i denne fordømte krigen. Hva sier De til det, styrmann Kvalbein, De som er notorisk kritisk til alt London foretar seg?»

«Klart at jeg også gratulerer Royal Navy,» sier Trean. «En stjernesmell for Kriegsmarine i Narvik er godt nytt for Norge. Men holder de tyske landstyrkene ennå byen?»

«Ja, det er ikke meldt om noen britisk landgang i malmbyen,» sier Gnisten. «For våre egne soldater i Sør-Norge går det ikke så bra. Greåker fort har falt. Det ble en blodig batalje for tyskerne. De skal ha hatt mellom tjue og tretti drepte under stormingen av fortet.»

«Våre tap?» spør kapteinen.

«Ifølge min kilde hadde vi ingen døde, men antakelig noen sårede.»

«Likevel falt fortet?» sier Trean.

«Ja, dessverre,» svarer Gnisten. «Tyskerne rykket fram over Rolvsøysund bru med en ganske stor hæravdeling. Folkene på Greåker fort skal ha skutt mer enn fem tusen skudd mot tyskerne i en ildstrid som varte i to timer. Så overga kommandanten fortet til tyskerne.»

«Hvorfor faen gjorde han det?» spør Trean.

«Det vites ikke,» svarer Gnisten. «Kanskje var den enkle grunnen at nordmennene slapp opp for ammunisjon. Kan hende tyskerne bare pøste på med soldater, til tross for kuleregnet, og til slutt greide å komme seg inn i fortet. Det tyske tapstallet kan jo tyde på det. Høytorp fort skal også ha falt. Men det har min kilde ikke sikker informasjon om.»

Det blir stille i styrhuset, så stille at bølgene som skvulper langs *Tomar*s skrog på det stille havet, høres tydelig.

«Ja ja,» sier kapteinen. «Dette med å holde fort er kanskje ikke den sterkeste siden vi nordmenn har. Vi får sette vår lit til det styrmann Granli kaller guerilla. De får underrette oss, telegrafist Borge, når Deres radiokontakt hjemme i Norge har nytt å berette.»

«Jeg er redd det ikke blir flere nyheter å få fra ham,» sier Gnisten. «Han meldte for en times tid siden at han går av lufta og graver ned sendeutstyret sitt. Mister X fortalte at tyskerne har truet med å skyte alle norske radioamatører som spioner for England. Det er kanskje en overdrivelse. Men det er sannsynlig at tyskerne vil beslaglegge alle radiosendere de kommer over.»

«Det gjør de nok,» sier kapteinen. «Med tysk grundighet. Fra regjeringen og de norske diplomatiske stasjonene er det stadig intet nytt når det gjelder handelsflåten?»

«Nei, jeg beklager,» sier Gnisten.

«*De* har intet å beklage, Borge,» sier kapteinen. «Det er da ikke *Deres* skyld at vi har en regjering som er stum som en østers.»

«BBC melder at danske skip i britiske havner nå fører britisk flagg,» sier Gnisten.

«Det var som fanden!» utbryter kaptein Nilsen. «Da er flaggskiftet i den danske flåten altså en realitet. Det er en skam og en skandale at mine danske kolleger nå må stryke Dannebrog og heise Union Jack.»

«Ja, for helvete,» sier Trean. «Her har vi den britiske imperialismen i et nøtteskall.»

«Dannebrog er ikke bare et stolt flagg,» sier kapteinen. «Det skal også være det eldste flagget i verden som er i bruk. En dansk hær som var på korstog i det hedenske Estland på tolvhundretallet, fikk ifølge legenden flagget i hodet, sendt fra himmelen. Vi skal ikke glemme at det røde flagget med det hvite korset frem til attenfjorten også var *vårt* banner. Min tippoldefar Jens Peter Nilssøn seilte skipper på norske skuter som med stolthet førte Dannebrog. Han skal ha fått et apoplektisk anfall da han fikk ordre om å stryke Dannebrog. Ja, han truet visstnok med å reise til Eidsvold og i protest sette Eidsvoldsbygningen i brann.»

«Risikerer vi det samme som danskene når vi kommer til Aden?» sier Trean.

Kapteinen svarer: «Jeg skulle ønske jeg kunne svare et klart *nei* på spørsmålet Deres, styrmann Kvalbein. Men det kan jeg ikke. Time will show, som englenderne sier.»

Gnisten forteller at det er kommet en offisiell melding over BBC om at kronprinsesse Märtha og de tre barna er kommet i sikkerhet i Sverige.

«Er det meldt noe om kong Haakon og kronprins Olav?» spør kaptein Nilsen.

«Nei,» svarer Gnisten. «Om kongen og kronprinsen er intet blitt meldt. Og heller ikke noe om regjeringa.»

«Hvordan tolker De det, Borge?» spør kapteinen.

«Jeg velger å tolke det som at konge og regjering ikke er flyktet til Sverige, men stadig oppholder seg i Norge.»

Halvor ligger på køya i bare underbuksa og nyter den vesle luftning som vindfangeren i ventilen gir. Han skriver i dagboka: «Indiske hav, mandag 15. april 1940, kl. 00.30. Det virker som det er lenge siden det tyske angrepet på Norge begynte. Det har vært en fortettet stemning om bord som har gjort tida seig som sirup.

Jeg trodde ikke at et normalt menneskes følelsesliv kunne variere så mye som mitt har gjort. En følelse av <u>intensitet</u> og <u>kampglød</u> har vekslet med en like stor følelse av <u>tomhet</u> og <u>maktesløshet</u>.

Verden er for alltid forandret etter 9. april 1940. For angrepet på Danmark og Norge gir ekko over hele kloden.

Granli og jeg hadde en prat ved treerluka i dag. Granli sa noe klokt: Tyskerne triumferer nå. Men et folk som okkuperer andre folk og herser med dem, kan aldri oppnå varig lykke gjennom slike handlinger. Det blir som å holde varmen ved å pisse i buksa. Det tyskerne nå gjør, er at de pisser som bare faen i sine Lederhosen. Akkurat nå varmer det godt, men en eller annen gang vil de tyske lærbuksene fryse til is. Tyskerne, som nå fryder seg over Hitlers seiersmarsjer, vil komme til å lide og angre på at de valgte seg nazister til ledere. Det tyske folket vil bestå, og det er jo på mange måter et jævla bra folk. Men tyskerne må gjennom en hard lutringsprosess, omtrent som lutefisk før den er serveringsklar, sa Granli.

Vi er nå på vei inn i Adenbukta, og gjett om vi er spente, alle mann, på hva som venter oss i Aden.

Jeg har hatt noen fæle drømmer i det siste om karolinerne som frøs i hjel. På middelskolen skrev jeg en stil om karolinerne, og fikk toppkarakter for den. Nå ligger jeg her og svetter og vil skrive om dødsmarsjen i norske fjell.

Karolinerne hadde sitt navn etter den svenske kong Karl XII. Under Den store nordiske krig prøvde svenskene å dele Norge i to ved å ta Trøndelag. General Carl Gustav Armfeldt ledet en hær på seks tusen mann. Målet var å erobre Trondhjem. Armfeldt møtte sterkere norsk motstand enn ventet, led tap i felten og hadde tropper som var plaget av sult og sykdom. Han fikk budskapet om at kong Karl var blitt skutt ved Fredriksten festning i desember 1718, og bestemte seg for å gi opp felttoget i Trøndelag. Med de 5000 soldatene han hadde igjen, ville han returnere til Sverige. Hvorfor han midtvinters valgte å legge marsjen gjennom de øde Tydalsfjellene, er en gåte.

I fjellheimen kom svenskehæren ut for en forrykende snøstorm. Soldatene ble spredt og forsøkte som best de kunne å finne ly. Men tusenvis av soldater frøs i hjel.

Jeg skrev i stilen at av de 5000 var det bare 850 som kom velberget over til Sverige. De lærde strides om hvor mange som omkom. Det var uansett en av de største militære tragedier i Nordens historie.

Den dag i dag skal det finnes beinrangler etter svenske soldater innunder berghammere i Tydalsfjellet. Fars onkel Simon har en knokkel, et lårbein, som han er sikker på at er fra en av karolinerne. Han har fått knokkelen av en venn som fant den under multeplukking på et fjell som heter Bustvola og som ligger like ved svenskegrensa.

Hvorfor tenker jeg på karolinernes dødsmarsj? Det er vel den krigen som raser nå, som får meg til å gjøre det. Det er et skremmende bilde å se for seg de svenske soldatene som fryser til is i den norske snøstormen. Vi sjøfolk kan jo komme ut for noe liknende, dersom vi skulle bli torpedert og må gå i livbåtene under en vinterstorm i Nord-Atlanteren.

Huff, jeg får slå dette fra meg.

Snart skal vi si 'good morning' til engelskmennene i Aden. Vil de oppføre seg som gentlemen eller som overlorder?»

Ved daggry mandag den 15. april får de fra *Tomar* Aden by i sikte. Halvor har våknet tidlig og står på dekk sammen med Flise-Guri, som alltid er en morgenfugl, og ser på den hvite byen under de svarte fjellene. Strimer av lys ørkensand i ravinene forgylles av morgensola. En frisk, svalende morgenbris ripler sjøen.

Ved Steamer's Point ligger mange skip til ankers.

Det slås sakte fart i maskinen.

Et lite marinefartøy kommer stevnende mot *Tomar*.

«Hva slags båt er det Royal Navy sender ut?» spør Halvor.

«En korvett,» svarer Flise-Guri. «Det skal bli jævlig interessant å høre hva slags nyheter de har til oss. Vi stikker opp på båtdekket på forre midtskip så vi kan følge med i det som blir sagt.»

Halvor og Flise-Guri løper opp på båtdekket.

Opp langs *Tomar*s skuteside siger korvetten *Immingham*.

En ung offiser iført hvit tropeuniform dukker opp på *Immingham*s styrbords bruving med en ropert i hånda. Han retter roperten mot *Tomar*s bruving, som ruver mye høyere enn korvettens. Kaptein Nilsen, iført full uniform med fire gullstriper på ermene, lener seg over rekka der oppe, også han med ropert.

«Good morning, captain,» roper den hvitkledde offiseren. «Proceed to anchorage off Steamer's Point and drop anchor in sector D for Delta.»

«Which sector is D?»

«Don't you know, Sir? Haven't you been informed about the Aden Harbour sector system?»

«I have got no such information.»

«Well, Sir, you may anchor between two of your countrymen, Norwegian motor ships *Tranquebar* and *Bayonne*.»

«All right,» roper kaptein Nilsen. «What news have you got for me and my ship?»

«I have no special news for you.»

«*No news?*»

«I'm sorry, Sir. No news. You will have to await further orders from Naval Control here in Aden.»

«Will my ship keep the Norwegian flag?» roper kaptein Nilsen.

«How the hell would a junior officer like me know that?» svarer den hvitkledde offiseren. «I am in command of the *Immingham*, not of the bloody Admiralty.»

«Have you heard anything about Norwegian ships having to hoist the Union Jack?»

«No, Sir. Not a word, Sir.»

Kaptein Nilsen lar disse ordene synke inn og ser fornøyd ut. Han roper: «Congratulations with the Royal Navy's victory at Narvik!»

«Thank you very much, Sir,» svarer den hvitkledde offiseren. «We did give the Jerries' navy one hell of a beating up there in Northern Norway. And you Norwegians have finally started to put up some resistance against the Nazis.»

«Yes, we try to fight.»

«I have just heard on the BBC that a battle has started between a Norwegian force and German soldiers dropped by parachute.»

«Do you know where it is?»

«At a place called Donbas.»

«Did you say *Donbas*?»

«Yes, it is somewhere on the railroad going north from Oslo. There is a rumour that British and French forces are on their way to invade Norway.»

«Very well!» roper kaptein Nilsen. «I hope it is true.»

«Donbas?» sier Flise-Guri. «Jeg trodde det var et kullgruve-område i Sovjet der Stalin bygger tungindustri så gørra skvetter.»

«Kan hende stedet er *Dombås*,» sier Halvor. «Det er jo et viktig knutepunkt på jernbanen. 'Parachute' betyr fallskjerm, ikke sant?»

«Ja, det tror jeg.»

«Det er langt til Dombås fra de stedene der tyskerne har gått i land. Da er det logisk at tyskerne prøver å ta Dombås med soldater sluppet ut fra fly.»

«Fallskjermsoldater,» sier Flise-Guri. «Det er noe nytt dævelskap denne krigen har brakt oss.»

Tomar glir inn mellom Wilhelmsens store, tilårskomne linjeskip *Tranquebar* og Fred. Olsens nye og litt mindre *Bayonne*. På *Bayonne* er nøytralitetsmerkene malt over. Det er de ikke på *Tranquebar*.

Flise-Guri går fram på bakken for å betjene ankerspillet når ankeret kastes. Det er tømmermannens jobb. Halvor slår følge for å lære seg prosedyren ved ankring.

Førstestyrmann Nyhus har kommandoen på bakken.

Flise-Guri stiller seg ved spillet og løsner forsiktig på bremsen som holder kjettingen til babords anker.

«Lår!» roper Nyhus.

Flise-Guri lar kjettingen gli ut.

«La falle!»

Ankerkjettingen rauser ut av kjettingkassa, og det virvles opp en rødbrun sky av rustflak.

«Fast hiven!» roper Nyhus.

Flise-Guri kjører spillet slik at en del av kjettingen hives inn. Nyhus henger over svineryggen og følger med.

«Stopp hiven!» roper han til Flise-Guri.

Så former han hendene til en trakt foran munnen og roper opp til brua: «Kjetting tight!»

«Kjetting tight,» svarer kaptein Nilsen i roperten.

«*Tranquebar*, ja,» sier Flise-Guri. Han og Halvor har slått seg ned på firerluka. De røyker og drikker kaffe. Flise-Guri har knyttet et lommetørkle på hodet til vern mot sola som har begynt å steike. Han er iført shorts og singlet. Beltet på shortsen er festet helt oppunder bringa. Han har en kropp som så mange eldre sjøfolk som har brukt overkroppen mye og beina lite. Kraftige muskler i armene, mens beina er pipestilker. Hendene hans er fulle av små og store arr etter sagblad og stemjern.

«Jeg sto om bord i *Tranquebar* i halvannet år fra høsten toogtredve,» sier Flise-Guri. «Hun er en gammal sliter i Østen-trade'n. Bra båt med mye fint treverk som ga trivelig arbeid for en tømmermann. Vet du hva slags sted det var, byen Tranquebar, som skuta er oppkalt etter?»

«Har aldri hørt om noen by ved det navnet ,» svarer Halvor.

«Vi nordmenn liker jo å skryte av at vi aldri har vært koloniherrer. Det er faen meg bare halve sannheten. Under dansketida var det danskene som herska over oss. Så var vi nordmenn med danskene og herska over kolonier både i Afrika, Vest-India og India. Danmark-Norge var ingen *stor* kolonimakt. Men det fantes et lite, dansk-norsk imperium som ble styrt fra København. I dette imperiet var Trankebar, som byen ble kalt på dansk og norsk, den indiske juvelen.»

«Mener du at Danmark-Norge hadde en koloni i India?»

«Det er ikke bare noe jeg mener,» sier Flise-Guri. «Det er et historisk faktum. Jeg har sjøl vært der, i Trankebar, og sett fortet som ble bygd av en admiral som hadde navn etter en fisk. Nå husker jeg ikke navnet i farta. Si meg navnet på en norsk innsjøfisk.»

«Abbor,» sier Halvor.

«Nei, ikke abbor. En mye større fisk. En glupsk jævel som det går an å lage gode fiskekaker av.»

«Gjedde?»

«Der har vi det. Admiral Ove Gjedde. Han var det som erobret Trankebar som koloni for kongen i København. Det var i år sekstenseksten. Han satte i gang med å bygge et fort der, og kalte det Dansborg. Det er bygd kloss ved sjøen, av rødbrun sandstein. Og det har tålt tidas tann godt. I dag er det et lite museum der med ting og tang fra kolonitida. Vi lå med *Tranquebar* i Pondicherry på sørøstkysten av India. Så fant førstestyrmannen, båsen og jeg på at vi skulle dra på en ekspedisjon til stedet som hadde gitt skuta vår navn. Det bød på noen problemer. Ingen indere i Pondicherry hadde hørt om noe sted kalt Tranquebar eller Trankebar. Det viste seg at byen i dag på indisk heter Tarangambadi. Distansen dit langs kysten sørover fra Pondicherry er ikke mer enn femogtjue mil i luftlinje. Vi leide en bil med sjåfør og tenkte at vi skulle fyke ned til Trankebar på et par–tre timer. Reisa tok halvannet døgn. Veiene på landsbygda sør i India må være blant de verste i verden. Og uavlatelig måtte vi stoppe for hellige kuer. Vi var mørbanka og kunne spy ved synet av ei ku da vi endelig kom fram.»

«Var det verdt turen?»

«Jeg vil si det, i alle fall for meg som er så interessert i historie. Det var merkelig å komme til en søvnig indisk fiskerlandsby, der kong Christian den sjuendes monogram sto hogd inn på byporten. Det var også pussig å tenke på at en haldenser var guvernør i Trankebar i femogtjue år.»

«En haldenser?»

«Visst for helvete!» sier Flise-Guri. «På museet i fortet fant jeg ut at oberst Peter Anker fra Fredrikshald i Norge var guvernør i femogtredve år fra syttenseksogseksti. Det sto i et gulnet notat at 'Guvernør Anker var stræng mod de infødte'.»

«Drev han med slavehandel?» spør Halvor.

«Nei, det var ingen slavehandel i Trankebar. Slavehandel var det derimot mellom Christiansborg på Gullkysten i Vest-Afrika og de dansk-norske øyene i Vest-India.»

«Hvorfor lærer vi ingenting om dette på skolen, tror du?»

«Det må være fordi kolonihistoria vår er et mørkt kapittel som vi nordmenn helst ser at går i glemmeboka. Det passer liksom ikke inn i vårt prektige sjølbilde at bergensforfatteren Ludvig Holberg investerte det han tjente på *Jeppe på Bjerget* i slavehandelen mellom Afrika og Karibien. Nå skal det sies at Trankebar ikke var så ille. Der gikk det mest i handel med pepper og annet orientalsk krydder, samt gull og sølv, helt fram til kolonien ble solgt til engelske East India Company i attenfemogførti. Vet du hva jeg fant på kjerkegården i Trankebar?»

Halvor svarer at nei, det kan han ikke vite.

«Det var mange gravsteiner med danske og norske navn der. På en av steinene sto navnet til en mann med samme etternavn som meg. Haavard Tveiten, sto det, og dødsåret syttentreogåtti. Denne Haavard kan ha vært en av soldatene som ble med oberst Anker til Trankebar. Det var bare flaks at jeg fant steinen hans på kjerkegården. Gravsteinene var dekket av kuruker. Inderne bruker de fine, flate steinene til å tørke kumøkk som de har som brensel. Men nå skjer det noe her. Vi får besøk.»

Tranquebar har satt en motorlivbåt på vannet, og båten stevner mot *Tomar*. Midt i båten står en eldre mann i kapteinsuniform. På *Tomar* låres gangveien for å ta imot besøket.

«Dæven,» sier Flise-Guri. «Det er gamle kaptein Drittleff som kommer. Han var skipper på *Tranquebar* da jeg sto om bord i henne.»

«Drittleff?» sier Halvor. «Han *heter* naturligvis ikke Drittleff.»

«Nei, er du gæren. Han heter *Ditleff*, Richard Maronius Ditleff. Han har et vesen og en væremåte som gjør det jævla fristende å fikse litt på navnet hans. Han burde vært pensjonert for lenge siden og vært hjemme i Langesund og nytt sitt otium. Men Wilhelmsen pensjonerer ikke skippere. Vet du hvor det blir av alle de gamle Wilhelmsen-skipperne?»

Halvor sier at det har han ingen anelse om.

«Det skal finnes en hemmelig kjerkegård for Wilhelmsen-skippere på et bunnløst djup i Atlanteren sør for Azorene. Dit reiser våre mer eller mindre kjære kapteiner for å dø når de er blitt så avfeldige at de ikke vet forskjell på styrbord og babord, forut og akter. Det er akkurat som med elefantene i Afrika som vandrer til et hemmelig sted når de kjenner at timen er kommet. Den eventyreren som finner elefantkjerkegården i Afrika, har gjort lykken. For der ligger tonnevis av elfenben. På Wilhelmsen-djupet sør for Azorene kan man ikke vente seg å finne annet enn en pen samling gebisser, en og annen gulltann og en haug med messingknapper fra uniformene.»

«Du er god til å skrøne, Flise-Guri,» sier Halvor.

«Ikke så verst. Jeg lærte meg å fortelle historier da jeg var på sanatorium i guttedagene. Jeg hadde hard tuberkulose og var i flere år på Glittre i Hakadalen nord for Oslo. I dag er det staten som driver Glittre. Da jeg var der, var det privat drevet. Jeg hadde ei velstående tante som finansierte oppholdet mitt. Et sanatorium er ikke noe morsomt sted for en guttunge. Man må lære seg å bruke fantasien for å overvinne kjedsomheten.»

Den gamle sjøulken kaptein Ditleff går med forbausende spenstige skritt opp gangveien og blir tatt imot på fallrepet av kaptein Nilsen.

Halvor går etter frokost opp på brua på ankervakt og stiller seg i skyggen på babords bruving.

Trean kommer ut på bruvingen og gransker de andre anker-liggerne i kikkerten. Han blir stående og speide mot et stykkgodsskip på *Tomar*s størrelse som ligger nærmere stranda på Steamer's Point.

«Faen,» sier Trean. «Det der ser ikke mye pent ut. Ta en kikk på den skuta, Skramstad.»

Halvor får kikkerten. Han gransker hekken på skipet Trean har pekt ut. Der står skipets navn, *Niels Juel*, og hjemmehavna, Køben-havn. Han kan ikke se noe spesielt gærent med *Niels Juel*.

«Jeg synes dansken ser ship shape ut,» sier Halvor.

«Se på flagget, da, gutt!»

Halvor ser på flagget som vaier på hekkmasta. Det er ikke rødt og hvitt, det er rødt, hvitt og blått, det er Union Jack.

«Dette ville ikke Niels Juel ha likt,» sier Trean.

«Hvem var Niels Juel?»

«Danmarks største sjøhelt til alle tider. Han ledet flåten som grisebanka svenskene i Køge Bugt i sekstenhundreogdentid. Niels Juel ville snudd seg i grava hvis han fikk rede på at et dansk skip med hans navn måtte seile under britisk flagg.»

Trean tenner en sigarett, en Senior Service, og byr Halvor en.

«Fred. Olsens *Bayonne* ser ut til å være ei bra skute,» sier Halvor.

«Veldig bra,» sier Trean. «Eldstebroren min, Hermod, seiler stuert på søsterskipet *Bristol*. Begge båtene er på sjutusenfemhundre tonn dødvekt og bygd på Akers Mek. i Oslo. Fred. Olsen er jo en stor eier i det verftet. Det er lagt ned skikkelig norsk skipsbyggingsarbeid i de to båtene. Godt håndverk i all innredning på lugarene og i messene. I skippersalongene skal det henge ekte tegninger av Erik Weren-skiold. Gudene vet hva som har brakt *Bayonne* hit til Aden. Til van-lig seiler både hun og *Bristol* i Fred. Olsens linje mellom Skandinavia, Nord-Europa og Middelhavet. Det er ei fin linje. Man kommer hjem til Norge hver tredje måned. Jeg har lovet Mona at jeg skal søke meg til Fred. Olsen.»

«Mona?»

«Forloveden min. Har jeg ikke fortalt deg om henne?»

«Nei,» svarer Halvor. «Jeg visste ikke at du er forlovet. Du har jo ingen ring.»

«Mona er allergisk mot gull. Derfor bruker vi ikke ringer. Hun arbeider som koldjomfru på Hotell Societeten hjemme i Holme-strand. Men jeg kan garantere at hun er verken kold eller jomfru.

Når vi gifter oss, skal jeg seile for Fred. Olsen. Får jeg ikke en mid-delhavsfarer, vil jeg prøve å få en av Fred. Olsen-båtene i Syd-Ame-rika Linjen.»

«Det er litt av et navn på det hotellet i Holmestrand,» sier Halvor.

«Societeten, ja,» sier Trean. «Hotellet er absolutt ikke så fisefint som det høres ut. Til Societeten trekker halve Holmestrand for å feste på lørdagskveldene. Da er det dans til levende musikk og full fart. Siste skrik da jeg var hjemme nå i desember, var et lite jazz-band fra Oslo, Dag 'Mixi' Larsens Combo. Mixi er helt rå på saksofonen. Jeg gleder meg til å høre ham igjen.»

En ekkel tanke slår Halvor, og han kan ikke la være å dele den med Trean.

«De tyske nazistene *hater* jazz,» sier Halvor. «Den jævla Goeb-bels mener at jazz er degenerert negermusikk. Kan hende tyskerne vil forby alt som heter jazz i Norge.»

Trean åpner lokket på messingaskebegeret, som er festet under teakrekka på bruvingen og er av samme type som brukes i tog-kupeer. Stanken av gammel aske og sigarettstumper sneipet mot messing slår mot dem. Med en sint håndbevegelse stumper Trean den halvrøykte Senior Service'n.

«Du har faen meg rett når det gjelder jazzen, Skramstad,» sier han. «Jeg sto her og drømte meg bort. Det er jo slett ikke sikkert at vi kommer hjem noen gang. *Om* vi kommer hjem, kan det være til et fordømt nazidiktatur, der saksofonister som Mixi er skutt eller sitter i konsentrasjonsleir. Og får jeg se Mona igjen, den *samme* Mona? Hva kan tyske soldater ha gjort med den fine dama mi med de lyse krøllene?»

De to blir stående i stillhet på bruvingen og lytte til kjettingen som rasler i ankerklysset.

Trean finner en twistdott i bukselomma og tørker seg i ansiktet.

Halvor vet ikke om det er tårer han tørker bort, eller svette utløst av den økende formiddagsheten i bakerovnen Aden.

«Oslo under det tyske herrefolkets velde kan bli som Aden,» sier Trean. «Aden var en helt og holdent arabisk by. Og landet her, Jemen, arabisk land helt fra Abrahams tid. Så kom engelskmennene på attenhundretallet og tok byen og landet. Landet gjorde de til protektorat, byen til kronkoloni. I dag er engelskmennene over-kikadorer i Aden, mens araberne er redusert til annenrangs borgere i sin egen by. Slik er det kanskje allerede blitt i Oslo også. Tyskerne kommanderer, mens nordmennene går med bøyd nakke. Jeg ser for meg at Norges erobrer, general Nikolaus von Falkenhorst, spankulerer på Karl Johan i fulle nazipontifikalier og roper 'Ordnung muss sein!'.»

Halvor er blitt aleine på brua. I kikkerten studerer han de fremmedartede ørkenfjellene rundt Aden. Han gripes av en veldig hjemlengsel. Nå bråner snøen i skogene i Østerdalen. Snøfonnene har rast ned fra grankvistene, og grana står grønn og frodig som om det aldri skulle ha vært noen vinter. Lufta i skauen smaker som friskt fatøl.

Det lille snølandet langt mot nord. Det slår ham at han kanskje aldri mer skal få se dette landet som er hans eget.

Kapittel 23

Halvor og Åge jobber overtid om ettermiddagen den 15. april. De sitter og svetter på ei stilling som henger langs skutesida, og maler over nøytralitetsmerket med svartmaling. Det samme malerarbeidet utføres om bord i *Tranquebar*.

Båsen fikk høre av Nyhus at kapteinene Nilsen og Ditleff var blitt enige om å gjøre som på *Bayonne*; male over merkene. De to kapteinene hadde drøftet hva de skulle gjøre med skip og last, og kommet fram til at de ikke kunne foreta seg annet enn å avvente situasjonen.

I sjøen under stillinga formelig koker det av hai. Det er mest små-hai, sandhai. Men også en og annen stor haifinne bryter vann-skorpa.

«Haien blir nok tiltrukket av all søpla båtene dumper her på reia,» sier Åge.

Halvor sier at Geir Ole har fått låne en kjøttkrok av kokken og nå driver og fisker fra poopen i håp om å få seg en storing. Han bruker flaggline som snøre og har satt på en fortom av wire. Som agn bruker han bedervede kjøttslintrer.

«Hva skal nordlendingen med en jævla hai?» sier Åge. «Haien er jo ikke etandes. Den er hva vi østfoldinger kaller en udregelig fisk.»

«Geir Ole vil gjerne ha en haikjeft som trofé.»

«En sånn stygg kjeft full av fæle tenner? Så faen om jeg ville hatt en haikjeft som veggpryd i min ringe bolig i Larkollen.»

Det høres høye rop fra poopen. Er det noen som har ramla over bord og blitt haimat?

Dekksgutt Harald roper ned til de to på stillinga at nordlendingen har fått et skikkelig napp, en kjempesvær hai.

Halvor og Åge legger fra seg malerrullene, entrer opp leideren og løper akterover til poopen.

Mesteparten av mannskapet på *Tomar* har samlet seg der, henger over rekka og glaner ned på monsteret Geir Ole har fått på kroken. Det er en hai som er sikkert fire meter lang. Den kjemper som besatt for å komme seg løs, og pisker vannet til skum med den kraftige halesporen. Haiens rygg er blågrå. På kroppen har den mørke striper. Den vender seg brått rundt og viser fram en gulhvit buk.

«Kan det være en hvithai?» sier Flise-Guri.

«Mest sannsynlig en tigerhai, etter stripene å dømme,» sier Båsen. «Hvithai eller tigerhai, menneskeetere er de begge to.»

Hvordan få beistet opp av vannet? Den veldige fisken må jo veie et halvt tonn, kanskje bortimot et tonn.

«Vi får prøve å løfte'n med vinsjen ved femmerluka,» sier Båsen. «Ta i et tak, gutter, så prøver vi å buksere udyret langs skutesida.»

Ivrige hender tar tak i flagglina og haler den sprellende haien langs skutesida.

«Det nytter ikke å hale'n opp med lina,» sier Båsen. «Lina vil ryke. Vi må få satt en wirestropp rundt halen på'n.»

Båsen henter en wirestump med øye i og en sjakkel. Ved hjelp av sjakkelen lager han ei renneløkke på wiren.

«Hvem vil hoppe over bord og feste løkka?» spør Båsen.

Spørsmålet blir møtt med unison latter.

«Matros Rønning kan kanskje ordne dette her,» sier Båsen. «Hva sier du, Rønning? Du hadde jo teken med å sette lasso på den løpske traktoren i Biscaya.»

«Okey,» svarer Rønning. Han ber om at losleideren blir hengt ut, og det blir gjort i en fei. Så ber han om å få ei livline festet til beltet, slik at han kan hales om bord hvis han glipper taket i leideren.

Vinsjekroken festes i øyet på wirestumpen. Rønning klyver ned leideren med renneløkka klar.

Blod fra såret haien har fått i kjeften av kjøttkroken, farger vannet rødt. Men haien har ikke gått tom for krefter. Den plasker med halesporen så skumføyka står.

Halvor husker at han har lest et sted at en voksen hai består av åtti prosent muskler.

Rønning står på det nederste trinnet i leideren, bare en halvmeter over vannflata og farlig nær den glefsende haikjeften. Han gjør gjentatte forsøk på å smøje renneløkka rundt halesporen. Det virker som en umulig oppgave.

Han roper opp til karene ved rekka at de må hale haien litt lenger forover.

250

Det blir gjort.

Halesporen vender nå mot Rønning. Og den plasker ikke så voldsomt lenger.

Rønning huker seg sammen, kaster og treffer.

«Fast fisk!» roper han. «Hal tight!»

Flise-Guri ved vinsjen gir full pinne, og mantelwiren dirrer som en spent felestreng.

Haien løftes ut av vannet etter halen.

Rønning entrer opp leideren.

Haien dingler i lufta. Plutselig får hiven en sleng, og haien pendler vilt. Haikroppen suser mot leideren der Rønning er, og truer med å knuse ham.

«Hopp, for faen!» roper Båsen.

Rønning hopper på havet.

Haien braser inn i leideren og smadrer flere trinn.

Rønning kaver i det blodige vannet. Alle mann drar i livlina og får halt ham opp.

Rønning setter seg på dekk og spyr sjøvann og haiblod.

«Du fikk sannelig bada,» sier Båsen. «Er du all right?»

Rønning nikker.

«Det skal kule til en trønder,» sier Båsen.

Haien er blitt heist opp så den henger flere meter over dekk. Flise-Guri lårer den ned på dekk. Der blir den liggende og kaste på seg, og gutta holder respektfull avstand fra kjeften med den fryktinngytende tanngarden.

Båsen hogger etter haien med ei brannøks, men tør ikke gå nær nok til å treffe. Geir Ole har festet en Mora-kniv på et kosteskaft og prøver å stikke byttet sitt. Men knivbladet greier ikke å trenge gjennom det seige haiskinnet.

«La meg ordne denne biffen!» roper en stemme.

Annenstyrmann Granli har dukket opp. Han har et gevær i hendene. Det er et gevær Halvor straks drar kjensel på, den velkjente Krag-Jørgensen-karabinen med kaliber 6,5 som finnes i tusen norske hjem, inkludert hans eget. Det er ikke et våpen han ville gått på elgjakt med, men det er fint til rådyr og rev. Vil Kragen bite på en rugg av en hai? Det bør den gjøre, siden det ikke finnes bein i en hai, bare brusk.

«Hold dere langt unna, karer,» roper Granli. «I tilfelle jeg bommer og det kommer en rikosjett.»

Alle mann trekker opp på poopen.

Granli sikter, fyrer og treffer haien midt i pannebrasken.

Halvor tenker at det må være et dødelig skudd, siden haien ikke har noe skallebein kula kan prelle av på.

Men haien fortsetter å kaste på seg, like vilt som før.

Granli fyrer og treffer.

Haien spreller like rasende.

Først da Granli har tømt hele magasinet i haihodet, ligger fisken endelig stille.

Flise-Guri folder ut tommestokken sin for å måle fangsten. Han har målt halve haien da den får en voldsom krampetrekning. Flise-Guri rygger i panikk, sklir i haiblodet og ramler på rumpa. Han høster stor latter.

Flise-Guri gjør et nytt måleforsøk og kan melde: «Tre femog-åtti.»

Båsen spør Granli om hva slags hai det er.

«Trolig en tigerhai,» svarer Granli. «Galeocerdo cuvier.»

«Galileo?» sier Båsen. «Var ikke det han italieneren med stjerne-kikkerten? Og Cuvier, er ikke det en konjakk?»

«G-a-l-e-o-c-e-r-d-o c-u-v-i-e-r,» sier Granli. «Det er det latinske navnet.»

«Beistet er en menneskeetende faen, ikke sant?» sier Båsen.

«Tigerhaien finnes i alle tropehav og er kjent fra mange plasser for å *angripe* mennesker,» svarer Granli. «Det finnes nok av eksempler på at tigerhai har bitt en arm eller et bein av svømmere og surfere. Men marinbiologene strides om hvorvidt tigerhai og hvithai virkelig *eter* mennesker. Noen vitenskapsfolk mener at de store haiene angriper mennesker fordi de tror de er seler eller springere. Når de kjenner at byttet ikke lukter sel eller springer, spiser de det ikke. Mennesket er ikke et naturlig byttedyr for haien.»

Geir Ole forteller at han leste en notis i sildefiskernes blad Fiskaren, der det sto at tigerhaien spiser alt mulig. I California ble det fisket en tigerhai som hadde et bilskilt i magen.

Geir Ole begynner, med en stor tilskuerskare, å skjære løs haikjef-ten. Flise-Guri måler de største tennene i overkjeven til drøye fem centimeters lengde. Bak den forreste raden med sylskarpe tenner har det vokst fram en ny rad med tenner som ser ut som tagger i et grovt sagblad.

Granli sier at storhaiene stadig får nye tenner. Når de ødelegger ei tann på et skilpaddeskjold eller en selknokkel, blir den erstattet av ei ny tann fra den bakre tanngarden. En hai kan få så mye som førti tusen nye tenner i løpet av sitt 30-årige liv.

Den utskårne haikjeften lukter stramt av blod og åtsler. Geir Ole sier at han vil få Cheng til å låne kokkens største gryte og koke kjeften rein.

Halvor ligger i køya og skriver dagbok: «Aden, tirsdag 16. april kl. 00.30. Jeg må virkelig si at jeg misliker haikjeften Geir Ole har hengt opp i lugaren vår. Den svære kjeften dekker hele skottet over underkøya hans. Borte er bildet av negerdama med de store puppene. Geir Ole påstår at kjeften er blitt gullende rein etter at Cheng kokte den. Men jeg synes det kommer en guffen eim fra den.

Det er lite hyggelig å tenke på alle de skilpaddene, selene og delfinene – springerne! – som er blitt ofre for den forferdelige tanngarden. Kanskje også noen mennesker er blitt revet i fillebiter av denne haien. Nå spiser riktignok også skilpadder, seler og springere andre dyr som krabber og fisk, og er i den forstand rovdyr. De virker likevel uskyldige målt mot den vanvittige rovgriskheten en tigerhai utstråler.

Gnisten ga oss etter kveldsmaten en kort orientering om siste nytt fra Norge. General Otto Ruge er utnevnt til kommanderende general for de norske styrkene i Sør-Norge. I Nord-Norge er general Carl Gustav Fleischer, sjefen for 6. divisjon, blitt øverstkommanderende.

Ruge har gitt ordre om å drive såkalt 'oppholdende strid' mot tyske tropper som rykker innover i landet. Overalt er tyskerne på offensiven, mens nordmennene er på defensiven. Det viktigste nå er at kongen og regjeringen blir beskyttet. Det er ikke kjent hvor kong Haakon og Nygaardsvold & Co. befinner seg. Vi på Tomar har fortsatt ikke fått noen instrukser fra lovlig norsk myndighet om hvordan vi skal forholde oss under krigssituasjonen.

Norske styrker skal ha stoppet tyskere på marsj nordover fra Narvik. Det vil si, Hitlers tropper i Narvik skal være østerrikske bergjegere. De ledes av general Eduard Dietl.

Det slår meg som en pussighet at Carl Gustaf er et vanlig fornavn på generaler i Norden. Svenskenes Armfeldt het Carl Gustaf, og det samme gjør finnenes Mannerheim. Vi får håpe vår Carl Gustav oppe i nord har bedre krigslykke enn sine navnebrødre, som tapte mot snøstormen og Sovjet.

Gnisten fortalte at han har vært i kontakt med en radioamatør i Åre i Jämtland. Mannen i Åre hadde snakket med piloten på et svensk sjøfly som mellomlandet på ei isfri elv ved Åre underveis fra Namsos til Östersund. Den svenske pilotens ærend i Namsos hadde vært å evakuere to skotske forretningsmenn, to plankehandlere. Da han skulle ta av fra Namsos i forgårs, søndag, hadde den svenske piloten observert at et stort sjøfly med britiske kjennetegn landet på havna. Flyet var en Sunderland-maskin. Fra flyet ble det landsatt personer i britiske offisersuniformer.

Gnisten sa: Landingen til ett eneste sjøfly er jo ingen invasjon. Men vi kan her ha fått et forvarsel om det som skal komme. De britiske offiserene kan ha vært på rekognosering.

I Oslo brøt det ut panikk den 10. april, fortalte Gnisten. Folk fryktet britisk bombing. Halvparten av Oslos befolkning, to hundre tusen mennesker, flyktet ut av byen. Det hadde jeg ikke trodd om Oslos brave borgere!

Under ankervakta i kveld kom kaptein Nilsen en snartur opp på brua, der Trean og jeg sto i en hyggelig passiar om tysk, italiensk og svensk musikk.

På kortbølgen på radioen sin på lugaren hadde Trean fått inn, klart og tydelig, et oratorium av Joseph Haydn. Dette ble fulgt av Franz Schuberts sanger om Die schöne Müllerin.

Tysk er jo den klassiske musikkens fremste språk når det gjelder sang, sa Trean. Jeg har alltid vært glad i de tyske lieder og det tyske språket. Men noe av gleden er borte nå. Det er Adolf Hitler som har ødelagt tysken med de fæle talene sine. Når jeg hører de fine ordene om den vakre møllerkona, er det som om Hitler spøker i bakgrunnen. Vi får håpe at skaden ikke blir evigvarende, at en gal diktator ikke greier å ødelegge den tyske språkskatten for bestandig.

Vi får håpe det samme når det gjelder opera, sa jeg. Operaen har gjort italiensk til et verdensspråk. Det ville være forjævlig om Mussolini ødelegger for italiensken.

Tenk om Sverige skulle bli nazistisk, sa Trean. Da vil jeg ikke ha den samme gleden av Evert Taube som jeg har i dag.

Trean og jeg kunne ha utdypet temaet nazisme, fascisme og språk. Men vi ble avbrutt av kapteinen. Han var i slett lune, som det heter. Ja, han var skikkelig gretten. Han luktet ikke konjakk denne gangen, han luktet gin.

Kapteinen ga Trean en overhøvling for å ha gått et par dager uten å barbere seg. Jeg kan ikke ha en styrmann som ser ut som en skjeggete villmann, sa kapteinen.

Han lot så sin vrede gå utover britenes Naval Control i Aden.

Han sa: Jeg var i land sammen med kaptein Ditleff fra <u>Tranquebar</u> og kaptein Svein Bjørn Bovery Dahl fra <u>Bayonne</u>. Hva kunne de skittviktige offiserene i Naval Control fortelle oss norske skipsførere om hva vi skal gjøre med skip og last? Ikke en damn' shit! Hva kunne de fortelle oss om den bevæpningen vi så sårt trenger for å kunne forsvare oss mot tyske fly og ubåter? De jævla blærene sa at det finnes luftvernskyts og mitraljøser på lager i Aden, men at disse våpnene ikke kan deles ut til norske skip så lenge den norske handelsflåtens situasjon er uavklart. Jeg sa da at når Tyskland har angrepet Norge, må vi regnes som en alliert med Storbritannia og Frankrike. Naval Control svarte at det er det ikke opp til dem i Aden å avgjøre. Det er et spørsmål for de høye herrer i London og Paris. Det eneste Naval Control kunne love oss, er en slags elektrisk kabel til beskyttelse mot miner. Tyskerne skal ha tatt i bruk en ny type miner, magnetiske sådanne.

Kapteinen spurte Trean om han hadde hørt om disse nye minene.

Ikke annet enn som et rykte, svarte Trean.

Sier ordet 'digåssing' Dem noe? spurte kapteinen.

Han fant fram en lapp fra lomma på uniformsjakka og leste bokstav for bokstav: D-e-g-a-u-s-s-i-n-g. Har De hørt om det, Kvalbein?

Nei, dessverre, sa Trean.

Kapteinen sa: Vi fikk forklart kabelens virkning på Naval Control. Men de drittstøvlene snakket altfor fort, på jålete oxfordengelsk og i ubegripelige vendinger. Forsto jeg dem rett, skal degaussing innebære avmagnetisering av skipets skrog.

Det er logisk, sa Trean. Hvis det dreier seg om vern mot magnetminer.

Kapteinen begynte å kjefte på Nygaardsvolds regjering, som ikke har gitt lyd fra seg til handelsflåten.

Vi har en regjering som består av en bande døvstumme klossmajorer! ropte han.

Heller ikke generalene Ruge og Fleischer fant nåde for kapteinens kritikk. Han kalte dem for typiske skrivebordsgeneraler.

Trean sa at vi vel får vente og se hva de to generalene duger til i felten. Da sa kapteinen at både Ruge og Fleischer har slitt uniformsbuksebaken på generalstabens kontor i årevis. Det er en menneskealder siden de var i nærheten av en skarpladd kanon. Fleischer har vært lærer ved militærhøyskolen og redaktør for Norsk Militært Tidsskrift. Dette er ikke akkurat bravader som skremmer vannet av tyskernes blodtørstige krigere oppe i Narvik.

Trean sa at general Fleischer som sjef for 6. divisjon må ha opplevd en god del øvelsesskyting med skarp kanonammunisjon.

Kapteinen svarte: Fleischer ble utnevnt til generalmajor og sjef for troppene våre i Troms for bare et års tid siden. Han er ikke blitt varm i trøya der oppe i Gokkoland.

Da kapteinen hadde rast fra seg og forlatt oss, bød Trean meg på en Senior Service. Han fortalte at da han var i Marinen, var han med på en tur til Karlskoga i Värmland, der den store kanonfabrikken til Bofors ligger. De norske marinefolkene fikk en grundig befaring på Bofors og lot seg imponere av den topp moderne fabrikken. Da de kom tilbake til hotellet og satte seg i baren, var det en av gutta, en fra Hønefoss, som begynte å hive innpå noe voldsomt.

Hvorfor drikker du så jævlig? spurte de andre.

Jeg vil støtte Bofors, sa han fra Hønefoss. Jeg vil bli kanon.

Den replikken høstet han latter for. Men da han for tjuende gang ropte 'Støtt Bofors, bli kanon!', ble han hevet ut av baren.

Granli kom opp på brua ved midnatt. Jeg spurte ham om Kragen.

Jeg visste ikke at vi hadde våpen om bord, sa jeg. Hvorfor har vi det?

For påkommende tilfeller, svarte Granli.

Som hva da? spurte jeg. Skyte pirater? Uskadeliggjøre folk som tørner gærne og blir farlige?

Granli ville ikke utdype emnet nærmere. Jeg sa at jeg er en ganske erfaren jeger, og at jeg kunne ha moro av å prøveskyte Kragen. Nå som Norge er i krig, kan det være greit at vi mannskaper får litt våpentrening.

Granli sa at han skulle ta opp spørsmålet om øvelsesskyting med kapteinen.

Det har vært en lang og svett dag, og jeg ligger her i køya og svetter. Selv nå etter midnatt må det være minst tredve grader. Det gjelder å drikke mye vann i dagens løp og spise plenty salttabletter.

Jeg har fått et brannsår på rumpa, på venstre skinke. Det var min egen feil. For å vaske bort svartmaling fra hendene brukte jeg white spirit. Så puttet jeg twistdotten som hadde vært dynket i white spirit, i baklomma på shortsen og glemte den der. Dermed ble det etset et sår som ser ut som et skrubbsår. Det svir grassat. Brannsalve hjalp ikke. Kokken ga meg en pose isbiter som jeg la på såret for å kjøle det ned. Det hjalp litt. Men nå midt på natta er det jo ikke isbiter å få tak i. Vi skulle hatt det som på amerikanske båter. Hemmingsen har fortalt meg at yankee'ene har ismaskiner i messene. Det er bare å trykke på en knapp, så spruter det ut isbiter.

Jeg ligger her med brann i ræva og venter på at brannalarmen skal skingre og lyset bli borte.

Nyhus har varslet at det blir brannmanøver i natt. Den skal skje på mørklagt skip for å være mest mulig realistisk.

Jeg har brannpost på båtdekket, på babord side. Som lettmatros er jeg ikke betrodd å føre brannslangen. Jeg skal være slangeføreren behjelpelig.

Den smukke Tae titter ned på meg fra skottet. Fotopapiret i Hong Kong har ikke vært av beste kvalitet. Bildet Hemmingsen tok, har allerede gulnet litt. Og selv om det virker lenge siden vi lå på Menam, er det ikke <u>så</u> lenge siden. Vil jeg noen gang få se henne igjen?

Granli mener at japanerne vil la seg inspirere av Hitlers felttog i Polen og Norden til militære eventyr og ekspansjon i Østen. Japanerne er sultne på råstoffer. De drømmer om å erobre Nederlandsk Ostindia for å sikre seg oljen på Borneo og Sumatra. De vil gjerne ta Fransk Indokina for å få tak i gummien på plantasjene der. Greier de det, står Thailand lagelig til for hogg.

Det er vanskelig å tenke seg Thailand tatt av Japan, men det var også vanskelig å tenke seg Norge tatt av Tyskland.

Alarm!»

Tirsdag ettermiddag skal det holdes skyteøvelse om bord i *Tomar*. Båsen har malt en hvit sirkel som blink på et tomt oljefat. Tomtønna hives ut fra poopen, festet til ei femti meter lang line. Den blir liggende og duppe i krappe småbølger. En frisk bris har blåst opp. Vinden gir ingen kjøling. Det er fralandsvind, heit ørkenvind.

Kaptein Nilsen er på et av sine ytterst sjeldne besøk akterut. Han sier: «I dag er det en uke siden angrepet på Norge begynte. Vi markerer dette med en liten skytekonkurranse, og håper naturligvis at vi snart får mer å bite fra oss med her om bord enn en skarve Krag-Jørgensen. Bestemann får en flaske portvin.»

Halvor anser den duppende tønna som en vrien blink.

Hver mann får seks skudd.

Byssegutt Kevin plaffer i vei uten å treffe tønna.

Stuert Dyrkorn får to treff.

Dekksgutt Harald er ulidelig treig i avtrekket, men treffer bra og lager tre hull i den hvite blinken.

Erasmus Montanus skyter seks bom.

Geir Ole får inn én treffer.

Trean får også inn bare én treffer.

«Jeg trodde du var artillerist i Marinen,» sier Halvor.

«Nei,» svarer Trean. «Jeg var signalgast og skjøt aldri med skarpladde våpen.»

Halvor lader og konsentrerer seg. Han treffer blink med de fem første skuddene. Det siste blir skivebom. Han treffer tønna, men misser blinken med noen centimeter.

Da hele mannskapet har skutt, leder Halvor sammen med en smører fra Nøtterøy som heter Helge Hvasser. Smører Helge har gjort lite vesen av seg om bord. Han er på Halvors alder og størrelse og har samme type uregjerlige, lyse lugg som Halvor. Men han er bleikere i huden, og det er kanskje ikke bare fordi han tilbringer arbeidstida i maskinrommet. Halvor tenker at smøreren ikke liker å sole seg på fritida. Helge Hvasser har aldri sagt noe på møtene i messa, og Halvor har knapt vekslet et ord med ham. Nå har Helge markert seg med sine fem fulltreffere. Halvor spør hvor han har lært å skyte såpass bra. Helge sier at han har lært det under alkejakta utenfor Verdens Ende på Tjøme.

En åpen, gråmalt motorbåt på størrelse med en livbåt, en sjalupp, kommer stevnende mot *Tomar* og legger bi under hekken.

I sjaluppen står én marinegast forut og én akter. Gasten i akterskotten bærer en Thompson maskinpistol, den vidgjetne Tommygun, i ei reim over skulderen. På den midtre tofta sitter en rødmussa mann i kakiuniform med en vinkel på ermet. Han reiser seg fra tofta og roper: «I am sergeant Bradford of the British Army. I have orders from the governor of the crown colony that you stop your silly shooting immediately.»

«We are just having some gun training,» roper Trean tilbake.

«I am not here to listen to any bloody bullshit,» roper sersjanten. «You are Norwegians, right? I didn't know that Norwegians were as foolish as the crazy Irishmen. Why don't you go back to your potato farms in fucking Norway, stop being cowards and start shooting some fucking Germans instead of an empty oil drum?»

«You can go and fuck yourself!» roper Trean. «Mad dogs and Englishmen! Fuck the British Empire! Fuck king George, fuck queen Victoria's dead body! Fuck your stupid prime minister Neville Chamberlain and his fucking umbrella! Yes, fuck and double fuck Mister Chamberlain who has given half of Europe to Adolf Hitler! Fuck your minister of the Navy, Mister Winston Churchill, that bloody butcher of the British imperialist Boer War! Fuck the London Bridge, fuck Big Ben, fuck the Parliament, fuck the House of Commons and the House of fucking Lords! Fuck the motherfucking Duke of Fuckington!»

Sersjanten har stått urørlig og hørt på Treans tirade. Nå gir han et tegn til gasten i akterskotten, som slenger over Tommygun'en til ham.

Halvor tar Kragen fra Trean, søker dekning bak en pullert og legger an mot sersjanten.

Trean lar seg ikke stoppe: «Fuck the British Army, the Royal Navy and the Royal Air Force! Fuck the Peninsular and Orient Line and their steamer *Himalaya*! Fuck your boring cricket games, your vainglorious polo players and shitty golf players! Fuck your fox hunters in their ridiculous red jackets! Fuck your afternoon tea, your rotten fish and chips and your pissy English beer! Fuck Beefeater's gin and Gordon's gin! Fuck every fucking English snob in the whole wide world!»

Sersjanten brenner av en salve med Tommygun'en. Men det er ikke Trean eller noen andre om bord i *Tomar* han sikter på. Han sikter på tomtønna, og han treffer med en velrettet salve. Han blåser et digert høl i tønna, som synker med en gurglende lyd.

Han vender seg mot Trean og gliser.

«Well spoken, Norwegian sailor,» roper sersjanten. «Have a nice evening, gentlemen! But remember, no more shooting practice here in the port of Aden.»

Sjaluppen tøffer vekk.

Kaptein Nilsen har lagt ansiktet i sine morskeste folder og sier til Trean: «Hva var det som gikk av Dem, styrmann Kvalbein? Jeg trodde De ville få oss skutt, alle sammen.»

«Jeg vet ikke,» svarer Trean. «Beklager. Jeg må ha fått solstikk i løpet av dagen. Jeg har hatt vondt i huet, vært kjempetrøtt og følt meg brennvarm i trynet.»

«Da får De gå og få i Dem noe kald drikke, og ta Dem en dusj,» sier kapteinen.

«Jeg tror du fikk politisk solstikk,» sier Granli. «Du har alltid vært motstander av britisk imperialisme. Du måtte få utløp for oppdemmet aggresjon.»

Gnisten kommer til messa etter kveldsmat og forteller siste nytt fra Norge. Molde er blitt bombet av tyske fly. Omfanget av bombingen er ikke gjort kjent gjennom nyhetssendingene fra BBC. Heller ikke årsaken til bomberaidet mot Molde er kjent. En mulig grunn kan være at norske marinefartøyer har søkt tilflukt i byens havn. En annen grunn kan være at britiske styrker har gått i land der.

Høytorp fort i Østfold har overgitt seg til tyskerne. Det skal ikke ha vært store norske tap på fortet. Hegra festning i Trøndelag er under hard tysk beskytning, men holder stand.

«Det mest gledelige,» sier Gnisten, «er at det ser ut til at den såkalte regjeringssjef Vidkun Quisling har fått fyken av tyskerne. Tyskerne er ikke blitt imponert av major Quislings selvbestaltede regjering. De har skjønt at den jævla forræderen ikke har filla folkelig støtte. Det meldes at Quisling har trukket seg. Han blir dermed stående tilbake som en klovn, og ikke som en stor statsmann.»

«Farvel, fordømrade Quisling!» roper Båsen.

«Jeg vet ikke om jeg liker det som er kommet istedenfor naziregjeringa,» sier Gnisten. «I Oslo har Høyesterett, anført av justitiarius Paal Berg, opprettet noe som blir kalt Administrasjonsrådet. Det består av embetsmenn. Vitsen med rådet skal være å holde siviladministrasjonen i gang. Quisling har erklært at han overdrar sine funksjoner til dette rådet. Høyesterett kan umulig ha laget dette rådet uten en eller annen form for tysk støtte. Og det virker ikke som om regjeringa og kongen har godkjent Administrasjonsrådet.»

«Faen til greier,» sier Flise-Guri. «Paal Berg kjenner vi som en rettskaffen type. Men dette fordømte rådet hans stinker. Gode nordmenn burde ikke hjelpe tyskerne med å holde hjula i gang, men tvert om stikke kjepper i hjula for dem.»

«Helt enig!» roper Hemmingsen. «Vi må sabotere for svina, ikke smøre maskineriet for dem.»

Motormann Smaage okker seg over hvor uheldig hans kjære by Molde er. Kirka i Molde brant i 1885. Det var før hans levetid. Men han opplevde den store bybrannen i januar 1916. Han hadde reist inn fra Aukra til Rosenes by og gikk i maskinlære på Brunvoll motorfabrikk da mesteparten av østre bydel brant ned. Tre år seinere skulle fotballklubben International, der han spilte senterforward, ha femårsjubileumsfest på Grand Hotell. Før de fikk hatt den festen, brant det prektige Grand ned til grunnen. Nå er Molde blitt den første byen i Norge som har fått smake tysk bombing.

«Elverum var vel først,» sier Halvor.

«Elverum er ikkje nokken by,» sier Smaage. «Elverum er eit landsens herred.»

Halvor søker støtte i messa for at Elverum, med sine 10 000 innbyggere, må kunne kalles en by. Der må han, Skogsmatrosen, gi tapt. Mot Halvors enslige stemme erklærer mannskapet i messa på *Tomar* at Elverum ikke kan regnes som by.

Støtte får imidlertid Halvor da han sier at International, som nå har skiftet navn til Molde Fotballklubb, er et drittlag som aldri kan gjøre seg noen forhåpninger om å hevde seg i toppen i norsk fotball. I messa er det bred enighet om at fotballens hegemoni alltid vil være i Oslo, Østfold, Vestfold og Grenland. Molde kan bare drømme om å hevde seg mot storklubber som Lisleby i Fredrikstad, Ørn i Horten og Fram i Larvik. Langs kysten vil det aldri bli spilt real fotball nord for Brann i Bergen.

Protestene til motormann Stokkan fra Hitra og matros Rønning fra Børsa blir overdøvet. Trøndere og fotball? Nei, trøndere får nøye seg med å gå på ski og drive friidrett. Geir Ole blir ledd ut da han sier at i Narvik har klubbene King og Støa slått seg sammen og dannet Mjølner, som kan få et bra lag og kanskje gå helt til topps i norsk fotball.

«At en klubb fra *Narvik* skal spille i øverste divisjon?» sier Hemmingsen. «Det er dessverre like lite sannsynlig som at tyskerne vil overgi Narvik til de allierte.»

Kapittel 24

«Lenge leve polakkene!» sier Hemmingsen.

Han, smører Helge og Halvor sitter på Hemmingsens lugar og knekker portvinsflaska som var premie i skytekonkurransen. De to vinnerne har bestemt seg for å dele flaska med matrosen fra Lilleaker. Vinen heter Sandeman og er altfor søt etter Halvors smak.

Det er blitt onsdag den 17. april.

Etter kveldsmat orienterte Gnisten mannskapet om situasjonen hjemme. Disse orienteringene begynner nå å bli rutine.

«Kan du ikke fortelle oss om det vi alle håper på?» spurte Erasmus Montanus. «Vi vil høre om en norsk triumf og en smell for tyskerne. Om det så bare er en norsk seier i Grukkedalen, i kampen om ei lita bru, kanskje ikke større enn en klopp, vil vi høre om det.»

«Dessverre,» sa Gnisten. «Jeg har ikke noe sånt å fortelle. Norske soldater driver nok slik krigføring som annenstyrmann Granli kaller guerilla. Men jeg har ikke fått tak i informasjon om kamphandlingene. Jeg har likevel en god nyhet. I går gikk en alliert styrke i land i Harstad i Troms. Det dreier seg om tre britiske bataljoner, et ukjent antall franske alpejegere, to bataljoner fra Fremmedlegionen og en polsk brigade. Min kilde for denne opplysninga er en radioamatør i Kvæfjord. Han kunne fortelle at de allierte ikke møtte tysk motstand i Harstad, av den enkle grunn at det ikke finnes tyske tropper i byen.»

De tre på Hemmingsens lugar skåler for den polske brigaden som har gått i land i Nord-Norge for å begynne kampen for å befri hele Norge fra tyskerne.

Gnisten sa at han hadde fanget opp mange rykter som verserer i eteren om at de allierte har satt i land styrker i Sør-Norge, eller er underveis med landgangsstyrker. Det skal være observert en stor kontingent britiske soldater i Namsos. Britiske krigsskip og troppetransportskip har satt kursen mot Nordvestlandet. Ålesund, Molde og Kristiansund regnes som sannsynlige steder for en britisk landgang. Til disse byene er det, så vidt man vet, ennå ikke kommet tyskere.

«Vi får ta en skål for kongen også,» sier Hemmingsen.

Kong Haakon har fått trykt et opprop i de norske avisene som utkommer i de delene av landet der tyskerne ikke har kontroll. BBC har sendt oppropet. Kongen takker alle sine landsmenn som kjemper for Norges selvstendighet mot en mektig og skruppelløs fiende.

Hvor kongen befinner seg, er stadig ukjent. Gnisten mente at konge og regjering trolig er i Østerdalen på flukt fra Nybergsund.

«Og så skåler vi for Sirikit og Tae,» sier Halvor.

«Hvem er det?» spør Helge.

«To jenter vi koste oss jævlig med da skuta lå på Menam,» svarer Hemmingsen. Han finner fram et fotografi av Sirikit og Tae.

«Søte jenter,» sier Helge.

«Jeg kan ikke huske at du dro i land med noen av jentene i kanoene,» sier Hemmingsen.

«Nei, jeg gjorde ikke det.»

«Hvorfor ikke?»

«Jeg har en kjæreste,» svarer Helge og rødmer.

«På Nøtterøy?» sier Hemmingsen. Han nynner: «For utpå Nøtterø fins jo verdens herligste kvinns.»

«Nei, i Frankrike. I Le Havre.»

«Så du holder deg med *fransk* dame?» sier Hemmingsen. «Snakker du fransk?»

«Nei, ikke stort. Paulette jobber i et shippingfirma og snakker engelsk. Og jeg lærte å skrive engelsk på skolen. Mora mi ville ikke la meg reise til sjøs før jeg hadde fullført middelskolen. Paulette og jeg brevveksler, og hun prøver å lære meg noen franske ord. Hun synes for eksempel at jeg skriver som en 'lourdaud' og en 'maladroit'. Ifølge franskordboka mi betyr begge disse ordene klodrian. Men Paulette liker det jeg forteller fra havnene vi kommer til. Hun er veldig opptatt av båter. Her fra Aden skal jeg sende henne et brev der jeg skriver om arabiske dhow'er som seiler i fart til sjeikdømmene i Jemen, øya Socotra og Somaliland i Afrika. Hva kalles de store, skråstilte seilene som brukes på en dhow?»

«Latinerseil,» sier Hemmingsen.

«Seil heter 'voile' på fransk, og latin heter vel 'latin',» sier Helge. «Så da prøver jeg med 'voile latin'.»

«Hvordan møtte du denne Paulette?» spør Halvor. «Hun høres ikke ut som ei dame fra havnekneipene.»

«Vi møttes i et danselokale. Jeg er faktisk ganske god til å danse. Før jeg dro til sjøs, vant jeg juniorklassen i Vestfold-mesterskapet i selskapsdans, både i slowfox og foxtrot.»

«Du overrasker meg,» sier Hemmingsen. «Danseløve, skarpskytter og bedårer av franske pikehjerter. Ikke dårlig til å være en sotengel fra maskinrommet.»

«Ikke pike*hjerter*,» sier Helge. «Ett hjerte. Det sies jo at vi sjøfolk har en pike i hver havn, men det har ikke jeg. Jeg har Paulette i Le Havre, og dermed basta.»

De skåler for Paulette.

Helge håper han har flaks, og at *Tomar* skal til Le Havre for å losse kopraen, og tinnet og gummien.

«Lykken står den kjekke bi,» sier Hemmingsen. «Apropos dette med en pike i hver havn. På en Panama-båt, en turbindrevet tanker, seilte jeg sammen med en fyrbøter fra Vestfold. Fra Helgeroa var han, fyrbøter Bjønnes. Han sa alltid at det beste var *å ha en havn i hver pike*. Vi preika en del om hva han egentlig mente med det.»

«Interessant,» sier Helge. «Hva mente han?»

«Bjønnes'en var en underfundig type. Han mente noe sånt som at hvis en sjøgutt er heldig, møter han kanskje ei jente som ikke er hore. Ei som ikke bare er ute etter gryna hans. Det kan være i Red Hook i Brooklyn, hvis sjøgutten seiler fast på New York, som så mange av oss nordmenn gjør. Da skal sjøgutten holde seg til jenta i Red Hook og ha en trygg havn i henne. Så lenge det varer. Men så får vår sailor boy seg en ny båt og et nytt fartsområde. Han skal seile i kølafart mellom Cardiff og Brasil. Igjen er han heldig og treffer ei skikkelig rype i Tiger Bay i Cardiff. De blir forelska. Da skal sjøgutten holde seg til dama i Tiger Bay. Hun blir hans havn. Og han skal helst ikke gjøre noen sprell med damer i Pernambuco, Bahia, Rio og Santos. Vår mann mønstrer av kullbåten. Han havner på en sånn båt vi alle drømmer om, en vintanker på Middelhavet.»

«Hva faen er en *vintanker*?» spør Halvor, og Helge ser også spørrende ut.

«Har dere ikke hørt om vintankerne?» sier Hemmingsen. «Det er små, spesialbygde skuter med tanker av rustfritt stål. De frakter vin fra Algerie til Frankrike. Og det er klart at gutta har sugerør i lasta. Det skal godt gjøres å ha et edru øyeblikk om bord på en vintanker! Vår mann har draget på franske damer, akkurat som Helge. Han finner seg ei smellvakker skreppe i Marseille, og de elsker hverandre høyt og hellig. Atter en gang har han funnet en havn i en pike. Han er trofast mot dama i Marseille, og holder seg unna red light districts i Alger by, Oran og Bône. Så lengter han hjem til Norden, havner i trelastfart på Østersjøen og finner ei vill og villig jente oppe i Bottniska viken, på Finlands kyst, i Uleåborg.»

«Stopp en hal,» sier Helge. «Jeg mener at dersom man har funnet den rette, skal man holde seg til henne uansett hva slags fart man havner i.»

«Ja vel,» sier Hemmingsen. «Du smørergutt fra Nøtterøy er tilhenger av det som på fint kalles *monogami*. Bjønnes'en mente at monogami strider mot sjømenns natur og levevis. Han mente at det som passer oss, er noe han kalte serie-monogami.»

«Det synes jeg høres ut som kynisk skvalder,» sier Helge. «Etter min mening ...»

«Sorry, mine herrer,» sier Halvor. «Dere får fortsette diskusjonen på tomannshånd. Jeg må gå og pusse tenna før jeg skal på ankervakt.»

«Å gå ankervakt her på reia i Aden er bare tull,» sier Hemmingsen. «Her er ikke strøm i sjøen. Det blåser ikke annet enn laber ørkenvind. Ankeret sitter som støpt i bånn. Skuta dregger ikke så mye som en millimeter.»

«Vakta på brua er ikke *helt* meningsløs,» sier Halvor. «Vi holder utkikk etter arabiske båter som kan ha onde hensikter.»

«Er kaptein Nilsen redd for pirater?» sier Hemmingsen. «I så fall lever kapteinen i feil århundre. Sjørøvernes tid er omme i det tjuende århundret. Ett eneste skudd fra baugkanonen på en moderne engelsk fregatt er nok til å blåse en dhow dit pepper'n gror. Nei, det vil aldri mer dukke opp pirater i Adenbukta, det er brennsikkert.»

«Det er ikke pirater vi ser etter. Vi ser etter småbåter med tjuver og kjeltringer. Flere av ankerliggerne har meldt om tyverier om bord. Banditttene skal være pokker så djerve. Det sies at de klatrer om bord langs ankerkjettingene. Derfor har vi satt rotteskjermer på vår kjetting og hengt ut to soler som flombelyser hele baugen.»

Halvor sitter i skyggen under solseilet på poopen og skriver i dagboka: «Aden, torsdag 18. april etter middag (karbonader og sjokoladepudding, tung kost i varmen). Vi ligger her og vansmekter. Ventetida går alle mann på nervene.

Et byssetelegram spredte seg med lynets fart i dag. Det gikk ut på at vi skal gå til Sør-Afrika og losse kopraen der. Straks etterpå føyk et nytt byssetelegram skuta rundt: Det blir Australia!

Gid det var så vel, at vi kunne komme oss bort fra bakerovnen Aden. Og vi må jo det snart, for selv om kopraen er tørket, tåler den ikke altfor lang lagring i tropevarme, og den er utsatt for skadedyr. Det er begynt å dukke opp noen ekle kryp ved lukekarmene. Vi kaller dem kopralus. De er ikke lus, men en slags bitte små biller. De er en halv centimeter lange, har blågrønt ryggskjold og røde bein.

Ifølge Granli er det offisielle norske navnet på kopralus <u>skinkebille</u>. Det navnet har krypet fått fordi det ofte kom til Norge på importerte skinker. Det latinske navnet er <u>Necrobia rufipes</u>.

Flise-Guri ble rasende ved synet av kopralusene. Han sa at han hadde gjort alt som sto i hans makt for å skalke luker og lufterør så ikke lusa skulle spre seg fra lasterommene.

Når lusa først er kommet ut i det fri, vil vi snart ha lus over hele båten, sa Flise-Guri. De små beista formerer seg så lynraskt at det blir millioner av dem, for ikke å si milliarder. De greier vel ikke å gnafse i seg hele lasta fra Dumaguete, men de kommer til å ete tonnevis. Og vi vil få kopralus i margarinen på bordet i messa, i grønnsåpa og i verste fall i køyklærne.

Har du vært med på det før? spurte jeg.

Jøss da, svarte Flise-Guri. En gang da vi seilte med kopra fra Fijiøyene til San Pedro i California. Og en annen gang da vi hadde ei last fiskemel fra Vigo i Spania til Puerto Cabello i Venezuela. Kopralusa går løs på alt som er etandes. Den er en sann plage for sjøfolk som frakter tørrfisk fra Norge til Nigeria. Samme hvor nøye lasterommene spyles og vaskes etter lossing i Lagos, er det alltid en bande lus som overlever. Så fort tørrfisken er lastet i Norge, går de små jævlene til angrep. Når skuta så kommer på varmen utenfor Vest-Afrika, er helvete løs.

Det er pussig at engelskmennene, som kommer fra et land med tåke, regn og kjølig klima, har tatt noen av verdens varmeste og mest solsvidde områder som kolonier. Fra India meldes det om en hetebølge med temperaturer opp mot 45 grader. <u>Så</u> ille er det ikke her. Men man blir drita lei den trykkende heten og ørkenstøvet som alltid er i lufta.

En ny mann mønstret på i dag. Omsider har jungmann Mildestad fått en erstatter. Den nye jungen er dansk. Han heter Flemming Stenkjær, er like gammel som meg og kommer fra den vesle byen

Faaborg på øya Fyn. Han er av den typen som kalles undersetsig. Armene hans virker for lange til kroppen. Han har rødt hår og like mange fregner i ansiktet som det er stjerner i Melkeveien.

Han forlangte avmønstring fra <u>Niels Juel</u> da båten ble satt under britisk flagg. Det var mye om og men før han fikk mønstre av i Aden. På den danske båten seilte han lettmatros, så han har altså gått ned et hakk i stilling. Han sa at han ikke kommer til å tape noe særlig i hyre. De britiske hyrene som – ifølge Flemming – kommer til å gjelde på danske båter, er lavere enn de norske hyrene.

Flemming snakker en dialekt som vi har vanskelig for å forstå – det reine kaudervelsk – så vi må be ham tale sakte. Han sa at han er veldig tilfreds med å seile under norsk flagg, da dansker og nordmenn er brødrefolk. Han regnet med å komme godt ut av det med de norske fjellaper, siden han selv er en fjellape.

Finnes det <u>danske fjellaper</u>? spurte vi.

Han sa at han kommer fra De fynske alper. Bakkelandskapet mellom Faaborg og Assens kalles for det. Den høyeste toppen er Trebjerg med 128 meter.

Vi hadde mye moro i messa av De fynske alper, og den som lo mest, var Flemming.

Han begynte straks å kicke på kosten. Karbonadene kalte han 'frikadeller'. Han sa at mora hans heller ville gått og hengt seg enn å servere sånne flaue frikadeller nesten uten kjøtt og helt uten smak.

Jeg lurer på hvor Flemmings forgjenger, Milde Måne, er nå. Det er en fantastisk tanke at gutten fra Tromsø kan være på vingene over Kina i et kommunistisk fly og bombe japanske stillinger. Krig kan virkelig snu opp-ned på et menneskes skjebne.

Kan hende Milde Måne ligger i ei veigrøft på den kinesiske landsbygda, røvet og lemlestet av landeveisrøvere.

Fra fronten hjemme er det i dag intet nytt. Jeg har aldri hatt maken til hunger etter nyheter som jeg har nå.

Jeg klagde min nød til Granli.

Vi skulle ha fått mer informasjon, sa jeg.

På tusen norske skip sulter folk etter nyheter hjemmefra, sa Granli. Vi her på <u>Tomar</u> er garantert bedre stilt enn de fleste. For vi har en telegrafist som har ørene på stilker, jobber døgnet rundt, har et fabelaktig kontaktnett blant radioamatørene og skaffer oss nyheter som jeg tror de færreste andre båter får. Roy Borge er et unikum blant skipsradiotelegrafister.

Geir Ole står stand by på poopen med en mengde fiskesnører ute. Han drar opp rødehavsmakrell i bøtter og spann.

Jeg leser romanen Pan av Knut Hamsun. (En jævla nazist, men jeg kan ikke la være å lese ham). Jeg drømmer meg bort til det svale nordnorske landskapet med skyggefulle stier gjennom bjørkeskau og orekratt. Kanskje marsjerer i dette øyeblikk britiske, franske, polske og norske soldater på slike stier på vei mot fronten ved Narvik. Vel, noen særlig skygge kan det ikke være på stiene nå. I siste halvdel av april er vel lauvspretten bare så vidt begynt i Nordland. Soldatene tramper antakelig i blautsnø når de marsjerer gjennom li og over hei.

Jeg må holde opp med å tenke på snø, for jeg blir syk av hjemlengsel når jeg gjør det.

Gnisten kom for et par minutter siden akterover og fortalte at svensk radio melder at en reporter fra avisa Dagens Nyheter har tatt seg inn i Nord-Trøndelag. Reporteren skal ha observert et stort antall britiske og franske soldater på landeveien mellom Namsos og Steinkjer. Good news!»

Halvor sitter i messa og skriver: «Aden, lørdag 20. april kl. 00.15. Kaptein Nilsen har vært i moskeen og holdt på å bli frelst, og stuerten har vært i fryser'n og holdt på å dø.

Men det viktigste først: Det er nå offisielt bekreftet fra London og Paris at britiske og franske styrker i et antall på mange tusen har gått i land i Trøndelag og Møre og Romsdal. Landingsstedet i Nord-Trøndelag har vært Namsos, slik ryktene og Dagens Nyheters reporter fortalte. Men det ble ikke landing i noen av kystbyene på Nordvestlandet. De allierte valgte å gå i land i Åndalsnes, helt innerst i Romsdalsfjorden. Fra Åndalsnes er det jernbaneforbindelse til Dombås med Raumabanen. Fra Dombås går toget sørover gjennom Gudbrandsdalen til Oslo og nordover til Trondheim.

Kaptein Nilsen kom opp på brua under kveldens ankervakt. Han sa til Trean: Det vi nå ser, er begynnelsen på en klassisk knipetangsmanøver. De alliertes mål er uten tvil å erobre Trondhjem. Hvis de, slik nyhetene tyder på, har tallmessig overlegne styrker som nå rykker sørover fra Steinkjer og nordover fra Åndalsnes, har de en fair sjanse til å nå dette målet.

Trean sa: Jeg frykter at bombefly fra Luftwaffe vil gjøre helvete hett for de allierte soldatene.

Vi får tro at britene får jagerfly på vingene, sa kapteinen. Hangarskipet <u>Glorious</u> skal nå være utenfor kysten på Vestlandet. Det er for tidlig å juble over den allierte landgangen i Norge. Men at vi <u>gleder oss</u>, skal være sikkert.

Kaptein Nilsen fortalte Trean og meg at han hadde vært til stede under fredagsbønnen i Al Aidrus-moskeen, som ligger i Holkat Bay Road. På dagtid kan vi se moskeen fra ankerplassen vår. Det er den moskeen med tårnet som blir kalt for The Minaret of Aden.

Moskeen er bygd i forrige århundre, men minareten er eldgammel. Den ble reist ved en tidligere moské, som ble bygd i det åttende århundre.

Hvordan kom De inn i Al Aidrus? spurte Trean. Jeg trodde ikke kristne slapp inn i moskeene.

No problem, svarte kapteinen. Som følgesvenn hadde jeg en arabisk kontorist fra skipshandleren vi bruker. Ved inngangen til Al Aidrus ble jeg tilsnakket på arabisk av et par gamle skjeggebusser. Kontoristen oversatte for meg. Gamlingene ville vite om jeg, en hvit mann, var kristen. Jeg ba kontoristen svare at jeg har 'no religion'. Da smilte gamlingene og opptrådte meget elskverdig. Jeg kunne bare ta av meg skoene og spasere inn i moskeen og finne min plass på gulvteppet. Man skulle kanskje tro at det oppstår en stram odør når et halvt tusen menn tar av seg skoene og ligger med rumpa i været og ber i retning Mekka. Men atmosfæren i Al Aidrus var proper, og det duftet røkelse.

Lå De også på knærne? spurte Trean.

Naturligvis, svarte kapteinen. Jeg fulgte den gode parolen om at når du er i Roma, gjør som romerne. Det som ble sagt, skjønte jeg jo ikke det skvatt av. Kontoristen kunne ikke oversette imamens tale mens den foregikk. Imamen så mer ut som en ørkenkriger enn en prest. Selve seremonien var enkel og gripende. Og så var det en lettelse å slippe salmesang og orgelmusikk. Det som tiltaler meg ved muhammedanismen, er at det bare finnes én guddom, Allah, rett og slett. Dermed slipper man kristendommens merkverdige oppdeling i en treenighet av Gud, Jesus og Den hellige ånd.

Så De ble frelst i moskeen? sa Trean.

Jeg skjønner at De spøker med meg, styrmann Kvalbein, sa kapteinen. En gammel fritenker som meg har betydelig motstandskraft mot å la seg frelse.

Da kapteinen var gått ned fra brua, sa Trean at han ikke blir klok på ham. Flørter han med muhammedanismen fordi han virkelig søker en tro, eller er det bare koketteri? Noe han sier for å gjøre seg interessant og mystisk?

Stuert Bjarne Dyrkorn kan takke seg selv for at han ble låst inne i det lille proviantfryserommet vårt. Han hadde hørt at det var forsvunnet proviant fra fryserom på andre skip. Derfor har han gitt streng beskjed om at fryserommet alltid skal være låst med solid hengelås.

Secondkokken, Morgan Antoniussen fra Larvik, kom forbi og så at fryser'n var ulåst. Sekken, som han blir kalt, er kanskje ikke den skarpeste kniven i skuffen. Han burde vel ha forsikret seg om at det ikke var noen i fryser'n da han låste. Men hvordan kunne han vite at stuerten akkurat da var der inne for å telle over noen frosne lammeskrotter?

Grunnen til at stuertens fortvilte hamring på den låste ståldøra ikke ble hørt, var at Båsen prøvekjørte en elektrisk drevet rustbankemaskin, som han hadde fått kjøpt av sin danske kollega på Niels Juel. Dette bæleverket av en maskin lager et forferdelig spetakkel. Først da Båsen gikk for å drikke kaffe, hørte Kevin at det ble banket på fryserdøra.

Stuerten skal ha vært blåfrossen – ja, faktisk helt blå i huden – da han kom ut. Han ble lagt til tining i kapteinens badekar. Så lite vet vi gutta om kapteinens bekvemmeligheter at vi ikke visste at det finnes et badekar i baderommet på skipperlugaren.

Erasmus Montanus sa at stuerten, hvis han ikke var blitt reddet, kunne ha satt en rekord: Han ville ha blitt den første mann som frøs i hjel i Aden!

De arabiske dhowene ser vi sjelden på ankerplassen ved Steamer's Point. Britene holder streng kustus på havna i Aden. Dhowene har en egen innseilingsled og egne kaier. Men på ankervakta i kveld kom en liten dhow uten seil glidende langs skutesida vår. Trean og jeg trodde først at farkosten hadde stillegående motor, men så hørte vi plaskene av årer. Trean rettet lyskasteren på babord bruving mot dhowen. Da fikk roerne det travelt med å ro vekk.

Jeg synes det hersker altfor mye mistenksomhet her om bord når det gjelder araberne, og har nok latt meg smitte av denne mistenksomheten. Vel er noen av araberne så fattige at de griper til tyveri for å livberge seg, men de aller fleste er hederlige folk som får sitt utkomme av den skrinne jorda, av fiske og håndverk.

Det blir sagt at annenhver arabisk kjøpmann i Aden er agent for Hitler-Tyskland. Jeg spurte Granli om dette. Han sa at han regnet ryktene om tyske spioner som pølsevev. Han tror heller ikke på det som blir fortalt om at det i innlandet organiseres en arabisk opprørshær som skal prøve å ta kronkolonien fra britene. Ryktet sier at det skal være tyske elitesoldater som bygger opp denne hæren inne i Jemen, og at de får bistand fra italienske soldater fra Italias koloni Eritrea ved Rødehavet.

Granli sa at under en krig vil det dukke opp alle mulige såkalte konspirasjonsteorier. Slike skal man ikke bare ta med en klype salt, men med en neve salt.»

Halvor våkner av at det banker på lugardøra. Han ser på klokka. Den er bare halv seks. Det er et par timer til han skal purres ut, så hva er dette for banking?

Halvor klyver ned fra overkøya og går i bare underbuksa bort og åpner døra.

Utenfor står Gnisten, med ugredd hår og brillene på skeive.

«Jeg er redd jeg har en dårlig nyhet til deg hjemmefra,» sier Gnisten.

«Hva gjelder det?» spør Halvor.

«Det gjelder Rena.»

«Rena? Har noe skjedd hjemme på Rena?»

«Ja, det har nok dessverre det.»

Halvor sitter i messa og skriver i dagboka: «Aden, lørdag 20. april kl. 06.15. Jeg skriver med skjelvende hånd. Rena er bombet av tyske bombefly, med voldsomme skader.

Det skjedde i går, den 19. april. Gnisten fikk meldingen om det på BBC tidlig på morgenkvisten i dag. Han gikk med en gang til lugaren min for å varsle meg. Jeg trodde nesten ikke mine egne ører. Det var helt uvirkelig å tenke seg tyske bombefly på vingene over hjemplassen min, og at flyene slapp sin dødelige last der. Er du sikker på at BBC snakket om Rena? spurte jeg.

Ja, de sa 'the village Rena in southesteren Norway' på BBC, svarte Gnisten. Hele sentrum skal være utslettet.

Hele sentrum utslettet? sa jeg. Herregud, jeg har småsøsken som går på skolen i Rena sentrum!

Gnisten sa at det ikke ble meldt noe på BBC om når på døgnet Rena ble bombet. Kan hende det ikke var i skoletida. Det var en trøst for meg. Men det var en mager trøst. Det var så vidt jeg ikke begynte å grine, og jeg fomlet fælt da jeg skulle tenne meg en sigarett. Jeg måtte manne meg kraftig opp.

Hvorfor er akkurat Rena bombet? spurte jeg.

Det sa BBC ingenting om, sa Gnisten. Kanskje fronten i Østerdalen går der. Kanskje dreier det seg om rein terrorbombing fra tyskerne. Er det en papirfabrikk på Rena?

Ja, vi har Kartongen, svarte jeg.

De sa på BBC at 'the local paper mill was totally destroyed'.

Totally destroyed? sa jeg. Det forekom meg ufattelig.

Jeg sa: Hvis Kartongen er utslettet, kan det være mange hundre døde bare på fabrikken. Der jobbes det jo rundskift. Jeg har slekt og venner som jobber på Kartongen. Har du hørt noe tall for omkomne og skadde på Rena?

Nei, svarte Gnisten. BBC opplyste ingenting om det.

Da Gnisten var gått, fikk jeg på meg fillene og gikk hit opp i messa og drakk et par krus svart kaffe.

Jeg tenkte: Rena kan være bombet fordi kongen og regjeringen har søkt tilflukt der.

Så fikk jeg et underlig syn. Jeg så kong Haakon sitte i stua vår hjemme, under maleriet som er malt av Oliver Myrsletten, en av Østerdalens beste elgmalere.

Raskt vek dette synet av kongen for et dystrere syn. Jeg så Stein og Britt ligge kvestet i ruinene av skolen.

Jeg kom til å tenke på en spådom av Martinius Skorobekken. Han må være det nærmeste vi kommer en landsbyoriginal på Rena. Da jeg skulle ta toget til Oslo for å mønstre på <u>Tomar</u>, møtte jeg Martinius, som satt på en benk på stasjonen. Han sa at han ville spå om krigen. Spådommen hans gikk ut på at krigen kunne ramme Norge, men aldri Rena eller noen andre steder i Østerdalen.

Jeg var aleine i messa, og ropte ut en forbannelse mot Martinius Skorobekken: <u>Så</u> mye for spådommen din, din tusseladd!

Nå kom en av de sjeldne kakerlakkene freidig spaserende over messebordet. Jeg grep en vaskeklut og slo etter den. Bom. Kakerlakken pilte inn i en sprekk. Jeg slo og slo mot denne sprekken i maktesløst raseri.

Grufulle, fordømte krig!»

Kapittel 25

«Kaptein Nilsen vil gjerne ha et ord med deg,» sier Trean da Halvor stiller på brua klokka åtte blank for å gå ankervakt. «Du kan gjerne ta på deg ei pen skjorte når du har fått audiens i skippersalongen.»

Halvor går til lugaren, tar på seg sommerfuglskjorta fra George Town i Malaya og går opp til kapteinens lugar. Han banker på døra til salongen og hører et «stig på».

Halvor kommer inn i et luksuriøst innredet rom. Her er store lenestoler trukket med lær, persisk teppe på dørken og et flott seilskutemaleri på det ene skottet. Det skinner i blanklakkert teak og blankpussa messing.

Kapteinen sitter i en av lærstolene, iført hvit, kortermet skjorte og hvite shorts. På salongbordet foran ham står to flasker Carlsberg og to glass.

«Et glass øl, kanskje?» sier kapteinen.

«Ja, takk som byr.»

Kapteinen heller øl i glassene og sier: «Det er med bestyrtelse jeg har hørt at hjemstedet ditt er sønderbombet av tyske fly, Skramstad. Bor familien din i Rena sentrum?»

«Nei, vi bor på en haug utenfor sentrum.»

«Jeg går ut fra at du likevel er engstelig for familiens ve og vel.»

«Ja, det er jeg,» sier Halvor og tar en slurk av det lunkne ølet. «Veldig engstelig. Jeg har en bror og en søster som går på skolen i sentrum. Faren min jobber på jernbanen, og kan ha vært på stasjonen da Rena ble bombet. Mor kan også ha vært et ærend i sentrum. Har De hørt noe tall for døde og sårede på Rena?»

«Nei, vi har bare fått melding i BBC om omfattende tysk bombing av bebyggelsen og kartongfabrikken. Så vidt jeg husker fra bilturene mine i Østerdalen, er det mange fine hus på Rena. Noen store villaer i sveitserstil. Vi må vel dessverre gå ut fra at mange av disse husene er bombet og satt i brann.»

Halvor sier at han ikke skjønner hvorfor tyskerne bombet akkurat Rena.

«Kanskje norske militærstyrker har forskanset seg der,» sier kapteinen. «Det ryktes at det skal ha vært kamper i Østerdalen, ved Osensjøen. Kan hende tyskerne sendte bombefly fordi konge og regjering er på Rena. Her ligger vi med *Tomar* i araberland og er i praksis internert av britene. Som du skjønner, Skramstad, er det svært vanskelig for oss å få informasjon hjemmefra. Jeg har bedt telegrafist Borge om å lytte på alle mulige kanaler for å få nytt fra Rena.»

«Finnes det noen mulighet for å telegrafere hjem?» spør Halvor.

«Det er nok umulig. Vi har prøvd utallige ganger å få kontakt med rederiet, uten å lykkes. Vigra radio ved Ålesund er ennå på luften med frie norske nyhetssendinger, men Vigra har ingen forbindelse med Oslo og det øvrige Østlandet. Kanskje det kan la seg gjøre å sende et telegram via Røde Kors. Jeg skal undersøke det, Skramstad. Det lover jeg.»

«Takk for det.»

De to drikker øl i stillhet.

«Det kan finnes en mulighet for å få kontakt med Rena,» sier kapteinen. «Har familien din slekt eller venner i Sverige?»

«Ja, far har en fetter som bor i Töcksfors.»

«Töcksfors, ligger ikke det ganske nær grensen til Norge?»

«Jo, det er bare noen mil fra grensa,» sier Halvor.

«Da er det kanskje mulig å sende et telegram til denne fetteren og anmode ham om å dra til Rena og finne ut hva som har skjedd der.»

«Problemet er at faren min ikke står på god fot med sin fetter Olof i Töcksfors. De har veldig forskjellige politiske oppfatninger. Olof er så Hitler-vennlig at han må regnes som nazist.»

«Vi får håpe at nazismen ikke griper om seg hos söta bror som følge av Hitlers triumfer,» sier kapteinen. «Vi vet forresten ikke om de tyske okkupantene i Sør-Norge tillater grensepassering fra Sverige. Jeg telegraferte i går til en svensk venn av meg som er ingeniør på Eriksberg-verftet i Göteborg. Jeg spurte om han kan reise til Oslo og ta kontakt med Wilh. Wilhelmsen på mine vegne. Min svenske venn svarte at det ville han gjøre så sant han fikk innreisetillatelse til Norge.»

Halvor og kaptein Nilsen blir på ny sittende stille og nippe til ølet. Kapteinen tenner en liten sigar, en cerutt, og Halvor en Camel.

Han trekker inn skippersalongens lukt av møbelpolish, messing-pussemiddel, lær og sigar. Det er ganske utrolig at kapteinens flotte lugar og Geir Oles og hans egen enkle lettmatroslugar befinner seg på samme skip. Her sitter han med sine arbeidsnever med kuttmerker etter tømmerflis og wirefliser, mens kapteinen sitter her med marsipanlankene sine. Det heter «å være i samme båt». Selv om de er på samme skip, har Halvor ikke følelsen av å være i samme båt som kaptein Ivar Nilsen. Men siden han først er invitert på øl og en prat, synes han at han kan tillate seg å stille det spørsmålet hele skuta stiller seg.

«Hvor skal vi hen herfra?» spør han.

«Den som visste det,» sukker kaptein Nilsen. «Shippingagenten vår her i Aden arbeider med saken. Det er en komplisert affære fordi kopralasten, som det er mest prekært å bli kvitt, allerede er betalt av De-No-Fa i Fredrikstad. Lasten kan altså ikke leveres til andre mottagere uten videre. Pilen peker på Australia, men det er på ingen måte sikkert at vi skal dit. Dessuten har kaptein Ditleff på *Tranquebar*, kaptein Bovim Dahl på *Bayonne* og jeg inngått en pakt om at vi ikke seiler fra Aden før vi har fått sikker beskjed fra Norges lovlige regjering om hvordan vi skipsførere skal forholde oss. Det skal være en sydende aktivitet blant nordmenn i London når det gjelder å bestemme norsk skipsfarts rolle i krigen. Men hittil har vi ikke fått vite noe håndfast.»

«Er det noen norske kapteiner som har fulgt tyskernes oppfordring om å gå til tyske eller italienske havner?»

«Ingen,» svarer kapteinen. «Ikke en eneste en, så vidt vi vet. Si meg, har du en kjæreste hjemme i Norge, Skramstad?»

«Nei.»

«Det er kanskje like bra. Gudene vet når vi kommer hjem. *Om* vi kommer hjem noen gang. Det er ikke meningen å ta motet fra deg, unge mann, men vi i utenriksflåten må holde åpent for alle krigens eventualiteter. Personlig er jeg heldig som har en selvstendig Rutta hjemme. Ja, Rutta er min kone. Hun heter egentlig Ruth, men alle kaller henne Rutta. Hun vil nok takle brasene. Jeg kan se for meg at hun akkurat nå spavender plenen foran villaen vår i Askekroken på Skøyen.»

«Hvorfor i all verden vil hun spa opp plenen?» spør Halvor.

«For å sette poteter. Så gulrotfrø. Plante kål. Hun har alltid ment at det er jåleri å ha plen, og at vi burde hatt en grønnsakhave. Selv er jeg litt engelsk av meg og foretrekker en pen, veltrimmet plen.

Nå får Rutta det som hun vil, og kan drive matauk i haven av hjertens lyst. Da er jeg mer bekymret for junior, Per Erik. Han er på din alder, Skramstad. Han har begynt på første avdeling på juridikum ved Det Kongelige Frederiks, altså universitetet i Oslo. Per Eriks store ambisjon har alltid vært å studere i utlandet. Oxford, Cambridge, Harvard, Princeton, University of California. You name it. Jeg drømte her en natt at han hadde greid å flykte over til Sverige og var blitt student i Uppsala. Men i realiteten er nok Per Erik i Oslo, og han er i vernepliktig alder. Fanden vet hva tyskerne kan finne på å gjøre med unge norske menn. Kan hende alle som regnes som stridsdyktige, vil bli tvangsutskrevet til den tyske hæren.»

«Fy faen,» sier Halvor.

«Ja, det kan du jammen si, gutt. Sier navnet Terboven deg noe?»

«Nei.»

«Det sa ikke meg noe heller da telegrafist Borge brakte det på bane i morges. Hitler har innsatt en herre ved navn Josef Terboven som sjef i Norge. Terboven har fått tittelen Reichskommissar. Intet mindre. Rikskommissær. Det lyder som et pust fra det danske eneveldets tid. Dersom tyskerne på norsk jord ikke blir slått av norske og allierte styrker, vil denne Terboven etter alt å dømme bli eneveldig hersker i Norge.»

«Hva slags type er han?»

«Borge sa at han skammet seg over at Terboven har vært bankfunksjonær, slik Borge selv har vært. Der Reichskommissar er toogførti år gammel. Han har gjort lysende karriere i det nasjonalsosialistiske partiet i Tyskland. Han skal være regnet som en ekstra hard negl, selv blant andre stornazister.»

«Vil ikke Qusling og de andre norske nazistene prøve å få makta?»

«Quisling og hans kumpaner vil neppe få reell makt. Alt de kan håpe på, beskyttet av tyske bajonetter, er å gjøre et lite comeback og få noen taburetter. Vi får håpe at engelskmennene, franskmennene og våre egne tropper har erobret Oslo før Der Reichskommissar sitter trygt på diktatortronen og de norske nazistene rekker å pynte seg med ministertitler.»

Dette siste, om alliert erobring av Oslo, sier kapteinen uten synderlig overbevisning.

«Vet du at Skøyen, selv om det ligger på beste vestkant, er et betydelig industristrøk i Oslo?» spør han.

«Jeg har en venn fra Rena som har begynt i mekanikerlæra på Eureka,» svarer Halvor. «Den fabrikken ligger vel på Skøyen?» «Ganske riktig,» sier kapteinen. «Vi har også Thune Mekaniske Verksted, og ikke minst NEBB, Norsk Elektrisk & Brown Boveri. NEBB leverer komplette elektriske anlegg til de største vannkraftverkene våre og til utlandet. Hvis tyskerne ikke blir jaget ut av Norge, vil de garantert gjøre om Eureka og Thune til våpenfabrikker. Og skipsverftene våre langs Oslofjorden! Tyskernes Kriegsmarine kommer til å bygge korvetter, fregatter og jagere på Aker, torpedobåter i Drammen, ubåter i Horten, minesveipere i Moss og kryssere – ja, kanskje slagskip – i Fredrikstad. Det skulle ikke forundre meg om de utvider Kaldnes i Tønsberg eller Framnæs i Sandefjord så det går an å bygge hangarskip der.»

«Jeg tror De glemte et par oslofjordbyer med verft,» sier Halvor. «Jaså, gjorde jeg det?» sier kaptein Nilsen. For første gang under samtalen går det et smil over ansiktet hans.

«Ja, det er et verft i Sarpsborg, oppe i Glomma. Det vet jeg fordi vi lå der med *Flink,* som jeg seilte med på Nordsjøen. Og Larvik har vel et verft. Polarskuta *Fram* ble jo bygd av Colin Archer i Larvik.»

«Minsanten, du har et poeng,» sier kapteinen. «Du forekommer meg å være en oppvakt yngling som kan nå langt på livets vei.»

Halvor føler seg beklemt av kapteinens smiger. Men han blir sittende til de har drukket ut ølet.

Kapteinen sier: «Da får du ha takk for praten, Skramstad. Så krysser vi fingrene for at familien din overlevde bombene som falt over Rena.»

Til kveldsmat er det irsk stuing. Halvor får ikke ned mange bitene. Han blir kvalm ved tanken på det som kan ha skjedd hjemme.

Gnisten holder orientering etter kveldsmaten.

«Namsos er blitt voldsomt bombet av tyske fly i dag,» sier han. «Byens største trelastfirma, Van Severen, står i brann. Det samme gjør flere mindre sagbruk. Namsos er jo en plankeby, der tømmeret som fløtes i Namsen, blir sagd og høvlet. En tredjedel av alle bygninger i Namsos skal være utradert, og tusenvis av mennesker er blitt hjemløse.»

Forferdelig, tenker Halvor. Men han greier ikke å ta ødeleggelsen av Namsos innover seg. Tankene hans vandrer hele tida hjemover til Rena.

At tyskerne bombet Namsos, er forståelig, siden byen er en land-gangsplass for allierte soldater. Men hvorfor bombet de Rena, der det ikke finnes andre våpen enn jaktrifler og hagler? *Hvorfor?*

Mest uforståelig er bombinga av Kartongen. Da tyskerne for mange måneder siden bestemte seg for å hærta Norge, la de sikkert en plan for hva de *ville ha* i Norge. Det var ikke bare den svenske malmeksporten over Narvik de ville ta kontroll over. Selv om Norge ikke er et rikt land som Sverige eller Sveits, er ikke folket fattiglus lenger, og landet er blitt en industrinasjon. Rena Karton-fabrikk må ha stått på lista over fabrikker tyskerne mente de kunne få nytte av. For det trengs jo millioner av pappesker til å frakte for-syninger til tyskernes hær i Polen og til Vestfronten mot Frankrike. All hermetikken pakkes i kartonger. Det samme gjør sikkert uni-former, førstehjelpsutstyr og masse annet.

Likevel bombet en tysk pilot Kartongen sønder og sammen. Det kan ha vært et utslag av overmot eller galskap, av den rusen det å fly bombefly i krig sikkert skaper hos piloter. «Der ligger en svær bygning,» kan piloten som var på vingene over Rena ha tenkt. «Jeg har ennå mye igjen av min bombelast. Jeg dropper bombene på den svære bygningen og smadrer hele greia!»

Tyskerne er sikkert ikke bare ute etter produksjonsmidler. Norsk aluminiumsindustri vil være viktig for dem til flyproduksjon. Men de vil også prøve å tyne norske arbeidere for å skape mest mulig profitt. Og så vil de forsyne seg grovt av det Norge har av nærings-rik fisk, av kjøtt og flesk og smør. Til majorfruene hjemme i Tyskland vil det vanke reveskinn som de kan ha om halsen. Til oberstenes fruer blir det nok minkpelser. General- og admiralfruene får hermelinskåper, sydd av røyskatters hvite vinterpels.

Gnisten sier: «Vi får ta det som et godt tegn at britiske marine-soldater stasjonert her i Aden har vært om bord og montert en degaussing-kabel rundt hele *Tomar*s skrog.»

«Vet du noe om bruken av magnetiske miner?» spør Flise-Guri.

«Ja, magnetiske miner sluppet ut fra tyske fly skal ha gjort totalt overraskende og enorme skader på skip i Themsen, Bristolkanalen og Tyne. Disse fryktelige våpnene blir liggende på grunt vann i havne-innløpene. Så trekkes de opp mot skipsskrog som passerer over dem, og detonerer med voldsom kraft. Jeg har ikke hørt noe tall for hvor mange skip som er blitt sprengt og senket av magnetminer, bare at det skal være hundrevis. Byen Gravesend ved Themsen svarer nå til navnet sitt. Der skal Themsen se ut som en skipskirkegård med mastetopper og skorsteiner stikkende opp av vannet. Det kjennes derfor godt at vi har fått utstyr om bord som kan beskytte oss mot denne nyoppfunnede dævelskapen. Og jeg velger å tro at Royal Navy ikke ville tatt bryet og kostnadene med å installere kabelen på *Tomar* dersom vi ikke skal seile i fart for de allierte.»

Halvor rusler opp på ankervakt. Han tar med seg et lommetørkle som han vil binde foran munn og nese i tilfelle kveldsvinden fra land bringer med seg mye ørkenstøv, og ei vannflaske.

Nymånen er oppe. Her, over Den arabiske halvøy, ligger nymånen vannrett og ser ut som en båt som glir over himmelen. Det er lett å skjønne hvorfor araberne har valgt månesigden som sitt symbol.

Vinden er heit, men støvfri.

Månen seiler.

Halvor skulle ønske at han kunne seile med månebåten hjem til Rena. Hvis hans kjære er drept, vil han *vite det*. Verst av alt er usikkerheten som maler rundt i kroppen hans og samler seg til en angstklump i magen.

Den forbannede kvalmen!

Det vesle han fikk i seg av den irske stuinga, vil opp. Han kjemper imot, må gi tapt og spyr over rekka.

Han skyller munnen med vann.

Trean har holdt på med et eller annet inne i bestikken. Han kommer ut og sier til Halvor: «Du får holde fortet aleine. Skulle det blåse opp fra sør slik at vi begynner å dregge, får du varsku meg.»

Aleine på brua slåss Halvor med synene han får av brente barn. *Brennende* barn.

Han roper ut i den arabiske natt: «Faen ta dere, tyske piloter! Faen ta brannbombene deres!»

Halvor skriver: «Aden, søndag 21. april kl. 19.30. Tyske bombefly har igjen herjet i Norge. Denne gangen var det Steinkjers tur. Byen er i dag blitt så hardt bombet at den nærmest skal være utslettet. Både i Namsos og Steinkjer ble all trehusbebyggelsen antent av brannbomber.

Hvor mange menneskeliv kan ha gått med? Det vet vi ikke. Jeg gripes av et stumt raseri ved tanken på ihjelbrente mennesker i byene i Nord-Trøndelag. Jeg får lyst til å dælje løs på saker og ting i lugaren. Men jeg gjør det jo ikke. Man må være disiplinert.

Vår nye danske jungmann ble veldig opphisset da Gnisten ga oss nyheten om Steinkjers bombing. Vi andre i messa skjønte ikke hvorfor Flemming fra Fyn reagerte så sterkt. Vi hadde glemt hva han heter til etternavn. Vi uttaler jo Steinkjer som 'Steinkjær', og Flemming heter Stenkjær. Han tok det derfor ille opp da en by med så å si samme navn som hans eget, ble bombardert av Luftwaffe.

Vi hadde litt moro av ham, men munterheten ble liksom sittende fast i halsen på oss.

Tyskernes bombing av trøndelagsbyene har åpenbart som hensikt å stoppe den allierte frammarsjen mot Trondheim.

Fra Åndalsnes har de allierte troppene ikke rykket nordover mot Trondheim, men sørover i Gudbrandsdalen for å stoppe Wehrmachts marsj nordover i dalen. I 'Dalenes dal', som gudbrandsdøler ynder å kalle dalføret sitt, enda dalen er mye kortere enn Østerdalen, skal det ha vært kamper mellom de allierte og tyskerne.

Gnisten hadde også snappet opp en melding om en trefning mellom norske og tyske soldater ved Åsta. Da jeg tenkte på at jeg kunne ha vært soldat ved fronten hjemme, var det jo det å ligge ved en skanse på Åsta jeg tenkte på.

Tapstall fra Åsta hadde Gnisten ikke. Kanskje mange nordmenn, hvorav noen er mine barndomsvenner, har blødd i hjel der.

Rena bombet. Et mulig blodbad på Åsta. Krigens gru har rykket nær meg.

Den engelske sersjanten som kjefta oss opp da vi drev øvelsesskyting med Kragen, kom om bord i ettermiddag. Han fungerer tydeligvis som kurer for den britiske guvernøren i Aden.

Sersjanten hadde med seg en stor, brun konvolutt som han insisterte på å overrekke til kapteinen personlig.

Vi håper alle sammen at det er en seilingsordre i den konvolutten.

Da sersjanten skulle gå fra borde, hadde en del av mannskapet samlet seg ved fallrepet for å se om vi kunne fritte ut noen nyheter av ham. Sersjanten fikk øye på Trean og ropte: 'Fuck the fucking Duke of Fuckington!'

Vi fikk oss en hjertelig latter. Men noen nyheter fikk vi ikke.»

Tirsdag den 23. april blir det innkalt til møte klokka 19.00. Det er kapteinen som innkaller. Siden dette ikke er noe Union-møte, men et allmannamøte, vil mannskapsmessa bli for trang. Møtet skal derfor holdes i friluft, ved femmerluka.

Halvor får i oppdrag å spyle bort kopralus langs femmer'n. Lusa henger i klaser på lukekarmen der hvor det er gliper i presenninga.

Klokka sju presis entrer kaptein Nilsen, iført full uniform, opp på luka. Alle dekkslysene er tent. Det gnistrer i de fire gullstripene på kapteinens ermer.

Han sier: «Kjære mannskap! I dag er det nøyaktig to uker siden Norge ble overfalt av Hitler-Tyskland. Heldigvis kjempes det av norske og allierte styrker i Trøndelag og på spredte steder i Sør-Norge. I Nord-Norge skal general Fleischers divisjon være på vei sørover for å ta kampen opp med tyskerne i Narvik. Vi sjøfolk i utenriksfart har fått en god nyhet som gjelder krigsseilasen vår. I London ble det i går opprettet en organisasjon som kalles The Norwegian Shipping and Trade Mission. Denne organisasjonen skal administrere den norske utenriksflåten, som skal seile for de allierte. Telegramadresse er Nortraship, og dette vil også bli navnet i daglig bruk. Merk dere navnet Nortraship. Denne organisasjonen vil få den største betydning for oss alle.

Nortraship er opprettet av norske myndigheter i London. Fra sitt skjulested i Norge har vår lovlig valgte regjering endelig brutt sin taushet og gitt Nortraship sin fulle støtte. Forskriften om Nortraship er blitt laget og vedtatt av regjeringen ved Kongen i statsråd. Jeg foreslår at vi gir vårt nye Nortraship og vår fremtidige seilas for de allierte en applaus.»

Det lyder spredte klappsalver fra mannskapsmedlemmer og offiserer som sitter på luka eller lener seg mot rekka, mange med tente sigaretter.

Kaptein Nilsen lar seg ikke vippe av pinnen av mangelen på begeistring, og fortsetter: «Nortraship skal altså styre den delen av flåten vår som tyskerne ikke har fått kloa i, og det er heldigvis brorparten. Hjemmeflåten som tyskerne har fått kontroll over, er ganske ubetydelig i forhold til det vi kan kalle den frie norske utenriksflåten. Jeg vil anslå at minst åttehundre store norske skip, deriblant *Tomar*, kommer til å seile for Nortraship. I denne flåten er det bortimot tohundreogfemti tankskip, mange av dem topp moderne. Disse tankskipene kan få stor betydning for forsyningene av olje og bensin til Storbritannia og Frankrike.

Ved at Nortraship er opprettet, har vi fått en garanti for at våre skip ikke kommer til å lide samme forsmedelige skjebne som danske skip. Vi skal *ikke* seile under britisk flagg. Vi kommer til å føre det norske flagget. *Det* er kanskje verdt en skikkelig applaus, karer?»

Det klappes, men ikke voldsomt.

«Nortraship vil bli verdens største statlige rederiorganisasjon,» sier kapteinen. «Jeg var en tur over hos min kollega kaptein Ditleff på *Tranquebar* tidligere i dag. Han fløy i flint da vi begynte å snakke om Nortraship. Ditleff mener at Nygaardsvolds regjering har gjennomført et sosialistisk kupp og over natten skapt et statsrederi etter sovjetkommunistisk mønster. Dere vet, alle mann, at jeg virkelig ikke er noen radikal rabulist. Men jeg motsa Ditleff på dette punkt og hevdet at Nortraship er en god ad hoc-løsning på et akutt problem.»

«Hva faen er en ad hook-løsning?» roper Båsen. «Er det en høyre hook eller en venstre hook?»

«Vi snakker ikke her om terminologi fra boksesporten,» svarer kapteinen. «En løsning ad hoc er en løsning betinget av situasjonen. Noe midlertidig. Rederiene som nå går inn i Nortraship-ordningen, opphører ikke å eksistere. De enkelte rederiene vil få utbetalt sin andel av fortjenesten Nortraship seiler inn. Når verden igjen blir normal, vil vi få tilbake den vante rederistrukturen i Norge.»

«Og hvis verden ikke *blir* normal igjen i løpet av vår levetid, hva så?» sier annenstyrmann Granli og gir selv svaret. «Da får vi fortsette å seile for det sovjetkommunistiske statsrederiet vårt. Det er i alle fall bedre enn *ikke* å seile i det hele tatt.»

«Alt dette er vel og bra,» roper Hemmingsen. «Men De har glemt det viktigste, kaptein Nilsen. Hyra! Hvordan blir det med hyrene våre i Nortraship?»

«Ta det med ro, matros Hemmingsen,» sier kapteinen. «Jeg har slett ikke glemt hyrespørsmålet. Jeg var i ferd med å komme til det. Nortraship vil utbetale oss alle, fra meg selv til messemann Cheng, hyrer etter gjeldende norsk tariff. Rederforbundets overenskomster med Sjømannsforbundet og offisersorganisasjonene består. Rettighetene deres er ivaretatt, og pliktene deres kjenner dere jo.»

«Hva med krigsrisikotillegget?» roper Båsen.

«Tillegget som ble vedtatt i april, gjelder fortsatt.»

Motormann Smaage spør om hvordan det skal skaffes penger til Nortraship til hyreutbetaling. Før kapteinen rekker å svare, roper Erasmus Montanus at Mannen i månen vil finansiere Nortraship, og at hyrene vil bli utbetalt i månesølv.

Halvor tenker at dette kanskje ikke er verdens største morsomhet, men blir med på latteren.

Kapteinen sier: «Pengene til Nortraship vil komme som pengene til et vanlig rederi. Befrakterne betaler for frakt av gods, nå som i fredstid. Den eneste forskjellen vil være at britiske Ministry of Shipping vil bli den norske flåtens hovedbefrakter. Jeg gir ordet til radiotelegrafist Borge. Han vil si et par ord om sjømannsorganisasjonene og Nortraship.»

Gnisten klyver opp på luka. Det er første gang han viser seg i uniform. Han har ei sølvstripe på ermet, og over stripa er det brodert fire små lyn som skal symbolisere gnister.

Det er ikke uniformen som gjør at Halvor tenker at det er blitt noe myndig i Gnistens vesen. Fra å være en anonym fyr som satt som en bortgjemt brilleslange i radiorommet og pusla med morsenøkkelen, er Gnisten blitt en av skutas mest respekterte menn. De av gutta som har brukt *Tomar*s lille lettbåt og rodd over til *Tranquebar* og *Bayonne* på visitter, har fått høre at mannskapene på de to skipene ikke har fått på langt nær så mange krigsnyheter som de har fått på *Tomar*.

«Norsk Sjømannsforbund var godt forberedt på krig,» sier Gnisten. «Ledelsen var kjapp i avtrekket og etablerte raskt et eksilhovedkontor i London. Jeg har vært i kontakt med dette kontoret. Forbundet har vært en aktiv medspiller for å opprette Nortraship. Det har også Styrmandsforeningen, Maskinistforbundet og Skibsførerforbundet. Dermed støtter alle organiserte sjøfolk i den frie norske flåten opp om Nortraship. Sjømannsforbundets folk i London garanterer at vi sjøfolk ikke skal seile for knapper og glansbilder under Nortraships fane. Vi vil alle få en økonomisk bonus for krigsseilasen.»

«Hvor mye?» roper Hemmingsen. «Hvor mange pund eller dollar i måneden?»

«Krigsseilerbonusen vil bli gjenstand for forhandlinger mellom organisasjonene, Nortraship og myndighetene. I telegrammer jeg har fått fra forbundet i London, skrives det om en klekkelig bonus.»

«Klekkelig er et tøyelig begrep,» sier Granli. «Du har ikke noe mer håndfast om denne bonusen?»

«Nei, dessverre,» svarer Gnisten. «Ikke ennå.»

Erasmus Montanus opplater sin røst: «Intet er mer som skrift i sand enn løfter om kjærlighet!»

Noen ler, andre buer.

Gnisten stiger ned fra luka, og kapteinen stiger opp.

«Ventetiden her i Aden har vært en lidelse for oss alle,» sier kapteinen. «Nå er ventingen over. Vi letter anker ved daggry i morgen. Kursen vil da bli satt for Fremantle i Australia, der vi vil få om bord fersk proviant og bunkre friskt drikkevann.»

Nå bryter det ut full applaus. Folk fra maskingjengen kaster skyggeluene sine i været.

Dekksgutt Harald fra Haugesund begynner å gråte av glede.

«Vi skal ha med en del postsekker til Fremantle,» sier kapteinen. «Disse sekkene kommer om bord i natt. Det samme gjør et større parti spann med gråmaling. Dette er maling vi har fått av Royal Navy her i Aden, med en farge som kalles Admiralty grey. Det er samme maling som krigsskipene bruker.»

«Hva i svarte faen skal vi med all den gråmalinga?» roper Båsen.

«Nortraship har gitt ordre om at alle skipene i flåten skal males grå fra vannlinjen til mastetoppene. Vi rekker naturligvis ikke å gjøre det før avgang. Vi får ta noen stopp i sjøen så vi kan få malt skutesidene.»

«Hvor skal vi etter Fremantle?» spør Flise-Guri.

«Da skal vi til Sydney og losse kopraen der. Vi kommer til å laste et parti ull i Sydney. Så vil turen gå til Europa, hvor vi skal losse tinnet, gummien, varene fra Hong Kong og ulla. Hvis vi har ledig lastekapasitet etter Sydney, vil vi antagelig ta om bord last i Sør-Amerika. Kaffe, kanskje. Jeg vet ennå ikke om vi skal seile gjennom Panamakanalen og laste i en av Colombias karibiske havner, eller om vi skal gå rundt Kapp Horn og laste i Brasil.»

«Hva med skyts?» spør Båsen. «Vi skal inn i krigsfarvann i Atlanteren og kunne trengt noe mer å bite fra oss med enn den jævla Kragen.»

«Jeg er ingen tigger av natur,» sier kapteinen. «Men jeg har tigget mine kontakter i Royal Navy om luftvernskyts og en antiubåt-kanon. Royal Navy hadde ingenting brukbart å avse. Alt vi kunne få, var et par rustne, gamle Enfield-rifler som har ligget på lager her siden Boerkrigens dager. Samt en kanon som bare ville hatt verdi for en antikvitetssamler. Kanonen ble antagelig sist brukt under Krimkrigen. Min arabiske tolk hos skipshandleren mente han kunne skaffe meg en mitraljøse på svartebørsen i araberkvarteret i Aden. Vi vandret gjennom en del temmelig skumle smug før vi fant våpenhandleren. Det eneste han hadde å tilby, var et tyrkisk munnladningsgevær. Dere ville ha ledd dere i hjel hvis jeg hadde kommet om bord med den tyrkiske muskedunderen.»

Gnisten tar ordet: «Nortraship har lovet å sette alle kluter til for å skaffe den frie norske flåten brukbart skyts. Jeg har telegrafert til generalkonsulatet vårt i Sydney og bedt om bistand til å skaffe oss egnede våpen i Australia.»

«Et ord til slutt,» sier kaptein Nilsen. «Nortraship har gitt ordre om at skipets navn og navnet på hjemmehavnen vår skal overmales. Denne ordren om anonymitet akter jeg *ikke* å etterkomme. Vi seiler videre tydelig merket som *Tomar* av Tønsberg. Vi skal ikke seile som et navnløst spøkelsesskip. Skuta vår er for helvete ikke *Den flyvende hollender*!»

Kapittel 26

Halvor sitter på lugaren og skriver i dagboka: «Adenbukta, onsdag 24. april, ettermiddag.

Jeg sitter og våker over Geir Ole. Han ligger på køya med en blodig bandasje som dekker halve ansiktet. Jeg har fått beskjed av annenstyrmann Granli om at jeg skal passe på at Geir Ole ikke glir inn i bevisstløs tilstand. Han har fått en real dose morfin. Jeg tror ikke han føler voldsomme smerter. Når jeg dulter til ham for å sjekke at han ikke er svimt av, gir han fra seg et ynk. Så døser han bort igjen.

Han var utsatt for en stygg ulykke. Jeg trodde i noen fæle øyeblikk at han skulle dø.

Det som skjedde, var følgende: Da sola rant i dag morges, skulle vi hive opp ankeret. Jeg hadde våknet tidlig og var gått fram på bakken for å se på. Flise-Guri kjørte ankervinsjen, og kjettingen kom pent og pyntelig opp gjennom klysset. Plutselig var det bråstopp.

Førstestyrmann Nyhus lente seg over svineryggen. Han ropte at kjettingen sto rett opp-og-ned i vannet, og at den var spent som en felestreng. Han spurte Flise-Guri om hvor mange sjakler vi hadde ute, og fikk til svar at det var tre sjakler.

En sjakkel på ankerkjettingen tilsvarer 15 favner. Kjettingen, som er av smidd stål, leveres i lengder på 15 favner. Disse lengdene blir festet til hverandre med sjakler som er like store og solide som kjettingløkkene.

Jeg tror vi har huka ankeret fast i noe dritt på bånn, sa Nyhus. Et korallrev, kanskje, eller et gammalt skipsvrak. Vi får prøve å slakke ut kjetting så vi får mer horisontalt drag på den jævla dreggen.

Flise-Guri slakket ut fire–fem sjakler til. Så hev han inn. Ankeret satt like dønn fast.

Det var fortærende. Fra <u>Tranquebar</u> kunne vi høre at det i en ropert ble ropt 'anker klar'. Og <u>Tranquebar</u> fikk opp steamen og seilte vekk fra Adens red. Det samme gjorde <u>Bayonne</u>. Vi visste ikke hvor Wilhelmsen-skipet og Olsen-skipet skulle. Det er krigshemmelig informasjon. Men vi så at det førstnevnte satte kursen mot Helvetesporten, og at det sistnevnte satte kursen mot øst. Vi regner derfor med at Tranquebar skal til Europa, og at Bayonne skal til indisk havn, mest sannsynlig Karachi eller Bombay.

Nyhus ropte opp til kaptein Nilsen at han måtte dreie skuta 180 grader rundt, slik at vi kunne få drag på ankeret fra den andre kanten. Det ble gjort. Men det hjalp ikke.

Kapteinen kom fram på bakken og inspiserte den stramme ankerkjettingen.

Vi får ofre ankeret, sa han. Vi kapper kjettingen.

Geir Ole ble sendt for å hente en av maskinfolkene og be ham ta med den største vinkelsliperen.

Motormann Ortega kom med en skikkelig rugg av en sliper. Ved hjelp av en skjøteledning ble maskinen plugget inn i et støpsel i akterkant av bakken. Ortega begynte å kutte i ei kjettingløkke så gnistene føyk som en sinna bisverm. Smergelskiva hadde ingen problemer med å skjære seg gjennom stålet.

Pass dere opp! ropte Ortega da kuttet var nesten ferdig. Og vi tilskuere holdt oss på behørig avstand. Ingen hadde lyst til å sette fast en fot i kjettingen og blir dratt med ned i klysset.

Ortega gjorde det siste kuttet og kastet seg bakover så han ikke skulle bli truffet av kjettingen. Den rauset ned i klysset med et forferdelig spetakkel. Gjennom levenet hørt vi et rop, et smerteskrik. Vi skjønte ikke med en gang hvem det var som hadde ropt, men så forsto vi at det var Geir Ole. For han tok seg til ansiktet med begge hender, og ut mellom fingrene sprutet det blod.

Jeg tenkte på bildet av den hodeløse sovjetsoldaten under Vinterkrigen.

Heldigvis satt hodet til Geir Ole fast på kroppen hans. Men han stønnet av smerte. Hva hadde hendt? Vi forsto det da vi så den halve kjettingløkka som lå ved føttene til Geir Ole. Da kjettingen brast, var den halve løkka blitt slengt mot Geir Ole og hadde truffet ham midt i ansiktet.

Vi la Geir Ole strak på dekk. Flise-Guri presset en twistdott – kanskje ikke altfor rein – mot et stort, blødende kutt under Geir Oles høyre øye. Det blødde også fra nesa hans og munnen.

Granli kom med førstehjelpsskrinet og la på sterile kompresser. Vi plasserte Geir Ole på en lukelem og bar ham i all hast til sykelugaren.

Der inne stelte Granli med ham, mens jeg ventet utenfor og nervøst røykte den ene sigaretten etter den andre.

Det kunne gått verre med lettmatros Gaukvær, sa Granli da han kom ut, med blodflekker på den hvite skjorta si. Han har brukket nesebeinet og kanskje også fått et brudd eller en brist i det venstre kinnbeinet. Og så har han fått slått ut de to midterste tennene i overmunnen.

Hva med kuttet? spurte jeg.

Det fikk jeg tråklet sammen med et dusin sting, svarte Granli. Han kommer til å bli helt all right. Så får han bare finne seg i at han blir seende ut som en engelsk fotballspiller. En sånn dødsforaktende back fra Newcastle eller Liverpool som har fått seg en albue midt i truten og deretter blitt tråkka på med støvleknottene til et par motspillere.

Ja ja, Kokkovær, sier jeg til Geir Ole. Det å få utseendet til en tannlaus engelsk back er ikke det verste som kan skje en mann.

Geir Ole grynter et eller annet uforståelig til svar.

Sjelden eller aldri har det vært så herlig å komme ut i rom sjø! Da jeg gikk til rors klokka åtte, var Den arabiske halvøya forsvunnet i hetedisen akterut. Alle de vinduene på brua som lar seg åpne, var trukket helt ned, og det blåste en frisk havbris gjennom styrhuset.

Vi hadde satt kursen over Adenbukta for å passere mellom Kapp Guardafuy, som danner spissen på Afrikas Horn, og den tørre øya Socotra.

Kaptein Nilsen kom opp i styrhuset. Han var i perlehumør. Det eneste han hadde å besvære seg over, var frykten for at Nortraship skal bli ledet av det han kalte 'tomhodede politikuser og blyrævede byråkrater'.

Trean sa seg enig i at det var en viss risiko for at dette vil skje.

Kapteinen sa: Jeg håper at Nortraships kontor i London ikke blir bemannet med amatører, men får en profesjonell ledelse, gjerne av redere og drevne shippingfolk.

Jeg sto bak rattet og tenkte at jeg håper at politikerne og sjømannsorganisasjonene får mest mulig kontroll over Nortraship.»

Halvor skriver: «India-havet, torsdag 25. april kl. 00.20. Jeg er glad jeg ikke bor på Socotra. Vi så ikke øya så godt gjennom disen, men det vi så, var ikke fristende. Bare stein og sand og spredte, støvete, knortete trær.

Granli fortalte meg at disse trærne kalles 'blood trees'. Blodtrærne har rød sevje.

Vi er kommet ut i slak storhavsdønning. Vinden er bedagelig. Masser av flygefisk flyr fra dønning til dønning.

Stjernehimmelen på kveldsvakta var praktfull. Jeg gleder meg til å få se Sydkorset.

Molde blir på ny bombet av tyske fly. Det skal være store ødeleggelser, særlig forårsaket av brannbomber. Igjen disse bombene fra helvete!

Gnisten har fortalt meg at han dessverre ikke har fått en eneste melding om tapstallene på Rena. Jeg frykter det verste og håper det beste.

Da Rena var i BBCs nyhetssendinger, ble hjemstedet mitt kalt 'a village'. Jeg vet ikke hvorfor vi ikke bruker ordet landsby i det norske språket. Jeg synes det er et fint ord. Landsbyen Rena fikk smake bombene fra tyske fly, slik mange landsbyer i Polen fikk. Nå er lille Rena glemt av den store verden, akkurat som de bombede polske landsbyene er glemt.

Hvor mange flere landsbyer vil bli bombet og glemt i denne krigen?

Gnisten sa på orienteringsmøtet etter kveldsmaten at det er vanskelig å få opplysninger om krigens gang hjemme. Det han vet, er at norske styrker i Sør-Norge kjemper i Gudbrandsdalen, Østerdalen, Valdres og Telemark. Flere improviserte norske avdelinger er i strid aleine eller sammen med de allierte styrkene i Trøndelag, men det ser ikke ut som om det er noen framgang i marsjen mot Trondheim.

I Nord-Norge fighter general Fleischers styrker seg i en langsom offensiv sørover mot Narvik.

Vi vet stadig ikke hvor konge og regjering befinner seg. Flise-Guri tror at kongen kan være i Molde, og at det er derfor tyskerne bomber Rosenes by så hardt.»

Mannskapet på *Tomar* fører sin egen lille krig, mot myriader av kopralus. Flise-Guri fikk rett. Lusa er overalt. Selv om Cheng sprayer messa med insektmiddel så det lukter som i en kjemisk fabrikk, må de skave vekk lus fra margarinen. Et gjenglemt såpestykke i dusjrommet vil raskt bli kolonisert av en klase lus.

Geir Ole holder stadig køya på grunn av smerter i kinnbeinet.

For at nordlendingen ikke skal bli spist opp av lus, har Halvor plassert moskitonett i ventilen. Hver gang han forlater lugaren, tetter han igjen glipa mellom dørbladet og dørstokken med tjærebånd.

Tomar kommer inn i stillebeltet nord for Ekvator. Her er smul sjø, som bare kruses av en ørliten bris og drivende skyer, noen av dem med grå strimer av regn under. Det slås stopp i maskinen. Dekksgjengen klyver ned på stillinger og begynner å male skutesida med Admiralty grey.

Kommer det en regnbyge, må *Tomar* manøvrere unna. Da må alle mann opp fra stillingene. Det er ikke lov å arbeide på stilling mens skipet er i fart.

Så er regnbygen unnveket, og Båsen kan gi ordre om at stillingene skal bemannes igjen.

Ny regnskur kommer.

«Alle mann opp!» roper Båsen. «Det er et jævla sirkus, dette her. Jeg skulle ha vært sirkusdirektør.»

Halvor skriver i dagboka: «India-havet, søndag 28. april, før kveldsvakta. Vi passerte nettopp Ekvator, noe forsinket grunnet alle stoppene for å male skutesida med krigsmaling. Ifølge tradisjonen skal det da holdes linjedåp for dem av mannskapet som ikke har vært over linja før. Jeg har jo ikke vært det (Singapore, som er det sørligste stedet jeg har vært, ligger like nord for Ekvator) og skulle dermed døpes. Men kaptein Nilsen besluttet at vi ikke skulle ha noen linjedåp. Han mente slike løyer og ablegøyer ville være upassende nå som Norge er i krig.

Jeg var glad for kapteinens beslutning. Jeg hadde liten lyst til å delta i klovnerier nå som jeg tenker så mye på dem hjemme.

Jeg var også glad av en annen grunn. Under linjedåpen er det vanlig at de som døpes, blir smurt inn med tjære og rullet i fjær og så må drikke en ufyselig drikk av pepret tran eller motorolje eller noe annet graks. Godt å slippe det.

Vi er altså kommet til den sørlige halvkule. Været er vakkert og stille, og av og til kommer det en forfriskende regnbyge. Lufttemperaturen er 27 grader, og sjøvannstemperaturen omtrent like høy.

Etter forslag fra Flise-Guri har vi rigget til et lite svømmebasseng laget av stålrør og impregnert seilduk. Bassenget står ved firerluka. Deilig med en liten dukkert dann og vann.

Granli og jeg er blant de ivrigste badeenglene. Granli bader i en litt gammelmodig drakt som ser ut som en bryterdrakt, bortsett fra at den har ermer helt ned til albuene. Jeg bader i Tarzan-badebuksa mi, ei bukse i kamuflasjefarger som jeg kjøpte i Hong Kong. Hver mann sin lyst! Det er plaskinga det gjelder, ikke antrekket.

De forbannede kopralusene krøp opp på seilduken, men vi fikk spylt dem vekk før de havnet i bassenget.

Geir Ole sto opp i går, selv om han er opphovnet i ansiktet og har tøffe smerter. Jeg sa til ham: Du er seig som bikkjeskinn, Kokkovær.

I dag kom han og vekket meg da jeg tok meg en strekk på et par taukveiler på poopen etter kveldsmaten. Det må sies at jeg ikke alltid forsto hva han sa før ulykken. Han er ikke blitt lettere å forstå etter at han fikk slått ut de to tennene og klemt nesa flat.

Jeg oppfattet det som at Geir Ole ropte: Han Fleischer har erobra gratengen!

Hva så? sa jeg. Vekker du meg, Kokkovær, for å fortelle at Fleischer har fått seg en porsjon fiskegrateng?

Det viste seg at det Geir Ole mente, var at general Fleischers styrker har erobret Gratangen. Det er navnet på en fjord og et område lengst sør i Troms fylke, bare et steinkast fra Narvik.

Geir Ole hadde nettopp fått høre av Gnisten om denne norske triumfen. Gratangen er ikke et sted man vanligvis hører mye om, men nå er det altså blitt et sted av stor nasjonal betydning. Erobringen av Gratangen var virkelig en gledelig nyhet.

Under kampene mot den tyske hæren i Sør-Norge virker det som om de norske soldatene prøver å ta livet av en slagbjørn ved å stikke knappenåler i den. I Nord-Norge er de stridende partene mer jevnbyrdige.

I sin orientering etter kveldsmaten fortalte Gnisten at Kristiansund i dag er blitt neste norske by som er bombet av tyske bombefly. Skadene er enorme. Så mye som åtte hundre hus skal være svidd ned. For også i Kristiansund skal tyskerne ha brukt brannbomber til å rasere mesteparten av byen.

Helvetesbomber! Burde de ikke bli forbudt i all krigføring?

Motormann Smaage stilte spørsmål om hvorfor tyskerne hadde bombet Balsund, en by uten militære anlegg og militære mål.

Balsund er et kallenavn på klippfiskbyen på kysten av Nordmøre. Navnet kommer av en matrett som er populær i byen. Det er en ball, eller 'baill', som de sier, av fisk, poteter og løk. Jeg smakte på en slik ball da vi var der i byen med <u>Flink</u>. Fiskeball ble ikke en av mine favorittretter.

Det var en flott by i naturskjønne omgivelser ved havet, Kristiansund. Fryktelig å tenke på at byen nå er utslettet. Gnisten hadde ikke noe svar på Smaages spørsmål, og ikke tall for tap av menneskeliv. Vi får bare håpe at tapet av mennesker ikke er like stort som de materielle skadene.

Flise-Guri sa at han mener det dreier seg om tysk terrorbombing. Ved å sønderbombe norske byer som de ennå ikke har besatt, ønsker tyskerne å skremme nordmennene til underkastelse og lydighet.

Geir Ole sa at han drømmer om et Nord-Norge fritt for alt som heter tyskere. Han fikk applaus. Det var ikke bare på grunn av det han sa, men fordi folk er glade for at han er kommet seg på beina igjen etter stjernesmellen.

Hemmingsen stilte det samme spørsmålet som jeg stilte meg etter bombingen av Kartongen, om det meningsløse i ødeleggelsen av verdier.

Hvorfor faen brenner tyskerne ned verdens klippfiskhovedstad? sa Hemmingsen. En skulle jo tro at tyskerne ville ha god bruk for klippfisk til å fø soldatene sine.

Erasmus Montanus sa at tyskerne kanskje ikke liker bacalao, og at de sikkert ikke ville bombet Kristiansund hvis byen hadde vært full av pølsefabrikker som laget bratwurst.

Vi lo litt av dette. Men stemningen i messa ble raskt alvorlig igjen.»

Halvor vandrer gjennom granskog. Han går med lette skritt på det mjuke, fjærende teppet av barnåler som dekker skogbunnen. Han kjenner røyklukt. Det må være røyk fra pipa i ei koie i tømmerskogen. Der fyres nok med tyri. Lukta av brennende tyrirøtter blandes med den liflige duften av stekt flesk.

Han går mot stedet der røyken kommer fra. Underlaget fjærer nå så fint at han tar sju meter på et skritt, ja det er som om han svever. Han gleder seg til å smake stekt flesk, ferskt flesk, ikke det salte flesket de får til sjøs.

Skogen åpner seg til en lysning. Der ligger nok koia. Men her er ingen koie å se. Det han ser, er noen forkullede planker som det ryker av.

Ut mellom plankene stikker en naken fot. Huden på foten er svidd så den ser ut som svoren på ribba til jul.

Han forstår at det ikke er duften av stekt flesk han har kjent, men eimen av stekte mennesker.

Han vil løpe vekk fra branntomta, men nå fjærer ikke underlaget lenger. Det knaser.

Han går på glødende plankebiter. Det gjør ikke vondt, for han har støvler med tjukke såler.

Bortenfor den nedbrente koia ligger ei ny nedbrent koie, flere koier. Nei, de er for store til å være tømmerhoggerkoier. Brann-ruinene må være rester av hus. Han er ikke i en lysning i skogen, han er i en by. Han ser flammer lenger framme. Han går gjennom den brennende byen.

Han snubler i noe. Det er et brent barn.

«Brent barn skyr ilden,» sier han.

«Jeg skydde ikke ilden,» sier barnet.

Han løfter opp barnet og bærer det. Barnet skriker ikke. Han skriker, men det er et stumt skrik, som ikke gir ekko fra veggene på husene som står i flammer på begge sider av gata.

Barnet er ei jente, men likner ikke på Britt eller Karin.

Han kjenner lukta av hav og tang. Er det også narrelukt? Han går ned til havet og kommer til ei sandstrand. Opp av sjøen kom-mer en flokk kvinner. De har nok søkt tilflukt for brannene ved å gå ut i havet. De har på seg vide kjoler.

Han gir barnet til kvinnene med de våte kjolene.

Han løper inn i skogen. Men straks kommer han til en ny by som står i brann. Over byen svever store, svarte fugler. Er det ravner? Er det bombefly? Hvis det er fly, må det være glidefly, for de har ingen motordur.

Han går i de brennende norske byer.

Han går og går til han omsider våkner.

Halvor vrenger av seg den utsvettede underbuksa han har sovet i. Klokka er halv fire om morgenen. Han går til dusjrommet.

Etter dusjen vikler han håndkleet om livet, tar med seg Camel-pakka og lighteren og går opp på poopen. Han tenner en sigarett og lener seg over rekka for å kjøle seg ned i fartsvinden. Røyken fra sigaretten har heldigvis ikke samme lukt som røyken i de bren-nende byene.

Kapittel 27

Det er blitt onsdag den 1. mai. *Tomar* er i ferd med å passere Chagos Islands, som ligger øde til midt ute i storhavet.

Trean viser Halvor øygruppa i overseilingskartet over Det indiske hav.

Halvor sier: «Jeg må innrømme at jeg aldri har hørt om Chagos Islands.»

«Det er ikke ei øygruppe man hører mye om,» svarer Trean.

«Får vi se disse øyene?»

«Jeg håper virkelig ikke det,» sier Trean. «Det er et lumsk farvann rundt Chagos, så vi prøver å holder oss på god avstand. Hvis vi har navigert nøyaktig, skal vi være hundre nautiske mil vest for den øya der.»

Trean peker på den vestligste øya i arkipelet. «Danger Island,» sier han. «Det er nok et navn den vesle øya bærer med rette. Øya er en lav korallatoll, uten noe fyrtårn. Her er det fort gjort å renne skuta på land hvis man er kommet ut av kurs.»

«Bor det folk der?»

«Jeg vet ikke om det bor noen på Danger Island. Ifølge Pilotboka skal det bo fire–fem tusen sjeler på Chagos-øyene.»

Trean tar ut ei stor bok med mørkeblått shirtingbind fra bokhylla i bestikken. På omslaget er det trykt med gullbokstaver «Indian Ocean Pilot».

«Som du vet, er jeg ikke så glad i engelskmennene,» sier han. «Men *det* skal de ha, de lager nyttige bøker for oss navigatører. Hydrographer of the Navy gir ut sånne piloter som denne her om alle verdens farvann.»

«Hva lever folk av på sånne øde øyer?» spør Halvor.

«De dyrker kokosnøtter og driver med fiske. På den største øya, Diego Garcia, er det ei god havn som britiske krigsskip bruker. Vi har fått ei radiomelding fra britiske Naval Control på Diego Garcia om at det ikke er meldt om tyske ubåter i Det indiske hav.»

«Er det britene som eier Chagos?»

«Ja, som så mye annet her i verden, er øyene britisk territorium. Chagos er en del av den britiske kronkolonien Mauritius.»

Halvor gransker kartet, men får ikke øye på noe sted ved navn Mauritius.

«Hvor er Mauritius?» spør han.

«Den øya ligger langt av lei fra Chagos,» sier Trean. Han peker på ei øy øst for Madagaskar. «Der har du Mauritius. Jeg har vært der, i Port Louis. På Mauritius er det folksomt, og der finnes mennesker av alle raser og raseblandinger som tenkes kan. Det dyrkes sukker på store og små plantasjer. Befolkningen er blanda drops, og hele øya lukter som en karamell. På en dag som denne er det ganske sikkert demonstrasjoner i Port Louis mot det britiske kolonistyret. Det finnes en sterk nasjonalistisk bevegelse på Mauritius, og militante havnearbeidere.»

«Hjemme er det vel ingen 1. mai-tog i dag,» sier Halvor. «Det er rart å tenke på Rena uten flagging og tog på 1. mai.»

«Det er ikke mindre rart å tenke på Holmestrand uten arbeidertog,» sier Trean. «I Nord-Norge er det kanskje 1. mai-tog i Tromsø og de andre byene. Og i Sør-Norge kan det vel være tog i byer som tyskerne ikke har tatt.»

«Ja, det går kanskje et tog i Røros i dag. Det er sterk tradisjon for å feire 1. mai i den gamle gruvebyen.»

Kaptein Nilsen kommer ut på babord bruving, der Halvor og Trean står. Kapteinen har satt på seg store solbriller til beskyttelse mot det gnistrende lyset som reflekteres fra det småkrusede tropehavet.

Kapteinen blir stående taus med hendene på ryggen og skuer mot en skybanke i horisonten, som om han mediterer.

Han bryter ut av meditasjonen, byr Trean en sigarett og sier: «Det går dessverre dritt hjemme i Norge.»

«Hva har skjedd?» spør Trean.

«Jeg venter på de siste nyheter fra telegrafist Borge,» svarer kapteinen.

Gnisten kommer ut på bruvingen. Også han har satt på seg solbriller.

«Hva har De å melde, Borge?» spør kapteinen.

«Norske soldater har kjempet et tappert slag ved Segalstad bru i Gausdal, men har nå overgitt seg til tyskerne. Det har vært harde kamper i Valdres og ved Vinjesvingen i Telemark. Også der har de norske styrkene måttet kapitulere. Det ser ut som om den norske motstandskampen på Østlandet er i ferd med å ebbe ut.»

«Dette måtte vi nesten regne med,» sier kapteinen. «De norske lommene med guerillamotstand kunne ikke holde svært lenge. Det som virkelig bekymrer meg, er det De sa tidligere i dag om at de allierte landgangskorpsene i Sør-Norge og Trøndelag er på rask retrett. Har De fanget opp noe mer enn rykter om denne sørgelige utviklingen?»

«Nei, siden sist jeg snakket med Dem, har jeg bare hørt en svensk radiomelding der det ble spekulert i at de allierte planlegger en snarlig evakuering fra Åndalsnes og Namsos. Britiske krigsskip og transportskip skal være underveis til Romsdalsfjorden og Namsfjorden.»

«Nedslående nyheter,» sier kapteinen. «Virkelig nedslående.»

«Feigt,» sier Trean. «Det er faen så feigt av engelskmennene å stikke av på den måten, med halen mellom beina.»

Kapteinen ranker ryggen, tar av seg solbrillene, ser strengt på Trean og sier: «Nå snakker De om forhold De ikke har oversikt over, styrmann Kvalbein. De britiske og franske styrkene har etter alt å dømme vært under kontinuerlige angrep fra tyske fly siden de gikk i land. Det har neppe vært allierte jagerfly på vingene over Sør-Norge og Trøndelag. Dermed har det vært fritt frem for bombing fra Luftwaffe, og ganske sikkert betydelige tap for de allierte. Vi får heller takke britene og franskmennene, og polakkene oppe i nord, for at de har prøvd å komme vårt land og vårt folk til unnsetning i kampen mot en overmektig fiende.»

Trean forlater bruvingen. Er det i raseri over å ha fått en reprimande fra kaptein Nilsen? Nei, han kommer ut igjen med sekstanten for å ta solhøyden.

«Håpet er ikke ute for Nord-Norge,» sier Gnisten.

«Nei, og det takker vi for,» sier kapteinen.

Halvor får øye på en røyksøyle i horisonten framme på styrbord. Han varsler Trean.

Snart ser de et par mastetopper og tre skorsteiner.

Kapteinen gransker skipet i kikkerten sin og sier: «Krigsskip. Enten en stor jager eller en liten krysser. Ganske sikkert en engelskmann på vei til Diego Garcia. Britene har store deler av verden de skal holde kontroll med. Derfor er det ikke så rart at de ser ut til å måtte melde pass i den sørlige delen av lille Norge. Vi får håpe at den allierte innsatsen ved Narvik er noe mer enn et forsøk på å redde ansikt.»

«Hva mener De med det?» spør Gnisten.

«At London og Paris kan ha planlagt felttoget mot Narvik som en midlertidig affære for å vise verden at de allierte er i stand til å slåss mot tyskerne. Men at det ikke er meningen å holde Narvik særlig lenge dersom byen blir erobret. At Nord-Norge også vil bli overgitt til tyskerne, slik Sør-Norge ser ut til å bli.»

«Nå er De temmelig svartsynt,» sier Gnisten.

«Jeg er bare realistisk,» svarer kapteinen.

Gnisten forteller at han har fått meldinger om aksjoner om bord i norske skip i havner på USAs østkyst. Offiserer og mannskap på mange skip nekter å seile over Atlanteren til Europa hvis de ikke får en kraftig hyreøkning og skyts til å forsvare seg med. På noen skip er kravet tredobling av hyra. Mannskapene har erklært at de vil bruke den paragrafen i Sjømannsloven som gir rett til avmønstring dersom skip skal gå til krigssoner.

«Dette kaller jeg rent og skjært oppvigleri,» sier kapteinen. «Hvis det finnes kapteiner som støtter disse aksjonene, har de faen ikke min respekt. Nå er det tid for samhold, ikke for splittelse og ublu krav i hytt og pine.»

Halvor manner seg opp og sier: «Kravet om skyts er bare rett og rimelig.»

«Jaså, Skramstad,» sier kapteinen. «Så det mener De? Vel, vel. Det ligger jo i ungdommens natur å være kravstor.»

Halvor sitter i messa og skriver: «Indiahavet, mandag 6. mai kl. 00.20. Det gikk dessverre slik vi fryktet. De allierte styrkene har evakuert fra Sør-Norge og Trøndelag. Og den norske motstanden er knust. Hegra festning, under kommando av artilleristen major Reidar Holtermann, holdt tappert stand. Men Hegra kapitulerte i går.

Den siste større stridshandlingen i Sør-Norge fant sted i Grøndalen i Trysil 2. mai. Der slo en underlegen norsk styrke kraftig fra seg mot en overlegen tysk styrke. Hundre tyske soldater skal ha blitt drept.

Jeg fikk en overraskende og merkelig medfølelse med disse hundre grønnkledde i Grøndalen. Jeg så tyskerne ligge strødd på slagmarka. For en tysk soldat som var hardt såret og skulle dø, må det ha vært bittert å tenke på at han ofret livet i en krig som allerede var vunnet.

Den norske styrken i Trysil overga seg etter et voldsomt tysk flybombardement.

General Ruge skal være tatt til fange av Wehrmacht.

Det var deilig å passere Steinbukkens vendesirkel. Endelig var vi ute av tropene igjen. Det har vært en varm tid! Heldigvis tåler jeg varmen og sola bra selv om jeg er blond og har lys hud.

Nå blåser en kjølig og frisk kuling rett imot oss. På toppen av lange dønninger danser krappe bølger skapt av kulingen. Rart å kikke opp på skorsteinen og ikke se de vante lyseblå ringene. Nå er det grått-i-grått over hele skuta.

Vi har seilt under tett skydekke. Men i kveld revnet skylaget opp, og jeg fikk se Sydkorset. Det var flott, om enn ikke så storslått som jeg hadde forestilt meg. Slik er det vel med mange ting både i verden og i verdensrommet, at de, når man observerer dem, ikke helt svarer til de forventningene man hadde.

Skipper Sommerfeldt på <u>Flink</u> var sterkt troende, og samtidig en veldig nøktern mann. Han sa at han gledet seg til å komme til Himmerik, men at han ikke trodde at gatene der er brolagt med gull. Det er nok i høyden messing, sa Sommerfeldt.

Det kjølige været har lagt en demper på kopralusenes enorme formeringsevne. Vi må ennå spyle bort en og annen kladeis med lus fra lukekarmene. I messa har Cheng vunnet kampen mot lusene, og margarinen er ikke lenger full av utøy.

Kaptein Nilsen, Gnisten og Trean var samlet i styrhuset under min siste rortørn på kveldsvakta. De diskuterte hva som kan tenkes å bli Hitlers neste angrepsmål etter triumfen hans i Sør-Norge og Trøndelag.

Trean var sikker på at det vil bli England.

Kapteinen sa at Storbritannia helt åpenbart er Hitlers drømmemål, men at angrepet på Norge kan ha forkludret den tyske diktatorens plan om en storstilt erobring av England.

Hitlers svake punkt er marinen, sa kapteinen. Og han har tapt litt for mange krigsskip i Norge. Tre kryssere og alle jagerne oppe i Narvik. Dette er skip han sårt kunne trengt under en invasjon i England. Dit må han jo komme sjøveien.

Det finnes en annen mulighet, sa Gnisten. Hitler og generalstaben hans kan planlegge et angrep på England med fallskjermsoldater. Tyskerne er, som vi har sett, kommet langt når det gjelder fallskjermoperasjoner.

Kapteinen sa at alt ser ut til å være mulig i denne krigen, men at et angrep på England med luftbårne styrker fordrer at det formelig vil 'sne' fallskjermer over England.

Hitlers plan kan være å la fallskjermjegerne ta en del strategisk viktige flyplasser, sa Gnisten. Når disse flyplassene er på tyske hender, kan det flys inn vanlige soldater med transportfly.

Det høres jævla risky ut, sa kapteinen. Tatt i betraktning hvor sterkt Royal Air Force er. Jeg ville nødig vært tysk soldat i et transportfly over England med Spitfire-fly kretsende rundt meg som sinte veps. Men Hitler og generalene og admiralene hans var dristige inntil det dumdristige da de gikk løs på Norge. Så hvem vet hva de vil våge seg på?

Jeg nevnte diskusjonen i styrhuset for smører Helge, som var innom i messa for å ta seg en kopp kaffe. Han sa at han tror Hitler vil angripe Frankrike først, for å sikre seg et godt utgangspunkt for å ta England.

Jeg er virkelig bekymret for Frankrike og min kjære Paulette, sa Helge. I brevene sine har hun klaget over at det er mye råttenskap i den franske politikken, og at det er så som så med politikernes forsvarsvilje. Mer enn hun frykter djevelen, frykter Paulette <u>les boches.</u>

Helge forklarte at les boches er et nedsettende uttrykk franskmennene bruker om tyskerne. Jeg fikk ham til å skrive det opp, slik at jeg skulle få uttrykket riktig i dette dagboksnotatet.

Jeg gleder meg til Fremantle. Det skal bli godt med friskt drikkevann og fersk proviant.

Kokk Fitjar fortalte meg at stuert Dyrkorn har bestemt seg for å bli rausere med provianteringen nå som det er Nortraship, og ikke Wilhelmsen, som skal betale gildet.

Australia er jo sauenes land. Jeg håper på lammesteik.

Jeg kjenner på bevegelsene i skuta at kulingen har økt til stiv, kanskje sterk. Det er godt å kjenne <u>Tomar</u> stampe i motsjø igjen, selv om det kan føre til at vi kommer seinere fram til Fremantle.

Men nå må jeg gå og ha et stevnemøte med Ole Lukkøye, trøtt som jeg er av den kjølige havlufta.»

Kapittel 28

Fredag den 10. mai i kveldinga får de vestkysten av Australia i sikte. Halvor er overrasket. Han hadde ventet seg en tørr og solsvidd kyst. Men den kysten som her stiger av hav, er grønn, slik Irlands kyst er.

I mannskapssalongen lyttes det til BBC. Det er dystre nyheter. Tyske tropper har foretatt en ilmarsj inn i de nøytrale landene Luxemburg, Nederland og Belgia. Tyskerne har sluppet ut tusenvis av soldater i fallskjerm både i Nederland og i Belgia, og disse fallskjermsoldatene har inntatt viktige knutepunkter og bruer. I Nederland har de landet i Rotterdam og hovedstaden Haag. I Belgia har de på uforklarlig vis greid å ta det topp moderne og godt bemannede fortet Eben Emael. Havnebyen Antwerpen og hovedstaden Brussel bombes. Flere tyske panservogndivisjoner ruller nå inn i det flate landskapet.

Smører Helge sier: «Nå spøker det for Frankrike. Nå kan tyskerne gå utenom den berømmelige Maginot-linja til franskmennene og angripe Frankrike på flanken.»

Fra bokhylla i skipsbiblioteket finner Helge fram verdensatlaset, slår opp på kartet over Luxemburg, Nederland og Belgia og viser dem som er interessert, hva han mener med et flankeangrep på Frankrike.

Båsen sier: «Franskmennene vil forsvare seg som ville dyr mot erkefienden sin. De lar seg ikke uten videre overkjøre av det tyske Panzer. Tyskerne har noen tøffe pansergeneraler som han derre Gaudrian, men ...»

«Guderian,» sier motormann Smaage. «Heinz Guderian.»

«Ja vel,» sier Båsen. «En jævla gauder er i alle fall general Guderian. På slettene i Polen støtte han fram med tanksene sine så raskt at ingen trodde det var mulig. Han brukte tanksene som spydspiss i angrepet. Men i Holland er det en helvetes masse kanaler som vil hindre tyskerne.»

Flise-Guri sier: «Vi får trøste oss med at franske og britiske divisjoner støtter armeene i Nederland og Belgia. Hitler satser som vanlig på en lynkrig. Kanskje han har gapt over for mye denne gangen, og at tyskerne må grave seg ned i skyttergraver, slik de måtte gjøre under Den store krigen.»

«Jeg er alvorlig bekymra for Frankrike,» sier Helge.

I Storbritannia har Neville Chamberlain måttet gå av. Marineminister Winston Churchill har tatt over som statsminister.

Matros Rønning sier at Churchill er en harding som drikker ei flaske whisky om dagen og tenner en ny sigar med den gamle.

Flise-Guri mener at Churchill vil være bedre i stand til å sette mot i engelskmennene enn det den forsiktige Chamberlain var.

Tomar legger lørdag morgen til ved Victoria Quay i Fremantle.

Fremantle minner Halvor om havnebyer i England. Ja, det er nesten som å komme til England, slik han gjorde så mange ganger med *Flink*.

Postsekkene fra Aden bæres i land av en liten gjeng havnearbeidere. På kaia patruljerer soldater iført den australske hærens kakiuniformer og bredbremmede filthatter. De er væpnet med Tommyguns.

Halvor har fått halvannen times landlov av førstestyrmann Nyhus. Han går i land og kjøper seg et par solide arbeidssko med overlær av svart lær og tjukke gummisåler. Han kjøper også ei skjorte av tjukt dongeristoff. Den har bare to knapper i halslinninga, slik at han må trekke den over hodet. Men det er ei bra skjorte.

Han rekker en kjapp øl på puben Sail and Anchor. Ved bardisken kommer han i prat med to karer på sin egen alder.

De er bare opptatt av det tyske overfallet på Belgia og Nederland. Det er som om angrepene på tre av Nordens fire nasjoner, Finland, Danmark og Norge, allerede er glemt.

Først da Halvor nevner Narvik, fatter de to karene interesse. Den ene, som heter Don, tror riktignok at Narvik ligger i Sverige, men han blir korrigert av kameraten sin, Reggie, som har hørt om den britiske seieren i sjøslaget ved Narvik.

«You Norwegians are still fighting the bloody Germans at Narvik, aren't you?» spør Reggie.

«Yes, we are,» sier Halvor. «We fight together with the British, the French and the Polish.»

«The police?» sier han som trodde Narvik var svensk, Don.

Halvor tenker at «polsk» kanskje ikke heter «Polish» på engelsk, eller at han har uttalt «Polish» feil.

«Not the police,» sier Halvor. «Soldiers from Poland.»

«From Poland?» sier Don. «I thought all the soldiers in Poland were shot dead by Hitler.»

Reggie forklarer kameraten at det finnes en fri polsk styrke i eksil i England. Denne polske styrken er en alliert med Storbritannia, og dermed med Australia, akkurat som Norge er blitt.

De tre skåler for alliert seier i Belgia, Nederland og Narvik.

Halvor ser på klokka. Han må løpe om bord.

De kaster loss. Ferden skal nå gå til Sydney på østkysten, Australias største by.

Tomar runder etter et snaut halvt døgn sørvestkappet i Australia, Cape Leeuwin.

Halvor går opp til første rortørn på kveldsvakta.

De seiler ganske nær kysten og ser lysene fra kystbyene.

Trean sier: «Der inne ligger en by som heter Denmark. Det er jo pussig.»

Halvor sier: «Kanskje det bor danske kolonister der?»

«Det er meget mulig,» svarer Trean. «Det var i Australia man skulle ha bodd. Hit kommer i alle fall ikke de jævla tyskerne. Jeg har en fetter som bor i Brisbane. Han arbeider med å bygge svømme-bassenger og gjør gode penger. Han og kona har sitt eget hus med stor hage der det står fire velvoksne palmer.»

Kaptein Nilsen kommer inn i styrhuset.

Han sier til Trean: «Jeg anser Nederlands og Belgias situa-sjon for håpløs. Det er sterkt beklagelig, men det er nok realiteten.»

Trean nikker stumt. Han og kapteinen røyker i taushet hver sin sigarett.

Trean sier: «Tyskerne under general Dietl ser ut til å holde stand mot Fleischer ved Narvik.»

«Det ser dessverre slik ut,» sier kapteinen. «De østerrikske berg-jegerne på Narvik-fronten lar seg ikke plukke på nesa. De lærer nok opp alle marinegastene som kom i land fra de senkede tyske jagerne, til å bli brukbare soldater. Forstår jeg det rett, kjemper norske og franske styrker i fjellheimen ved Narvik, mens britene og polakkene kjemper seg frem langs fjorden.»

Det blir en ny lang pause.

Kapteinen kremter og sier: «Gnisten melder at det er spådd grise-vær i Great Australian Bight. Der kan det bli svær dønning, som kommer rullende like lukt fra Antarktis.»

Og svær dønning blir det i Great Australian Bight. Veldige, grå-grønne bølger. Bølgehøyden er nesten like stor som den de opplevde under taifunen. Men det er mye lenger mellom bølgetoppene, og bølgedalene er lange og djupe som virkelige daler.

Vinden blåser sørfra med full storms styrke. *Tomar* skulle gått på en strak østlig kurs, men har måttet dreie over på en sørlig kurs for å få nesa opp mot vinden.

De seiler langt fra land. Kysten langs den store australske bukta er en av de mest ugjestmilde i verden. Det er en pannekakeflat kyst uten noen skjærgård og uten havner. Her har mange skip blitt blåst inn i grunnbrottene under stormer fra sør. Bak stranda ligger et øde slettelandskap som heter Nullarbor Plain, og bak sletta er det ørken, Great Victoria Desert.

Halvor overhørte en disputt mellom Trean og Granli om navnet Nullarbor Plain. Trean mente navnet kommer av at det er null hav-ner, null harbours, langs kysten. Granli hevdet at navnet betyr at det ikke vokser noen trær, «arbor» på latin, på sletta.

Det samme kan det være, tenker Halvor. De skal ikke inn til Nullarbor Plain. Da må i så fall *Tomar* få motorstopp og komme i drift, og det krysser han fingrene for at ikke skal skje.

Halvor står til rors på formiddagsvakta og har et svare strev med å holde den sørlig kursen.

Tomar seiler ned i en bølgedal som er like lang som skipet.

Halvor kjenner et sug i magen.

Det bryter voldsomt over forskipet.

Plutselig blir det mørkt i styrhuset.

En tanke farer gjennom Halvors hode: Vi har seilt oss like lukt ned i havsens mørke djup! Vi går ned med mann og mus.

Trean bryter ut i en spøkelsesaktig latter.

«Lukepresenninga!» roper Trean. «Det er lukepresenninga på toer'n som har slitt seg.»

Halvor hører en voldsom, blafrende lyd. Det går opp for ham hva som har skjedd. Lukepresenninga på toerluka har slitt seg og blåst opp så den dekker styrhusvinduene.

Vinden tar presenninga, og det blir lyst igjen i styrhuset.

Kaptein Nilsen kommer stormende inn.

Han roper: «Hva faen er det som foregår? Det ble bekmørkt i lugaren min.»

Trean sier: «Presenninga på toer'n. Den føyk av og dekka styrhusvinduene. Den må også ha dekka ventilene på lugaren din.»

Kapteinen sier: «Jeg trodde jeg hadde vært med på det meste til sjøs. Men dette tar kaka! Jeg tenkte et øyeblikk at vi var i ferd med å gå under. Vi må få på ny presenning, styrmann Kvalbein. Tørn henne rundt så vi får vind og sjø inn aktenfra.»

Halvor får beskjed av Trean om å tørne 180 grader. Det er lettere sagt enn gjort.

Nede i bølgedalene nytter det ikke å tørne. Han må tørne på toppen av en bølgekam.

Han snurrer ratt som en gal.

Sakte dreier *Tomar* rundt og får hekken opp mot vind og sjø. Skipet beveger seg som i en berg-og-dal-bane.

Åge løser av Halvor ved roret. Trean sier at Halvor må stikke ned og hjelpe til med å legge på ny presenning.

Halvor spurter akterover til poopen og når den boltede døra til lugarkorridoren. Han strever med å vri rundt boltene da en svær sjø kommer brytende over poopdekket. Han tviholder med begge hender rundt den øverste bolten og unngår med nød og neppe å bli tatt av Rasmus.

Han får åpnet døra, kommer seg inn og lukker døra med boltene.

På lugaren får han i en fei på seg en tørr genser, oljehyra og sjøstøvlene.

Han blir stående og nøle på innsida av døra som fører ut til akterdekk. Han kan ikke feige ut nå! Raskt vrir han opp boltene, skyver opp døra, klyver ut på dekk og bolter døra bak seg.

Det bryter igjen over poopdekket. Halvor kaster seg fram og legger seg flat inntil lukekarmen ved femmer'n. En iskald bølge, en hilsen fra Antarktis, fosser over ham og trykker ham ned. Han svelger salt isvann og er redd han skal miste pusten.

Så forsvinner vanntrykket. Halvor reiser seg opp i knestående og gisper etter luft. Han kommer seg på beina.

«Løp!» roper han, og så løper han så fort han makter på det sleipe dekket, fram til det aktre midtskipet, hvor han føler seg litt tryggere. Han går fram til det forre midtskipet. Her står en klynge som består av Nyhus, Båsen, Flise-Guri, Hemmingsen, Rønning, Geir Ole og Flemming fra Fyn.

«Velkommen i laget, Skogsmatrosen,» sier Båsen. «Se på den luka! Skulle du ha sett på makan til helvetes forpult faensmakt! To av de tre skalkejerna er slått tvers av.»

Halvor ser på de forvridde restene av skalkejernene som har ligget tvers over luka for å holde presenninga på plass.

Nyhus sier: «Vi ser an hvordan sjøene kommer, før vi begynner med denne sjauen. På med livline, Skramstad.»

Først nå ser Halvor at de andre har line på seg. Han får ei line av Båsen. I den ene enden av lina er det en karabinkrok, som han fester i buksebeltet.

«Tre den andre enden av lina di rundt lastebommen på babord side,» sier Båsen. «Se på hvordan de andre har gjort det. Lag ei stor og vid løkke så du ikke blir hengende fast i bommen.»

Alle lastebommene på _Tomar_ – unntatt tungløftsbommen, som står vertikalt og er festet til formasta – ligger nedfelt i horisontal stilling. Bomtoppene er solid surra til krybbene de hviler i.

Halvor legger lina si i ei stor løkke rundt babords bom og knyter løkka sammen med to doble halvstikk.

Grov, grågrønn sjø vasker inn over skanskledninga, men rekker sjelden fram til toerluka med full kraft.

«Come on!» roper Nyhus. Han er ikke av den typen offiser som sender fotfolket foran seg og sjøl utgjør baktroppen. Han går framover for å postere seg slik at han kan rope varsku hvis det kommer en farlig sværing av en sjø inn aktenfra.

Den nye presenninga som skal legges på toer'n, ligger sammenrullet i akterkant av luka. Det er ei fabrikkny presenning, og rullen er derfor kompakt og grei å hanskes med i vinden.

Alle sju mann tar i og løfter presenninga opp på luka. Fem mann setter seg på rullen så den ikke skal folde seg ut i et stormkast. Kjapt og med vante bevegelser fester Båsen og Flise-Guri presenningas ende med skalkejernet, som de trer ned i lippene på den aktre lukekarmen.

Flise-Guri dæljer inn lukekiler.

De fem ruller ut nok presenning til at Båsen og Flise-Guri får festet skalkejern på styrbord og babord side. Nå er det klart for å feste det første av de tre tversovergående skalkejernene. Det går greit.

«Varsku for stor brottsjø aktenfra!» roper Nyhus.

Sjøen kommer dundrende inn på styrbord side, der Båsen og

Flise-Guri står. Flise-Guri greier å klamre seg til et par lipper, mens Båsen blir slått overende og grundig vaska. Han kommer seg på beina igjen og roper: «Helvetes hav! Har du ikke noe større enn en sånn jævla liten pisseskvett av en bølge å sende oss?»

De er i ferd med å feste det tredje og siste tversoverjernet da *Tomar* løftes som av en kjempemessig knyttneve. Skuta setter baugen ned. Og ned. Ned! Halve havet kommer plutselig brasende inn over bakken. Nyhus skjønner hvilken fare som truer. Han prøver å søke dekning bak mastehuset. For seint. Syndfloden tar ham. Måpende ser de sju, som har grepet tak i skalkejernet, hvordan førstestyrmannen blir tatt av vannmassene og slengt akterover som ei filledokke.

Så velter vannet over de sju.

«Ka i helsikes tykje!» roper Geir Ole før han forsvinner ut av syne for Halvor.

Nå drukner vi som rotter, tenker Halvor.

Men han kommer opp i luft, slik en hval kommer opp for å blåse. Vannet forsvinner.

Bare en slant av det vasker langs spygattet. Der ligger Nyhus strak.

Han er død, tenker Halvor.

Men Nyhus reiser seg opp i knestående og krabber på alle fire over dekk. Han silblør fra et kutt i panna.

«Hvor faen er Flemmingsen?» roper Båsen.

«Hoi!» roper Hemmingsen, som ligger på luka og fortsatt tviholder på skalkejernet. «Jeg er her.»

«Det var ikke deg jeg tenkte på,» roper Båsen. «Jeg kan ikke se han derre krabaten fra Danmark.»

Halvor kan heller ikke se Flemming. Men han ser ei line som står stram fra styrbords lastebom og går over rekka.

«Jeg tror Flemming er gått på havet!» roper Halvor.

Alle mann, bortsett fra Nyhus og Flise-Guri, som sitter og holder seg på et kne, springer bort til rekka. Nede i sjøen ser de en flytende skikkelse iført gul oljehyre. De tar tak i lina hans og haler alt de kan. Opp kommer Flemming, som er likbleik i ansiktet. De lemper ham over rekka og legger ham mageflat på dekk.

«Han er faen meg mer død enn levende,» sier Båsen.

Rønning stiller seg på knærne og presser begge hendene mot Flemmings rygg. Den danske jungmannen gulper ut en utrolig mengde sjøvann. Rønning tørner ham rundt på ryggen og gir ham et par saftige ørefiker.

Flemming slår øynene opp. Han sier et eller annet uforståelig på sitt fynske kaudervelsk.

«Du er berga og all right,» sier Båsen. «Jeg tok feil. Du er mer levende enn død.»

Nyhus sier at han er mørbanka, men at han greier å gå sjøl.

«Du blør noe jævlig fra knollen,» sier Båsen.

«Gjør jeg det?» sier Nyhus og tar seg til panna. Han ser på blodet på hendene sine.

«Er det et djupt kutt?» spør han.

«Du må få Granli til å se på det,» sier Båsen.

En haltende Flise-Guri støtter Flemming og Nyhus. De tre går akterover.

De som er igjen i stormvinden ved toer'n, greier å få kontroll på den blafrende enden av presenninga. Det kommer et par brottsjøer inn aktenfra, men *Tomar* setter ikke nesa ned sånn at det bryter over bakken.

Alle jern og kiler kommer på plass.

«Vel blåst!» roper Båsen. «La oss gå og ta oss en røyk, gutter. Vi går ikke akterover til poopen så lenge det bryter inn aktenfra. Vi får okkupere offisersmessa.»

Fem gjennomblaute karer sitter i offisersmessa, der de aldri før har vært, og damper på sigarettene sine. Salonggutt Bangsund serverer skåldheit kaffe.

Tomar tørner for å få baugen opp mot vinden igjen. Skuta slingrer vanvittig, og det skvalper kaffe fra krusene ut på de hvite borddukene til offiserene.

Halvor går opp for å avløse Åge ved roret. Det er en veldig sliten mann han avløser, og Halvor gruer seg til det orket det er å prøve å holde skuta noenlunde på kurs.

Trean sier: «Bra jobba med presenninga, Skramstad.»

Kaptein Nilsen står ved den roterende Kent-screenen. Han nikker anerkjennende til Halvor.

Båsen kommer inn i styrhuset.

Kapteinen sier: «Godt utført arbeid under farefulle omstendigheter, båtsmann Jørgensen. Du kan hente en flaske akevitt hos stuerten og skjenke hver mann i dekksgjengen en skikkelig støyt.»

«Very well, kæpt'n,» sier Båsen.

«Hva skjedde med tømmermann Tveiten?»

«Han fikk vridd venstre kne en halv omdreining. Men det skal mer til for å ta knekken på en oldtimer som Flise-Guri.»

«Og jungmann Stenkjær?»

«Det var godt vi hadde line på'n. Ellers ville vi ha mista en mann over bord. Han fikk seg en salig støkk. Men sånt overlever en ungdom.»

«Sikkert,» sier kapteinen. «Unge Stenkjær kan altså forvente å få se sin kjære øy Fyn igjen. Det er en meget vakker øy. Jeg har vært på biltur der med madamen. Det er ikke uten grunn at Fyn blir kalt Danmarks hage. Det som er forbløffende for en besøkende nordmann, er at Fyn har stor produksjon av sukker. Der dyrkes enorme avlinger av sukkerroer som det blir den fineste raffinade av. Slik sett er Fyn å regne som Skandinavias Cuba.»

«Jaså,» sier Båsen og må klamre seg til maskintelegrafen for å holde seg på beina da *Tomar* treffer en tårnhøy bølge. «Men fynboerne lager ikke rom av sukkeret, sånn som de gjør på Cuba?»

«Det kunne de godt gjøre,» svarer kapteinen. «De kunne for så vidt også lage sigarer. Det er god tobakksjord på Fyn. Vi besøkte en bondegård der vi fikk røke bondens hjemmeavlede tobakk. Det var sterke, beske saker. I det skandinaviske klimaet nytter det ikke å frembringe tobakk av Havanna-kvalitet.»

Halvor må flire der han står og strever bak rattet så musklene i overarmene hans blir ømme. Her bakser *Tomar* i ville sjøer på det opprørte havet, mens kaptein Nilsen står og småpludrer som om han skulle vært i teselskap hjemme på vestkanten i Oslo. Det er merkelig, samtidig som det er velsigna beroligende.

«Jeg kom egentlig for å høre hvordan det går med førstestyrmann Nyhus,» sier Båsen.

«Han er blitt sydd av styrmann Granli,» svarer kapteinen. «Syv–åtte sting. Og så har han fått på liniment på en del skrubbsår og hevelser på armer og ben.»

Trean sier: «Nyhus har større bekymringer enn et kutt, noen skrubbsår og blåmerker. Han engster seg fælt for hvordan det skal gå med kona og ungene hans i Belgia nå som tyskerne valser over landet.»

«Det er forståelig,» sier Båsen. «Jeg er engstelig sjøl, nå som tyskerne bomber Antwerpen. Jeg har ei god venninne i Skipper-street'en. Det som er noe jævla dritt for Dora hvis tyskerne kommer, er at hun er jødisk.»

«Jødisk?» sier kapteinen. «Jeg tenker på jødene i Antwerpen som velstående diamanthandlere. Jeg kan ikke se for meg en jødinne i Schipperstraat.»

«Dora er datter av en diamantsliper,» sier Båsen. «Hun måtte amputere halve venstrebeinet etter en sykkelulykke. Hun ble avhengig av morfin, og så havna hun på galeien. Dora jobber på ei bra sjappe som eies av en svenske. Ja, De kjenner kanskje Café Gamla Gefle? Den ligger ikke i Skipperstreet'en, men like i nærheten, i Londonstreet'en.»

«Jeg har nok vært innom Gamla Gefle i unge år,» sier kapteinen. «Men jeg pleide å vanke på Fattige Augusta. Der hadde vi mye moro.»

En grov sjø bryter over bakken så skumsprøyten står i høyde med toppen på formasta.

«Jeg unner ikke tyskerne å ta en så fin havneby som Antwerpen,» sier Båsen. «Jeg seilte sjøl ut fra Antwerpen i flere år. Nå lurer jeg på hvordan faen det skal gå med de norske uteseilerne som holder til der. Blir de nødt til å seile for nazijævlene?»

Dette spørsmålet får Båsen ikke noe svar på. Konversasjonen mellom ham og kapteinen har stoppet brått. De to, og Trean og Åge, står og nistirrer gjennom styrhusvinduene ned på dekk.

«Hva pokker var det den siste bølgen brakte med seg?» sier kapteinen. «Noe stort og brunt. Er det en diger tangklase? Eller hva i herrens navn er det som ligger der fremme på styrbord side ved enerluken?»

«En sel, kanskje?» sier Trean. «En diger sel av den arten som kalles sjøku.»

«Jeg synes faen meg det ser ut som en ...» sier Båsen. «Nei, *det* kan det umulig være?»

«Vi ser dårlig gjennom disse oversprøytede vinduene,» sier kapteinen. «Og jeg får ikke overblikk over dekket gjennom Kent'en. Stikk ut på bruvingen, matros Sildebogen.»

Åge drar opp skyvedøra til styrbords bruving. Et kaldt gufs feier inn i styrhuset, og Halvor hører stormen ule. Han ser Åge lene seg over teakrekka og glane ned på dekk. Og så ser han Åge gjøre korsets tegn.

Åge kommer inn i styrhuset igjen, bleik og dradd i ansiktet.

«Hva er det med deg, Sildebogen?» sier kapteinen. «Jeg så at du korset deg. Er det *Draugen* vi har fått om bord, kanskje?»

«Nei,» sier Åge. «Det er verre enn som så.»

«Hva *er* det, da, mann? Syng ut!»

«Jeg vil ikke ta det ordet i min munn om bord i et skip.»

«Gi oss en forklaring!» sier kapteinen.

«Det er en firbeint skapning,» sier Åge. «Det er et sånt dyr man kan ri på.»

«Mener du at det er en *hest*?»

Åge nikker stumt.

«Det var det jeg syntes jeg så,» sier Båsen. «Men jeg trodde faen ikke det var mulig å få en helvetes hest skylt om bord midt ute på havet.»

Kapteinen, Trean og Båsen løper ut på bruvingen.

Treans styrmannslue blir tatt av et stormkast og fyker på sjøen.

De tre står ute på bruvingen og gestikulerer.

Åge kommer bort til Halvor.

«La meg ta over roret, Skogsmatrosen,» sier han. «Hvis jeg får se det kadaveret en gang til, kommer jeg til å spy. Og jeg har ikke spydd siden attenhundreogfireognitti, den gangen jeg var dekksgutt på barken *Revlingen* av Moss.»

Halvor gir fra seg rattet til Åge og stormer ut på bruvingen. Han ser den brune hesten som ligger ved enerluka.

Åge kommer ut av kurs. *Tomar* tar en veldig sjø inn over styrbords reling. Halvor håper at denne sjøen skal skylle hesten over bord. Da vannet har rent bort, ser han at hesten har kilt seg fast mellom mastehuset og lukekarmen på toer'n.

«Det var da som bare faen,» sier kaptein Nilsen. «Jeg er ikke så overtroisk som matros Sildebogen. Men jeg akter ikke å seile med en død gamp om bord. Du, båtsmann Jørgensen, får ta med deg Skramstad og et par–tre andre karer og få lempet dyret på sjøen. Husk livliner.»

Båsen, Rønning, Hemmingsen, Erasmus Montanus og Halvor går fram på fordekket og fester livlinene i styrbords bom ved toerluka.

Erasmus er med fordi han satt i messa da Båsen skulle samle folk.

«En ekspedisjon for å dumpe en død hest?» sa Erasmus. «Den blir jeg med på. Det er en sånn én-gang-i-livet-opplevelse.»

Nå da de er kommet fram til hesten, og skumføyka står over dekk, er ikke Erasmus lenger så kjepphøy. Han er bleik om nebbet.

Det er de vel alle sammen, også hardbalne karer som Båsen og de to matrosene.

Hesten kan ikke ha ligget lenge i sjøen. Den ligger på høyre side. Det er ingen synlige skader på dyret. Det åpne venstre øyet som Halvor kan se, er blankt og fint og virker helt livaktig. Det er en hingst. Det kan han slå fast fordi en stor, blåfiolett penis stikker ut fra hestens lysebrune buk.

«Fin hest!» hauker Hemmingsen. «Fullblods araber. Jeg har spilt på mange sånne på Øvrevoll og ...»

«Det kan vi få høre mer om siden,» roper Båsen. «Nå må vi få kvitta oss med det jævla beistet. Vi dekksfolka tar hvert vårt bein. Så døtter sotengelen på hestehuet.»

De tar tak. Halvor griper om høyre bakbein.

«Hal i og dra!» roper Båsen.

Da Halvor begynner å dra, får han en fornemmelse av at hesten er levende, og at den kan komme til å sparke bakut. Men beinet han griper om, er iskaldt. Hesten *er* steindau.

De får halt kadaveret bort til rekka. Selv om de er fem mann, greier de ikke å løfte det.

Båsen går gjennom sjøsprøyten bort til tømmermannssjappa i mastehuset. Han kommer tilbake med to solide teakplanker og en hoggestabbe. De bruker hoggestabben som anlegg, legger plankene i kryss over den og trer plankeendene innunder hesten.

«Nå får vi se om vi får vippa'n opp,» sier Båsen.

«Kraft ganger arm,» sier Erasmus Montanus.

Hemmingsen og Halvor trykker ned hver sin planke. Hesten løfter seg. De tre andre skyver på, og hesten glir over rekka og er atter i havets vold.

«Goodbye!» roper Båsen.

«Sjå opp for sjø!» roper Rønning.

De huker seg sammen bak skanskledninga mens det antarktiske vannet fosser over dem.

Da de kan reise seg igjen, ser de at hoggestabben og en av Flise-Guris dyrebare teakplanker har gått med i dragsuget.

«Jeg må ha fått en planke i øyet,» sier Erasmus. «Jeg ser, men det gjør jævlig vondt.»

«Du har nok bare fått en blåveis,» sier Båsen. «Let's get the hell out of here.»

Etter at dyret ble kastet over bord, har vinden løya en god del. *Tomar* har dreid over på en mer østlig kurs. Dønningen er stadig diger.

«Mon tro om Neptun har oppfattet hesten som et offer til seg og hoffet sitt?» sier Erasmus Montanus.

«Neptun kan kysse seg i ræva,» sier Båsen. «Skuta ruller faen meg fram og tilbake som en elefant som har spist gjæra nedfallsfrukt.»

Halvor unner seg en røyk og en kopp kaffe i mannskapsmessa sammen med resten av hestegjengen, før han må opp og avløse Åge ved roret.

«Hvor kan hesten ha kommet fra?» spør Erasmus.

«Det finnes bare én logisk forklaring,» sier Hemmingsen. «Den stakkars hingsten må ha blitt feid på havet fra et hestetransportskip.»

«Støttes,» sier Båsen.

Rønning nikker samtykkende.

«Jeg har hørt at det eksporteres flotte hester fra Australia til Sør-Afrika og Kenya og Tanganyika,» sier Hemmingsen. «Jeg er sikker på at det var en galopphest vi dumpa. Jeg har sett tusen sånne hester under veddeløpene på Øvrevoll og tapt plenty hyrekroner på mange av dem.»

«Jeg trodde det bare var fiffen som gikk på Øvrevoll i Bærum,» sier Båsen. «Herrer med floss, og utspjåka kjerringer med hatter som ser ut som jævla blomsterbed.»

«Det er i England, det,» sier Hemmingsen. «På Ascot-banen. Du kan se en del bowlere og Borsalino'er på Øvrevoll, og damer med hattenåler som ser ut som om de går tvers gjennom huene på dem. Men der finnes ingen flosshatter, og veldig få blomsterhatter. Vi er en del gutter fra Lilleaker som har vanka på Øvrevoll siden banen åpna for åtte år siden.»

«Og dere gutta fra arbeiderstrøket skjems ikke over å menge dere med kupongklippere?» sier Båsen.

«Hva er en kupongklipper?» spør Erasmus.

Båsen forklarer at det er en person som eier aksjer, og som klipper av kuponger på aksjebrevene sine og sender dem inn for å få utbetalt aksjeutbytte.

«Jeg kunne godt tenke meg å bli kupongklipper,» sier Erasmus. «Det høres ut som et behagelig liv.»

Rønning sier at sjansen for at en smører skal bli kapitalist, er mindre enn sjansen en snøball har i helvete. Sjøl har han gått en del på travbanen Leangen i Trondheim, som kom i drift ett år før Øvrevoll. En gang vant han sekshundre kroner på ei mærr som het Meråker Darling.

Hemmingsen sier at han vant sjuhundreogfemti på en fullblodshest fra Rakkestad i Østfold som het Shalimar.

«Alle trodde Shalimar var småskadd. Og jockeyen, Skammelsrud, hadde ord på seg for å være småfeit. Men den småskadde og den småfeite rei som ville nøkken. Det er det artigste jeg har vært med på, bortsett fra – naturligvis – de rittene jeg har hatt i senga.»

Båsen synes det er merkelig at galoppbanen i Bærum og travbanen i Trondheim ble satt i gang på begynnelsen av tredvetallet da det var krise i Norge.

«Det var et smart trekk å sette i gang med spill på hester akkurat da,» sier Hemmingsen. «Når tidene er dårlige, gambler mange folk med det vesle de har av gryn. Det var ikke bare vi unge lilleakergutta som gikk på Øvrevoll. Også en del av gamlekara fra fabrikkene dro dit i håp om å vinne penger til å kjøpe seg en Ford. Dette var arbeidsfolk som virkelig hadde svetta for lønna si. Ganske mye arbeidersvette i form av kroner og øre har fordunsta på Øvrevoll.»

Halvor går opp for å løse av Åge ved rattet. Han er så bleik! I det gustne ansiktet trer rynkene mer fram enn de normalt gjør.

Halvor må spørre ham tre ganger om hvilken kompasskurs som styres, før Åge sier at kursen er hundre grader. Aldri før har Halvor opplevd Åge så taus.

Åge sier at det er vanskelig å holde kurs hundre grader, fordi det må styres opp mot de svære dønningene som kommer inn fra styrbord.

Til middag dukker ikke Åge opp i messa, enda det serveres biff med løk, som er favorittretten hans.

Halvor går til lugaren som Åge deler med Rønning.

«Hva er i veien med deg?» spør Halvor.

«Ingenting er i veien med meg,» svarer Åge. «Det er den forbannede firbeinte skapningen vi fikk rekende om bord. Den er et ondt varsel. Vi kommer nok aldri til Sydney.»

«Klart vi kommer til Sydney.»

«Nei,» sier Åge. «Vi gjør ikke det. Og hvordan skal det gå med søstra mi hjemme i Larkollen når jeg blir borte? Jeg har alltid sendt ho Maggi trekk av hyra mi. Maggi er flink til å lage filleryer, men det gir henne bare ekstraskillinger. Det er ikke noe et enslig kvinnfolk kan leve av.»

I snart et halvt år har Halvor gått sjøvakter sammen med Åge. Aldri før har han hørt ham si navnet på søstra, Maggi.

«Slapp av, Åge,» sier han. «*Tomar* er ingen synkeferdig plimsoller sånn som seilskutene i din ungdom var. Vi takla taifunen. Nå står vi han av, som Geir Ole sier, i denne lille vårstormen.»

«*Høststorm,*» sier Åge. «Det er høst her nede nå. Australia er et bakvendtland som har høst i mai. Sjøl er jeg inne i livsens høst, og snart er det vinter og slutt på hele greia.»

«Nå depper du verre enn verst,» sier Halvor. «Kanskje jeg skal hente munnspillet mitt og spille 'Valse triste' for deg?»

«Nei, ikke Sibelius,» sier Åge og presterer et svakt smil. «Men jeg skulle gjerne høre 'Calle Schewens vals'.»

Halvor henter munnspillet og spiller Evert Taube for Åge.
De begynner å synge:

«Här dansar Calle Schewen med Roslagens mö
och solen går ned i nordväst.»

Og de synger videre, to nordmenn, en gammel og en ung, på ei svensk vise i en australsk høststorm:

«Då vilar min blommande ö vid din barm,
du dunkelblå, vindstilla fjärd
och juninattsskymningen smyger sig varm
till sovande buskar och träd.»

«Takk, det hjalp,» sier Åge. «Jeg får ta meg en strekk og drømme om Kurefjorden hjemme. Den er en sånn grunn liten fjord der det ofte er blikkstille. En dunkelblå, vindstilla fjärd.»

Kapittel 29

Halvor sitter i messa og skriver: «Great Aust. Bight, tirsdag 14. mai kl. 01.30. Er helt pumpa etter sjau i ener'n. For oppspilt til å køye. Redd?

Skal Åge få rett?

Stormen blåser nå fra øst. Sterk. Orkan i kastene.

F-Guri kom på brua kl. 23.30. Meldte om knekte spanter på mellomdekk i enerluka.

Trean tok roret. Åge og jeg, pluss resten av dekksgjengen, gikk ned i ener'n. Stri jobb med å skyfle vekk kopra fra området med knekte spanter. Maskinfolkene skulle sveise spanter. Men risk for at sveisegnister skulle antenne fettet i kopra. Derfor skyfling. Av klissete kopra og millioner døde og levende kopralus. Kvalmt! Et mirakel at jeg ikke måtte spy. Én ting sikkert: Da jeg var 10 år, hadde jeg dilla på kokosboller, men nå vet jeg at jeg aldri mer kommer til å spise en kokosbolle!

Vi oppdaget sprekk i mellomdekket. To tommer bred. Uvisst hvor lang, for den er dekket av kopralast.

Heldigvis ingen sprekker i skroget. Ingen lekkasje. Men herregud, som det knaker og jamrer i skrogplater!

Ca. 01.00 hadde vi ryddet og lagt presenning over kopraen. Lagt fram brannslanger. 2. mask. Steiro fra Mo i R. beg. sveising med el. apparat. Sveiser på plater på bruddsted på spanter.

Vi får håpe det går bra. Hvis ikke …? Knekker flere spanter, vil skrogplater bli trykt inn.

Da kan det være kvelden.

Gå i livbåter i så overhendig vær? Vi vil være <u>sjanseløse</u>.

Tyskerne er i Frankrike!

Gnisten kom på brua kl. 22.30. Rapporterte ubekreftet melding: Tyske soldater har gått over Meuse. Grenseelv mellom Belgia og Frankrike.

Kapt. Nilsen utbrøt: Ufattelig! Tre dager etter innmarsj i Belgia, og Hitlers styrker er allerede på fransk jord. <u>Blitzkrieg</u>!
Det ser sannelig mørkt ut.»

Halvor skriver: «Great Australian Bight, onsdag 15. mai i det herrens år 1940 (noen som har fått smake Hitlers bomber og bly, vil kanskje kalle det <u>djevelens</u> år) kl. 00.20.
Stormen har dabbet av til stiv kuling. Det ser lysere ut. For oss på <u>Tomar</u>. Ikke for Nederland og Belgia. Der sprer tyskerne med all sin rå kraft krigens skrekk og gru.
Rotterdam ble bombet i går. Det var et voldsomt tysk bombardement, som særlig skal ha rammet havnestrøkene. Antallet drepte i Rotterdam skal være flere hundre, kanskje tusen.
Jeg lurer på hvordan det ser ut i Katendrecht nå. Om Bar Norge og alle de andre sjappene er jevnet med jorda? Hvis det har skjedd, vil vel Sjømannsmisjonen ikke felle en tåre. For alle syndens buler i Katendrecht har vært en torn i øyet på misjonen.

Gnisten kom opp i styrhuset under den siste timen av kveldsvakta og sa at man i London frykter at Nederland vil kapitulere for Tyskland i løpet av få dager eller timer.
Nederlands dronning Wilhelmina har flyktet til Storbritannia.
Vår egen konge og regjering befinner seg nå i Tromsø. Dit kom de fra Molde, etter alt å dømme om bord i et større britisk krigsskip.
Belgia holder ennå stand, med hjelp av britiske og franske divisjoner. Men tyskerne marsjerer taktfast mot den belgiske hovedstaden Brussel. De har krigslykken på sin side. Det har virkelig ikke Adolf Hitler og hans nazister fortjent!
Tyskerne har ikke trengt dypere inn i Frankrike. Kaptein Nilsen mener at tyskernes strategi går ut på å omringe de allierte styrkene i Belgia, for så å knuse dem, og deretter gå løs på Frankrike for alvor.
Gnisten hadde fanget opp en melding fra Buenos Aires i Argentina. I protest mot tyskernes bombing av Rotterdam har argentinske arbeidere og ungdommer knust vindusrutene i lokalene til den tyskspråklige avisa i Buenos Aires. Det samme skjedde da tyskerne invaderte Norge.
Det er jo en liten ting, noen knuste ruter i et avislokale. Likevel var det godt å høre om denne støtten fra den argentinske arbeiderklassen.
Vi må ta imot alle de oppmuntringer denne tunge tid byr på!

Like før solnedgang i går så vi en flokk på et dusin spekkhoggere like ved skuta. De var ikke svarte og hvite som spekkhoggerne jeg har sett på Filmavisen i Oslo. Disse var grå og hvite.

Granli forklarte at det dreier seg om en egen art spekkhoggere som holder til i antarktiske farvann og av og til streifer nordover.

Det er imponerende, kraftfulle og vakre dyr, selv om de er kjent for sin glupskhet og brutalitet. På engelsk kalles de killer whales. En slik flokk som den vi så, skal være i stand til å rive i filler en tredve meter lang blåhval på noen minutter. Vi synes jo at delfinene – springerne! – er pene og søte dyr. Men heller ikke springerne er noen nussebasser. De er rovdyr akkurat som spekkhoggerne. Og menneskene!

Akkurat nå går eksemplarer av arten menneske på rov i Nederland og Belgia.»

«Nederland har kapitulert,» sier Gnisten. Han er kommet opp i styrhuset på kveldsvakta den 15. mai. I styrhuset hersker ro etter stormen. Nå blåser det knapt liten kuling.

«Da gikk det som forventet for hollenderne,» sier kaptein Nilsen. «Men ikke desto mindre er det sørgelig. Det tok altså bare fem døgn fra tyskernes innmarsj til kapitulasjonen. Vi får glede oss over at den norske motstanden har vart lenger.»

«Det er harde kamper mellom våre styrker og tyskerne på et sted som heter Kuberget på Narvik-fronten,» sier Gnisten. «I kampene i Nord-Norge har særlig Alta bataljon utmerket seg.»

«Fleischer ser ikke ut til å være en skrivebordsgeneral slik jeg trodde han var,» sier kapteinen. «Men alle nordmenn er visst ikke like heroiske som ham. Stuert Dyrkorn viste meg i dag et avisutklipp han fikk av skipshandleren i Fremantle. Klippet var fra avisen The West Australian, som utkommer i Perth, storbyen som Fremantle er havneby for. I klippet, som var datert 22. april, heter det at befolkningen i Namsos, og folk som kom inn fra distriktene rundt Namsos, plyndret byen etter den tyske bombingen den 20. april. Fra bombede hus og butikker skal folk ha rasket med seg matvarer, møbler, verktøy og pyntegjenstander. Det er ikke en oppførsel jeg ville ha forventet av sindige namdøler. Har De kjennskap til denne plyndringen, telegrafist Borge?»

«Nei,» svarer Gnisten. «Dette er helt ukjent for meg.»

«Enn De, styrmann Kvalbein?»

«Nei, jeg har ikke hørt at Namsos ble plyndra,» svarer Trean.

«The West Australian hadde sin informasjon fra et av de store internasjonale pressebyråene. Jeg husker ikke hva byrået heter.»

«Associated Press?» sier Gnisten. «Eller United Press? Reuters?»

«Samme kan det være,» sier kapteinen. «Byrået hadde som sin kilde 'a report in a Swedish newspaper'. Den svenske reporteren skal ha vært i Namsos under bombingen og bevitnet at byen ble plyndret. Det er forjævlig dårlig norgesreklame.»

«Kan hende en fordømt svensk bladfyk har funnet på denne plyndringa for å sverte Norge,» sier Trean.

«Jeg tror ikke så ille om svenskene,» sier kapteinen. «Söta bror er kjent for sin hederlighet. Det ville være høyst ulikt svenskene å servere rene løgnhistorier om Norge. Eller hva tenker De, Borge? Kan nazifiseringen av Sverige ha gått med stormskritt etter at Danmark og Norge ble invadert av Hitler?»

«Ingenting av det jeg fanger opp i eteren tyder på noe slikt,» svarer Gnisten. «Sverige ledes stadig av den trogne sosialdemokraten Per Albin Hansson. Som statsminister har han satt sammen en samlingsregjering der alle partier med unntak av kommunistpartiet deltar. Målet er å ha en høy forsvarsberedskap for å holde Sverige utenfor krigen og bevare nøytraliteten. Det må man kunne si at Hansson har lyktes bra med.»

«Men det er tjukt av nazister i Sverige,» sier Trean.

«*Tjukt* er å ta hardt i,» sier Gnisten. «Nazister finnes, akkurat som de fantes i Norge før 9. april. Men de er heller færre enn de var i Norge. Broren min, Tom, studerer historie i Lund. Han ble forsøkt verva til en nazistisk studentforening. Det var en knøttliten gjeng tomsinger og særlinger. Noe egentlig naziparti à la Nasjonal Samling har de ikke i Sverige, og heller ikke noen Quisling.»

«Jeg hørte et par hissige talere i BBC anklage svenskekongen og statsminister Hansson for unnfallenhet overfor Hitler,» sier Trean.

«Det samme har jeg hørt,» sier Gnisten. «Kommentatorene i London har sikkert et poeng. Samtidig er vi nødt til å forstå at svenskene i disse ulvetider må drive realpolitikk.»

«Vel, mine herrer,» sier kapteinen og byr de to debattantene på sigaretter. «Hvis vi tar historien om Namsos for god fisk, må vi ikke da anta at også andre bombede norske byer er blitt plyndret? Folk i Steinkjer er sikkert ikke bedre enn folk i Namsos. Frekke mennesker kan ha strømmet til fra Romsdal for å plyndre Molde, og fra Nordmøre for å plyndre Kristiansund.»

Det dampes på sigarettene, og Halvor blir inderlig røyksugen der han står bak rattet.

Plutselig vender kapteinen seg mot ham og sier: «Hjemstedet ditt ble bombet, Skramstad. Tror du trauste østerdøler dro mann av huse for å robbe Rena?»

«Nei,» svarer Halvor. «Det kan jeg aldri tenke meg.»

«Ikke jeg heller,» sier kapteinen. «Hvis det kan være noen trøst.»

Tanken på plyndring av Rena har satt seg fast i Halvors hode. Han har tørnet inn etter kveldsvakta og ligger i køya. Søvnen, som vanligvis kommer lett til ham, vil ikke komme.

Han står opp, tar på seg en tjukk genser og går opp på poopdekket. Vinden er bare frisk bris, men det er et skarpt sting i den, så han får kjølt ned hodet.

Hvis familiens røde hus på haugen ble bombet og så utsatt for plyndring, hva ville da tjuvraddene ha stjålet? Kaffekjelen, vaffeljernet, spekeskinka? Den slitte Bibelen til mor, eller fars uleste tyske utgave av *Das Kapital*? Myrslettens elgmaleri? Jaktgeværene! De er låst inn i et stålskap, et gammelt garderobeskap fra Kartongen som ordfører Hermandsen orget for dem. Folk på plyndringstokt ville nok greie å bryte opp våpenskapet.

Panikk i Oslo den 10. april. Plyndring i Namsos ti dager seinere. Det er noe veldig unorsk ved disse hendelsene. Krigen ser ut til å ha forandret folks mentalitet uhyggelig raskt.

Når han kommer hjem – *hvis* han kommer hjem – vil det norske folket da være helt forandret? Vil han komme hjem til nervevrak og brutale bøller?

Halvor går til messa for å se om der finnes nykokt kaffe. I messa får han midt i natta selskap av Hemmingsen og Erasmus Montanus, som begge går hundevakta og har tatt seg et femminutt for å få seg en blås og en kjeft kaffe.

Smøreren fra Skollenborg har fått en saftig blåveis av planken som traff ham i øyet da de dumpa hesten.

«Vet du, Erasmus, hva de tøffeste selgerne på blomstertorget i Oslo sier?» spør Hemmingsen.

«Kjøp en fiol, ellers får'u en blåveis,» svarer Erasmus. «I Kongsberg er blomsterselgerne hakket råere. Der sier de: Kjøp en geranium, ellers får De smadra Deres kranium!»

Latteren i messa løser opp flokene i Halvors sinn. Trøttheten kommer sigende. Han tasser til lugaren og kryper til køys.

Halvor sitter i solskinn på poopen og fører dagbok: «Bass-stredet mellom Tasmania og det australske fastlandet, fredag 17. mai kl. 14.30.
På denne dagen går tankene våre naturlig nok hjem til Norge.
I dag står nok flaggstengene nakne i Sør-Norge og Trøndelag. Men bjørkene står lysegrønne. Det kan ikke de helsikes tyskerne gjøre noe med.
I de delene av Nordland som tyskerne ikke har tatt, og i det øvrige Nord-Norge, flagges det sikkert for fullt. Vi regner med at barnetogene der går som normalt, og at musikkorpsene marsjerer i Kabelvåg, Honningsvåg, Berlevåg og hva de nå heter, alle fiske-værene nordpå.
Det er fælt å tenke på Rena i ruiner og uten den røde, hvite og blå flaggduken blafrende i vårvinden. Stort sett greier jeg å holde følelsene mine i sjakk. Men den nagende uvissheten om hva som har skjedd med familien min, ligger på lur. I dag kom uvissheten opp til overflaten. Det var som om en boble brast i hodet mitt.
På formiddagsvakta så vi et amerikansk stykkgodsskip som passerte ganske nær oss. Amerikanske sjøfolk er ikke så nøye med vedlikeholdet som vi nordmenn og sjøfolk fra de fleste europeiske nasjonene er. Det var noen stygge ruststrimer og flekker i hvit-malingen på yankee'ens midtskip. Men flagget sitt er amerikanerne nøye med. Stjernebanneret som vaiet i hekken på skuta som passerte oss, så splitter nytt ut.
Jeg var på vei ned fra rortørn og stoppet på båtdekket for å ta en siste kikk på amerikaneren. Det var da bobla brast.
Helvetes heldiggriser fra det mektige USA! tenkte jeg. Dere er milelangt fra krigen. Dere trenger ikke å bekymre dere for slekt og venner som er bombet i Rotterdam eller på Rena. Dere må ikke gå og tenke på en bror, to søstre og et par foreldre som kan være bombet av tyskerne og som kanskje er begravd som forkullede lik på kirkegården.
Og så begynte jeg plutselig å grine som en unge. Ja, tårene bare flommet som de reineste sildrebekker fra begge øynene mine. Jeg lot bekkene renne til de var tomme. Da fant jeg fram en twistdott fra baklomma på dongeribuksa mi og tørket meg i trynet.

320

I morges våknet jeg fra et mareritt. Det begynte med at jeg var i et hus der det brått ble mørke midt på dagen. Det mørklagte huset begynte å synke ned i kvikkleire. Så blåste et vindkast vekk presenningen som hadde dekket vinduene i huset. Kvikkleira størknet til betong. Jeg fant fram Nytestamentet mitt fra under en hodepute og stakk det i vindjakkelomma mi. Så åpnet jeg et vindu i andre etasje og spaserte ut på et dekke av fast betong. Der sto Båsen. Gummistøvlene hans hadde satt seg fast i betongen da den størknet. Han trakk føttene ut av støvlene og ble stående barbeint på betongdekket. Han klaget over at det var veldig kaldt, og at han trengte en røyk å varme seg med. Båsen hadde en stor tobakkspung som han skrøt av at var laget av forhuden på pikken til en knøl.

En knøl? sa jeg.

Ja, en knølhval, svarte Båsen. Hvalfangerne våre liker å lage ting av kukkskinn.

Han holdt opp en lampeskjerm som var laget av samme materiale som tobakkspungen.

Båsen manglet sigarettpapir. Jeg tok opp Nytestamentet og slo opp på begynnelsen, Matteus-evangeliet.

Det var som om jeg talte i tunger da jeg leste opp de rare navnene i Jesu ættetavle for Båsen: Isak, Jakob, Juda, Peres, Hesron, Ram, Aminadab, Nahson, Salmon, Boas, Obed, Isai.

Jeg rev ut et par ark fra Matteus og ga til Båsen. Han klaget over at bibelpapiret var så tynt at han måtte forsterke det. Fra brystlomma på overallen sin fant Båsen fram en liten bunt svart hestetagl. Han sa at dette var hår han hadde tatt fra manen og halen på en død hest som skulle kastes over bord og bli mat for haiene.

Båsen rullet behendig to sigaretter. Vi sto på betongen og røykte hver vår sigarett rullet i bibelpapir og hestetagl.

Åge kom og sa at det å røyke noe fra en hest var det samme som å underskrive sin egen dødsdom.

Båsen og jeg hånlo. Jeg ga Båsen arket fra Matteus der det står 'Dere er jordens salt'.

Han viste fram en ny hårbunt, av lyst hår. Han sa at dette var jentehår, og at det var tatt fra hodene til to piker som het Britt og Karin.

Jeg rev ut ark etter ark av Nytestamentet, krøllet arkene sammen og kastet dem i bølger som slo opp langs betongen. Jeg ga meg ikke før jeg var kommet langt inn i Markus.

Der leste jeg om Jesus som helbreder den blinde Bartimeus ved Jeriko. 'Gå av sted!' sier Jesus. 'Din tro har frelst deg.'

Jeg spurte Jesus: Er det meg du snakker til?

Ja, svarte Jesus.

Han virket ungdommelig og friskfyraktig. Han hadde ikke skjegg, men en smal bart som fikk ham til å se ut som en tangohelt fra Argentina eller Finland.

Hva sa du? spurte jeg.

Din tro har frelst deg, svarte Jesus.

Sorry, mester, svarte jeg. Min tro har forlatt meg, og jeg har sønderrevet Matteus og Markus.

Jesus veivet med armene og rørte opp havet. Bølgene brøt stadig sterkere inn over betongen. Båsen ble tatt av en bølge. Tobakkspungen hans kom drivende forbi meg. Jeg grep den. En knølhval, med tydelige kuler på det digre hodet, kom svømmende mot meg med det store gapet vidåpent, klar til å sluke meg med hud og hår.

Etter marerittet plukket jeg med skjelvende hender Nytestamentet fram fra under hodeputa, som jeg har laget av en sammenrullet blankis. Bibelboka var like hel.

Jeg har den liggende ved siden av meg nå. Hadde jeg ikke hatt det, kunne jeg jo ikke ha skrevet ned Jesu ættetavle. Selv ikke de mest bibelsprengte kan vel den ættetavla.

Tyskerne marsjerer i Belgia og synger 'Wir fahren gegen Engeland'. Den sangen virker nå mer truende en noen gang.

Måtte Gud forby at tyskerne tar England!

Hvorfor forbød ikke Gud tyskernes bombedrap på tusen uskyldige mennesker i Rotterdam?

Jeg kan vel ikke si som jeg sa i marerittet at min tro har forlatt meg. Men det er en tynnslitt tro, og jeg er definitivt blitt en tviler.

Nytestamentet har jeg ingen ork til å lese. Det virker så gammeldags og handler om en forgangen tid. Da leser jeg heller romaner om moderne mennesker som meg sjøl. Nå leser jeg en ny roman av Remarque. Den heter Tre kamerater. Det fine med Remarque er at han skriver om helt vanlige mennesker, ikke om oppblåste romanfigurer. Boka handler om tre kamerater som driver et bilverksted i Berlin i perioden med nazismens frammarsj.

Kameratene er antinazister og holder sammen i tykt og tynt. De er harde til å drikke!

Personlig lengter jeg etter en øl eller tre i Sydney.

Til middag i dag fikk vi den etterlengtede lammesteika. Det vanket også ett glass rødvin pr. mann. Vinen var prima. Det viste seg at den er produsert i Australia. Jeg ante ikke at de produserer vin i Australia. Men det er jo så uendelig mye jeg ikke vet.

Hva visste jeg for eksempel om den tasmanske pungulven?

Etter middag hadde vi en samling for mannskap og offiserer ved treerluka. Kaptein Nilsen sa at han ikke aktet å holde noen tale i anledning nasjonaldagen, fordi det er så mye usikkerhet om situasjonen i Nord-Norge og i Belgia. Alt han ville si, var gratulerer med 17. mai.

Vi sang 'Ja, vi elsker'. Jeg akkompagnerte på munnspillet under 'Millom bakkar og berg utmed havet'. Det ble litt spedt, og jeg savnet Granli på gitaren. Han var på vakt.

Jeg gikk opp på brua for å låne en kikkert da vi passerte Cape Wickham på King Island ved innløpet til Bass-stredet. På den lave granittpynten som ser ut som et svaberg ved Oslofjorden, er det reist et imponerende, hvitmalt fyrtårn.

Granli sa at det er 48 meter høyt og det høyeste fyrtårnet ikke bare i Australia, men på hele den sørlige halvkule. Han tok meg med inn i bestikken og viste meg øyene i Bass-stredet i kartet. Vi måtte le av de snåle stedsnavnene på King Island: Egg Lagoon, Yambacoona og Naracoopa.

Granli sa at de to siste av disse navnene stammer fra urbefolkningen som bodde på øyene i Bass-stredet og på Tasmania. Dette var et særegent folk, som var litt forskjellig fra australnegrene.

Det var bare et par tusen av dem på hele Tasmania, sa Granli. Det er ikke mye, med tanke på at øya er større enn Danmark i areal. Da britene tok øya på begynnelsen av 1800-tallet, anla de en fangekoloni der. Fangene hadde det bedre enn de innfødte. Urfolket prøvde å gjemme seg i skogene og fjellene, men ble hensynsløst slaktet ned av den hvite mann. Det samme skjedde med pungulven.

Pungulven? sa jeg.

Ja, pungulven, sa Granli. Det var et særegent dyr, som nå dessverre antakelig er utryddet. Ulven med pungen var det største kjøttetende pungdyret som har levd i historisk tid. Den så ut som en stor hund og beveget seg nesten som en kenguru, med lange hopp. For noen tusen år siden var den utbredt i hele Australia. Da europeerne kom, fantes pungulven bare på Tasmania. Britene, som drev med saueavl, satte skuddpremie på pungulven fordi den ble ansett som en sauedreper. Dermed ble hele bestanden av dette enestående dyret skutt ned for fote. Den siste pungulven man vet om, ble fanget på Tasmania for sju år siden. Den ble plassert i en dyrehage, men der kreperte den etter et par år.

Kan det ikke finnes pungulver som har greid å lure seg unna jegerne? spurte jeg.

Det er mulig, sa Granli. Men det er lite sannsynlig. Den tasmanske pungulven er nok en saga blott.

Vi kikket i kartet på øyene lenger øst i Bass-stredet. En av dem, en liten fluelort i kartet, heter Devil's Tower. Vi skal seile mellom den lille Deal Island, som vi kommer til å ha på babord, og den store Flinders Island, som vi får om styrbord. Den passasjen kommer til å skje ved midnatt. Selve Tasmania får vi neppe se, da øya ligger for langt i sør. Muligens kan vi skimte toppene på de 1500 meter høye fjellene på Tasmania over horisonten.

Synd vi ikke passerer Flinders i dagslys, sa Granli. Det er en øy med jævla fine sandstrender. Godt å seile i et fredelig farvann der fyrene er tent. I Nord-Europa er fyrene slukket på mange kyster nå. Hjemme har nok tyskerne skrudd av både Færder og Svenner, Marsteinen og Svinøy, hvert eneste fyr og hver fyrlykt.

Det hadde jeg ikke tenkt på, at fyrene hjemme er slukket og landet mørklagt om nettene.

Granli sa at fyret på Deal er et av fyrene i verden med best synlighet. Det ligger på en ås som rager 300 meter over havet. Jeg vil få se lyset fra det på hele kveldsvakta mi.

Jeg la merke til at en bukt på King Island heter Sea Elephant Bay. Finnes det sjøelefanter? spurte jeg.

Ja, men de er ikke elefanter, svarte Granli. Det dreier seg om to arter seler, som også blir kalt elefantseler. Den nordlige arten finnes i California. Den sørlige arten finnes her nede på sørkysten av Australia. Hannene kan bli noen svære beist. Bortimot 6 meter lange og med en vekt på nesten 4 tonn. Elefantnavnet har de fått fordi de har sekker på nesa som de kan blåse opp så de likner snabler. Sjøelefanten var også et dyr som mennesket i sin grådighet og stormannsgalskap holdt på å utrydde, på grunn av det verdifulle spekket og skinnet. Men så besinnet vi oss og fredet begge artene. Bestanden i farvannene rundt Antarktis skal nå være på bortimot en halv million.

Jeg la også merke til at to holmer nord for Flinders heter West Sister og East Sister. Da jeg så dette, kunne jeg ikke la være å tenke på søstrene mine, og måtte svelge en klump i halsen.

Granli sa at han var optimist når det gjelder felttoget på Narvik-fronten. Bergjegerne til Dietl er noen hardhauser, sa han. Men de er tallmessig underlegne de allierte styrkene.

Nyhus kom nettopp akterut på poopen for å gi en beskjed til Båsen. Nyhus ser veldig bekymret ut for tida. Det er ikke rart, siden han har kone og barn i Belgia.

Beskjeden fra Nyhus var at et par fortøyningstrosser må spleises før ankomst Sydney.

Blir du med meg og spleiser, Skogsmatrosen? spurte Båsen. Vi kan skrive søndagsovertid for jobben.

Gjerne, svarte jeg. Jeg trenger å lære meg å spleise trosser av manilatau.

Båsen slengte til meg en rund, spiss kjegle av teak. Den kalles en pren (eller kanskje det skrives 'præn'?) og brukes under spleising til å skille kordelene i tauet.

Jeg håper jeg ikke er helt talentløs, og at jeg får teken på å spleise trosser.

Høstsola står nå på ettermiddagen ganske høyt på himmelen i nord. Vi føler at vi er langt mot sør, nesten ved verdens ende. Men vi er egentlig ikke så veldig langt sør, for vi er nå temmelig nøyaktig på den 40. breddegraden. På den nordlige halvkule krysser 40-graden øya Sardinia i Middelhavet, og det er jo ingen som sier at Sardinia ligger veldig langt mot nord.

Jeg hadde ikke tenkt på hvor langt <u>øst</u> vi nå er. Vi har pinset klokka to timer fram siden vi forlot Fremantle. Nå ligger vi ti timer foran GMT. Mellom Bass-stredet og Sydney vil vi passere den 150. østlige lengdegraden. Vi er da lenger øst enn Japan ligger!

Det var Trean som gjorde meg oppmerksom på dette under formiddagsvakta. Gutta snakker om at Melbourne er verdens sørligste millionby, sa Trean. Og det er riktig. Det få tenker på, er at Sydney er verdens <u>østligste</u> millionby.»

Tomar seiler i høstnatta den 17. mai under Sydkorset, med lyset fra fyret på Deal Island som ledestjerne.

Kapittel 30

Like etter middag søndag den 19. mai seiler *Tomar* nær land på vei inn mot Sydney, i klart, blåsende høstvær. Halvor står ved rekka på babord side på poopen sammen med Åge og Flise-Guri og beundrer det lave, frodige landskapet.

«Vi nærmer oss Port Jackson,» sier Flise-Guri. «Bukta her ble oppdaget av kaptein Cook i 1770, men Cook utforsket ikke denne havna. Noen år seinere, i 1788, seilte en kaptein som het Phillips, inn til Port Jackson. Derfra sendte han en entusiastisk rapport hjem til London, til en minister som het Sydney. Kaptein Phillips mente at Port Jackson var den beste naturlige havna i hele verden. Han gikk i land der i ei lita bukt som han døpte Sydney Cove, til ære for ministeren. Slik fikk Sydney ved Port Jackson navnet sitt. Kaptein Phillips utførte det oppdraget han hadde fått, og anla en liten straffekoloni i Sydney Cove. Der ble det plassert tjuver og kjeltringer fra England. Ingen tenkte vel den gangen at det lille fangehølet skulle vokse til en millionby, en av klodens flotteste byer.»

«Ja, det er en flott by,» sier Åge. «Men den har en plageånd. Det er ei lita flue, sydneyflua, som svermer inn i byen i myriader og stikker verre en noen moskito. Nå ser vi Coogee der inne. Det er et fasjonabelt villastrøk. En sånn villa som de hvite og rosa vi ser nede ved sjøen, er det bare millionærer som har råd til. Ser du ei strand der framme, Skogsmatrosen?»

«Ja,» sier Halvor. «Jeg ser ei sandstrand i bukta der.»

«Har du hørt om Bondi Beach?»

«Jo da, jeg har sett bilder derfra på Filmavisen ved juletider. Da sprader damene rundt i badedrakter og med nisseluer på huet.»

«Det er Bondi Beach du ser nå,» sier Åge. «Stranda er ikke så stor som Copacabana i Rio, men den er nesten like berømt. Det er et utendørs saltvannsbasseng på Bondi som holder åpent hele året. Der ble The Bondi Icebergs Winter Swimming Club stifta i nittenniogtjue. Jeg var et av de første medlemmene.»

«Var *du?*» sier Flise-Guri.

«Visst pokker,» svarer Åge. «Jeg gikk i land i Sydney i mai niogtjue, fra en Panama-båt som het *Bluebird*. Jeg fikk jobb i et taktekkerfirma drevet av to karer fra Mysen.»

«Det har du aldri fortalt om før,» sier Halvor.

«Nei, jeg har kanskje ikke det,» sier Åge. «Min utvandring til Australia ble ikke noen suksesshistorie. De to kara fra Mysen var ikke eksperter på taktekking. De var eksperter på det som på engelsk heter 'lining your own pocket'. Vi tjente bra, men de snøyt meg gang på gang på lønna og putta pengene i egne lommer. Til slutt blåste jeg dem en lang marsj og begynte som vindusmontør i et firma drevet av finner fra Björneborg, eller Pori, som byen heter på finsk.»

«Jeg har vært der,» sier Halvor. «Det er en fin liten by oppe ved Bottenhavet. Vi kom dit med *Flink* og tok inn ei last av høvla plank som skulle til Hull.»

«Björneborgerne var reale folk,» sier Åge. «Geskjeften gikk bra. Vi monterte standardvinduer med isolerglass til beskyttelse mot den australske sommerheten og den kjølige vinterlufta. Men så kom børskrakket i New York og den store krisa. I 1930 nådde krisa Australia. Fabrikken som leverte vinduene, gikk konk. Jeg mista jobben og fikk trøbbel med Immigration. De hadde ikke silkehansker på seg, folka i Immigration i Sydney. Det var som om ånden fra fortidas straffekolonier satt igjen i dem. Jeg prøvde å skaffe alle mulige slags jobber, men fikk ikke napp noe sted. Immigration trua med å sende meg til en interneringsleir langt faenivold ute i bushen. Jeg rente døra ned hos den norske generalkonsulen, og kunne muligens ha ordna papirer som ga meg oppholdstillatelse. Men jeg var skinne blakk og lengta vel, når sant skal sies, hjem til Larkollen. Dessuten fikk jeg fæle utslett av sydneyflua. Det så ut som om jeg hadde syfilis i annet stadium. Så da Wilhelmsens *Tampico* la til kai i Woolloomooloo og måtte erstatte en rømt matros fra Estland, slo jeg til som en hauk og tok hyra som var blitt ledig etter estlenderen.»

«Hva er Woolloo...?» spør Halvor.

Åge strever med å få fyr på snadda i den sure snoen som blåser nordover langs kysten.

Flise-Guri svarer: «Woolloomooloo er et havneområde i Sydney. Det er et av de få stedene i verden – hvis ikke det eneste – med åtte o'er i navnet. Wilhelmsen pleier å bruke kaiene i Woolloomooloo, og jeg har vært der mange ganger. Men de kan ikke ta imot kopra i Woolloomooloo, så vi skal til en pir i et nytt havneområde som heter Darling Harbour. Dermed kommer vi til å seile under Sydney Harbour Bridge, en av verdens mektigste bruer.»

Åge sier at de skulle hatt en kikkert så de kunne sett om det bader folk i bassenget på Bondi.

Flise-Guri sier at han har en kikkert, og går til lugaren for å hente den.

Det er en liten kikkert, ikke stort større enn en teaterkikkert.

Åge gransker bassenget, som ligger helt nede i strandkanten.

«Jøss da,» sier han. «Det er liv der inne. Jeg så en som stupte uti og en som svømmer crawl. De er jævlig gode til å crawle, australienerne.»

Åge rekker kikkerten til Halvor, som studerer baderne. Han er ikke misunnelig på dem. Han er glad han slipper å fly rundt i bare badebuksa i det hustrige været.

«Søndagsbadene med The Bondi Icebergs er mitt beste minne fra Australia,» sier Åge. «Men herregud, så kaldt det kunne være. I juli kan lufttemperaturen i Sydney krype ned mot åtte–ti grader, og det er ikke stort varmere i Tasmanhavet.»

«Tasmanhavet?» sier Halvor.

Flise-Guri svarer: «Den delen av Stillehavet som ligger mellom New Zealand og Australia, kalles Tasmanhavet, etter den hollandske oppdagelsesreisende Abel Tasman. Det er samme mann som har gitt navn til Tasmania og som oppdaget New Zealand.»

«Selv om havet er kaldt om vinteren, kommer det vel ikke isfjell opp hit?» sier Halvor.

«Nei da,» svarer Åge. «Her er mye varmere enn ved Newfoundland. Vi diskuterte fælt hva vi skulle kalle svømmeklubben. Det var forslag om Polar Bears og Walrus Club. De forslagene ble nedstemt fordi det ikke finnes isbjørner og hvalross på den sørlige halvkule. Så var det en kar, en jeg ble godt kjent med, en møbelsnekker fra Sarajevo i Jugoslavia, som foreslo Sea Elephant Club. Det forslaget så ut til å få flertall. Men da var det en tjukkfallen type, en jødisk tannlege fra Krakow i Polen, som protesterte voldsomt. Han ville ikke bli identifisert med en fettklump som sjøelefanten. Dermed ble det Icebergs.»

Tomar får los om bord ved pynten South Head og stevner for halv maskin inn i Port Jackson, der det er livlig skipstrafikk. I Rose Bay pågår en seilbåtregatta. Den vesle holmen Shark Island ser ut til å være rundingspunkt for seilerne. Men sønnavinden har ført noen av båtene et godt stykke nord for Shark Island, slik at de er havnet midt i skipsleia.

Normalt skal motor vike for seil. Den sjøveisregelen gjelder ikke i havneområder. Der har handelsskip som går for motor, forrang foran seilbåter.

Tomar gir fra seg en serie lange ul i fløyta for å få seilerne til å pelle seg vekk.

En grønnmalt båt viker i siste lita og krysser like aktenfor hekken på *Tomar*. De tre solbrune, hvitkledde seilerne hytter med nevene.

Åge, Flise-Guri og Halvor gliser og vinker tilbake. Seilbåten kommer inn i kjølvannsbølgene til *Tomar*, blir slengt sidelengs og driver vekk med blafrende seil.

«Vi som gjør nytte for oss i koffardifart, skal ikke la oss pelle på nesa av sånne jævla lystseilere,» sier Flise-Guri.

«Fin båt, den grønne,» sier Åge og patter på pipa. «En sjumeter sånn som kronprins Olav har.»

«Jeg visste ikke at du kunne noe om seilbåter,» sier Halvor.

«Det er ikke så mye jeg vet,» svarer Åge. «Jeg har aldri vært om bord i en seilbåt. Hvis jeg er hjemme om sommeren, hender det at jeg tøffer sørover med snekka fra Larkollen til Hankø for å se på regattaene der. Seiling er en sport for overklassen. Like forbanna er sjumetere under fulle seil et vakkert skue.»

Et vakkert skue er også Sydney. Byen har ingen skyskrapere med så svimlende høyder som de i New York, men den har en skyline med mange høye bygninger.

«Inn om babord har vi Woolloomooloo,» sier Flise-Guri.

Halvor speider i kikkerten inn mot et kaianlegg der to hvitmalte passasjerskip ruver blant lasteskip fra alle verdenshjørner.

«Passasjerskipene er italienske emigrantskip,» sier Åge. «Det strømmer på med italienske innvandrere her. Særlig kommer det mange fra Sicilia.»

«Da blir det vel mafia her, sånn som i Statene,» sier Halvor.

«Det er ikke sikkert,» sier Flise-Guri. «I Buenos Aires er det drøssevis av sicilianere, men ingen mafia som jeg har hørt om. De italienske skipene bringer også mange grekere til Sydney. Grekerne stopper ikke her. De drar til Melbourne. Melbourne er i ferd med å bli den største greske byen i verden, nest etter Athen.»

Tomar reduserer fra halv fart til sakte.

«Hva er alt grønnsværet hvor det stikker opp høye palmer?» spør Halvor.

«Royal Botanic Gardens,» svarer Åge. «Folk i Sydney er så heldige at de har en stor botanisk hage midt i byen. På gloheite sommerdager hendte det at jeg kjøpte meg et par flasker øl og satte meg i skyggen under et piletre ved en av dammene i Royal Botanic.»

«Hvorfor heter det 'royal'?» spør Halvor. «Jeg trodde ikke de hadde kongedømme i Australia.»

Flise-Guri svarer: «Australsambandet er en uavhengig stat med sitt eget parlament og sin egen regjering. Men den britiske kongen er også konge i Australia. Kongen har like lite makt *down under* som han har hjemme i London. Her nede er kongen bare et symbol på hvor tette bånd det er mellom Storbritannia og den tidligere kolonien Australia.»

«Er du redd for flaggermus, Skogsmatrosen?» spør Åge.

«Nei, ikke det spøtt,» svarer Halvor, og husker hvordan Milde Måne ble skremt av flaggermus i landsbyen Samut.

«Bra,» sier Åge. «Da kan du gå deg en tur i botanisk hage. Der finnes en svær koloni av et dyr som australienerne kaller flying foxes. Det skal vært tjue tusen av dem i Royal Botanic. De er jo ikke flygende rever, men store flaggermus. Helt ufarlige. De lever av frukt. Og de ser nesten ut som frukt der de henger i trærne med huet ned. Blir de skremt, kan en hel flokk av dem ta til vingene. Det er et fabelaktig syn, men skremmende for noen. Jeg satt med en øl under piletreet da en flokk flying foxes letta og fløy rett over ei gruppe japanske turister. Ei av japsedamene fikk fullstendig panikk, løp inn under treet og kasta seg rett i armene på meg. Det var ei riktig stilig dame, penere enn noen geisha jeg har sett i Yokohama. Jeg sto og holdt rundt den skjelvende dama i fem minutter inntil resten av følget fant ut hvor det var blitt av henne.»

Foran dem ruver nå Harbour Bridge, en enorm, buet, svartmalt stålkonstruksjon som er forankret i fire ruvende tårn, to på hver bredd. Halvor har sett bilder av brua. Disse bildene yter ikke Harbour Bridge rettferdighet. Brua ser mye høyere ut i virkeligheten enn den gjør på fotografier.

«Brua er mer enn én kilometer lang,» sier Åge. «Tårnene er niogåtti meter høye. De er støpt i betong og kledd med granitt.»

Åge forteller at da han gikk i land i Sydney i 1929, hadde Harbour Bridge vært under bygging i seks år. De første bruspennene av stål stakk da ut på hver side. Da han mistet jobben som vindus-montør, reiste han ned til Moruya på kysten tredve norske mil sør for Sydney. Der lå steinbruddet som leverte granitten til brutårnene. I Moruya ble det bare ansatt fagfolk, og de fleste som jobba der, var italienere og skotter. Åge dro en bløff og sa at han var erfaren steinhogger. Det skulle hogges et ruglemønster i granitten, noe som var mye vanskeligere enn han hadde trodd. Etter to dager ble han avslørt, og fikk fyken på timen. Han prøvde da å få matroshyre på et av de tre spesialbygde skipene som fraktet granitten fra Moruya til Sydney. Det var umulig. Hyre i innenriksfart kunne bare gis til statsborgere av Australia.

«Jeg hadde brukt mine siste australske pund på bussturen til Moruya,» sier Åge. «Jeg hadde ikke så mye som en sixpence i lomma. Dermed måtte jeg begynne å traske den lange veien tilbake til Sydney. Det er en vei som går i pent landskap langs kysten. Men jeg var ikke i form og humør til å nyte havutsikten. Jeg prøvde det som de i Statene kaller hitchhiking, og stakk ut tommelen hver gang det kom en bil. Ingen stoppa. Det er helst unge jenter som lykkes med hitchhiking. Hvem gidder å ta med seg en sjuskete kledd mann i femtiårsalderen som går og reker langs landeveien? Da natta kom, prøvde jeg å sove under en busk. Det ble ikke mye soving. Jeg var redd for slanger. Verdens giftigste slange finnes i Australia. Det er en liten jævel, ikke større enn en norsk stålorm, som har gift nok i ett bitt til å drepe et dusin okser.»

«Nå overdriver du,» sier Flise-Guri.

«Nei, det er gudsens sanning,» sier Åge. «Spør Granli hvis du ikke tror meg. Han vet om denne supergiftige slangen og kan nav-net på'n, både det australske navnet og det latinske. Jeg hadde gått sju mil med sko som hadde fått høl i sålene da jeg kom til Ulladulla, hvor en lastebilsjåfør forbarma seg over meg. Han ga meg skyss til Wollongong. Der fikk jeg overnatte hos Salvation Army. Frelses-armeens folk ga meg til og med et par sko. Det var velbrukte sko, men med solide gummisåler. Så rusla jeg de siste fem mila til Sydney. Det var reine sjarmøretappen.»

Tomar siger inn under Harbour Bridge.

For Halvor ser det et øyeblikk ut som om mastetoppene skal treffe brua. Det er et synsbedrag. De passerer under med veldig god klaring.

«Så lenge denne brua står, vil den garantert være Sydneys fremste kjennemerke,» sier Flise-Guri.

På grunn av vinden må *Tomar* få assistanse av en taubåt som dytter skuta inn til kai i Darling Harbour.

Halvor står ved sin faste plass under fortøyning, på poopen. Han får æren av å kaste hivelina i land til mannen fra havnevesenet som står på kaia. Lina har en rund knop i den enden som skal kastes, og inni den knopkula er det en klump bly. Halvor bommer på første forsøk, og kula havner i havnebassenget. På neste forsøk holder Halvor på å treffe mannen på kaia midt i nøtta. Mannen har heldigvis gode reflekser og spretter som seg hør og bør i Australia unna som en kenguru.

Åge og Halvor setter ut springet, som er en wire som strekkes i skutas lengderetning.

I pur begeistring over synet av Sydney har Halvor glemt arbeidshanskene sine. Han får en wireflis i ringfingeren på høyre hånd.

Tomar er vel fortøyd, og gangveien låres.

«Ja ja, Åge,» sier Halvor. «Så kom vi fram i god behold til Sydney, til tross for den døde hesten.»

Åge ler en forlegen latter og sier: «Katastrofen kan vente ved neste korsvei.»

Kapittel 31

Mandag morgen spør Halvor førstestyrmann Nyhus om han kan få fri for å gå i land og besøke det norske generalkonsulatet.

«Hva pokker skal du på konsulatet?» sier Nyhus. «Jeg håper du ikke har noen tullete tanker om at du kan få mønstre av her i Sydney. Kaptein Nilsen har lagt ned totalforbud mot avmønstringer i Australia.»

«Jeg tenker absolutt ikke på å mønstre av,» svarer Halvor. «Jeg vil til konsulatet for å spørre om de har informasjoner om hva som skjedde da Rena ble bombet. Som du vet, er jeg bekymra for familien min.»

«Det forstår jeg,» sier Nyhus. «Jeg er selv engstelig for min egen familie i Belgia. Der har den allierte motoffensiven mot tyskerne slått feil. Håpet er nok ute for Belgia.»

De to blir stående tause en liten stund og ta innover seg Belgias skjebne.

«Vi trenger ingen vakter i lasterommet i dag,» sier Nyhus. «Ingen sjauer vil finne på å snause noe av det jævla kopraklinet. Det er godt folk her i landet ikke vet at margarinen de kommer til å spise, for en stor del består av knuste kopralus. Vi har ikke noe presserende vedlikeholdsarbeid på dekk. Så du kan ta deg en fridag, Skramstad. Får håpe de har gode nyheter til deg på generalkonsulatet. Vet du hvor det ligger?»

«Ja, Åge har tegnet et kart til meg. Jeg skal til nummer treogtredve i Herbert Street i bydelen St. Leonards ei halv norsk mil nordvest for sentrum.»

«Herbert Street?» sier Nyhus og gliser. «Vi får tro at vår ærverdige konsul ikke holder til i ei gate som minner om Herbertstrasse på Reeperbahn i Hamburg.»

«Åge sier at Herbert Street ligger i et pent og pyntelig strøk og ikke har den ringeste likhet med horegata i Hamburg.»

«Det stemmer nok,» sier Nyhus. «Streeten her i Sydney ligger oppe ved King's Cross midt i byen.»

Halvor går til Gnisten og ber om å få de ti australske pundene han har tegnet seg for på pengelista.

Gnisten sier at han ennå ikke har fått australsk valuta om bord, men at han har en del britiske pund som det vil gå greit å veksle i en bank. Halvor får ti britiske pund og passet sitt, som han trenger som legitimasjon i land.

Han går til lugaren og tar på seg penbuksa, hvitskjorta og tweed-jakka. Han synes arbeidsskoene han kjøpte i Fremantle, ser bedre ut enn de slitte penskoene, så han tar på seg Fremantle-skoene. Burde han ha på seg den pene genseren, den med reinsdyrmønster, som mor har strikka? Sola skinner, men det blåser stadig en skarp sønnavind. Blir det varmt i løpet av dagen, vil det se dumt ut å gå og drasse på en genser.

Han kan ta ryggsekken. Fra skuffen under køya finner han fram sekken. Den fuktige sjølufta har fått det til å danne seg et belegg av mugg på lærreimene. Muggen er lett å børste av. Han stapper genseren, skjerfet og vannflaska i sekken. Flaska er ei militær felt-flaske av blikk som han kjøpte i Hong Kong. Den har vært grei å ha under seilasen på varmen. Flaska er blitt hans faste følgesvenn.

Halvor sniker seg opp på poopen og kaster ryggsekken ned på kaia. Han møter Granli ved gangveien og er sjeleglad for at han ikke har sekken på ryggen.

«Du er pent pynta, Skramstad,» sier Granli. «Har du kvinne-bekjentskaper her i Sydney?»

Halvor forklarer hva som er hans ærend i land, og Granli ønsker ham lykke til.

Halvor går ned gangveien og setter foten på Australias jord, det vil si på kaias asfaltdekke. Han tar et par skritt. Så går han rett på snørra. Han greier å ta seg for med hendene uten at de skrubbes opp.

Hva var dette for slags merkelig fall? Virker tyngdekraften anner-ledes her på undersida av jordkloden enn den gjør nordpå? Nei, fallet må skyldes at han er vant til å gå på et gyngende skipsdekk. Han er rett og slett ute av trening med å ha fast grunn under føttene.

Halvor ranker seg opp og skritter forsiktig videre.

Han plukker opp ryggsekken, men venter med å ta den på seg til han er i skjul bak et lagerskur på kaia.

Sydney minner ham ikke om sotete havnebyer i England. Det er den mest moderne byen Halvor har vært i, og den får ham til å tenke på amerikanske byer slik han har sett dem på film. Han vandrer under høye hus av glass og betong, langs en bred aveny som ikke har navneskilt og som leder opp mot Harbour Bridge.

Biltrafikken er stor. Han trekker inn den liflige duften av eksos. Det er en duft han har savnet.

Bilene minner ham om biler i amerikanske filmer. Store doninger med mye blank fornikling. Når han kikker på merkeskiltene på parkerte biler, er de fleste bilene av et merke han aldri har hørt om før, Holden.

Etter en kort marsj når han fram til Harbour Bridge og begynner å krysse brua i det vestre fotgjengerfeltet. Det var godt han tok med genseren, for oppe på brua blåser det så det uler rundt stålbjelkene. Han får på seg genser og skjerf. Det er ikke så mange fotgjengere. Herrene går stort sett med hatt og frakk, damene med hatt og kåpe. Både damer og herrer må holde på hattene så de ikke skal blåse bort. Alle menneskene han møter, er hvite, bortsett fra en kineser eller japaner og en inder med turban på hodet.

Midt ute på brua gripes Halvor av en sterk frihetsfølelse. Det er herlig å gå med ryggsekken på, det er godt å få strekke på beina, å være sine egen herre for en stakket stund.

Over i North Sydney finner han greit The Pacific Highway, som han skal følge til St. Leonards. Det er ikke noe fortau langs highwayen. Han må gå på en gresskledd veiskulder. Den brede veien går gjennom boligstrøk der villaene ligger tilbaketrukket, skjult av pent klipte hekker eller mer viltvoksende buskas. Hist og her rager en palme til værs.

Halvor synes han har sett Pacific Highway før, på film. Men han har aldri sett noen australsk film, så det må være en amerikansk film. Han kommer på at det er Sunset Boulevard i Los Angeles veien han går langs likner på.

Sola begynner å varme, og han blir heit av traskinga, så han må av med genseren.

St. Leonards er en liten by i byen, med forretninger, puber og kafeer. Halvor går inn på en kafé og drikker et glass limonade med sitronsmak. Han må slå lens og spør dama bak disken om hvor the gentlemen's room er.

«Sorry, Sir,» sier hun. «We have no inside lavatory. You'll have to use the dunny.»

Hun gir ham en nøkkel og peker mot ei bakdør. Halvor åpner og kommer ut i en overgrodd bakgård. En stor, brannete katt flykter for ham. The dunny viser seg å være en utedass av god gammel type. Alt er altså ikke like topp moderne i Sydney.

Halvor finner Herbert Street. Det er ei gate like rein og ryddig som de andre gatene i St. Leonards. Her ligger lave, hvitmalte kontorbygninger og røde mursteinsvillaer. Bolighusene er av den typen faren hans kaller patrisierhus. Her bor Sydneys patrisiere. Dette er ikke noe strøk for plebeierne.

På et gatehjørne er det plassert en sittende figur som ser ut som et av de trollene som blir satt ut på fortauene utenfor suvenirbutikkene på Lillehammer.

Halvor går nærmere og skvetter da trollet stikker ut en neve som holder fram en kopp. Han skjønner at det ikke er et mekanisk troll, men et menneske. Et eldgammelt menneske med hvitt hår og pistrete hvitt skjegg. Ansiktet er mørkebrunt og furet og værbitt som en knaus i høyfjellet. Den gamle mannen som sitter og tigger, må være en australneger, den første Halvor har sett. Det skrangler av skillemynt i koppen hans. Halvor slenger oppi en sixpence og skynder seg videre.

Han finner nummer 33, en toetasjes kontorbygning. På et messingskilt står «Royal Norwegian Consulate General». Konsulatet ligger i første etasje. Halvor kommer inn i et forværelse der det er en skranke og et møblement av rottingstoler. Bak skranken sitter ingen. Han kremter. Ei dør går opp, og en ung, mørkhåret kvinne iført hvit bluse og grått tweedskjørt kommer til syne.

Hun setter seg på en kontorstol bak skranken. Halvor går fram og rekker ut hånda. Den unge kvinnen ser på ham med et uforstående blikk. Er det ikke vanlig at man presenterer seg her i gården? Så skjønner hun hva han vil, rødmer, reiser seg og griper hånda hans.

«Miss Corrick,» sier hun.

«Halvor Skramstad, lettmatros på *Tomar* av Tønsberg.»

«You'll have to speak English, please,» sier miss Corrick.

Så godt han klarer på sitt sailor-English framfører Halvor ærendet sitt.

«I am really sorry,» sier miss Corrick. «I have no idea about what happened in your hometown Rena.»

«Is the general consul Norwegian?» spør Halvor.

«Yes, Mister Hafstad is Norwegian.»

«Can I see him?»

«Mister Hafstad is very busy at the moment.»

«Can you please ask him if he knows anything about the Rena bombing? How many dead, how many wounded.»

«I'll ask him,» sier miss Corrick.

Halvor setter seg i en rottingstol og ser på fotografiene av dronning Maud og kong Haakon som henger på veggen. På et glassbord foran ham ligger ei avis. Det er dagens utgave av The Sydney Morning Herald. På forsida står den illevarslende overskriften «Allied disaster in Belgium?». Han blar i avisa og får øye på en notis under overskriften «Battle at Narvik front»: «Hard fighting between Polish and German forces is reported from the Ankenes Mountains at the Narvik front in Norway.» En annen notis har også ordet Norway. Den forteller at Admiralty i London har frigitt informasjon om at to allierte krigsskip ble senket under de allierte styrkenes retrett fra Norge tidligere i mai. Det dreier seg om «British destroyer *Afridi* and French destroyer *Bison*». På begge skipene var det mer enn hundre omkomne.

Halvor lukker øynene og ser for seg døde og sårede marinegaster etter eksplosjoner om bord i de to jagerne. Gapende sår, sprengte brystkasser der lungene tyter ut mellom ribbeina, avrevne armer og bein. Brannsår som ser ut som forkullede planker på ei branntomt.

«Hello,» sier en kvinnestemme. Det er miss Corrick som er kommet tilbake. Hun sier: «Mister Hafstad says he is very sorry. But he has no other information about the bombing incident in Rena than what we have got on the radio news.»

«No numbers of dead and wounded?»

«No, nothing has been reported about casualties at Rena.»

«Is it possible in any way to send a telegram to Norway?» spør Halvor.

«Again, I must say sorry,» sier miss Corrick. «All connections to Norway are broken.»

Slukøret forlater Halvor generalkonsulatet. All connections broken! Han tenner en sigarett og går og slenger langs fortauet.

«Hallo der!» roper en stemme bak ham.

Halvor snur seg og ser en høyvokst mann iført svartblank lærfrakk og bredbremmet, brun filthatt.

«Ja, De er nordmann, ikke sant?» sier mannen.

«Jo da,» svarer Halvor.

«Lys lugg og ryggsekk. Det var ikke til å ta feil av. Her vandrer en landsmann, tenkte jeg. De har kanskje vært innom generalkonsulatet vårt?»

Halvor nikker. Han synes det er noe kjent med stemmen og ansiktet til mannen. Stemmen er en dyp bassrøst. Haka er kraftig og nesa likeså. Blikket er blått og stirrende. Halvor prøver å plassere mannen, men greier det ikke.

«Konsul Hafstad er jo en elskverdig person,» sier mannen.

«Jeg møtte ham ikke.»

«Nei vel. Da møtte de kanskje miss Corrick? Søt, lita snelle. Har De et øyeblikk å avse til en prat?»

«Okey.»

«Kunne De være interessert i å kjøpe en liten opalgruve?»

«En hva da?»

«En gruve der det utvinnes opaler. De vet hva opaler er?»

«Det er vel en slags edelsteiner,» svarer Halvor.

«Ganske riktig. Opaler, de beste av dem, edelopalene, er edelsteiner. Australia er verdens fremste produsent av opaler. Jeg skjønner at spørsmålet om å kjøpe en gruve kom bardus på Dem. Men jeg liker å gå rett på sak, og det dreier seg om en bitte liten gruve som De kan få meget rimelig og på kreditt. Skal vi fortsette samtalen over et lite glass?»

Halvor har mest lyst til å si nei takk. Han vil ikke innlate seg med denne tullebukken som har stoppet ham midt på gata for å selge ham ei gruve.

«Vi har glemt å presentere oss,» sier mannen i lærfrakken og rekker fram hånda. «Didrichsen her, Rudolf Didrichsen.»

«Halvor Skramstad. De skulle vel ikke være i slekt med skogeier Bertrand Didrichsen på Rena?»

«Om jeg er i slekt med Bertrand? Det kan man trygt si. Han er eldstebroren min.»

«Jøss, for et sammentreff,» sier Halvor. «Jeg syntes det var noe kjent med Dem. Jeg har jobba i Didrichsen-skauen hjemme i Åmot. De likner veldig på broren Deres.»

«Det er nok mest utenpå. De har kanskje hørt meg omtalt som Didrichsen-familiens sorte får?»

«Nei, det har jeg aldri hørt,» svarer Halvor.

«Godt, for det stemmer ikke. Jeg var riktignok en rampunge som liten, men nå er jeg blitt gutten med gullbuksene.»

«Har De hørt fra broren Deres etter at krigen brøt ut i Norge?»

«Ja, han er i Sverige nå. Vi har utvekslet en del telegrammer og til og med hatt et par long distance calls på telefon.»

«Var han på Rena under bombinga den 19. april?»

«Han var i nærheten. I likhet med de fleste på Rena hadde han evakuert før de tyske flyene kom. Han var i en koie oppe i familiens skog.»

«Har han meldt noe om antall døde og sårede på Rena?»

«Ja, og bombetoktet mot Rena endte ikke katastrofalt som i Elverum med førti drepte. På Rena omkom bare to eller tre personer.»

Halvor kjenner det som om ei stor bør lettes fra skuldrene hans. Bare to eller tre døde!

«Jeg tar gjerne et glass med Dem, Didrichsen,» sier han. «For De har nettopp gitt meg en svært god nyhet.»

De sitter i puben på Gilroy's Hotel nær krysset mellom Herbert Street og Pacific Highway.

Når Didrichsen har tatt av seg hatten og lærfrakken, ser han ikke lenger så ruvende ut. Han må ha vært mye ute i sola, for ansiktet og hendene hans er brunbarkede. Det vil si, ikke *hele* ansiktet. Panna har en hvit stripe øverst, der huden har vært dekket av hatten. Det lyse håret er bakoverstrøket.

De drikker det lette, friske australske fatølet.

«Vi er ikke så formelle her i Australia,» sier Didrichsen. «La oss være dus. Folk kaller meg Rudi.»

«Fortell meg om broren din,» sier Halvor.

«Som du kanskje vet, finansierte han Nasjonal Samling i Åmot, slik at partiet fikk valgt inn to representanter i herredsstyret ved valget i fireogtredve. Men da åndsfrendene hans – de tyske nasjonalsosialistene – faktisk kom til Norge, fikk han et anfall av kraftpatriotisme. Han hadde vært løytnant i sin ungdom. Han meldte seg, i en alder av femogførti, som frivillig til de norske styrkene. Han ble såret under den siste store trefningen mellom nordmenn og tyskere i Trysil, i Grøndalen. I det første telegrammet til meg fra Sverige skrev han at han var blitt hardt skadet i setemuskulaturen. Det er så innmari typisk Berti å bli skutt i ræva når han først går i krigen.»

«Hvordan kom han seg over til Sverige?»

«Som passasjer på en lastebil. Berti dro over grensen både for å få legebehandling og fordi han fryktet å bli tatt som krigsfange. Behandling trengte han åpenbart. Men at han skulle bli tatt som fange? Hvorfor skulle Wehrmacht bry seg med å ta en halvgammel, rumpeskadd reserveløytnant til fange?»

«Tyskerne har tatt general Ruge til fange,» sier Halvor.

«Jaså? Otto Ruge? Da får han vel sitte og ruge til han blir sluppet fri,» sier Didrichsen og ler godt av sitt eget ordspill.

«Hvor er broren din nå?» spør Halvor.

«Han fikk infeksjon i skuddsåret og er lagt inn til behandling på Centralsjukhuset i Karlstad. Det får være nok om Berti. Vi skulle snakke om gruve. Er du interessert, Halvor?»

«Som jeg sa da vi satte oss, er jeg sjømann og må reise videre med skipet mitt. Vi har avmønstringsforbud her i Australia.»

«Det forbudet lyder tvilsomt, rent juridisk,» sier Didrichsen. «Dette kan vi komme tilbake til. La meg friste deg med en lekker gruve som har verdens fineste opaler. Min gruve ligger i Lightning Ridge. Det er en liten gruveby i samme delstat som Sydney, New South Wales. Men den ligger oppe i nord, like ved grensen til Queensland, langt ute i ødemarken. Det er en fin stemning av Ville Vesten i Lightning Ridge. Og jo da, der ute i bushen er det brennhett om sommeren og voldsomme flommer om vinteren. Stedet bærer navnet sitt med rette. Mer praktfulle lynnedslag enn i Lightning Ridge finner man ikke. For den rette mann som har eventyreren i seg, er det et perfekt sted. Der finnes de gjeveste opalene, de sorte. Lightning Ridge blir kalt The Capital of Black Opals. I min gruve, som heter Rudi's Mine, har jeg funnet sorte opaler verdt tusenvis av pund, og der finnes garantert mange flere.»

«Hvorfor vil du selge, da?»

«Fordi jeg må reise fra Australia. Pliktene kaller.»

«Vil det ikke lønne seg å selge til et rikt gruvekompani?»

«Gruvekompaniene har ikke adgang til Lightning Ridge. Det er et område der bare enkeltpersoner kan ta ut skjerp og drive gruver. Det er en pussighet i australsk lovgivning som gjør det slik. Myndighetene ville at den lille mann også skulle få anledning til å gjøre det store varpet.»

Halvor tar en slurk øl, men greier ikke svelge. En fryktelig tanke slår ham. Hvis det er to døde på Rena, kan det være hans egen mor og far. Hvis det er tre døde, kan det være Stein, Britt og Karin. Han ser for seg at det røde huset på haugen står i flammer. Han ser for seg at en bombe slår gjennom taket i kjelleren på skolen og kvester søsknene hans. Men Karin går jo ikke på skolen. Hun kan ha gått dit med en gjenglemt matpakke til Stein, det rotehuet, og blitt med ned i kjelleren da flyalarmen gikk.

«Du ble så fjern,» sier Didrichsen.

«Jeg tenker på familien min. Vet du noe om alderen til de drepte på Rena?»

«Ingen anelse. Smakte ikke ølet deg? Vil du heller ha en whisky-dram?»

«Takk, jeg tar gjerne en whisky,» svarer Halvor.

Han nipper til whiskyen og hører med et halvt øre på at Didrichsen legger ut om gruvesjakter og strosser i Lightning Ridge.

«Må jeg få be om mer lydhørhet fra en mann jeg spanderer på?» sier Didrichsen.

Halvor retter seg opp og tenner en sigarett. Whiskyen har hjulpet ham med å slå den fryktelige tanken bort. Verden kan ikke være *så* ond at bare hans familie ble rammet av tyskernes bomber på Rena.

«Min vertikale sjakt er altså førti meter dyp,» sier Didrichsen. «Jeg tok ut skjerpet og begynte å grave meg nedover i det lyse, fine kalkstensberget for seks år siden. Naturligvis har jeg ikke gjort alt arbeidet alene. Jeg har hatt hjelp av løsarbeidere og en fast hjelpe-mann. Hjelperen heter Richard Pokataroo og er aboriginer.»

«Hva sa du?»

«*Aboriginer.* Det betyr urinnbygger, og det er aboriginere sånne som Richard ønsker å bli kalt. Ikke australnegre. Neger-ordet er gammeldags og bør utgå. Du vil få høre mye dritt her i Australia om aboriginerne, av folk som ikke vet hva de snakker om. Du så kanskje den gamle tiggeren i Herbert Street?»

«Ja, jeg så ham.»

«Folk i Sydney ser en tigger og tror at han er representativ for alle aboriginere. Det er sludder. Bare de holder seg unna flasken og storbyene, er aboriginerne like bra mennesker som deg og meg. På noen områder er de mye bedre. Richards folk har bodd her i førti tusen år. Dette folket kan mer om naturen her enn vi hvite kan drømme om å lære oss. Min mann Richard Pokataroo har fin nese for opaler. Han vet nøyaktig hvor vi skal hakke ut de horisontale strossene og finne de vakreste sorte stenene.»

«Det sies at australnegrene aldri vasker seg.»

«*Aboriginere*, Halvor. Det med vaskingen er bare vås. Når de har tilgang til vann, vasker de seg like ofte som vi gjør. I tørre perioder – og tørken kan være helt jævlig i bushen i Australia – renser de huden med støv. Der vi går rundt svette og grimete, har de støvvasket seg. Det er dette som har gitt opphav til myten om at de er skittenferdige. Den hvite mann har sett en støvete aboriginer og trodd at støvet er møkk. I et par år, da vi arbeidet i dårlige sjikt i kalkstenen og bare gjorde elendige funn, levde vi fra hånd til munn. Da bodde jeg sammen med Richard i den enkle hytten vår ute ved sjakten. Aldri fikk jeg så mye som en lus eller en loppe på meg. Når jeg selger gruven, skal det stå i kontrakten at Richard Pokataroo skal fortsette som hjelpemann. Liker du å gå på jakt?»

«Ja,» svarer Halvor. «Hjemme har jeg vært en ivrig jeger.»

«Da er Lightning Ridge det rette stedet for deg. Der kan du jakte på kenguru og dingo, den australske villhunden, som det er brukbar skuddpremie på. Mangler du kjøttmat en dag, kan du knerte så mange kaniner du har lyst på. Kaninene er en landeplage her i Australia. Mine to rifler og to haglgeværer vil følge med på kjøpet av gruven. Og alt du trenger av hakker, boreutstyr og spader. Håndvinsj til å heise opp kalkstensslagg. Stiger og tauverk. Walisiske gruvelykter. Med følger også en førsteklasses pumpe til å lense ut flomvann, samt en dieseldrevet generator som gir strøm til pumpen. Og hytten ved sjakten. Det er en enkel hytte med bølgeblikktak. Vann finnes i en sisterne. Strøm kan du få ved å kjøre pumpegeneratoren.»

«Får man tak i diesel der oppe i Lightning Ridge?»

«Naturligvis. Det er jo en by, med kirke, skole og politistasjon, og det går vei dit. Det er en typisk australsk bushvei. Bilene kommer likevel stort sett frem uten å knekke fjærene og støtdemperne. Noen bensinstasjon finnes ikke, men du får kjøpt fat med diesel hos landhandleren. Noe hus i byen kan jeg dessverre ikke tilby. Jeg har leid meg inn i forskjellige hus, senest hos en madam Harrington, som er en real kjerring. En whisky til?»

«Takk som byr.»

«Et par hardkokte egg og en skål peanøtter?»

«Gjerne det.»

De er i gang med den tredje whiskyen. Det er Cutty Sark, bra skotsk vare.

«Tenk deg et fritt liv,» sier Didrichsen. «Du skal ikke svette for å skaffe profitt til en jævla skipsrederkapitalist. Du skal ikke slave og slite under en tyrannisk kaptein, en sånn som kaptein Bligh på *Bounty*.»

«Kaptein Nilsen på *Tomar* har sine snodige sider, men noen kaptein Bligh er han ikke.»

«I Lightning Ridge vil du være din egen reder og kaptein. Tenk deg at du går ut mellom de lave trærne og buskaset en duggfrisk vintermorgen. Du går sammen med Richard. Plutselig kaster han bumerangen sin. På førti meters hold knerter han en kenguru som du ikke har fått øye på engang. Jeg kommer til å savne slike morgener. Skål!»

«Skål, ja.»

«Dessuten kan du bli en søkkrik mann. Jeg tror at de virkelig store svartingene, verdens største sorte opaler, finnes på større dyp i min sjakt enn jeg har nådd ned til. Selv om jeg ikke har funnet de virkelig kjempestore, reiser jeg fra Lightning Ridge som en holden mann. Jeg kom til Australia som vagabond med to tomme hender. Nå har jeg billett til Genova på første klasse om bord i det italienske passasjerskipet *Boccaccio*.»

«La oss si at jeg er interessert i gruva di,» sier Halvor. «Da er det to problemer. Det ene er at jeg ikke har penger å kjøpe for.»

«Jeg sa kreditt, og jeg *mener* kreditt,» svarer Didrichsen. «Dere sjøfolk kjenner godt til hvordan de store, oseangående slepebåtene opererer. Greier de å berge en havarist, skal de ha fett betalt. Greier de det ikke, får de ingenting. No cure, no pay. Det er et bra prinsipp. Jeg vil formulere det slik når det gjelder gruven: No stones, no pay. Forstår du hva jeg mener?»

«Ikke helt,» svarer Halvor.

«Jeg selger deg gruven for ti tusen australske pund. Du behøver ikke betale en penny nå. Du skal betale ned med de opalene du finner under arbeidet i gruven. For hver opal du selger, skal jeg ha halvparten av salgssummen, mens du beholder den andre halvparten. Slik fortsetter vi til du har nedbetalt de ti tusen.»

«Hvordan kan du vite at jeg ikke lurer deg ved å stikke unna opaler?»

«Jeg har ingen overdreven tiltro til mine medmennesker,» sier Didrichsen. «Hvorfor skulle jeg stole på deg, Halvor, selv om du ser ut som en hederlig norsking? Saken er den at antallet oppkjøpere av sorte opaler i Lightning Ridge bare er en håndfull. Og jeg kjenner dem, alle sammen. Oppkjøperne har full oversikt over hva som foregår i sjaktene. Skulle du prøve å selge stener fra Rudi's Mine bak min rygg, vil jeg få vite det. Så er det problem nummer to. Du tenker da på avmønstringsforbudet, ikke sant?»

Halvor nikker.

«Jeg prøvde å lese til juridikum,» sier Didrichsen. «Men tørre lovparagrafer var ikke noe for meg. Jeg ble grepet av wanderlust og dro ut i verden. Først til et par angivelige gullgruver i Chile der det bare fantes kobber, så hit til Australia. Noe husker jeg fra lovbøkene. Det finnes en paragraf i Sjømannsloven som sier at sjømannen kan kreve avmønstring hvis skipet skal gå til et sted der det er en ondartet farsott eller fare for krigsskade.»

Didrichsen ser ut som han har spilt ut et trumfkort. Halvor velger å helle litt kaldt vann i blodet på ham: «Vi *kan* den paragrafen om bord hos oss. Den er blitt mye diskutert på *Tomar*, og sikkert på alle andre skip i Nortraship-flåten. Mannskaper som har nektet å seile fra USA til Europa etter niende april, har brukt den paragrafen. Men den er omstridt og kan fortolkes både hit og dit. Det heter at sjømannen har krav på avmønstring 'hvis det etter forhyringen viser seg at der er fare for at skipet kan bli oppbragt av en krigførende makt eller utsatt for krigsskade, eller at sådan fare er blitt vesentlig forøket'. Kaptein Nilsen sier at paragrafen ikke gjelder for oss på *Tomar*, fordi vi alle sammen, da vi mønstret på skipet, visste at det var fare for krigsskade. Vi fikk jo krigsrisikotillegg.»

«En slik tolkning holder ikke vann,» sier Didrichsen. «Hvis jeg har forstått noe av det hele, må faren være *vesentlig forøket* etter at den norske handelsflåten sluttet å være nøytral og aktivt begynte å seile for de allierte.»

«Det samme mener båtsmannen og radiotelegrafisten om bord hos oss,» sier Halvor. «Kaptein Nilsen har et ris bak speilet. Han sier at han vil klistre et forræderstempel midt i panna på den som krever avmønstring etter krigsparagrafen.»

«Hør her, unge mann. Skipet ditt er bestemt for en reise til Europa. I Atlanterhavet vil skuta være fritt vilt for torpedoene til djerve tyske ubåtskippere. Langs kystene vil du måtte regne med å bli bombet av tyske fly. Og i innseilingene ligger det tyske miner og venter på å blåse deg til himmels. Du kommer til å seile inn i et farvann fullt av død og fordervelse. Er *det* noe å trakte etter? Oppe i Lightning Ridge vil du være så langt fra sjøkrigen som det går an å komme. La oss nå skite i det der med formell avmønstring. Det finnes en annen og meget enkel mulighet.»

«Du mener å rømme?»

«Ja, og du blir i så fall ikke den første sjømannen som har rømt i Australia. Her har titusener, kanskje hundretusener, rømt i land.

Noen er blitt pælmet ut igjen, men de fleste har fått bli, i alle fall de fleste skandinavene. Australia er underbefolket og trenger arbeidsnever. Vi nordboere er populære her. Nødvendige dokumenter lar seg alltid ordne, gjerne med en liten håndpenning under bordet til rette myndighet. Du vil ikke bli eneste nordmann i Lightning Ridge. Der finnes to andre nordmenn. Det er Fridtjof Skipmannvik fra Saltdal i Nordland og Kjetil Dyrlandsdal fra Seljord i Telemark. Ingen av de to kom lovlig inn i Australia. Men de har vært her i mange år, og ingen har krummet et hår på hodene deres. Politisjef Fraser i Lightning Ridge er en god venn av meg og akkurat passe korrupt. Du vil få møte ham når vi drar opp dit.»

«Hva sa du nå, Didrichsen?»

«Jeg har ikke tenkt at du skal kjøpe gruven *usett*, Halvor. Derfor skal vi ta oss en tur dit.»

«Er du gæren? Det må jo være en lang reise, og jeg har bare noen timer igjen av fridagen min.»

«Vi *flyr* opp. Vi kan dra om en halvtimes tid.»

«Hvordan er *det* mulig?»

«Det er en god landingsstripe for småfly i Lightning Ridge, som overalt ellers i småbyene i villmarken her i landet. Australienerne elsker å fly rundt omkring i det svære landet sitt. Min venn Reidar Buberg eier et småfly. Han vet at jeg skal selge gruven så raskt som bare fanden, og flyet står klart og venter på oss på Bankstown airfield ute ved Cabramatta. Det er et fly av en flunkende ny modell fra USA, en enmotors Piper Cub. Har du fløyet noen gang?»

«Nei, aldri.»

«Hva kan være bedre enn å fly jomfruturen over Australia?»

«Det må bli fryktelig dyrt?»

«Jeg har gjort Buberg noen tjenester. Jeg betaler ham bare hva flybensinen koster. Du vil få se det australske landskapet i fugleperspektiv, Halvor. Før vi kommer til opalenes rike, flyr vi over *ovalenes* rike. Du vil la deg forundre over at alle de gigantiske hveteåkrene i New South Wales er runde eller ovale. Det kommer av at de er pløyd opp i det fruktbare jordsmonnet på bunnen av inntørkede, grunne innsjøer. Høres ikke en flytur i vakkert høstvær fristende ut?»

«Jo, jeg må innrømme det,» sier Halvor. «Jeg må bare vite en ting før vi eventuelt drar. Hvorfor har du så bråttom med å selge gruva?»

«Det har private årsaker,» sier Didrichsen. «Jeg må utføre min plikt. Dessuten har jeg en god forretningsidé. Jeg skylder ikke deg å fortelle om hva jeg har fore.»

«Du skylder meg ingenting. Men jeg *insisterer* på å få vite hvorfor du selger.»

«Ja vel. Da må du være forberedt på å bli overrasket, kanskje sjokkert. Konsul Hafstad sa at hårene reiste seg på hodet hans da han fikk høre om min plan.»

«Spytt ut,» sier Halvor.

«Jeg vil reise hjem.»

«Til *Norge?*»

«Ja, til gamlelandet, den kjære steinrøysa.»

«Men landet er jo for faen okkupert av tyskerne!»

«Nettopp derfor vil jeg hjem. La meg si det like ut: Etter min mening er den tyske okkupasjonen det beste som kunne skjedd Norge.»

Halvor reiser seg så brått at litt av whiskyen hans skvalper ut.

«Takk for meg,» sier han.

«Vent nå·litt, for helvete!» roper Didrichsen. «Du kan ikke bare stikke av på den måten! Jeg trodde det var en uskreven lov blant dere sjøfolk at den som blir spandert på, river i en runde. Du skylder meg en whisky, Halvor Skramstad. Du vil ikke ha vondt av å høre hva jeg har tenkt om Norges situasjon. Her i mitt eksil i Australia har jeg fulgt krigen på avstand og kunnet tenke fritt. Tyskerne kan få fart på daue Norge, det norske daukjøttet. Nå har vi en sjanse til å kvitte oss med den norske nisseluementaliteten, husmannsånden. Stålstramme tyskere vil kunne bidra til å modernisere landet på en helt annen måte enn de sidrumpa norske politikerne. Jeg ser for meg Nye Norge vokse frem.»

«Det blir vel i så fall Neues Norwegen,» sier Halvor.

«Ikke vær oppkjeftig, unge mann. Gå og kjøp den whiskyen til meg, så skal du få høre hva slags store planer jeg har.»

Halvor går til bardisken og kjøper en whisky. Han er fast bestemt på å gå når han har plassert whiskyglasset foran nesa på Didrichsen.

Men da han har satt glasset på bordet, setter han seg på stolen sin. Hvorfor pokker gjør han det? Han er nysgjerrig på hva slags store planer Didrichsen har. Og han kan ikke tro at mannen som har snakket så varmt om de innfødte i Australia, kan være noen ekte nazist.

«Bra,» sier Didrichsen. «Dere sjøgutter som har begynt å seile for Nortraship, er vel blitt tutet ørene fulle om hvor forferdelige tyskerne er. Vi har et godt ord for det her i Australia: *brainwashed.*

Dere er fucking brainwashed alle sammen, av en flom av norsk nasjonalistisk pisspreik. Dere glemmer at Adolf Hitlers ideologi ikke bare er nasjonal, den er nasjonal*sosialistisk*. Det som fascinerte meg da jeg kom til Lightning Ridge, var ideen om at hver mann har sin gruve. Hva har Hitler gjort? Han har bestemt seg for å gi hver mann sin bil. Det er sosialisme i praksis, det! I et par år har folkevognen, konstruert av Ferdinand Porsche på oppdrag fra Hitler, rullet ut fra fabrikken i Wolfsburg. Og de masseproduserte bilene har skikkelige veier å kjøre på. Autobahn! Hva har vi i Norge? Vi har fremdeles, ifølge Berti, et veinett med standard som i en mellomamerikansk bananrepublikk. Riksveier som er hullete grusveier. Kjerreveier! Tyskerne vil ikke ha det slik. De kommer til å bygge ut riksvei tre gjennom Østerdalen til asfaltert motorvei med fire kjørebaner. Autobahn fra Oslo til Trondhjem! Da må det finnes rikelig med biler som kan kjøre på de fine veiene. Du har lagt merke til at australienerne har sitt eget bilmerke?»

«Ja, jeg har sett det,» svarer Halvor. «Holden.»

«Jeg skal hjem for å starte Norges svar på Holden. Jeg skal gjøre Hamar til Norges Wolfsburg, bygge en gigantisk fabrikk ved Akersvika og produsere allemannsbilen Norbil. Holden er Australias stolthet, men det er General Motors i Detroit som eier Holdenfabrikkene i Melbourne, og bilene er egentlig amerikanske modeller. Norbil skal bygges over samme lest som Volkswagen. Men eierskapet til Norbil skal være norsk, og jeg skal sitte i førersetet i selskapet. Vi skal gjøre en forbedring på vår norske folkevogn. Vi skal støpe karosseriet i aluminium. Dermed blir Norbil både ekstra lett og helt vedlikeholdsfri. Rimelig aluminium får vi fra nye fabrikker på Vestlandet som utnytter vår billige vannkraft.»

«Du kan umulig greie å finansiere en hel bilfabrikk med det du har tjent på opaler,» sier Halvor.

«Jeg reiser hjem for å ta over eierskapet til skogene våre og det andre som Didrichsen-familien eier i Hedmark. Berti er naturligvis rasende over at jeg gjør det. Men han sitter i Sverige med rumpa i en klut og kan ikke vende hjem. Tyskerne har ingen tilgivelse overfor folk som har flyktet til Sverige eller Storbritannia. Min kjære søster Elida er førstesekretær ved ambassaden vår i London og kan heller ikke vende hjem. Hun er like rasende som Berti. Men nå er det min tur til å ta over geskjeften. Det er min rett og min plikt. Juridisk står jeg sterkt, og tyskerne vil like det initiativet jeg tar for å få hjulene til å rulle i Norge, bokstavelig talt. Skogene selger jeg.

Til staten. Etter min mening skal ikke privatpersoner sitte med store skogeiendommer. Så kan staten utparsellere skog til tømmerhuggere som ønsker å drive for seg selv. Hver mann sin skog!»

«Ja vel,» sier Halvor. «Hver mann sin gruve, hver mann sin bil og hver mann sin skog. Hva skal kvinnfolka få?»

«Damene? Det har jeg ikke tenkt på. Kvinner i byen kan kanskje få hver sin kolonihave. Kvinner på landet kan få drivhus.»

«Hver dame sin tomat!» sier Halvor.

Didrichsen begynner å le, og han ler til han hikker. Halvor henter et glass vann til ham, og han svelger unna til hikken stopper.

«Takk skal du ha,» sier han. «Si meg, er du i slekt med den Skramstad som sitter i Åmot herredsstyre for kommunistpartiet?»

«Det er faren min.»

«La det da være sagt at jeg ser med beundring på hvordan Stalin og hans folk bygger ut industrien i Sovjetunionen. Aldri før er et land blitt industrialisert så fort som Sovjet, ikke engang USA. Men Stalins politikk på landsbygden er høl i huet. Det er tåpelig å samle en masse fattige småbønder i kollektivbruk. Er det noe fattige bønder elsker, så er det å krangle med hverandre. Bare se på Vestlandet hjemme. Der kan fattige bondeslekter krangle i århundrer om hvor en jævla skigard skal stå. Stalin skulle delt ut de store jordgodsene i Russland og Ukraina til bøndene. Hver bonde sin gård! Noen kommunist blir jeg aldri, men jeg har heller ingen ambisjoner om å bli en kapitalist som Henry Ford. I Norbil skyter jeg inn kapitalen jeg får fra skogsalget. Familien eier store tomter ved Akersvika som tullingene i Hamar bystyre har regulert til boligformål. Tyskerne vil skjønne at tomtene egner seg til fabrikkbygging, og gjøre om reguleringsplanen. Vi eier en betydelig aksjepost i Hamar Stålstøperi. Støperiet kan danne den spede begynnelsen til Norbilfabrikken. Min hensikt er at fabrikken skal bli hele folkets eiendom. Hver mann – og hver kvinne – sin aksje! Vet du hvordan Volkswagenwerk ble finansiert?»

Halvor rister på hodet. Han er blitt så tørst av å høre på Didrichsen at han kjøper seg en øl, og en whisky til pratmakeren.

Didrichsen fortsetter der han slapp: «Fabrikken i Wolfsburg ble finansiert ved at folk betalte inn forskudd på biler de siden skulle få. Jeg har tenkt på en annen modell. Hver nordmann vil bli trukket en liten prosent i skatt som er øremerket til Norbil. Til gjengjeld får alle skattebetalere et aksjebrev i Norbil. Når verdien på selskapet stiger, får alle nordmenn sin andel av gevinsten. Genialt, hva?

Folk som Nygaardsvold ville aldri greie å drive igjennom en slik idé om folkeaksjer, men det kan tyskerne gjøre. Så mener du kanskje at jeg er på parti med Quisling? På ingen måte, Halvor. Quisling er en dåsemikkel som drømmer seg tilbake til vikingtiden og elsker norrøn romantikk og mystikk. Det er tyskerne jeg er på parti med, siden de er modernitetens fanebærere. De fører en hypermoderne krig, og de vil skape et hypermoderne fredssamfunn. Vet du hva de kaller sin Volkswagen på folkemunne?»

«Er det ikke 'Billa'?»

«Jo, det er Käfer, Billen. Som direktør for Norbil får jeg tåle at produktet vi lager, vil bli kalt Norbille. Vi kommer sikkert til å få en del eksport til Sverige. Svenskene lager sine blytunge Volvo'er, som ruster fortere enn en hest løper. Mange svenske bilister vil foretrekke vår lette, slitesterke Norbil. I Sverige vil bilen vår bli kalt Norrbagge. Så spør du deg om hvorfor jeg skal være administrerende direktør? Det blir jeg fordi jeg er idémakeren og gründeren. Jeg trakter ikke etter en veldig formue slik som Ford. I Lightning Ridge har jeg lært meg å leve enkelt. Det vil jeg fortsette med. Jeg vil riktignok ha en villa på Hamar med panoramautsikt over Mjøsa, en jakthytte ved reinsdyrterrenget i Rondane og et sommersted ved Blindleia på Sørlandet. Men jeg vil, som folk flest, kjøre rundt i min lille Norbille. Må jeg få gi deg en forretningsidé, Halvor?»

Halvor tar en god slurk øl og tenner en Camel.

«Kom igjen,» sier han.

«Du må posisjonere deg i Nortraship,» sier Didrichsen. «Engelskmennene kommer til å tape krigen. Vi ser det jo nå i Belgia. En gang var de engelske generalene pionerer innen moderne krigføring. Nå ser de ut til å ha glemt alt de kunne om avansert bruk av panserstyrker. De har latt general Guderian stjele hele opplegget sitt. England taper så det suser. Men jeg tror ikke Hitler gidder å ta England. Hva *skal* han egentlig med det landet? Vil han bruke krefter på å modernisere et så gammelmodig samfunn, med sitt avleggse kongehus og sin bortskjemte adel? Nei, England får nok seile sin egen sjø. Nortraship vil ikke kunne fortsette å operere for engelskmennene. Nortraship må vende hjem til Norge og seile for Stor-Tyskland. Jeg vil plante ideen hos tyskerne om at Nortraship skal fortsette som statsrederi, som hele folkets rederi. Når du kommer hjem med den vesle formuen du har skapt deg i opaler, må du gå inn i administrasjonen i Nortraship. Pengene dine bruker du til å ta privatundervisning i økonomi. Ved hjelp av alt du har av savvy,

Halvor, og spisse albuer og oppbakking fra meg i Norbil, vil du kunne gå helt til topps i Nortraship. Du var en enkel gutt fra Rena, en matros fra skogen, og så ble du sjef for verdens største rederi. Er ikke det en fabelaktig visjon?»

«Det virker som det rene abrakadabra på meg,» svarer Halvor.

«Du synes jeg høres ut som en fantast?» sier Didrichsen. «Det kan jeg leve med. Så vil du kunne si at jeg har glemt et viktig moment med nazismen, det groteske jødehatet, som Hitler for øvrig har lært seg av Henry Ford. Jeg har dette i mente, men regner det som en barnesykdom nasjonalsosialistene vil vokse av seg. Når Hitler har fått etablert sitt Tredje rike og føler seg trygg, vil han ikke lenger ha bruk for jødene som prügelknabe. Han vil innse at han trenger jødenes intelligens og talenter, ikke minst innen vitenskapen og kulturen, for å bygge sitt store rike. Han vil invitere Albert Einstein hjem igjen.»

«Det har jeg ingen tro på.»

«Vi er alle lite grann jøder, ikke sant? Selv har jeg en jødisk bestemor fra Kiev. Hvis Adolf gransker slektstavlen sin nøye, vil han nok finne at det renner jødisk blod i ham også. Og så må vi huske på at tyskerne ikke er barbarer. De er et kulturfolk på et høyere nivå enn oss nordmenn. Hitler selv er en kulturpersonlighet, en kunstmaler. Når han har vunnet krigen, kan han pensjonere seg og dyrke malerkunsten. Winston Churchill er også en ivrig maler. De to kunne danne en malerklubb sammen.»

«Dette er det glade vanvidd,» sier Halvor. «Det er rart du ikke forstår at rasismen og jødehatet er bensin i nazismens motor. Du kaller jødehatet en barnesykdom. Jeg vil kalle det en kreftsvulst som kommer til å vokse så lenge nazismen vokser.»

«Nå snakker du slik du har lært av din far, kommunistjævelen.»

«Kaller du faren min kommunistjævel? Takk for laget, Didrichsen.»

«Du blir altså ikke med på en flytur til Lightning Ridge?»

«Nei, jeg reiser ingen steder sammen med en gærning som sympatiserer med de tyske okkupantene.»

«Du kommer til å angre, Halvor. Når du er i bitter havsnød ute på storhavet, vil du drømme om at du isteden sitter trygt og tørt i en gruve i Australia.»

«Adjø!» sier Halvor.

«Du har i det minste gjort en aboriginer lykkelig,» sier Didrichsen. «*Boccaccio* seiler i morgen. Det var et bomskudd å satse på deg som kjøper. Jeg har kastet bort tiden på deg, og rekker neppe å finne noen kjøper før jeg reiser. Da får Richard Pakaroo ta over driften av Rudi's Mine og bli millionær når han har gravd seg ned til sjiktet med de gigantiske sorte opalene. Jeg går nå og sender et telegram til Berti om at jeg er på vei hjem til Norge om noen timer. Det vil terge ham voldsomt. Jeg akter å fortelle at jeg har overlatt gruven til en såkalt neger. Det vil også irritere Berti, den rasisten. Og så vil jeg si at jeg var nær ved å selge gruven til en kar som har arbeidet i Didrichsen-skogen, men at den dusten ikke slo til.»

Kapittel 32

Lossing av kopraen i Sydney skjer med heisekraner som har på-montert grabber. Grabbene fyller opp store lastebiler som parkerer på kaia i Darling Harbour. Arbeidet går radig unna.

Dekksmannskapet på *Tomar* får en stri tørn med å vaske vekk kopraklinet på skott og dekk i de tømte lasterommene.

Det er blitt onsdag den 22. mai utpå ettermiddagen. Halvor ligger på knærne og bruker en stålbørste på stålet langs sprekken i mellomdekket i enerluka. Det skal komme verkstedfolk fra land for å sveise plater over sprekken. Derfor må det skinne av blankt metall langs den fæle revna.

Arbeidet er en gudsjammerlig kjedelig pirkejobb som han har holdt på med fra han tørnet til klokka sju.

«Er du der nede, Skramstad?» roper en stemme oppe fra dekk.

Halvor reiser seg, ser Gnistens bebrillede ansikt og roper: «Hoi, jeg er her!»

«Det er kommet telegram til deg,» roper Gnisten.

«*Telegram?* Til *meg?*»

Halvor halter bort til leideren. Fremantle-skoene ga ham gnagsår på begge hælene da han gikk tilbake til skuta etter møtet med Rudolf Didrichsen. Han entrer opp leideren så kvikt han kan.

Gnisten gir ham en konvolutt.

«Fikk du telegrammet over radioen?» spør Halvor.

«Nei, vi mottar ikke radiotelegrammer når vi ligger i havn. Tele-grammet ditt ble brakt om bord av et telegrafbud.»

Halvor takker Gnisten og går akterover. Han er småskjelven. Telegram har han aldri fått før. Det kan bety dårlige nyheter, i verste fall et dødsbudskap.

Båsen stopper ham ved femmerluka. «Hvor faen skal du, Skogs-matrosen?» spør han og kikker på armbåndsuret sitt. «Klokka er bare kvart på tre. Det er et helt kvarter igjen til tre-kaffen.»

«Har fått et telegram,» sier Halvor og viser fram konvolutten.

«Jaså, du,» sier Båsen. «Telegrammet er sikkert fra futen eller bidragsfogden hjemme. Du har vel greid å sette unge på ei skreppe oppi dalom.»

«Ifølge konsulatet er det ikke mulig å sende telegrammer mellom Norge og Australia. All connections broken.»

«Da har du kanskje smelt ei rype på tjukka i Sverige eller Suomi.»

«Suomi?»

«Finland, gutt. Suomi Finland. De tusen sjøers land. Seilte ikke du der med den vesle prammen *Flink*?»

«Jo,» sier Halvor. «Men ...»

«Det ble ikke noe beta på deg i Suomi? La ikke meg opprettholde deg. Stikk og les telegrammet ditt.»

Halvor setter seg ved bordet i lugaren, tenner en røyk, spretter konvolutten med Mora-kniven han alltid har i beltet, og leser:

«KJAERE HALVOR STOP ER INLAGD PAA SJUKHUS KARLSTAD SVERIGE MED SVAERE BRANDSKADOR EFTER BOMBING ELVERUM STOP EN PATIENT HER ER B DIDRICHSEN STOP HAN HAR FAATT MEDDELANDE FRAAN BRODER R DIDRICHSEN AT DU ER I SIDNEY MED MS TOMAR STOP SAA VITT JAG VET ER ALT VEL MED DIN FAMILJ I RENA STOP HOPPAS DU ER SUND OCH FRISK STOP

DIN TANT OLGA»

Halvor stikker opp i messa og henter en kopp kaffe og et par kringlestykker. Tilbake på lugaren finner han fram dagboka og skriver: «Sydney, Australia, onsdag 22. mai. Jeg griper til pennen for å forsøke å roe meg ned. Jeg ble så rasende da jeg fikk telegrammet fra tante Olga! Jeg burde naturligvis synes synd på henne der hun ligger på sykehuset i Karlstad med svære brannskader. Kanskje er hun så forbrent på hendene og fingrene at hun ikke greier å skrive. Skrivemåten i telegrammet tyder på at hun har diktert teksten til en svensk sykepleierske. Min første reaksjon på telegrammet burde ha vært 'stakkars tante Olga'. Men det jeg tenkte, var: Det er så forbannet typisk tante Olga, den sjuska! Hva mener hun med dette 'saa vitt jag vet'? Enten er alt vel med familien min, eller så er ikke alt vel.

Hvorfor kunne hun ikke gi meg en mer presis melding? Faen ta dette 'saa vitt'! Jeg får telle til hundre og tenke meg om.

100. Jeg tror jeg skylder tante Olga en unnskyldning. Elverum ble jo bombet lenge før Rena ble det. Olga kan ha blitt fraktet over grensa veldig raskt. Kanskje i en Røde Kors-transport. Svensk ambulansehjelp til det bombede Elverum? Så har Olga ligget på sykehuset i Karlstad. Der har hun fått annenhånds informasjon om familien min. Kanskje av Bertrand Didrichsen, som sikkert dro inn til Rena etter å ha vært evakuert i koia under bombardementet. En herremann som Didrichsen liker å ha full oversikt. Han har sikkert tatt rede på hvem de døde i Rena var, og funnet ut at hans politiske erkefiende Paul Skramstad og hans familie ikke var blant dem. Da Didrichsen kom til Karlstad, har tante Olga spurt ham om nytt fra Rena. Alle fra Elverum til Røros kjenner til skogsbaron Didrichsen på Rena.

Men tante Olga – skeptisk som hun alltid er – har skrevet 'saa vitt jag vet' fordi hun har tenkt at hun ikke kan stole hundre prosent på Didrichsen. Det gjør hun i så fall klokt i. Bertrand er ikke like spik, spenna gæren som broder Rudolf, men også Bertrand Didrichsen har av og til et underlig forhold til fakta.

En gang hadde vi, på dårlig seinvinterføre med brånende snø under sledemeiene, kjørt ned et tjuetall tylfter tømmer fra en teig ved Paradissetra til opplagsplassen for fløting i Glomma ved Nordby. Da kom Didrichsen anstigende iført den fjonge ulveskinnspelsen sin og med atskillige drammer under vesten. Han begynte å telle tømmerstokker. Han påsto hardnakket at det bare var elleve stokker i en av tylftene. Det ble en skarp krangel mellom Didrichsen og oss i hoggerlaget. Didrichsen satte seg i Bentley'en sin, den grommeste bilen i Østerdalen, kjørte inn til Rena sentrum og kom tilbake med lensmannsbetjent Paalsrud. Didrichsen ga seg ikke før Paalsrud hadde holdt opptelling og kom til tolv stokker i den tylften vi hadde kranglet om.

Da gikk Simen Brenna bort til Didrichsen og kalte ham en helsikes gjerrigknark og et ufordragelig rasshøl. Det var tøft gjort av hoggeren Simen. Vi andre sa til Paalsrud at han fikk ta seg på tak og arrestere Didrichsen for fyllekjøring. Da ble Paalsrud bleik. Det er jo gjerne slik at storkara slipper unna med det meste. Paalsrud satte seg bak rattet i Bentley'en med Didrichsen som passasjer, og kjørte av gårde. Vi hørte aldri noe om at Didrichsen var blitt dømt for å ha kjørt med promille.

Nå ligger Didrichsen i Karlstad og har kanskje fått skutt bort hele rasshullet sitt. Jeg burde føle medlidenhet selv med en riking som ham, men kan ikke annet enn fryde meg over at han av sin egen bror blir frarøvet sitt lille imperium.

Båsen kommer til å gi meg en dragelse for at jeg har tøyd tre-kaffen til over klokka fire. Det får stå sin prøve. Krigen har gjort Båsen til en bedre mann, men han er stadig seg sjøl lik. Han sier 'opprettholde' når han mener 'oppholde'. I går da Flemming fra Fyn og jeg hadde rigget proviantbommen litt annerledes enn vanlig, kom Båsen og ropte: 'Vi skal faen ikke ha noe ekskrement her, karer!' Han mente eksperiment.

Det har hendt flere ganger når vi har hatt røyke- eller kaffepauser fra all drittjobbinga i lasterommene at jeg har kastet misunnelige blikk opp på kranførerne. Der sitter de høyt og fritt i kranhusene med store vinduer, har overblikk over alt som skjer, og utsikt over hele Sydneys indre havn. De behøver ikke skrubbe vekk halvråtten kopra eller børste inngrodd gravrust. Det er ingen som kommanderer dem hit og dit. En kranfører er sin egen herre.

Jeg må be Nyhus om en liten times fri i morgen for å gå i land og sende et telegram til tante Olga og ønske henne god bedring. Håper hun ikke får varige men.»

På kaia i Darling Harbour parkerer lastebiler søkklastet med store, grå, firkantede ullballer. Havnearbeiderne som begynner å laste de kompakte ballene om bord i *Tomar,* kan fortelle mannskapet at ulla skal til Liverpool i England.

Båsen blir om formiddagen torsdag 23. mai innkalt til møte i det uformelle skipsrådet. Om kvelden er det samling i skipsgruppa av Union. Oppmøtet er skralt. Mange av mannskapet er i land på første sjappa for å ta seg en øl, eller oppe på King's Cross.

Båsen sier: «Dere har sikkert hørt byssetelegrammet om at vi skal til Liverpool. Det stemmer. Kaptein Nilsen kunne fortelle at vi er bestemt for byen ved Mersey for å losse tinnet, gummien og ulla der. Men før det skal vi laste et parti huder i Buenos Aires i Argentina og et parti kaffe i Santos i Brasil. Dette betyr at vi skal seile østover herfra til Kapp Horn. Det blir et langt strekk, tvers over hele Stillehavet.»

«Hva med konvoiering når vi kommer til Atlanteren?» spør Åge.

«Får vi noen form for bevæpning?» spør Erasmus Montanus.

«Roy og jeg spurte skipperen om begge deler,» svarer Båsen. «Roy kan sikkert svare bedre på dette med konvoier enn jeg kan.»

Gnisten retter på brillene og sier: «Konvoisystemene til de allierte er omgitt av mye hemmelighetskremmeri. Kapteinen håper på mer informasjon når vi kommer til Sør-Amerika. Slik jeg vurderer det ut fra det jeg har fanget opp i eteren, er det noen sannsynlige, planlagte konvoiruter som vi kanskje kan komme til å følge i Atlanteren. Vi kan eventuelt seile fra Brasil opp til Trinidad for konvoi derfra. Eller enda lenger nord, til New York eller Halifax i Canada. En annen mulighet er at vi krysser over fra Brasil til Afrika og får konvoi fra for eksempel Freetown i Sierra Leone, som er britisk koloni. Kan hende setter vi kursen for Gibraltar. Det er et logisk utgangspunkt for konvoier til Storbritannia.»

«Men alt dette er altså i det blå?» sier Flise-Guri.

«Ja, det kan du godt si,» svarer Gnisten. «Enden på visa kan bli at vi seiler som såkalt 'independent ship' hele veien fra Santos til Liverpool.»

«Og da har vi bare Kragen å bite fra oss med?» sier smører Helge.

«Nei,» svarer Båsen. «Vi får et maskingevær om bord i morra. Det er en gammal gønner som ble brukt av australske soldater under ørkenkampene i Sinai og Palestina under Den store krigen. Det skal likevel være et brukbart våpen. Annenmaskinisten, nordlendingen, han fra Mo i Rana, Storei...»

«Steiro,» sier motormann Smaage. «Trond Viktor Steiro.»

«Steiro har vært og sett på maskingeværet,» sier Båsen. «Han har erfaring som artillerist i Marinen og mener at gønneren er all right som lett luftvernskyts. Roy, du kan fortelle detaljene.»

«Det er egentlig en fin liten historie,» sier Gnisten. «Kaptein Nilsen oppsøkte generalkonsul Hjalmar Hafstad for å spørre om muligheten for å skaffe skyts til *Tomar*. Hafstad er medlem i samme herreklubb som en oberst Williamson, som er sjef for ei militæravdeling i Paddington her i Sydney. Jeg tror styrken heter Light Horse Regiment, hvis det ikke er Light Horse Brigade. Konsul Hafstad og kapteinen vår fikk med seg maskinist Steiro og oppsøkte oberst Williamson. De tre nordmennene greide etter mye palaver å tigge til seg et maskingevær fra oberstens lager. Det er av typen Hotchkiss, produsert i Storbritannia. Obersten lovet også å skaffe en god del ammunisjon. Ifølge Steiro er det ikke akkurat noen kanon vi får. Våpenet veier bare noenogtjue kilo, og kulene er på størrelse med dem som brukes i grovkalibrede jaktgeværer. Men denne Hotchkiss'en kan fyre av fire hundre runder i minuttet og har en rekkevidde på et par–tre kilometer. Folk fra Light Horse kommer om bord i morgen for å montere maskingeværet og gi oss instrukser om bruken av det.»

Halvor har lyst til å ta ordet. Han husker noe om Hotchkiss som han leste i et ukeblad, det må ha vært Teknisk Ukeblad. Men han vil ikke legge en demper på stemninga, så han holder munn.

Båsen sier: «Denne Scotchkiss'en vil bli satt opp på babord bruving. Det skal lages et vern av sandsekker og grove planker rundt maskingeværet. En slags binge. Vi slipper å gjøre det. Vi slipper å gjøre noe som helst i morra. Kaptein Nilsen har gitt alle mann fredagen som fridag før vi drar fra Sydney lørdag. Skipperen har bestilt folk fra land både for å stemple ull-lasta og bygge bingen rundt Kisscotch'en. Roy, du kan fortelle om utflukten.»

Gnisten tar ordet: «Konsul Hafstad og hans svenske kollega Söderblom har arrangert en utflukt for oss i morgen. Vi skal reise med buss til et sted som heter Parramatta, vest for Sydney. I landlige omgivelser ligger en country club med fotballbane. Der skal vi spille en match mot et lag fra svenske M/S *Kronprinsessan Margareta**. Etter kampen blir det servering av grillmat, pølser og øl. Hele greia er gratis for oss og tas på generalkonsulatets regning.»

«Det er frivillig å dra på turen,» sier Båsen. «*Sessan* er en gammal traver i Rederiaktiebolaget Nordstjernan, bedre kjent som Johnson Line. Hun har i årevis seilt i La Plata-linja til Johnson. Det må være krigen som har brakt henne hit til Australia. Jeg vil advare dere, gutter. Johnson Lines båter pleier å ha kanonlag i fotball. *Tomar* har aldri vært noen fotballbåt. Vi har ikke engang drakter og fotballstøvler her om bord. Jeg reiser ikke ut til Marrapatta for å spille i underbuksa og la meg slå gul og blå av svenskene fra *Sessan*. Jeg greier meg fint uten grilla pølser, og blir her i byen for å få meg ei skikkelig rotbløyte før vi skal ut på langfart.»

Dekksgutt Harald sier at han gjerne vil ha plassen venstre back slik han hadde på guttelaget til Vard hjemme i Haugesund. Han spør om hva de skal spille i når de ikke har drakter og støvler.

Gnisten sier at dette er ordnet av en miss Corrick på konsulatet. Hun har fått låne fotballtøy og støvler i forskjellige størrelser av en klubb i St. Leonards.

«Så har vi en mer alvorlig sak til slutt,» sier Båsen. «Motormann Eivind Stokkan har bedt om avmønstring her i Sydney.»

Alles blikk rettes mot Stokkan, som rødmer og ser ned i bordplata.

«Jeg har gjort meg opp ei mening i denne saken,» sier Båsen. «Skipperen er gæren som ei fele og nekter plent å gi Stokkan avmønstring. Jeg mener at vi som skipsgruppe skal gi Stokkan vår fulle støtte. Han kommer fra enkle kår på Hitra der familien har et lite bruk med seks sauer. Nå har han muligheten til å overta en farm her nede fra en onkel som er gammal ungkar. Den farmen har *seks hundre* sauer. Det er Stokkans store sjanse her i livet. Vi skal ikke være en bande kjipe jævler og nekte ham den sjansen. Forklar gutta hvor farmen ligger, Stokkan.»

«Ved Burra i South Australia,» svarer Stokkan.

«Det skal være et av landets beste sauedistrikter,» sier Båsen. «Skulle Stokkan få lyst til å se saltvann og båter, er det ikke langt fra Burra til den store havnebyen Daddelaide.»

Motormann Smaage kremter, og Halvor er sikker på at han vil ta ordet for å korrigere Båsen og si at byen heter Adelaide. Men det Smaage sier, er at han er prinsipiell motstander av å gi noen avmønstring fra et norsk skip nå som Norge er i krig.

«I ein krig skal det vera alle for ein og ein for alle,» sier Smaage.

«Ja vel,» sier Båsen. «Da stiller vi oss ein for alle bakom Stokkan. Vi tar ingen stor rabatt om dette. Der stemmes. De som støtter Stokkans krav om avmønstring, forholder seg rolige. De som støtter despoten kaptein Nilsen og vil nekte Stokkan seks hundre sauer, viser det ved håndsopprekning.»

Folk sitter stille. Bare Smaage rekker en finger i været og sier at han stemmer avholdende.

Halvor fører avstemningsresultatet inn i sekretærprotokollen sin.

Smører Helge spør Gnisten om han har hørt noe nytt om Le Havre.

«Sorry, Hvasser,» sier Gnisten. «Jeg har vært opptatt med papirarbeid for kapteinen i hele dag og har ikke fått fulgt med på nyhetssendingene. Har tyskerne gått til angrep på Le Havre?»

«Ikke med bakkestyrker,» svarer Helge. «Men tyske fly peprer Le Havre med miner. Ifølge en fransk stasjon jeg får inn på kortbølgen på radioen i salongen, har tyskerne sluppet drøssevis av miner ned på kanalen fra Seinen til Le Havre. Dette skal være den nye typen magnetiske miner. Bare skip som har degaussing, får lov til å seile fra Le Havre. Mange skip ligger innesperra, og det fryktes at tyskerne vil bombe disse skipene, havna og byen.»

«Jeg vet at du har dama di der,» sier Gnisten. «Jeg skal gå rett opp i radiorommet og lytte etter nyheter om Le Havre.»

Etter møtet har Geir Ole og Halvor vandret opp til King's Cross, som ligger et par kilometer øst for selve sentrum i Sydney. De har gått inn i en stor bygning, gammel til å være i den moderne byen Sydney, i Bayswater Road nummer 24. Det er ikke noe skilt på bygningen som viser hva den inneholder, og de vet ikke navnet på den halvmørke baren de sitter i. Men det er ingen tvil om hva slags hus de er i.

De sitter med hvert sitt glass øl og har sagt nei til å spandere champagne på flere damer som har kommet til bordet deres og budt seg fram.

En blond gutt på deres egen alder kommer og spør på svensk om han får slå seg ned ved bordet. Han presenterer seg som Göran, lettmatros om bord i Johnson Lines M/s *Kronprinsessan Margareta*.

«Vi kommer fra Wilhelmsens *Tomar*,» sier Halvor. «Vi skal spille fotballkamp mot dere ute i Parramatta i morgen.»

Göran sier at han gleder seg til matchen, og lover nordmennene trøbbel. *Sessan* spilte sist søndag mot et lag fra det italienske passasjerskipet *Boccherini*. Selv om italieneren har fem ganger så stort mannskap som *Sessan* og dermed mange flere spiller å velge mellom, ble resultatet 2–2. Spesielt må nordmennene se opp for *Sessans* senterforward, Hasse Eriksson. Han blir bare kalt for «Expressen från Hudiksvall» og spilte på det svenske juniorlandslaget før han dro til sjøs. Selv spiller Göran høyre back. Han er villig til å vedde fem australske pund på at ingen nordmann vil greie å komme rundt ham.

Halvor vil ikke vedde, men Geir Ole satser fem pund.

Göran spør om hva nordmennene synes om damene i etablissementet.

«De virker slitne,» sier Halvor. «Ingen av dem er helt unge, og noen av dem ser rett og slett herja ut. De minner om horene i havnebyer ved Nordsjøen.»

Göran nikker. Han spør om hva unger kaller skit i Norge.

«Bæsj,» svarer Geir Ole.

Göran sier at på svensk heter det «bajs». De er nå i Bayswater Road, og det er virkelig Bajsvatten Road.

Alle tre ler en god stund av dette.

Så blir Göran alvorlig og spør om nordmennene vet at også den svenske handelsflåten har hatt tap av skip som følge av tysk torpedering.

«Vi har hørt om *Santos**, som ble torpedert i vinter,» svarer Halvor.

Santos var elleve år yngre enn *Sessan* og ikke bygd av Burmcistcr & Wain i København slik *Sessan* er, men på Kockums i Malmö. De to skipene var bygd over samme lest, og ingen kunne se at det ene var fra 1914 og det andre fra 1925. Begge hadde moderne linjer, og ingen overbygning midtskips, men langt akterut. *Santos* var på vei hjem til Göteborg med stykkgods fra Buenos Aires og Bahia i Brasil. Om bord var de seks overlevende fra den gamle svenske damperen *Liana**, som var blitt torpedert av en tysk ubåt den 16. februar.

«Min vän Jonas var eldare om bord på ångaren *Liana*,» sier Göran.

Görans barndomsvenn fra Södertälje, fyrbøteren Jonas, var blant de overlevende fra *Liana* som var blitt reddet av *Santos*. Men hva skjer? Klokka ni om kvelden den 24. februar stevner Johnson Line-skipet fra det nøytrale landet Sverige over Nordsjøen etter å ha anløpt Kirkwall på Orknøyene. *Santos* blir torpedert av det som etter alt å dømme må være en tysk ubåt. Det svenske skipet synker raskt. Av de 43 om bord omkommer 31. Dagen etter forliset blir de tolv overlevende fra *Santos* funnet av den britiske jageren HMS *Gallant* femti nautiske mil øst for Duncansby Head, lengst nordøst i Skottland. *Gallant* setter kursen sørover mot Invergordon ved Cromarty Firth. I Invergordon kan de tolv sette foten på den trygge landjorda. Jonas er ikke blant dem. Han er en av de overlevende fra *Liana* som har gått ned med *Santos*. To ganger i løpet av åtte dager ble han torpedert av tyskerne, og den andre gangen døde han.

«Vilken jävla otur,» sier Göran.

Halvor bestemmer seg for å gi seg etter to øl.

De tre skandinavene skåler for at *Sessan* og *Tomar* er bygd på samme verft i Kongens by.

Göran forteller at tyskernes torpedering av *Liana* og *Santos* fikk store overskrifter i svenske aviser. Svenske myndigheter krevde å få ei forklaring fra Berlin. Kaptein Günther Lorentz på *U-63* som senket *Santos,* fortalte at han i kveldsmørket tok det svenske skipet for å være britisk.

En blondine som har sett bedre dager, og antakelig har hatt en annen farge på håret i de gode dagene, slår seg ned ved bordet. Hun legger sin elsk på Geir Ole. Han får Halvor til å si til henne på eng-elsk at han ikke har råd til å spandere champagne.

«That's too bad,» sier blondinen. «But your friend can afford a quick fuck, can't he?»

«Ka ho sa?» spør Geir Ole.

Halvor forteller det.

«Æ vil nu ha mæ et hall med ho,» sier Geir Ole.

«Et hall?» sier Halvor.

Geir Ole sier at et hall er det nummeret fiskerne i Vesterålen og Lofoten må ha seg før de stikker ut på lengre turer, for å sikre seg fiskelykke.

Halvor har lyst til å si til Geir Ole at dama han vil gå med, ser ut som hun er gammel nok til å være mora hans. Men han sier det ikke. For sin egen del føler han ingen fristelse. Han er sikker på at det horene på King's Cross kan gi ham, absolutt ikke kan måle seg mot det han fikk av Tae i Siam. Han kan leve lenge på minnet om henne.

Göran og Halvor bryter opp samtidig.

Ute i Bajsvatten Road skilles deres veier under neonlysene fra barenes reklameskilt. Göran skal gå østover til Woolloomooloo, der *Sessan* ligger. Halvor styrer skrittene sine mot Darling Harbour.

Mens han vandrer gjennom Sydneys gater, tenker Halvor på hvor mange ord i det svenske språket som klinger bedre enn norske ord. Han ville heller vært eldare på en ångare enn fyrbøter på en dampbåt.

Annenstyrmann Johan Granli har – slik Halvor har lært ham å kjenne – vist seg å være en mann med mange gode egenskaper. Men som høyre back på et fotballag, er Granli helt ubrukelig. Expressen från Hudiksvall har brukt ham som rundingsbøye på mange av raidene sine mot målet som Halvor vokter. Det hender at Granli får tak i ballen, men han har ikke balltekke og mister straks den gråbrune lærkula igjen. Sigurd Hemmingsen må da tre støttende til fra sin posisjon som senterhalf, den samme posisjonen som han hadde i Liull.

Det har gått skeis for *Tomar*-laget ute i Parramatta. Ved pause etter en halvtimes spill leder *Sessan*-laget 4–0. Svenskene stiller i gule bukser og blå trøyer. Disse fargene er ikke bare svenska flaggans, de er også Johnson Lines.

Expressen från Hudiksvall har scoret hat trick. På de to første scoringene hans var Halvor sjanseløs. Den ene ble klint inn oppe i krysset, den andre nede ved stolperota. Den tredje burde Halvor ha avverget. Skuddet kom midt på mål. Det var hardt, og han prøvde å bokse ballen ut. Det var mislykka. Ballen spratt inn i goalen.

Det fjerde målet kom på en straffe tatt av Göran etter at Granli i frustrasjon hadde begått en viljehands innenfor egen sekstenmeter. En bedre keeper enn Halvor ville nok ha tatt Görans straffe, som var ei daff lompe. Halvor vet godt at han ikke er noen fantom-keeper. Han ba om å få stå i mål fordi han er plaget av gnagsårene på begge hælene. Det han ikke tenkte på, var at han har vondt i høyre hånds ringfinger, der den fordømte wireflisa han fikk under fortøyninga sitter. Tross iherdige forsøk har han ikke greid å pirke ut flisa. Det var for å unngå å bli truffet i den vonde fingeren at han foretok den kiønete utboksinga som ga svenskene 3–0.

Lyspunktet på *Tomar*s lag har vært dekksgutt Harald Ottesen. Han som ellers er så treig i vendinga, er kjapp som et olja lyn og har som venstre back full kontroll med svenskene som prøver å angripe på hans side. Halvor tenker at selv om Harald kommer fra sjøfarts-byen Haugesund, kan det jo hende at han trives bedre på grønt gras enn på blått hav.

Grasmatta i Parramatta er meget fin. Banen er på alle kanter omgitt av himmelhøye eukalyptustrær. Dette treslaget er særegent for Australia. Noen få arter vokser ifølge Granli på Ny Guinea og Sundaøyene. Alle andre steder i verden hvor eukalyptustrær fore-kommer, er de plantet.

Da Halvor første gang så eukalyptustrærne ved fotballbanen, syntes han at de så usunne ut. Barken på de veldige trestammene var flasset av og hang i laser. Granli sa at barken på eukalyptus skal være slik. Han pekte på det frodiggrønne bladverket i trekronene og sa at trærne var friske og fine. På spørsmål fra Erasmus Monta-nus om eukalyptus er verdens høyeste treslag, svarte Granli at det er målt opp mot hundre meter høye eukalyptuser flere steder i Aus-tralia.

«Disse gigantene blir slått av de høyeste redwoodtrærne i USA,» sa Granli. «Redwood er blitt målt til godt over hundre meter.»

I skyggen fra trærne har graset på banen vokst seg mørkegrønt og fint. Temperaturen er behagelig, atten grader. Man burde fryde seg over å gå utpå og spille andre omgang under slike fine forhold, men Halvor gruer seg.

I siste lita beordrer kaptein Ivar Nilsen, etter å ha rådført seg med tredjestyrmann Dagfinn Kvalbein, endringer på *Tomars* lag. Han vil at Harald skal være frimerke på den svenske tremålsscoreren. Granli får beskjed om å gå ut, og aksepterer denne beskjeden med glede. Inn på hans plass går motormann Pablo Ortega. Han har sagt at han ikke kan spille på grunn av en inngrodd stortånegl.

Granli sier: «Selv om *alle* tåneglene dine er inngrodd, vil du spille bedre enn meg, Pablo.»

Jungmann Flemming Stenkjær, populært kalt Flemming fra Fyn, blir flyttet fra høyre til venstre ving, mens smører Rasmus Jondal, bedre kjent som Erasmus Montanus, flyttes motsatt vei. Lettmatros Geir Ole Gaukvær opptrer med et stort sugemerke på høyre side av halsen. I jobben som venstre half har han vært temmelig rusten. Brukbar defensivt, men ingen offensiv kraft. Han erstattes av en virkelig senior, førti år gamle tredjemaskinist Sigvard Otto Hansen fra Skoppum ved Horten, om bord bare kjent som Dotto. Han spilte i sin tid så godt på Ørn i Horten at han reiste ned for å bli profesjonell i Italia. Som Italia-proff hadde han tenkt å ta navnet Sigvar Dotto. Dette ble han advart mot da han kom til Torino, siden «dotto» på italiensk betyr lærd person, og nordmannen ikke framsto som spesielt lærd. Han sto på sitt, og som Dotto gikk han inn som venstre half på Juventus. Det var riktignok på reservelaget. Men hvor mange nordmenn kan skryte av å ha spilt på B-laget til Juventus?

Halvor forteller Trean om wireflisen i fingeren, og ber om å bli byttet ut.

«Vi har ingen annen å sette i mål,» sier Trean.

«Kan dere ikke prøve Cheng?» sier Halvor.

Cheng blir spurt.

«Me very old,» svarer han.

«You are not older than engineer Dotto,» sier Trean.

Men Cheng lar seg ikke overtale.

Med Harald hengende på seg som en klegg, er ikke Expressen från Hudiksvall så slagkraftig lenger. Etter fem minutter av andre omgang velger han å skyte fra langt hold, før han får Harald i beina. Skuddet er en real suser. Med høyre hånd får Halvor slått ballen over tverrliggeren. Han kjenner en stikkende smerte i ringfingeren, og så hører han at ballen klasker inn i et av trærne bak mål.

Halvveis blindet av smerten går Halvor bak mål for å hente ballen. Han liker seg ikke der han vasser i nedfallslauvet fra eukalyptustrærne. Det rasler i de tørre, læraktige bladene.

Kan hende det er nettopp i slikt lauv at slangen som kan drepe tolv okser med ett bitt, liker å skjule seg?

Med øynene fulle av tårer greier ikke Halvor å få øye på noen ball.

Jo, der er den, borte ved en av trestammene.

Halvor griper ballen og løfter den opp. Hva faen? Den spreller! Den har bein og store øyne og svart snute. Det han har funnet, må være et trekkoppdyr som noen unger har mista. En mekanisk teddybjørn med gråbrun pels. Men dyret er varmt, og det har klør som krafser ham på hendene, som heldigvis er beskyttet av keeperhanskene.

«Granli!» roper Halvor. «Kan du komme bort hit og se på en pussig liten bjørn?»

Granli kommer, fulgt av Geir Ole.

«En koala,» sier Granli. «Du har funnet en pungbjørn, Skramstad.»

Geir Ole spør om den lille bjørnen er spiselig.

«Det er den nok,» svarer Granli. «Men jeg ville ikke likt å bli tatt på fersken av australienere mens jeg slakter og parterer en koalabjørn. Så vidt jeg vet, er koalaen totalfredet i mesteparten av det østre Australia, som er det eneste stedet i verden hvor den forekommer. Nest etter kenguru er koala landets nasjonaldyr, og for mange er den reine helligdommen, akkurat som kuene i India.»

Både svensker og nordmenn kommer strømmende til for å se på dyret.

«La oss ikke skremme vettet av koalaen,» sier Granli. «Disse dyra holder seg i trærne og kommer sjelden eller aldri ned på bakken. Denne her må ha blitt truffet eller skremt av ballen vår og ramla ned. Etter størrelsen å dømme er det en halvvoksen unge. Ta og plasser den på treet, Skramstad.»

Halvor prøver å få bjørneungen til å gripe fast i trestammen. Den tar noen glipptak i barktjafsene, men så får klørne tak. Han gir den et dytt i baken, og den klyver langsomt oppover.

Halvor viser den skadde fingeren sin til kapteinen og Trean. Det pipler blod og litt puss fra såret.

Messemann Cheng Cheng-kung overtar keeperhanskene og stiller seg i buret.

Pingpongmesteren fra Macao viser seg å være den reine akrobaten mellom stengene. Han slenger seg høyt og lavt og plukker langskuddene til Expressen från Hudiksvall.

Et langt utspark fra Cheng havner hos Flemming fra Fyn. Han runder backen Göran og skyter i mål fra kloss hold.

Maskinist Dotto viser at han kanskje burde vært funnet verdig en plass på A-laget til Juventus. Fra egen banehalvdel rykker han framover, dribler bort alt som finnes av svensker, og lobber ballen over keeper, som står langt ute.

Etter kampen, som ender med 4–2 til *Sessan*, oppstår en voldsom krangel mellom lettmatrosene Geir Ole og Göran. Geir Ole mener han har krav på de fem pundene han satte på at Göran kom til å bli rundet. Göran står på at veddemålet gikk ut på at han ikke ville bli rundet av en *nordmann*. Han har fått rede på at jungmann Stenkjær er dansk.

Flere av mannskapene fra *Sessan* og *Tomar* blander seg i diskusjonen. Stemninga blir så amper at det ser ut som det kan bryte ut håndgemeng.

Kaptein Nilsen roper at han og kaptein Bo Gustafsson har nedsatt seg selv som en hurtigarbeidende komité for å avgjøre tvistespørsmålet. Begge skipperne er godt fyrt etter å ha skjenket seg en god del grogg under andre omgang. Etter ett minutts drøftelse avgir komiteen en salomonisk dom: Lettmatros Lindblom må betale to og et halvt australske pund til lettmatros Gaukvær.

I bussen på vei tilbake til Darling Harbour etter kampen og grillpartyet roper kaptein Nilsen: «Ja ja, karer, vi vant i alle fall den andre omgangen. Og vi ble ikke karnøflet av svenskene.»

«Hva faen betyr det å bli 'karnøflet'?» roper Hemmingsen.

«Å få juling,» svarer kapteinen. «Å bli senket.»

Kapittel 33

Lørdag den 25. mai om formiddagen er *Tomar* klar til avgang fra Sydney. Sjøvaktene blir satt.

Halvor står til rors under Harbour Bridge.

Det er rart å tenke på at han nå legger et land bak seg der han kunne ha stukket av fra båten og blitt eier av ei lita gruve i villmarka.

De kvitter losen ved South Head og får straks kontrari vind ute i Tasmanhavet. Kursen blir satt nord om New Zealand.

Halvor går på utkikk på bruvingen. Han kaster et siste blikk inn mot Australias kyst, som forsvinner i kiminga. Så vender han nesa framover og nyter den friske motbøren, en liten kuling. Det kjennes godt, aldeles utmerket, å være på havet igjen. Han er glad for at han ikke sitter i et gruvehøl og hakker kalkstein.

Fingeren med wireflisa i plager ham. Såret som han slo opp under fotballkampen, ser ut til å ha grodd. Han har godt grokjøtt. Men det verker i de to ytterste fingerleddene.

Til middag er det fisk, og den er fersk, for en gangs skyld. Stuert Dyrkorn har tatt seg på tak og kjøpt et parti av et fiskeslag som minner om rødspette, selv om den ikke er flyndreflat.

Erasmus Montanus bemerker at motormann Stokkan, som kommer fra en familie av fiskerbønder og elsker ferskfisk, ikke stiller til middag.

Båsen reiser seg og sier: «Eivind Stokkan er ikke om bord lenger. Han gikk i land i Sydney.»

«Rømte han?» spør Hemmingsen. «Eller fikk han avmønstring, selv om skipperen mener at å mønstre av er landsforræderi?»

«Jeg vet svaret på spørsmålet, men kan ikke si det,» sier Båsen. «Saken er den at jeg som skipstillitsmann har forplikta meg til ikke å røpe noe om Stokkans landgang.»

Motormann Smaage reiser seg og roper at folk har krav på å få vite hva som har skjedd.

366

«Jeg har inngått en gentlemen's agreement med sjefa våre,» sier Båsen. «Kapteinen, styrmann Granli, maskinsjef Vadheim, motormann Stokkan og jeg forhandla oss seint i går kveld fram til ei løsning. Den løsninga ble vi enige om å holde tett om.»

«Ka slags forbanna maskepi er dette?» roper Smaage.

For en gangs skyld er Halvor enig med Smaage. Han synes ikke det lukter bra av en sånn hemmelig avtale.

«Vi er i krig,» sier Båsen. «I krigstid gjelder need-to-know-prinsippet. Alle om bord kan ikke vite om alt som foregår. Som tillitsmann må jeg ha adgang til en del informasjon som ikke blir gitt til kleti og preti.»

«Nå gjør du deg jævla mye mer important enn du i virkeligheten er,» sier Hemmingsen. «Det kler deg dårlig, Båsen.»

«Jeg gir da vel jamnt faen i hva som *kler* meg,» sier Båsen og forlater messa, rød i toppen.

I løpet av ettermiddagen lekker det litt herfra og derfra om hva som skjedde da Stokkan fikk gå i land, og Halvor kan danne seg et bilde av det.

Kaptein Nilsen blånektet å gi Stokkan avmønstring.

Stokkan sa at han ikke aktet å rømme. Han ville ikke gå i land som papirløs rømling og kanskje bli arrestert som tysk spion.

Kapteinen sa at Stokkans pass og sjøfartsbok ville bli liggende innelåst i Gnistens safe til dommedag.

Båsen føyk opp i drittsinne.

Det var da Granli, som hadde tatt initiativ til møtet, sa at han som medisinsk ansvarlig om bord ville insistere på at Stokkan fikk sykeavmønstring på grunn av en kronisk ørebetennelse. Granli hevdet at det ville være akutt fare for forverring av betennelsen i det kalde farvannet ved Kapp Horn.

Chief Vadheim sa at han ikke ville ta ansvaret for å seile med en syk mann i maskinrommet.

Kapteinen grep det halmstrået Granli hadde gitt ham. Stokkan fikk sykeavmønstring og pakket suitcasen sin i hui og hast. Med pass, sjøfartsbok og tilgodehavende hyre i australske pund i jakkelomma stakk han i land i Darling Harbour for å begi seg til Central Station og ta nattoget til Adelaide.

Nattoget til Adelaide går ikke fra Sydney ved midnatt. Det har avgang først nå, lørdag ettermiddag. Men Halvor skjønner hvorfor Stokkan stormet i land. Han ville heller overnatte på en benk på jernbanestasjonen enn å ta sjansen på å bli om bord og risikere at kaptein Nilsen ombestemte seg.

Halvor ser på klokka si. Den viser at det er fem minutter igjen til tre-kaffen. Klokka er 2.55 PM, som de sier i England og Australia. Akkurat i dette øyeblikk ruller The India Pacific Train ut fra Central Station for å følge Great Southern Railway til Adelaide. Dit tar det 24 timer. Stokkan får ei overnatting underveis. Han har nok spandert på seg ei køye om bord i toget. For han er jo i ferd med å bli en ganske rik mann med seks hundre sauer.

Fra Adelaide vil toget tøffe videre på det endeløse strekket til Perth ved Det indiske hav.

Halvor legger fra seg malerkosten. Han jobber med overtidsarbeid på båtdekket på det aktre midtskipet. Gråmalinga de fikk i Aden, var ikke av beste kvalitet, den var noe tyntflytende skval. Denne malinga flaker allerede av mange steder, og han flekker over med seigere Admiralty grey som de har fått om bord i Sydney. Herregud, så lei han er av denne gråmalinga.

Grått er skipet blitt, fra bakk til poop, fra vannlinje til mastetopper, for å være mindre synlig på havet i krigstid. Til og med ankrene og livbåtene er nå blitt malt grå. Når de kommer ned i de tunge, grå dønningene mellom New Zealand og Kapp Horn, vil *Tomar* gå i ett med havet.

Grått er tristhetens farge, og gråmalt er ikke *Tomar* lenger ei så munter skute som hun var.

Under kaffepausen er det mye snakk om ørebetennelsen til Stokkan. Den kan ikke være verdens verste, for ingen av sotenglene har på månedsvis hørt ham klage over vondt i ørene. En gang nevnte han at han hadde øreverk, men det var oppe i Nordsjøen for to turer siden.

Tirsdag den 28. mai, midt ute på Tasmanhavet i stiv kuling fra øst, kommer Gnisten til frokosten i mannskapsmessa for å orientere om krigssituasjonen.

«Bodø er hardt bombet av tyskerne,» sier Gnisten. «Det har vært flere mindre raid mot byen. Denne gangen var det alvor. En sveit på minst femten tyske fly sirklet over byen i drøye to timer i går kveld, norsk tid. De slapp et par hundre sprengbomber og kanskje så mye som tusen brannbomber. Mesteparten av Bodø er lagt i grus og aske.»

Geir Ole roper at Bodø er verdens peneste by. Han begynner å snøfte og gråte helt uhemmet i alles påsyn.

Han får tørket snørr og tårer, og forteller at han har ei tante fra Nykvåg hjemme i Vesterålen – ho Jemima, Jemima Jakobsen – som sitter i fylkestinget for Venstre. Og Bodø er fylkeshovedstaden i Nordland. Der møtes fylkestinget.

«Jeg tror ikke du behøver være så redd for tanta di,» sier Gnisten. «Fylkestinget samles neppe nå som det er krig. Det er jo bare så vidt det som er igjen av landet vårt, får samlet regjeringa. Bombardementet av Bodø høres ut til å være blant de voldsomste tyskerne har utført i Norge. Skadene muligens større enn i de byene som er verst rammet til nå, Kristiansund og Steinkjer. Ikke spør meg om hvor mange drepte det er i Bodø, for det vet jeg ikke.»

«Hvorfor akkurat Bodø?» spør Flise-Guri. «Sier nyhetsmeldingene noe om det?»

«Nei,» svarer Gnisten. «Det kan ganske enkelt være tysk terrorbombing for å skremme folk i Nord-Norge til underkastelse. Men jeg vil tro at det er en tysk advarsel til de allierte troppene på Narvik-fronten. Tyskerne vil vise at de er i stand til å foreta voldsomme bomberaid også nord for Polarsirkelen.»

Matros Rønning spør om framgangen ved Narvik fortsetter for general Fleischer.

«Ja,» svarer Gnisten. «Det ser ut til at våre styrker og de allierte står på terskelen til Narvik by. Og det er det eneste gledelige som skjer i denne krigen. I går begynte britene å evakuere tropper fra Belgia og Nord-Frankrike ut via byen Dunkirk, eller Dunkerque, som den heter på fransk. Byen ligger ...»

«Du behøver ikke forklare meg hvor Dunkirk ligger,» sier Båsen. «Jeg har vært i Dunkirk flere ganger enn du har pult, Roy.»

Gnisten ler og sier at det vel ikke er mange om bord som er like bevandret i havnegeografi som Georg.

Georg? tenker Halvor. Hvem pokker er Georg? Å ja, det er Båsen. Rart hvordan man glemmer det virkelige navnet til en som har et så solid etablert oppnavn.

«Dunkirk ligger ved Stredet ved Calais – eller Stredet ved Dover, som britene kaller det – like sørvest for grensa mellom Belgia og Frankrike,» sier Gnisten. «Fra engelske byer som Dover, Ramsgate og Folkestone er det satt inn en hel armada av små og store båter som skal prøve å få troppene levende ut fra Dunkirk. Det dreier seg om et par–tre hundre tusen soldater som skal ut av den lille byen og fraktes hjem over det smale stredet. Tyske fly bomber både byen og båtene. Det hele kan komme til å ende med en forferdelig blodig massakre i Dunkirk.»

Folkene i mannskapsmessa lar budskapet om en mulig massakre i Dunkirk synke inn.

Et hankeløst kaffekrus som en eller annen har glemt å plassere på slingreduken, seiler av gårde på grunn av stampesjøen kulingen har pisket opp, og treffer skottet.

Åge plukker opp det uskadde kruset og sier at det er et godt tegn at det ikke knuste.

Motormann Smaage spør Gnisten om det er sant som han har hørt på BBC, at tyskerne har begynt å gi ut sin egen avis i Norge.

«Det er en sånn liten drittnyhet som kan gjøre hvem som helst sur,» sier Gnisten. «For noen dager siden kunne okkupantene stolt kunngjøre at Deutsche Zeitung in Norwegen var kommet med sitt første eksemplar. Dessverre er dette et veldig tydelig tegn på at tyskerne synes de sitter godt og trygt i sadelen i Sør-Norge.»

På vei ut av messa overhører Båsen og Halvor at motormann Eiebakke spør Geir Ole om han vet hvilken bibelsk person tanta hans er oppkalt etter.

«Ho Jemima?» sier Geir Ole. «Ho var kjerringa til han Job som hadde så mange uløkka og tragædia.»

«Feil,» sier Eiebakke. «Jemima var Jobs *datter*, en av de tre døtrene han fikk etter at Herren så i nåde til ham igjen. Disse døtrene var de vakreste pikene i landet der Job bodde. De to andre døtrene het Kesia og Keren-Happuk.»

«Hva het mannen til Keren-Happuk, da?» spør Båsen. «Han het kanskje Slappkuk?»

Eiebakke puster seg opp og sier: «Jeg vil minne deg, Båsen, om at du som tillitsmann bør holde deg for god til å spøke med Bibelens hellige navn. Jeg kunne også ha litt av hvert å si om dagens ungdom, som ikke vet forskjell på mødre og døtre i Bibelen. Men nå må jeg ned i maskinen og gjøre dagens dont.»

Gnisten kommer blidere enn vanlig til messa etter kveldsmaten denne tirsdagen.

«Endelig en virkelig god nyhet,» sier han. «Nå er det bekreftet fra flere hold at Narvik by i dag er blitt gjenerobret av norske soldater og soldater fra den franske Fremmedlegionen.»

Applaus bryter ut.

Hemmingsen roper til Geir Ole: «Kanskje det er håp for fotball-klubben Mjølner likevel!»

«Sorgen og gleden de vandrer tilhobe,» sier Gnisten. «Kong Leopold i Belgia har i dag gitt ordre om militær kapitulasjon. Belgias endelige fall er jo ingen overraskelse for oss. Erobringa av Narvik, derimot, kunne vi ikke forestilt oss for noen uker siden. General Carl Gustav Fleischer er den første allierte generalen som har vunnet en seier i denne krigen.»

Ny applaus.

«Britiske og polske soldater strømmer nå inn i Narvik by,» sier Gnisten. «De allierte har en overlegen styrke på Narvik-fronten. General Dietls styrker er i ferd med å bli presset opp mot grensa til Sverige. Kanskje må Dietl rømme inn i Sverige. Det skal bli interessant å se hvordan svenskene vil ta imot en tysk hær.»

«Seieren i Narvik er virkelig løfterik for Norge,» sier Flise-Guri. «Den vil bli lagt merke til over hele verden. Jeg vil tro at ordet Narvik nå suser ut på alle mulige radiobølger.»

«Det stemmer,» sier Gnisten. «Spanjolene snakker om Narbik, og kineserne om Nalvik. Narvik er på verdens lepper nå. Et spennende perspektiv åpner seg plutselig for Norge som fri og uavhengig nasjon. Kan hende det vil lykkes å etablere et fritt Nord-Norge nord for Ofotfjorden og Vestfjorden, utenfor tyskernes kontroll, med Tromsø som hovedstad og residens for konge og regjering. Da vil vi ha et fritt Norge å seile for, karer.»

Det klappes.

«Æ gler mæ til at søringan må kryp for nordlendingan,» sier Geir Ole.

«Jekk deg ned, Gaukvær,» sier Båsen. «Tyskerne oppe i Bjørnfjell ved Narvik kommer til å slåss som mærra den blinde før de overgir seg eller stikker over grensa.»

«Du har et poeng der, Georg,» sier Gnisten. «Det meldes at tyskerne i Bjørnfjell har fått forsterkninger av fallskjermsoldater. Likevel peker alle indikasjoner på at Narvik er tapt for Hitler.»

Smaage sier at hans store bekymring er at de allierte vil trekke seg ut fra Narvik igjen fordi det går til helvete i Dunkirk, og Frankrike står for tur til å få smake det tyske Panzer.

«Winston Churchill er ein god strateg,» sier Smaage. «Men akkurat no er Churchill på retrett og har ikkje nokon offensiv kraft.»

«Churchill er ikke så feig at han overgir Narvik til tyskerfaen igjen,» sier Hemmingsen.

Halvor skriver i dagboka: «Tasmanhavet, med kurs for North Cape på North Island i New Zealand, onsdag 29. mai kl. 15.30. Førstestyrmann Anton Nyhus var skutas gladeste mann i dag. Det så ut som om han hadde fått vinger da han kom flygende inn i styrhuset mens jeg sto til rors på formiddagsvakta.

Nyhus hadde fått telegram om at kona og ungene hans greide å flykte med en av de siste båtene som gikk fra Belgia. De er nå i sikkerhet i England, i havnebyen Plymouth. Det skal ha vært et norsk skip de kom seg ut med. Siden informasjon om skip er krigshemmelig, vet ikke Nyhus hvilket skip det kan ha vært.

Nyhus fortalte kaptein Nilsen, Trean, Åge og meg noe vi ikke var klar over. Den belgiske kona hans, Rachel, er halvt jødisk. Hun bekjenner seg ikke til jødedommen og har hatt lite kontakt med det jødiske miljøet i Antwerpen, de berømte diamantsliperne. Likevel har Nyhus båret på en stor frykt for at hun ikke skulle komme seg ut av Belgia og kanskje risikere trakassering og overgrep fra nazistene. Også barna, Michael og Gertrude, ville kunne bli utsatt for nazibrutaliteten, siden de er kvart jødiske.

Været stilnet av da vi kom i le av North Island på New Zealand. Kapteinen bestemte at vi skulle ha skyteøvelse med Hotchkissmaskingeværet. Vi kaller bingen det står i, for 'sandkassa'. Skulle vi ha skutt fra sandkassa, måtte vi hatt flygende mål, ballonger eller drager. Noe slikt har vi ikke om bord.

Hotchkiss'en ble derfor flyttet ned på babord båtdekk på det forre midtskipet. Der måtte vi skru fast tripoden geværet står på, med kraftige skruer som lagde stygge hull i det kjære teakdekket til Nyhus. Men dette kunne ikke ødelegge hans store dag.

Vi la bi klokka 14.00. En bunt kasserte livbelter festet til ei line ble kastet ut som målskive. De oransje livbeltene syntes godt der de lå og duppa i den blågrønne sjøen.

Maskinist Steiro åpnet ballet. Han brukte litt tid på å skyte seg inn på målet, men så satte han inn flere treffsalver.

Jeg hadde budt meg fram som prøveskytter. Til å være en som aldri har holdt i et maskingevær, et MG, som Steiro kaller det, må jeg kunne skryte av at jeg greide meg ganske bra. Etter et par bom prikka jeg inn fire salver som satt der de skulle.

Det jeg hadde lest om i Teknisk Ukeblad, og som jeg ikke ville si noe om på møtet, viste seg å stemme. Soldater fra USA som brukte den amerikanske utgaven av Hotchkiss i Europa under Den store krigen, kalte maskingeværet for 'the daylight gun'. Det gjorde de fordi våpenet ofte gikk i stykker, og det var vanskelig å bytte deler i mørket. Det var heller ikke lett å sette inn patronbeltene riktig vei under skyting om nettene.

Selv i dagslys hadde vi en del plunder med å sette inn patronbeltene. Vårt våpen er av typen M 1909 og bruker ammunisjon som har det britiske kaliberet .303. Patronene har en lei tendens til å forkile seg under utkastet. Vi fikk fikla dem løs. Det hadde vært vanskelig dersom vi ikke hadde kunnet se hva vi gjorde.

Jeg nevnte dette om 'the daylight gun' for Steiro. Han sa at det heldigvis er liten risk for at vi må fyre av Hotchkiss'en i mørket. Tyske fly vil neppe angripe et totalt mørklagt skip midt på natta.

Da alle som ville, hadde prøveskutt, bestemte kaptein Nilsen at jeg skal være reserveskytter for Steiro dersom det blir alvor.

Kapteinen holdt en kort tale. Han sa: Husk at vi ikke er krigere, karer. Vi er sivilister som er kommet ut i en krig vi ikke hadde noe ønske om å være med i. Vi vil møte motstandere, tyske ubåtmannskaper og flymannskaper, som er krigere. Krigen er deres geskjeft. De har brukt år av sine liv til å trene på krigskunsten. Vi kan knalle og smelle litt med vår Hotchkiss. Men det at vi har fått et maskingevær om bord, gjør oss absolutt ikke til soldater.

Jeg synes dette var kloke og betimelige ord fra kapteinen.»

Tomar stevner inn i stredet mellom North Island og Three Kings Island etter kveldsmat den 29. mai.

Halvor går opp på brua en tur for å følge med på passeringa av North Island, som vil bli det siste landet de ser før de når kysten av Sør-Amerika. Vakthavende styrmann Nyhus svever fortsatt på gledens vinger og lar ham se i kartene og bruke kikkerten så mye han vil.

På brua er også Flise-Guri. Han holder på med å legge en ny, kraftig bordgang utenpå de plankene australienerne snekret sammen rundt sandkassa.

«I tilfelle ullfille,» sier Flise-Guri.

Halvor håper det ikke blir noe «tilfelle ullfille», og at de som skal bemanne Hotchkiss'en, slipper å måtte gjemme seg i sandkassa fordi de blir pepret av mitraljøseild fra tyske fly.

Geir Ole kommer ut på bruvingen på utkikk. Han sier at han har hatt en slitsom rortørn.

I dette farvannet møtes Tasmanhavet og selve Stillehavet, og her går strømmen stri og danner krapp sjø. Oppe i nord, et par tre nautiske mil unna, ser de Three Kings Islands. Det er litt dis, men øyene synes godt. De er treløse, men har frodig gressdekke. Den største av dem, Great King Island, rager tre hundre meter i været. Geir Ole sier at Great King minner ham veldig om Gaukværøya hjemme.

Flise-Guri peker på en grønn pynt på selve North Island.

«Der inne har vi Cape Maria van Diemen. Det kappet kalte Tasman opp etter kona til guvernøren i Hollandsk Ostindia.»

«Kor e Hollandsk Ostindia?» spør Geir Ole.

«Det er hele det veldige øyriket som strekker seg fra Sumatra i vest via Java og Celebes til Borneo i øst,» svarer Flise-Guri. «Det er ennå en koloni styrt av hollenderne. I dag heter det Nederlandsk Ostindia.»

De får et nytt kapp kloss om styrbord. Det er Cape Reinga, en bratt, treløs pynt med gress som ser ut til å egne seg godt som sauebeite.

«Kem ho va, Reinga?» spør Geir Ole.

«Jeg tror ikke det var noe hollandsk fruentimmer,» svarer Flise-Guri. «Jeg tror navnet kommer fra språket til maoriene, urbefolkningen her på New Zealand.»

«Jeg har alltid lurt på hvorfor det heter Zealand med Z og ikke med S,» sier Halvor.

«Sjøfareren Tasman kalte egentlig det nyoppdagede landet for Zeeland, etter et landskap hjemme i Holland,» sier Flise-Guri. «Engelskmennene forandret navnet til Zealand. Navnet har altså ikke noe å gjøre med at øyene ligger langt til havs.»

De tre går over på styrbord bruving. Derfra kan de uten kikkert se at det er folk i arbeid på Cape Reinga.

«Folka der inne er tømmermenn akkurat som du er,» sier Halvor til Flise-Guri.

Arbeiderne på Cape Reinga holder på å snekre et stillas ved en rund murbygning. En lastebil med fullt av murstein på planet kommer humpende langs kjerreveien ut mot pynten så støvføyka står.

«Bygger de et fort for å forberede seg på krig mot Japan?» spør Halvor.

«Nei, det må være et fyrtårn de bygger,» sier Flise-Guri.

Nyhus kommer ut og bekrefter at New Zealands myndigheter reiser et fyrtårn på Cape Reinga.

«Og godt er det,» sier Nyhus. «Det kan ikke være mye moro å

374

seile langs kysten her om natta, med den jævlige tidevannsstrøm-
men som kan sette en navigatør helt ut av kurs.»

Geir Ole spør Nyhus om han har noen formening om hva stillas-
arbeiderne, som jobber utover kvelden, har i overtidsbetaling.

Nyhus ler og sier at det garantert er mer enn hva som blir betalt
for overtid på *Tomar*.

«De som arbeider med fyret, har sikkert ødemarkstillegg også,»
sier Nyhus. «For ifølge kartet er det mer enn ti norske mil fra kap-
pet til nærmeste lille landsby.»

De passerer ei nydelig sandstrand i ei bukt som heter Tom Bowling
Bay.

Halvor spør Flise-Guri om hvem Tom Bowling var.

Da må Flise-Guri melde pass.

«Bare *gærninger* kan vite *absolutt alt,*» sier han.

De legger North Cape bak seg og setter kursen rett mot øst. De
merker allerede den tunge stillehavs-swellen, lange, slake dønninger.

Tomar stevner over det tilsynelatende endeløse oseanet.

Halvor skriver i dagboka: «Stillehavet, torsdag 30. mai kl. 00.45.
Hvem som helst kan bli smågrinete av å kikke i overseilingskartet.
Nord for oss – langt, langt nord for oss, oppe i den tropiske sonen –
vil vi i tur og orden ha øyrikene som så mange sjøfolk drømmer om:
Fiji, Tonga, Samoa, Cook Islands, og ikke minst French Polynesia.
I det franske Polynesia ligger Tahiti. Flise-Guri kaller Tahiti for juve-
len i Stillehavets krone. Jeg tror det må ha vært på Tahiti at onkel
Henry fikk blomsterkranser lagt om halsen av barbrystede kvinner.
Onkels fortellinger bidro sterkt til å tenne sjømannsdrømmen i meg.

Nå er jeg her i dette havet hvor de vidunderligste palmeøyer lig-
ger, og jeg skal ikke få se en eneste en av dem. Vi skal seile over
breddegradene fra 40 og nedover, i The Roaring Forties, der det
alltid blåser sterk vestavind. Fordelen med det er at vi får akterlig
bør hele veien. Så krysser vi 50-graden, kommer inn i The Furious
Fifties og må belage oss på skikkelig møkkavær. Men vi skal enda
lenger sør, for Kapp Horn ligger på nøyaktig 56 grader sørlig
bredde. Da er vi nesten nede i The Screaming Sixties.

Der nede ved kappet kommer vi inn i et vestavindsbelte der
vinden faktisk blåser hele jordkloden rundt uten å møte land noe
sted. Drakestredet mellom Kapp Horn og Den antarktiske halvøya

fungerer som en vindtunnel, der det evinnelige vestaværet blir pakket sammen til storm og orkan.

Langs den kursen vi skal følge, er det i hele kartet bort til Sør-Amerika ingenting annet enn vann og atter vann. Det vil si: Borte ved den 150. lengdegraden ligger et par små fluelorter i kartet. Å kalle dem fluelorter er forresten å overdrive. De er to mygglorter.

Det dreier seg om to knøttsmå rev midt i det øde hav, Ernest Legouve Reef og Maria Theresa Reef. Det sistnevnte revet vil man kanskje huske fordi Maria Theresa er et vakkert navn, mens Ernest Legouve er et navn som fort går i glemmeboka.

Når vi passerer 55-graden, vil vi langt oppe i nord, et par tusen nautiske mil unna, ha ei øy mange rundt om i verden kjenner til. Det er Påskeøya med de berømte steinskulpturene.

Nede i sør, noe nærmere, vil vi ha ei lita øy nesten ingen i hele verden har hørt om. Selv i Norge er det mange som ikke aner at øya finnes, enda den er norsk territorium. Jeg husker hvor rasende faren min ble da øya ble tatt av Norge. Han skjelte og smelte på hvalfangstmillionæren Lars Christensen fra Sandefjord, og det han kalte den norske hvalfangerimperialismen. Far mente at siden det var russerne som oppdaget øya allerede i 1821 og ga den navn etter tsar Peter 1, burde den tilhøre Sovjetunionen.

Men Peter 1 Øy ble altså norsk. Det skjedde etter at Christensens Norvegia-ekspedisjon i 1929 hadde plantet flagget vårt der, mer enn hundre år etter at den russiske Bellinghausen-ekspedisjonen fant øya. I 1931 hadde vi en norsk regjering som var svak for imperialistiske eventyr både på Grønland og i Antarktis. Denne regjeringen annekterte Peter 1 Øy i Antarktis.

Jeg husker alt dette fordi jeg skrev om øya under en prøve vi hadde på middelskolen. Hele herligheten er dekket av isbreer og evig snø. Drivisen gjør at øya stort sett er utilgjengelig. Jeg skrev i stilen at det måtte være en trøst for sovjetrusserne å vite at Peter 1 Øy er komplett verdiløs. Så fortet jeg meg å tilføye: 'Hvis det ikke er proppfullt av diamanter der, da.' Jeg fikk Meget pluss på stilen. Oppgaven var 'Skriv om en øy du gjerne vil besøke'. De fleste andre i klassen skrev om Helgøya i Mjøsa, der vi nettopp hadde vært på klassetur.

Jeg ser fram til å runde Kapp Horn. Passering av Hornet er jo også en sjømanns drøm, selv om det ikke er så dramatisk nå som det var i seilskutetida. Da kunne skutene som seilte østover, ligge og stange i vestastormene ved Hornet i uker og måneder.

Trean har fortalt meg hvorfor vi skal gå rundt Hornet og ikke gjennom Magellanstredet mellom Ildlandet og Sør-Amerikas fastland. Kaptein Nilsen mener at gebyrene losene i Magellan tar, er absurd høye. Han frykter at en grensekonflikt mellom Chile og Argentina kan blusse opp, og vil ikke risikere å bli sperret inne i Magellan. Dessuten er det ikke noe særlig tid å spare på å gå gjennom det kronglete stredet i forhold til å gå rundt Hornet.

Trean sa: Og så kan det vel hende at skipperen har lyst til å seile rundt Hornet. Han har aldri gjort det før, og det er en seilas alle ekte sjøulker ønsker å ha i loggboka si.

Alt hadde vært i orden med meg, hadde det ikke vært for den forbannede flisefingeren. Den er hovnet opp, og jeg kjenner hvert pulsslag i fingertuppen som et lite hammerslag. Jeg trodde ikke en wireflis i en finger var noe å bry Granli med, men jeg blir snart nødt til å be ham se på den.»

Et døgn seinere sitter Halvor i messa og skriver: «Stillehavet, fredag 31. mai kl. 00.45. Jeg fikk en overhøvling av Granli for at jeg ikke hadde kommet til ham med verkefingeren før.

Da han kom på vakt ved midnatt, kastet han et blikk på fingeren og sa: Faen, Skramstad, den fingeren er full av materie. La meg kjenne på lymfekjertlene dine.

Han kjente på kjertlene ved albuen og i armhulen.

Du har hovne lymfekjertler, sa han. Du skal være glad du ikke har fått en alvorlig blodforgiftning. Her må vi foreta et inngrep på røde rappen.

Granli ryddet vekk kartene og brukte kartbordet i bestikken som operasjonsbord. Med en skalpell gjorde han et snitt i fingeren. Heldigvis hadde han lagt en voksduk på kartbordet, for det rant ut en masse gulrød puss.

Jeg sa at det var en wireflis som hadde satt i gang dævelskapen.

Hvorfor trakk du ikke ut flisa? spurte Granli.

Jeg prøvde, men fikk det ikke til, svarte jeg.

Granli studerte det åpne såret i fingeren gjennom et forstørrelsesglass.

Jeg ser wireflisa, sa han. Og jeg skjønner hvorfor du ikke fikk den ut. Flisa har gått langt inn i brusken mellom det mellomste og ytterste fingerleddet. Bit tenna sammen, så skal jeg trekke den ut.

Fra doktorkofferten sin fant han fram en liten tang. Uten dikke-darer trakk han flisa ut.

Det gjorde ikke så jævlig vondt. Det gjør vondere nå som jeg sit-ter her i messa med en røyk og et krus kaffe. På fingeren har jeg en hvit bandasje som har gule flekker fra jodtinkturen Granli smurte på såret. Noen gule flekker er det også blitt på arket i dagboka.

Før jeg gikk ned fra brua, sa Granli at han ville gi beskjed til Nyhus om at jeg skal fritas fra manuelt dekksarbeid i de kommende dagene. Høyrearmen må være mest mulig i ro for at betennelsen i såret og lymfekjertlene skal gi seg. Får jeg feber, må jeg melde fra til Granli med en gang. Jeg fikk en eske Globoid av ham, og har tatt en dose piller for å døyve smerten.»

Om morgenen går Halvor opp og tar første rortørn. Fingeren ver-ker, men ikke verre enn at det går greit å stå og snurre ratt, så lenge dønningene er moderate.

Kaptein Nilsen kommer inn i styrhuset. Han begynner straks å diskutere med Trean årsaken til at Hitler lar de britiske troppene unnslippe fra Dunkirk.

Halvor tenker at det nesten kan virke som om kapteinen er for-arget over at Hitler ikke vil innfri hans spådom om at det allierte ekspedisjonskorpset vil bli omringet og knust.

«Hvorfor nøler Hitler?» spør kapteinen. «Det ligner ikke den mannen å nøle.»

«Hitlers generaler fant det kanskje taktisk klokt å ta en pause,» sier Trean. «Britene er allerede slått sønder og sammen i kampene på Kontinentet. Da er det liten vits for tyskerne i å ofre soldater. Hvis tyskerne går til frontalangrep på flere hundre tusen briter innesperret i Dunkirk, må de regne med at britene vil forsvare seg desperat. Vel er tyskerne krigskåte, men de er ikke så beruset av krigen at de vil kaste seg ut i et helt unødvendig blodbad. Nå benyt-ter tyskerne isteden sjansen til å lade opp foran det store angrepet på Frankrike.»

«Godt, Kvalbein,» sier kapteinen. «De fremfører begripelige argumenter. Jeg vil tro at en annen grunn til at tyskerne ikke stor-mer Dunkirk, kan være så enkel som at de ikke har kapasitet til å ta hånd om hundretusenvis av britiske krigsfanger.»

Gnisten kommer opp. Han forteller at han har snappet opp meldin-ger om at flere norske skip deltar i evakueringen fra Dunkirk.

«Hvordan går det med de norske skipene som nekter å seile fra USA til Europa?» spør kapteinen.

Gnisten svarer at han har hørt at flere av disse skipene nå har forlatt havner på østkysten av USA og begynt seilasen over Atlanteren. Han har ingen sikker informasjon om hvilke skip dette er, eller hvilke betingelser mannskapene har fått innfridd før de seilte.

«Intet nytt på Narvik-fronten?»

«Nei,» svarer Gnisten. «Det de allierte frykter, er et større tysk luftbombardement av byen, et nytt Bodø.»

«Men styrkene våre i Narvik har da vel luftvernskyts?» sier kapteinen.

«Det vil jeg tro,» svarer Gnisten. «Spørsmålet er om det er tilstrekkelig mot en hel armada av tyske fly.»

«Tror De, Borge, at svenskene vil gi general Dietls styrker fritt leide hvis de går over grensen til Sverige?» spør kapteinen.

«Her blir det bare spekulasjoner fra min side,» svarer Gnisten. «En mulighet er at svenskene internerer Dietls hær for et kort tidsrom, og så lar hæren reise hjem via Finland.»

Etter formiddagsvakta tar Åge og Halvor seg et bad i bassenget, som stadig står oppe. Sjøvannet som pumpes opp, er blitt gørrkaldt. Det er så vidt Halvor hæler å gå uti. Men de to menige dekksmannskapene på 8–12-vakta har startet klubben Tomar Icebergs etter mønster av klubben på Bondi Beach, så Halvor må til pers.

Han stikker hodet opp over bassengkanten og ser en mager, møkkete mann komme gående over dekk. Hans første tanke er at det må være motormann Stokkan som ikke har gått i land i Sydney likevel. Det er jo en absurd tanke, og hvorfor skulle Stokkan ha tatt på seg blygrå parykk?

Det går opp for Halvor at mannen er en vilt fremmed. Han er en eldre, gråhåret kar. Hvor pokker kom han fra?

Mannen stopper da han skjønner at Halvor ser ham.

«Hei, Åge,» sier Halvor. «Kikk over bassengkanten. Er det meg som ser et spøkelse ved høylys dag?»

Åge svømmer de par takene bort til Halvor og kikker over kanten.

«Å, i helvete!» sier Åge. «Det er ikke et spøkelse vi ser, men det er nesten like ille.»

«Hva faen mener du?»

«En ubuden gjest. En jævla snik som kan bringe død og ulykke over oss alle sammen.»

Det går et lys opp for Halvor. Han roper til mannen: «Hello, are you a blind passenger?»

«Not blind,» sier den fremmede og peker på øynene sine.

Åge sier at blindpassasjer ikke heter «blind passenger» på engelsk, men at han ikke kan komme på hva det engelske ordet er.

Byssegutt Kevin kommer forbi med en dunk skyller som han skal tømme ut.

Han bråstopper ved synet av den ukjente mannen og slipper skylledunken rett i dekk så potetskrellet skvetter.

«Spør om han er en jævel som har lurt seg om bord,» roper Åge.

Kevin har lært seg såpass norsk at han forstår Åges spørsmål.

Mannen står urørlig med armene hengende ned langs kroppen.

«Are you a stowaway?» roper Kevin.

«Yes, stowaway,» svarer mannen.

«Did you come on board our ship in Sydney?»

«Yes, Sydney.»

«Jesus Christ!» roper Kevin. «Where the hell have you been hiding?»

Mannen rekker ikke å svare, for Båsen kommer byksende ned leideren fra poopdekket.

«Hands up!» roper Båsen til den fremmede.

Han ser ikke ut til å forstå hva Båsen mener.

«Come on,» roper Båsen. «Put your hands over your head!»

Som i sakte film løfter mannen hendene over hodet.

Til Åge og Halvor roper Båsen at de må komme seg opp av bassenget.

«Vi må ransake denne jævla blindgjengeren,» sier Båsen. «Vi må sjekke at han ikke har våpen på seg. Vær på vakt, karer! Det kan være flere av samme ulla om bord. For alt vi vet, kan det være en hel helvetes flokk pirater. Du, Skogsmatrosen, må løpe opp på brua og varsku.»

Halvor sprinter opp og finner Granli og kapteinen i styrhuset.

«Vi har oppdaga en blindpassasjer!» roper Halvor.

«*Hva?*» sier kapteinen. «Har en blindpassasjer dukket opp etter så mange døgns seilas fra Sydney? De får stikke ned og undersøke dette, styrmann Granli. Ta med Dem geværet vårt. Vi får håpe det bare er én forbannet blindpassasjer og ikke en hel bande.»

Granli henter Kragen.

«Skal jeg bemanne Hotchkiss'en?» spør Halvor.

«La oss se det an,» svarer kapteinen. «Jeg vet om ligaer av pirater som har sneket seg om bord i norske skip. Men det har vært i Østen. Jeg har aldri hørt om slike hendelser i australske havner. Hvis det dukker opp flere fremmede, kommer du sporenstreks opp og gjør klar maskingeværet, Skramstad.»

Granli og Halvor løper ned. Det er ingen flere fremmede å se. Forbausende mange av mannskapet har samlet seg som vaktmenn rundt blindpassasjeren.

Båsen ransaker ham. Alt han finner i lommene på mannens dongeriklær, er ei pakke sigaretter av merket State Express, som er populært i Australia, og et fyrtøy.

Granli, Åge og Halvor geleider blindpassasjeren opp på brua.

Halvor har god lyst til å høre på når mannen blir avhørt av Granli, men Åge og han får beskjed av kapteinen om å forsvinne fra brua.

Ved bassenget står folk og venter i spenning på siste nytt.

«Hva slags jævla gjøk har vi fått om bord?» sier Båsen. «Og hvordan greide han å gjemme seg så lenge?»

«Vi vet ingenting,» sier Åge. «Vi ble jaga ned før avhøret begynte.»

«Det er skammelig,» sier Flise-Guri. «Vi har en demokratisk rett til å få informasjon.»

«For en gangs skyld skal jeg være tålmodig,» sier Båsen. «Vi får vente på nærmere beskjed. Og så får vi takke faen for at det var en ensom ulv vi fikk om bord, og ikke en gjeng blodtørstige sjørøvere.»

Til tre-kaffen kommer Gnisten akterut med et maskinskrevet ark, som han henger opp på tavla ved messa.

Alt folket stimler sammen og leser hva som står:

«BLINDPASSASJER OPPDAGET

Vi har i dag oppdaget en blindpassasjer om bord. Han oppgir at han heter Juris Grots, kommer fra Riga i republikken Lettland, er 52 år gammel og har erfaring som fyrbøter og motormann på Panama-registrerte skip. Han har ingen papirer som kan dokumentere at han oppgir riktig navn, nasjonalitet og alder, eller at han har maskinerfaring. Han forklarer at han kom om bord i Sydney, og at han på M/S TOMAR har søkt tilflukt i akterpiggluken, der vi som kjent oppbevarer ollerops og diverse.

På spørsmål om hvorfor han ventet så lenge med å komme frem, svarte han at han ikke ville forlate sitt skjulested før han var sikker på at vi ikke skulle anløpe havn i New Zealand. På spørsmål om hvorfor han valgte å forlate Australia som blindpassasjer, svarte han at han gjorde det fordi han ville hjem for å forsvare Lettland mot et angrep fra Sovjetunionen, som han mener er nært forestående. Men han har ikke noe godt svar på hvorfor han ikke skaffet seg hyre eller normal skipsleilighet.

Vedkommende snakker noe engelsk og hevder at han har hatt bopel i Sydney i de periodene da han ikke har reist med Panama-skip.

Jeg anser ham for muligens å være i mental ubalanse. Inntil videre vil han bli holdt innelåst i vår sykelugar. Ved ankomst Buenos Aires vil han umiddelbart bli overlatt til det lettiske konsulatets varetekt.

Ivar A. Nilsen, skipsfører.»

Med høyrearmen i fatle står Halvor til rors på siste rortørn på kveldsvakta. Dønningen er makelig, og det er lett å styre skuta.

Kaptein Nilsen sier til Trean: «Faen skulle ha en blindpassasjer om bord. Jeg vil heller seile med et lik i lasten enn med en blindpassasjer. Det er første gangen jeg opplever det. Av andre skipsførere har jeg hørt mang en historie om slike uvelkomne folk. De bringer alltid ubehag og trøbbel med seg. Gudene vet om vi får satt i land denne fyren i Buenos Aires. Jeg har bedt Gnisten finne ut om Lettland virkelig har et konsulat der. Det er jo en ung og liten stat og ikke noe rikt land. Jeg har også bedt Gnisten undersøke om australsk politi har sendt ut noe signalement som passer på den gjøken vi har fått i redet vårt. For alt jeg vet, kan han være en ettersøkt morder.»

«Ga denne Grots inntrykk av å være en voldsmann?» spør Trean.

«Nei, i grunnen ikke. Da Granli og jeg avhørte ham, virket han som en mann uten noe stort følelsesregister, en avstumpet type. Den eneste gangen han hadde en tydelig reaksjon, var da vi snakket om Lettland. Da gnistret det til i øynene hans, og han sa at hjemlandet hans skulle kalles Latvija. Han fortalte at han i nittennitten sloss i de hvite styrkene som bekjempet bolsjevikregimet russerne hadde innført i landet. Han var med på å vinne borgerkrigen på de hvites side, og i nittentyve ble Latvija en selvstendig stat. Vi spurte ham om hvorfor han forlot landet han hadde vært med på å skape og dro til sjøs. Han sa at han hadde falt i unåde hos mektige menn.»

«Båsen sier at han har holdt det reint og ryddig i skjulestedet sitt i piggluka. Han har gjort sitt fornødne i en pøs og sneipet sigarettene sine i en av hermetikkboksene han hadde med om bord.»

«Ja, han oppfører seg ikke som noen gris,» sier kapteinen.

«Hva tror De om det han sa om et sovjetisk angrep på Lettland?» spør Trean.

«Det er ikke usannsynlig at Stalin vil gå inn i de tre baltiske statene. Han ønsker å lage en bredest mulig buffersone rundt Russland. For oss sjøfolk i Nortraship vil ikke en slik sovjetisk okkupasjon av Baltikum ha noen betydning. Vi seiler jo ikke på Østersjøen. Det er blitt et lukket hav for oss. Da er jeg mer spent på hva Nederlands og Belgias fall vil bety for seilasen vår på disse landenes kolonier. Hva tror De vil skje med Nederlandske Antiller, Ostindia og Belgisk Kongo, styrmann Kvalbein?»

«Sannelig om jeg vet.»

«Personlig hadde jeg heller ikke skjenket dette en tanke før i aften da jeg plutselig kom til å tenke på det. I Antillene ligger øyene Curaçao og Aruba med store oljeraffinerier som foredler råolje fra Venezuela. Vi får håpe at Nederlands guvernør på øyene er lojal mot dronning Wilhelmina og de politikerne hun har fått med seg i eksil. Hvis han *ikke* er lojal, tror jeg han vil bli avsatt faderlig fort av britene og amerikanerne i fellesskap. Britene er jo tungt inne som aksjonærer i Royal Dutch Shell-kompaniet, som opererer på Curaçao, og amerikanernes Standard Oil er konge på Aruba. Så jeg tror Nortraships tankere fortsatt kommer til å seile på Nederlandske Antiller. Tyskerne har ingen mulighet til å gjøre seg gjeldende der borte. Det har de heller ikke i Belgisk Kongo. Hadde tyskerne beholdt de koloniene de hadde i Afrika frem til nittenfjorten, ville situasjonen vært helt annerledes. Da ville man kunne tenke seg en tysk innmarsj i Belgisk Kongo fra det tyske Kamerun i nord, fra det tyske Tanganyika i øst og fra det tyske Sydvest-Afrika i sør.»

Halvor registrerer at Trean kveler et gjesp. Det smitter over på ham, og han gjesper så det knaker. Han kjenner seg uvel. Småkvalm og heit i kinnene. Verkefingeren er blitt bedre etter at Granli sprettet den opp, men han kjenner stadig en stikkende smerte.

«Da er jeg mer bekymret for hva som vil skje hvis Frankrike faller,» sier kapteinen. «Hva kan da komme til å bli situasjonen i de franske koloniene i Afrika, fra Marokko og Algerie til Madagaskar? Hvis Hitler får kontroll over både Frankrike og franskmennenes to kolonier i Nord-Afrika, blir vestre del av Middelhavet plutselig et tysk innhav! Da hjelper det lite at engelskmennene sitter på Gibraltar og Malta. Og da vil jeg nødig seile *Tomar* inn i Middelhavet. Vi må også tenke på Senegal og Dakar. Skulle Hitler greie å etablere en flåtebase i Dakar, vil han kunne true skipstrafikken i store deler av Sør-Atlanteren.»

Ør i hodet av kaptein Nilsens utlegninger og av den vesle feberen han har, går Halvor ned fra brua. Vel nede på lugaren svelger han et par Globoid for å bli kvitt feberen.

Halvor skriver i dagboka: «Stillehavet, fredag 31. mai kl. 00.45. Hvis noen kommer til å lese denne min dagbok, vil de kanskje tro at jeg ble tussete utpå blåmyra. For jeg har ført opp samme dato og klokkeslett to ganger. Det er ikke fordi jeg er blitt skjør i knollen. Det er fordi vi har passert datolinja. Før vi passerte denne linja øst for New Zealand, lå vi tolv timer <u>foran</u> GMT, etter passering ligger vi tolv timer <u>etter</u> GMT. Vi pinset klokka 24 timer tilbake.

Det var dette Phileas Fogg glemte i <u>Jorden rundt på 80 dager</u>. Han stilte ikke klokka bakover da han passerte datolinja. Derfor trodde han ikke at han hadde greid veddemålet om de 80 dagene. Men det hadde han jo. Hvis ikke hadde Jules Vernes bok blitt en stusslig roman.

Våre liv om bord i <u>Tomar</u> har fått ett døgn ekstra. Det er et døgn jeg godt kunne greid meg uten! For jeg har følt meg rusten i hele dag. Samme hvor mye Globoid jeg tar, vil ikke feberen slippe taket. Det sitter en liten djevel i verkefingeren.

Jeg vil nødig bry Granli i tide og utide. Men er jeg ikke bedre i morgen, blir jeg nødt til å konsultere ham igjen.»

Kapittel 34

Halvor sitter på køya i sykelugaren og skriver i dagboka: «Ved Kapp Horn, torsdag 13. juni kl. 09.30. Vi nærmer oss det berømmelige Djevelhornet.

Det har vært to på alle måter fæle uker siden sist jeg skrev noe annet en rablete smånotater. Fæle for meg og fæle for Norge, og for Frankrike.

Skal jeg beskrive den første av disse ukene med tre ord på 'dø', må det bli dønning, døs og dødstanker.

Om ettermiddagen den 31. mai blusset feberen opp og gjorde meg så sjaber at jeg oppsøkte Granli like etter at han hadde gått av vakt. Granli ga meg et termometer som jeg stakk i armhulen.

39,4.

Han sa at det antakelig hadde vært feil av ham å gi meg Globoid, fordi disse pillene hadde kamuflert feberen til den slo ut i full blomst.

Blindpassasjeren ble tatt ut av sykelugaren og låst inne i en passasjerlugar, og jeg ble lagt inn på sykelugaren.

Vi fikk veldig tung dønning inn på låringa.

Jeg døste bort.

Granli kom og tok tempen på meg.

40.

Jeg lå og svettet og døste bort igjen. Døgn gikk. Jeg drømte eller halvdrømte at jeg sank mot havets bunn innhyllet i et norsk flagg. Havfruer og havherrer som jeg møtte på veien mot dypet, sa at det norske flagget var blitt verdiløst. Hadde det ikke vært for at vi var under vann, ville de pisse på det.

Nede på havbunnen søkte jeg ly i en stor konkylie med et glatt, blankt indre som skinte som perlemor. Konkylien trakk seg sammen rundt meg. Den var ingen konkylie, men en gigantisk blekksprut som hadde kamuflert seg som konkylie. Åtte fangarmer med sugekopper på tok tak i meg og tynte meg flat.

Jeg ble så flat at jeg unnslapp blekksprutens klamme grep og steg opp mot havets overflate. Men jeg kunne ikke bryte gjennom vannskorpa, for over meg pågikk en regatta for skarpseilere. De var virkelig skarpe seilere, disse båtene. Kjølene deres var kvasse som eggene på økser.

Jeg kom meg unna de kvasse kjølene, skjøt opp i lufta som en hval og trakk inn etterlengtet surstoff.

Fra båtene med de kvasse kjølene vinket hvitkledde seilere til meg.

You have to pay for the oxygen! ropte seilerne.

Måtte jeg virkelig betale for surstoffet? Jeg bladde opp en stor bunke våte pund.

Watch out for the sharks! ropte seilerne.

Haifinner skar gjennom vannet og kom mot meg fra alle kanter. De dannet mønster som en kompassrose.

Say no more! ropte seilerne.

Og jeg hadde ikke mer å si.

Jeg tenkte at kaptein Nilsen ville komme til å seile med både en blindpassasjer og et lik i lasta, og at det liket ville være meg.

Jeg tenkte at jeg ville gå fra pluss førti til minus førti og ligge stiv i fryserommet, innpakket i en seildukssekk.

Veldige dønninger lekte med <u>Tomar</u>. Jeg skled fram og tilbake i køya og hylte når fingeren traff borti køykanten. Ja, jeg innrømmer det. Jeg <u>hylte</u>. Det må ha hørtes ut som ulet fra en sjuk ulv.

Geir Ole kom innom og fortalte at tyskerne hadde bombet Narvik.

Døgn gikk. Jeg spiste ingenting, men drakk det vannet jeg greide å få i meg. Kroppen min sloss mot basillene som hadde invadert den og herjet med den.

Trean kom og sa at til sammen 300 000 britiske og franske soldater var blitt evakuert fra Dunkirk. Churchill kalte det 'The miracle of Dunkirk'.

40,4.

Granli undersøkte fingeren og sa: Jeg tror du har en betennelse i selve fingerbeinet. Vi har ikke noe alternativ. Vi må ta den av.

Hva mener du med 'ta den av'? spurte jeg.

Vi må kutte fingeren.

Kutte?

Ja, sa Granli. De to ytterste fingerleddene må amputeres.

Det vil jeg helst ikke, sa jeg.

Ingen ønsker vel få kappa av seg en finger, sa Granli. Hvis vi ikke gjør det, er det stor risiko for at du dør. Og det vil du vel i alle fall ikke. Har du høy eller lav smerteterskel?

Vet ikke, svarte jeg. Like før jeg dro ut med Tomar, fikk jeg et tre over meg i granskauen og brakk ribbeina. De andre hoggerne sa at jeg tok det pent.

Jeg vil gi deg en durabelig dose morfin, sa Granli. Likevel må du være forberedt på at det vil gjøre vondt som faen.

Granli sa at han ikke hadde noe høvelig verktøy for amputasjon i doktorkofferten sin. Han gikk derfor for å hente en boltekutter i maskinrommet. Han ville komme tilbake når han hadde fått sterilisert redskapet.

Jeg unner ingen å ligge og vente på å få tatt av fingeren med en boltekutter!

Granli kom med kutteren. Han satte en morfinsprøyte på meg. Så ga han meg et sammenrullet lommetørkle som jeg skulle bite i for å unngå å bite flak av emaljen på tennene.

Han sa: Det hender verre ting under en krig enn en liten finger-amputasjon. Bit tenna sammen, Skramstad.

Jeg tok en siste kikk på de to fingerleddene som ikke lenger skulle være en del av meg, jeg beit tenna sammen, jeg kjente stålkjeften til boltekutteren klemme til mot leddet i fingeren, jeg spente hver fiber i den febermatte skrotten min.

Hvilken smerte!

Granli holdt opp den avkuttede fingertuppen og sa: Vel blåst, Skramstad. Vil du ha fingeren som suvenir?

Takk som byr, sa jeg mens tårene trilla. Men jeg samler ikke på vonde minner.

Granli ga meg et glass konjakk som jeg drakk på styrten. Han sa at de fleste bærer gifteringen på venstre hånds ringfinger. Jeg svarte i ørska at jeg ikke hadde planer om å gifte meg med det første.

Det var den femte juni. Det var den dagen tyskerne begynte hovedfelttoget mot Frankrike.

Feberen som huserte i meg, slapp ikke taket.

Smertene i kuttstedet i fingeren var såpass at jeg fikk mer morfin

387

av Granli. Medikamentet ga meg en følelse av å sveve som en flygefisk fra dønning til dønning.

Granli sa at han ikke forsto hvorfor feberen fortsatt var over 40. Han sa at infeksjonen i fingeren kanskje kunne ha utløst malaria som jeg hadde hatt lurende i kroppen siden Thailand.

Smører Helge kom til sykelugaren og fortalte meg at tyskerne hadde tatt Le Havre.

Han kunne se for seg hvordan tyske soldater voldtok hans Paulette. Han hadde med et fotografi av Paulette som han viste meg. Hun var søt. Hun hadde på seg en morsom liten pikkolo-hatt, en sånn hatt som hotellgutter i Hollywood-filmer og sjokoladeguttene på kinoene i Oslo bruker.

Jeg prøvde å trøste Helge.

Han sa at det var han som var kommet for å trøste meg.

Du får være glad for at det var ringfingeren som gikk føyka, sa han. Det hadde vært verre hvis det var pekefingeren, avtrekksfingeren.

Jeg sa at jeg visste om en mann hjemme som hadde kuttet av både tommel og pekefinger på kappsag, og som greide seg fint med langfingeren på avtrekkeren under elgjakta.

Så døste jeg bort.

Feberen falt under 40.

Trean kom på besøk og sa at Winston Churchill kanskje ikke er den tøffe bulldogen han ser ut som. Det ryktes at de allierte vil trekke seg ut fra Narvik, sa han.

De kan da faen ikke gi Narvik tilbake til tyskerne? sa jeg.

Grunnen til tilbaketoget fra Narvik er at det går på ræva i Frankrike, sa Trean. Tyskerne bare braser fram.

Hva vil skje med general Fleischers styrker? spurte jeg.

Uten alliert støtte vil de norske styrkene være sjanseløse, svarte Trean.

Feberen steg over 40 igjen.

Det var den 7. juni. Det var den dagen (fikk vi siden vite) da kong Haakon VII og Nygaardsvolds regjering forlot Tromsø om bord i den britiske krysseren <u>Devonshire</u>.

De britiske, franske og polske soldatene var i ferd med å evakuere fra Nord-Norge.

Granli sa at jeg hadde en feber som var så mystisk at selv ikke Knut Hamsun kunne ha diktet en slik feber.

Vi lo av dette. Men latteren ble sittende fast i halsen på meg, der det satt en klump av redsel.

Hva med Henrik Wergeland? greide jeg å si.

Han diktet ikke opp feber, sa Granli. Han kreperte av feber.

Fy faen, sa jeg.

Kaptein Nilsen kom i egen høye person. Han sa at dersom jeg ikke ble bedre når vi nærmet oss kysten av Sør-Amerika, ville han gå inn til Ushuaia i Argentina og få meg lagt inn på hospital der.

Granli sa at Ushuaia ligger på Ildlandet, Tierra del Fuego, der Kapp Horn også ligger. Det vil si: Kappet ligger på ei lita øy utenfor Ildlandet.

Ushuaia er verdens sørligste by, og ikke store stedet, en tjuvplass. Granli tvilte på at hospitalet i Ushuaia var noe tess.

Hvis jeg var deg, sa Granli, ville jeg prøve å holde ut til vi kommer til Buenos Aires, der de har noen av verdens beste sykehus.

Skal prøve, sa jeg.

Men ville jeg greie det? Jeg syntes det var bare skinn og bein igjen av meg.

Granli sa at som en siste utvei for å få ned feberen, ville han gi meg et sulfa-preparat som egentlig er beregnet på å kurere syfilis.

Okey, sa jeg. Er du sikker på at det ikke er syff jeg har?

Du har ingen symptomer på det, sa Granli.

Du ljuger ikke for å holde motet oppe hos meg?

Det er svært sjelden at jeg ljuger, sa Granli. Sist jeg løy, var i nittenseksogtredve. Da utga jeg meg for å være norsk journalist for å slippe inn i et lokale i Hamburg der det ble overført radiosendte bilder, televisjon, fra hundremeteren under De olympiske leker i Berlin. Du husker hvem som vant?

Jesse Owens, sa jeg. Den svarte amerikaneren.

Og tida, den nye verdensrekorden?

10,2.

Bra, sa Granli. Feberen har ikke tæret bort hele hjernen din.

Det var den 10. juni. Det var den dagen vi fikk høre at de norske styrkene under ledelse av general Fleischer hadde kapitulert for de tyske.

Norges nederlag var totalt.

Båsen kom og fortalte meg om en britisk maritim katastrofe utenfor Norges kyst. Jeg greide å notere noen stikkord om det. Det dreide seg om følgende: Den 8. juni ble det britiske hangarskipet <u>Glorious</u> og jagerne <u>Acasta</u> og <u>Ardent</u>, som var eskortefartøyer for hangarskipet, senket i farvannet utenfor Vesterålen, Geir Oles hjemtrakt. De tre britiske skipene deltok i evakueringen av Nord-Norge. De ble skutt i senk av de tyske slagkrysserne <u>Gneisenau</u> og <u>Scharnhorst</u>.

Båsen sa at han mente dette måtte være den verste skipskatastrofen i Norskehavet noen gang. Det var en katastrofe på linje med forliset til <u>Titanic</u>* når det gjaldt antall omkomne. Båsen sa at Gnisten hadde hørt radiomeldinger som var sterkt kritiske til Royal Navy fordi det var så få fra de tre skipene som ble berget. Noen av de overlevende skal ha blitt reddet av ett eller flere norske lasteskip.

God bedring, sa Båsen til meg. Husk at du er en skauens kar som har bra med motstandsstoff i blodomløpet.

Jeg lå der og følte meg ikke som noen skaukar, men som en <u>daukar</u>.

Geir Ole kom og var på gråten. Han sa at han hadde drømt om at det ville bli skapt et kongedømme i Nord-Norge, og at det ville bli bygd et kongelig slott for kong Haakon i Tromsø. Nå var hele den drømmen gått i dass.

Flise-Guri stakk innom. Han sa at tyskerne rykket fram mot Paris med stormskritt, og at franskmennene ikke greide å bruke panservognene sine vettugt. Han sa at nederlaget tross alt er lettere å bære for oss nordmenn enn for franskmennene. Etter at vi ble et uavhengig land i 1814, har ikke Norge vært noen krigernasjon. Frankrike har sine stolte krigertradisjoner. La gloire! Nå valses franskmennene over og blir ydmyket inn til margen.

Jeg har laget en real cocktail til deg, Skogsmatrosen, sa Flise-Guri.

Han rakte meg et glass med brun væske i.

Hva er det der? spurte jeg. Er det <u>beis</u>?

Det er et heksebrygg med litt tjære i, men mest sprit.

Skål, sa jeg.

Om natta drømte jeg at jeg kjøpte Sydney Harbour Bridge av Rudolf Didrichsen for ti tusen australske pund.

Om morgenen våknet jeg og kjente at kroppen ikke lenger brant.

Granli kom.

39,2.
Prima, sa Granli.

Hva var det som gjorde susen? Granlis sulfa eller Flise-Guris tjære-sprit? Antakelig ingen av delene. Det må ha vært min egen kropps motstandsmekanisme som endelig begynte å virke i kampen mot basilluskene.
Jeg greide å få i meg litt middagsmat. Kjøttboller og ertestuing.
I løpet av ettermiddagen tok jeg et prøvende skritt ut av køya. Jeg sto og svaiet. Så knakk jeg sammen i knærne.
Jeg var veik som en kylling.
Men jeg greide å holde meg oppreist ved å klamre meg til boltene i ventilen. Jeg så ut gjennom ventilen og rett inn i et stort øye. Gjett om jeg skvatt!
Så forsto jeg at øyet satt i et fuglehode, og at fuglen måtte være en albatross som lå og svevde på den bølgen av oppdrift Tomar skapte.
Alltid hadde jeg drømt om å få se albatross. Aldri hadde jeg trodd at jeg skulle stirre en albatross midt i kvitøyet.
Jeg tente min første sigarett siden feberen overfalt meg.

Trean kom og sa at han var glad for å se at jeg var stått opp fra de døde. Han sa at ifølge en værmelding vi har fått, vil det komme til å blåse kjerringer og geitebukker når vi passerer Kapp Horn.

Feberen datt under 38.
Den forsvant!
Det eneste jeg hadde å klage over til Granli, var at jeg var så utro-lig slapp, og at jeg merkelig nok kjente sterk smerte i de to finger-leddene jeg ikke lenger har.
Granli sa at slike smerter kalles fantomsmerter, og at de er ganske vanlige etter større og mindre operasjoner.

Mens tyskerne står ved Paris, står jeg på lugardørken og svaier.
Jeg har fått i meg litt frokost. Brødskiver med leverpostei. Et glass melk fra jernkua og en kopp kaffe. Jeg føler meg i form til å kle på meg og gå ut på dekk og se på albatrossene og Kapp Horn. Det er jo et sjømannens adelsmerke å ha passert Hornet.
Her blåser ikke så mye som en geitekilling.
Det blåser bare en liten vestakuling.
Jeg har overlevd min lille krig mot fienden som herjet i kroppen

min. Norge har tapt sin krig, og Frankrike er i ferd med å gå nedenom og hjem.»

Halvor pakker på seg to gensere under vindjakka og går ut på båtdekket på det forre midskipet der sykelugaren ligger.

Det snør.

Han entrer opp på babord bruving og trekker opp styrhusdøra. Inne fra styrhuset hører han rop. Det er Treans stemme.

«Hvem der?» roper Trean.

«Det er meg, det er Skramstad.»

«Å, faen,» sier Trean. «Jeg trodde vi hadde fått enda en blindpassasjer om bord. Du skremte meg, gutt.»

Flemming fra Fyn står til rors i Halvors fravær på formiddagsvakta. Han sier noe på dialekten sin, og Halvor tolker det som «helvete, mann, jeg trodde det var et spøkelse som kom».

De tre får seg en god latter.

«Her passerer vi sannelig Djevelhornet i maksvær,» sier Trean. «Meteorologenes spådom var bare tull. Ikke har vi storm, og ikke har vi grov sjø eller sterk strøm. Det er heller ingen isfjell å se. For oss blir ikke kappet Sørishavets gravstøtte, slik det ble for mange av seilskutetidas sjøfolk.»

Snøbygene driver vekk, og det kommer et streif av sol over farvannet.

Oppe i nord reiser kappet seg, bratt og svart, som forberg på ei øy som ruver 400–500 meter til værs.

Halvor låner en kikkert og går ut på babord bruving. Han gransker den lumske skjærgården utenfor kappet. Spisse småklipper som det bryter hvitt rundt.

Flise-Guri kommer opp på bruvingen med et knippe vinkeljern, som han sier han skal forsterke sandkassa med.

De to står og ser på brottene i skjærgården.

«Her har nok mang en seilskute blitt slått til pinneved,» sier Flise-Guri.

«Da jeg plaska rundt i Nordsjøen med *Flink,* hadde jeg aldri trodd jeg skulle komme til å runde Hornet. Da det var på det verste med feberen, trodde jeg heller ikke at jeg ville få oppleve det. Kappet er malerisk, men det ser ikke ut som et horn.»

«Det er ikke kalt opp etter et horn heller,» sier Flise-Guri. «Det er kalt opp etter et skip fra Holland som igjen var kalt opp etter en liten hollandsk by. Det var to hollandske skippere som kom forbi her i januar sekstenhundreogseksten. Skipperne var Jacob Le Maire på *Eendracht** og Willem Schouten fra *Hoorn**. De hadde fått i oppdrag av Dutch East India Company å finne en annen sjøvei til Det fjerne østen enn den ruta som gikk rundt Kapp det gode håp lengst sør i Afrika. *Hoorn* forliste på kysten av Ildlandet, og Schouten og hans folk ble tatt om bord i *Eendracht*, som seilte videre vestover. Fra denne skuta ble så kappet observert for første gang av europeiske sjøfolk. Kappet fikk navn etter den forliste skuta *Hoorn*. Det er rart å tenke på at hvis kappet hadde blitt oppkalt etter *Eendracht*, ville det neppe ha vært så verdensberømt. Cape Horn klinger jo jævlig mye bedre enn Cape Eendracht.»

Flise-Guri har snakket seg varm og fortsetter med å fortelle om hvordan verdens viktigste seilingsrute, The Clipper Route, i et par hundre år gikk forbi Kapp Horn. Her seilte de stolte klipperskipene med last fra Europa til Det fjerne østen eller Australia, og last i retur fra Østen eller Australia til Europa. Og her seilte klippere med last fra den ene kysten av USA til den andre. Så måtte stolte, hvite seil vike for skitten kølarøyk fra dampere. Og da Panamakanalen ble åpnet i 1914, var det kroken på døra for skipsfarten rundt Kapp Horn.

Tomar dreier over på en mer nordlig kurs. Gjennom kikkerten kan Halvor nå se at det står ei bygning på en knaus bakom selve kappet. Det er ei hytte eller ei brakke. Der står ei flaggstang. I toppen av den vaier et flagg som har et blått felt med en hvit stjerne i og en hvit og en rød stripe.

Halvor rekker kikkerten til Flise-Guri.

«Chiles flagg,» sier Flise-Guri. «Chilenerne har lagt beslag på Kapp Horn, til stor irritasjon for argentinerne. Det pågår en evig konflikt om grensa mellom Chile og Argentina i farvannet her. Brakka der oppe på knausen er nok en chilensk militær utpost. Men jøss, ta en titt på terrenget nedenfor brakka.»

Halvor får kikkerten.

«Skog,» sier han. «Det vokser sannelig *skog* der inne.»

«Jeg visste ikke at det var skog på Kapp Horn,» sier Flise-Guri. «Det er liksom ikke skau en forbinder med Kapp Horn.»

I le for den evige vestavinden har det vokst opp et kjerr på østre side av kappet. Trærne er lauvtrær, men har ingen blader på nå som det er høst. Det er ganske høye trær, oppimot tjue meter. De grå trestammene står tett i tett, og noen steder ligger et fallent tre dekket av mose.

«Det ser ut som en trollskog,» sier Halvor. «En urskog som det aldri er blitt hogd i. Det er rart at ikke de chilenske militære har brukt trærne til ved.»

«Kanskje chilenerne finner rikelig med drivved. Eller kanskje skogen ligger på argentinsk side av grensa og dermed er forbudt område for soldatene i brakka.»

Det er et slikt spørsmål man ikke forventer å få svar på, og glemmer så fort man har stilt det. Skjønt noen ganger, tenker Halvor, hender det vel at spørsmålet vil bli lagret i underbevisstheten for så å dukke opp mange år seinere. Plutselig står man midt på et hav, eller i en hjemlig skog, og spør seg: Hvorfor hogde ikke de chilenske soldatene skogen på Kapp Horn?

«Begynner fingeren å bli all right?» spør Flise-Guri og peker på den bandasjerte fingerstumpen til Halvor.

«Det verker litt, men såret der Granli kutta, har begynt å gro.»

«Litt av ei kule du var igjennom,» sier Flise-Guri og gir Halvor et klaps på venstre skulder.

Halvor tror han vet hva Flise-Guri nå kommer til å si, og så sier tømmermannen akkurat det: «Ukrutt forgår ikke så lett.»

Kapittel 35

Tomar stevner nordøstover gjennom et strede som har fått navn etter skipperen på *Eendracht*, Le Maire-stredet mellom Cabo de San Diego på fastlandet i Patagonia og øygruppa Islas de los Estados.

Halvor står sammen med Åge ved rekka på poopen og røyker en sigarett, mens Åge damper på snadda. Tobakksrøyken driver bort med kulingen fra nord. Kappet om babord og øyene om styrbord er skjult av snøbyger.

De ser på fire albatrosser som seiler på vinden over skipets kjølvann. De tror dette må være vandrealbatrosser, for de har utrolig lange vinger. Og ingen nålevende fugl har større vingespenn enn vandrealbatrossen. Fargen på fuglene stemmer også. De har kritthvit fjærdrakt bortsett fra på oversida av vingene, der fjærene er svarte.

«Hvor stort kan vingespennet bli?» spør Halvor.

«Jeg har hørt bortimot fire meter,» svarer Åge. «Det er kanskje å ta hardt i. Men tre og en halv meter kan nok spennet bli. Du får spørre Granli. Han kan sikkert svaret på centimeteren. Du vet hvorfor en sjømann aldri må skyte en albatross?»

«Ja, det er fordi det heter seg fra gammelt av at albatrossene er bærere av døde sjømenns sjeler.»

Åge ser på Halvor med uvanlig alvorlig blikk.

«Du, Halvor Skramstad, som sier at du ikke tror på noen form for overtro, du ville vel aldri skyte en albatross?»

«Nei, det ville jeg ikke.»

«Kors på halsen?» spør Åge.

«Kors på halsen,» svarer Halvor og gjør korsets tegn. Han har lyst til å flire av Åges barnslighet. Men dette er ikke et øyeblikk da det sømmer seg å flire. Hvis Åge ønsker å tro på sjelevandring, må han få tro så mye han orker. Om han har begynt å gå i barndommen, er det vel ikke uvanlig for så gamle folk.

«Hvis du ikke tror at sjømenns sjeler bor i albatrossene, hvorfor vil du da ikke skyte dem?» spør Åge.

«Jeg vet ikke,» svarer Halvor og leter etter et passende svar. «Av respekt for tradisjonen. Og fordi det er så flotte fugler. Sjeldne begynner de også å bli. Mange dør fordi de setter seg fast i fiskegarn.»

«Men hvis du var i en livbåt og holdt på å sulte i hjel, ville du da ha skutt en albatross?»

Halvor nøler før han svarer at ja, det ville han.

«Det er godt svart,» sier Åge. «Hvis du *ikke* skyter, vil du ikke bli tilgitt.»

«Hva mener du med det?»

«Sjømannens sjel, den som bor i den albatrossen du som skipbrudden må skyte for å overleve, er en *død* sjel. Han – denne sjela – ønsker at du som lever, skal leve videre. Derfor vil han ikke tilgi deg hvis du ikke skyter.»

Om kvelden fredag den 14. juni føler Halvor seg pigg nok til å gå på vakt. Han stiller i styrhuset klokka 20.00 og tar rortørn. Vinden fra nord som feier langs Patagonia, har økt til stiv kuling. *Tomar* stanger seg fram i den krappe motsjøen.

Trean sier at Halvor får melde fra hvis det blir for anstrengende for ham å stå til rors.

«Får vi land i sikte på denne vakta?» spør Halvor.

«Nei, vi seiler langt fra fastlandet i Argentina, og vi kommer heller ikke i nærheten av Falklandsøyene, som ligger ute i øst.»

«Bor det folk på Falkland?»

«Ja, der bor et par tusen engelskmenn som driver med sauer og litt fiske.»

«Disse engelskmennene her nede ved Sørishavet burde i alle fall være trygge for tyskerne,» sier Halvor.

«Ikke snakk om de jævla tyskerne, er du snill. Vi har gjort det til en regel i offisersmessa at vi nevner tyskerne så lite vi kan. Nå er de fordømte svinepelsene i ferd med å rykke inn i Paris. Det franske militærvesenet har lidd totalt sammenbrudd. Vi får håpe at folket i Paris gjør opprør mot okkupantene.»

Kaptein Nilsen kommer inn i styrhuset sammen med Gnisten.

«Ja ja, styrmann Kvalbein,» sier kapteinen. «Nå er det bekreftet. Hitlers soldater har inntatt Paris. Det skjedde uten at det ble ytt motstand fra fransk hold. Den stolte verdensmetropolen Paris! Hærtatt av erkefienden Tyskland uten kamp. Wehrmacht marsjerer under Triumfbuen. Det er fanden ikke til å tro!»

Kapteinen tenner en sigarett og blåser ut hissige røykringer.

Halvor regner med at det som kommer nå, er en tirade fra kapteinen, og den kommer: «Statsminister Paul Reynaud har flyktet til Bordeaux. Nå kommer resten av Frankrike til å falle sammen som et korthus under larveføttene til tyske tanks. Så skal vi nordmenn kanskje ikke moralisere over franskmennene. Vår regjering flyktet, og Norge kapitulerte. Men det er en veldig stor forskjell. Frankrike er for pokker en stormakt! I lille Norge sloss vi i toogseksti dager. Stormakten Frankrike kollapset på halvannen uke. Hva skal vi si om det, styrmann Kvalbein og telegrafist Borge?»

«Det er ikke stort å si annet enn at det er forjævlig,» svarer Trean. Gnisten sier ingenting.

Kapteinen fortsetter: «Det meldes at Reynaud ønsker å fortsette krigen mot tyskerne fra de franske koloniene i Nord-Afrika. Men alt tyder på at Reynaud går av, og at marskalk Pétain tar over som leder i Frankrike. Marskalken med hvalrossbarten er en stor helt for franskmennene fordi han ledet styrkene på Vestfronten i den forrige verdenskrigen. Nå er Pétain blitt en gammal knark på fire-ogåtti. Han skal være parat til å be tyskerne om våpenstillstand. Det betyr fullstendig fransk overgivelse.»

«Pétain er pling i bollen,» sier Gnisten.

Kapteinen begynner å le, og latteren smitter over på de andre i styrhuset.

«For oss nordmenn følger det en fordel med at Frankrike går på trynet,» sier kapteinen.

«Det store Frankrikes nederlag stiller lille Norges nederlag fullstendig i skyggen. Når vi kommer til Buenos Aires og jeg skal samtale med skipets agenter, slipper jeg forhåpentlig å bli minnet om at Oslo ble overgitt til tyskerne uten at det var noen militær motstand i hovedstaden vår. Hvem i Buenos Aires husker Oslo når Paris er falt? For folk i Buenos Aires er Paris det store forbildet. Byen er bygget etter mønster av Paris, med store avenyer og paradegater. Damenes moteklær fra Paris dukker opp på gaten i Buenos Aires dagen etter at de dristige klesplaggene er vist frem på Champs-Élysées. Buenos Aires prøver å bli Sør-Amerikas kulturelle hovedstad slik Paris er kulturhovedstaden i Europa. Når det gjelder Paris, må vi nok dessverre si *har vært*. Med tyskerne som okkupanter vil pariserkulturen dø. Tyskerne vil ikke være interessert i annet enn sparkepikene på Moulin Rouge og horene på Place Pigalle.»

«Øl, fitte og hornmusikk,» sier Trean. «Det er alt tyskerne begjærer. Pluss pølser, da.»

Igjen bryter latteren ut i styrhuset.

Halvor merker at han får kapteinens blikk på seg der han står svakt opplyst av lampa i natthuset.

«Kjekt å se deg på benene igjen, Skramstad,» sier kapteinen. «Vi hadde en trist affære med salonggutt Høyby som ble sendt i land for å dø i George Town. Godt vi slipper å sende deg i land for å dø i Buenos Aires.»

«Takk,» svarer Halvor.

Gnisten blar i papirene sine og sier: «Vi har fått telegram om at vi ikke skal til Santos for å laste kaffe. Vi skal til en by som heter Paranaguá.»

«Paranaguá?» sier kapteinen. «Det stedet har jeg aldri hørt om før. Jeg håper det ikke ligger pokkerivold oppe i Paraná-floden. Det er noe satans dritt å seile på Paraná, på grunn av alle sandbankene. Vet De hvor Paranaguá er, Kvalbein?»

«Nei,» svarer Trean.

Gnisten leser fra telgrammet: «Port of Paranaguá, Baia de Paranaguá, Brazil.»

«Brasil,» sier kapteinen. «Det høres bra ut. Da kan det ikke dreie seg om en havn ved Paraná, for floden er ikke seilbar for skip av vår størrelse helt opp til innlandet i Brasil.»

Kapteinen og Trean går inn i bestikken for å finne Paranaguá i kartet.

«Hvordan er formen, Skramstad?» spør Gnisten.

«Ganske bra,» svarer Halvor. «Jeg er mo i knærne, men skal greie å stå denne rortørnen ut.»

«Jeg gjorde en liten undersøkelse angående hva som burde gjøres med fingeren din,» sier Gnisten. «Jeg tok telegrafisk kontakt med en barndomsvenn som nå er kirurg på Sahlgrenska Sjukhuset i Göteborg,» sier Gnisten. «Det tok tid før han svarte. Han anbefalte amputasjon. Da hadde Granli allerede amputert.»

«Takk skal du ha likevel,» sier Halvor. «Har du noe nytt fra Norge?»

«Det er som om et stillhetens teppe har lagt seg over fedrelandet vårt etter kapitulasjonen. Vi får håpe det kan bli flere nyheter å få når de norske sendingene fra London kommer ordentlig i gang på BBC. Jeg har fått en informasjon om antallet drepte etter bombinga av Bodø. Selv om mesteparten av byen ble ødelagt, var det heldigvis ikke flere enn femten omkomne. Mange hadde evakuert, og de som var igjen i byen, søkte tilflukt i kjellerne.»

«Det skal jeg fortelle Geir Ole,» sier Halvor. «Kan vi si at vi har en norsk eksilregjering i London?»

«Ja, det kan vi. Johan Nygaardsvold er fortsatt lovlig valgt norsk statsminister, nå med sete i London. Polakkene er også i ferd med å danne eksilregjering i London. Jeg hørte en britisk radiokommentator, en pensjonert general, si at de polske soldatene var de som sloss best og mest disiplinert av de allierte soldatene på Narvikfronten. En fransk general, Charles de Gaulle, har rømt over til England. Han har ikke dannet noen regjering, men en komité av frie franskmenn.»

«Jeg har jo vært helt bortreist med feber. Har tyske ubåter senket noen norske skip de siste par ukene?»

«Nei, det virker som om de tyske ubåtene ligger stand by for eventuelt å hjelpe til med å knekke den franske marinen. Da er det verre med de italienske ubåtene. Har du fått med deg at Italia har gått med i krigen på tysk side?»

«Det visste jeg ikke, men det var ingen himla stor overraskelse,» sier Halvor.

«Italienske ubåter opererer ikke bare i Middelhavet, men også ut fra flåtebasen Massawa i Italias koloni Eritrea ved Rødehavet. Tankeren *Orkanger** fra Westfal-Larsens rederi i Bergen var det første allierte skipet som ble senket av en italiensk ubåt. Det skjedde den tolvte juni utenfor Alexandria i Egypt, og det var en brutal affære. Den siste av de to torpedoene knuste en livbåt og drepte fire norske sjøfolk momentant. Det skal ha vært mange sårede. I Rødehavet ble tankeren *James Stone** fra Lorentzens rederi i Oslo senket med torpedoer fra en av ubåtene fra Massawa. Det skjedde først etter at alle mann var gått fra borde i livbåtene og var kommet i trygghet.»

«Jeg hadde aldri forestilt meg at Norge skulle komme i krig med Italia,» sier Halvor. «Vi har da ingenting uoppgjort med italienerne?»

«Vi hadde vel heller ikke så mye uoppgjort med Tyskland,» sier Gnisten. «*Orkanger* var fullastet med brenselolje, og *James Stove* fullastet med bensin. Jeg har tenkt på hvilke konsekvenser det får når disse svære tankerne, begge på over elleve tusen tonn, blir sprengt og lekker ut innholdet sitt. Det må føre til en forferdelig forsøpling av havet. Jeg kan se for meg oljeflak drive rundt i Nilens delta ved Alexandria, og bensin ta kverken på fisken i korallrevene i Rødehavet.»

Mandag den 17. juni, da *Tomar* seiler i smul sjø forbi havnebyen Mar del Plata, kommer Gnisten akterover for å henge opp ei melding på tavla ved mannskapsmessa etter middag.
«Her får dere dagens radiopresse, gutter,» sier han.
«Og hva er dagens elendighet?» spør motormann Eiebakke.
«Sovjetunionen har invadert Estland, Lettland og Litauen,» svarer Gnisten.

Flise-Guri sier til Halvor: «Det kan se ut som om det ikke lenger er rom for små, selvstendige stater i Europa. I tur og orden blir de overkjørt. Østerrike og Tsjekkoslovakia. Jeg husker hvor forbanna jeg ble da tyske tropper marsjerte inn i Praha i mars nittenniogtredve. Så var det Polen. Det var jo ingen liten stat, men den ble en småstat i forhold til Tyskland og Sovjet. Deretter var det Danmarks og Norges tur. Så fulgte Luxemburg, Nederland og Belgia. Og nå de tre statene i Baltikum. Har jeg glemt noe hærtatt land?»
«Ikke som jeg vet om,» svarer Halvor.
«Albania!» sier Flise-Guri. «Albania ble okkupert av italienerne i april niogtredve. Hva blir det neste Mussolini prøver seg på? Grekenland? Jugoslavia? Og hva gjør Stalin? Han kan finne på å rykke inn i Romania og Bulgaria. Kanskje Ungarn. Dette kan gi Franco i Spania inspirasjon til å sluke Portugal med hud og hår. Og hvis regjeringa i Dublin fortsetter å nekte Storbritannia flåtebaser i Irland, skulle det ikke forundre meg om britene på ny okkuperer Erins grønne øy. Hva har vi da igjen? Sverige og Sveits. Og sånne bitte små smuglerstater og monkeybusinessland som Andorra, Liechtenstein, Monaco og San Marino. Så kan vi kanskje få et par nye lilleputtland midt ute i Atlanteren. Det skumles om at Island og Færøyene, nå som de er besatt av britiske tropper, vil prøve å løsrive seg fra Danmark.»
«Du glemte Finland,» sier Halvor.
«Stalins innmarsj i Baltikum lover ikke godt for Finland. Jeg er stygt redd for at Finland står på tørn for å bli skvisa. Finnene gir seg ikke uten strid, og det kan bli krigens verste blodbad.»
Halvor greier ikke å ta alt dette innover seg. Han går ut på dekk

og skuer mot Mar del Plata i det fjerne. Det er en badeby for rike argentinere, med flotte sandstrender og hvitmalte hoteller helt nede ved stranda. Der er også et spillekasino, hvor Trean en gang tapte tusen peso på ruletten.

Sjøen over sandbankene utenfor Mar del Plata har en vakker turkis farge. På de turkise småbølgene dupper fiskebåter malt i muntre pastellfarger, som om det ikke skulle være krig i verden.

Halvor sitter i messa etter kveldsmaten og skriver i dagboka: «Kysten av Argentina, mandag 17. juni. En lei episode om bord i dag. Da salonggutt Bangsund brakte kaffe til blindpassasjeren klokka 15.00, fortalte Bangsund ham at Sovjetunionen hadde invadert Lettland. Mannen som kaller seg Juris Grots, fikk da et raserianfall. Han stormet ut av sykelugaren (der han igjen er plassert etter at jeg ble frisk) og gikk til angrep på Bangsund.

Heldigvis er jo ikke salonggutten vår noen guttunge, men en voksen kar. Han greide å parere slagene og fikk ropt på hjelp.

Fire mann måtte til for å få dyttet Grots inn igjen i sykelugaren. Der inne slo han seg helt rebelsk og knuste det som var av møblement, et bord, to pinnestoler og plankebunnen i køya. Han slo også i stykker vaskeservanten og prøvde å knuse toalettskålen. (Sykelugaren har eget WC, da det ofte følger diaré med sykdommer en får i tropene, som dysenteri.)

Annenstyrmann Granli sa at Grots bare fikk rase fra seg.

Etter en halvtimes tid gikk Granli for å se til ham. Han fant da Grots liggende på dørken i en pøl av blod. Mannen var ved bevissthet, men svak på grunn av blodtapet. Blodet kom fra et stort sår på innsiden av det ene låret.

Granli sydde og forbandt såret. Han var ikke sikker på om Grots var blitt skadet da han smadret tingene i sykelugaren, eller om han hadde skadet seg selv med vilje, kanskje i et forsøk på å begå selvmord.

Kaptein Nilsen bestemte at det skulle settes vakt utenfor sykelugaren for å passe på at blindpassasjeren vår ikke skadet seg på ny. Denne vaktjobben slipper heldigvis vi dekksfolk. Den tilfalt byssegutten og salonggutten.

Det er klart at uansett hva det er med denne Grots, og hvem han egentlig er, så er han en tragisk figur. Forespørslene våre til australsk politi fikk forresten som svar at ingen person med signalementet til Grots var etterlyst i Australia.

Nå håper vi bare at det er noen som kan ta seg av ham i Buenos Aires. Selv om han har krav på vår medlidenhet, vil vi svært gjerne blitt kvitt ham.

Det er fryktelig å tenke på at tyskerne har tatt Paris. Det var ille med Norge, men dette med Paris river på en måte verre selv i en nordmanns sinn.

Jeg gruer meg til å se bildene av Hitler som kjører i triumf gjennom Paris, gjør sin hilsen med oppstrakt høyrearm og blir møtt med Heil Hitler-hilsen av tyske soldater som står på geledd.

Flise-Guri sier at han er overbevist om at Hitler vil tyne franskmennene til å undertegne en våpenstillstandsavtale på samme sted som tyskerne måtte undertegne en ydmykende fredsavtale i november 1918, i Compiègne ved Paris.

Flise-Guri tror Hitler er så full av faen at han vil bruke den samme jernbanevogna som ble brukt den gangen. Denne vogna har siden vært museum.

Merkelig at pariserne ikke har brent den vogna nå, sa jeg.

Det har du rett i, Skogsmatrosen, sa Flise-Guri.»

Tirsdag den 18. juni tørner Halvor ut i god tid før frokost. *Tomar* seiler på sjokoladebrunt vann. De er kommet inn i La Plata-flodens munning.

Det må være en av klodens mektigste flodmunninger. Det er ikke mulig å se land på noen side av floden, selv om det er klarvær og prima sikt.

Halvor henter et krus kaffe, stiller seg ved siden av Båsen ved rekka på styrbord side på poopen og tenner en morrarøyk. De to blir varmet litt av vintersolas stråler.

Båsen sier: «La Plata-roveret slutter aldri å imponere selv en globetrotter som meg, som har sett det meste av verden. Det er ti norske mil tvers over her, fra Punta Piedras på argentinsk side til Montevideo i Uruguay. Vi kommer til å seile opp mot Montevideo for å ta los ved *Recalada* fyrskip. Montevideo blir kalt Den hvite by ved den brune flod. Synd vi ikke skal innom der. Montevideo har verdens flotteste barer og beste kjøtt. Både drinkene og biffene er skitbillige. Til gjengjeld har byen verdens dyreste luddere. Det skal bli spennende å se om vi får øye på vraket av tyskeren.»

«Tyskeren?» sier Halvor.

«Dere oppi dalom fikk kanskje ikke med dere den hendelsen?

Tyskerne senket sin panserkrysser, eller sitt lommeslagskip – kall det hva du vil – Admiral Graf Spee på grunna i river'n her.»

«Jo da, jeg har hørt om Graf Spee. Skipet ble skadet i en trefning med britiske kryssere. Kapteinen beordret det senket, og siden tok han livet av seg.»

«Så du har fulgt med i timen, Skogsmatrosen,» sier Båsen. «Kaptein Hans Langsdorff sprengte sitt eget skip. Så skaut han seg ei kule for panna. Ifølge Roy var begge deler kanskje helt unødvendig. Roy har hørt på amerikansk radio at den tyske marinekommandoen og kaptein Langsdorff gikk på en rå bløff fra britisk etterretning. Britene sendte ut falske meldinger på frekvenser de visste tyskerne kunne avlytte. I disse meldingene het det at en sterk britisk flåtestyrke var på vei til La Plata for å gi Graf Spee nådestøtet. I virkeligheten fantes ingen sånn flåtestyrke. Du snakker om å kødde med folk!»

Halvor står til rors da Tomar tar los om bord ved det rødmalte fyrskipet Recalada. I nord ser han Montevideo, som virkelig er en hvit by.

Ute på styrbord bruving er det rift om kikkertene. De skuelystne vil prøve å få et glimt av det berømte vraket.

Den argentinske losen er streng. Halvor må holde tunga rett i munnen når han skal holde den oppgitte kursen. De seiler i en ganske smal, oppmudret kanal.

På bruvingen ropes og gestikuleres det. Vraket av Admiral Graf Spee er tydeligvis observert.

Omsider blir Halvor avløst av Åge.

Han får kranglet til seg en kikkert. Borte ved Montevideo ser han et tårn av mørkt stål stikke opp fra det brune vannet. Det er tårnet på Graf Spee. Han finstiller kikkerten og ser også et par kanonløp med utrolig grovt kaliber.

Det virker så uendelig lenge siden midten av desember 1939 da han skrev om Graf Spee i dagboka.

Buenos Aires stiger opp over La Platas brune vann. Halvor har stilt seg sammen med Flise-Guri ved rekka på poopen.

«Mektig by,» sier Flise-Guri. «Ingen virkelige skyskrapere sånn som i New York, men majestetiske høyhus. Her ligger en av de største menneskeskapte havner i hele verden. Du tror kanskje bynavnet kommer av at her er god luft?»

«Det har jeg ikke tenkt på,» svarer Halvor.

«Mange norske sjøfolk som kan litt spansk, tror at Buenos Aires betyr frisk bris. Det er ikke helt bak mål. Det riktige er at spanske sjøfolk som var med på å grunnlegge byen i femtenhundreogseksogtredve, ga plassen navn etter skytshelgenen sin, Santa Maria del Buen Aire. Buen aire betyr god bør. Det var sølv spanjolene var ute etter. Derfor ble elva kalt Sølvfloden, og landet ble kalt Sølvlandet. Først etter en stund, etter at de hadde drept det meste som fantes av indianere ute på slettene, fant spanjolene ut at de hadde fått tak i den beste landbruksjorda på kloden. Det jordsmonnet ligger ute på la Pampa, eller Pampasen, som vi nordmenn gjerne sier. Det er første gang du er i Sør-Amerika?»

Halvor nikker.

«Du vil ikke få følelsen av at du er i Sør-Amerika når du går i land her,» sier Flise-Guri. «Buenos Aires er en veldig europeisk by. Her bor nesten bare hvite mennesker, de fleste av spansk eller italiensk herkomst. En god del nordmenn, svensker og dansker. De er mange nok til at det finnes en egen skandinavisk roklubb ved Rio de la Plata. Skandinavene er stort sett shippingfolk eller forretningsmenn som sitter på kontor, så de trenger å få fløtta litt på flesket. Det er fort gjort å bli fleskete i en by med så utrolig god kjøttmat. Du som ser så skranten ut etter feberen, får komme deg i land og hive innpå en pampasbiff eller to.»

«Jeg må vel ta det forsiktig med etinga,» sier Halvor.

«Det gjør du klokt i,» sier Flise-Guri. «Vi skal inn til havnebassenget Darsena Norte. Derfra er det kort vei til sentrum. Du følger bare avenyen langs havna til du kommer til den breie Avenida Corrientes. Den følger du oppover i byen. Da kommer du til Niende juli-avenyen. Det er en av de breieste gatene i verden. Setter du deg på en fortauskafé der og blir sittende til midnatt, vil du i løpet av kvelden ha sett like mange biler som det er i hele Norge.»

Tomar klapper til kai i dokken Darsena Norte. Halvor går ned gangveien med et knippe rotteskjermer. Idet han setter foten på kaia, er det som om grunnen svikter under ham, og han går på trynet så det skramler i blikkskjermene.

Han vet hva som skjedde. Landjorda spilte ham samme puss her som i Australia. Han presterte å stuke høyre hånd i fallet, men heldigvis ikke fingerstumpen.

Lukene på ener'n og toer'n blir tatt av. Straks begynner lasting av bunter med oksehuder. Hudene er ikke garvet, bare saltet. De rå hudene stinker grusomt.

I likhet med mange av gutta står Halvor over plukkfisken som blir servert til middag. Folk vil spare appetitten til et herremåltid i land. Halvor tok ikke ut mye penger i Australia, så han har tegnet seg på pengelista for et bra beløp. Planen hans er å kjøpe ei lærjakke med ullfôr, ei pilotjakke.

Oppe hos Gnisten får han lommene fulle av peso og føler seg som en liten krøsus. Han får også et landgangspass med tekst på spansk.

Både dekks- og maskingjengen har fått fri til å gå i land etter middag. Motormann Eiebakke spør om Halvor vil bli med til Den norske sjømannskirken.

Halvor nøler.

Eiebakke sier: «Du som er så engstelig for hva som skjedde med familien din da tyskerne bombarderte Rena, kan spørre om nytt hjemmefra på kirka.»

Det kan jeg gjøre, tenker Halvor.

Men hva om det ikke er noe nytt å få høre? Da vil han bli like skuffa som han ble på generalkonsulatet i Sydney. Han har møtet med sjømannspresten Aanderaa i Hong Kong i friskt minne. Og han føler ikke trang til å snakke med en ny norsk prestemann.

Han burde ha takket Gud for at han kom seg gjennom krisa med fingerbetennelsen, men den eneste han har greid å takke, er kirurgen med boltekutteren, styrmann Granli.

«Takk for tilbudet,» sier Halvor til Eiebakke. «Jeg tror jeg står over. Jeg føler meg vissen i muskulaturen og vil bygge meg opp ved å gå en lang tur i byen.»

Halvor går i land sammen med smører Helge. De to har bestemt seg for å holde seg unna 25 de Mayo. Nei, de skal ikke til Veinteycinco de Mayo, gata som av sjøfolk fra Nord-Europa blir kalt Veintysinko og er den mest kjente streeten i hele Amerika.

De rusler langs havna i sol og vind. Temperaturen er ti–tolv plussgrader. Folk i Buenos Aires har kledd seg for vintervær, med tjukke frakker og kåper. Mange av damene går i elegante pelskåper. Det oser velstand av denne byen!

Helge og Halvor går i penjakkene sine med gensere under. Helge har på seg en blå blazer med merke fra danseklubben i Vestfold, Halvor har på seg tweedjakka si.

De finner greit Corrientes, og vandrer langs prangende bygninger opp den flotte avenyen til de ser den prangende, hvite obelisken på Plaza de la República.

«Hva synes du?» spør Helge.

«Jeg har aldri sett en obelisk før,» svarer Halvor. «Den er imponerende.»

«Det er bare en sånn jævla ståpikk som herskerne har satt opp for å vise folket at de er potente,» sier Helge. «Da er jeg mer imponert over hovedgata.»

Avenida 9 de Julio er virkelig litt av et syn, med åtte sterkt trafikkerte kjørebaner i hver retning og vakker beplantning i midtrabatten av trær som ennå er grønne.

«Buenos Aires får Hamburg og Sydney til å fortone seg som småbyer,» sier Halvor.

De velger å gå vestover på den milelange Corrientes og stopper ikke før de kommer til Parque de Centenario. Der finner de en vinteråpen uteservering ved en dam der det svømmer svaner og ender. De lesker strupen med hver sin San Miguel-øl.

Tilbake til sentrum går de langs Avenida Córdoba, også den milelang. De stopper ved restauranten La Estancia i Lavalle-gata. Der er de for tidlig ute til å få middag, men den engelsktalende kelneren sier at de kan få en sein lunsj. Også på lunsjmenyen står husets spesialitet, bife de chorizo. De venter seg hver sin løvtynne lunsjsteik. Det som kommer, er et par biffer så tjukke som kortstokker, med fettrand på.

Til biffene har de fått ei flaske rødvin. Like lite som han visste at det ble produsert vin i Australia, visste Halvor at Argentina er et vinland. Vinen heter Terrazas de los Andes. På etiketten er det bilde av vinmarker foran snødekte fjell, og det står at vinen kommer fra provinsen Mendoza.

Halvor greier bare å få i seg halvparten av sin biff. Har magesekken hans skrumpet inn da han lå med feberen og ikke spiste noe som helst?

Et par glass av den fyldige, sterke vinen fra Andesfjellene gjør ham susete.

De skåler for Norges og Frankrikes framtid, som akkurat nå fortoner seg ufattelig dyster. De skåler for Paulette i Le Havre og Tae i Thailand.

Da de har betalt regninga og skal til å gå, kommer en gjeng kinesere inn på La Estancia.

Anføreren for kineserne er en riktig flottenfeier i stripete dress, med tversoversløyfe i halsen og de mest blankpussede sko sør for Ekvator. Selv om det er vinter og han er innendørs, går han med solbriller på seg.

«Spradebassen er sikkert en kinesisk mafiaboss,» sier Helge.

Kineseren tar av seg solbrillene.

«Faen, det er Cheng, jo!» utbryter Halvor.

Cheng oppdager de to skipskameratene sine. Han introduserer følget på fem for dem. Det håndhilses rund baut. De to nordmennene inviteres til å ta en øl med kineserne. Noen videre samtale blir det ikke rundt bordet, for ingen av Chengs kinesiske venner kan annet en brokker av engelsk. En av dem gjentar som et omkved «Kill all Japanese in China», og dette skåles det for.

Halvor gripes av en sterk følelse av hvor absurd verden er blitt. Norge er i krig med Italia, og her sitter han i Argentina og skåler for at alle japanere i Kina skal drepes. Kanskje er Milde Måne akkurat nå ute på tokt for å yte sitt bidrag i kampen mot de japanske okkupantene.

«Kill all Germans in Norway, Denmark, Holland, Belgium and France,» sier Helge. «And Poland.»

Kineserne smiler og nikker. Det skåles.

Halvor ser på Cheng at han begynner å bli utålmodig. Han har sikkert noen slags forretninger på gang med de andre kineserne.

«We have to go to cinema,» sier Halvor.

Ute på gata sier Helge: «Tenk om Cheng i virkeligheten er en stor mann i Triaden.»

«Hva er Triaden?» spør Halvor.

«Kinesisk mafia. Kanskje Cheng styrer et verdensomspennende nett av Triadens folk fra messa på *Tomar*.»

«Det har jeg vanskelig for å tro,» sier Halvor. «Da tror jeg heller at han driver bisniss med smuglersigaretter.»

«Hvem vet,» sier Helge.

De ser på skinnjakker i klesbutikkene i Lavalle og i de luksuriøse butikkene i den enda mer fornemme gata Florida. Det er flotte jakker både av lær og semsket skinn. Men prisene ligger utenfor rekkevidde for en norsk smører og lettmatros.

«La oss forhale ut av dette jålestrøket,» sier Helge.

De går noen kvartaler nordover og kommer til gata Viamonte.

Her ligger bokhandler på rekke og rad. I et bokhandlervindu ser de ei bok med Knut Hamsuns navn på omslaget.

Dette gjør dem kry, og de dulter til hverandre.

«Hvem tenker i en sådan stund på at Hamsun er en jævla nazist?» sier Helge.

«Det er ikke sikkert Hamsun er så begeistra for den tyske okkupasjonen av Norge,» sier Halvor. «Når alt kommer til alt, er han vel norsk patriot.»

Bokas tittel er *La bendición de la tierra*.

Helge sier at «tierra» på spansk sikkert betyr det samme som «terre» på fransk, jord. Da må nok boka være *Markens grøde*.

Inneklemt mellom to bokhandler ligger en klesbutikk. Der er stilt ut skinnjakker til halve prisen av det som ble forlangt i Florida. Bak disken kan de se at det står en mørk, kortvokst mann.

«Han der er sikkert en skikkelig klesjøde,» sier Helge.

«Klesjøde er kanskje et ord vi ikke burde bruke lenger.»

Helge etteraper kaptein Nilsens stemme og sier: «Det har De sikkert rett i, Skramstad.»

De går inn i sjappa. Pilotjakker som den Halvor kunne tenke seg, finnes ikke her. De prøver hver sin semskede jakke, og jakkene passer bra.

«Slår vi til?» spør Helge.

«Denne jakka er ikke akkurat drømmejakka mi,» sier Halvor.

«Jeg så at du satte deg opp på pengelista med en drøss gærninger. Husk at vi seiler i morra. Du vil vel ikke brenne inne med en haug argentinske peso?»

«Okey,» sier Halvor.

«Vi pruter, så klart. Vi må jo få en bra prisreduksjon når vi kjøper to jakker i samma slengen. Jeg prøver fransken min på jøden.»

Samme hva Helge sier, er kleshandleren urokkelig og peker på prislappene.

«Enten er fransken min verdiløs,» sier Helge, «eller så forstår jøden ikke fransk, eller later som om han ikke forstår. Han er en jævla stabukk, åkkesom.»

Kleshandleren peker på dem og sier: «Nacionalidad?»

«Norvégien,» sier Helge.

«Norwegian,» sier Halvor.

Kleshandleren ser ikke ut til å forstå. Halvor finner fram landgangspasset sitt og viser det til ham.

«Ah, Noruega!» utbryter kleshandleren og smiler bredt. «Nansen! Nansen de Noruega un hombre muy grande. Salvo mi vida.»

«Hva mener han?» spør Halvor.

«At Nansen var en stor mann. Og så tror jeg han vil si at Nansen redda livet hans.»

«Armenia,» sier mannen og peker på seg sjøl. Han forsvinner inn på bakrommet og kommer tilbake med et lite, rødt hefte som ser ut som et pass. Han blar opp i det og viser fram et fotografi av seg sjøl.

«Refugio,» sier han. «Refugio de Armenia. Pasaporte de Nansen.»

«Nå forstår jeg tegninga,» sier Halvor. «Det han viser oss, er et Nansen-pass. Han må være en av hundretusenvis av flyktninger fra Armenia som fikk Nansen-pass og kunne slå seg ned i fremmede land. Mora mi var veldig opptatt av disse passene som Nansen fikk lagd. Hun mente det var et tiltak som bidro til å skape fred i verden.»

Armeneren selger dem ikke to jakker til prisen av én, selv om de kommer fra Nansens land. Men han selger dem to jakker til prisen av halvannen. De tar på seg skinnjakkene og får jakkene de kom i, pakket inn i gråpapir.

De skilles fra armeneren med håndtrykk.

«Lenge leve Fridtjof Nansen,» sier Helge da de er kommet ut på fortauet.

«Nansen de Noruega hombre muy grande,» sier Halvor.

De rusler tilbake til Florida. Der reklamerer en kino for filmen *Lo que el viento se llevó*. Filmplakaten levner ingen tvil om hvilken film det er, for på plakaten kysser Vivien Leigh og Clark Gable hverandre.

De kjøper billetter i dyre dommer.

Det står «No fumar» på oppslag ved inngangen til kinosalen, og et symbol som forestiller en sigarett med et kryss over.

«Jeg trodde ikke det fantes kinoer der det er forbudt å røyke,» sier Halvor.

«Det har vel noe med helsa å gjøre,» sier Helge. «Det finnes doktorer som påstår at man dauer av å røyke. Sjøl dauer jeg hvis jeg *ikke* får røyke.»

De tar seg en sigarett i foajeen før de går inn i salens mørke.

På lerretet vises reklame for såpe og sjokolade, og damestrømper av et stoff som blir kalt «nailon». Dette nailon blir av en entusiastisk kvinnestemme som går opp i fistel, presentert som om det skulle være den største oppfinnelsen i menneskehetens historie.

Filmavis følger.

Det vises bilder fra en fotballkamp mellom to lag som må være lokale, River Plate og Estudiantes. Kampen er målrik, og det bues og heies av folk i salen. River Plate vinner 4–3, til vill jubel fra noen og pipekonsert fra andre.

Så er det brå overgang til bilder av soldater på marsj i ei bygate. Det er soldater med karakteristiske tyske stålhjelmer.

«Er det fra Paris?» spør Halvor med hviskende stemme.

«Tror ikke det,» svarer Helge.

Noen få mennesker i salen applauderer, men de fleste buer og piper.

Kommentatorstemmen sier «Varsovia».

«Warszawa,» sier Helge.

På ny vises tyske soldater på marsj.

Buing og piping i salen.

Halvor synes det er noe kjent med byen tyskerne marsjerer gjennom.

«Faen, det er *Oslo*!» sier han. «Se, der er Slottet i bakgrunnen. Hvorfor i helvete står en masse folk på fortauene og bare *glaner* på tyskerne? Har de ikke brustein de kan kaste?»

«Det ser helt forjævlig ut,» sier Helge.

Halvor vet at dette er et bilde som vil brenne seg fast i ham for bestandig, av Ola og Kari Nordmann som står tafatte og koper mens tyskerne marsjerer taktfast på Karl Johan. Han skulle ønske han ikke hadde sett kavalkaden over tyskernes erobringer med dette bildet fra Oslo, at Helge og han hadde droppa å gå inn på kinoen.

Nå vises tyske soldater til hest. Det må være fra Paris, for soldatene rir under Triumfbuen.

Det huies så voldsomt i salen at den spredte applausen drukner, og det ropes «Viva Francia!», «Vive la France!», «Hitler hijo de puta!», «Hitler maricón», og så i kor: «Hitler asesino! Hitler asesino! Hitler asesino!»

En ung fyr på seteraden foran de to nordmennene reiser seg og tar av seg en sko, som han slenger mot lerretet. Dette stopper dessverre ikke de tyske ryttersoldatenes ferd under Triumfbuen.

Hvordan og hvorfor kan en film som viser tyskernes inntog i Paris, bli vist i Buenos Aires allerede nå? Filmen må ha blitt fløyet fra Europa til Sør-Amerika. Det er sikkert sånt som Joseph Goebbels og propagandamaskineriet hans besørger. Det skal være sterke nazisympatier blant de konservative generalene som har kuppa seg til regjeringsmakt i Argentina. Disse generalene er det nok som har ordnet det slik at Hitler-propagandaen blir vist som filmavis.

Men folk flest vil ikke ha det, de vil gudskjelov ikke ha det! Halvor elsker argentinerne som buer mot tyskerne på Karl Johan og roper at Hitler er en morder.

Til Halvors forundring snakker både Vivien Leigh og Clark Gable spansk. Helge hvisker at i Frankrike ville de ha snakket fransk. Det kalles dubbing og er vanlig når Hollywood-filmer vises i latinske land.

Siden Halvor har lest boka, kan han hviskende forklare Helge hva som foregår.

Etter filmen styrer de to skrittene sine i retning Darsena Norte, men bestemmer seg for å ta en liten sving nedom Veintysinko-gata – som løper parallelt med havna – bare for å si hei til de andre gutta.

De går innom flere barer uten å finne noen av karene fra skuta.

«Det er rart,» sier Helge. «I gatene her er det nesten ingen mennesker med indianske trekk å se. Men her på sjappene er de fleste jentene indianermørke.»

«Fattigdommen gjør jenter til horer,» sier Halvor. «Her i Buenos Aires er det de hvite som har makta og pengene. De som har indianerblod i årene, lever vel på bånn.»

I en bar som heter Mama Rosa, finner de Geir Ole, Hemmingsen og Båsen. Lettmatrosen og matrosen sitter med hver sin indianerjente på fanget, mens Båsen sitter aleine ved et bord med ei stor flaske og et lite glass foran seg.

Fra tuten på en sveivegrammofon plassert på bardisken kommer lyden av smektende tangomusikk.

Halvor og Helge spør om de kan slå seg ned ved Båsens bord, og Båsen er lutter vennlighet. Som tatt av vinden er Sinna-Båsen fra Katendrecht.

«Pisco,» sier Båsen og peker på flaska som har et innhold med farge som en urinprøve. «Ekte pisco fra Peru. Beste brennevinet i Sør-Amerika. Ingenting røsker og river som pisco. En smak, gutter?»

De to nikker.

«Hoppla, Mama Rosa,» roper Båsen.

En storvokst, gråhåret kvinne iført sjokkrosa kjole kommer bort til bordet. Båsen peker på glasset sitt og viser med to fingre i været at han vil ha et par glass til. Mama Rosa kommer med glassene, setter dem på bordet og gir Båsen en suss på kinnet.

«Mama Rosa ligger dere unna, gutter,» sier Båsen. «Hun er min for i aften. Jeg liker'em godt voksne.»

De tre ved bordet skåler i pisco.

«Det er rått druebrennevin fra fjellskrentene i Peru,» sier Båsen. «Hadde dere hatt druer oppi dalom, Skogsmatrosen, kunne dere laga heimebrent som smakte som pisco.»

«Vi har druer på Nøtterøy,» sier Helge. «Naboene våre hjemme i Årøysund greier å dyrke druer i solveggen foran huset sitt. Nok til vin blir det ikke. Snekker Bendiksen og frua tørker druene til rosiner, som alle ungene i Årøysund får smake på.»

«Det med druer på Nøtterøy tror jeg på,» sier Båsen. «Vi har faen danse meg druer på Hurumlandet også. Det er ei fin vik som heter Knivsvika. Den ligger vestvendt mot Drammensfjorden, under et stupbratt berg som heter Knivsfjellet. I Knivsvika gror alle mulige sydlandske vekster. Druer, tomater og aprikoser. Der står et valnøttre som gir femti–seksti nøtter hver høst. I Knivsvika kunne jeg tenke meg å slå meg ned når jeg blir gammal. *Hvis* jeg blir gammal, da. Nå har vi fått denne hersens krigen som gjør at livene våre henger i en tynn tråd. Men la oss si at krigen varer noen år, og at vi overlever. Da bør vi kunne vende hjem som holdne menn, takket være bonusen for krigsseilasen. Da kjøper jeg meg en liten kåk i Knivsvika. Og jeg får vel alltids råd til en liten robåt også, en plattgatter. Jeg liker å ro. Jeg kan ro over og besøke Flise-Guri i Svelvik. Blir jeg lei av å ro, huker jeg på en liten Evinrude påhengsmotor. Da kan jeg putre inn fjorden og invitere meg sjøl på en drink hos styrmann Granli i Hyggen. Opp i Drammenselva kan jeg gå. Til Hokksund. Det gjør seg å komme sjøveien til Hokksund. Innlandskjerringene der liker en mann fra havet, og jeg skal gjøre det utrygt å være rik enke i Hokksund. Finnes det rike enker der som ikke har pult på en stund, skal de få smake levangeren min.»

«Levangeren?» sier Helge.

«Dere sotengler vet ikke hva en levanger er. Det er en sånn kost som vi bruker til å skrubbe dekk. Jeg skal feie over enkene i Hokksund. Sommerstid ror jeg ut til Rødtangen og ser hva som finnes på stranda der av kåte badedamer i moden alder.»

«Det er godt du har planene klare, Båsen,» sier Halvor.

To mørke jenter iført utringede, stramtsittende, lårkorte rosa kjoler kommer bort til bordet. Den ene må være av indiansk herkomst, den andre mulatt. Hun som er mulatt, er utrolig barmfager. Kløfta mellom brystene hennes får Halvor til å tenke på Jutulhogget mellom Østerdalen og Rendalen. De to jentene legger begge an på Helge, men lar Halvor være i fred.

«Hva gjør du nå, smører Hvasser?» sier Båsen. «Du som etter sigende har fast fitte i Frankrike.»

«Jeg sier nei takk,» sier Helge.

«Det vil du kanskje angre på,» sier Båsen. «Tyskerne har tatt Le Havre, og det kan gå en liten evighet til du får se den franske dama di igjen. Om du noen gang får se henne mer. Dere gutta trenger et realt nyp før vi gir oss Atlanteren i vold.»

Den indianske setter seg på Helges kne.

«No gracias,» sier han.

«Usted maricón?» sier hun.

«No, je ne suis pas maricón. Je suis mari.»

Hun geiper til ham, men letter seg fra kneet hans og går bort og stiller seg ved bardisken sammen med mulattjenta.

«Hva i heiteste sa du til henne?» spør Båsen.

«Jeg sa at jeg ikke er homo, og at jeg er gift.»

De skåler. Halvor tar det pent med piscoen. Alkohol tynner blodet, og han vil la fingeren gro ordentlig før han begynner å supe brennevin.

«Og dere gutta har spjåka dere ut med nye skinnjakker,» sier Båsen.

Halvor forteller om armeneren som ga dem en god pris fordi han hadde fått Nansen-pass.

«Nansen, ja,» sier Båsen. «Det var ei Guds lykke for Norge at Nansen krøyp i pennalet i nittentredve.»

«Hva faen mener du med det?» spør Halvor.

Båsen tygger på det og prøver å se hemmelighetsfull ut. Men piscoen har gjort ham løsmunnet, så han plumper ut med det: «Det var heldig at det var assistenten hans fra Russland, Quisling, og ikke sjefen sjøl, Nansen, som gjorde statskupp. Hadde Nansen levd i dag, ville han vært åtti. Tenk om tyskerjævlene hadde fått Nansen som gallionsfigur, og ikke et nek som Quisling! Tyskerne kunne gjort Nansen til president i Norge og fått mange nordmenn med seg.»

«Hvorfor skulle en sann patriot som Nansen ha stilt seg til rådighet for fienden?» spør Helge.

413

«En vet aldri med gamle gubber. De kan være åreforkalka. De er svake for smiger og fjas. Nansen var jo alltid jævlig høy på pæra og stormannsgæren så det holdt. Av utseende likna Nansen på han fordømte marskalken som nå vil overgi Frankrike til Tyskland. Hva er'e han heter? Putain?»

Helge begynner å le.

«Nei, han heter *ikke* Putain,» sier han. «På fransk betyr 'putain' hore.»

«Det visste jeg vel, hadde jeg tenkt meg om,» sier Båsen.

«Marskalken heter Pétain,» sier Helge.

«Han er en gammal helt, sånn som Nansen var. Nansen kunne blitt en norsk Pétain. Det skulle tatt seg ut om vår store nasjonalhelt hadde blitt kabbolatør.»

«Kollaboratør,» sier Halvor.

«Kolla-hva-faen,» sier Båsen.

Halvor og Helge blir med Båsen på en skål for at Nansen kreperte i tide og unngikk en skjebne verre enn døden.

Geir Ole er forsvunnet med jenta han hadde på fanget. Hemmingsen sitter stadig og kliner med sin jente. Med vemod tenker Halvor tilbake på Sirikit og Tae i Thailand.

Den indianske jenta og mulattjenta gjør et nytt framstøt mot Helge.

Hva er det med meg? tenker Halvor. Hvorfor skygger jentene unna meg?

Båsen må ha tenkt det samme, for han sier: «Jeg kan tenke meg at jentene blir redde når de ser den bandasjerte fingerstumpen din. De tror sikkert at du er spedalsk.»

«Jeg ser da for faen ikke spedalsk ut!» sier Halvor.

«Spedalskhet begynner i det små,» sier Båsen. «Først detter det av en finger eller et par tær. Siden ryker armer og bein.»

Halvor heller i seg piscodrammen og skjenker påfyll. Han ser at Hemmingsen og jenta hans går. Spedalsk? Han? Han kunne ha lyst til å forklare de to jentene, indianeren og mulatten, at han ikke har det minste snev av lepra. Særlig kunne han ha lyst til å gjøre dette tindrende klart for hun med Jutulhogget. Hun er ikke spesielt pen og minner lite om de råraffe mulattjentene han har sett bilder av fra karnevalet i Rio. Ja, hun har faktisk litt underbitt, nesa hennes ser ut som den har fått seg en trøkk i en boksekamp, og det samme gjør det ene øret, som ligger flatere til hodet enn det andre. I øreflippene

bærer hun store ringer av messing. Munnen er malt med rosa leppe-
stift som skal passe til den minimale serken hun går i. Det er en skjæ-
rende rosa farge som ikke er behagelig for øyet.

Men så er det dette nesten overdrevne puppestellet, da, og rumpa
som ser ut som et sånt sprøytehopp de lagde i skibakken da han
var guttunge. Et veritabelt spretthopp til rumpe har hun fått som
gave av Skaperen.

Halvor slåss en kamp med seg sjøl. Det er en dobbelthet i ham,
som om både Gud og Djevelen samtidig har tatt bolig i sjela hans.
Der, i sjela, finnes både blendende lys og beksvart mørke. Han har
et veldig sug i seg etter kvinne, men samtidig en motkraft som for-
teller ham at det vil være feil av ham å gå med denne prostituerte
fra streeten i Buenos Aires. Han tenker som i Sydney, at han ikke
må ødelegge det fine han hadde med Tae.

Hva skjeller det denne mulattjenta om han er spedalsk eller ei?
Hun kan strutte så mye hun vil både her og der, denne señorita
Jutulhogget. Hun har frista tusenvis av sjømenn i Veintysinko, men
han faller ikke for henne. Ikke faen om han gjør!

«Nå må dere to gutta raska på hvis det skal bli noe mus på dere,»
sier Båsen og peker mot inngangsdøra. «Det kommer en degosgjeng
her.»

To unge karer med sydlandsk utseende, iført blå- og hvitstripete
sjømannstrøyer, er kommet inn i sjappa og tar dansetrinn til tango-
rytmen fra grammofonen. Det høres latter utenfor døra, og det ras-
ler i forhenget av rosa perlebånd som dekker døråpninga. Fire nye
karer i sjømannstrøyer kommer inn.

«Et kompani sprengkåte grekere,» sier Båsen. «Squawen og
puppetrollet kommer til å forsvinne som dugg for sola hvis dere
gutta ikke kjenner deres besøkelsestid.»

Halvor vinker til señõrita Jutulhogget. Hun kommer bort til bor-
det, men setter seg ikke på kneet hans, blir stående avventende.

«Hun kan få min stol,» sier Helge. «Jeg stikker. Jeg føler meg
som en helvetes jævla *søylehelgen*. Men jeg stikker. Skal jeg ta med
meg jakkepakka di, Halvor, så den ikke blir rappa fra deg?»

Halvor gir ham gråpapirpakka med tweedjakka i.

«Vaya con Díos,» sier Båsen til Helge.

Señorita Jutulhogget setter seg på den ledige stolen.

Halvor holder opp fingerstumpen. Bandasjen er heldigvis ennå
hvit og rein, til tross for den lange byvandringa i støvete gater.

«Amputation,» sier han.

415

«Amputación,» sier hun.

«Accident.»

«Accidente.»

«Work,» sier Halvor.

Det forstår hun ikke.

Han spør Båsen: «Vet du hva arbeid heter på spansk?»

«Barato,» svarer Båsen. «Nei, det betyr billig. Arbeid heter ... meg og ord! ... *trabajo* er det, for faen.»

«Accidente de trabajo,» sier Halvor, hiver innpå en piscodram og tenner en sigarett.

Hun nikker, smiler, peker på seg sjøl og sier: «Rita. Brasileira. Florianópolis.»

«Hun er fra Florianópolis,» sier Båsen. «Det er en havneby langt sør i Brasil. Fin plass. Og ingen er heitere i køya enn brasilianske damer. Nå har du ditt livs sjanse til å prøve ei brasseberte.»

Señorita Jutulhogget – Rita – bøyer seg fram for at Halvor skal få kikke djupt ned i utringninga hennes. Kjolen strammer seg sånn at han får øye på en mørkebrun brystvorte. Den strutter like mye som alt annet på henne.

Han måtte vært lagd av en hittil ukjent legering mannfolkmateriale om det ikke hadde begynt å røre seg i buksa hans nå. Men det kommer dunster fra Rita. Det er ikke bare dunsten av parfyme, det er også en annen dunst. Det kan være noe så alminnelig som dårlig ånde. Likevel gjør den dunsten ham veldig kvalm.

«Vamos, mi amor,» sier Rita. «Vamos a joder.»

Det betyr vel at de skal gå og knulle.

Halvor *vil ikke* det.

«Sorry,» sier han. «No possible.»

Han reiser seg og gir Båsen en liten slant peso for piscoen. Han gir også en slant til Rita. Hun skjærer en stygg grimase.

«Estúpido gringo,» sier hun.

Ja vel, så er han kanskje en dum gringo. Men han går, han løper.

Halvor finner greit fram til Darsena Norte og *Tomar.*

Om bord slår den dyriske stanken av rå huder mot ham.

De dyriske driftene sine greide han å motstå.

I underkøya på lugaren er det ingen Geir Ole. Halvor kler av seg, klatrer opp i overkøya og trekker en blankis over seg. Han blir liggende og se for seg hvordan Geir Ole nå boller seg med indianerjenta.

Han tenker på jenta med Jutulhogget. Han skulle gjerne ha kjørt staven opp i hogget hennes, mellom de stive brystvortene, og latt spruten gå så den dekka hele halsen hennes.

Han klatrer ned fra køya, kipper på seg slippersene, tuller et håndkle rundt livet, finner et stykke Palmolive og går til dusjrommet. Der såper han seg inn og lar de dyriske driftene få fritt utløp.

Kapittel 36

Halvor sitter på poopen og skriver i dagboka: «Paranaguá, Brasil, søndag 23. juni 1940. Her er såpass sterk sol at jeg har valgt å trekke inn i skyggen under poopdekket, uvant som jeg er med å sole meg. Vi ligger ved kai og venter på et parti kaffe som skulle ha kommet i går, og som neppe kommer i dag, da det er søndag, men kanskje kommer i morgen. Vi er i det som vi nordmenn kaller mañana-land. Det er kanskje et nedsettende uttrykk, men jeg må si det passer bra på Paranaguá. Vi er i en havn på det amerikanske kontinentet, men i denne byen er det ikke akkurat amerikansk tempo i det som foregår.

Vesle Paranaguá er virkelig en sterk kontrast til veldige Buenos Aires. Ingen om bord har vært her før. Da vi kom inn hit til denne ravnekroken og la til ved kaia der det er plass til to skip, sa Båsen: Her ser det ut til å være dårlig med smått stell.

Jeg må innrømme at byen var en skuffelse. Jeg hadde ventet meg at Brasil var mer fargesterkt, med samba og karneval i gatene. Paranaguá er en grå, støvete og dorsk liten tjuvplass.

Vi har hatt søndagsfri. Jeg gikk en tur i land med Flise-Guri.

På byens torg sto en fontene uten vann.

Her er ikke mange biler, men til gjengjeld en god del esler som bærer bører av kvist og kvas på ryggen, eller trekker kjerrer med jernbeslåtte hjul som lager et fryktelig spetakkel når de skramler over brusteinene. Det hele virker, etter Buenos Aires' storslåtte prakt, fattigslig og smått.

Men her må være et visst politisk liv, for på murer og gjerder satt opp av bølgeblikk var det malt slagord. Ett var helt nymalt og var kanskje skrevet av innvandrere fra Frankrike. Det lød 'Pétain putain!' Ellers var det en god del hammer-og-sigd-merker, og flere steder sto det 'Viva Prestes!'. Det må ha vært til ære for en av heltene til faren min, kommunistlederen Carlos Prestes. På 1920-tallet ledet han en opprørsmarsj av arbeidere og fattigbønder som marsjerte gjennom hele Brasil. Ifølge far var marsjen på 250 norske mil. Under diktatoren Vargas, som styrer nå, er kommunistpartiet forbudt. Noen steder sto det 'Viva Vargas!', men andre steder var det malt dødninghoder ved siden av diktatorens navn.

Befolkningen er mye mer blandet her enn i Buenos Aires. Uansett kulør er menneskene pene i tøyet. I dag hadde de pyntet seg i sin fineste søndagsstas og var ute og promenerte.

Et par eldre hvite kvinner gikk under hver sin parasoll for å beskytte seg mot sola. De så ut som om de var med i en historisk film, de kunne vært statister i Tatt av vinden.

Vi kom inn i gamlebyen, med lave okergule bygninger som ifølge Flise-Guri måtte ha blitt reist den gangen Brasil var portugisisk koloni. Vi stoppet ved en liten, hvitkalket kirke. Den hadde en hovedbygning med stor inngangsdør og tre små vinduer, og et lite klokketårn der urviserne hadde stoppet på fem på halv fire.

Vi gikk inn sammen med folk som skulle til søndagsmesse. Mange av dem var koner kledd i svart. Like innenfor døra hang et messingskilt der navnet på kirken sto: Nossa Senhora do Rosário. Det sto også et årstall: 1578.

Du verden, sa Flise-Guri. Dette må være en av de eldste kjerkene i Amerika.

Kanskje portugiserne fant gull på disse kanter den gangen på 1500-tallet da interiøret i kirkebygget ble lagd. For alt var forgylt, både vegger, tak og søyler.

De gamle konene tente vokslys, og det luktet røkelse.

Jeg prøvde å kjenne etter om jeg kom i hellig stemning av å være i dette gudshuset, men kjente ingenting.

Da vi kom ut, støtte vi på Hemmingsen. Han hadde med kameraet og tok bilde av Flise-Guri og meg foran Nossa Senhora do Rosário. Jeg tok bilde av Hemmingsen og Flise-Guri.

Det er vel tid for en øl, sa Hemmingsen. Det er en søvnig plass, Paranaguá. Men her er heldigvis ingen sånne dustete bestemmelser som vi har hjemme, om at det ikke er lov å servere øl i kjerketida.

Vi fant en utendørs kafé ved torget med fontenen uten vann.

Der satt Granli og drakk kaffe. Han spurte om vi ville slå oss ned ved bordet hans. Vi satte oss og bestilte 'tres cerveja'.

Quatro, sa Granli til kelneren.

Fire glass øl kom. Ølet var friskt og kaldt, og vi skålte.

Samtalen dreide seg naturlig nok om Frankrikes kapitulasjon. I går, altså den 22. juni, fikk Hitler det som han ville, og han kom ens ærend til jernbanevogna i Compiègne og undertegnet avtalen som ydmyket franskmennene og tvang dem i knestående.

Jeg var på kino i Buenos Aires og så en filmavis, sa Granli. Der oppviste tyskerne den råeste maktdemonstrasjon jeg noen gang har sett. De kom <u>ridende</u> under Triumfbuen.

Jeg så den samme filmavisa, sa jeg.

Tyskerne behøvde ikke rulle inn i Paris med alt sitt Panzer, sa Granli. De kom med hester, med sårbare dyr. Så knusende overlegne var tyskerne under felttoget sitt at franskmennene ikke greide å skyte <u>hestene</u> deres engang.

Flise-Guri sa: Det verste for oss på <u>Tomar</u>, og for alle andre skip i Nortraship-flåten, er at tyskerne nå kan okkupere alle franske havner på kysten av Atlanteren. Det betyr at de tyske ubåtene kan utvide operasjonsområdet sitt voldsomt. De tyske ubåtskipperne fryder seg nok inn til margen over at de kan seile ut fra Brest i Normandie.

Granli sa at Pétain er Frankrikes Quisling, bare at han er mye farligere for verden enn Quisling i lille Norge. Pétains regjering i Vichy vil formelt ha kontrollen over søndre del av Frankrike. Men det er tyskerne som har bukta og begge endene. I praksis har Hitler kontroll med den franske Middelhavskysten. Den franske marinens fartøyer i Toulon skal avvæpnes.

Hva tror du guvernørene i de franske koloniene i Nord-Afrika og Vest-Afrika gjør? spurte Hemmingsen.

Det ser ut til at de er lojale mot Pétain, svarte Granli. Det betyr at sjefen for Kriegsmarine, storadmiral Erich Raeder, kanskje kan anlegge ubåtbaser i Casablanca og Dakar.

Har tyskerne nok ubåter til det? spurte Flise-Guri.

Det er usikkert hvor stor kapasitet den tyske ubåtflåten har, svarte Granli. Har Raeder femti ubåter til rådighet, eller hundre, hundreogfemti? Tyskerne har vært så flinke til å bygge ubåter i dølgsmål at til og med alliert etterretning kanskje ikke kjenner antallet. Torpedoene er blitt mer effektive og farligere for oss.

Flise-Guri sa: Det skulle ikke forundre meg om Hitlers ambassadør i Lissabon nå forhandler med Portugals diktator Antonio Salazar om å få bygge tyske flåtebaser på Azorene, Madeira og Kapp Verde-øyene utenfor Dakar. I København ser jeg for meg at Hitlers folk krever baser på Færøyene og Island. Og jeg er rimelig sikker på at Franco og Hitler er enige om å pælme engelskmennene ut fra Gibraltar. Går alt dette i boks for Hitler, har han plutselig festet et jerngrep i Atlanteren.

Det lover ikke godt, sa Hemmingsen. Jeg angrer på at jeg ikke tok hyre på en amerikansk båt for lenge siden.

Her var vi inne på et ømtålig tema. Vi diskuterer jo stadig om bord om det er all right å mønstre av norske båter for å få sikrere båter der det attpåtil er mye bedre hyre.

Jeg fyrte derfor av et avledende spørsmål om hvordan det går med blindpassasjeren vår.

Ingen ville ha Juris Grots i Buenos Aires, sa Granli. Kanskje vi kan bli kvitt ham her i Paranaguá. Det finnes en liten koloni lettlendere oppe i Curitiba, som er en mye større og mer moderne by lenger inn i landet. Agenten vår skal være i kontakt med folk i den lettiske kolonien der. De vil muligens ta imot en landsmann. Det bør være en smal sak for dem å finne ut om Grots er ekte lettlender. Det er bare å begynne å snakke lettisk med'n. Kan hende et visst pengebeløp må skifte eier før han blir tatt imot av sine egne i Curitiba.

Vi begynte å snakke om at det er Sankthansaften i kveld.

Mon tro om det vil være tillatt å brenne bål hjemme? sa Hemmingsen. Tyskerne har antakelig forbudt bålbrenning.

Du tenker på at tyskerne vil unngå at britiske bombefly navigerer etter lyset fra bålene? sa Granli. Det er vel høyst tvilsomt om britene har mulighet til å drive nattbombing av mål i Norge. Royal Air Force har sikkert mer enn nok med å forsvare britisk luftrom nå som Luftwaffe kan ta av fra flyplasser ved Kanalen.

Tyskerne er kjent for å ta alle mulige og umulige forholdsregler, sa Flise-Guri. Derfor ser jeg for meg en mørk Jonsok-kveld i Norge. Det blir nok ingen bål på strendene ved Svelvikstrømmen i aften.

Granli forlot oss for å spasere en tur og få strukket litt på beina.

Vi tre tok en ny runde øl. Hemmingsen underholdt Flise-Guri og meg med kvinnfolkhistorier. Flise-Guri snakket om tupi-indianerne i Brasil som var herrer over store deler av landet før portugiserne kom og slo huet ned i magan på dem. Han fortalte også om ville indianerstammer inne i Amazonas som aldri har sett en hvit mann og lever som folk gjorde i Norge under steinalderen.

Vi snakker så flott om sivilisasjonen vår i Vesten, sa Flise-Guri. Men den sivilisasjonen har faen tute meg skapt de verste våpen verden har sett. De ville indianerne i Amazonas slipper å bekymre seg for bomber og torpedoer.

Men de er vel kannibaler og eter hverandre, sa Hemmingsen.

Er det så jævlig mye verre enn det Hitler driver med? sa Flise-Guri.

De to gikk om bord. Jeg slo et slag bortom Nossa Senhora do Rosário, gikk inn og kjøpte et vokslys. Jeg hadde ingen lokale gærninger å betale med, men pateren tok imot en pesoseddel fra Argentina.

Jeg tente lyset og knelte foran alteret sammen med noen gamle koner og ei ung jente. Jeg fikk ingen følelse av hellighet. Isteden begynte jeg å tenke syndige tanker om den unge jenta. Hun var mulatt og mye penere enn Jutulhogget. Bryster å snakke om hadde hun ikke, men der hun lå og knelte, tegnet rumpa hennes en yndig bue.

Nei, mitt kirkebesøk var dødfødt i enhver religiøs forstand, og jeg rusla om bord.»

Mandag morgen kjører en liten kolonne lastebiler med kaffesekker ut på kaia. En gjeng havnearbeidere kommer om bord. Det er menn av alle tenkelige hudfarger, fra kritthvite til kullsvarte.

Lukene på ener'n og toer'n blir tatt av, og den fæle lukta av de rå, saltede hudene fra Argentina brer seg over fordekket.

«Jeg kan bare se et dusin lastebiler,» sier Halvor. «Er dette all kaffen vi skal ha med oss herfra til England?»

«Vi skal laste et ynkelig lite parti kaffe,» sier Trean. «Det er knapt nok så det holder til en måneds kaffeforbruk for lordene i Overhuset i London. Men mer enn tolv lastebillass skal vi ha om bord. Kanskje kommer det flere biler i løpet av dagen. Kanskje kommer de mañana.»

Halvor beundrer sjauerne som lemper kaffesekker. Det er de gode til, enten de er hvite, brune eller svarte i huden. De har virkelig teken på det. Sola som skinner ned i lasterommet, får det til å lyne i stålet i sekkehukene karene bruker for å trekke sekkene på plass.

De svarte har mest muskler, men de hvite har seige sener.

Nå er det amerikansk tempo i Paranaguá! Nesten før de har begynt, har sjauerne tatt unna lasta fra de tolv lastebilene. Alle mann tar på seg stråhatter eller skyggeluer og går i land og tar siesta i skyggen av et lagerskur.

Langt om lenge kommer en ny kolonne lastebiler.

«Alle monner drar,» sier Nyhus til Halvor. «Men med dette tempoet i lastebiltransporten kommer vi ikke av gårde før i morra.»

Like før middag parkerer en svartlakkert personbil ved gangveien. Ut av bilen stiger to hvite herrer iført dress. De ser ikke ut som myndighetspersoner.

Nyhus stopper dem på fallrepet, slår av en kort prat og slipper dem om bord. Halvor, nysgjerrig som han er, spør Nyhus om hva slags folk det var.

«To lettlendere fra Curitiba,» sier Nyhus. «De er kommet for å hente blindpassasjeren vår.»

Halvor stikker til messa og kjøper en kartong Chesterfield på krita av Cheng.

Han stiller seg på post ved fallrepet.

Tida går. Kanskje lettlenderne forhandler med kaptein Nilsen om et pengebeløp?

Halvor er redd han ikke skal rekke middagen. Det er saltkjøtt, flesk og erter i dag, og han har begynt å like denne retten.

Han blir stående på post.

Så kommer de to lettlenderne sammen med mannen som kaller seg Juris Grots. Grots halter ennå etter såret han fikk, eller ga seg sjøl.

Halvor rekker ham Chesterfield-kartongen og sier «good luck».

Grots smiler slik Halvor ikke hadde trodd han kunne smile.

Hva var det Martinius sa? Ikke Martinius Skorobekken hjemme på Rena, men Bjørnstjerne Martinius Bjørnson. De gode gjerninger redder verden, sa Bjørnson.

Halvor blir stående en stund og nyte følelsen av egen prektighet før han løper til messa.

Etter middag får dekksgjengen en sjau med å bære sementsekker opp på brua. Det skal støpes utvendige betongdeksler på begge sider av styrhuset og et innvendig deksel i forkant av styrhuset.

Halvor, Geir Ole og Flemming fra Fyn bistår Flise-Guri med å snekre forskalinger.

Det går greit å snekre de utvendige forskalingene. Verre er det med den innvendige. Betongdekslet må ikke bli for tynt, men heller ikke så tjukt at det sperrer for hendlene på maskintelegrafene.

Kaptein Nilsen avlegger dem et par visitter, gir råd og småkjefter.

«Husk at styrhuset er et hellig rom for meg,» sier kapteinen. «Når støpingen begynner, vil jeg ikke ha det minste sementsøl på styrhusdørken.»

«Hva tid blir det avgang herfra?» spør Flise-Guri.

«Vi får tro at resten av kaffelasten kan tas om bord i morgen,» svarer kapteinen. «Det er mange ledd som må smøres, både tollere og syndere. President Getúlio Vargas har styrt Brasil i ti år, de siste tre årene nærmest som en fascistisk diktator à la Mussolini. Han har greid å modernisere landet, selv om vi ikke ser stort til det her i Paranaguá. I en totalitær stat som Estado Novo, som Vargas kaller staten sin, skulle en tro at diktatoren burde makte å holde alle løftene sine om å avskaffe korrupsjonen. Men Brasil er like korrupt nå som da jeg seilte her som ung styrmann. Dere vet hva som står som motto i det brasilianske flagget?»

De fire fra mannskapet trekker på skuldrene.

«Det er en blå sirkel full av stjerner i midten av flagget,» sier Flise-Guri. «Jeg har hørt at disse stjernene forestiller de viktigste stjernebildene slik de kan sees fra Rio de Janeiro.»

«Ganske riktig, tømmermann Tveiten,» sier kapteinen. «Men det var teksten?»

«Jeg kan ikke huske noen tekst.»

«Det står 'Ordem e progresso'. Det betyr orden og fremskritt. Hvis dette svære landet med alle sine naturrikdommer virkelig fikk orden og fremskritt, ville det bli en økonomisk stormakt som kunne måle seg med de europeiske. Men da må brasilianerne få tatt rotta på den forbannede korrupsjonen. Og da må Vargas, 'de fattiges far', som han kaller seg, få løftet fattigfolket opp av gjørma. Vil det skje? Shippingagenten vår her, senhor Vieira, er en hederlig fyr. Han sier at Brasil er morgendagens land – og alltid vil være det.»

Flise-Guri og laget hans begynner støpinga. De rekker å støpe styrbords deksel før det er utskei klokka fem.

Etter kveldsmat er det Union-møte med frammøte av alle forbundets medlemmer om bord.

«Vi har to saker til behandling før seilasen over Atlanteren,» sier Båsen. «Den ene gjelder om vi skal seile med skipets navn. Den andre gjelder spørsmålet om konvoi. Vi har hatt møte i det uformelle skipsrådet i dag. Kaptein Nilsen fortalte at han har fått sterke henstillinger fra Nortraship om å male over skipets navn, men at han stadig ikke ønsker å gjøre det. Kommentarer?»

«Jeg støtter skipperen,» sier Flise-Guri. «Vi seiler med navnet vårt så lenge vi kan.»

Motormann Smaage rekker armen i været.

Halvor forventer at Smaage, sin vane tro, vil være uenig. Men Smaage er enig med Flise-Guri.

Dermed blir det ingen videre diskusjon.

«Så er det konvoi eller ikke konvoi,» sier Båsen. «Her er det ting som taler kro et pontra.»

«Pro et kontra,» sier Smaage.

«Samme faen om katta er hvit eller svart, bare den fanger mus,» sier Båsen. «Kapteinen har fått et tilbud om å seile i konvoi fra Freetown i Sierra Leone til Storbritannia. Han sier at han ønsker å avslå dette tilbudet og seile direkte til Liverpool som såkalt independent ship. Han er villig til å lytte til ei henstilling fra oss. Jeg er jævlig i tvil om hva vi skal mene. I en konvoi vil vi være beskytta av britiske krigsskip. Men vi vet ingenting om hvor stor og slagkraftig eskorte vi kan få. Britene har ikke overflod av eskorteskip for tida. Vi vet heller ingenting om hva slags fart konvoien nordover fra Afrika vil ha. Har vi uflaks, havner vi i en saktegående konvoi sammen med en bråta gamle kølafyrte dampere som bare gjør sju–åtte knop. Og vi kan gjøre det dobbelte av den farta. Chief Vadheim mener han kan presse Burmeisteren opp i sytten knop om det kniper. Sytten knop er topphastigheten en tysk ubåt kan holde når tyskerjævlene seiler i overflatestilling. Så vi har en sjanse til å holde unna for en ubåt som forfølger oss.»

Matros Rønning spør om det er noe i ryktene om at tyskerne har en ny superubåt som kan gjøre mer enn tjue knop, kanskje femogtjue.

Ingen kan gi svar på det.

Åge sier at det også under den forrige krigen verserte mange rykter om superraske tyske ubåter, men at ryktene viste seg å være bare bullshit.

Smaage sier at han synes det virker som om skipets tillitsmann er i favør av å seile independent.

«Jeg er kanskje det,» sier Båsen. «La oss ta en røykepause mens vi venter på at Roy kommer. Han har fanga opp en del meldinger om hendelser under konvoiseilas.»

Alle mann går ut på dekk og røyker som om de skulle få betalt for det. En røyksky stiger til værs fra *Tomar*s akterdekk.

Gnisten kommer sjokkende akterover. Han har tatt seg tid til å få på seg rein skjorte, gre håret og sette brillene rett på nesa.

Inne i messa får Gnisten ordet: «Jeg har dessverre ikke så mye håndfast å komme med når det gjelder konvoiene. Alt som har med seilasen å gjøre, er hemmeligstemplet av Admiralty i London.

Skipene i konvoiene er pålagt radiotaushet. I eteren formelig koker det av meldinger og budskap av ymse slag fra alle mulige radiostasjoner og fra skip som ikke går i konvoi. Noe kan være tysk propaganda for å skremme oss som seiler for de allierte. Noe kan være britisk propaganda for å oppmuntre oss. En hel del kommer fra sendere i USA som jeg har lært meg til ikke å stole for mye på. Harde fakta fra konvoiene er altså mangelvare. Jeg har fanget opp at et stort, nytt norsk tankskip ble torpedert i Irskesjøen natt til den femtende juni. Det er uklart om skipet seilte i konvoi, eller bare hadde eskorte av ett krigsskip. Det som blir hevdet fra kilder som jeg ikke vet om er troverdige, er at akterskipet eksploderte. Hele maskinbesetningen skal ha omkommet.»

«Har du noe navn på tankeren?» spør motormann Eiebakke.

«Nei, men det skal være et skip fra Texas Company i Oslo.»

«Herregud,» sier Eiebakke. «Jeg har en bror som seiler maskinist på Texaco-båter.»

Det blir stille i messa.

Gnisten bryter stillheten: «I samme farvann som tankeren ble et norsk stykkgodsskip som seilte independent, torpedert og senket den attende juni. Her vet jeg ingenting mer, annet enn at skipet muligens var fra Haugesund, og at det ikke skal ha vært omkomne.»

Dekksgutt Harald roper at han vil takke Jesus for at det ikke var drepte på haugesunderen.

«En Wilhelmsen-båt er meldt torpedert,» sier Gnisten. «Her har jeg navnet på skipet, men kaptein Nilsen har bedt meg om ikke å oppgi det, av sikkerhetsmessige grunner. Wilhelmsen-skipet som gikk i konvoi fra Gibraltar, ble torpedert en eller annen gang etter den trettende juni, antakelig den nittende.»

«Var det mange omkomne?» spør Flise-Guri.

«Vet ikke,» svarer Gnisten. «Trolig bare én mann. Men én mann drept er jo én for mye.»

Igjen blir det stille.

«Har du mer, Roy?» spør Båsen.

«Nei, dette var alt.»

«Vi ble vel ikke så helvetes mye klokere av det Roy fortalte,» sier Båsen. «Det ser ut til å være omtrent like risky å seile i konvoi som å seile independent. Derfor tror jeg ikke at vi som fagorganiserte skal rette noen henstilling til kapteinen om å få seile i konvoi. Skipperen har bedt meg si noe om tyske raidere. Det er mynta på dekksgjengen, så det tar jeg med dere dekksfolka i morra før vi seiler.»

«Sigaretter i livbåtene,» sier Hemmingsen.

«Ja, det hadde jeg glemt,» sier Båsen. «Vi krever at det blir plassert rikelig med sigaretter og fyrstikker i vanntette beholdere i livbåtene. Nå vil vel noen av dere i land og slå ut håret, kjenner jeg dere rett. Det er siste sjanse før vi legger ut på The Atlantic Ocean.»

Halvor protokollfører vedtaket om kravet om sigaretter i livbåtene.

Han er rastløs og vil ha med seg Geir Ole på en kveldstur opp i byen. Geir Ole vil heller prøve å lystre ål fra poopen.

Det blir til at Halvor låner en bunke gærninger av Hemmingsen, som har fått magesjau og blir om bord, og går i land sammen med Erasmus Montanus.

De to nordmennene vandrer inn i ei mørk bakgate i Paranaguá. De går inn i et lokale. Der sitter den kristelige motormann Eiebakke. Men det går raskt opp for dem at det ikke er noe bedehus de er kommet inn i.

Det er rart med det. Selv i den minste lille filleby ved havet finnes det etablissementer der en sjømann kan nyte gleder som ikke blir ham forunt om bord.

Gledene kan være syndige, det er så, men hvem vil kaste den første stein på sjømannen?

Halvor stifter bekjentskap med ei mahognibrun jente som heter Terezinha.

Klokka elleve om formiddagen tirsdag den 25. juni 1940 avgår *Tomar* fra Paranaguá og setter kursen mot good, old England.

Halvor står til rors. Han glipper med øyelokkene. Natta ga ham ikke mye søvn.

De passerer den frodige Ilha do Mel.

Halvor spør Trean: «Vet du hva 'mel' betyr?»

«Nei, men jeg skal sjekke i Pilot-boka.»

Trean stikker inn i bestikken.

Han kommer ut igjen i styrhuset og sier: «Det betyr honning. Ilha do Mel er altså Honningøya. Ble det noe honning på deg i natt, Skramstad?»

Halvor rødmer der han står.

Kapittel 37

Tomar legger Ilha do Mel bak seg. Kursen blir satt mot Cabo Frio øst for Rio de Janeiro.

Klokka tolv overlater Halvor roret til Flemming fra Fyn, går ut på babord bruving og byr Flise-Guri en sigarett.

Flise-Guri legger fra seg murerskjea som han har brukt til å støpe dekslet på babord side av styrhuset.

«Ikke trodde jeg at jeg skulle bli *murer* noen gang,» sier han.

De to blir stående og se på den lave kysten av Brasil som er i ferd med å forsvinne i disen.

«Vi forlater Den nye verden,» sier Flise-Guri. «I Den nye verden er det fattigdom og faenskap. Det er rike godseiere, og det er rovgriske kapitalister. Da jeg ble født, i attensjuogåtti, var det ennå slaveri i Brasil. Slaveriet ble opphevet i åtteogåtti. Så Den nye verden har gått framover, selv om mye ennå er skakt og skeivt. Og det er en sabla stor forskjell på Den nye verden og Den gamle verden, som vi nå stevner mot. I Den nye verden er det fred, i Den gamle verden er det krig. Vi støper oss et vern av betong som skal beskytte oss mot mitraljøsekuler og granatsplinter, og vi seiler med livbåtene svingt ut i davitene, klare til å bli satt raskt på sjøen. Løpet på Hotchkiss'en peker mot himmelen. Vi er på vei til sjøkrigen i Den gamle verdens havområder. Hva tenker du om det?»

«Jeg skulle naturligvis gjerne vært krigen foruten,» sier Halvor. «Men vi får ta det som det kommer.»

Etter middag samler Båsen dekksgjengen ved femmerluka.

«Vi må være jævla obs på tyske ubåter som går i overflatestilling,» sier Båsen. «Den som får øye på et ubåttårn, skal varsle brua på flyende flekken. Vi skal også være obs på en type skip som tyskerne har satt inn som et hemmelig våpen i krigen til sjøs. Det er de såkalte hjelpekrysserne eller raiderne. Jeg velger å kalle dem raidere. Hva er en raider? Det er et større handelsskip som er bygd

428

om til krigsskip, men som seiler snedig kamuflert som uskyldig handelsfartøy. Kanonene kan være skjult i kasser på dekk, eller i falske mastehus som er bygd opp av kryssfiner. Løpene på mitraljøsene og utskytingsrør for torpedoer vil også være skjult på en eller annen måte. Raiderne seiler ofte under nøytralt flagg, for eksempel svensk flagg, gresk flagg eller Panamas flagg. Og de seiler under falske navn. Møter vi et skip som heter *Prinsessan Sibylla* og har Johnson Lines gule ringer og blå belte som skorsteinsmerke, og den gule stjerna med en blå J, er det ikke sikkert at det er *Sessan Sibylla*. Det kan være en morderisk utrusta raider fra Hamburg. Vi skal altså være ekstra aktpågivende. Ved den minste mistanke om at det er måker i måsan, stikker vi av for full peising.»

«*Ugler* i mosen,» sier Hemmingsen.

«Måker eller ugler, det er vel ett fett,» sier Båsen. «Altså, hvis det ser ut til å være fuggel i måsan, skal det slås alarm. Jeg spør deg, Åge, om du opplevde raidere noen gang under Den store krigen?»

«Nei,» svarer Åge. «Tyskerne hadde raidere, men personlig opplevde jeg aldri angrep fra dem. Jeg hadde en kamerat fra Saltnes i Råde, William Spetalen, som fikk skutt bort begge beina av ei kanonkule fra en raider. Han var fyrbøter på damperen *Spica* av Fredrikstad. Raideren kalte seg *Caroline*, eller kanskje det var *Cornelia*. Den førte falsk dansk flagg. Dette var tidlig i krigen, og karene på *Spica* ante fred og ingen fare da dansken passerte på kloss hold ute på Doggerbank. Plutselig ble det dratt opp luker i skanskledninga til den angivelige dansken, og kanonløp kom til syne. *Spica* fikk den ene bredsida etter den andre. Hun var lasta med pitprops til gruvene i England, både i rommene og på dekk. Da tyskerne så at hun holdt seg flytende på trelasta, skøyt de branngranater som tente fyr på dekkslasta. *Spica* brant som en fakkel i flere dager, men kom seg for egen maskin inn til Hull, der brannen ble slukket av taubåter med brannsprøyter. William overlevde krigen, men han overlevde ikke freden. Han trilla i rullestol att og fram på Dampskipsbrygga i Fredrikstad. Folk ville trøste ham ved å gi ham drammer. Det ble altfor mange drammer, og til slutt kjørte han ut i Vesterelva. Om det var et uhell eller om det var med vilje, kan jeg ikke si.»

«Da takker vi Åge for advarselen og for ei hjerteskjærende lita historie som godt kunne stått i et ukeblad,» sier Båsen. «Spørsmål, karer?»

Halvor rekker opp hånda.

«Vær så god, Skogs... Skramstad,» sier Båsen.

«Maskingeværet vårt står sånn plassert at vi bare kan skyte mot fly,» sier Halvor. «Burde vi kanskje lage sandkasser på begge sider av båtdekket på det aktre midtskipet så vi kan flytte Hotchkiss'en dit og fyre mot en eventuell raider?»

«Høres fornuftig ut,» sier Båsen. «Jeg skal ta det opp med kaptein Nilsen og maskinist Steiro. De av dere som liker å jobbe overtid, og som særlig liker å føre ekstratimene med gaffel i overtidsboka, vil bli skuffa på denne turen. De høye herrer har bestemt at det ikke blir overtidsjobbing. De begrunner det med at vi trenger et mest mulig uthvilt mannskap dersom det smeller. På egne vegne vil jeg si at jeg er enig, også av den grunn at det er faen så liten vits i å gråmale skuta for ørtende gang. Det vil bli en helvetes masse livbåtmanøvrer og brannøvelser. De av dere som ikke møter på riktig post når alarmklokka klinger, må regne med å bli kasta til haiene. Vi må være forberedt på at det kan bli mange brå kursendringer. Ved mistanke om fiendtlig ubåt i nærheten kan det hende at vi kommer til å seile i sikksakkurs for å bli et vanskeligere torpedomål.»

Flise-Guri tar ordet: «Det er en sak jeg ikke fikk tatt opp på møtet i går kveld, men som det er maktpåliggende for meg å få lufta. Vi må ha alternativer. Vi må anmode om at kaptein Nilsen planlegger hva vi gjør hvis vi ikke kan anløpe England.»

«Hvorfor i svarte gamperæva skulle vi ikke kunne anløpe England?» sier Båsen.

«Det kan finnes to grunner til det. Den ene er at Hitler greier å iverksette planen sin om å erobre England, og har gjort det før vi når fram.»

«Hitler må vel kondolere stillinga i Frankrike før han kan gyve løs på engelskmenna?» sier Båsen. «Jeg oppfatter all den derre 'Wir fahren'-synginga som skrythalsers gnål.»

«La oss si at du har rett i det, Georg, og at Hitler ikke overfaller England straks. Da vil han garantert gjøre alt han kan for å *blokkere* England. Det kan bety at Raeders ubåter og Görings fly stenger innseilinga til både Kanalen og Irskesjøen. Hva gjør vi da?»

«Da seiler vi til Statene,» sier Hemmingsen. «Statene eller Canada.»

Rønning sier at det vel vil være mulig å seile rundt Irland, gå inn i North Channel og komme til Liverpool nordfra. Hvis Liverpool er for utsatt for tyske bombefly, må det gå an å gå opp i Clyde'n, til Glasgow.

«Mulig, det,» sier Flise-Guri. «Men kanskje Glasgow også er innen rekkevidde for de tyske bomberne.»

Båsen sier at han skal snakke med skipperen om hva som må gjøres hvis England blir et uoppnåelig mål og det heller ikke er forsvarlig å gå til Skottland.

Halvor sitter i sola på poopen og skriver: «Brasilkysten, tirsdag 25. juni kl. 15.30. Under tre-kaffen var det livlig diskusjon i messa om rekkevidden til tyske bombefly og styrken til det tyske ubåtvåpenet. Saken er vel at vi ikke vet noe ordentlig om dette. Vi får håpe Gnisten kan sanke informasjon som gjør oss klokere.

Så gikk det som det måtte siste natt i den lille by Paranaguá i det store land Brasil.

Jeg akter ikke å piske meg selv etter det som skjedde.

Jeg gikk med den mørke Terezinha, til en gammel stall som sto tom. Der luktet det tørt høy og hest. Hun duftet lavendel.

Jeg behøver ikke skrive mer om det som skjedde, enn at det for meg ble en heit natt. For henne var det vel en svett arbeidsøkt, rett og slett. Eller ble det noe <u>litt</u> mer?

Hemmingsen sitter nå ved siden av meg på en taukveil på poopen. Han er svart på leppene etter å ha spist kulltabletter mot magesjauen sin.

Hemmingsen har jo, på sitt vis, vært min rådgiver i seksuelle spørsmål. Da han kom og satte seg her, fortalte jeg ham om min natt med Terezinha og ba om kommentarene hans, før jeg skrev videre i dagboka.

Han sa: Det høres ut som du hadde ei bra natt, helt i stjerneklassen. Om den mørke dama hadde glede av det? Som regel har ikke ei havnehore glede av knullinga. Det er en jobb hun gjør, og så spiller hun gjerne skuespill med sukk og stønn og falske orgasmer i håp om å få en ekstra skilling når kunden går. Men denne Terezinha, som klagde over at hun blir behandla som en slavinne av feite rikinger, 'fat cats from Curitiba', vurderte deg kanskje som en kjærkommen aveksling. En slank og fattig sjømann som ikke hersa med henne, men som prøvde å oppføre seg realt.

Hemmingsen fortsatte: Vi unge sjøgutter går til de prostituerte fordi vi ikke har noen andre å gå til. Det er jævla sjelden at vi finner oss ei ubetalt jente i en havneby og får på sympati. Smører Helge er kanskje et unntak, hvis han ikke skrøner for oss om kjærlighets-affæren med Paulette i Le Havre. Den loven jeg holder meg til når jeg er i et red light district, er loven om å være straight og fair. Det finnes gærninger som går på horehus for å la seg piske. Jeg hadde en skipper som måtte ha ris på rumpa for å få tømt balla. Og så finnes det mye verre gærninger som ønsker å <u>piske damene</u>. Jeg seilte med en maskinist som ble skåret opp med barberblader av jentene i streeten i Santos fordi han hadde bundet fast ei jente til køya med lakenstrimler og brennemerka henne med sigarettglør.

I Buenos Aires nå sist gikk Hemmingsen fra Mama Rosa med ei mestisjente, sa han, ei som var halvt indianer. Han må ha behandlet henne OK. Han fikk i alle fall et kyss da han gikk.

Jeg fortalte at Terezinha røykte en tjukk, hjemmerulla sigarett. Det lukta søtt av røyken, og jeg skjønte at det ikke bare var tobakk i sigaretten. Jeg spurte hva det var, og hun svarte med et ord som hørtes ut som 'marihøne'.

Marihuana, sa Hemmingsen.

Har du prøvd det? spurte jeg.

Jøss da, sa han. Om bord i <u>Bolero</u> til Fred. Olsen var det vanlig å fyre seg en luring. Vi hadde forskjellige kodeord på stoffet. Vi kalte det 'marimanta', 'marimacho' eller 'marimba'. Det første ordet betyr busemann, det andre betyr mannhaftig kvinnfolk. Det tredje vet du vel hva betyr?

Ja, svarte jeg. Marimba er ei tromme.

Hemmingsen sa: En gang da vi ble liggende fjorten dager i Mazatlán på Stillehavskysten i Mexico på grunn av en havnearbei-derstreik, røyka jeg marimanta hver eneste kveld. På meg hadde det den virkninga at jeg ble jævla flirete og blingsete. På dama, hun het forresten også Teresa og var litt marimacho, virka det anner-ledes. Hun ble både helt avslappa og jævla intens på én og samme gang. Vi hadde oss virkelig det som Milde Måne kalte Ærotisk Æskapade. Hvordan virka stoffet på deg?

Jeg røyka halve sigaretten. Først ble jeg svimmel, og så ble jeg fnisete som en liten unge. Så ble jeg kåt som et spett.

Og hun?

Hvis Terezinha ikke er en like god skuespiller som Greta Garbo, tror jeg at hun også fikk en smule tenning.

Hva skjedde? spurte Hemmingsen.

Det kan du vel tenke deg, du som har så mye erfaring med damer.

Hva var det du sa at bareieren kalte henne? Det var en råflott beskrivelse.

Han på sjappa sa at hun var 'Brazilian mahogany coloured samba dancing queen and beauty de luxe'.

<u>Var</u> hun beauty de luxe? spurte Hemmingsen.

Erasmus syntes <u>ikke</u> hun var pen, svarte jeg. Han sa at hun hadde for tjukke lepper, og at kroppen hennes så ut som to kastanjenøtter stablet oppå hverandre.

Hun var god og rund?

Ja, hun var ganske lubben, svarte jeg.

(Men det med kastanjene var en overdrivelse. Jeg vil si at kropps-fasongen hennes var som to <u>eikenøtter</u> stablet oppå hverandre. Som guttunge lagde jeg i Flekkefjord små matroser av eikenøtter. Jeg stablet to nøtter i høyden og tredde ei synål igjennom. På den øverste nøtta beholdt jeg hamsen, som jeg malte blå med vannfarger. Det ble perfekt matroslue.)

Har du vært på karnevalet i Rio? spurte jeg Hemmingsen.

Nei, det har jeg aldri fått med meg, svarte han. Men jeg har vært på karnevalet i Bahia. Det regnes for å være mer ekte og urbrasili-ansk enn det glorete sambashowet i Rio.

Jeg sa at Terezinha minnet meg om damene Filmavisen pleier vise fra karnevalet i Rio.

Mulatas, sa Hemmingsen drømmende. Hoftevrikkende mulatas. Oj, oj, oj.»

Kapittel 38

Halvor får ikke sove. Kanskje drakk han for mye kaffe etter kveldsvakta. Eller han er ganske enkelt overtrøtt. Han vet ikke.

Han klatrer ned fra køya, kler på seg og går ut på dekk. Nattelufta er såpass kjølig at han går tilbake til lugaren og tar på seg vindjakka.

Ute på dekk igjen lener han seg over rekka på babord side, tenner en Camel og ser et lys som blaffer opp litt forenom tvers, langt av lei. Lysblaffet varer i ett sekund, så blir det borte. Han teller til ni, så kommer lyssveipet igjen. Det må være lyset fra fyrtårnet på Cabo Frio.

Trean har vist ham bildet av fyret i Pilot-boka. Tårnet er ikke veldig høyt, bare 16 meter. Det ligger høyt oppe på den klippen som danner Cabo Frio, og har derfor lang rekkevidde.

Havet kruses av en lett bris. Månens og stjernenes stråler reflekteres fra småbølgene.

Halvor stirrer opp mot himmelen. Han har prøvd å lære seg noen av stjernebildene som bare kan sees fra den sørlige halvkulen. Det er bare Sydkorset og Det falske sydkorset han kjenner igjen ved første øyekast. Han gleder seg til å få se Karlsvogna igjen.

Et stort skip kommer stevnende på motsatt kurs av *Tomar*. Halvor ser konturen av skipet tydelig i månelyset. Men hvor er skipets lanterner? Han ser et bitte lite lys i masta der den forre topplanterna skal sitte, og et like lite lys høyere opp og lenger akterut, der aktre topplanterne skal være. Så får han øye på en liten rød prikk oppe ved babord bruving. Det er babords sidelanterne. Den lyser ikke stort sterkere enn øyet til en nattevandrende katt som treffes av lysbunten fra frontlyktene på en bil.

Skipet som passerer, seiler med dimmede lanterner.

Det er et skip med bare ett midtskip og stor overbygning på poopen. Verken fra midtskipet eller poopen kommer det lys fra lugarer og messer. Det er altså full blending der om bord.

Tomar seiler for fulle lanterner og uten blending av ventilene.

Kaptein Nilsen har sagt at han ikke vil dimme og blende før de er på høyde med Kapp Verde-øyene.

Halvor går opp på brua, støter på Granli ute på babord bruving og spør om det er i orden at han står og henger litt ute på bruvingen.

«Claro,» sier Granli. «Søvnløs?»

«Ja.»

«Er det fingeren som plager deg?»

«Nei, alt er i orden med fingeren. Jeg har ingen fantomsmerter lenger.»

«Du kan slutte med tøybandasje. Men du bør ha noe til beskyttelse fordi huden vil være ømfintlig i lang tid framover. Jeg skal få Flise-Guri til å sy en lærbandasje til deg.»

«Takk,» sier Halvor.

De står i taushet og studerer det fjerne blinket fra Cabo Frio.

«Det kan bli lenge til vi får se et tent fyr igjen,» sier Granli.

«Fyret på Kapp Finisterre i Spania er vel tent?»

«Finisterre lyser nok,» sier Granli. «Men vi kommer til å seile så langt fra kysten at vi ikke får se Finisterre. På De britiske øyer er fyrene slukket. Det finnes kanskje en og annen dimma løkt ved havneinnløpene. Ellers er det mørkt som i en sekk i den engelske natt. Ikke nok med at vi må være på vakt mot tyske ubåter og fly. Det blir også et lite helvete å navigere i Irskesjøen nattestid, når alle skip seiler med svake eller slukkede lanterner.»

De røyker i taushet.

«Frykter du farene som venter oss?» spør Granli.

«Skal jeg være ærlig, gjør jeg vel det.»

«Bra,» sier Granli. «En mann uten frykt er ikke nødvendigvis en modig mann. Fryktløsheten kan skyldes at han er en fantasiløs pappskalle.»

Alarmklokkene ringer. Det er livbåtalarmen som går.

«Skipperen har funnet på at vi skal ha nattmanøver,» sier Granli og går inn i styrhuset for å slå stopp i maskinen.

Halvor løper ned på båtdekket på styrbord side og stiller seg på post ved livbåten. Han er fornøyd med å være førstemann på plass. De andre karene innfinner seg forbausende raskt.

Båsen kommer med et papirark festet til ei treplate.

Dekkslysene blir slått av.

Båsen tenner ei lommelykt, lyser på arket og foretar navneopprop. Han roper ikke opp Halvor.

«Hoi, jeg er her!» roper Halvor.

«Helvete, Skogsmatrosen!» roper Båsen. «Hva faen gjør du her? Du skal stille ved *babords* båt, din skrulling. Ikke har du livbelte på deg heller. Vi kan ikke ha mammadalter om bord, som tror at mora deres er her for å sette på dem livbeltet.»

Båsen slenger fra seg plata med navnelista på, bykser mot Halvor, tar tak rundt livet hans, løfter ham og bærer ham bort til kanten av dekket. Her på båtdekket ved livbåtstasjonen er det ingen skansekledning eller rekke.

«Det er ingen vei utenom, karer!» roper Båsen. «Jeg må hive skautrollet fra Rena til haiene!»

I et svimmelt sekund tror Halvor at Båsen mener alvor. Så hører han latteren som gjaller fra alle de andre.

Båsen slipper ham ned, og flirer fra øre til øre.

Han roper: «Neste gang noen stiller beltelaus ved feil båt, blir jeg nødt til å restaurere et eksempel. Da blir vedkommende haimat, det er banna bein.»

«Kan du ikke nøye deg med å *tatovere* et eksempel?» sier Hemmingsen.

«Du kan tatovere deg sjøl i ratata,» sier Båsen. «Stopp fliringa, karer. Det kreves ro og orden for å sette ut livbåten i bælmørke. Nå overlater jeg kommandoen ved forre styrbords livbåt til førstestyrmann Nyhus.»

Halvor peller seg av gårde til babords båt. Han finner et reservelivbelte i en av beltekassene og tar det på seg.

Normalt er Granli sjef for denne livbåten, men nå har Trean kommandoen fordi Granli er på vakt på brua.

«Vi skal bare låre båten til den tøtsjer vannflata,» sier Trean. «Dere som er i båten under låring, skal altså *ikke* huke wirestroppene ut av krokene når båten er sjøsatt.»

Livbåten låres. Det går som smurt. Livbåtleideren henges ut. Halvor klatrer ned langs skutesida. Han tar det kuli og entrer ikke om bord i båten før han har forsikret seg om at han har godt fotfeste på en av toftene.

En av gummifenderne som er hengt ut mellom ripa på livbåten og skutas skrog, henger feil. Han finner ei båtshake, skyver livbåten bort fra skroget og retter på fenderen.

«Greit, Skramstad,» sier Trean. «Egentlig er det jeg som gir ordre om hver minste ting som skal gjøres i livbåten. Men det er ikke forbudt for dere andre å ta initiativ hvis dere oppdager noe som bør fikses i en fei.»

Tomar har seilt noen dager i den tropiske sonen. Halvor synes det er godt å være på varmen igjen. Nå er det ikke bare Tomar Icebergs som bruker det lille svømmebassenget. På heite ettermiddager har det vært kø for å komme oppi.

Dekksgutt Harald er så redd for å bli solbrent at han bader i lange undiker og langermet trøye. Flemming fra Fyn har satt en skipsrekord ved å være under vann i to minutter og tjue sekunder. Til og med Flise-Guri, som ikke er noen bader av natur, har vært uti og plaska som en unge.

Halvor har siste rortørn på kveldsvakta og står iført bare shorts, singlet og slippers. De seiler på rolig hav, med en liten passatvind inn aktenfra.

Trean erter ham fordi han mistet buksa si. Halvor ville vaske dongeribuksa si på den enkle og populære måten. Han festet ei hiveline i beltehempene på buksa, slengte den ut fra poopen og lot kjølvannsbølgene fra skuta være vaskemaskin. Så glemte han hele buksa. Det hadde gått et døgn da han kom på at han hadde klesvask på gang. Da han dro inn lina, var det bare hempene som hang igjen på den. Kong Neptun hadde forsynt seg med buksa.

Kaptein Nilsen kommer inn i styrhuset, kledd i hvite shorts og hvitskjorte med epåletter. Han er blekere enn vanlig og går ustøtt. Han gjør en sving bortom natthuset for å se hva slags kompasskurs som styres. Halvor kjenner at det lukter sprit av ham, men ikke rå fyll.

Kapteinen stiller seg ved siden av Trean og stirrer lenge ut gjennom styrhusvinduet. Så sier han: «Solen går ned, styrmann Kvalbein.»

«Sola har vært nede en god stund,» svarer Trean.

«Solen går ned,» gjentar kapteinen. «Det heter seg at solen aldri går ned i det britiske imperiet. Men nå går solen ned for britene, og imperiets dager er talte. Isteden vokser det frem et imperium verden aldri har sett maken til. Det ufattelige har skjedd at Hitler i løpet av et par måneder har gjennomført et erobringstokt som stiller selv Aleksander den store, Djengis Khan og Napoleon i skyggen. Tenk Dem, Kvalbein, Hitler har i løpet av disse få ukene brutt ut fra Tysklands inneklemte posisjon og slått seg frem til Nordishavet i nord, Atlanteren i vest og Middelhavet i sør. Han kontrollerer i praksis Frankrikes kyst mot Middelhavet. I et større perspektiv kan vi si at Hitler gjennom å sikre seg støtte i de franske koloniene nå behersker kystene fra Nordkapp til Kapp Verde. Jeg trodde Sovjet ville bli en stormakt ved Atlanteren. Så ble det ta meg fanden Tyskland som ble atlantisk stormakt på et blunk!»

Trean står taus og lytter.

«Mot hvilket hav vil Hitler strebe i neste omgang?» sier kapteinen. «De behøver ikke svare, Kvalbein, for svaret gir seg selv. Mot Det indiske hav! Ja, han vil nok gjøre som Aleksander den store og marsjere like til India. Vi må venne oss til tanken om at Wehrmacht står ved Indus-floden, klar til å fravriste britene imperiets juvel. Men India er ikke så viktig for Hitler. Erobringen av India gjør han bare for å sette et feiende flott punktum for sitt fenomenale erobringstokt. Kan De ikke se alt dette levende for Dem, styrmann Kvalbein?»

«Nei,» sier Trean. «Det virker som et fantasifoster på meg.»

Stå på, Trean, tenker Halvor, som står taus og med sammenbitte kjever bak rattet. Motsi den jævla skipperen!

Men Trean tenner en sigarett og sier ikke mer.

«Fantasifoster?» sier kapteinen. «Her snakker vi om barske realiteter, skal jeg si Dem. Om knallhard realpolitikk. Viktigere enn å ta India er det for Hitler å ta Den persiske gulf og sikre seg oljen derfra.»

Flise-Guri kommer inn i styrhuset. Han går bort til Halvor og gir ham en liten bandasjetutt, fint sydd av blankt, brunt lær, med stropper av lærreimer. Halvor tar av seg tøybandasjen og fester lærbandasjen på fingerstumpen.

Til kapteinen sier Flise-Guri: «Jeg har ligget våken og tenkt på hvordan vi kan sikre messer og lugarer mot bombesplinter og mitraljøseild. Vi har ennå en god del sement igjen. Vi kunne støpe en del deksler.»

«Utmerket,» sier kapteinen. «Det kan vi ta i morgen. Nå har vi en drøfting av de virkelig store spørsmål i tiden her. Du, Tveiten, som er så interessert i historie, vil sikkert ha utbytte av å delta i diskusjonen.»

Hvilken jævla *diskusjon?* tenker Halvor og stålsetter seg for en ny enetale fra kaptein Nilsen.

Den kommer: «Hitler ønsker altså å sikre seg oljen i Den persiske gulf. Legg merke til hvordan Hitler alltid velger de enkle løsningene, de som har minst mulig omkostninger for tyskerne. Ble det drept en eneste tysk soldat i Danmark? Ble det drept mer enn et par tusen i Polen og et par tusen i Norge? Ble tyskerne slaktet som kveg i Frankrike, slik de ble det i skyttergravene under Den store krigen?

Nei, Paris ble tatt nærmest uten at det ble krummet et hår på en eneste tysk soldats hode. Slik handler en genial strateg.»

«Hør her, kaptein Nilsen,» sier Trean. «Jeg finner det vanskelig å stå her på min vakt og høre på at De utroper Hitler til geni.»

«De må tåle å høre at jeg kaller en spade for en spade. Hvis De ønsker å forlate vakten Deres, tar jeg personlig over.»

Trean blir stående taus.

Flise-Guri skyver skyggelua bak i nakken og klør seg i panna.

«Altså,» sier kapteinen. «Hitler velger den enkleste veien til Den persiske gulf. Han lar troppene sine marsjere fra Østerrike gjennom Jugoslavia og Bulgaria. Han behøver ikke ta en krig med disse statene. De vil sikkert etterkomme hans krav om fritt leide, akkurat som Tyrkia vil. Wehrmacht drar gjennom Tyrkia og går inn nordfra i Persia og Irak. Der har Hitler antakelig sikret seg allianser med pro-nazistiske offiserer som ønsker britene dit pepper'n gror. Vips står Hitler ved Gulfen. Vil De stadig avfeie dette som et fantasifoster, Kvalbein?»

«Nei, kanskje ikke,» sier Trean. «Men det er et pokker så dystert bilde De maler, kaptein Nilsen?»

«Hva sier du, Tveiten?»

«Jeg tror britene har mer å stå imot med i Midtøsten,» svarer Flise-Guri.

«Ja vel,» sier kapteinen. «Det er likevel min tro at Hitler vil ta raske grep for å sikre seg brorparten av verdens oljeforekomster. Er han frekk nok til det, slår han kanskje en panserkile gjennom Kaukasus for å ta feltene ved Baku. Det vil irritere hans gode kompis Josef Stalin, som sendte ham gratulasjoner etter erobringen av Paris. Men kanskje Stalin vil dele Baku med Hitler, slik de har delt Polen. Da gjenstår bare Amerika.»

«Tror De han er gal nok til å gå løs på USA?» spør Flise-Guri.

«Jeg har prøvd å understreke at mannen *ikke* er gal, men det motsatte. USA og Sovjetunionen vil han la være i fred. Nordamerikanerne kan få fortsette med jødekapitalismen sin, og russerne med jødebolsjevismen.»

«Jeg synes ikke De burde omtale jødene slik,» sier Trean.

«Det var nærmest ment som en spøk,» sier kapteinen, og snur seg brått mot Halvor. «Eller hvordan oppfattet du det, Skramstad?»

Halvor svelger og biter i seg sin lyst til å be kapteinen dra til helvete. «Jeg hører at dere preiker,» sier han. «Men jeg fulgte ikke så nøye med. Jeg konsentrerer meg om styringa.»

Kapteinens ansikt opplyses av måneskinnet. Halvor legger merke til at har litt sikkel i munnvikene. Er kapteinen i ferd med å bli sprø?

Halvor skulle ønske at det fantes et selvstyringssystem for skip. Det har vært mye snakk i messa om at apparatur for selvstyring kommer til å bli oppfunnet. Han skulle gjerne hatt en knapp for selvstyring å trykke på, så han kunne forsvinne fra styrhuset og slippe å stå her som et umælende krek som ikke tør motsi en rablende gal skipper.

Kapteinen sier: «Hitler vil få kontroll fra Mellom-Amerika til Kapp Horn! Hvordan er *det* mulig? Det er såre enkelt. Generalene i Argentina og Vargas i Brasil er åndsfrender av Hitler. De vil falle som bananer i Hitlers turban. Det samme vil de kjeltringene som styrer Venezuela. Bananrepublikkene i Mellom-Amerika kan han plukke like lett som en unge plukker tyttebær.»

«Mellom-Amerika er USAS bakgård,» sier Trean. «Yankee'ene slipper aldri Hitler inn der.»

«Hitler kan isolere dem ved å ta Mexico. Franske tropper erobret Mexico i forrige århundre. De hentet til og med en erkehertug fra Østerrike og gjorde ham til meksikansk keiser. Husker du hvem det var, Tveiten?»

«Maximilian,» sier Flise-Guri. «I attenfireogseksti.»

«Tyskerne kan vel spa opp en eller annen østerriksk hertug og innsette ham som keiser i Mexico City,» sier kapteinen.

«Det gikk ikke så jævla bra for keiser Maximilian,» sier Flise-Guri. «Han varte bare i tre år. Da franskmennene trakk seg ut og den liberale Benito Juárez ble president, ble Maximilian henrettet.»

«Sier du det?» sier kapteinen. «La oss si at Hitler dropper Mexico og nøyer seg med en allianse med landene i Sør-Amerika. Er det noen av dere som kan by meg en sigarett?»

Trean ryster en sigarett ut av Chesterfield-pakka si, gir den til kapteinen og tenner den for ham.

Halvor kunne ha god lyst til å kjøre den nye lærbandasjen opp i rasshølet på kapteinen.

Trean sier: «Jeg tror De overdriver grassat, kaptein Nilsen. Dersom Hitler skulle sikre seg verdensherredømme, slik De antyder, måtte han ha en oversjøisk handelsflåte av en helt annen størrelse enn den Tyskland disponerer i dag.»

«Nettopp!» sier kapteinen. «Og nå er Hitler, på sitt typiske vis – uten kostnader – i ferd med å skaffe seg en hel del fartøyer. Norske fartøyer. Flerfoldige norske skip ligger i Göteborg og kommer ikke ut. Jeg er overbevist om at Hitler forhandler med svenskene om å sikre seg disse båtene. Ifølge telegrafist Borge kan så mange som femogtyve norske skip ligge innesperret i havner i de franske koloniene i Nord-Afrika. Mange av disse er topp moderne tankskip. Disse båtene kan Hitler sannsynligvis forsyne seg av. Men han trenger mange flere skip, og det er her *vi* kommer inn i bildet.»

«Nå følger jeg Dem ikke,» sier Trean.

«Solen går altså ned i det britiske imperiet, ikke minst i kjernen, Storbritannia. Landet har et monarki som er i ferd med å råtne på rot. Hva skal man ellers si om et kongehus som fostrer en type som kong Edward? Han blir konge, den åttende Edward. Så går han bort og forelsker seg i en amerikansk kurtisane, den fraskilte førkja Wallis Simpson. Hun forhekser ham. Hva gjør fehodet Edward? Han velger heksa og sier fra seg tronen! Hva gir dere meg, min herrer?»

«Edward er ikke typisk for *hele* kongehuset,» sier Flise-Guri. «Opp gjennom historia har det alltid vært mange underlige utskudd i det britiske monarkiet. Men kongehusets stamme har vist seg seig.»

«Jeg kan ikke være enig med deg, Tveiten,» sier kapteinen. «Det britiske kongehuset er ikke av hel ved. Råten er symptomatisk for hele det britiske samfunnet med sin gammelmodige struktur, sin blærete adel, sine kostskoler, sin erkekonservatisme og sin bakstreverske mentalitet. Det mener vel De også, Kvalbein?»

Trean nøler litt før han svarer: «Jeg er kritisk til mye av det britiske, men er faen så glad for at vi seiler for britene og ikke for nazistene.»

«Men så tenk Dem om, da mann!» roper kaptein Nilsen. «Hva kan et råtnende, vaklevorent imperium stille opp med mot et moderne imperium der den mannen som har mot og talent, vinner frem i første rekke, og der blått blod ikke er mer verdt enn gult piss! Hvem skal vi norske sjøfolk seile for? Skal vi våge liv og lemmer ved å seile for solnedgangssamfunnet, eller skal vi seile for den oppadstigende sol?»

«For faen, kaptein Nilsen!» roper Trean. «Mener De at vi skal seile *for Hitler*?»

«Nå stiller De spørsmålet på en plump måte, styrmann Kvalbein. Saken er at vi må tenke oss om og foreta fortløpende vurderinger. Situasjonen krever det av oss. Aldri noensinne i menneskehetens historie har verdenssituasjonen forandret seg så fort og dramatisk som i løpet av de siste ukene. Hva gjør vi hvis vi nærmer oss Land's End, og nyheten kommer om at Hitler er i ferd med å invadere England? At fallskjermsoldatene hans har tatt Liverpool?»

«Men for pokker, kaptein Nilsen,» sier Trean. «Det er ikke lenge siden De sto her i styrhuset og sverget på at tyskerne ikke hadde mulighet til å lande store fallskjermstyrker i England.»

«Det var før Hitler angrep Nederland, Belgia og Frankrike. Etter det har vi lært en lekse om hva fallskjermjegerne hans kan utrette. De tok den angivelig uinntagelige festningen Eben Emael i Belgia like enkelt som man åpner en kakeboks. De fikk franskmennene til å flykte i vill panikk. Tyskerne må ha ledd og frydet seg. Ja, jeg tror de simpelthen har det moro i denne krigen, og at de ser på Englands militære forsvar som en stor vits.»

«Nå snakker De over Dem, herr kaptein,» sier Flise-Guri.

«Gjør jeg egentlig det?» svarer kapteinen. «Vet De, Tveiten, hva tyske ubåtkapteiner har begynt å kalle jakten på allierte skip? Telegrafist Borge har plukket opp dette uttrykket i eteren. Ubåtskipperne snakker om 'Die frohe Jagd'. *Den glade jakt*! Og de erklærer at hver og en av dem skal bli tonnasjemillionær. Hva er *det* for slags millionær? Jo, det er en ubåtskipper som har senket en million tonn alliert tonnasje.»

«Det er for faen bare skryt!» roper Trean. «Det er ingen tysk ubåtskipper som er i nærheten av å ha senket en million tonn.»

«Ikke ennå,» sier kapteinen. «Men det kan komme. Hvis Storbritannia bryter sammen og ikke kan tilby eskorte og flystøtte til allierte skip, vil tyske ubåter kunne drive sin glade jakt med ekstra godt humør. *Tomar* og andre skip i Nortraship-flåten vil være like hjelpeløse som andegakker i en dam omgitt av en flokk jegere. Kan Nortraship fortsatt bestå under slike forhold? Kan jeg som kaptein ta ansvaret for å seile mitt skip videre med en risiko for krigsforlis som nærmer seg hundre prosent? Eller skal jeg si at nok er nok?»

«Hva mener De med 'nok er nok'?» spør Flise-Guri.

«At vi har seilt lenge nok for britene. At vårt forhold til London bør opphøre.»

«Jeg vil ikke høre på mer av dette fordømte pisspreiket!» roper Trean. «Jeg forlater vakta og overlater den til Dem, kaptein Nilsen.»

«Jeg stikker også ned fra brua i protest,» sier Flise-Guri.

Halvor tar mot til seg og roper: «Det samme gjør jeg, kaptein Nilsen. De får komme her og ta over roret!»

I samme øyeblikk som det vesle mytteriet ser ut til å inntreffe, kommer Granli inn i styrhuset.

«Hva foregår her?» sier Granli. «Dere ser så opphisset ut.»

«Å, vi har bare hatt en liten disputt,» sier kaptein Nilsen. «Om krigsutsiktene. Men nå må jeg forlate broen. Jeg venter et viktig telegram ved midnatt. Vel overstått vakt, styrmann Kvalbein, og god vakt til Dem, styrmann Granli.»

Kapteinen forsvinner bråfort inn i bestikken. De hører ei dør smelle igjen. Det er bakdøra som leder ut til trappenedgangen som fører ned til kapteinens gemakker og styrmennenes korridor.

«Uhyrlig!» sier Trean. «Vi har vært nødt til å høre på uhyrligheter.»

Halvor drømmer at han kjører Kadetten på en skogsbilvei så grusen fyker. Det durer fint i bilmotoren. Men så kommer det noen kraftige dunk. Har bilen fått rådebank i motoren?

Halvor våkner.

Duren fra drømmen fortsetter. Det er den velkjente duren fra styremaskinen. *Tomar* må ha kommet ut i grov sjø, for styremaskinen arbeider hardt. De uvanlige dunkene fortsetter.

Er det Geir Ole som ligger og onanerer så det dunker i skottet?

Nei, Geir Ole lager sin vanlige nattelyd, han sager tømmerstokker.

Det er noen som banker på lugardøra.

Er det alarm? Nei, da ville alarmklokkene ha ringt.

Halvor klatrer ned fra overkøya og sjekker at han har underbuksa på seg.

Han åpner døra.

Utenfor står kaptein Nilsen. Det å se kapteinen i mannskapskorridoren midt på natta er så uventet at Halvor gisper.

«Unnskyld at jeg forstyrrer Dem i nattesøvnen, Skramstad,» sier kapteinen. «Vil De komme ut i korridoren et lite øyeblikk. Jeg trenger å veksle et par ord med Dem under fire øyne.»

«Jaha?» sier Halvor, går ut i korridoren og lukker lugardøra bak seg.

«Saken er den at jeg kom til å si en del lite veloverveide ting på broen under kveldsvakten. De la sikkert merke til at jeg *ikke* var animert. Jeg hadde tatt meg et par gin and tonic, det var alt. Men jeg hadde også tatt en del tabletter jeg skaffet meg i Buenos Aires. Det er tabletter mot migrene. De vet hva migrene er?»

«Ja, det er fæl hodepine,» svarer Halvor. «Jeg bodde hos en tante som ofte hadde migrene. Hun tok Globoid.»

«Jeg tok adskillig sterkere saker enn Globoid,» sier kapteinen. «Disse tablettene fra Argentina har en oppkvikkende effekt. Men de har dessverre den utilsiktede bivirkning at de gjør meg utillatelig løsmunnet. En kaptein som fører et skip i krigstid, må kunne tenke alle slags tanker om krigens utvikling. Men det er ikke alt han kan plapre ut med. Der gjorde jeg en bommert. For å si det slik dere guttene ville ha sagt: Jeg dreit meg ut.»

«Det er godt De sier det sjøl,» sier Halvor. «For det De sa om å bryte med London, var virkelig drøyt.»

«Min intensjon er på ingen måte at vi skal bryte med London. Jeg fremkastet et tenkt scenarium der Hitler var i ferd med å underlegge seg England. Jeg håper inderlig at dette scenariet ikke vil bli virkelighet. Jeg kan forsikre Dem om at jeg vil seile lojalt for Nortraship. Nå vil jeg be Dem om unnskyldning for det jeg sa i pillepåvirket tilstand. Jeg vil også be Dem om ikke å bringe mine uttalelser videre til det øvrige mannskap. Det samme har jeg anmodet styrmann Kvalbein og tømmermann Tveiten om. De har gitt meg sitt æresord på at de vil holde munn.»

«Den er grei,» sier Halvor. «Jeg skal holde kjeft. Æresord.»

«Godt. De virker som en ordholden yngling, Skramstad. La meg også tilføye at De fremstår som en edruelig, pålitelig og dugelig sjømann som bør ha en fin karriere foran Dem til sjøs. Dertil har De vist god treffsikkerhet med maskingeværet. Det kan vi få bruk for. Jeg trenger slike typer som Dem om bord i *Tomar*.»

Halvor tenker at hvis han hadde vært frekk i kjeften, skulle han bedt om å få hele denne regla skriftlig. Men han føler ingen trang til å være frekk i møtet med en skipper som faktisk evner å ta selvkritikk.

«Nå får De ha fortsatt god søvn,» sier kapteinen. «Det er ennå et par timer til De skal på vakt.»

«Er det blitt grovere sjø?»

«Ja, det har rusket seg til litt. En unormal vind for dette farvannet. Det blåser sterk fralandsvind med mye støv og sandpartikler i. Det må være en ørkenstorm fra de tørre områdene i innlandet i det nordøstre Brasil.»

Halvor strekker seg ut i køya og tenner en Camel. Han har fått Erasmus Montanus til å lage et askebeger av messing som han har festet på køyekarmen.

Han ligger og føler seg en smule important. Selveste skipperen kom og ba ham om unnskyldning og ga ham ros. Det er det ikke alle menige sjømenn som får oppleve.

Han sneiper sigaretten og klør seg litt på begge skinkene. Det er Terezinhas kloremerker han klør på. Det heter seg jo at etter den søte kløe kommer den sure svie. Men kloremerkene fra mahognijentas negler svir ikke. De klør riktig søtt, og han håper de vil gi ham varige arr. Han lovet sin kjære mor at han ikke skulle tatovere seg. Da får arrene på rumpa være hans tatovering, og et minne fra Brasil.

Den uvanlige sandstormen har gitt seg da *Tomar* kommer inn i det ekvatoriale stillebeltet fire grader sør for Ekvator. Men det er ennå støv i lufta og rødbrun dis i horisonten.

«Jeg liker faen ikke denne dritdårlige sikten,» sier Trean til Halvor.

De står ute på bruvingen og røyker. Trean har budt Halvor en sigarett.

«Vi vil vel greit kunne se skip som nærmer seg?» sier Halvor.

«Møtende skip er ikke problemet. Det er navigeringa som er problemet. Telleverket på loggen har slutta å virke, og med denne disen vil det bli vrient å få tatt solhøyden skikkelig. Ute i vest har vi nå øya Fernando de Noronha. Jeg skulle ønske jeg hadde bedt skipperen om å seile lenger mot vest så vi hadde fått se Fernando de Norhona. Det hadde vært bra å få tatt en peiling av øya for å få bestemt posisjonen vår presist.»

«Det kan da ikke være så nøye?» sier Halvor. «Vi har bare åpne Atlanteren foran oss herfra og helt opp til Kapp Verde-øyene.»

«Hadde det enda vært så vel. Bli med inn i bestikken, så skal jeg vise deg noe lort i sjøkartet.»

De går inn i styrhuset.

Trean spør rormann Åge: «Har du, Sildebogen, hørt om Saint Peter and Saint Paul Rocks?»

«Hørt om dem, ja, men sett dem, aldri,» svarer Åge.

«Mange sjømenn ønsker vel å få møte Sankt Peter,» sier Trean. «Men ingen sjømann ved sine fulle fem har noe ønske om å få se Saint Peter and Saint Paul Rocks. Det er bare noe verdiløs småstein. Gadd vite hva Skaperen mente med å slenge fra seg disse steinene midt uti havet, annet enn at han ønsket å sette grå hår i huet på oss stakkars styrmenn.»

Åge flirer og patter på pipa som han står og kaldrøyker på.

«Ja ja, du størmann,» sier han. «Du får ikke gullmedalje i navigasjon hvis du renner skuta opp på en av de skumle klippene.»

Inne i bestikken peker Trean på noen ørsmå prikker i kartet én grad nord for Ekvator, på 29 grader 22 minutter vestlig lengde.

«Brasilianerne eier øyene og kaller dem São Pedro og São Paulo,» sier Trean. «Det har vært snakk om å få satt opp et fyr der, men det har ikke brassene fått somla seg til.»

Halvor holder på å si at det kommer vel mañana, men etter eventyret i Paranaguá føler han ingen trang til å snakke nedsettende om brasilianere.

Trean blar opp i Pilot-boka og viser Halvor et detaljkart over holmer og skjær i arkipelet.

«Det som er ille, er at ingen av de jævla steinene er høyere enn atten meter,» sier Trean. «De ligger liksom og dupper i vannskorpa. Du ser at i kartet kalles klippen lengst i sørvest for Elebus. Det må være en feilskriving. Det skal nok være Erebus, etter skipet James Clark Ross førte på ekspedisjoner til Antarktis i første halvdel av attenhundretallet. Jeg vil tro at *Erebus** var innom her på vei sørover eller nordover i Atlanteren. Oppover mot nordøst ligger Coutinho, Belmonte, Challenger og Cabral. Cabral var portugiseren som oppdaget Brasil i år femtenhundre. Og så ser du en klippe som heter Beagle. Klinger det ei bjelle?»

«Nei,» sier Halvor.

«*Beagle** var ekspedisjonsskipet Charles Darwin seilte med. Det var den lange turen med *Beagle* som gjorde at han kom på hele ideen om artenes opprinnelse. Darwin var i land på Saint Peter and Saint Paul. Han fant ikke mye liv der. Bare sjøfugl, ei krabbe og en drøss med tanglopper.»

Lengst øst i det arkipelet ligger en holme som heter Cambridge. Den er sikkert kalt opp etter det berømte universitetet.

Like før vaktavløsning tar Trean solhøyden. Han finstiller sekstanten, og banner og sverter over disen som gir en dårlig, uskarp horisont.

Granli kommer opp og overtar sekstanten. Også han forbanner den elendige horisonten.

De to styrmennene har målt ulike solhøyder. De prøver igjen, men får stadig forskjellige resultater.

«Det var da som pokker,» sier Granli. «Vi får ikke observert nøyaktig breddegrad, vi har en defekt logg, og vi har et kronometer som jeg ikke stoler helt på når vi skal prøve å bestemme lengdegraden.»

«Har vi passert Fernando de Noronha?» spør Flise-Guri da Halvor kommer til messa for å spise middag.

«Vi får regne med det,» svarer Halvor. «Trean og Granli er ikke bombesikre på posisjonen vår.»

«Fernando de Noronha, det er Djevleøya til brasilianerne, det,» sier Flise-Guri. «På Fernando de Noronha er det straffekoloni for Brasils verste mordere og kjeltringer. For et par år siden møtte jeg en svenske i Pernambuco som nettopp hadde vært innom Fernando de Noronha med en liten svensk damper som skulle levere forsyninger til fangene. Svensken fortalte om to drapsmenn som satt på livstid, men som var blitt benåda. De to frigitte nekta plent å forlate øya! Den hadde vært deres hjem i en mannsalder. De ville fortsette å bo der. De hadde bygd seg ganske bra hytter av stein og dyrka små jordlapper. De hadde griser og høner, tomater og tobakk. Vokterne og fengselsdirektørene som kom ut på Fernando de Noronha på åremålskontrakter, så de to fangene på som gjester på deres øy. De sa til direktøren at han fikk heller skyte dem enn føre dem om bord i båten som skulle ta dem til fastlandet.»

«Hvordan gikk det?»

«Fengselsdirektøren telegraferte til justisdepartementet i Brasils hovedstad Rio de Janeiro. Fra Rio fikk han til svar at de to kunne få bli på Fernando de Noronha. Svensken påsto at de to lever som mann og kone, om du forstår?»

«Jeg er ikke født i går,» svarer Halvor.

«Det er rart å tenke på at på ei øy i nærheten befinner det seg to gamle mordere som ønsker å være på øya til de dauer. Akkurat nå sitter de kanskje og eter middag på fisk de har fått i garna sine og grilla på et bål av drivved. Til fisken har de maiskolber som de har dyrka sjøl. De spytter ut fiskebein og gomler på maisen. Så sier kanskje han ene morderen til han andre: Hei, du, skal vi gå inn i hytta og ta oss et nummer?»

«Død og pine,» sier Halvor. «Det er mye rart her i verden. Hva skal *vi* ha til middag? Jeg håper det ikke er fisk med maiskolber.»

«Fårikål,» sier Flise-Guri. «Kokken har vel som vanlig pepra for lite. Jeg tipper at Cheng har satt fram bøsser med pepperkorn i.»

«Har vi passert linja?» spør Båsen.

Halvor har kommet ned fra en langdryg og svett formiddagsvakt.

«Nei, ikke ennå,» svarer han. «Vi kommer til å passere Ekvator i åttetida i kveld. *Det* er styrmennene enige om. Vi har jo fått fin, skarp horisont, så de kan måle breddegraden nøyaktig. Lengdegraden er styrmennene mer i tvil om.»

«Jeg skal si fra til stuerten at alle mann må få en linjedram og ei flaske øl til kvelds,» sier Båsen. «Hvor mange grader er det i lufta?»

«Vi målte toogtredve grader på termometeret på styrbord bruving, det som ligger i skyggen.»

«Varmere blir det vel heldigvis ikke,» sier Båsen. «Jeg gleder meg til vi kommer inn i Nordostpassaten.»

Halvor tar seg en dukkert i bassenget før han går til middag.

Været er stille og klart. På himmelen driver spredte hvite skyer og en og annen grå sky som kan gi fra seg en regnskvett.

Etter øl og dram til kvelds sitter Halvor på poopen med munnspillet og øver seg på «La paloma». Det er vanskelig å få dreis på denne sangen, som er blitt populær som en folkesang over store deler av verden. Selv om det låter småsurt, har Halvor en stor og velvillig lytterskare.

Motormann Ortega tror at Halvor vil spille «La paloma» bedre hvis han lærer seg teksten. Halvor henter dagboka for å notere.

Ortega dikterer, og Halvor skriver ned begynnelsen på første vers:

«Cuando salí de la Habana
¡Válgame Dios!
Nadie me ha visto salir
Si no fuí yo
Y una linda guachinanga.»

«Hva er en guachinanga?» spør Halvor.

«Det er hva dem på Cuba kaller dame fra Mexico,» svarer Ortega.

«Men hvis mannen reiser fra Havanna, hvorfor er dama han tenker på, meksikansk?»

«Vet ikke. Tror 'La paloma' ble skrevet av spanier som bodde i Mexico. Veldig pen dame var la guachinanga i alle fall.»

Halvor og Ortega synger refrenget:

«Si a tu ventana llega una paloma
Trátala con cariño.»

Ortega oversetter det, og Halvor prøver å synge: «Hvis en due lander på din veranda, må du behandle den med kjærlighet.»

Det klinger ikke så bra på norsk, så han fortsetter å synge i vei på spansk sammen med Ortega. Noen av de andre gutta prøver å stemme i. Det går slett ikke verst. Skulle en meksikaner ha hørt det de synger, ville han neppe forstått et kvidder. Men det er jo melodien som er viktigst.

Flise-Guri arbeider overtid med å støpe et betongdeksel i forkant av poopen. Han legger fra seg murerskjea, kommer akterover og nynner med helt til alle er slitne og sangen forstummer.

«Verdens mest populære sang,» sier Flise-Guri. «Skrevet av spanjolen Sebastián Yradier i Mexico i attentreogseksti. Keiser Maximilian likte den så godt at han forlangte at 'La paloma' skulle bli spilt like før han ble henrettet.»

Halvor har første rortørn på kveldsvakta.

Kapteinen og alle tre styrmennene er samlet i styrhuset. De fire drøfter om de skal foreta ei kursendring mot vest for å være sikre på å gå klar av Saint Peter and Saint Paul Rocks.

«Jeg er redd for å begå Gundels tabbe,» sier kapteinen.

«Hva er det for en tabbe?» spør Nyhus.

«Jeg er med i et lite laug av kapteiner hjemme i Oslo. Der snakker vi av og til om det vi kaller Kaptein Gundels tabbe. Valdemar Gundel var skipsfører på det danske emigrantskipet *Norge**. Skipet forlot Kristiansand i juni nittenhundreogfire, med godt over syv hundre passasjerer om bord og en besetning på åtteogseksti. Det var altfor få livbåter om bord til så mange mennesker, men det er en annen historie. Gundel førte damperen ut i Atlanteren gjennom Pentlandsundet nord for Skottland. Og dere vet hva som skjedde?»

«Det ble katastrofe ved Rockall, ble det ikke?» sier Granli.

«Ja, det stemmer,» sier kapteinen. «Rockall vest for Hebridene er jo en klippe midt i havet slik som de klippene vi nå skal passe oss for. Kaptein Gundel valgte, i strid med de vanlige råd for seilasen, å sette kursen mot New York nord for Rockall. Sikten ble dårlig. Gundel ble i tvil om kursen og beordret en kursendring tredve grader mot syd. Det er dette som er Kaptein Gundels tabbe. For noen få timer senere rente *Norge* rett i Rockall. Hadde Gundel beholdt sin opprinnelige kurs, ville han seilt klar av klippen.»

«Jeg mener å ha lest at *Norge* gikk på grunn på et rev som heter Helen's Reef,» sier Trean.

«Korrekt,» sier kapteinen. «Revet ligger kloss oppunder klippen, bare et stenkast unna. *Norge* begynte å synke straks etter at skipet hadde truffet revet. Gundels forferdelige tabbe ble forsterket av feil som ble gjort etter grunnstøtningen. Det endte med den største skipskatastrofen i fredstid i Europas nyere historie frem til da. Det er tvil om det nøyaktige antallet omkomne, men det var cirka sekshundreogtredve, hvorav over tohundreogtyve nordmenn. *Norge* var et nordisk *Titanic.*»

«Hvorfor hører vi da så lite snakk om *Norge?*» spør Nyhus.

«Danskene skjemmes over at skipet førte dansk flagg og hadde dansk kaptein. Rederiet, Det Forenede Dampskibs-Selskab i København, i dag bedre kjent som DFDS, prøvde å dysse ned hele affæren. Men den viktigste grunnen til at det er så stille om *Norge,* er nok at det ikke fulgte noen *glamour* med skuta. Snarere tvert imot. Hun ble ikke sjøsatt med pomp og prakt. Hun var opprinnelig tegnet som spesialskip for transport av kveg. Krøtterskipet ble i all hast gjort om til emigrantskip før det ble sjøsatt i Glasgow i attenhundreogenogåtti. Det var ingen som sa at hun var skuta som aldri kunne synke. Hun hadde seilt for hollenderne i mange år og var ganske sliten da danskene overtok henne. Som *Norge* ble hun et skip for fattige utvandrere fra Norden og for jøder fra Baltikum og Russland. Det var en liten førsteklasse om bord, men det var ingen ballsal, ikke noe feiende flott skipsorkester. De aller fleste passasjerene seilte på tredje klasse, stuet sammen under kummerlige forhold. Og det var ingen berømtheter om bord. Det vil si, det var en som ble berømt i Norge, men det var først lenge etterpå.»

«Wildenvey?» sier Granli.

«Ja, det var en ung mann ved navn Herman Portaas som tok dikternavnet Wildenvey. La oss si at *vi* går ned med mann og mus i Biscaya. Et grått skip, en lastedrager som tusen andre. Vårt forlis vil ikke bli lagt mye merke til, og det vil bli fort glemt. Hvis vi ikke skulle få ordre om å gå inn til Las Palmas og plukke opp en berømt passasjer. Judy Garland, for eksempel.»

«Henne skulle jeg gjerne hatt om bord,» sier Trean.

«Da ville jeg heller hatt Ingrid Bergman,» sier Granli. «Hun var underskjønn i *Intermezzo.*»

«Vel, mine herrer,» sier kapteinen. «Keep on dreaming. Jeg tror jeg har gitt min mening tydelig til kjenne. Vi skal ikke ha noe da capo på Kaptein Gundels tabbe. Vi styrer vår fastsatte kurs. Men vi dobler utkikken og plasserer én mann på bakken og én på bruvingen. Begge med kikkerter. Sikten er gudskjelov god.»

Halvor står på utkikk på styrbord bruving i den siste timen av kveldsvakta. Framme på bakken står Hemmingsen. Han var grinete da han måtte ta ei ekstravakt som utkikksmann.

«Hva i helvete er vitsen med å gå ekstra utkikk midt i rom sjø i klarvær og måneskinn?» sa Hemmingsen. «Hadde vi fått et ubåtvarsel, kunne jeg ha forstått behovet for utkikk. Men denne ekstravakta er bare dill.»

Hemmingsen fikk seg nok mer enn én linjedram til kvelds. Står han der framme og sover?

Halvmånen står lavt på himmelen. Lette skyer, bare bomullsdotter, driver forbi og dekker av og til månen.

Halvor studerer Hemmingsen i kikkerten. Den staute matrosen fra Lilleaker er nokså frøsen av seg, og selv i denne tropenatta har han på seg en svart- og hvitprikkete islender som får Halvor til å tenke på skautet til mor. Hemmingsen sover ikke, hvis han ikke går i søvne, da. For han beveger seg fram og tilbake.

«Cuando salí de la Habana,» nynner Halvor og lar kikkerten henge og dingle etter reima.

Det lyder et slag fra skipsklokka på bakken.

Halvor setter kikkerten for øynene og skuer forover langs styrbord baug.

Hemmingsen slår som en gæren på klokka.

Hva pokker er det?

Halvor ser et eller annet framme på styrbord. En liten damper uten lanterner? En fiskebåt?

Det er hvite strimer på det som er der framme. Fuglemøkk! Det er en jævla stein!

Halvor stuper mot styrhusdøra og kolliderer med Trean, som kommer i firsprang ut på bruvingen.

«Land om styrbord!» roper Halvor. «Kloss ved!»

Trean bråsnur og brøler til Åge bak rattet: «Hardt babord! Fort som ville faen!»

Åge spinner ratt, og *Tomar* dreier voldsomt babord over.

I åndeløs spenning ser Halvor og Trean på klippen de passerer. Den er så nær at de kan spytte bort på det hvitstrimede berget.

«Jeg håper ved Gud at den steinen er Erebus,» sier Trean. «Ellers sitter vi midt i fittefatet!»

De hører lyden av fugleskrik og vingeslagene fra sjøfugl som letter fra klippen. Som er Erebus? Eller er det Cambridge? Hvis det er Cambridge, vil de etter å ha tørna babord over hvert øyeblikk kræsje inn i Challenger.

«Rett opp skuta!» roper Trean inn til Åge.

Halvor venter å se en lav klippe rett forut og gruer seg til lyden av stålplater som spjæres mot stein.

Ingenting å se forut! Har de hatt griseflaks?

Han speider forover gjennom kikkerten. Halvmånen dukker fram fra bakom en sky.

«Blankt vann framfor baugen så langt jeg kan se!» roper Halvor.

«Jævlig bra,» sier Trean. «Gi meg kikkerten.»

Halvor rekker ham lynraskt kikkerten.

Trean gransker farvannet i øst.

«Fy faen,» sier han. «Der borte ligger steiner på rekke og rad. Som hoggtenner i en ulvekjeft.»

De hører kaptein Nilsens stemme bak seg, og begge snur seg.

«Klippene?» sier kapteinen. «Har vi gått klar av dem?»

«Ja,» sier Trean. «Det ser sånn ut.»

«Utmerket,» sier kapteinen. «Jeg er blek, men fattet, som det heter.»

Ikke bare blek og fattet, tenker Halvor. Men også blek og halvnaken. Kapteinen har bare på seg en lyseblå slåbrok som han har glemt å dra igjen. Staven hans henger og dingler. Kanskje kapteinen virkelig er blitt muhammedaner? For det ser ut som om han er omskåret. I månelyset kan Halvor se at kapteinen har et penishode som ikke er dekket av forhud.

Halvor bryter plutselig ut i sprutlatter.

Her trodde han at han skulle få se døden i kvitøyet, men det han fikk se, var isteden pikken til kapteinen!

«Det er godt å høre en lettelsens latter, Skramstad,» sier kapteinen.

Granli kommer opp på brua, og det samme gjør Nyhus.

«Jeg så steinen gjennom ventilen min,» sier Nyhus. «Vi har vel hatt det engelskmennene kaller 'a close shave'?»

«Ja, dette var tett barbering,» sier Trean.

Flemming fra Fyn avløser Åge bak rattet. Åge kommer ut på bruvingen og fyrer opp pipa.

«Bra jobbet, Sildebogen,» sier kapteinen. «Det var raskt levert da du la roret babord over.»

«Gammel mann gjør så godt han kan,» sier Åge.

Hemmingsen kommer opp fra utkikk.

«Skarpt observert, Hemmingsen,» sier kapteinen. «Jeg trodde utkikken hadde gått amok da jeg hørte alle de iltre slagene på klokken.»

Styrmennene og kapteinen går inn i bestikken. Halvor regner med at det er for å studere detaljkartet over Saint Peter and Saint Paul i Pilot-boka.

«Jeg kan ta et par timer av hundevakta di,» sier Halvor til Hemmingsen.

«Trengs ikke. Jeg bråvåkna da jeg så the fucking rock. Først trodde jeg at jeg drømte, og at det var et snøfjell jeg så der ute. Fujiyama i Japan eller Kilimanjaro i Afrika. Så skjønte jeg at det hvite ikke var snø, men guano. Og jeg heiv meg på bjella.»

Halvor blir hengende på bruvingen. Han vil gjerne høre hva dekksoffiserene kommer fram til etter å ha gransket kartet.

De kommer ut på bruvingen, alle fire.

«Det må altså ha vært Erebus vi passerte,» sier kaptein Nilsen. «Jeg må si at De tok en råsjanse da De la hardt babord over, styrmann Kvalbein. Men det viste seg å være en lykkelig manøver.»

«Erebus, ja,» sier Flise-Guri.

Halvor og han sitter sammen i messa og drikker nattkaffe.

«Skipet *Erebus* led en fæl skjebne. Det ble sjøsatt i Pembroke Docks i Wales en gang på attentjuetallet. Det var et lite krigsskip med et par bombekastere om bord. Navnet har alltid forundra meg. For Erebus eller Erebos var hva de gamle grekerne kalte den mørkeste delen av Hades. Av Helvete, altså. Sammen med *Terror** – også et jævla merkelig navn, spør du meg – seilte *Erebus* med Ross-ekspedisjonene til Antarktis. Så tok John Franklin over kommandoen på de to skipene i attenfemogførti. Han hadde fått i oppdrag av Admiralty å seile gjennom Nordvestpassasjen. Franklin hadde mye erfaring fra ekspedisjoner til Arktis. Men denne gangen gikk det helt gæli. Både *Erebus* og *Terror* forsvant oppe ved Victoriaøya. Det samme gjorde mannskapene. De var hundreogtredve mann. Til tross for flere leteekspedisjoner ble det aldri funnet noen overlevende. Skipene er også søkk borte. De må ha blitt skrudd ned av isen.»

«Nansen og Johansen overlevde en vinter på Franz Josefs Land,» sier Halvor. «Nordvestpassasjen er jo ganske trang, og der er fullt av øyer. Prøvde ikke kapteinen og folkene hans å bygge hytter på en av øyene?»

«Mulig de gjorde det. Men ingen hytter er funnet. Når jeg sier at mannskapet forsvant, er det ikke helt riktig. Det er blitt funnet beinrangler som man antar er rester etter folkene fra *Erebus* og *Terror*. En doktor fra Hudson Bay Company som reiste nordover åtte år etter at Franklin-ekspedisjonen ble borte, forhørte seg med eskimoene oppe ved Nordvestpassasjen. Det de kunne fortelle, var fæle greier. Eskimoene hadde sett fremmede menn som åt sine døde kamerater. Kannibalisme, med andre ord.»

Halvor tar med seg munnspillet og trekker opp på poopen. Etter at det ble slutt på å jobbe overtid, sover han såpass mye om ettermiddagen at han er blitt den reineste natterangler.

Skumle steiner midt i havet, kannibalisme i Arktis, torpedoer og bomber i vente i europeisk farvann. Han velger å ikke tenke på noe av dette.

Han stemmer i på munnspillet. «La paloma» lyder stadig ikke helt reint. Han legger bort spillet og synger ut i den tropiske natt: «Y una linda guachinanga.»

Kapittel 39

Tomar befinner seg i en posisjon sørvest av Kapp Verde-øyene. Så langt har de hatt en fredfull seilas. Det har oppstått et akutt problem om bord. Hemmingsens magesjau var et forvarsel om det som skulle komme. Nå har alle mann om bord fått varierende grad av diaré.

Hadde det ikke vært for at Granli har et stort lager av kull-tabletter, ville det ikke vært nok folk som greide å holde seg såpass at sjøvaktene kan gå.

Halvor er blant de heldige som ved hjelp av kulltabletter er i stand til å gå vakt. Åge ligger strøken og har fått Flemming fra Fyn som erstatter.

Granli er overbevist om at elendigheten skyldes at drikkevannet de bunkra i Paranaguá, er udrikkelig. Han mener at vannet er forurenset av gjødsel, slik at kolibakterier yngler i vanntanken.

Nordostpassaten har begynt å blåse, og den er frisk og fin selv om den ennå ikke bringer virkelig kjølig luft med seg.

Halvor står til rors i den siste timen på formiddagsvakta. Han styrer opp mot passaten og de krappe sjøene den lager. Gjennom styrhusvinduet kan han se en grå, kjegleformet silhuett over horisonten langt i det fjerne på styrbord baug. Det er toppen på vulkanen Pico de Fogo, som løfter seg nesten tre tusen meter til værs på den lille øya Fogo sørvest i Kapp Verde-arkipelet. Vulkanen, som er aktiv, har gitt øya navn. Fogo betyr ild på portugisisk.

Kaptein Nilsen kommer inn i styrhuset.

Til Trean sier han: «Som om det ikke er nok at mesteparten av mannskapet sitter på potta, har jeg nettopp fått en U-boat warning fra telegrafist Borge. Jeg er nødt til å være på broen, og har sammenkalt til et lite krigsråd her oppe. De får bare si ifra, styrmann Kvalbein, hvis vi forstyrrer Dem i arbeidet.»

Nyhus, Granli og stuert Dyrkorn innfinner seg i tur og orden i styrhuset. De er bleike om nebbet alle tre, og Halvor tror de har fått sin del av sjauen.

Kapteinen sier: «De får ordet først, Granli.»

«Vi har en beklagelig og faktisk ganske dramatisk situasjon med kontaminert drikkevann,» sier Granli. «Etter alt å dømme er det en voldsom oppblomstring av kolibakterier i vannet vårt. Det vil være helt uforsvarlig å la mannskapet fortsette å drikke Paranaguá-vannet. Vi må tilby et alternativ for å unngå at alle mann blir slått ut og skuta blir satt helt ut av spill. Gjør vi ikke det, kan vi i verste fall risikere sykdom med alvorlige komplikasjoner.»

«Vi kan bunkre nytt drikkevann på Kapp Verde-øyene,» sier Nyhus. «Det er ikke lange omveien til den største byen i arkipelet, Praia på øya São Tiago.»

«Å anløpe Praia er dessverre utelukket,» sier kapteinen. «Selv om øyene er portugisisk koloni, og dermed i prinsippet nøytralt territorium, må vi regne med at det finnes tyske agenter i Praia. Disse spionene har helt sikkert radiosendere og vil kunne rapportere oss til ubåtene som er meldt i farvannet her.»

«Da er muligheten å seile inn til byen São Filipe på Fogo,» sier Granli. «Fogo er den øya i arkipelet som får mest nedbør. Det bør finnes brukbart drikkevann der.»

«For farlig, det også,» sier kapteinen. «Fogo har det beste utsiktspunktet av alle Kapp Verde-øyene for spioner som vil overvåke skipstrafikken. Det skulle faen ikke forundre meg om det sitter tyskere på toppen av vulkanen og speider på oss akkurat nå, gjennom det beste Zeiss og Leica har produsert av langtrekkende kikkerter.»

«Hvis vi allerede er observert, kan vi vel like gjerne gå inn til São Filipe?» sier Nyhus.

«Nei,» svarer kapteinen. «Vi *vet* ikke om det er tyskere på vulkanen. Det kan finnes spioner for tyskerne også i en liten fiskerlandsby som São Filipe. Jeg ser bare én løsning på problemet. Jeg vet at De vil protestere, stuert Dyrkorn. Men jeg beslutter at alle mann skal få utdelt mineralvann.»

«Det blir en voldsom kostnad for rederiet,» sier Dyrkorn.

«Husk at vi ikke seiler for Wilhelmsen nå,» sier kapteinen. «Nortraship får betale for brus til et mannskap i nød. Har vi Coca-Cola så det holder frem til Liverpool? Og selters?»

«Neppe. Vi vil nok gå tomme ved Finisterre, omtrent.»

«Da får vi gå over til øl når mineralvannet tar slutt.»

«Kaptein Nilsen, De kan da ikke mene at vi i dagevis skal by mannskapet *gratis øl*?» sier Dyrkorn.

«Jo, det mener jeg. Nå kan De stikke ned og levere ut brusflasker til Cheng så han kan ha drikkevarene klare til middagsserveringen. De, Nyhus, får hoste opp folk så vi kan få satt ubåtutkikk fremme på bakken. Om De må sende frem en kar som det ennå lekker av, får han ta med seg en pøs til å skite i.»

Matros Rønning får jobben med å bytte ut lyspærene i topplanternene med svakere pærer. Han klatrer opp leideren til toppen på aktermasta med en liten pøs med grease hengende i beltet.

Halvor står på dekk og følger med. Han er glad han slipper å gå opp i masta.

Høyt der oppe fikler Rønning med skruene på messingholderen som fester lanterneglasset. Skruene er sikkert irra fast.

Flise-Guri kommer forbi. Han har sydd blendingsgardiner til alle dørene som vender ut mot dekk. Stolt viser ham fram gardinene av seilduk.

Halvor treffes i hodet av et eller annet. Hva pokker var det? En sjøfugl som falt død fra himmelen? En gigantisk fuglebæsj?

Han bøyer seg ned og plukker opp fra dekket det som traff ham. Det er en arbeidshanske full av grease. Rønning har slengt fra seg arbeidshanskene etter å ha smurt lanterneglasset med grease. Halvor skjønner hvorfor. Trønderen vil ikke ha på seg de glatte hanskene når han skal klatre ned leideren.

«Rønning følger en gammel regel fra seilskutetida,» sier Flise-Guri. «Når karene jobba høyt oppe i riggen, sa de 'one hand for the captain and one hand for myself'. Med én hånd arbeidet de med tauverket, med den andre hånda holdt de seg fast.»

Halvor går ned på lugaren og maler over glasset i ventilen med svartmaling. Når det ikke kommer dagslys gjennom ventilen, føler han seg ubehagelig innestengt. Det er så varmt at Geir Ole og han seiler med vidåpen ventil og vindfangeren ute.

Det vil bli verre når de kommer lenger nordpå og må stenge ventilen.

Kaptein Nilsen har ført *Tomar* på en nordlig kurs helt opp mot Azorene. Det har ikke vært flere ubåtalarmer siden den de hadde nede ved Fogo.

De seiler i nydelig solskinnsvær. Halvor har frivakt etter middag og står frampå bakken. Der leiker en flokk delfiner – springere! –

seg. Han slutter aldri å glede seg over å se springere. Han har drukket så mye selters at han står og raper i ett sett.

Hadde det ikke vært krig på havet, ville alt vært såre vel.

Plutselig får han øye på noe mørkt i den sommerblå sjøen forut om babord. Dette mørke står opp fra vannflata. Hva kan det være? Tårnet på en tysk ubåt!

Han bykser bort til skipsklokka og slår tre kjappe slag. Så løper han og stiller seg på toerluka og roper opp til Granli, som er kommet ut på bruvingen: «Ubåttårn observert forut! Ti grader på babord baug.»

Halvor stormer opp på brua. Granli står rolig og breibeint ved sandkassa, med kikkerten i nevene. *Tomar* har ikke foretatt noen kursendring og stevner fram for full fart.

«Oljefat,» sier Granli. «Det du fikk øye på, var et tomt oljefat som står loddrett i sjøen.»

Inne i styrhuset står Flemming fra Fyn bak rattet og flirer til Halvor.

«Tysk ubåt, bom-bom-bom,» sier dansken.

Halvor er ikke altfor beskjemmet da han går fram igjen på bakken. Bedre føre var enn etter snar, heter det jo. Granli sa ingenting om at det var greit at han slo alarm, men Halvor har lært seg å lese Granlis kroppsspråk såpass godt at han tror at annenstyrmannen syntes det var i orden at han varslet.

Flokken av springere morer seg ikke lenger med å hoppe og sprette i baugsjøene fra *Tomar*, men svømmer nå langt ute på styrbord. Kanskje går det en fiskestim der, for det kretser måker over springerne.

Halvor speider forover i håp om å få et glimt av Santa Maria, den sørøstligste øya i arkipelet Azorene. Øya har ingen ruvende vulkan sånn som øya Pico lenger nord i Azorene, men den har fjell på over femhundre meter. Flere ganger synes han at han har sett Santa Maria, som ifølge Flise-Guri ganske sikkert er oppkalt etter skipet til Columbus. Hver gang har det vist seg å være bare en liten skybanke han så.

Tomar dreier brått over på en nordøstlig kurs, mot Irland.

Den vesle vestavinden som blåser, får de nå inn aktenfra. Foran Halvor ligger havet blankt og glitrende.

Så ser han noe. Ei stripe i sjøen. Torpedostripe! Eller bare skumboblene som en springer lager når den beveger seg i overflata?

Halvor er i et helvetes dilemma. Hvis han først har slått falsk alarm og så ikke slår alarm når det virkelig gjelder, da vil han ha driti på draget.

Han springer ikke til klokka. Han står og kaldsvetter og ser stripa nærme seg. Han håper med alt han har at han vil få se en springer som lager stripa. Og der! Der er'n! En grå skygge nede i det blå. Ikke en helvetes jævlig dødbringende torpedo, men en leiken springer.

Jaggu spretter springeren opp i et veldig byks til ære for Halvor. Den flyr gjennom lufta i en stor bue og lander med et skikkelig magaplask.

«Takk skal du ha, kamerat!» roper Halvor.

Mannskapet er mandag den 8. juli samlet i salongen for å høre kong Haakon tale i radioen fra London. Etter de allierte nederlagene har tyskerne i Norge presset presidentskapet i Stortinget til å sende ei erklæring til kongen der han blir bedt om å abdisere fra tronen.

Kongens svar fra London er klart og utvetydig. Han abdiserer ikke. Han sier blankt nei.

Det klappes for kongen i messa på *Tomar*.

Seltersen og brusen er slutt, og mannskapet drikker nå, til sin glede, øl. Motormann Reinert Benjaminsen fra Svolvær, som ellers er en taus type som aldri gjør seg bemerket, reiser seg og sier at de bør utbringe en skål for kong Haakons nei.

Det skåles.

Halvor står sammen med Flise-Guri og leser utskriften med utdrag fra kongens tale som Gnisten har hengt opp på tavla utenfor messa:

«Det er meg ikke mulig å innse at jeg ville handle i fedrelandets interesse ved å bøye meg for den henstilling som Presidentskapet har rettet til meg, hvorved jeg ville godta en ordning som strider mot Norges Grunnlov, og som med makt søkes påtvunget det norske folk ... Det norske folks frihet og selvstendighet er for meg Grunnlovens første bud, og jeg mener å følge dette bud og ivareta det norske folks interesser best ved å holde fast ved den stilling og den oppgave som et fritt folk gav meg i 1905.»

«Slik snakker en voksen mann,» sier Flise-Guri. «Jeg gir faen ikke fem flate for de nordmennene som har forhandla med Terboven om å danne et råttent Riksråd på tyskernes vilkår. Et av disse vilkårene var at kongen skulle gå av. Og de gjøkene fra Stortinget som sendte meldinga til kongen og ba ham abdisere, fortjener å bli bura inne når Norge atter blir fritt.»

«Helt enig,» sier Halvor.

«Slike folk burde bli hengt.»

«Der følger jeg deg ikke. Jeg er ikke tilhenger av dødsstraff.»

«Hvorfor ikke? Er ikke faren din kommunist? Stalin skyter da folk villig vekk.»

«Der mener jeg Stalin gjør forferdelig feil,» sier Halvor. «Jeg har nok arva mitt syn på dødsstraff av mora mi, som er kveker. Kvekerne er motstandere av henrettelser.»

«Kong Haakon den sjuende kan bli en av de store Håkon'ene i norgeshistoria,» sier Flise-Guri. «Håkon den femte var den første kongen som ble kronet i Oslo. Hvis – *når* – dagens Haakon vender tilbake til Oslo, vil det bli som ei ny kroning. Håkon den femte gjorde Oslo til hovedstad, bygde Akershus festning og skapte liv og velstand i byen. Jeg håper på ny velstand og lykke for Oslo når vår Haakon vender tilbake fra London. Vi får bare håpe at tyskerne ikke har ruinert og ødelagt hele byen i mellomtida.»

Kaptein Nilsen har bestemt at *Tomar* skal seile inn til midten av Irlands vestkyst, gå helt oppunder land og følge kysten sørover. Han mener at det å gå kloss ved kysten vil minske risikoen for ubåtangrep.

Fredag den 12. juli nærmer skuta seg Irland. Til middag har Cheng satt fram fulle vannmugger på messebordene.

«Vannet er all right,» sier Båsen. «Det er drikkevann fra Fremantle. Gjett hvor det kommer fra?»

«Fra badekaret til skipperen?» sier Erasmus Montanus og høster latter.

«Fra vanntankene i livbåtene,» sier Båsen. «Kaptein Nilsen ville ikke at alle mann skulle være småbrisne på øl når vi skal navigere langs kysten. Han foreslo å ta livbåtvannet. Jeg gikk med på det på vegne av Union fordi vi er så nær land og det er sommervær. Må vi gå i båtene, er det ikke lange stubben inn til Irland. Jeg har fylt Paranaguá-vann i tankene i livbåtene, så vi risikerer ikke å tørste i hjel der. Så får vi ta dritesjuken som den kommer.»

Matros Rønning har fått magesjauen etter at alle andre er blitt kvitt den. Det skal kule til en trønder, men når kula først treffer, kan trønderen bli liggende vel så strak som en ikke-trønder. Rett ut ligger Rønning, som er så skral at han er blitt plassert i syke-lugaren.

Halvor skal ta over for Rønning på fire–åtte-vakta.

Den varme lufta er full av fuktighet. Da Halvor går opp på brua, har det begynt å regne. Det er et lett regn, bare yr, men så tett at det gjør sikten dårlig.

Halvor har første rortørn.

«Vi styrer inn mot kysten av landskapet Connemara,» sier Nyhus. «Vi skal få landkjenning ved et fyr som heter Slyne Head. Der bør vi være om et par timers tid. Du kan holde kurs rett mot øst. Nitti grader.»

«Nitti grader skal bli,» svarer Halvor.

Kaptein Nilsen kommer opp i styrhuset.

Da Halvors rortørn nærmer seg slutten, er sikten bare hundre meter.

Kapteinen ber Nyhus slå halv fart på maskintelegrafen.

«Skal vi blåse tåkesignaler i fløyta?» spør Nyhus.

«Nei,» sier kapteinen. «Det kan påkalle oppmerksomheten til ubåter som ligger i overflatestilling og lytter.»

Geir Ole kommer inn fra utkikk på bruvingen og tar over ved rattet.

«Skramstad, du får gå fram på bakken og holde utkikk,» sier Nyhus. «Fyret på Slyne Head er fireogtyve meter høyt. Det står på en lav, naken holme av gråstein. Det er et fyr til på holmen, men det er gammelt og ute av bruk.»

Halvor stikker nedom lugaren, tar på seg oljehyrejakka og unner seg noen kjappe trekk av en sigarett.

Da han kommer seg på post på bakken, går *Tomar* for sakte fart.

Han hører en kurrende lyd fra sjøen. Det høres ut som kurringa til skogduer, men duer kan det vel umulig være her ute i havet. Han lener seg over svineryggen og får øye på en flokk store hvite og svarte fugler som ligger og dupper i de slake bølgene. Det er også et par gråbrune fugler i flokken. Fuglene minner om ender, og de har andenebb. Kan det være ærfugl? Han har aldri sett ærfugl. Da farens hans var liten, var det ærfugl i Oslofjorden. Jakta på den var så hard at ærfuglen ble utrydda i hele fjorden.

Han får spørre Geir Ole. Oppe i Vesterålen har de nok plenty ærfugl.

Utkikkstimen nærmer seg slutten, og det har begynt å skumre. Sikten er nå nær null. *Tomar* siger så vidt framover. Halvor kjenner lukta av tang.

Hørte han sauer breke?

Flise-Guri kommer fram på bakken og kaster ut ei line med blylodd i enden. Hele lina rauser ut.

«Loddet tar ikke bånn,» sier Flise-Guri. «Du kan melde fra på brua at vi har masse vann under kjølen.»

Halvor pigger opp på brua og melder fra om dybden til kapteinen, som står ute på babord bruving.

«Godt,» sier kapteinen.

Før Halvor rekker å gå inn og løse av Geir Ole ved rattet, føler han på seg at det er land rett forut, kloss ved. Han kan *lukte* det. Det må være jegeren i ham som slår til. Akkurat som han av og til har kunnet lukte elg i skauen hjemme, lukter han nå tang og tare. Og gras. Det er lukta av Irland, og han liker den lukta.

Han tar en sjanse og sier: «Land forut. Vi er like ved.»

«Jeg ser ikke noe land,» sier kapteinen.

Halvor tenker at han kanskje har dumma seg loddrett ut.

Så dukker det opp ei stripe av bølgevasket gråstein et par hundre meter foran baugen. Innenfor steinstranda er det ei eng med verdens grønneste gras. På enga går sauer og beiter.

«Full fart akterover!» roper kapteinen.

Nyhus slår full fart akterover, og *Tomar* bakker så det rister i skuta.

«Stopp!» roper kapteinen.

Nyhus slår stopp.

«Ser du noe fyrtårn, Skramstad?» spør kapteinen.

«Nei,» svarer Halvor.

Nyhus kommer ut på bruvingen. Båsen er kommet opp på brua, antakelig drevet av nysgjerrighet.

«Hva i helvete er dette for en øy, styrmann Nyhus?» spør kapteinen.

«Vi må ha fått landkjenning litt lenger nord enn planlagt,» svarer Nyhus. «Øya må være Inishbofin eller Inishshark. Det er ingen utenforliggende skjær eller grunner ved disse øyene.»

«Jeg trodde vi skulle til Liverpool og ikke til en saueholme,» sier

Båsen. «Hvis dere ikke vet hvilken øy vi er kommet til, kan jeg få satt en båt på vannet, ro inn og finne et bakeri. Så kan dere lese stedsnavnet på bollepåsan.»

Halvor må snu seg vekk så kapteinen ikke skal se gliset hans.

«Vil De se til å holde kjeften på Dem, båtsmann Jørgensen,» sier kapteinen. «De kan pelle Dem vekk fra broen og passe Deres egne saker!»

«Ai, ai, kæpt'n,» sier Båsen. «Jeg kom bare opp for å sjekke at det er rikelig med grease på sidelanternene. At de er skikkelig dimma.»

«Lanternene kan De overlate til styrmennene å kontrollere, Jørgensen.»

«Ai, ai,» svarer Båsen. «Da får jeg ønske dere navigatører til lykke med at dere i alle fall fant Irland, om det nå er Muffins eller Shark dere har funnet.»

Båsen går ikke ned fra bruvingen, men trekker helt ut i borde, stiller seg der og tenner en røyk.

«Nå, styrmann Nyhus,» sier kapteinen. «Bor det folk på de øyene De nevnte?»

«Siden det går sauer her, gjør det vel det,» svarer Nyhus.

«Jeg ser ingen hus og ikke det minste lys.»

«Folket bor sikkert på den sida som ligger i le, ikke her ute mot havgapet.»

«Hvor langt er det sørover til Slyne Head?»

«Hvis denne øya er Inishshark, er det ti–tolv nautiske mil ned til Slyne.»

«Vi får gå for halv maskin sørover,» sier kapteinen.

Båsen har fått tilfredsstilt nysgjerrigheten og spottelysten sin og stikker ned fra brua.

Halvor går fra rortørn til utkikk. Kapteinen vil ha ham på babord bruving og gir ham en kikkert.

De seiler i mørke og regn, det har gått over fra yr til striregn, en vegg av væte.

«Du skal se etter et fyr som sender to blink i tett rekkefølge,» sier Nyhus. «Vi skal få blinkene på babord baug.»

Tomar siger framover for halv fart.

«Vi burde da for pokker se Slyne Head nå?» sier kapteinen.

«Ja, vi skulle ha sett fyret,» sier Nyhus. «Men jeg tror vi har en kraftig tidevannsstrøm mot oss.»

Minuttene går. Halvor speider gjennom kikkerten så han blir helt blingsete. Kapteinen og Nyhus står også på bruvingen og nistirrer ut i mørket og regnet.

«Hvor blir det av det forbannede Slyne Head, styrmann Nyhus?» sier kapteinen. «Er De sikker på at fyret finnes?»

«Ja,» sier Nyhus. «Ifølge 'Meddelelser til sjøfarende', som vi fikk i Oslo før avreise, ble fyret modernisert i juli nittenniogtredve. Da fikk det ny lampe og ny fyrkarakter med to blink hvert femtende sekund.»

«De er sikker på at fyret ikke heter *Slime* Head og er i ferd med å åle seg vekk fra oss?»

Nyhus svarer ikke på dette.

«Tror De, Nyhus,» sier kapteinen, «at London kan ha gitt Dublin ordre om å slukke fyrene langs kysten av Irland?»

«Fanden vet. Jeg har spurt Gnisten, og han har ikke hørt om fyr- slukking i Irland.»

«Kan hende tyskerne har satt i land sabotører her og ødelagt fyret?» sier kapteinen. «De kan ha sendt i land folk fra en ubåt, i en sånn liten nymotens farkost som ser ut som den er laget av opp- blåste kondomer.»

«De tenker på en *gummibåt*, kaptein Nilsen?»

«Ja, gummibåt er det vel det heter. For den saks skyld kan det hende at fyret er sprengt av irlendere. Av disse gærne republika- nerne som vil at Nord-Irland skal bli en del av republikken Irland. Irlenderne elsker jo å sprenge ting i lufta.»

Kapteinen slår noen rastløse slag fram og tilbake på bruvingen, snubler i sandkassa og banner så det lyser av ham.

«Come on, fucking Slime Head!» roper han.

Halvor synes han ser et lite blink framme om babord, ikke ster- kere en lysblaffet fra ei lommelykt. Han teller til femten og finstiller kikkerten.

To blink!

«To blink framme om babord,» roper han.

«Er du sikker?» spør kapteinen.

«Ja,» svarer Halvor.

Han synes det er rart at femten sekunder kan gå så langsomt.

Så blinker det igjen, klart og tydelig.

«Der har vi den jævla lykten!» sier kapteinen. «Og vi er godt klar av land, styrmann Nyhus?»

«Godt klar.»

«Bra observert, Skramstad,» sier kaptein Nilsen. «Hadde jeg hatt medaljer å dele ut, skulle du fått en i aften.»

Halvor føler seg kry da han går av vakt.

Geir Ole og han går til Cheng og får seg et måltid oppvarmet skaus til kveldsmat.

«Var det ærfugl, de hvite og svarte vi så?» spør Halvor.

«Ja, det va ækallen og æa,» svarer Geir Ole. Han trekker fram et lommetørkle og gnir seg i øynene, begynner å hikste.

Halvor spør hva som er galt.

Han får til svar at det er hjemlengsel. Han forstår at synet av øya med sauene og ærfuglene vakte hjemlengselen i Geir Ole.

Båsen slår seg ned ved bordet. «Skal vi fortsette å luske som ei fanteskute langs holmer og skjær?» spør han.

«Ja,» svarer Halvor. «Skipperen vil at vi skal gå langs land helt til vi kommer opp i Saint George's Channel.»

«Synes ikke dere gutta at det er vakkert at jeg har fått stredet mellom Irland og Wales oppkalt etter meg?» sier Båsen.

Halvor ler, mens Geir Ole blir sittende taus.

«Og vi skal gå for sakte fart i regntjukka?» sier Båsen.

«Ja, det skal vi nok,» svarer Halvor.

«Det blir jo fint for deg, Gaukvær,» sier Båsen til Geir Ole. «Du kan henge ut et snøre og dorge makrell.»

Geir Ole reiser seg og løper ut av messa.

«Hva faen var det med nordlendingen?» spør Båsen. «Tålte han ikke at jeg snakka om makrell?»

«Han har så jævla hjemlengsel,» sier Halvor.

«Det er han ikke aleine om. Til og med jeg, som har tilbrakt tre ganger så lang tid på sjøen som jeg har vært hjemme, drømmer av og til om å rusle en tur lang strendene på Hurumlandet eller gå en skitur i Kjekstadmarka.»

Det blir klarvær langs sørkysten av Irland, og det er klarvær i Saint George's Channel.

Om morgenen søndag den 14. juli krysser *Tomar* fra irsk farvann over i britisk og går opp mot Saint David's Head i Wales.

Halvor har spist en god porsjon egg og bacon, står ved rekka på poopen sammen med Båsen og nyter et krus morrakaffe og en morrarøyk da et lite, gråmalt skip kommer ut fra kysten og setter kursen mot *Tomar*.

Skipet ser ikke ut som et krigsskip, men da det nærmer seg, ser de at det har en liten kanon montert på fordekket.

«En ombygd tråler, vil jeg tro,» sier Båsen. «Vi blir nok praia.»

Tomar slakker av på farta. Fra brua på tråleren kommer raske blink fra ei morselampe.

Det svares fra brua på *Tomar.*

Tråleren gir fra seg et støt i fløyta, tørner rundt og setter kursen inn mot kysten igjen.

I det samme Halvor kommer opp på brua for å ta første rortørn klokka åtte, går flyalarmen så det skingrer i klokkene.

Halvor overlater rattet til Åge, løper ut til sandkassa og trer patronbelte i Hotchkiss'en.

Han er tørr i munnen og har fått voldsomt høy puls, men han er ikke så redd at han frykter for å pisse i buksa.

Maskinist Steiro kommer opp og hiver etter pusten. Han er en ganske liten kar, med svart pannelugg og de største blå glugger Halvor har sett på noen mann. Det gutteaktige utseendet gjør at Steiro ser yngre ut enn sine noenogførti år.

«Take it easy,» sier Steiro. «Tyskeran tørs ikkje angrip her i Saint George's-kanalen midt på lyse dagen. Trur æ.»

«Hvor pokker er flyene?» sier Halvor.

Nyhus kommer ut på bruvingen, peker innover mot land og gir Steiro en kikkert. Halvor ser i den retninga Nyhus peker. Han ser noe han først tror er måker som flakser forbi den grønne, treløse pynten Saint David's Head. Men det er fly. Fire fly som svever lavt over vannet.

«Venn eller fiende?» roper Nyhus til Steiro.

Han får ikke svar. Steiro er for intenst opptatt av å granske flyene.

De fire maskinene gjør en sving ut over sjøen, øker høyden og nærmer seg *Tomar* fryktelig raskt. Det er store, tomotors fly, og Halvor tror det må være bombefly. Han kjenner trang til å la pisset gå og kjemper for å holde seg.

Flyene fortsetter svingen og vender nå bredsidene til.

«Ikkje nokka hakekors på haleroran,» sier Steiro.

Halvor ser et rundt merke på flykroppen på det nærmeste flyet. Det er en ytre rød sirkel, en hvit sirkel og en blå ring i midten. Det må da være Storbritannias farger?

«Venna!» roper Steiro. «Wimpeys.»

«Wimpeys?» sier Nyhus.

«Vickers Wellington bombefly,» svarer Steiro. «Very good airplanes, and very British.»

«Thank you,» sier Nyhus.

De begynner alle tre å le av dette «thank you».

Flyene setter kursen nordover.

Kaptein Nilsen og Trean kommer ut til sandkassa.

«Hva faen er det dere tre gapskratter av?» spør kapteinen.

«Vi er vel bare litt letta over at det var britiske fly,» sier Nyhus.

«Ja vel,» sier kapteinen. «Det var unektelig en lettelse.»

Kapteinen byr på sigaretter, Senior Service.

«Lettelse er bare fornavnet,» sier Trean. «Fyttihelvete, jeg var dønn sikker på at det var Luftwaffe som kom med død og grønne erter.»

Halvor sneiper sigaretten og går inn i styrhuset for å løse av Åge ved rattet.

«I alt sirkuset med de flya har jeg ikke fått noen kurs å styre,» sier Åge. «Så jeg har bare styrt nordover i Cardigan Bay. Jeg vet at det er nydelige badestrender ved Cardigan by, for jeg har vært her i min ungdom og bada. Men jeg vet ikke hvor djupt det er i bukta, så du får be Trean om en høvelig kurs. Det er noe dritt med fly.»

«Ja,» sier Halvor. «Bombefly er skremmende greier.»

«Da jeg lå i Cardigan med skonnerten *Nordstjernen* av Åsgårdstrand og lasta ull, var jeg så gammel som du er nå. Da var ikke flyvemaskiner oppfunnet. Det skulle de faen meg aldri ha blitt.»

«Det nytter ikke å stoppe teknikkens framsteg.»

«Nei, verden forandrer seg,» sier Åge. «Jeg vil ikke si at det alltid er til det bedre. Cardigan var ei fin lita havn. Nå hører jeg at roveret der er grodd igjen med elvemudder, og at det ikke går båter dit mer.»

Trean kommer for å gi Halvor en kurs å styre.

«Nullfemogtjue,» sier Trean.

«Nullfemogtjue,» gjentar Halvor.

De passerer Holyhead under tre-kaffen, og *Tomar* tørner østover og inn i Liverpool Bay.

Klokka fire går Halvor opp for å ta ekstravakt. Han får første rortørn. Sikten på sjøen er god, men det ligger et lavt tåketeppe over land.

Halvor har ny rortørn da *Tomar* siger inn mot Bar Lightship for å ta los om bord.

Ved fyrskipet er sikten god, men over byen ved Merseys munning ligger tåketeppet.

«Det ser pinadø ut som Liverpool er pyntet til karneval, ikke rustet for krig,» sier kaptein Nilsen.

Kapteinen sikter til en masse små luftskip som svever over tåka, og som blir opplyst av kveldsolas siste stråler. Luftskipene ser ut til å være forankret i bakken med stålwirer.

«Merkelig påfunn med disse karnevalsballongene,» sier kapteinen.

«Det er sperreballonger,» sier Trean.

«Selv en eldre herremann som meg vet da såpass,» sier kapteinen. «Det med karneval var ment som en spøk fra min side. Tror De, styrmann Kvalbein, at sperreballongene har særlig effekt?»

«Jeg har hørt at engelskmennene kaller miniatyrluftskipene for blimps. Blimpsene skal forhindre at tyske bombefly kan gå lavt over byen og drive presisjonsbombing. Jeg vet ikke hvor effektive de er. Tyske piloter vil helt opplagt frykte å fly inn i wirene eller treffe ballongene. De er fylt med hydrogengass, akkurat som *Hindenburg* var.»

«Telegrafist Borge sier at det har vært observert tyske fly over Liverpool, men at byen ennå ikke er blitt bombet, slik London er. Det kommer nok, dessverre. Liverpool er blitt den viktigste britiske importhavnen for krigsmateriell og varer fra USA. Luftwaffe vil nok prøve å slå knockout på havnen. Vi får forhøre oss om det finnes bomberom ved Gladstone Dock, der vi skal fortøye.»

Losbåten kommer fossende ut til *Tomar*. Fra sin plass ved rattet kan Halvor se at det står to uniformerte menn og en sivilkledd mann på losbåtens dekk.

Kort tid etterpå kommer de tre mennene inn i styrhuset. Det er to unge menn i marineuniformer med såpass mye striper og gull på at Halvor regner med at de er offiserer. Sivilisten, som må være losen, er en eldre kar iført vindjakke, bukser som minner om nikkers, og gamasjer over lærstøvlene.

Gamasjer i juli! Tåke i juli! Bloody England.

Halvor husker en ukebladreportasje om typisk engelske klær. Der var det bilde av sånne gamasjer som losen går i. De hadde et indiskklingende navn. Peettus? Nei, puttees.

Han døper losen Mister Puttees.

De to marineoffiserene veksler noen få ord med kapteinen og følger ham inn i bestikken. Halvor hører at døra slår igjen etter dem. Marinefolkene skal sikkert ned til skipperens salong for å sjekke skipets og mannskapets pass og sertifikater, lastedokumenter og andre papirer.

Tomar glir for sakte fart inn i tåka.

Mister Puttees gir Trean en ordre, og Trean drar i hendelen til fløyta. Tåkesignalet uler.

Så bjeffer Mister Puttees en ordre som Halvor ikke oppfatter.

«Sorry, Sir,» sier han.

«I said port easy!» roper Mister Puttees. Det er tydelig at den gamle losen er nervøs. Halvor kan forstå det. Å føre et mørklagt skip med dimmede lanterner inn i ei mørklagt havn i tjukk tåke er ingen spøk.

Halvor gir litt babord ror.

Han kjenner at det liksom lugger litt i skutas skrog. Det kan være strømmen i Mersey eller tidevannsstrømmen som tar tak i *Tomar*.

«Port a little more!»

Halvor gir mer babord ror.

«Repeat my orders!» roper Mister Puttees.

«Port a little more, Sir,» sier Halvor.

Trean får ordre om å redusere farta til dead slow.

«Det skulle komme ut en taubåt,» sier Trean til Halvor. «Jeg får håpe taubåten finner oss i denne jævla grauten. Det er bare så vidt jeg kan se utkikksmann Gaukvær der framme på bakken.»

Mister Puttees roper ordre i ett sett til Halvor. Halvors problem er at skuta nå nesten ikke har styringsfart, og at strømmen virkelig tar tak. I tåka forut uler det i flere skipsfløyter.

«Steady as she goes, for God's sake!» roper Mister Puttees.

«Steady as she goes, Sir,» gjentar Halvor og mumler et «and fuck you, Sir.» Geir Ole slår to slag på klokka.

«Vi får håpe det er taubåten han ser,» sier Trean.

«Hard starboard!» roper Mister Puttees.

Halvor legger roret hardt over, men *Tomar* lystrer ikke.

En stor, gråmalt baug kommer til syne på babord baug, kloss ved. De to skipene glir forbi hverandre med bare ti–femten meters klaring.

Tre slag på klokka.

Noe gult dukker opp der framme. Det er en høy, rank skorstein, typisk for en taubåt.

Mister Puttees brøler til Trean: «Full speed astern!»

Trean slår full fart akterover.

Det er for seint. Båten med den gule skorsteinen må være taubåten, og *Tomar*s baug treffer den med et voldsomt dunk. Taubåten driver langs skutesida på styrbord side. Halvor kan se masta med de tente taubåtlanternene, en hel klase lanterner, og den gule skorsteinen med en hvit R i et svart felt.

Trean slår stopp i maskinen.

Han og Mister Puttees løper ut på styrbord bruving. Halvor hører at de roper, og at det ropes tilbake fra taubåten.

Kaptein Nilsen og marineoffiserene kommer stormende inn i styrhuset.

«Hva faen skjer her, Skramstad?» roper kapteinen. «Hvor i helvete er losen og styrmann Kvalbein?»

«De er ute på bruvingen,» svarer Halvor. «Vi har kollidert med en taubåt.»

Halvor sitter i messa og skriver i dagboka: «Liverpool, søndag 14. juli 1940. Det ble en dramatisk ankomst hit til byen ved Mersey. I tett tåke kolliderte vi med taubåten <u>Aysgarth</u>* fra kompaniet Rea. Taubåter (eller <u>slepebåter</u>, som de egentlig skal kalles) er heldigvis solide farkoster, og selv om <u>Aysgarth</u> fikk en trøkk seksten, slapp båten unna med en bulk i skutesida og knekt reling. En mann på taubåten brakk armen, og en annen fikk slått inn et par tenner, akkurat som Geir Ole fikk i Aden.

Skipperen var gæren som ei fele, men lot ikke raseriet sitt gå utover noen. Jeg hadde vært forbanna på losen da han kommanderte og hersa med meg under tåkeseilasen. Etter kollisjonen fikk jeg medynk med den gamle mannen.

Taubåten var i stand til å assistere oss og dyttet oss inn til kai i Gladstone Dock. Der lå tåka så tett at det var bare så vidt vi kunne se soldatene som sto på vakt på kaia.

Da vi hadde fått satt ut gangveien, gikk jeg ned på kaia med rotteskjermene. Ut av tåka kom en soldat med stålhjelm, i fullt firsprang. Han hadde bajonett festet på geværløpet og pekte med bajonetten mot magen min.

Friend or foe? ropte han.

Jeg syntes det hørtes litt komisk ut. Soldaten kunne jo umulig tro at en mann som kom i land fra et skip som var loset og tauet inn til Gladstone Dock, var en fiende.

Friend, sa jeg.

Show me your registration certificate! ropte soldaten.

Jeg hadde hørt at vi skulle få registreringskort i Liverpool, men trodde jo at den væpnede fyren ville forstå at vi ikke hadde fått slike kort med det samme vi klappet til kai.

Sorry, I have not got a card, sa jeg.

What do you say, mate? sa soldaten. No card? Then piss off and get on board your ship!

Jævla tulling, sa jeg til ham på norsk.

What did you say there, mate? sa soldaten og løftet bajonetten opp i høyde med ansiktet mitt.

Vil den gærningen kappe av meg nesa? tenkte jeg.

I said thank you, Sir, sa jeg.

Very well, sa han. Now, run, mate!

Slik fikk jeg et ublidt første møte med Liverpool.

Det skulle bli verre. Ikke før var jeg kommet om bord, så gikk flyalarmen. Det hylte i sirener i hele havna. Nå kom soldatene stormende om bord og kommanderte oss i land. Vi ble gjetet som en flokk kveg bort til et betongbygg på kaia, og jeg skal si vi nordmenn, og Ortega, Cheng, Kevin og Flemming fra Fyn, bannet og svor over behandlingen vi fikk.

Betongbygget viste seg å være et shelter, et bomberom. Der var det stuvende fullt av havnearbeidere som hadde jobba overtid på andre skip i Gladstone Dock. Disse karene tok godt imot oss, selv om det ble trangt om saligheta. Dermed ble det litt hyggeligere å være i Liverpool. Vi byttet våre amerikanske sigaretter med havnearbeidernes Woodbines, som må være lagd av avfall fra tobakksplanten. De engelske sigarettene smaker helt forferdelig og lukter enda verre.

Det ble temmelig stinn luft inne i shelteret. Kortstokker kom fram. Cheng spilte poker med tre engelskmenn og loppa dem for en hel del shillinger.

Etter en times tid lød 'Faren over'-signalet.

Soldatene var ikke så bryske da de geleidet oss om bord. En av dem sa til meg at det sannsynligvis var falsk alarm, og at de ikke hadde hørt flydur eller lyden av eksplosjoner.

Etter kveldsmat ble jeg sittende i messa sammen med Båsen og Flise-Guri for å få en del opplysninger om Liverpool. Begge to ble flakkende i blikket da jeg spurte om adressen til Den norske sjømannskirken.

Dere er to forherdede hedninger, sa jeg.

Med Båsen vet man aldri hvordan en slik replikk vil slå an, men han fikk seg en god latter.

Cheng hadde overhørt samtalen. Han skjønner mer og mer norsk, den mannen.

Norway church? sa han. Han tok blyanten min og tegnet et kart her i dagboka. Det viser forskjellige gater som fører fram til en større plass. På denne plassen skrev Cheng 'Great George Square.' Han tegnet et kors ved plassen. Så slo han en ring rundt korset og skrev 'Chinatown'.

Cheng gikk for å ta oppvasken.

Jøss, sa jeg til Båsen og Flise-Guri. Ligger den norske kirka midt i Chinatown?

Det stemmer visst, det, svarte Flise-Guri. Da kirka ble åpnet i nittennitten, var det jo ikke så mye penger i Sjømannsmisjonen. Så i Liverpool fant misjonen ei bygning i et relativt fattig strøk nær havna, der det bor mange kinesere. Men plasseringa var ikke så halvgæren, for der bor også en hel del nordmenn og andre skandinaver.

Av Nyhus har jeg fått adressen til det norske generalkonsulatet. Det skal være veldig lett å finne, for det ligger på hjørnet av paradegata The Strand og Water Street, i en stor, åtteetasjes bygning som heter Tower Buildings.

Nyhus sier at hvis det er den samme generalkonsulen som er der nå som før krigen, er han litt av en skøyer.

Jeg spurte hva konsulen heter. Nyhus husket ikke navnet.

Det blir så mange navn å holde rede på i forskjellige havner, sa han.

I morgen tidlig skal vi alle mann bli kjørt i buss inn til registreringskontoret i sentrum. Der vil vi få registration certificates. I den anledning må vi fotograferes. Jeg håper det ikke blir en omstendelig prosess, og at framkalling og kopiering av fotografiene tar hele dagen. For jeg vil gjerne rekke konsulatet i kontortida. Jeg håper at jeg der kan få endelig avklaring på spørsmålet som har naget meg helt siden april, om hva som hendte med min familie under bombetoktet mot Rena.

Skulle ikke konsulatet ha svar, vil jeg spørre om de kanskje vet noe på sjømannskirka. Trean mener at de norske kirkene i fremmede havner fungerer som informasjonssentraler.

Jeg har vært ute på dekk. En bris fra sjøen har fått tåka til å lette over Mersey og dokkene. Månen tittet fram, så jeg kunne skimte en hel del måneskinnsbelyste blimps oppe på himmelen. Kaptein Nilsen har rett i at ballongene leder tanken til karneval mer enn til krig.»

Kapittel 40

Halvor står på fortauet i Water Street og tar seg en røyk før han skal gå inn på generalkonsulatet. Over ham ruver granittveggen i Tower Buildings. Klokka er blitt halv to denne mandags ettermiddagen. Det er lettskyet vær og julivarmt.

Da mannskapet på *Tomar* etter frokost stilte seg opp ved fallrepet for å vente på bussen til byen, kom et byssetelegram i omløp. Det gikk ut på at det ikke ville komme noen buss, på grunn av bensinmangelen i England.

Erasmus Montanus trodde på byssetelegrammet og sa: «All bensin i England går nok til å holde Royal Air Force på vingene.»

Motormann Smaage spurte hvordan det da kunne ha seg at det kom lastebiler kjørende ut på kaia for å ta imot hudene som fire gjenger med havnearbeidere hadde begynt å losse.

Erasmus sa at det måtte være dieseldrevne lastebiler.

Smaage sa at da kunne vel også bussen de ventet på, være dieseldrevet.

Slik sto de og småkrangla mens eimen av argentinske huder la seg over forskipet.

Bussen kom. Den var ført av en merkelig, langhåret sjåfør, som viste seg å være en ung dame. To uniformerte politikonstabler var om bord i bussen for å eskortere mannskapet. Bussen var bensindrevet.

På hovedveien Derby Road innover mot sentrum var det ikke mange personbiler å se. Dette tok mannskapet som et tegn på at det var bensinrasjonering i England.

Hemmingsen reagerte sterkt på at messingskiltet utenfor registreringskontoret fortalte at her holdt Aliens Registration Office til.

«Vi er da for faen ikke aliens,» sa Hemmingsen. «Vi er *allies*. Aliens betyr jo *fiender*.»

Gnisten sa at aliens ikke betyr fiender, men utlendinger.

Hemmingsen sto på sitt og sa at i USA betyr aliens fiender. Men han gikk villig inn til fotografering. Den gikk unna i bra tempo.

For anledninga hadde Halvor lånt et rødt silkeslips av Cheng og gredd håret med Geir Oles hårkrem, som ikke var noe særlig parfymert.

Alle måtte i tur og orden inn til avhør. Dekksmannskapet først, fra kapteinen og nedover.

Avhørene tok få minutter. Ingen av dem som kom ut, meldte om spesielle problemer.

Halvor var likevel svett under tweedjakka da han gikk inn, og syntes slipsknuten satt altfor stramt. Ville han bli spurt om dette at faren er kommunist? Skulle han i så fall svare ærlig eller ljuge?

Forhørsfolkene var én ung og én godt voksen mann, begge iført slitte kontordresser, og de presenterte seg som immigration officers. En eldre kvinne, fru Mary Louise Simpson fra generalkonsulatet, var til stede som tolk.

Halvor ble spurt om han hadde vært i Storbritannia tidligere. Han svarte at han hadde vært i landet med det norske skipet *Flink*.

Han fikk spørsmål om han hadde tatt vare på sitt britiske identitetskort fra sin tid på dette fartøyet. Han svarte, som sant var, at han aldri hadde fått noe slikt kort mens han var på *Flink*.

«What kind of a ship was it?» spurte den eldste immigrasjonsoffiseren.

«A very small steamship, Sir,» svarte Halvor.

Dette svaret tilfredsstilte ikke spørsmålsstilleren.

Halvor ba fru Simpson om råd: «Hvordan oversetter jeg 'skip i kystfart'?»

«Tell them you were on a coaster.»

Halvor rakte høyre hånd i været og svarte at *Flink* var en coaster.

Han skulle ikke ha rakt hånda i været. Den unge offiseren fikk øye på lærbandasjen på fingerstumpen og sa: «Have you lost your finger in an accident or do you have a disease?»

Halvor trodde han forsto spørsmålet, men ble usikker og spurte fru Simpson: «Hva mener han?»

«Perhaps he thinks you suffer from leprosy,» sa fru Simpson.

Ordet leprosy burde ikke fru Simpson ha tatt i sin munn, for det ga den unge offiseren vann på mølla.

Halvor og fru Simpson fikk et svare strev med å forklare at han aldri hadde vært smittet av spedalskhet. Han måtte ta av seg bandasjen og vise fram fingerstumpen. Det var snakk offiserene imellom om en doktor, og Halvor forsto det slik at de mente han burde bli undersøkt av en lege.

Omsider ble han trodd på at han ikke var spedalsk. Den eldste offiseren svingte et stempel, og Halvor fikk utlevert det lysegrønne heftet som gir ham adgang til kongeriket Great Britain.

På fotografiet i registreringskortet ser han ganske voksen ut. Han burde ha gredd seg bedre, for fra verva i bakhodet står det opp en irriterende hårtjafs. Men slipset er kledelig, og det lille emaljerte norske flagget på jakkeslaget synes godt.

Alle mann fikk emaljeflagg i gave av stuerten før de gikk i land.

De hadde ingen avtale om det, men det var en stilltiende overenskomst om at alle skulle vente til sistemann, byssegutt Kevin Dunvegan, var avhørt. Siden skulle de gå ut på byen og spise en felles lunsj.

Motormann Pablo Ortega var lenge inne.

Han kom ut og sa: «Dem lage lite helvete. Unge mann si jeg er communista. Gamle mann mange gang spørre om jeg er Francofascista.»

Også den britiske statsborgeren Kevin ble lenge inne. Da han kom ut, viste det seg at det var spørsmålet om militærtjeneste som hadde skapt trøbbel for ham.

«They wanted me to pay off *Tomar* to do military service,» sa Kevin. «I told them I am just seventeen and too young to become a soldier.»

Immigrasjonsoffiserene hadde gransket Kevins pass med lupe for å se om han hadde forfalsket fødselsåret sitt.

Folkene fra *Tomar* fant ingen restaurant som hadde mat nok til å servere lunsj til et helt skipsmannskap. Offiserer og mannskap skilte lag.

Halvor bestemte seg for å droppe lunsjen. Han sa farvel til de andre gutta og fant en bod der han fikk kjøpt den engelske favorittretten sin, fish and chips.

Da han gikk gjennom byen mot Water Street, syntes han det var noe som manglet i gatebildet i Liverpool, men kunne ikke komme på hva det var.

Det er bare tre ting i byen som minner om krig. Det er sandsekkene som ligger stablet foran enkelte bygninger. Foran Tower Buildings er det stablet sekker så høyt at de dekker vinduene i første etasje. Så er det dette at mange mennesker bærer på futteraler av lær eller lerret som det er gassmasker i. Og så er det blimpsene. En sperreballong er forankret på hjørnet av The Strand og Water Street. Det vesle vinddraget som kommer inn fra Mersey, får det til å synge i ballongwiren.

Halvor har ikke helt bestemt seg for hva han synes om Liverpool. Etter millionbyene Sydney og Buenos Aires virker Liverpool smålåten. Han har sett en del flotte bygninger fra imperiets velmaktsdager. Men folk her er magrere enn australienerne og argentinerne og ikke på langt nær så elegante i klesveien som folk i Buenos Aires.

Liverpool er på en gang både pompøs og litt fattigslig. Det er vel all rikdommen som skipsfart og skipsbygging har brakt til byen, som gjør den pompøs, og krigens slitasje på menneskene som gir det fattigslige inntrykket.

Halvor går inn i den vestligste av Tower Buildings og finner kontordøra med messingskiltet der det står Royal Norwegian Consulate General. Han åpner den tunge døra av eik og kommer inn i et rom der det sitter en ung kontorist bak en skranke kledd med eikepanel.

Kontoristen er lyshåret og ser ut som en nordmann. Han har på seg en koksgrå dress som er blankslitt på albuene. Under dressen har han gråblå skjorte, og rundt halsen bærer han et slips med grå og blå striper.

Halvor går bort til skranken. Kontoristen gjør ingen mine til å ville reise seg for å hilse. Halvor rekker fram hånda for å presentere seg. Kontoristen griper ikke hånda. Kanskje han også er skeptisk til den bandasjerte fingeren?

«Jeg er lettmatros Halvor Skramstad fra *Tomar*.»

«Ja vel,» sier kontoristen. «Kan De bevise at De er nordmann?»

Halvor gir ham registreringskortet.

«Her står det 'seaman',» sier kontoristen. «Siden De er lettmatros, burde det vel stått 'ordinary seaman', som er det engelske uttrykket.»

«Hvorfor det står seaman, får De spørre registreringskontoret om,» sier Halvor. «Si meg, *De* har vel også et navn? Men det er kanskje en krigshemmelighet hva De heter?»

«Steenberg med tre e-er,» sier kontoristen, uten tegn til smil. «Viggo Steenberg, førstefullmektig her ved generalkonsulatet.»

Fint skal det være om så hele ræva henger ute, tenker Halvor. Førstefullmektig!

«Jeg er kommet for å spørre om dere har en oversikt over omkomne etter bombinga av Rena i april,» sier Halvor.

«Hva får Dem til å tro at vi har en slik oversikt?»

«Et generalkonsulat skal vel samle på opplysninger norske statsborgere i utlandet trenger.»

«Jeg kan ikke tenke meg at vi har slike opplysninger når det gjelder hendelsen på Rena,» sier Steenberg. «Vi vet ikke annet om tyskernes bombing av norske steder og byer enn hva vi har hørt i radionyhetene eller lest i britisk presse.»

«Det skulle ikke være kommet noe brev eller telegram til meg hjemmefra?»

«Er De gal, mann! Det kommer ingen telegrammer eller brev fra Norge til Liverpool nå, av årsaker som burde være åpenbare for alle og enhver.»

Di jævla oppblåste blære, tenker Halvor.

«Jeg synes ikke De gir meg gode svar,» sier han. «Jeg vil gjerne spørre konsulen.»

«Hør nå her, De kan ikke få fortrede for generalkonsul Jeppesen uten forutgående avtale.»

Halvor begynner å bli drittlei av unge dresskledde menn som behandler ham som om han skulle være spedalsk.

«Konsul Jeppesen har sikkert tid til å se meg,» sier han. «Jeg er en sjømann som har fraktet krigsviktig last til England halve jorda rundt.»

«Det gir Dem ingen spesielle rettigheter her på generalkonsulatet,» sier Steenberg.

«Om jeg ikke *får* rettighetene, kan jeg vel *ta* dem,» sier Halvor. Han går mot den største av tre kontordører.

Steenberg reiser seg, forbausende kvikt, og stiller seg mellom Halvor og døra.

«De kan ikke bare buse inn til Jeppesen!» roper Steenberg.

Halvor føyser førstefullmektigen unna. Han røsker opp døra og stiger inn i et rom der det lukter intenst av sigarrøyk. Røyken er så tett at det er vanskelig å se noe. Halvor tenker at det burde gå an å kutte røyken i biter, pakke den i hermetikkbokser og selge boksene til nikotinslaver.

Inne i røyken skimter han et stort skrivebord, og bak skrivebordet en mann med et hode som ser ut som det kunne tilhørt en munk fra middelalderen. Mannens isse er blank, og rundt issen vokser en krans av grått hår som minner om reinlav. Han sitter med en sigar på leppene og et telefonrør holdt opp mot munn og øre. Et par hornbriller har han skjøvet opp i panna. På seg har han ei hvit skjorte som er brettet opp på det ene ermet, men ikke på det andre. Et svart- og gråstripete slips er trukket så langt ned at slipsknuten hviler på mannens kulemage.

Halvor tar noen skritt fram så mannen skal få øye på ham.

Men mannen er konsentrert om å lytte til det som blir sagt i telefonen, og ser ikke den besøkende.

«Hallo der,» sier Halvor.

Nå kikker mannen opp, trekker brillene ned og mønstrer Halvor. Han legger en hånd over telefonluren, peker med sigaren mot en stol og sier: «Sett Dem mens De står, unge mann. De må gjerne åpne et vindu.»

Halvor går og åpner et vindu som vender ut mot The Strand og Mersey. Så mye røyk finner vei ut av vinduet at kanskje brannvesenet vil bli varslet.

Han setter seg på stolen, som har trekk av lær.

På skrivebordet står et svart, langsmalt skilt med det norske riksløveemblemet og en tekst i hvite bokstaver: Mr. Birger Jeppesen, Royal Norwegian Consul General.

I telefonen sier Jeppesen: «Nei, dessverre, kaptein Nilsen. Vi har ingen informasjon om bombeofre. Hva behager?»

Jeppesen blir sittende og lytte en god stund.

Han sier: «Jeg synes det er drøyt av Dem, kaptein Nilsen, å kalle oss på konsulatet for fjompenisser og latsabber.»

Jeppesen tar en ny lyttepause.

Da han får ordet igjen, sier han: «Det er helt urimelig å si at vi er overbetalt og overbemannet. Jeg tjener ikke så mye mer enn en skipskaptein som Dem. Her på kontoret er det bare meg og to fullmektiger, herr Steenberg og fru Simpson ... Hva sa De nå? At det er *den* fru Simpson? Hva får dem til tro at hertuginnen av Windsor jobber her på kontoret? Hun jobber da vel ikke med noe som helst ... Det var en spøk, sier De ... Ja vel ... De ønsker å få vite om en fru Jakobsen fra Nykkevågen omkom under bombingen av Bodø? Kan De ta fornavnet om igjen er De snill? ... Jemima ... Det er notert.»

Jeppesen rabler på et ark.

«Stedet er Nykvåg i Vesterålen? Det er også notert. Skulle det tilflyte konsulatet opplysninger om denne personen eller andre De har spurt om, skal jeg selvfølgelig underrette Dem ... Hva sa De nå? ... En *smoking*, sa De? ... At det er en skandale at en norsk skipsfører ikke har råd til å kjøpe seg en smoking når han skal representere Norge i utlandet? Vel, jeg er jo norsk diplomat, og det er bare hvert jubelår jeg bruker smoking til representasjon. Her i Liverpool holder det med mørk dress ved de fleste anledninger. Scousers er ikke så høytidelige ... Scoucers, ja ... Det er det folk her blir kalt ... Om jeg treffer vår nyutnevnte skipsfartsminister Arne Sunde? Det vil jeg helt sikkert gjøre på min neste tur til London ... Ja, jeg skal hilse Sunde og si det ... En dobling av kapteinshyrene, sier De? ... En *tredobling*? Det er vel å ta hardt i.»

Ny lyttepause for Jeppesen, som kverker sigarstumpen i et overfylt bronseaskebeger med små englefigurer på kanten.

Jeppesen sier: «Nå synes jeg atter De tar hardt i, kaptein Nilsen. Å si at Sunde er ubrukelig som statsråd fordi han tapte Grønlandssaken for oss i Haag, er urimelig. Som advokat proserte Sunde en særdeles dårlig sak for Norges regjering i Haag ... Nei, jeg synes det blir helt feil å kalle Sunde en sosialdemokratisk pamp. Han er dog tidligere justisminister i et par av Mowinckels borgerlige regjeringer, og har vært banksjef i Bergens Privatbank ... Vel, jeg synes De bør se på det som en styrke at Sunde med sin bakgrunn vil tjenestegjøre i en regjering utgått av Arbeiderpartiet ... At det er slike menn som Sunde som *taper kriger*? Vi vet da vel for svarte svingende ennå ikke stort om hvilke mennesketyper som taper og vinner i denne krigen.»

Lang lyttepause.

Jeppesen roper inn i telefonluren: «Har De ofte slike utblåsninger som denne, kaptein Nilsen? ... Nei, jeg tror ikke at De er beruset ... En halv flaske Bordeaux Blanc til lunsj på Adelphi Hotel? Da vil jeg si at De gjennomførte et mesterstykke ved å trylle frem en flaske Bordeaux i en by der til og med diplomatiet er i ferd med å slippe opp for franske viner ... De har fått hodepine på grunn av krigen ... Kjære kaptein Nilsen, De er ikke den eneste som krigen har gitt hodepine ... De tar et medikament? ... Benzedrin, sier De? Det stoffet skal De passe dem for. Her i Storbritannia kalles det nå Amphetamine og regnes som et narkotikum ... At mannskapet Deres holder på å tørste i hjel på grunn av vannmangel? Har De ikke bestilt vannbåten som leverer vann til skipene i havnen her? ... De *har* bestilt, men tror vannbåten nekter å komme ... Hvorfor det? ... Kollisjonen med *Aysgarth* har jeg hørt om, ja ... Vannbåten vil ikke komme fordi den tilhører samme kompani som taubåten? Det synes

jeg høres ut som en konspirasjonsteori, kaptein Nilsen ... De får
få skipshandleren Deres til å levere en ladning sodavann ... Det
er ikke vanlig at generalkonsulen møter i sjøforklaringer når det
ikke dreier seg om totalforlis ... Jeg skal sende herr Steenberg ...
Nei, jeg kan *ikke* rekvirere en lastebil med flaskevann til Dem ...
Nå får De faen ta meg gi Dem, kaptein Nilsen. Hvis mannskapet
Deres tørster, får de sende karene i land på pub. Takk for sam-
talen!»

Jeppesen klasker på luren. Han skyver brillene opp i panna og
myser mot Halvor.

«Hvem er så De, unge mann?» spør han.

«Mitt navn er Halvor Skramstad, lettmatros på *Tomar*.»

«La meg få ta en titt på registreringskortet Deres.»

Halvor finner en ledig plass mellom bunkene av papirer på
skrivebordet og legger det lysegrønne heftet der.

Jeppesen kaster et blikk på det og spør: «Hvordan slapp De forbi
vaktbikkja mi, fullmektig Steenberg?»

«Jeg overtalte ham fordi jeg har noe viktig å spørre Dem om.»

«Hva gjelder det?»

«Jeg frykter at det kan ha tilstøtt familien min noe da Rena ble
bombet.»

«Stygg sak, den bombingen av Rena,» sier Jeppesen. «Dessverre
har vi her i Liverpool ikke fått informasjon om skadde og om-
komne som følge av tyskernes bombing av norske byer. De er ikke
den første sjømannen som har kommet til konsulatet og spurt. Her
har vært sjøfolk fra Molde, Kristiansund, Namsos og Bodø. Jeg
forstår engstelsen dere sjøgutter føler. Men hvem har egentlig over-
sikt over tapene av menneskeliv i de norske byene? Jeg vet ikke om
det fordømte Administrasjonsrådet hjemme i Norge har det. For
den saks skyld kan det hende at Terboven og Gestapo heller ikke
har noen samlet oversikt.»

«Hvorfor var kaptein Nilsen på *Tomar* så sinna i telefonen?»
spør Halvor.

«Jeg snakket med kapteinen på Wilhelmsen-båten *Tequila*,» sier
Jeppesen.

«Men det var *Tomar* som kolliderte med den taubåten, *Aysgarth*.
Jeg har aldri hørt om noen Wilhelmsen-båt som heter *Tequila*. Er
ikke det navnet på et kruttsterkt meksikansk brennevin?»

«Jo, det stemmer.»

«Finnes det virkelig en båt i Wilhelmsen som heter *Tequila*?»

481

Jeppesen tenner en ny sigar og tørker den blanke issen sin med et lommetørkle.

«Nei,» sier han.

«Nei?»

«Nei, det gjør ikke det.»

Jeppesen begynner å le, klukk-klukk-klukk.

«De skjønner det, Skramstad,» sier han, «det kommer så mange slags direktiver og ordre og rundskriv hit til konsulatet. De kan jo bare se på papirbunkene som tårner seg opp på pulten min. For en stund siden fikk vi beskjed fra London om at vi må være forsiktige med å nevne navn på allierte skip, av sikkerhetsgrunner. Jeg tenkte da at jeg fikk gi norske skip kodenavn som var lette å huske. For Wilhelmsens båter som anløp her til Liverpool, valgte jeg meksikanskklingende navn. *Tabasco*, *Tortilla*, *Tomata* og *Tobacca*. Steenberg ville ikke være med på det. Han bruker bokstavkoder som ikke en kjeft, heller ikke Steenberg, greier å huske. For ham er nok *Tomar* – unnskyld, *Tequila* – 2BXCZ5 eller noe i den stilen. Nå er jeg i ferd med å slippe opp for meksikanske navn på T. Har De noe forslag, Skramstad?»

Halvor kjemper for å holde seg alvorlig mens han tenker på meksikanske navn på T.

«Jeg har kanskje ett,» sier han. «Matros Sildebogen, som jeg går sjøvakter sammen med, forliste en gang i en hurricane i ei bukt som het Golfo de Tehuantepec.»

«Da merker jeg meg det,» sier Jeppesen. «Vi har jo også aztekernes berømte solpyramide, Teotihuacán, et av verdens største byggverk. Men Tehuantepec og Teotihuacán er ikke blant de letteste navn å huske. Kanskje jeg får ty til muntre navn. Hva sier De om M/S *Trudelutt* og M/S *Tamtaratam*?»

«Det går sikkert fint,» sier Halvor. «Bare folka om bord ikke får greie på at De kaller ei skute for *Trudelutt*. Kan jeg tenne en sigarett?»

«Litt røyk fra eller til merkes ikke på dette kontoret. Det nærmer seg det som dere sjøgutter kaller tre-kaffen. Jeg skal få fru Simpson til å hente kaffe til oss.»

Jeppesen slår et kort nummer på telefonen og ber om kaffe og to kopper.

Fru Simpson kommer med kaffen. Hun erter Halvor med at han holdt på å bli tatt for å være spedalsk, og kaller ham mister Leprosy.

Det er da pokker så skøyeraktige de er her på dette konsulatet, tenker Halvor.

Er Jeppesen tankeleser?

Han sier: «Uten vårt gode humør kommer vi aldri gjennom denne krigen. Det er derfor det er så forfriskende å få slike skyllebøtter som den jeg fikk av kaptein Nilsen. Det er svært sjelden at jeg kan si til noen i telefonen at 'nå får De faen ta meg gi Dem'. Samtidig som vi lar oss inspirere av folket her i Liverpool – som virkelig tåler en trøkk – og holder spiriten oppe, skal vi norske tjenestemenn naturligvis skille mellom spøk og revolver. Det var et merkelig sammentreff at De kom inn her bare sekunder etter at kaptein Nilsen hadde spurt meg om jeg visste noe om bombeofre på Rena. Jeg lover Dem at jeg skal gjøre alt som står i min makt for å undersøke om det finnes navneliste over de døde. Det er ikke helt umulig at legasjonen vår i Stockholm har slik informasjon, som flyktninger til Sverige kan ha kommet med.»

«Det takker jeg for,» sier Halvor.

«Hva har brakt en østerdøl som Dem til sjøs?»

Halvor forteller om sin guttedrøm om sjølivet.

«Jeg drømte om å bli verdens beste motorsykkelkjører,» sier Jeppesen. «Vi var to kamerater som fleska rundt på vestkanten i Oslo på hver vår BSA. Så kjørte kameraten min inn i et tre i Harbitzalleen og døde av skadene. Vet De hvem han var?»

«Nei, hvordan kan jeg vite det?»

«Jeg tenkte kanskje kaptein Nilsen hadde nevnt denne ulykken for dere om bord i *Tequila*. Min kamerat var Gunnar Nilsen, kapteinens eldre bror.»

«Å, faen,» plumper det ut av Halvor.

«Ja, det var meget trist,» sier Jeppesen. «Jeg parkerte min BSA og viet meg til jusstudiet. Det førte meg til Deres dal. Jeg var sorenskriverfullmektig på Tynset i et par år. Jeg likte meg godt der. Det var der jeg lærte meg uttrykket 'en østerdøl, en østerdøl, han finner seg alltid et høl'.»

Halvor må le.

«Det uttrykket har jeg aldri hørt før,» sier han.

«Ikke det?» sier Jeppesen. «Det har kanskje gått av moten. Folkelige uttrykk kommer og går. Jeg lengtet utenlands fra Tynset. Så ble det diplomatiet. Det passer meg ganske bra, selv om jeg har kort lunte og stadig må lære meg å være tålmodig. Det er derfor jeg har et askebeger med engler på, for å minne meg selv om at tålmodighet er en dyd. Jeg begynner å bli utålmodig når det gjelder vår regjering i London. Mitt håp er at Nygaardsvold & Co. snart kan slutte å produsere papirhauger og begynne å produsere soldater som kan ta opp kampen mot nazismen.»

«Det hadde vært bra,» sier Halvor.

«Kunne De tenke Dem å melde Dem til tjeneste som soldat i de norske styrkene som nå er i sin spede oppbyggingsfase her i England?»

«Skal jeg være ærlig, så har jeg ikke lyst til det. Min mor er kveker og motstander av militærvesenet.»

«Sin mor skal man ha respekt for,» sier Jeppesen. «Min egen gamle mor døde i mars i år. Det var kanskje en lykke for henne. Hun hatet nazismen av hele sitt hjerte. Hun hadde en god venninne i Bremen, Vera Silberstein. I januar henrettet nazistene Veras mann, skipsmegler Silberstein. Han ble skutt fordi han angivelig var spion for engelskmennene. Mor var overbevist om at han ble skutt fordi han var jøde. Hadde mor levd ennå, ville hun antagelig sittet i fengsel etter å ha forsøkt å klore øynene ut på Quisling eller sparke balla inn på Terboven.»

Halvor blir sittende og tenke på hvor han har hørt navnet Silberstein tidligere.

«Vi får gi oss,» sier Jeppesen. «Mine byråkratiske plikter kaller. De skal vite, Skramstad, at jeg har full aksept for at de ikke ønsker å bli soldat. Norge trenger dere sjøfolk like mye som vi trenger soldater. Fra min lille kommandopost her i Liverpool ser jeg det som verden ennå ikke ser så godt. Uten den norske tankskipsflåten som går i fart over Atlanteren hit til Liverpool og havnene i Manchesterkanalen, hadde ikke Royal Air Force fått bensin til å kunne operere effektivt. Et RAF på sparebluss nå under Blitzen mot London vil være døden både for Storbritannia og folkets frihet i store deler av verden. Våre norske tankere er gull verdt. Og De, Skramstad, har vært med på å bringe hit huder til soldaterstøvler, ull til vinteruniformer, gummi til hjul på fly og biler, tinn til våpenproduksjonen. Det er ærlig verdt en skål. De har ikke noe imot en liten knert?»

«Nei da,» svarer Halvor.

Fra skrivebordsskuffen finner Jeppesen fram ei grønn flaske og et par drammeglass.

Han skjenker opp, og de skåler.

«Den satt,» sier Halvor. «Det var reine dynamitten.»

«Min beste genever,» sier Jeppesen. «Hvordan i huleste skal vi greie oss når vi ikke lenger kan få genever fra Holland?»

«Vi får frigjøre Holland,» sier Halvor.

«Da skåler vi for det.»

De tar også en skål for Norges frihet.

Halvor er mildt susete da han forlater kontoret i Tower Buildings.

Kapittel 41

På fortauet utenfor Tower Buildings støter Halvor på selveste første-fullmektigen, som kommer gående med ei pakke under armen.

Steenberg stopper og tar en kikk på armbåndsuret sitt.

«Først *nå* kommer De ut,» sier Steenberg. «Jeg syntes De så ut som en tilforlatelig person. Men De tiltvang Dem sannelig adgang til generalkonsulen med de reneste voldsmetoder. Nå har De vel kastet bort herr Jeppesens dyrebare tid med slikt evinnelig skryt som sjømenn alltid farer med. De villeste skrøner, hva?»

«Vet De hva som er i den pakka De drasser på?» spør Halvor.

«Det er viktige dokumenter fra de norske ministeriene i London.»

«Det er hva De *tror*, ja,» sier Halvor. «I virkeligheten er det en *tysk bombe*.»

Steenberg slipper pakka rett i fortauet, sparker den ut i Water Street og kaster seg i dekning bak en parkert bil.

Halvor stikker hendene i bukselommene og rusler ut på The Strand.

Han følger kartet Cheng har tegnet. Han kommer inn i stille gater i Liverpool. Han er blitt tørst av drammene Jeppesen skjenket ham, og går inn på en pub og tar seg et glass øl. Her er vennlig betjening, en avslappet tone, smil og latter.

Halvor kjenner at han begynner å like de innfødte, liverpudlians, som de blir kalt. Han skjønner hvorfor mange sjømenn han har møtt, snakker varmt om byen ved Mersey. Det er atmosfæren. Folk har en liketil og skvær omgangsform, og behandler en fremmed så han føler seg hjemme. Han har hørt at nordmenn er godt likt i Liverpool. Men det står jo ikke skrevet i panna hans at han er norsk, og flagget i jakkeslaget er så lite at det legger vel ingen merke til.

I løftet stemning går han gatelangs. Stadig er det noe han synes mangler i bybildet.

Han kommer inn i det som må være Chinatown. Her er kinesiske skrifttegn på flere skilt og plakater. Foran en restaurant står to steinløver som ser ut som dem han har sett på bilder fra Den forbudte by, keiserkvartalet i Peking.

Plutselig setter en guttunge med kinesisk utseende seg opp på den ene steinløven, og så klatrer en jentunge opp på den andre.

Da går det opp for Halvor hva han har savnet i bybildet. Barn! Hvor er det blitt av alle ungene i Liverpool? Nå har han gått i byen lenge og bare støtt på disse to kineserbarna.

Han finner greit fram til Den norske sjømannskirken på Great George Square. Den er merket med et stort skilt der det står Norwegian Seamen's Church. Den beskjedne bygninga ser ikke ut som noen kirke, men som et vanlig murhus.

Halvor går inn.

En ung kvinne iført blomstrete sommerkjole og kjøkkenforkle kommer mot ham. Hun har satt opp det lyse håret i ei flette som går rundt hele hodet og får Halvor til å tenke på en kvinne fra vikingtida, eller kanskje helst fra bronsealderen. De håndhilser.

«Gjertrud Birkeland,» sier hun. «Jeg er husmor på kirka. Kan jeg by deg på kaffe og vafler?»

«Ja, takk,» svarer Halvor. «Men først vil jeg høre om det kanskje er kommet telegram eller brev til meg. Halvor Skramstad er navnet.»

De går bort til ei posthylle der det ligger en hel del brev og noe som ser ut som telegrammer.

«Du får unnskylde,» sier Gjertrud. «Jeg er helt ny her. Nettopp kommet over fra Norge via Sverige. Jeg er ikke så godt kjent med systemet i posthylla vår.»

«Brevene ligger kanskje alfabetisk ordnet?» sier Halvor.

«Det ser ikke sånn ut,» svarer Gjertrud. «Brevene ligger ordnet etter ankomstdato, med de sist ankomne øverst i bunken.»

Halvor venter mens Gjertrud blar igjennom brevbunken og telegrammene.

«Dessverre,» sier hun. «Her er nok ikke noe brev eller telegram til Halvor Skramstad.»

Den løftede stemninga han var i, fordufter. Han kjenner seg vissen og greier ikke skjule skuffelsen sin.

«Er du engstelig for noen hjemme, Halvor?» spør Gjertrud.

«Ja.»

«Det var en tanke som ikke slo meg før jeg kom hit til kirka. Jeg vet jo at folk hjemme er engstelige for dere som seiler ute for

Nortraship. Det var et samtaleemne på Brokelandsheia ved Risør, der jeg kommer fra. Risør er jo en sjømannsby som har mange som seiler ute og nå er i konvoiene. Jeg tenkte ikke på at det også er sånn at dere sjømenn er engstelige for dem hjemme. Er det noen spesiell grunn til at du engster deg?»

Halvor forteller om sin frykt for at de tyske bombene har drept noen i familien hans på Rena.

«Det var ikke så mye snakk hjemme om at Rena sentrum nærmest ble utslettet,» sier Gjertrud. «Den begivenheten druknet i alle de andre bombingene som skjedde, særlig av Molde og Kristiansund, Namsos og Steinkjer, og Bodø.»

De setter seg i den lille spisestua, drikker kaffe og spiser vafler.

«Hvordan kom du til England?» spør Halvor.

«Det er en lykkelig historie for meg, men dessverre tragisk for flere andre,» svarer Gjertrud. «Sammen med en venninne som het Nina, lagde jeg et lite flygeblad med karikaturer av Quisling og Terboven. Nina var god til å tegne, og jeg skrev en spydig tekst. En nazist i bygda meldte oss til lensmannen i Gjerstad. Det var snakk om at vi ville bli tatt av det tyske sikkerhetspolitiet. Du har hørt om Gestapo?»

Halvor nikker.

«Nina og jeg tenkte at det var best å rømme. Vi fikk bli med en fiskebåt som skulle krysse over Skagerrak til Sverige med flyktninger fra Norge, deriblant et jødisk ektepar fra Skien. De hadde drevet en urmakerforretning. Dessverre la vi ut i en av disse altfor lyse norske sommernettene. Et tysk fly oppdaget båten og begynte å skyte på oss med mitraljøsene sine. Tyskerne skjøt og skjøt til de ikke hadde mer ammunisjon igjen. Mange ble drept. Det jødiske ekteparet, to av fiskerne, en kommunistisk fagforeningsmann fra Herøya i Porsgrunn, en marineløytnant fra Horten og en bankmann fra Tvedestrand. Nina og jeg greide å gjemme oss i bunnen av båten. Da skytingen stanset, trodde jeg at det hadde gått bra med oss begge to. Men Nina var truffet i magen. Fiskebåten lakk som et såld på grunn av alle kulehullene. En dyktig skipper greide likevel å seile båten inn til Lysekil i Sverige. Nina ble kjørt til sykehuset i Uddevalla, og jeg var med i sykebilen. Hun døde av indre blødninger få timer etterpå.»

«Det var da forferdelig leit å høre,» sier Halvor. Han får lyst til å legge en trøstende arm rundt Gjertruds skulder, men det sømmer seg kanskje ikke å gjøre det når hun er husmor i sjømannskirka.

Ved tanken på det drepte jødiske ekteparet på fiskeskøyta husker han plutselig hvor han har navnet Silberstein fra. Navnet ble nevnt av de berusede shippingfolka som satt og skrålte så høylytt på Grand Café i Oslo. De trodde at nazistene ikke ville legge hånd på skipsmekleren Silberstein i Bremen. De tok feil, fryktelig feil.

«Jeg må gå og vaske noe tøy for meg selv og presten,» sier Gjertrud.

«Kan ikke presten vaske skjortene sine sjøl?»

«Det kan han sikkert. Men det er jo en viss fordeling av rollene menn og kvinner har i samfunnet. Krigen vil kanskje endre på det, slik at vi kvinner slipper å bare være vaskekjerringer.»

Dette er en side ved krigen som Halvor ikke har tenkt på. Hjemme på Rena vasker og stryker faren hans lokomotivførerskjortene sine sjøl. Men det er jo frua i huset og ungene som tar alt det andre husarbeidet.

Som *tar*, tenker Halvor. Ikke som *tok*.

Hvor lenge skal han gå med den nagende uvissheten? Han blir sint på dem hjemme. Kunne de ikke ha greid å sende ham et brev med adresse til konsulatet eller kirka i Liverpool? De vet jo at sjøfolk i den allierte flåten gjerne kommer til Liverpool. De måtte da kunne få sendt et brev via Sverige?

«Til sjøs vasker alle mann skjortene sine sjøl,» sier Halvor. «Til og med skipperen gjør det. Han kan *be* salonggutten om å gjøre det, men han kan ikke *kreve* det. Og hvis salonggutten tar skjortevasken, skal han ha ekstra betalt for det.»

«Når dere sjøfolk kommer hjem, får dere fortelle om denne skjortevasken til alle gubbene i Norge,» sier Gjertrud.

«Hvor er det blitt av alle ungene i Liverpool?» spør Halvor.

«Alle barna i byen er blitt evakuert ut på landet eller til mindre byer. Det skal dreie seg om nærmere hundre tusen barn.»

«Det er sikker fint for ungene. Gøy på landet og sånn.»

I det samme han sier dette, tenker han på søsknene hjemme. Det var som faen at det ikke er kommet noe budskap til ham om at de er i god behold.

Halvor føler seg matt og molefonken da han går inn i leseværelset, hvor Gjertrud har sagt han kan finne aviser. Bare gamle norske, men nye engelske. Der inne sitter et par karer i samtale ved et bord hvor det ligger slitte eksemplarer av Norges Handels- og Sjøfartstidende.

Mannen som sitter med ryggen til, snakker.

Det er en klang av hedmarksmål i mannens stemme, selv om han i likhet med Halvor ikke snakker brei he'mærking.

Halvor setter seg ved et bord og kikker på mannen han tror kommer fra Hedmark, og som er en fire–fem år eldre enn ham. Det er noe kjent med denne fyren. Han er lang og tynn og bærer briller med tjukke glass. Han har på seg en dress som har sett bedre dager. Så sjuskete så kanskje Åge ut da han gikk på loffen i Australia. Halvor synes han husker mannen iført et strammere og mer elegant antrekk. En uniform. Jernbanens uniform.

Halvor reiser seg, går bort til ham og spør: «Tar jeg feil, eller er du konduktør på Rørosbanen?»

«Du tar ikke feil,» sier mannen. «Hvordan kunne du vite det?»

«Jeg kommer fra Rena,» sier Halvor. «Og far min kjører lok på Rørosbanen.»

«Jøss,» sier mannen, reiser seg, retter på brillene og gransker Halvor. «Du skulle vel ikke være sønnen til Paul Skramstad?»

«Jo, det er jeg.»

«Ja, jeg ser det nå. Du ser ut som om du er snytt ut av nesa på far din. Paul sa jeg måtte hilse deg hvis jeg møtte deg i England, og si at alt står vel til med familien din.»

«*Når* sa han det?» spør Halvor.

«Det var den kvelden jeg skulle reise til Ålesund. Paul og jeg møttes på stasjonen den kvelden.»

«Og hvilken dag var det?»

«Det var den tjuende april.»

Halvor kjenner det som om den tunge børa han har båret på, blir løftet av skuldrene hans. Han har lyst til å omfavne mannen, men gjør det jo ikke. Menn omfavner ikke menn.

En liten usikkerhet henger likevel i, så han spør: «Du er sikker på at du møtte far *dagen etter* bombinga av Rena?»

«Ja, er det én ting jeg er sikker på, så er det akkurat det. Jeg var på Rena da bombene falt den nittende april. Og det glemmer en jo ikke så lett. Vi jernbanefolk søkte tilflukt i kjelleren på stasjonen. Vi trodde nesten ikke våre egne øyne da vi kom ut og så ødeleggelsene i sentrum. Neste kveld møtte jeg Paul på stasjonen. Alle på Rena var usikre på hvor mange liv som var gått med. Jeg spurte far din om alt var i orden med familien hans. Han svarte at alt var såre vel. Det var jo kommet et slags forhåndsvarsel på Rena – uten at noen riktig visste hvordan og hvorfor – om at noe jævlig skulle komme til å skje. Derfor ble ungene holdt hjemme fra skolen, og folk evakuerte eller trakk opp i høyden. Si meg, har du ikke fått vite noe sikkert om familien din før nå?»

«Nei,» sier Halvor. «Og jeg har spurt så å si hele verden rundt.»

«Da var det sannelig hyggelig å kunne gi deg klar beskjed.»

De har helt glemt å håndhilse.

«Halvor Skramstad.»

«Så det er Halvor du heter. Det huska jeg ikke. Nils Arne Torgeirstuen her. Ingen kaller meg noe annet enn Nissa. Jeg kommer fra Rustad ved Glomma, mellom Rena og Elverum.»

Halvor hilser også på den andre mannen ved bordet. Han presenterer seg som Petter Andreas Johansen, båtsmann fra Moss, nå om bord i tankeren *Morning Star* av Tønsberg. Han er en liten, lyshåret plugg i førtiårsalderen, med barbussveis som en amerikansk marinegast og hender som liksom er for store til armene.

Til Nissa sier Halvor: «Fortell meg mer om møtet med far min.»

«Det var altså om kvelden dagen etter bombinga. Jeg sto ved stasjonsbygget og venta på en bil. Jeg hadde på meg sivile klær og en diger ryggsekk. Paul dukket opp og spurte meg hvor jeg skulle. Far din er jo kommunist og en pålitelig mann, så jeg fortalte ham at jeg skulle få skyss til Sunnmøre for å flykte derfra med ei fiskeskøyte over til Shetland. Paul sa da at hvis han ikke hadde vært familiemann, ville han blitt med meg og prøvd å komme seg over til Storbritannia. Han fortalte at du var ute til sjøs, at familien ikke hadde hørt noe fra deg etter niende april, og at de var pokker så bekymra for deg. Jeg skulle hilse hvis jeg traff deg. Og her er du, Halvor! Det er sannelig en liten verden.»

«Ja, av og til er verden liten,» sier Halvor. «Jeg har hørt at det bare var tre drepte på Rena. Hvor mange døde og skadde var det egentlig?»

«Tre drepte kan kanskje stemme. Det var ikke voldsomt mange skadde, vil jeg tro. Jeg dro til Ålesund med en privatbil like etter at jeg hadde møtt faren din. På det tidspunktet var det ingen som hadde full oversikt over situasjonen på Rena. Siden hadde jeg min fulle hyre med å komme meg over til Shetland.»

«Gikk det greit?»

«Det gikk som en sang, bortsett fra at jeg ble jævlig sjøsjuk utpå Nordsjøen.»

«Hva gjør du her i Liverpool?»

«Driver dank,» svarer Nissa. «Jeg meldte meg til tjeneste i de norske marinestyrkene som nå er under oppbygging her i England. Marinen ville ikke ha meg, fordi jeg er nærsynt. Og jeg var i grunnen glad for å slippe, på grunn av sjøsjuken. Nå har jeg meldt meg til tjeneste for Marinens flyvåpen, som også skal bygges opp her. Men siden jeg har dårlig syn, kommer jeg nok aldri på vingene i en Spitfire. Jeg blir vel hangarsoper.»

«Hangarsoper?» sier Halvor.

«Det har ingenting med seksuelle greier å gjøre,» sier båtsmann Johansen. «Det er hva bakkemannskapene i flyvåpenet blir kalt. Jeg har prøvd å lokke Nissa ut til sjøs. Kokk kan han jo bli selv om han ser dårlig. De fleste kokker ser helt elendig, skal en dømme etter maten de koker ihop. Jeg har prøvd å friste med den feite bonusen vi skal få for krigsseilasen. Men så måtte jeg fortelle om det rå kuttet i krigsrisikotillegget, og da var ikke Nissa så interessert i å seile i handelsflåten.»

«Hvilket kutt?» spør Halvor.

«Har du ikke fått med deg det? Fra første juli er risikotillegget kutta ned til hundre kroner måneden. Hundre fattige kroner!»

«Om bord i *Tomar* har vi ikke hørt om noe sånt kutt. Vi har seilt med radiotaushet siden vi dro fra Brasil og har verken mottatt eller sendt telegrammer. Hvem har bestemt det jævla kuttet, båtsmann Johansen?»

«Du kan kalle meg Petter'n,» sier mannen fra Moss. «Hvis du ikke har hørt om det, vil du faen ikke tro det. Kuttet i tillegget er bestemt av Nortraship, regjeringa og sjømannsorganisasjonene i skjønn forening. Jeg vil forresten kalle det *uskjønn* forening.»

«Men Union kan da ikke ha vært med på det?»

«Jo da,» sier Petter'n. «Sjømannsforbundets folk i London slukte kamelen med hud og hår.»

«Hvordan kunne de finne på det nå som det er full krig på havet og konvoiseilas? Vi på *Tomar* skal ganske sikkert ut i konvoi over Atlanteren på neste tur. Og så kapper de tillegget!»

«Ja, det er ufattelig,» sier Petter'n. «Jeg er akkurat kommet inn med *Morning Star* etter en røff konvoi fra New York. To skip senka. En tankbåt brent helt ut, med tap av ti mann. En stykkgodsbåt slept inn til Island som halvt nedsunket vrak. Og beskjeden vi får ved ankomst Liverpool, er at vår belønning for å seile i et sånt helvete skal reduseres til nesten null og niks. Vi skal seile for knapper og glansbilder!»

«Hva er *begrunnelsen?*» spør Halvor.

«Den syltynne begrunnelsen fra pampene i London er at det har vært press fra Churchill og hans regjering. Det norske risikotillegget måtte tilpasses det lavere britiske tillegget.»

«Her vil jeg skyte inn noe,» sier Nissa. «Jeg er på ingen måte kommunist som faren til Halvor. Vi i familien Torgeirstuen er pinsevenner. Men hvis jeg har forstått noe som helst av det der med proletarisk internasjonalisme, må den gå ut på at det gjelder å løfte arbeidsfolk i alle land opp på høyest mulig lønnsnivå. Det vi nordmenn må kreve, blir da at britene skal komme opp på samme nivå som oss, enten det gjelder i jernbanen eller på sjøen.»

«Det er enkel logikk, ja,» sier Petter'n. «Og den logikken burde virke sterkere i krig enn i fred. Men så er det faen meg ikke sånn. Jeg tror hele greia med kuttet går ut på at rederne ønsker å øke krigsprofitten sin.»

«Båsen vår kommer til å fly i flint når han får høre dette,» sier Halvor.

«Hvem er det dere har som båtsmann på *Tomar?*» spør Petter'n.

«Det er Georg Jørgensen fra Hurum.»

«Georg! Gode, gamle Georg. Den jævla stålbørsta! Vi seilte sammen på stykkgodsbåten *Færder* av Moss. Jeg var jungmann og yngstemann, og Georg var matros. Han var ikke snau når det gjaldt å fortelle meg hva slags snik jeg var. Jeg håper han, nå som han er blitt båtsmann, er blitt ryktig og dettferdig.»

«Hva da?» spør Halvor.

«Ryktig og dettferdig var sånt som Georg kunne finne på å si. Han ropte til skipper Scharning på *Færder*: Du, ditt skipperhelvete, får faen røske meg se til å oppføre deg ryktig og dettferdig!»

Alle tre ved bordet får seg en god latter. Halvor sier at båtsmannen fra Hurum stadig forsnakker seg.

«Very well, gutter,» sier Petter'n. «Kjerkekaffe er vel og bra. Men det kunne kanskje smake med noe sterkere? En liten drink?»

«Jeg får vel bli igjen her på kjerka,» sier Nissa. «Jeg passer bra her, for jeg er blakk som ei kjerkerotte.»

«Da får vi sjøgutta rive i en dram på deg,» sier Petter'n. «Selv om de helvetes landkrabbene i London prøver å flå oss, har vi vel en liten slant pund i lomma.»

«Takk for det,» sier Nissa. «Jeg slår gjerne følge. Jeg er ikke så flink til å ta meg fram i Liverpool. Det skorter på engelsken. Jeg har visst ikke det som kalles språkøre. Det eneste nye ordet jeg har lært meg ordentlig her i England, er 'shabby'. Det er det folk sier om dressen min.»

Lommekjent i Liverpool leder Petter'n troikaen fram til Lime Street Station, byens knutepunkt og et område med barer og puber for enhver smak.

«Jeg foreslår The Yankee Bar,» sier Petter'n. «Hvis dere ikke har altfor mye imot å støte på en del breiale amerikanere?»

«No problem,» sier Halvor og føler seg verdensvant. Men mest av alt føler han seg inderlig happy over gledesmeldinga han fikk av Nissa. Det er som om han ikke går, men svever.

De stikker inn på baren som er skiltet med The American Bar. Det er en bar av den mer rølpete sorten. Ved flere av bordene sitter det unge og eldre kvinner som ser ut som profesjonelle bardamer.

«Vi får vel ta oss en whisky,» sier Petter'n. «Det er snakk om at skotsk whisky kommer til å bli mangelvare. Kornet som det lages malt av, må brukes til brød.»

«Mye isbiter til meg,» sier Halvor.

Petter'n går til bardisken og kommer tilbake med tre glass med gyllent fluidum.

De tre skåler.

«Én ting har jeg lurt på,» sier Nissa. «Puler ikke folk her i Liverpool?»

«Hva får deg til å tro *det*?» sier Petter'n. «Etter min erfaring knulles det like friskt her som i resten av England, om ikke friskere. Jeg må tilføye at dette var erfaringer jeg gjorde meg her ved Mersey før jeg ble lykkelig gift hjemme på Skarmyra i Moss.»

«Jeg ble plassert i en liten by som heter Abingdon, like ved Oxford,» sier Nissa. «I Oxford myldra det av unger, men her er det ingen.»

Halvor gir Nissa den forklaringa han fikk av Gjertrud på kjerka.

Petter'n sier: «Etter min mening gjør Hitler og Göring en grov feil hvis Luftwaffe bare bomber London, havnebyene og industribyene. Skal vi vinne denne krigen, trenger vi de folka som mange foraktelig snakker om som egghuene. Vi behøver det som med et fint ord blir kalt intelligentsiaen. Britisk tankekraft er gull verdt for alle oss allierte. I Oxford finnes forskere som i dette øyeblikk, mens vi sitter her og drekker, vier all sin oppmerksomhet til å tenke ut hvordan tyske koder skal knekkes, hvordan det skal lages smartere apparater til å jakte på ubåter. Det ryktes at britene er i ferd med å finne opp en vidundermaskin som kan se tvers gjennom tåke og

494

skyer. Noen mener at det er ved hjelp av radiobølger, men jeg tror nok helst at det er høyfrekvente lydbølger som gir langdistanseekko. Så du noe luftvernartilleri i Oxford, Nissa?»

«Jeg så et par–tre kanoner som pekte opp i lufta. Om disse kanonene er noe tess, vet jeg ikke. Jeg har ikke den ringeste peiling på våpen.»

«Vi får håpe at engelskmennene beskytter Oxford og Cambridge så godt som mulig, og at Der Führer og Nazi-Tyskland ikke skjønner at å bombe en matematikkprofessor kan være like mye verdt som å bombe en våpenfabrikk.»

«Mener du det der helt alvorlig?» spør Halvor.

«Ja, det er mitt ramme alvor,» svarer Petter'n. «Er det noe jeg er sjeleglad for, så er det at Einstein er i Statene og ikke i Tyskland. Minst like viktig er det at Fermi har forlatt Mussolinis Italia og nå underviser i fysikk ved Columbia University i New York. Fermi er mer av en praktiker enn Einstein. Er det noen som kan greie å spalte atomet, må det være Fermi.»

«Jeg må tilstå at jeg aldri har hørt om Fermi,» sier Halvor.

«Enrico Fermi. Den skarpeste vitenskapsmannen fra Italia siden Galileo Galilei. Etter alt å dømme verdens beste hue når det gjelder kjernefysikk. Teorien hans om betadisintegrasjon er rett og slett genial.»

«Hva var det du sa om beta-ditt-og-datt?» sier Nissa. «Nå snakker du over min forstand og langt inn i prestens. Jeg synes du sitter og briefer litt nå, Petter'n.»

«Huff, ja,» sier Petter'n. «Dere får unnskylde en mann som kommer fra ytterst enkle kår i Moss. Far min drakk seg fra en god jobb som formann på Cellulosen, og så saup han seg i hjel. Mutter'n ble sittende igjen med fem unger. Det ble ikke noe mer enn folkeskolen for oss. Jeg var fjorten da jeg begynte som billettør på Bastøferja. Men jeg hadde denne glupende interessen for fysikk. Så jeg har prøvd å lese meg opp og diskutert mye med styrmenn og maskinister. De har jo litt fysikk som pensum på sjømannsskolene. Jeg abonnerer på et tidsskrift som heter Fra Fysikkens Verden. Det er egentlig for fagfolk, men jeg skjønner det grøvste som står der. Det merkelige var at da jeg kom for å hente post på kjerka i dag, fikk jeg ikke noe annet enn Fra Fysikkens Verden. Og tidsskriftet var datert mai i år. Så hvordan kom det til England? Kan hende de distré professorene som gir det ut, satte feil måned på blekka.»

«Du har ikke noe tidsskrift med deg,» sier Halvor.

«Jeg ble litt skuffa,» sier Petter'n. «Hadde håpet på et Røde Kors-brev fra Tone. Tone er kona mi, og vi har to småunger sammen. Da det bare var Fra Fysikkens Verden til meg i posthylla, tok jeg og slengte tidsskriftet.»

De tre blir sittende og drikke i taushet. En gjeng som snakker engelsk med amerikansk tonefall, kommer inn i Yankee Bar og blir straks omsvermet av damene. Amerikanerne har sleng i buksene som marinegaster, men er nok sivile sjøfolk.

«Apropos beta,» sier Nissa. «Jeg er ikke så ihuga pinsevenn at jeg ikke er *litt* opptatt av det kjønnslige. Er det mulig for en nordmann å få seg en beta i England?»

«Her på Yankee Bar er det verdens enkleste sak,» sier Petter'n.

«Jeg er ikke en helt bortkommen dustemikkel fra ei bakevje i Glomma,» sier Nissa. «Jeg forstår hva slags geskjeft som drives i denne sjappa. Men det strider mot min overbevisning å kjøpe dame. Jeg har hørt at dere sjøfolk av og til opplever noe dere kaller 'å få på sympati'.»

«Det er ytterst sjelden at noen får på sympati,» sier Petter'n og tømmer glasset sitt. «Vi trenger vel en i det andre beinet?»

«Min tur,» sier Halvor.

Han stiller seg ved bardisken og bestiller tre glass Johnnie Walker.

«Black label or red label?» spør bartenderen.

Halvor tenker at red er den fineste fargen og sikkert dyrest, så han bestiller black.

«With soda, plain water or on the rocks?» spør bartenderen.

On the rocks? Halvor føler seg plutselig ikke så verdensvant lenger.

«With ice or no ice?»

Rocks er altså isbiter.

«A little ice in two glass and much ice in one glass,» sier Halvor.

«I see, Sir,» sier bartenderen. «Just a little ice in two glasses and a lot of icecubes in one glass.»

Halvor betaler mye mer enn han hadde trodd at det kosta for whiskyen. Med glassene i hendene åler Halvor seg fram mellom amerikanerne og damene. Det lukter sterkt av parfyme eller eau de cologne. Han grøsser og holder på å miste et glass i dørken, men kommer seg velberga fram til det norske bordet.

«Dæven,» sier Petter'n. «Jeg så at du kjøpte black label. Visste ikke at dere hadde så fine vaner i Østerdalen. For meg holder det lenge med Johnnie Spasero med den røde etiketten.»

De løfter glassene til en skål.

«For Norges frihet,» sier Nissa.

«For Norges frihet,» istemmer Petter'n og Halvor.

«Sympati er altså sjelden vare,» sier Petter'n. «I katolske land må det skje et under for at en norsk sjømann skal få sympati.»

«Det er vel gjerne i katolske land mirakler inntreffer,» sier Nissa. Halvor ler mer av denne replikken enn den strengt tatt er verdt. Han begynner rett og slett å bli flirete.

«Sympati i Spania, Italia og Frankrike – glem det,» sier Petter'n. «Irland? Tvers igjennom katolsk og helt håpløst. Så skulle en kanskje tro det var enklere i Holland og det protestantiske Nord-Tyskland. Men der er det gylden og mark som gjelder rund baut. De er kremmersjeler både i Holland og i de gamle Hansa-byene. 'Die Taschen voller Geld,' sier jentene i Lübeck og Rostock. Selv om de ikke er horer, liker de å få penger i lomma. Jeg har forresten hørt om en heldig jævel som fikk på sympati av ei hollandeise i Groningen.»

«Groningen er vel ingen havneby?» sier Halvor.

«Ikke for skip i oversjøisk fart, nei. Vår mann i Groningen var en typisk innlandssjømann fra Gjøvik som hadde seilt matros på *Skibladner*. I Holland seilte han på en lekter som gikk i fart på kanalen mellom Groningen og Harlingen. Han hadde gjort sine hoser grønne i to år før han fikk hoppa i høyet med hollandeisa. De holdt det gående noen år, men så dro gjøvikingen til Statene og mønstra på en hjuldamper på Lake'ene. Det seiler ennå noen sånne gammeldagse farkoster på De store sjøer. Jeg møtte ham på ei kneipe i Duluth ved Lake Superior da jeg var en tur på Lake'ene med *Dovrefjell* av Oslo. Da hadde han lagt seg i hæla på ei jente av svensk herkomst. Göteborg er nok toppen for oss norske sjøfolk når det gjelder å få på sympati. Der finner du svenska synden. Å ligge et par uker på verft i Göteborg, slik jeg gjorde i min ungdom, var som å komme til paradis. Ellers er ikke England så ille som mange tror.»

«Å, nei?» sier Nissa. «Jeg synes engelske jenter virker fryktelig pripne og reserverte.»

«Her gjelder den gamle regel om ikke å skue hunden på hårene,» sier Petter'n. «Jentene i England holder en stram fasade og ser ikke akkurat skrubbsultne ut. Men vi skal huske på at det tradisjonelt er manko på mannfolk i England. Enten sender England kara ut i krigen, eller så må de ut for å styre imperiet, eller Commonwealth, som det nå heter. Jeg møtte en gang ei engelsk jente som sang i kjerkekoret på den norske kjerka i London.»

«Jeg trodde du gikk på kjerka bare for å hente posten,» sier Nissa.

«Stemmer nok, det,» svarer Petter'n. «Jeg sliter ikke ut benkene foran prekestolene på sjømannskjerkene. Men jeg er veldig glad i korsang. Så jeg gikk på en korkonsert i London-kjerka. Der møtte jeg ei som het Susan. Dette var vel å merke før jeg møtte Tone. Susan spurte om jeg ville bli med henne hjem for å drikke te og spise småkaker. Vi traska og gikk oppover mot King's Cross Station. Det var anstendige gater vi gikk i. Jeg hadde likevel håpa på kanskje å få et kyss i et portrom. Susan var dydig og prektig. Ingen klining, nei. Vi kom fram til leiegården i Islington, der hun bodde i en liten hybelleilighet. Ikke før var vi kommet over dørstokken, så forsto jeg at hun hadde tenkt å tilby noe ganske annet enn småkaker. Hun flådde fillene av meg, og vi satte i gang så det ljoma. Det vil si, det var ljoma det *ikke* gjorde. Susan sa at vi måtte passe på så ikke naboene hørte hva vi holdt på med. 'A good, long silent fuck,' sa hun. Jeg liker, som dere har merka, å la bubbel'n gå. Der oppe i Islington holdt jeg tåta. Hva er lærdommen av dette? At engelske jenter liker å gjøre det diskré. For dem er diskresjon et must, som de sier her.»

«Ble det noe mer mellom Susan og deg?» spør Halvor.

«Nei, det ble bare en one night stand på oss. Det var til gjengjeld ei natt i himmerik. Utpå morrasida trodde jeg det hele var over. Da snudde Susan rumpa i været. Hun hadde en sånn nydelig, hjerteformet bakstuss som slett ikke er uvanlig i England. Hun begynte å synge 'Millom bakkar og berg'. Jeg tenkte at hun var blitt tussete etter at vi hadde herja så fælt. Det var helt feil. Hun klapsa seg på rumpa og sa: You are welcome, Peter, between my bakkar og berg. Hva gjør en gentleman da?»

Halvor og Nissa blir sittende svarløse, selv om de nok kan forestille seg hva en gentleman må gjøre i en situasjon der han blir ønsket velkommen inn mellom ei engelsk jentes bakkar og berg.

«Jeg tenkte at her heve nordmannen fenge sin heim, og pløyde på. Susan ble helt spinnvill. Hun slengte meg rundt på rygg og rei meg rett inn i soloppgangen.»

En andektig taushet senker seg over bordet.

Nissa bryter stillheten: «Det der var fint fortalt, Petter'n. Er det ikke sant, så er det godt ljugi. Jeg kunne også tenke meg ei kjerkejente. Dere la merke til Gjertrud?»

«Hun nye på kjerka, ja,» svarer Petter'n. «Fint fletta og en fryd for øyet. Der skal du ikke gjøre deg noen forhåpninger, mister Torgeirstuen. Det er streng tukt på kjerka.»

«Gjertrud sa at hun gjerne ville sende shabbydressen min til rensing. De har noe som heter clean drying her i England.»

«Dry cleaning,» sier Petter'n. «Når ei dame har lagt merke til klea dine, er mye gjort.»

«Jeg sa, som sant er, at jeg ikke hadde andre klær enn dressen jeg går og står i. Da sa Gjetrud at clean drying bare tar en times tid, og at jeg kunne vente på rommet hennes til dressen var klar. Jeg spurte: Skal jeg sitte på rommet ditt, et jenterom, i bare underbuksa? Hun svarte: Det må du gjerne gjøre. Og hun sa det med et glimt i øyet.»

«Dæven døtte, Nissa,» sier Petter'n. «Jeg vil si at det er så godt som bankers at du får snøret i bånn hos Gjertrud. Bor hun nabo med presten?»

«Jeg tror det.»

«Da må du passe på at dere ikke bråker så fælt under akten. Følg Susans og mitt eksempel fra Islington. 'A good, long silent fuck'. Det vil gjøre susen.»

Halvor merker at han er blitt opphisset av Petter'ns historie. Sann eller skrøne, det spiller ingen rolle. Historia har fått hormonene hans til å bruse.

Petter'n spør Halvor om han har fått noe oppnavn om bord i *Tomar*.

«De kaller meg Skogsmatrosen,» sier Halvor.

«Det er ikke så ille,» sier Petter'n. «Da jeg var førstereis på damperen *Varna* av Moss, ble jeg kalt for Petra. Vi hadde en oldtimer fra seilskutetida som tømmermann på *Varna*. Han brukte ordet skogsmatros som en hedersbetegnelse. Han sa at en skogsmatros på seilskip var en dyktig sjømann som fikk rigg og rær til å se ut som en velordna skog. Men jeg har ikke hørt andre seilskuteveteraner snakke om skogsmatroser.»

To jenter kommer inn i Yankee Bar. De ser seg forskrekket rundt. Det er tydelig at de ikke hører til det faste klientellet av damer her. De snur seg for å gå ut, men ombestemmer seg og setter seg ved det bordet som er lengst unna amerikanerne og de proffe damene. Det er bordet ved siden av nordmennenes.

Hun ene er blond, mens hun andre har rødbrunt hår. Halvor blir sittende og glane på brunetten. Håret hennes har farge som barken øverst på stammen på et ungt furutre.

Hun kikker bort på ham.

Halvor kjenner at hjertet hans slår saltomortale.

Kapittel 42

Hvis Halvors hjerte virkelig hadde gått trill rundt i bringa hans, ville han jo på flyende flekken ha falt død om i The Yankee Bar i Liverpool. Ja, dau som ei sild ville han ha vært. At hjertet hans slo urolig, var noe sansene hans meldte fra til hjernen om, og så diktet hjernen signalet om til en så sterk følelse at Halvor kjente det som om hjertet slo salto.

Han tar en slurk av whiskyglasset. Kunne ikke hjernen hans ha nøyd seg med å dikte om hjertesignalet til et hallingkast? Nei, hjertet hans sprang ikke opp for å sparke en hatt av en staur. Hjertet ville ha et skikkelig rundkast.

Gjennom vinduene i den røykfylte, mørke Yankee Bar kommer bunter av lys fra ettermiddagssola. Lyset reflekteres fra glasset på innrammede avissider som henger på veggene, og fra en blankpusset bronsestatuett som forestiller en bokser som ifølge Petter'n var en tidligere innehaver av Yankee Bar. Halvor later som om han løfter høyrehånda for å skjerme øynene sine mot lysrefleksene. Akkurat nå er det en lykke at han mangler ringfingeren, for det gjør det lettere for ham å speide mellom fingrene bort mot jenta med det furubrune håret.

Hun har på seg ei mørkeblå alpelue som liksom danser på toppen av håret. I det øret Halvor kan se, har hun en liten øredobb, en perle av gull. Ørene hennes stikker litt ut, uten at man på noen måte kan si at de er utstående. Ansiktshuden er lys, slik det er vanlig på De britiske øyer. Hun må ha vært en del ute i sola. Et lite dryss av fregner dekorerer kinnene hennes, særlig på begge sider av nesa. Nesa hennes sett i profil er ganske skarp og har en liten krumning. Nesevingene er fyldige, og det samme er leppene. Han synes ikke det ser ut som om hun har malt leppene. Den rognebærrøde fargen virker naturlig.

Halsen hennes er lang og smal. Det tar Halvor som et tegn på at hun også har lange bein. Da de to jentene kom inn, la han bare merke til at brunetten var høyere enn blondinen. Furuhåret faller i bølger, og den nederste bølgen hviler på en hvit krage med lyseblå prikker. Kjolen hennes har samme farge som prikkene. Hun ser bredskuldret ut, men det er kanskje på grunn av puffene kjolen har på ermene. Det er en ganske vid kjole med tekkelig, rund utringning. Derfor er det ikke mulig for Halvor å få noe ordentlig inntrykk av hva slags barm hun har. Han vil tro at brystene ikke er av de mest svulmende.

Petter'n snakker til ham. Hva er det han sier?

«Hun blonde er litt av et støkke, hva?» sier Petter'n.

Halvor kaster et blikk på den blonde. Hun vil nok for mannfolk flest være den mest iøynefallende av de to jentene.

Puppene hennes strutter rett ut under en hvit, stramtsittende genser, antakelig holdt oppe av stive spiler i en brystholder.

«Bra kanoner på blondina,» sier Petter'n. «Reine kystbatteriet.»

«Ja visst,» sier Halvor.

Han ryster ut en sigarett av Camel-pakka. Han vil gjerne by de to jentene, men først bør han vel si et eller annet.

«How do you do, ladies?» sier Halvor.

«How do you do, gentlemen?» sier Kystbatteriet.

«Would you like a cigarette?»

«Yes, please.»

Kystbatteriet tar imot en sigarett, men Furuhåret vifter med en finger foran ansiktet sitt som tegn på at hun ikke vil ha.

«American cigarettes,» sier Kystbatteriet. «But you guys are not American, are you?»

«No, we come from Norway,» sier Halvor. Han prøver å fange blikket til Furuhåret. Han lykkes! Hun ser på ham med det blåeste blikk han har sett siden han så Lisa Graaberget rett inn i øynene da lyset kom på i kinosalen etter at de hadde sett *Hu Dagmar*. Men Lisa har øyne med samme lyse blåfarge som en tidlig vårblomst, forglemmegei. Furuhårets øyne har en mørkere sjattering av blått. Som en blomst som kommer tidlig på sommeren, kornblomst eller tyrihjelm? Nei, ikke *så* mørkeblå. Som? En liten, beskjeden villblomst som kan blomstre i store klynger midt i juni, hvis det har vært nok regn på forsommeren. *Kattøye*, naturligvis!

I det samme han tenker på kattøye, får Halvor et stikk av hjemlengsel. Han trøster seg med at det er juli nå, og at kattøye for lengst har blomstret av.

Halvor holder kattøyeblikket i noen sekunder. Ser han skimten av et smil på rognebærleppene? Jo da, Furuhåret får en pussig liten oppoverkrøll i begge munnvikene.

Han hører Petter'n si: «Can we offer you girls a drink?»

Halvor ser at Furuhåret åpner munnen for å svare. Han er spent på stemmen hennes.

«Thank you,» sier hun. «Not a drink so early in the evening. But a small beer would do us no harm.»

Hun har dypere stemme enn Kystbatteriet. Litt ru røst, men ikke så ru som Billie Holidays når hun synger «Strange fruit».

«What kind of beer?» spør Petter'n.

«Cains mild, please.»

Halvor reiser seg så brått at han skvalper ut litt av whiskyen sin. Kvikk som en røyskatt strener han bort til baren.

«Two pints of Abel beer, please,» sier han.

Bartenderen ser uforstående på ham.

Hva er det jeg har tulla med nå? tenker Halvor. Snakker jeg *så* dårlig engelsk?

Han blir reddet av at det står Cains på ølkrana.

«Sorry, I mean Cains beer of course,» sier Halvor. «Mild, please.»

Han får to store, skummende glass.

En eldre kvinne med skrukkete ansikt dekket av flak med størkna pudder sperrer veien for Halvor.

«Hello, love,» sier hun. «My name is Maggie Day. I am very famous in the United States of America. I have worked here in The American Bar since it opened in the year of the Lord eighteen thirty. You are not a real American if you do not have a quick short-time with the extreme oldtimer Maggie Day.»

«No, thank you,» svarer Halvor. «I am not American.»

«You are a Scandinavian, love? Old Maggie Day does very good work for Scandinavians, too.»

«I am Russian,» sier Halvor.

«Do you think good old Maggie Day cannot fuck a fucking Communist?»

«I don't know, madam,» sier Halvor. «And I don't care.»

Normalt ville han ha vært mer høflig mot en slik veteran blant bardamer. Nå har han ikke tålmodighet til å være høflig. Han brøyter seg forbi Maggie Day og smyger seg mellom amerikanerne. Det er blitt færre av dem nå. Noen av dem må ha gått med damene. Han frykter at yankeejævlene også har prøvd seg på to skikkelige piker og stukket av med Kystbatteriet og Furuhåret.

Nei da. De to jentene sitter der de satt. Halvor plasserer ølglassene på bordet foran dem.

Furuhåret ler. Halvor legger merke til at hun har slått et lite skall av emaljen på en av fortennene i overmunnen.

«We asked for two small glasses and you bring us two full pints,» sier hun. «But thanks a lot.»

Halvor vil gjerne vite hva hun heter. Han våger ikke å presentere seg for henne først, så han strekker fram labben, håndhilser på Kystbatteriet og sier: «Halvor Skramstad.»

«Ann Wilkinson,» sier hun.

Han hilser på Furuhåret. Hun har et håndtrykk som også minner ham om furu, det er lett og tørt som ytterbarken på et furutre.

«Muriel Shannon.»

Muriel Shannon. Det navnet skriver Halvor seg bak øret.

«You guys are Norwegian sailors?» sier Ann.

«Yes,» svarer Halvor og peker på Petter'n. «Two of us are sailors.»

«What kind of cargo did you bring to England?» spør Muriel.

«I am bosun, boatswain, on oil tanker,» svarer Petter'n. «We bring gasoline for your Spitfires that defend London against Luftwaffe, from Port Arthur in Texas.»

«That's great,» sier Ann.

«I am on a dry cargo ship,» sier Halvor. «We come with tin and rubber from Malaya, wool from Australia and coffee from Brazil.»

Han burde ha nevnt hudene fra Argentina, men vet ikke hva huder heter på engelsk. Skins? Hoods? Nei, «hood» er hette. Det var på grunn av hetta at helten i Sherwoodskogen het Robin Hood.

«Very good,» sier Muriel. «Especially the coffee. And you?»

Hun nikker mot Nissa.

«Sorry,» sier Nissa. «No speak English.»

Ann forlater bordet for å gå til the ladies' room.

«Our friend is railway man,» sier Petter'n. «He run away from our country. He escape from very dangerous Nazi bigshot. He come to England to join our air force here.»

«So, Sweden has an air force in England?» sier Muriel.

«Not Sweden,» sier Halvor. «Norway.»

Muriel ser på ham med et blikk der han synes han aner ertelyst. Hørtes han småfurten ut da han korrigerte henne?

«Yes, Norway, of course,» sier Muriel. «Sorry, I always mix up the Scandinavian countries.»

«No problem, Miss Muriel,» sier Halvor så blidt han kan. «We Norwegians are building an air force here in England to fight the Germans.»

«Splendid,» sier Muriel. «Is Britain paying for the airplanes?»

«No, we pay self. I mean, ourself pay,» sier Petter'n. «Our ships and we sailors earn money to pay for our Royal Air Force.»

«That's awfully good,» sier Muriel. «I wish your Royal Danish Air Force good luck.»

Er hun ironisk? tenker Halvor. Eller er hun bare skøyeraktig? Skal han ta igjen med henne, eller skal han le?

«Just kidding,» sier Muriel. «I'm a clever girl and I love geography. I know that Oslo is the capital of Norway and Bergen the second largest city. I even know that Hammerfast is the northernmost city in the world.»

Halvor og Petter'n ler, og også Nissa blir med og ler godt.

«Hammer*fest*,» sier Halvor.

«Hammerfest,» gjentar Muriel. «Then there is this city in Norway with beautiful Jugend style architecture. The name is something like Alley Sound.»

Alley Sound? Halvor tenker så det knaker. Hva pokker er Jugend? Noen slags krummelurer på hus. Hvor så han det da han var på *Flink*? I Langesund? Farsund? Haugesund? Ålesund!

«Ålesund on the western coast,» sier Halvor.

«That's right,» sier Muriel.

«Do you also love … architecture?» spør Halvor.

«My father does. He has shown me pictures of the Jugend buildings of Norway and the new, modern city hall in Oslo. When he was young he very much wanted to become an architect. But coming from a poor family he couldn't afford to study.»

«What he work with?» spør Petter'n.

«Oh, he's a working class hero,» svarer Muriel.

Sier hun det med en tone av forakt i stemmen? Nei, Halvor kan ikke fornemme forakt.

«What work?» spør Petter'n.

Halvor er redd det er noe litt for typisk norsk i dette at Petter'n spør Muriel hva faren hennes gjør. Nordmenn skal jo alltid vite hva folk arbeider med. I andre land er det ikke så vanlig å spørre om det.

«He is a mechanic at one of the Liverpool area gas works,» sier Muriel. «The big gas plant in Runcorn. Do you know the famous Runcorn bridge across the Mersey?»

«Yes,» sier Petter'n. «And from ship I see the gas tanks. Your father has risky job in Runcorn if bombs fall.»

«It might indeed be dangerous work if a German bomber attacks with direct hits on the plant,» sier Muriel. «Do you also wish to know what my mother does?»

Igjen har Muriel dette ertelystne blikket.

Før de rekker å svare, sier hun: «My mother works in a toy store. They had a hell of a good time when all the children were evacuated from Liverpool. Parents bought tons of toys to send with their little boys and girls. Now the toy store is almost bankrupt. No children, no business.»

Ann kommer tilbake. Hun har malt leppene rosa og tatt rouge på kinnene. Har hun også strammet opp brystholderen? Kystbatteriet ser nå ut som om det kunne være i stand til å senke slagskipet *Tirpitz*. Halvor lar seg fascinere av denne overdådige barmen. Registrerer Muriel det? Kanskje hun gjør det, men hun lar seg ikke merke med det. Hvis hun ofte går ut sammen med Ann, er hun vel vant til at mannfolk glor på den brystfagre venninna.

«What do you girls do for a living?» spør Halvor.

«Ann works in a milk bar,» sier Muriel.

«What is a milk bar?»

Ann og Muriel ler.

«You sailors and soldiers are perhaps not familiar with milk bars,» sier Muriel. «Ann serves milkshakes. A mix of milk and ice cream. Very tasty and healthy. You should try it.»

Petter'n og Halvor må oversette for Nissa.

«Mjølkebar?» sier Nissa. «Det er vel naturlig at ei dame med så svære mugger jobber i en sånn bar.»

Halvor kan ikke la være å le, enda han ønsker å holde seg alvorlig. Petter'n får latterkrampe.

«What were you rascal boys laughing at?» sier Muriel og ser strengt på nordmennene.

Ann ser ikke ut til å ta seg nær av latteren.

«I'm not a boob just because I have big boobies,» sier hun. «And Muriel and I are not in the tits-and-ass business like the rest of the so-called ladies in this bloody dump of a bar.»

Halvor forter seg å si: «We sure not think bad of you. We think you are very respectable girls. What you work with, Muriel?»

«I work in a flower shop in Rodney Street. But I want to study to become a nurse.»

«That is very good,» sier Halvor. «England need nurses when it is a war going on.»

«Yes, England needs nurses,» sier Muriel alvorlig. Hun forteller at det er lange ventelister for å komme inn på studiet som sykepleierske.

De skåler, alle fem. Muriel blir sittende med en strime ølskum på overleppa. Denne ølbarten kler henne godt, synes Halvor. Det er jo sånn at alt kler den smukke, tenker han.

Petter'n sier: «Milk bar and flower shop. Good jobs. When I see you girls I think you did not sell your cunt.»

Halvor skvetter til og kjenner at han rødmer. Han ser et glimt av isblått i Muriels øyne. Og hadde Ann virkelig kunnet fyre av kanonene sine, ville hun nok ha gjort det, midt i fleisen på nordmennene.

«Faen, Petter'n,» sier Halvor. «Du brukte et ord som er jævlig grovt i England. Du ville aldri ha brukt ordet fitte i en samtale hvis du hadde møtt to skikkelige jenter hjemme i Norge.»

«Beklager,» svarer Petter'n. «Det jeg sa, var ment som en kompliment, men jeg skjønner at jeg kom skeivt ut.»

«Det burde vært skuddpremie på skravlesjuke mossinger,» sier Halvor.

Ann tørker bort Muriels ølbart med en serviett.

Muriel sier til Petter'n: «That was a very rude word you used.»

«I did no mean it bad,» svarer Petter'n.

«But you are right,» sier Ann. «Muriel and I do not make a living selling pussy.»

Ann smiler, og etter noen sekunder smiler også Muriel.

«I am very interested in flowers,» sier Petter'n. «I know that in England now because of food shortage you plant potatoes on the golf courts and cabbage in the parks. But can you still grow flowers?»

«Yes,» sier Muriel. «Can you imagine a country with no flowers for weddings and funerals? As long as people marry and bury there will be roses and carnations.»

«What is carnations?» spør Halvor.

Før Muriel rekker å forklare, svarer Petter'n at det er nelliker.

«Vet du hva blomsten kattøye heter på engelsk?» spør Halvor ham.

«Jeg vil tro det er cat's eye,» svarer Petter'n.

Halvor forsøker så godt han kan å se Muriel djupt inn i øynene. Han sier: «Your eyes has … have … the colour of cat's eyes.»

«*What?*» sier Muriel. Hun vender seg mot Ann: «Do I have *red* eyes, Ann?»

«Nope,» svarer Ann. «Your eyes are as blue as Loch Lomond on a sunny day.»

Muriel ser på Halvor. Hun prøver å se sint ut, men han synes ikke hun lykkes helt med det.

«Why do you compare my eyes to the red reflector on a bicycle?» spør hun.

«It was a misunderstanding,» svarer Halvor. «In Norway there is a flower called cat's eye. It has a beautiful blue colour like the Indian Ocean.»

«Well, thank you then,» sier Muriel, og leppene hennes slår krøll på seg i munnvikene. «What happened to your finger?»

«Work accident in Australia,» sier Halvor. «I cut my finger on a steel wire.»

«Did it hurt badly?»

«A little,» svarer Halvor.

«You guys really go to faraway places,» sier Ann. «Indian Ocean. Australia. I've only been abroad once. And I came no further than across to Calais on the ferry from Dover. I had a few gin and tonics on the ferry. In a Calais bar a bloody French frog touched both my bosom and my bottom. It was my good luck I was so drunk I was able to vomit all over him.»

«I can understand that Frenchman,» sier Petter'n. «You have a fantastic bosom and I guess you have a good bottom as well.»

Halvor sitter som på nåler.

Men Ann ler, og får følge av Muriel.

«We *both* have good bosoms and bottoms,» sier Ann. «But we don't like what the Americans call itchy-fingered men.»

«What is itchy-fingered?» spør Halvor.

Ann legger en hånd på Muriels kjolebryst, får tak i det ene brystet hennes og løfter det opp og ned.

«Stop it!» roper Muriel. Hun er blitt så sprutrød at fregnene hennes ikke synes lenger.

Ann ler, og så later hun som om hun klår på sine egne bryster.

«Dæven røske,» sier Petter'n. «Den dama er sexy.»

«Hold kjeften din,» sier Halvor. «Disse jentene forstår naturligvis hva det siste ordet du sa, betyr.»

«Tror du ikke de liker å høre det?»

«Kanskje Ann liker det. Men Muriel virker ganske blyg.»

Halvor vil prøve å pense samtalen over på noe annet enn pupper og rumper. Han vil spørre om Muriels tann. Heter tann «tooth» eller «teeth» i entall? Tooth høres ut som flertall. Det engelske språket er et fint språk, men han skulle ønske det hadde klarere regler, sånn som tysk har.

«Tell me, Muriel,» sier han. «What happened to your teeth?»

«My tooth?» sier Muriel. «Nothing very dramatic. I fell off my bike while on a trip to Wallasey beach in Birkenhead. I hit a stone fence. If you guys would like to go for a swim in the July sun, I would recommend Wallasey beach.»

«No time for that,» sier Petter'n. «My ship sail tomorrow morning,» sier Petter'n.

«Are you going back to Texas?» spør Ann.

«Sorry, but I can not tell you where we sail,» sier Petter'n. «That is a war secret.»

«Of course,» sier Ann. «Silly of me to ask.»

«We have to leave,» sier Muriel. «I have an appointment with an odontology expert. Thank you for the beer.»

«Just a pleasure,» sier Petter'n.

«Sweetheart,» sier Nissa.

«Gosh, you speak a little English after all,» sier Ann til Nissa.

«Sometimes sweetheart is all you need to say,» sier Muriel.

Halvor forsøker å fange øynene hennes. Han lykkes.

«Sweetheart,» sier Halvor til Muriel.

I Muriels munnviker dukker den lille krøllen opp. Så rekker hun plutselig tunge til ham. Å, det er herlig frekt!

Selv ikke Lisa Graaberget kunne gjort det frekkere. Tunga til Muriel er lyserød som et umodent tyttebær. Aldeles nydelig tunge. Han trodde ikke han hadde nubbesjans hos Muriel. Men den tunga hun rekker til ham ... Tunga! Yes!

«See you around, Norwegian guys,» sier Ann.

«See you later, alligator,» sier Petter'n.

Kapittel 43

«Hvor gamle tror dere de to jentene var?» spør Halvor.

«De må etter engelsk lov ha vært atten for å få ølservering,» svarer Petter'n. «Nå skal det sies at jeg aldri har opplevd alderskontroll på pubene i England. Og her på Yankee Bar tror jeg en drittunge i bare bleiene ville kunne få skjenka seg en pint.»

«Hun som het Ann, var jo absolutt mest utvikla,» sier Nissa. «Men hun som het Muriel, virka mest voksen. Jeg vil tippe at jentene var på din alder, Halvor, eller litt yngre. Hvor gammel er du, forresten?»

«Blir nitten i midten av august.»

«Du ble hekta på Muriel,» sier Petter'n.

«Kan ikke nekte for det,» svarer Halvor. «Det må være lov å håpe på at man en gang kan få på sympati. Førstestyrmann Nyhus på *Tomar* fikk på sympati i Antwerpen. Det var med ei jødisk dame.»

«Jødisk, sa du?» sier Petter'n. «Det er ikke så ofte en sjømann treffer jødiske damer.»

«Hun som Nyhus møtte, var ikke-troende. Han er i London og besøker henne og ungene nå. De kom seg ut fra Belgia med siste båt.»

«Ateistiske jødiske damer er gjerne kunstnerisk anlagt og dristig kledd,» sier Petter'n.

«Jeg har aldri møtt fru Nyhus, men hun skal visst være veldig pen. Skal tro hvor Muriel og Ann stammer fra?»

«Jeg vil tro Skottland,» sier Petter'n. «Ann nevnte Loch Lomond, og Shannon høres ut som et skotsk navn.»

«Nei, Shannon er *ikke* et skotsk navn,» sier Nissa. «Jeg er ikke så bereist som dere to sjøgutta. Jeg har reist på min måte, ved å løse kryssord på jobben på de lange strekka mellom jernbanestasjonene i Østerdalen. En lærer en hel del om verden ved å løse kryssord. Blir det spurt om elv i Irland på sju bokstaver, er det gjerne Shannon som er svaret. Jeg trodde damer av irsk herkomst var rødhåra, og at de var mer lubne og kortere i lortfallet enn hun Muriel var.»

Halvor blir mektig irritert over at Nissa snakker om lortfallet i samme åndedrag som han nevner Muriel. Likevel må han flire, og dessuten har ordet en hjemlig klang av Hedmark.

«Fine, lange bein på Muriel,» sier Petter'n. «Der tok 'a igjen for det Ann hadde i puppestell. Så jeg kan skjønne deg, Halvor, hvis du ble småforelska. Jeg har en bror som driver hestegård oppe i skauane i Hobøl ved Moss. Muriel minte meg om en folunge som er i ferd med å bli ei sprek hoppe og klar for travbanen.»

«Muriel så da faen ikke ut som en travhest!» sier Halvor.

«Nei, all right. Jeg trekker den tilbake,» sier Petter'n. «Hun er ikke en traver, men en sånn hest som brukes i dressurridning. Du kunne sikkert tenke deg å være dressør og foreta litt sprangridning med henne.»

Halvor tar det halvfulle ølglasset Muriel har satt igjen etter seg. Han drikker tre–fire dryge slurker og byr Petter'n glasset.

«Vi har vel samma sjuken,» sier Petter'n og tømmer i seg ølslanten. «Når det gjelder å være bereist, har jeg en parole som jeg kaller b-b-b. Belest, bereist og beleven. Jeg har lest en god del og vært jorda rundt utallige ganger. Men når det gjelder å være beleven, kommer jeg noen ganger til kort.»

«Godt du innrømmer det sjøl,» sier Halvor. «Den flausa med cunt var stygg.»

«Selv om jeg ikke er beleven bestandig, er jeg i alle fall ikke bedriten.»

Petter'n går og kjøper en ny runde whisky.

Halvor nipper til glasset. Han synes den røde Johnnie Walker'en smaker bedre enn den svarte, selv om den er billigere. Den røde har litt mindre røyksmak.

Nissa må gå og slå lens. Han får beskjed om at han skal gå inn der det står gentlemen.

Petter'n spør Halvor: «Hva tror du 'odontology expert' betyr? Hadde det vært et uttrykk fra fysikken, ville jeg nok kjent til det, men jeg er blank.»

«Kan det ha med fugler å gjøre, mon tro?» sier Halvor. «Da er spørsmålet hvorfor Muriel skulle besøke en ekspert på pippiper?»

Nissa kommer tilbake, og får spørsmålet om odontology.

«Odontolog har jeg sett brukt i kryssord som et annet ord for tannlege,» sier Nissa.

«Det er jo opplagt,» sier Halvor. «Muriel skulle til tannlegen for å få fikset den tanna hun har slått et flak av.»

«Da lurer jeg hvorfor hun ikke sa 'dentist', som er det vanlige ordet på engelsk,» sier Petter'n.

«Jenter kan være litt jålete en gang iblant,» sier Nissa.

«Mener du at Muriel er ei jåle?» sier Halvor. «Du er en jævla heimføding uten fnugg av peiling på utenlandske kvinnfolk!»

«Så så, Halvor,» sier Petter'n. «Ta det kuli. Jeg synes vi skal ta en skål for Nissa som greide å rømme fra Norge, og som hadde med seg en god nyhet til deg. Det bør du være glad for. Da du var og kjøpte drinker, sa Muriel at hun syntes du så 'very happy' ut.»

«Sa hun det? Hun har rett. Okey, skål for Nissa.»

De skåler for Nissa.

«Hva for en nazist var det du måtte rømme fra?» spør Halvor.

«Det var en skogeier som var kommet hjem fra Afrika med ræva full av penger etter å ha drevet ei diamantgruve med flere hundre ansatte. Han ble intervjuet i en stor artikkel i avisa Glåmdalen. Der fortalte han at diamantgruva lå i et område kalt Sperrgebiet i den tidligere tyske kolonien Sydvest-Afrika. Der var det piggtrådgjerder og væpnede vakter. Uvedkommende som prøvde å ta seg inn i Sperrgebiet, ble skutt uten pardong. Han mente at vi burde innføre Sperrgebiet, rundt gruver og viktige industriområder i Norge. Men det store samtaleemnet i Østerdalen var ikke gruva. Det var at han var kommet hjem for å ta over skogeiendommer og andre eiendommer som etter retten tilhører broren hans, Bertrand.»

«Det er ikke tilfeldigvis Rudolf Didrichsen du snakker om?»

«Jo, det stemmer.»

«Da er han en ljugafant,» sier Halvor. «Jeg møtte ham i Australia. Der drev han ei lita opalgruve. Nærmest et one man show. Opaler er ikke på langt nær så verdifulle som diamanter. Rudolf Didrichsen ville selge gruva til meg for ti tusen australske pund før han dro hjem til Norge. Jeg sa nei takk til det.»

«Kan han ikke ha vært i Afrika?»

«Det tviler jeg på. Han hadde vært mange år i Australia og nevnte ikke noe om diamanter i Sydvest-Afrika.»

«Da har du nok rett i at han er en skrytepave. Til Glåmdalen snakket han om at han hadde tatt hjem verdier for millioner av pund fra Afrika. En del av disse pengene ville han investere i en flyfabrikk som drives i Horten, og en større sum ville han investere i en ny bilfabrikk på Hamar. Didrichsen lovet at delproduksjonen av alt stål i bilene, motorer, girkasser, eksosanlegg og fjærer, vil bli lagt til Kongsvinger, Elverum, Rena og Koppang. Disse planene blidgjorde en del folk langs Glomma. Men de fleste var forbanna på mannen fordi han snøyt broren sin, som er en krigshelt.»

«Til meg sa han at Bertrand Didrichsen ble skutt i ræva,» sier Halvor. «Det høres ikke spesielt heltemodig ut.»

«Bertrand Didrichsen lå lavt i terrenget og holdt en framskutt norsk mitraljøsestilling som hindra tyskerne i å rykke fram. Tyskerne pepra ham med alt de hadde. Han holdt stand helt til han ble såra. Det vil jeg kalle en heltegjerning. De som fant Bertrand Didrichsen, trodde han var dødsens. Han holdt på å stryke med av blodtapet på vei over til Sverige. Det var hakket før et mirakel at han ble redda. Så kom broren plutselig hjem til Norge fra Afrika, eller kanskje det i virkeligheten var fra Australia. Han gjorde krav på alle Didrichsen-eiendommene. Da dette var blitt alminnelig kjent i hele dalen, fikk jeg ham som passasjer på toget. Han skulle fra Rena til Røros. Jeg sa til ham i reine ordelag at det han hadde gjort mot broren sin, var skammelig og lumpent.»

«Lumpent er ikke akkurat det sterkeste ordet jeg har hørt,» sier Petter'n.

«Kanskje jeg sa kultent, lusent eller usselt,» sier Nissa. «Jeg bruker aldri banneord. Rudolf Didrichsen fløy opp i et voldsomt raseri. Han sa at han skulle få meg plassert i en konsentrasjonsleir tyskerne skal anlegge på Hjerkinn. Eller som slavearbeider i et Sperrgebiet på Rørosvidda.»

«Sperrgebiet på Rørosvidda?» sier Halvor.

«Ja, han nevnte det i intervjuet i Glåmdalen. Han mener at det ved Røros finnes kopperforekomster som er blitt drivverdige på grunn av metallmangelen under krigen. Og gull. Til meg ropte han at han ville lage Sperrgebiet på vidda for å stenge inne nordmenn som ikke retter seg etter den nazistiske nyordninga. Og for å holde samene ute.»

«Samene er da for pokker i *Finnmark?*» sier Petter'n.

«Det finnes en del sørsamer som driver reindrift på Rørosvidda,» svarer Nissa. «De har aldri gjort en katt fortred. I intervjuet sa Rudolf Didrichsen at samene måtte regne med å spille annenfiolin i det nye, germanske Norge, og at de ikke lenger kan gjøre krav på beiterettighetene sine på vidda. Da han hadde kjefta meg opp en god stund, sa jeg at jeg heller ville sitte i slaveleir med hederlige samer enn å stå på pinne for tyske okkupanter og norske nazistiske kjeltringer. Han eksploderte og sa at slaveleir skulle han ordne straks. Han skreik: 'De, herr konduktør, skal bli slave i gruvenes dyp!' Jeg trodde han bare bløffa. Men på Tolga kom det folk fra lensmannskontoret om bord i toget. Jeg ble satt i arrest i konduktørkupeen. Da vi ankom Røros, kom uniformerte tyskere om bord på toget og henta meg.»

«Gestapo?» spør Petter'n.

«Vanlige soldater, tror jeg. Grønnkledde karer uten mye sølv og glitter på uniformene. Jeg fikk bind for øya og ble kjørt i bil en times tid. Jeg ble leid inn i ei lita hytte, og soldatene tok bindet av meg. Siden har jeg funnet ut at hytta må ha vært ved Stensåsen ved den store innsjøen som heter Aursunden, der Glomma har kilden sin. Det var to rom i hytta, stue og soverom. Soldatene, de var fire mann, satte seg i stua og drakk og tura og skrålte mens jeg var låst inne på soverommet. Jeg greide å bende opp et par lause planker i golvet og komme meg ut. Og så løp jeg. Som en gæren. I mange kilometer innover i fjellet. Det var fint vær, og natta var så lys at jeg greide å orientere meg. Jeg slappa av og begynte å gå østover. Etter en marsj på ei drøy mil syntes jeg at jeg så en grensevarde i det fjerne. Jeg hadde mista brillene under flukten, og uten dem ser jeg som ei blind høne. Jeg tenkte at tyskerne kanskje hadde vakt ved svenskegrensa. Så jeg krøyp på alle fire gjennom vierkratt og dvergbjørk og reiv meg opp på kvist og kvas så jeg blødde som en gris. Da jeg var kommet godt øst om varden, reiste jeg meg opp og begynte å gå. Utpå morrasida kom jeg fram til et hus. Jeg banka på. Ei kone kom ut og hylte da hun så meg, blodig som jeg var. Jeg fikk roa henne ned og spurte hvor jeg var kommet hen. Hun sa at jeg var i Fjellnes. Jeg ble skuffa, for det hørtes jo ut som et norsk navn. 'Er jeg i Norge eller Sverige?' spurte jeg. Kona sa noe sånt som at 'her har vi vært svenskar siden Jämtland blev svenskt'. Aldri før har jeg vært så letta. Det viste seg at Fjellnes skrives med to sånne svenske æ-er, a-er med to prikker over. Siden ble det forhør med svensk politi i det vide og det breie. Så var det norske etterretningsfolk sin tur. De ville forsikre seg om at jeg ikke var tysk spion. De var harde i klypene under forhørene. Det skremte meg. De ville ikke gi meg sikkerhetsklarering og flyleilighet til England. Derfor tok jeg sjansen på å reise inn i Norge igjen. Det var lett. Tyskerne venter jo ikke at folk vil rømme *fra* Sverige *til* Norge. Så kom jeg i kontakt med folkene som organiserte flukten med skøyta til Shetland. Og her er jeg.»

De skåler enda en gang for Nissa Torgeirstuen og hans vellykkede flukt.

«Vi får sørge for å få hengt denne nazikoryfeen Rudolf Didrichsen når Norge atter blir fritt,» sier Petter'n.

«Ikke henge,» sier Halvor. «Det er jeg imot. Jeg er ikke tilhenger av dødsstraff.»

«Samme her,» sier Nissa. «Det får holde at folk blir bura inne på livstid. Men nå føler jeg meg litt bura inne sjøl. Jeg kan ikke fortsette å gå på bommen her i England. Hva skal jeg finne på?»

Petter'n har et forslag: «Du som er så glad i kryssord, kunne kanskje melde deg til en tjeneste der du lærer koding? Kryssord er jo en slags koder.»

«Skal foreslå det neste gang jeg møter militærfolka,» sier Nissa.

«Vi på *Tomar* trenger også å snakke med de militære,» sier Halvor. «Vi er nødt til å få bedre skyts. Hva har dere på *Morning Star*?»

«Det har jeg vel strengt tatt ikke lov til å fortelle,» svarer Petter'n. «La meg si det sånn at vi her i Liverpool har fått om bord et par brukbare sveitsiske presisjonsvåpen. Og da snakker jeg ikke om Swiss Army-kniver.»

«Oerlikon luftvernkanoner?» spør Halvor.

«Det er ikke umulig at det kan være sånne gønnere. På morningen i dag rigga jeg ned et gammalt Hotchkiss maskingevær som vi fikk om bord før crossen over fra New York. Ikke noe dårlig våpen, men de nye vi har fått, er atskillig bedre.»

«Vi har en Hotchkiss,» sier Halvor. «Siden *Tomar* ikke er tankbåt, står vi ikke først i køen når nye våpen blir delt ut. Kanskje vi kunne spørre om å få Hotchkiss'en. Det hadde vært bra med ett maskingevær på hver bruving.»

I glideflukt beveger samtalen seg fra våpen over til det evige tema.

Til Halvor sier Petter'n: «Når du har både fullt navn på dama og jobbadressen, er du kommet et godt stykke på vei. Jeg husker en gang i Oslo da jeg stilte meg utenfor porten på Freia sjokoladefabrikk for å vente på ei jente som kom ut fra jobben. Tror dere det ble full score, eller?»

Halvor ser på klokka. Den er blitt fem på seks.

«Jeg må stikke,» sier han. «Jeg skal møte en kamerat fra båten borte på Lime Street Station klokka seks. Vi skal besøke en dansehall han vet om.»

Halvor ønsker Petter'n god reise og Nissa lykke til videre. De skilles med håndtrykk. Han går ut gjennom åpninga i blendingsgardinet og kommer ut i Lime Street. Det har begynt å skumre i Liverpool. Svake lysstrimer siver ut fra et og annet vindu som ikke er skikkelig blendet. Ellers er byen helt mørklagt. Biltrafikken er minimal. De få bilene som passerer, kjører med dimmede lykter eller helt uten lyktelys. Det kjennes merkelig å vandre i en mørk by. Han får en sterk følelse av krigstid.

Han er redd for å snuble i sandsekker eller dulte borti andre fotgjengere, som det er mange av.

Det er ikke på grunn av tussmørket eller whiskydrammene han har innabords at han ikke finner veien til Lime Street Station. Han skal ikke dit. Det han sa til Petter'n om å møte en kamerat, var en hvit løgn. Han skal om bord. Han orka bare ikke å høre ei ny damehistorie fra Petter'ns munn. Hyggelig kar, Petter'n, men av den typen man helst bør nyte i små porsjoner.

Halvor har bestemt seg for å gå hele veien til Gladstone Dock. Han trenger frisk luft, og han trenger å røre på seg. Han vil gå og nyte gleden over endelig å ha fått visshet om mor og far, Stein, Britt og Karin. Og han vil gå og tenke på miss Muriel Shannon.

Han finner greit fram til Regent Road, som går nordover gjennom Docklands, tett ved bryggene. På kirka fikk han et lite kart over havneområdene i Liverpool og Birkenhead.

Han passerer et par dokker uten å bry seg om å sjekke navnene i kartet. Velkjente dunster river ham i nesa. Dette er lukta av det som er hans verden når han ikke er ute på havet, det er lukta av havn. Her stinker mildt av menneskemøkk, enten den nå er kommet hit med Mersey, kanskje helt oppe fra kloakkene i Manchester, eller fra vannklosettene på de hundrevis av skip som ligger ved kai her. En kullfyrt damper som fyrer kjelen for å holde stimen oppe på lastevinsjene, sender fra seg en tjukk os av kølarøyk. Et sted sniffer Halvor inn eimen av spillolje. Det er strengt forbudt å tømme spillolje ut i havnebassengene i all verdens havnebyer. Men det gjøres likevel, for å spare tid og penger. Heller ikke skittent ballastvann skal tømmes under havneligge. Den regelen syndes det ofte mot. Byssaguttene skal ikke dumpe pøser med matrester ut i havna. For en travel byssegutt som jobber fra tidlig morra til sein kveld, er det ofte fristende å la potetskrellet gå over rekka istedenfor å traske på land og finne et søppelspann.

I Wellington Dock ligger et stort, moderne skip med typisk strømlinjeformet motorskipsskorstein og losser. Flagget i hekken er ennå ikke firt for kvelden. Det henger slapt ned. Et vindkast får det til å folde seg ut, og gjennom tussmørket kan Halvor se at det er stjernebanneret. Lossearbeidet foregår nesten uten bruk av lys. På kaia patruljerer et hel tropp soldater.

Halvor regner med at amerikaneren losser ammunisjon eller eksplosiver. Dette er saker England behøver så sterkt at de må i land fortere enn svint. Derfor må det farlige lossearbeidet foregå i mørket, under forhold som gjør jobben enda farligere.

I Huskisson Dock kan Halvor se to tankskip. Et høyt gjerde gjør at han ikke kan se nasjonaliteten på dem. Den ene skuta kan godt være *Morning Star*. På gjerdet står skrevet NO SMOKING med røde bokstaver på hvit bunn. Her lukter skarpt av bensin og noe mindre skarpt av olje.

Vinden som tok tak i stjernebanneret, øker på. Den kommer fra vest, inn fra Irskesjøen.

Trean har fortalt ham at når det blåser i Liverpool, er det nesten bestandig vestavær. Vinden senker julikveldens temperatur fra tjue grader inne i byen til seksten–sytten her ved den grå elvas utløp i havet. Ulikt store havnebyer som Hamburg og Antwerpen, som ligger et godt stykke opp i roveret i Elben og Schelde, ligger Liverpool ved Merseys munning. Her fornemmes nærheten til havet sterkere, og her er en annen sjøfriskhet i lufta enn i havnebyene i Tyskland og Belgia.

Himmelen er blitt sopt rein for skyer av vestavinden. Karlsvogna trer tydelig fram på himmelhvelvinga. Krig må være gunstig for stjernekikkere som bor i byer som er bombemål. Fra de mørklagte byene kommer ikke lysskjæret som i fredstid forkludrer sikten i de astronomiske teleskopene.

Halvor passerer Canada-dokkene, Brocklebank Dock, Langton Dock og Alexandra Dock. Han liker klangen i dokkenes navn. Dette er navn som er kjente og kjære på de sju hav. Ved alle kaier ligger skip tett i tett, både nye motorskip og alderstegne dampere, og på flere av båtene arbeides det med lossing. Han hører vinsjer hvine og rop fra havnearbeidere som står på dekk og dirigerer vinsjemann eller kranfører. Disse dirigentene på dekk, dekksbord kalles de, bruker en liten pinne til å vinke med, akkurat som orkesterdirigenter.

Han er snart hjemme. Her er ikke mange andre kveldsvandrere ute og går.

I gate'n ved Gladstone må han vise registreringskortet sitt til to soldater som bemanner ei lita vaktbu. Et skilderhus heter det vel på militærspråket. De to gransker begge kortet nøye. Med vennlige nikk lar de ham passere.

På *Tomar* arbeides det ikke. Det kan ikke være akutt behov i England for de varene det norske skipet har brakt med seg fra fjerne himmelstrøk. Skuta ligger mørk og stille.

Halvor går forsiktig så han ikke skal stupe utfor bryggekanten. I havnebassenget, som er opplyst av stjerneskinnet, dupper drivgods. Her flyter plankebiter, tomflasker og korker, ei pappeske. På engelsk kalles slikt rusk og rask i sjøen for «flotsam and jetsam». Det lærte Halvor på middelskolen i Elverum, og det husker han nå lenge etterpå fordi han syntes det var et morsomt uttrykk.

Han klyver opp gangveien. På en oppslått feltstol ved fallrepet sitter en person Halvor ved første øyekast tror er indianer. Men vaktmannen med det lange, svarte håret er ikke en mann. Det er en eldre kvinne, og hun ser ut som hun sover. Slik er det i et England i krig. Mannfolka trengs til krigføring og alskens arbeid. Så må kvinnfolka steppe inn og ta jobber som før var forbeholdt menn, de kjører buss og går gangveisvakt.

«Stop there!» roper kvinnen.

Hun kontrollerer kortet til Halvor og finner det i orden, men lar ham ikke gå før hun har bomma et par sigaretter av ham.

På treerluka sitter annenstyrmann Granli og glaner ut i det store intet.

«Hallo,» sier Halvor. «Hva sitter du og stirrer på?»

«Dødsriket,» svarer Granli med en stemme som ikke er så klar og tydelig som vanlig.

Han har store røde flekker på den hvite skjorta si. Er det blod? Nei, det er for mørk rødfarge til å være blod, så det er nok rødvinsflekker.

«Huff da,» sier Halvor. «Dødsriket, det er ingen spøk.»

«Å, det er ikke så farlig, Skramstad. Det er *egypternes* dødsrike jeg ser på. Jeg leste en artikkel i et amerikansk magasin, om det var Time eller Life husker jeg ikke, som handlet om at de gamle faraoene trodde dødsriket lå ved Polstjerna.»

«Hvorfor trodde de det?» spør Halvor. «Det er jo jævlig langt til Polstjerna fra Egypt.»

«Det er langt til Polstjerna fra alle plasser på jordkloden. Avstandene der ute i verdensrommet er så store at vi ikke helt kan forestille oss dem. Faraoene trodde at dødsriket lå i det mørke feltet på himmelhvelvet like ved Stella Polaris. Dette mørke feltet, som har nesten usynlige stjerner og som ligger rett i nord, roterer ikke. Alt annet som er synlig på himmelen over Nilens bredder, dreier sakte rundt i en syklus som er enda sikrere enn den årlige flommen i Nilen. Bare ikke det mørke feltet. Derfor trodde faraoene at tida sto stille i dette feltet, at evigheten fantes der. En arkeolog og en astronom i USA mener at de kan bevise at ei sjakt i Kheopspyramiden peker nettopp mot det mørke feltet.»

Halvor ser mot himmelen, måler med fingrene, flytter bakstykket på Karlsvogna fire ganger oppover og finner Polstjerna. Han ser det mørke feltet og kjenner et sug i magen. Kanskje faraoene hadde rett, at det *er* der evigheten er?

«Har du en røyk til meg?» spør Granli. «Jeg er gått tom.»

Halvor byr ham en Camel og tenner en sjøl.

«Det er best vi holder gloa inni hulhånda så den ikke kan sees fra fly,» sier Granli.

«Tror du virkelig tyske piloter høyt over sperreballongene her i Liverpool kan oppdage ei lita glo på et skipsdekk?»

«Nei da, men det er en grei forsiktighetsregel å lære seg og å ta med seg ut på havet. Under den forrige krigen var det tyske ubåtskippere som spotta norske båter fordi gutta sto på dekk og røykte.»

Whiskyen og gåinga har gjort Halvor tørst.

«Har vi fått drikkevann om bord?» spør han.

«Ja, vannbåten arriverte omsider etter mye mas. Kom ikke og si at det ikke er korrupsjon i England! Skipperen på den vesle vannbalja måtte bestikkes med et par flasker whisky og de to gutta hans med fire kartonger Chesterfield før vi fikk vann.»

«Er du tørst?» spør Halvor.

«Ja, man blir tørst av all den vindrikkinga. Vi hadde ei skikkelig rotbløyte på Hotel Adelphi.»

«Jeg går til messa og henter vann. Skal jeg ta med et krus til deg?»

«Gjerne det, er du snill.»

I messa sitter Cheng i møte med tre andre kinesere, alle kledd i mørke dresser. Foran seg på bordet har de dokumenter og kart. Der står også et batteri tomme ølflasker, og noen fulle.

«Hello, Skogsmatros,» sier Cheng. Mange kinesere har visst problemer med å si r, men det har ikke Cheng.

«You make plan for war?» spør Halvor.

«Ikke lage shootie-shootie,» sier Cheng. «Vi ta Macao ikke med kanon. Folk i gata.»

«Dere planlegger et folkelig opprør i Macao for å jage ut portugiserne?»

Cheng nikker.

«Ikke si gutta, Skogsmatros. Holde kjeft og hysj-hysj.»

Halvor fører høyre hånds pekefinger opp foran munnen og blåser på den. Han skal ikke plapre til noen om planene for revolusjon i Macao.

Han finner to krus og ei vannkanne. I fryseskuffen i kjøleskapet er det isbiter. Kanskje det beste jeg vet, er isbiter? tenker han.

Halvor og Granli skåler i isvann.

«Det stinker fælt av hudene i lasterommet,» sier Halvor. «Har vi ikke lagt på lukene på fordekket?»

«Nei, vi har nøyd oss med å rigge opp luketelt, i tilfelle det kommer regn. Havnearbeiderne holdt bare på med hudene et par timer i morges, så måtte de gå over til en ammunisjonsbåt som Royal Army hadde bråhast med å få lossa.»

«Hva heter oksehuder på engelsk?»

«Hides,» sier Granli. «Raw hides. Det var en del raw hides blant de kvinnfolka som flokka seg om oss offiserer fra *Tomar* oppe på Adelphi. Det lå an til å bli et helsikes haraball.»

«Men du tok kvelden tidlig.»

«Gjorde det. En av disse raw hides sølte rødvin på meg. Jeg liker ikke å gå med flekkete tøy. Dessuten har jeg full stri med å lede lossearbeidet nå som Nyhus er i London, og vil være fit for fight til morgendagen. Du har også tatt en tidlig kveld, Skramstad. Likevel ser du himla blid og fornøyd ut. Har det hendt noe spesielt?»

Halvor forteller om det endelige budskapet han har fått om at alt er vel med familien hans.

«Her har jeg gått og engsta meg fra midten av april til midten av juli,» sier Halvor. «Det er fire måneder med unødvendig angst, det.»

«Si ikke at angsten er unødvendig,» sier Granli. «Angsten er en broder som har sin plass i følelseslivet vårt. Eller kanskje ikke en broder. En *fæl fetter* kan vi kalle angsten. Det må være en grunn til at den fæle fetteren opp gjennom menneskenes historie har tatt bolig i oss. Angsten er der for å holde oss i age, for å skjerpe oss. Du ser det veldig lett hos dyra, hvor viktig angsten er. Se på en rådyrmor som har nyfødt kalv og får ferten av reven. Hun blir rabiat engstelig. Hun vil gjøre alt hva hun kan for å holde mikkelfanten unna.»

Halvor har ei innvending på tunga, og den kommer: «Rågeita er der i buskene eller ute i kornåkeren *sammen med* kalven sin. Hun har en sjanse til å beskytte avkommet. Da Rena ble bombet, var jeg på den andre sida av jordkloden og ute av stand til å beskytte småsøsknene mine.»

«Du har et poeng,» sier Granli. «Det er en del av det moderne menneskets lodd at det streifer så viden omkring i verden at det ofte vil være langt fra sine kjære når noe fryktelig er i ferd med å skje. Her kommer jo vi sjøfolk, havets vagabonder, i første rekke. Angsten vår, den gamle, fæle fetteren, må kanskje justeres for å passe til en annen verden enn den steinalderforfedrene våre levde i. Jeg tror at slike mentale omstillinger tar tid, generasjoner på generasjoner. Menneskesjela er treig materie. Vi henger nok ennå igjen i steinaldermentaliteten, der angsten kunne få en umiddelbar utløsning ved at du løftet klubba for å verge deg mot bjønn eller fiende. Hvordan skal vi takle den moderne verdens nye angst? Det vet vi ikke riktig.»

De røyker en stund i taushet og lytter til noe som høres ut som fjern, monoton harpemusikk.

«Det må være vestavinden som spiller på wirene som forankrer sperreballongene,» sier Granli.

Er det flyalarm som går borte i sentrum? Nei, det er nok et bilhorn som har hengt seg opp.

«Det er lettere å takle det å være engstelig for seg sjøl enn det å være engstelig for småsøsken og foreldre,» sier Halvor.

«Si ikke det for kategorisk,» sier Granli. «Vi skal ut i konvoi. Det kan bli mange konvoier på oss, kanskje utallige. Da må du regne med å føle en angst for din egen person som er like sterk som den du følte for familien din. Det verste med konvoiangsten, sier Åge, som har opplevd den, er at den er en kronisk angst. Den kommer i klumper hvor det av og til er helt ille, andre ganger litt bedre. Men angsten vil være der hele tida, som en hund som lusker i hæla på deg.»

«Og som av og til glefser, andre ganger biter?»

«Ja, noe sånt. Vi har allerede fått litt krigsnerver alle mann. Det vil bli verre. Hva er nerver, egentlig? Hva styrer menneskene? Er det fornuften eller er det sansene? Vi lever i et århundre der fornuften har hatt forrang. Like forbanna har menneskeheten kastet seg ut i først én verdenskrig og så én til. Dit førte fornuften vår oss, rett ut i skyttergravene og ubåtkrigen. Jeg tror på å lytte til sansene, det som Hamsun kalte 'benpibernes bøn'.»

«Tror du på Gud?» spør Halvor. Hvor kom det spørsmålet fra? Det kom rekende på ei fjøl, slik flotsam and jetsam kommer med tidevannet.

Granli tier. Fra båten som ligger fortøyd foran *Tomar*, kommer lyden av opphissede stemmer, fulgt av avsindig latter.

«Russere som tar seg ei vodkakule,» sier Granli. «Det er merkelig at en mektig stat som Sovjetunionen ikke har bygd opp en større handelsflåte. Lille Norge har mange ganger så stor flåte som Sovjet. Gud, sa du? Nei, jeg har ingen gudstro etter den kristne boka. Jeg holder åpent for at det finnes en skaperkraft og et mysterium som gjelder universets opprinnelse, og som vi ikke kan forstå. Noen allmektig Herre, en slags Overskipper som kan ta meg i handa og leie meg fram mot milde ljos, tror jeg ikke på. Og for meg butter det fælt imot ved tanken på det evige liv. Jeg har gått så mange langdryge hundevakter. Jeg vil helst slippe å gå hundevakt til evig tid. Faen, jeg blir tørst av å høre på de russerne. Drikker De konjakk, herr Skramstad?»

Granli kommer tilbake med ei brun flaske Remy Martin som det er fire–fem fingerbredder igjen i. Han har tatt på seg ei rein hvitskjorte.

De skjenker i krusene de drakk vann av. De skåler for hell og lykke og god seilas.

«Vi kan kanskje få en Hotchkiss til fra tankeren *Morning Star* hvis vi er litt frampå i morra,» sier Halvor. «De skal bytte ut Hotchkiss med Oerlikon.»

«Heldige jævler. Vi får vel bare godta at tankskipsflåten får prioritet når det gjelder luftvernskyts. *Morning Star* er en Tønsberg-båt, ikke sant?»

«Jo, fra et lite rederi i Tønsberg som heter Berg eller Borg.»

«En tønsberger får jo hjelpe en annen tønsberger. Hvor ligger *Morning Star*?»

«Jeg tror hun ligger i Huskisson Dock, og at hun seiler i morgen ved middagstid.»

«Bra,» sier Granli. «Hadde hun ligget ved en av oljeterminalene oppe i Manchester-kanalen, ville det vært litt for langt av lei for oss. Jeg skal be chief Vadheim om å sende bort Steiro for å forhøre seg om vi kan få det maskingeværet. To skræbbete gamle Hotchkiss'er er ikke mye å skrive verdenshistorie med, men bedre enn ingenting.»

«Jeg ville ha foretrukket *å skrive en stil* om verdenshistoria framfor å være med på å *skape* den,» sier Halvor.

Granli ler. Han har tenner som er gule av tobakksrøyk og kunne trengt en omgang med pussepulver.

Han snakker om tilfeldighetene som kan avgjøre krigen. Kanskje en eneste tinnbarre fra *Tomar* kan vippe krigen over i engelskmennenes favør, som når de første slagene fra et par sommerfuglvinger setter i gang en liten vind som baller på seg og blir en kjempemessig orkan.

Russerne har begynt å synge.

«Du kan si hva du vil om Ivan,» sier Granli. «Men synge kan han. Det vi hører, må være 'Kalinka'?»

«Høres ut som 'Kalinka', ja.»

En gitar stemmer i.

«Fyttikatta, så surt det låter,» sier Granli. «Den gitaren kan ikke ha vært stemt siden tsarens dager.»

«Tror du på kjærligheten?» spør Halvor. Enda et spørsmål kom drivende med tidevannet.

«Så De er i lune for De store spørsmål i aften, herr Skramstad?» sier Granli. «Hvorfor spør du meg ikke like godt om hele pakka, som om jeg skulle vært en jævla *lyriker*?»

«Hva mener du med hele pakka?»

«Havet, døden og kjærligheten.»

«Okey, gi meg pakka,» sier Halvor.

«Jeg tror på havets uendelighet,» sier Granli. «Jeg tror på hav etter hav på andre planeter i solsystemer i Melkeveien, og i andre galakser.»

«Hva er egentlig galakser? På skolen lærte vi ikke en dritt om dem.»

«Alt jeg kan si, er at de er stjernesystemer som Melkeveien, med millioner av stjerner, og at de ligger millioner av lysår unna oss. Jeg er god i astronomisk navigasjon. Sola, månen og de viktigste stjernebildene bruker jeg i jobben. Men jeg er matnyttig innretta og kan ingenting om det som blir kalt kosmetologi.»

«Kosmetologi?»

«Hva sa jeg nå?» sier Granli. «Kosmetologi er læren om parfymer og hudkremer og sånt som damer synes de ikke kan greie seg uten. Jeg mente *kosmologi*. Læren om kosmos. Jeg gikk på styrmannsskolen på Ekeberg sammen med en vestfolding som het Jens Tendrup. Han var glødende opptatt av kosmologi og leste bøker som jeg ikke skjønte bæret av. Vi skulle hatt Tendrup'en her nå. Han er nok ute på en av tankbåtene til Anders Jahre i Sandefjord.»

Russerne har gått over til en annen sang. De har parkert gitaren og fått i gang et trekkspill som låter bedre.

«Det må da være 'Waltzing Matilda'?» sier Halvor.

«Ja, men med russisk tekst, så vidt jeg kan forstå,» sier Granli. «Det var døden, da. Døden er en logisk og nødvendig avslutning på menneskelivet. Hvordan skulle det sett ut her på jordkloden hvis folk ikke daua? Vi ville gått og vassa i utgamle neandertalere og alle slags kannibaler. Men døden skal være en avrunding på et godt liv og bør ikke komme for tidlig. Det er det som er helvetet med krigen. Gamle generaler og admiraler sitter på kontorene sine til de går av med pensjon og kan stelle rosehagene sine eller spikke trebein eller hva de nå måtte finne på. Unge gutter som deg og unge menn som meg blir sendt ut som kanonføde. Tusenvis dør uten at de har fått seg et realt knull. I denne krigen kan det komme til å stupe millioner av menn som ikke har nådd tredve. Og mange kvinner. Barn. Jeg har en uggen følelse av at det kan bli forferdelig store sivile tap hvis Hitler går løs på Storbritannia for alvor.»

«Vil du si at *vi to* er kanonføde?» spør Halvor.

«Vi risikerer dessverre å bli det. *Torpedoføde* er nok et riktigere ord.»

De drikker en stund i taushet, nipper til konjakken og tar små slurker.

Russernes trekkspill stemmer i med «Anitras dans». Det låter smukt, og så forbaska hjemlig. Det er lyden av Norge.

Halvor får noe rusk i øyet som han må tørke bort.

«Det neste blir vel at Ivan kliner til med 'Solveigs sang',» sier Granli. «Kjærligheten har vært en like uhåndterlig affære for meg som for Peer Gynt. Bare én gang synes jeg at jeg har vært på sporet av noe som kunne være ekte kjærlighet. Det var i Malmö. Vi skulle ta *Tipperary* ut fra Kockums verksted som nybygg. Jeg møtte Monica på et konditori. Jeg har en svakhet for napoleonskaker. Hun var jättesnygg. Hun var sjuksköterska på det topp moderne

Östra Sjukhuset i Malmö. Det er et mentalsjukehus. Hun tok meg med på omvisning blant fem hundre gærninger. Det var jo ikke akkurat sånt en får erotisk tenning av, for å si det mildt. Men vi reiste opp til Lund. Det er ikke lange biten fra Malmö. I Lund hadde Monica en liten leilighet, en liten lya, i Lokföraregatan. Jeg liker ikke å høre andres damehistorier, så jeg skal ikke fortelle deg om hva vi gjorde der.»

«Jeg trodde Lund var en universitetsby,» sier Halvor. «Rart at de har ei lokomotivførergate der. Det ville far min likt å vite om. Det kjennes jævla merkelig ikke å kunne sende et brev hjem til Rena og fortelle om Lokföraregatan i Lund.»

«Sant nok. Mutter'n sitter hjemme i Hyggen og har det ikke hyggelig når jeg er ute på krigshavet uten å kunne sende post.»

«Faren din?»

«Bor i Stavanger og jobber som platearbeider på Rosenberg Mekaniske. De to ble skilt da jeg var liten pjokk. De greide ikke å håndtere kjærligheten, de heller. Det er noe svineri hvis fatter'n nå må jobbe for tyskerne på Rosenberg. Hvor var vi?»

«I Lokföraregatan,» sier Halvor.

«Monicas og min lykke var at *Tipperary* ble forsinka fra verftet i flere uker fordi båten ikke greide fartsprøvene. Vår ulykke var at det ikke ble Australia–Europa-fart på skuta, slik jeg hadde trodd. Vi ble satt inn i fart mellom Østen og vestkysten av USA. Jeg holdt det gående med brevskriving til Monica, men det dabba av. Da jeg endelig, etter kontraktstida på halvannet år, kom tilbake til du fria, du fjällhöga nord, hadde hun funnet seg et annen.»

«Et eller annet sted der ute ligger nok kjærligheten og venter på deg.»

«Snakker du sånn fordi du sjøl har funnet deg dame i Liverpool?»

«Funnet dame er altfor sterkt sagt,» sier Halvor. «Jeg møtte ei jente i dag som jeg syntes godt om. Derfor vil jeg spørre deg om en tjeneste. Er det mulig å slippe lasteromsvakt under kaffelossinga i morgen og ta en dag i land så jeg kan oppsøke henne?»

«Der gjorde du en feil, Skramstad. Når du har hatt en alvorlig samtale med en mann, skal du aldri spørre ham om en tjeneste.»

Halvor sitter på lugaren og skriver i dagboka: «Liverpool, husker ikke datoen. Det er vel nøyaktig en måned igjen til bursdagen min? Er ganske pussa. Fikk en dragelse av Granli. Han har selvfølgelig helt rett. Etter en fortrolig samtale er det simpelt å spørre om en tjeneste. Er ellers veldig glad for min man-to-man-talk med Johan Granli. Godt han ikke spurte meg om Gud. Jeg ville ikke ant hva jeg skulle ha svart. Jeg er for tida helt i tåka når det gjelder Gud.

Det har vært en fin dag. Først Nissa, så miss'a! Med dette mener jeg budskapet fra Nissa om alt vel, og møtet med miss Muriel Shannon.

En nydelig dag har det vært. Long live Liverpool!

Ja, jeg vil gå så langt som til å si at det har vært den beste dagen hittil i mitt unge liv.

L-pool kan ikke være den dummeste byen for en sjømann å finne seg kjæreste i. Blir det konvoier over Atlanten, som det sikkert blir på oss på <u>Tomar</u>, er L-pool den mest brukte anløpshavna i England.

Har kikka i <u>Oxford</u>. 'Odontology' står ikke der. Jeg begynner å lure på om det kan ha med sånne kvinnegreier å gjøre. At Muriel kanskje er gravid. Men hun så jo ikke ut som om hun var på tjukka. Det var det heller Ann som gjorde.

Har sittet og spikkulert en god stund. Greide så å huske hva som er ordet for leger som undersøker understellet på kvinner. Gynekolog. Det står i <u>Oxford</u>: 'gynaecology; science of the diseases of women and pregnancy.'

Odontology har altså ikke noe med gynaecology å gjøre.

Har De dette klart for Dem, herr Skramstad? Det er klart som glass? Very good!

Har prøvd å få sove, men greier det ikke. Er for oppspilt, og fortsetter derfor å skrive. Tenker på et ord for mannskapet på <u>Tomar</u>. En fra Hamar er en hamarsing. En fra <u>Tomar</u> kunne da kalles en tomarsing. Men trykket blir feil. Man vil på norsk naturlig si <u>to</u>marsing og ikke tom<u>a</u>rsing. <u>To</u>marsing høres ut som en siamesisk tvilling fra Mars, en to-marsing.

Tomarling?

Jeg får krype i køya og telle de seks hundre sauene til motormann Stokkan langt der borte ved Daddelaide i Australia.»

Halvor vekkes av at noen røsker i ham. Han ser rett inn i det tannløse gapet til Geir Ole. Lugarkameraten lukter sterkt av sin egen Old Spice, av dameparfyme og sprit. Ved siden av ham står Erasmus Montanus og svaier som et siv i vinden.

«Ka du trur?» sier Geir Ole og peker på et stort sugemerke han har fått på halsen.

«Æ trur ikkje nokka, Kokkovær,» sier Halvor. «Nu vil æ søv, din hælsikes hæstpeis.»

Erasmus er opp i under over hvor god Halvor er blitt til å imitere nordlending. Geir Ole babler i vei om at han ga fem pund for dama oppe i Paradise Street, men at han fikk sugemerket helt gratis. Erasmus forteller at han bare betalte fire pund. Jenta var tynn som ei flis og hosta som om hun hadde tub.

«Jeg orker ikke høre på dere,» sier Halvor. «Jeg vil sove, for faen!»

«Jøss, så sur du er, a,» sier Erasmus.

Halvor har fått jaget Erasmus ut av lugaren og sendt Geir Ole til køys. Han ligger og tenker på hvor fjerne minnene om Tae i Thailand og Terezinha i Paranaguá er blitt. Minnene er i ferd med å forsvinne bakom både den virkelige horisonten og tankens horisont. Han har lagt hele hav mellom seg og Tae og Terezinha. Den fysiske distansen forsterker den psykiske glemselen.

Slik er sjømannens liv. Han er en nomade som legger alt bak seg der han flakker fra havn til havn.

Nomadelivet kan være en fordel hvis man gjør en bommert i seksuallivet. I en sånn situasjon kan det være forjævlig å være stedbundet.

En ung arbeider på Kartongen på Rena, en som ble kalt Kåre Skjæra fordi han hadde stjålet noe sølvtøy i guttedagene, kom i fylla til å stikke staven i feil hull på en av stedets mer lettsindige frøkner. *Hun* fortalte ikke om det til en levende sjel. Men *han* var så flau at han ikke greide å se henne igjen, dag ut og dag inn. Han dro over fjellet og fikk seg jobb på Mesna Kartongfabrikk på Lillehammer. Til Halvor fortalte Kåre Skjæra om fadesen da de tok seg noen drammer etter å ha gått Birkebeineren.

Halvor blir liggende og tenke på skiløping. Han slengte seg med i rennet mellom Lillehammer og Rena da det ble arrangert for åttende gang i 1939. Det ble litt krøll før starten gikk på Stampesletta. En gretten kontrollør mente at han var for ung til å gå et så langt renn. Kontrolløren forlangte at han skulle gi fra seg startnummeret sitt.

«Jeg krøsser ikke møkk,» sa han da, og så gikk han uten startnummer. Det var god deltakelse, over to hundre skiløpere. Målet hans var å gå på under fem timer. Han hadde fått låne et par skikkelige langrennsski med Rottefella-bindinger. På de flate partiene oppe på fjellet staket han forbi en god del løpere. Han kunne utnytte armstyrken skogsarbeidet med sag og øks hadde gitt ham. Men så sprakk han gruelig på slutten! De uvante, smale skiene lystra ham ikke i svingene, og i nedoverbakkene hadde han et par saftige tryninger. Han sjangla i mål på fotballbanen på Rena. Tida tok han på sin egen klokke: 5 timer og 14 minutter. Det var omtrent én time dårligere enn vinnertida.

Støl og lemster ble han sittende og pjalle med Kåre Skjæra.

Etter atskillige glass akevitt ble de enige om at Rena ikke er den verste plassen for bygdeslarv, av den enkle grunn at Rena er et ganske nytt sted. Det ble til da jernbanen kom i 1871. Før stasjonsbyen ble reist, var det bare to hus og en driter på Rena. Der finnes ikke eldgamle bygdetradisjoner slik som på stedene lenger nord i Østerdalen hvor det har vært tett med folk siden vikingtida, og hvor sladder om en slekt kan stamme fra før Svartedauden.

Halvor tenker på hvordan slarvet kan være dødbringende i småbyene i Bibelbeltet på Sørlandet. Onkel Henry fortalte om en pensjonert maskinist han hadde seilt sammen med, og som ble drept av folkesnakket i Farsund. Om maskinisten ble det hviska og tiska i krokene om at han i fremmede havner hadde stått i med smågutter. Han hadde bare lyst til å reise ut igjen, men kom ikke ut fordi han hadde falt for aldersgrensa. Maskinisten fant bare én utvei. Han gikk til sjøboden der han hadde et lite verksted for reparasjon av båtmotorer. Der surra han alt han hadde av tungt maskinverktøy rundt beina og tok sitt siste hopp i livet utfor kaikanten en fullmånenatt. Det var så grunt ved brygga at maskinistens hår lå og vasket som en tangvase i sjøen da han ble funnet om morgenen.

Halvor strekker seg ut i køya. Søvnen vil ikke komme. Hva var det onkel Henry sa at folk i Farsund kalte den stakkars maskinisten? Pedoman?

Han står opp og blar i *Oxford*. Det eneste ordet på «pedo» han finner der er «*pedometer*; device which measures the number of steps taken by a walker, and the approximate distance he walks».

Oppe i køya igjen ligger Halvor og mumler «the number of steps taken by a walker, the number of steps taken by a walker ...». Det hjelper, han døser bort.

Kapittel 44

Hva er det med Båsen? Fredag den 19. juli kommer han til frokost iført hvitskjorte og slips.

Halvor har aldri sett Båsen med slips før. Slipset er rødt med hvite prikker. Rød er også Båsens ansiktsfarge, og han har hvite flekker i huden ved neserota. Men Halvor tror ikke at Båsen har valgt slipset fordi det matcher fargene han har i ansiktet. Han tror heller ikke at Båsen kommer rett fra en rangel i land. For Båsen er nybarbert og virker klinka edru.

Båsen setter seg ikke på den vante plassen sin. Han blir stående, strunk og taus og vill i blikket.

Det blir helt stille i messa.

Så roper han: «De er faen ikke riktig navla!»

Folk stirrer på Båsen, som ser ut som om han kan eksplodere når som helst, og det rasles nervøst med skaffetøyet, det klirrer i kaffekrus.

«Hvem tenker du på, Georg?» spør Flise-Guri.

Båsen roper: «De er faen ikke riktig navla!»

Dekksgutt Harald setter kaffen i halsen og får et hosteanfall. Ellers er det stille i messa.

Motormann Smaage kremter og spør om hvem det er som ikke er riktig navla.

«De er faen ikke riktig navla!» roper Båsen.

«Vi har forstått det,» sier Flise-Guri. Han rekker et krus kaffe til Båsen, som griper det og drikker et par slurker. Han setter fra seg kruset med en så hardhendt bevegelse at mye av kaffen skvalper ut.

Båsen fisker opp et sammenbrettet papirark fra bukselomma, bretter ut arket og sier: «Jeg har skrevet et forslag. Jeg skal lese det. Kan noen gi meg en røyk? Jeg må få ned blodtrykket.»

Hemmingsen gir Båsen en sigarett og tenner for ham.

Båsen blåser ut røyk og leser: «Til kaptein Ivar A. Nilsen. De høye herrer i London ser ut til å ha gått fra forstanden da de kuttet i krigsrisikotillegget vårt. Dette gjelder regjeringens medlemmer, Nortraships ledelse og ledelsen i sjømannsorganisasjonene. De har alle sammen fattet en sinnssvak beslutning som ikke kan bli stående. Norsk Sjømannsforbunds skipsgruppe om bord i M/s *Tomar* vil i dag, i løpet av vanlig arbeidstid, ha møte i denne anledning. Intet arbeid vil bli utført av forbundets medlemmer om bord i skipet før slikt møte er avholdt.»

Stillheten senker seg igjen.

«Kommentarer?» sier Båsen.

«Det er høyst uvanlig å ha møte i arbeidstida,» sier Flise-Guri.

Motormann Eiebakke griper ordet: «Jeg er vanligvis tilhenger av Bibelens bud om at man skal adlyde sine foresatte. Jeg pleier å være motstander av alt som er ureglementert, og er ingen tilhenger av kraftuttrykk. Men når det gjelder kuttet i krigsrisikotillegget, er jeg helt enig med tillitsmann Jørgensen. Det er et *ukristelig* vedtak som er fattet i London. Det er *galimatias*! Derfor mener jeg at vi utmerket godt kan ha møte i arbeidstida og vedta en kraftig protest. Jeg foreslår at vi tar møtet med det samme, og at vi trommer sammen de medlemmene som ikke er til stede.»

Eiebakke får applaus. Det er så uvant for ham at han kniser som en jentunge.

Båsen sier: «Jeg går og leverer brevet til skipperen. Og så henter jeg Roy.»

Båsen kommer tilbake sammen med Gnisten.

«Jeg gir ordet til Roy,» sier Båsen.

«Det er ikke bare dere i mannskapet som er forbanna over kuttet,» sier Gnisten. «Det er stor forbitrelse også blant skipets offiserer. Kaptein Nilsen mener at det som har skjedd i London, er uhørt. Han hadde faktisk ingen innsigelse mot at vi tok møtet i arbeidstida. Tvert imot oppmuntra han oss til å vedta ei saftig protesterklæring. Vær så god, gå videre, Georg.»

Båsen blir stående taus med hendene ned langs sida. Fingrene hans begynner å vibrere. Så begynner hele mannen å dirre. Ansiktet hans bli rødt, og de hvite flekkene større. Han minner om Dannebrog der han står.

Halvor synes det gnistrer i Båsens øyne. I den mannen bor et veldig, ubendig sinne som er både skremmende og flott. Halvor tenker at det er som om Båsen i denne stund bærer i seg alt det raseriet som sjøfolk har bygget opp i seg gjennom århundrer med undertrykkelse og utbytting. Båsen er en bærer av sinnet over ørefiker og kilevinker, ballespark, knockoutslag og stokkepryl, over shanghaiing og pisking med den nihalede katt, over kjølhaling og det å måtte gå planken og hoppe til haiene. Han bærer i seg klassehatet mot skipsredere som ble feite mens sjømannen stupte av skjørbuk og beriberi. Hatet mot tyranniske skippere. Hatet mot all urett, all stupid tvang, alle krenkelser, all ondskap som har foregått på havene. Hatet til likegyldige og uvitende politikere, kyniske jævler som lar sjømannen seile sin egen sjø, og ikke bryr seg en dritt om det hvis han drukner eller blir sprengt i fillebiter av en torpedo.

«Jeg er fly forbanna på Nygaardsvold og Nortraship,» sier Båsen. «Men mest av alt er jeg forbanna på forbundets folk i London. Jeg fatter faen ikke hvordan de kunne gå med på dette bedritne kuttet. De har svikta oss da det gjaldt som mest. Dette sviket kan de for faen ikke fortsette med! Hva blir da enden på visa? At vi sjøfolk skal *betale* for å seile ute i krigstid? Vi må sette regjeringa på plass, vi må vise Nortraship hvor skapet står. Og vi må ikke minst gi Union-folka i London en helvetes kraftig oppdrammer.»

Det er ingen som korrigerer Båsen med å si «oppstrammer».

«Hva må gjøres?» sier Båsen.

Halvor tenker på at Lenins *Hva må gjøres?* er favorittboka til faren hans. Han griper ordet og sier: «Vi kan melde oss kollektivt ut av Norsk Sjømannsforbund. Vi kan si at vi vil være utmeldt inntil forbundsledelsen sørger for å få oppjustert krigsrisikotillegget til det nivået tillegget hadde.»

«Det er absolutt en mulighet,» sier Flise-Guri. «Men det må være siste utvei. Vi kunne gå til sit down-streik og oppfordre folka på alle andre norske båter i Liverpool til å gjøre det samme. Problemet er at en sånn streik vil ha liten effekt når båtene ligger i havn.»

«La oss i første omgang fatte et krasst vedtak til pampene i London,» sier Båsen. «La oss sende de folka en skikkelig brannbulle.»

Motormennene Smaage og Eiebakke snakker lavt sammen.

«Vi to nestorer i maskinrommet er absolutt for å sende en bannbulle til London,» sier Eiebakke. «Men da jeg opplevde den gammeltestamentlige vreden din – du minner meg om profeten Amos, slik jeg forestiller meg at han var – fikk jeg en idé om å gjøre noe mer. Smaage er helt enig. Vi foreslår å sende *deg* til London.»

«*Meg?*» sier Båsen.

«Ja, du kunne kanskje gjøre vei i vellinga i London,» sier Eie-bakke. «Våre folk der borte, toppfolka både i regjering og forbund, trenger å få en fornemmelse av hvor rasende vi er, vi på dekk og dørk. Jeg går ut ifra at sinnet ditt holder koken herfra og til London. Det er ikke lange reisa med toget, og du er jo alt pynta for å dra, med slips og greier.»

Forslaget får livlig applaus.

Gnisten tar ordet: «Vi er det som i Statene kalles *grassroots*. Uten grassroots blir det ingen åker og eng. Derfor må toppene bøye seg når grassroots gjør opprør. Det var dette Andrew Furuseth, havets Abraham Lincoln, forsto da han organiserte de amerikanske sjø-folka.»

«Okey-dokey,» sier Båsen. «Jeg er ingen Andrew Furuseth, men jeg tar gjerne den trippen. Trøbbelet er at jeg er hard up for cash. Jeg måtte betale tilbake gjelda mi til Cheng her i Liverpool. Og skipsgruppa har ingen pengekasse.»

«Vi gutta har grunker,» sier Hemmingsen. «Vi spleiser på tog-billetten og ei natt på hotell i London for deg. Det blir ikke mange shillings på hver.»

«Greit,» sier Båsen. «Kan vi vedta det?»

Det klappes unisont. Halvor løper til lugaren og henter proto-kollen, der han som gruppas sekretær fører inn vedtaket om båts-mann Georg Jørgensens reise til London for å stramme opp Norges regjering, Nortraship og Norsk Sjømannsforbunds ledelse.

Halvor sitter lasteromsvakt i toer'n, der kaffelossinga er i full gang. Under seilasen med *Flink* på England lærte Halvor seg at engelske havnearbeidere sjelden jobber som olja lyn. De jobber nok hardere nå, med krigsviktig last. Men kaffelasta tar de det piano med.

Mange av sjauerne har den skikken at de går med slips på job-ben. Skjorta kan være gromøkkete og slipset flekkete som en leo-pard, men slipsknuten skal være korrekt knytta. Nå steiker sola over Liverpool, og i juliheten må selv de mest standhaftige slips-typene løsne på windsorknutene.

Å sitte vakt i rommet er det kjedeligste Halvor vet, og det pin-ligste. Her sitter han, en jypling, og skal passe på folk som er så godt voksne at de kunne ha vært faren eller bestefaren hans.

I Liverpool brukes det sekkehuker til å dra løs kaffesekkene fra stablene de ligger i, og buksere dem fram til midt i luka, der de blir

531

lagt opp i stropper, som hiv. En sekkehuk har et bøyd skaft som det sitter ei rund stålplate på. I stålplata er det skrudd fast kvasse tagger som får godt feste i striesekkene fra Brasil.

Halvor ser jo at det av og til lages ei lita flenge i en sekk, og at en mann stiller seg inntil sekken og lar jakkelommer og bukselommer renne fulle av grønne kaffebønner. Så gjør denne mannen seg et ærend i land for å tømme lommene.

Skal han snakke til de karene som på denne måten sikrer seg litt kaffe til seg og familien? Han synes det å gi tilsnakk ligger under både hans og de engelske havnearbeidernes verdighet. Han husker det som ble sagt om at den lille kaffelasta fra Paranaguá bare holdt til en måneds forbruk for lordene i Overhuset. Det er da for pokker ikke bare lordene i dette landet som har fortjent en kaffetår!

Klokka drar seg mot middag.

Det ropes på Halvor oppe fra lukekarmen, og det er Granli som roper.

«Du kan komme opp, Skramstad.»

Halvor entrer opp leideren og tenner seg en røyk med det samme han setter føttene på dekk.

«Har du sett noe kaffestjæling der nede i rommet?» spør Granli.

«Nei.»

«Man må regne med litt svinn og småsnausing,» sier Granli. «Men nå er det kommet klage fra lastemottakeren, Lampard Brothers. Lampard forlanger at det skal plasseres vaktmannskap fra land i de rommene der det losses kaffe.»

En eldre, spedbygd mann iført kakiuniform dukker opp ved luka. I buksebeltet har han hengt ei kraftig lommelykt og en liten batong.

«Selveste vaktmannen,» sier Granli.

«Du store alpakka,» sier Halvor og greier ikke skjule et flir. Hvis denne puslete vaktmannen tror at han ved å vifte med en batong kan stoppe garvede havnearbeidere som vil ha seg litt kaffebønner, tror han grusomt feil.

«Skipperen ble sinna som en tyrk da han hørte om vaktmennene fra land,» sier Granli. «Det blir en ekstra kostnad for skipet. Jeg trøsta kaptein Nilsen med at Nortraship betaler. For deg, Skramstad, er dette vaktmannstøyset til Lampard gode greier.»

«Hvordan da?»

«Skulle ikke du kikke etter ei liverpudlisk dame? Du kan ta deg fri resten av dagen.»

«Yes!» sier Halvor. «Thank you very much, Sir.»

«My pleasure,» sier Granli.

Etter middag gjør Halvor seg flid med å barbere seg så ansikts-huden blir glatt som ei barnerumpe. Han tar en lang dusj, og doller seg opp med hvitskjorta, tweedjakka, bukser med press og blank-pussa sko.

I lommeboka har han 25 pund. Det er ingen formue, men han føler seg likevel ganske rik.

Halvor vil ikke svette ut skjorta ved å gå til byen i solsteika. Der-for venter han i skyggen i et busskur, til det langt om lenge kommer en buss som skal til sentrum.

Han går av ved Liverpool Central Station, rusler rundt og ser seg om etter en bokhandel. I forretningsgata Bold Street finner han Waterstones Book Shop. Han går inn og møter en eldre ekspeditrise med bustete, grått krøllhår. Dama får ham til å tenke på et av de stedene Åge var på i Australia, Ulladulla.

Ulladulla myser vennlig på ham gjennom tjukke brilleglass.

«I would like to have a map of Liverpool, please,» sier Halvor.

Plutselig er ikke Ulladullas blikk så vennlig lenger. Hun gransker ham intenst fra topp til tå.

«Sorry, Sir,» sier Ulladulla. «We have no maps of Liverpool.»

«No maps?»

«No city maps.»

Halvor synes det er merkelig at en stor bokhandel som Water-stones ikke har et kart over byen. Han slår et slag rundt i butikken. Hva finner han annet enn ei karthylle med en hel bunke Liverpool-kart? Han tar et av disse kartene og går bort til disken.

«I'm sorry, Sir,» sier Ulladulla. «I cannot sell you that map.»

«What?»

«I told you I cannot sell you that map.»

«Why not?» spør Halvor.

«It's against the rules to sell you a Liverpool map.»

«What rules?»

«The rules of war, Sir.»

«Because of the war you can not sell me map?»

«That's right,» sier Ulladulla.

«But why?»

«I feel no need to tell you why, Sir.»

Har det rabla for kjerringa? Halvor prøver å sette seg i hennes sted. Hva er det hun ser ham som? Hun ser en blond ung mann med et utseende som nazistene kaller arisk. Hun hører ham snakke med fremmed aksent.

«You can not sell me map because I am not English?»

«That's right,» svarer Ulladulla. «I will not sell a Liverpool map to a foreigner.»

«You think I am Germany spion?»

Ulladulla svarer ikke. Det heter ikke «spion» på engelsk. Hva heter det? «Secret agent»? Halvor gjentar spørsmålet: «You think I am Germany secret agent?»

«How can I tell whether you are a German spy or a decent foreigner?» spør Ulladulla.

Halvor viser fram registreringskortet sitt. Ulladulla gransker det kritisk og ryster på hodet så de grå krøllene danser.

«I have never seen such a card before,» sier hun. «The card may be fake. It says you are Norwegian and born in Rena. As far as I know, Rena is a city in the United States of America.»

«That is *Reno*, madam, in the United States.»

«So Reno it be. I don't care. I will *not* sell you a Liverpool map, young man.»

Makan til stabeis!

Halvor går bort til karthylla og setter tilbake kartet. Ærlighet varer ikke alltid lengst, tenker han og stiller seg med ryggen til Ulladulla. Her er det best å gjøre som havnearbeiderne under kaffelossinga. Raskt griper han et Liverpool-kart, stapper det innunder skjorta, trekker inn magan og lar kartet gli ned i buksa. Det kjennes stivt og klumsete ut nedi der, men det får gå.

Han forlater Waterstones vraltende som ei and, og vagger så raskt han kan oppover Bold Street. Bold betyr vel å være tøff? Da passer det bra at det var der han stjal et kart han behøvde.

Vel ute av Bold Street trekker Halvor kartet opp av buksa og plasserer det i innerlomma på jakka.

Han synes han kan unne seg et kakestykke og en kopp kaffe, og går inn på et konditori. Der ligger fristende wienerbrød bak glasset i disken. Hva er det wienerbrød heter på engelsk? Han har hørt det før. Ordet har ingenting med Wien å gjøre. Er det noe sydlandsk? Ja, det tror han det må være.

Ei ung jente, bleik som engelske jenter ofte er selv midt på sommeren, står bak disken. Halvor tenker at hun ikke burde stått der, men vært på badestranda.

«I would like a cup of coffee and a Spanish, please,» sier Halvor.

«A *what*, Sir?» spør jenta og ser fryktsomt på ham, som om han skulle ha stilt et perverst spørsmål.

Halvor peker ned på wienerbrødene.

«Oh, you mean a *Danish*, Sir,» sier jenta og ser lettet ut. «Coffee black or white?»

Den svarte kaffen han får, smaker slett ikke verst. Det kan ikke være streng kafferasjonering i England, til tross for snart ett år med krig og forsøk på tysk blokade.

Han ser på wienerbrødets gule øye og tenker på Wien. Til Wien kommer ikke en sjømann. Dit kommer båtfolk, men det er elvefarere i lektere og lange, lave passasjerbåter på Donau.

Hva var det som gikk så jævlig galt i Wien? Da kaptein Nilsen foretok sin oppramsing av Hitlers enkle, billige erobringer, glemte han den enkleste av dem alle, Østerrike. Lett som en plett, nærmest ved et fingerknips, tok Hitler sitt fødeland Østerrike. «Anschluss!» ropte Hitler i 1938, og så ble det Anschluss. Hva skjedde i arbeiderbyen Wien, en av storbyene i verden med størst arbeiderklasse? Det røde Wien! Sosialistene og kommunistene i Wien greide ikke å gjøre oppstand mot Tysklands anneksjon av Østerrike.

Det er sånt som gjør uutslettelig inntrykk på en 17-åring som av faren sin er blitt tuta ørene fulle av snakk om kommunismens fortreffelighet og motstandskraft mot nazismen. Da han var 17, falt kommunistpartiet som et korthus i Wien, akkurat som det tidligere hadde gjort i det røde Berlin.

Det samme må ha skjedd i Paris nå i juni. Kommunistene i Paris greide ikke å mobilisere til opprør mot Hitlers hær. Byen som gjennom Pariserkommunen på 1870-tallet ga kommunismen et ansikt, et heltemodig ansikt, greide ikke å løfte en knyttet neve eller en rød stjerne med hammer og sigd mot nazistenes utstrakte armer og forbannede hakekors.

London er ingen rød by. Halvor har aldri hørt om at det skal finnes noe særlig til kommunistparti i London. Det gjør det vel heller ikke her i Liverpool. Han har ikke sett hammer-og-sigd-merket på jakkeslaget til en eneste havnearbeider her.

Hva er det som gjør at gutta på *Tomar* har klokkertro på at England ikke vil legge seg flatt for Hitler? At London og Liverpool er tøffere enn Berlin og Wien – og Oslo. Det er nok først og fremst den britiske staheten og særheten. Han har nettopp sett denne erkebritiske mentaliteten på kloss hold. Skrulla Ulladulla som i sin spionfrykt ikke ville selge ham et Liverpool-kart. Kanskje er det nettopp sånt skrulleri som berger Storbritannia? Eller finnes det en slags britisk magi som ingen helt forstår, heller ikke britene sjøl?

Halvor gomler i seg det klisne wienerbrødet. Han bretter ut kartet og finner Rodney Street et stykke østover i byen. Gata grenser mot en park som ser ut til å tilhøre Liverpool Polytechnic og Liverpool Nautical College. De store bygningene til disse institusjonene er tegnet inn innenfor det grønne feltet som markerer parken.

Til Rodney Street vil han greit finne veien ved først å følge Duke Street og så fortsettelsen, Upper Duke Street.

I konditoriet selges små sjokoladeesker, der bitene ligger pent pakket og synlig under cellofan. Halvor blir stående og gruble på om han skal velge melkesjokolade eller mørk sjokolade.

Han spør jenta bak disken: «You like milk chocolate or dark?»

«I prefer milk chocolate, Sir.»

Jenta har ikke vært ute i sola, sånn som Muriel Shannon har. Muriel er et friluftsmenneske. Hjemme i Norge er melkesjokolade friluftsmenneskenes favoritt når de går på tur. Men i England er det kanskje annerledes? Det er vel også sånn at melkesjokolade vil smelte fortere i julivarmen enn mørk sjokolade.

«I take a box of the dark, please,» sier Halvor.

Han får sjokoladeeska pent pakket inn i lilla kreppapir.

Rodney Street er verken ei paradegate eller ei fattiggate. Halvor tenker at hvis faren hans hadde vært i følge med ham, ville han sagt at Rodney Street er ei typisk småborgerlig gate. Langs gata ligger treetasjes bygninger som enten er bygd av rød murstein eller malt røde. De fleste ser ut til å huse leiligheter for småborgerskapet, og kanskje for en og annen storborger. Her er ikke mange forretninger.

Kan han ha hørt feil da Muriel Shannon sa «flower shop in Rodney Street»?

Halvor får øye på et skilt der det står Galloway's Flower Shop.

Han går inn. Det plinger i ei lita bjelle, og duften av sommerblomster slår imot ham.

En eldre kvinne står bak disken. Hun likner på den rare dama i bokhandelen, bortsett fra at hun har en blåtone i det grå håret sitt og ikke så mange krøller. Halvor trodde at det bare var gamle amerikanske damer som hadde blått hår, men denne skikken har altså bredt seg over Atlanteren til vestkysten av England.

Halvor sier: «I would like to see Miss Muriel Shannon.»

Kvinnen roper inn i bakrommet, der en radio står på: «Visitor for you, Muriel.»

Musikken i radioen høres ut som noe fra «Svanesjøen» av Tsjajkovskij. Volumet på radioen blir skrudd ned. Halvor hører Muriels stemme rope: «What did you say, Molly?»

«There is a young gentleman from abroad here who wants to see you.»

«A stranger wants to see me?»

«Yes, Muriel dear.»

Muriel kommer ut fra bakrommet. Hun har på seg en enkel, ermeløs sommerkjole av blått stoff. Det merkelige er at det er sommerfuglmønster på kjolen, akkurat som på skjorta han kjøpte i Malaya. Hun har fregner på armene, like mange som i ansiktet. Furuhåret flommer utover skuldrene hennes.

«Hello,» sier hun. «I am Muriel Shannon. You would like to see me, Sir?»

Hun smiler. Tannlegen har satt inn litt gull der emaljen på den ene av fortennene hennes var slått av. Det glitrer i gullet. For Halvor er denne lille gullbiten prikken over i-en. Den gjør Muriel enda mer uimotståelig enn han husket henne som.

«Yes,» sier Halvor. «I meet you at The American Bar.»

«Oh, you are the sailor from Sweden.»

«From Norway, Miss Muriel.»

«I know. I'm just joking.»

Molly trekker seg, med typisk engelsk diskresjon, tilbake til bakrommet.

«I bring a small gift for you,» sier Halvor.

Han gir Muriel sjokoladeeska.

«Lovely,» sier hun. «How did you know I prefer dark chocolate?»

«I am a sailor,» sier Halvor. «I look at the Moon to find out what a beautiful girl would like.»

«That sounds like romantic codswallop,» sier Muriel.

«Like what, Miss Muriel?»

«Codswallop.»

Halvor kjenner at han blir bleik. Det høres ut som et fryktelig ord, codswallop. «Cod» er jo torsk på engelsk, og han tenker på all den gørra som kan være i en torsk, rogn og melke og alt hva det er.

Muriel må ha lest tankene hans, for hun sier: «Codswallop isn't a very bad word. In America they us a much worse word. They say bullshit.»

«I am not come here to make bullshit on you, Miss Muriel.»

Muriel ler. Det glitrer i gullet.

«I really hope you haven't!» sier hun. «How sweet of you to bring me a present, anyway.»

«I think I could invite you to cinema,» sier Halvor.

«That's a nice thought,» sier Muriel. «But you see, I already have a boyfriend I go to the movies with.»

Det hadde ikke Halvor tenkt på. Han blir flat der han står, flat som ei padde som er tråkka på. Å, han skulle ønske han var tråkka tvers gjennom dørken i denne fordømte blomstersjappa! Ute av syne for kattøyeøynene til miss Muriel Shannon.

«Now, if you will excuse me,» sier Muriel. «I have to go back and wrap up some roses for a wedding in Our Lady of the Sea Church. Thank you very much, sailor from Norway, and good-bye.»

Muriel forsvinner inn på bakrommet.

Halvor synes hun går som en gaselle, og at hun har en rygg med aldeles nydelig svai i. Hvorfor pokker har hun en kjæreste? *Han* er sikkert ingen antilope. En elefant er han nok. Nei, en klønete flodhest, nei en grufull *hyene*! Hvorfor har et så vakkert vesen som Muriel valgt seg en skabbete hyene til å gå på kino med?

Den gamle dama, Molly, kommer ut fra bakrommet og glor på ham. Hun har et smil på leppene. Hva pokker er det Molly flirer av? Han har da ikke driti seg *så* jævlig ut? Det er da vel lov å kjøpe litt sjokolade til ei jente i England selv om man ser ut som en tysk spion?

Når han først er i en blomsterbutikk, kan han jo kjøpe en bukett nelliker til å ha på lugaren. Geir Ole fra havgapet i Vesterålen har kanskje aldri sett en nellik noen gang, selv ikke en strandnellik. Det vokser sikkert ikke strandnelliker langt der oppe på Kokkovær i Gokkoland.

Halvor kjøper en bukett røde nelliker, som koster en slikk og ingenting.

Molly lener seg fram og hvisker til ham: «Don't give up too easily on Muriel, sailor boy from Norway. Her boyfriend is a bleedin' idiot. He is a pacifist who doesn't want to go to war. Hang on to Miss Muriel Shannon by the skin of your teeth, that's the advice from this old lady.»

«Thank you very much,» sier Halvor.

«Muriel is the sweetest thing ever to come out of Ireland.»

«She is Irish?»

«Her parents are, and she is an Irish citizen,» sier Molly.

«She is Catholic?»

«Yes, she is a Catholic. But don't let that scare you, even if you are a Protestant like I am myself.»

Muriel kommer ut fra bakrommet med en bukett hvite roser pakket i rosa silkepapir. Hun rynker på nesa og sier: «What are you two talking about?»

«The weather, Muriel,» svarer Molly. «The nice, warm July weather.»

«Oh, shut up, Molly! You have been talking about Sam and me, haven't you? Shame on you! I know you have a liking for soldiers and sailors, Molly. But my Sam is a very good boy, even if he is not a bloodthirsty warrior or a hard-drinking seaman, but a student of philosophy.»

«But my dear,» sier Molly. «I never spoke badly about young Samuel Hopkins.»

Samuel Hopkins. Så det er altså hyenens navn. Halvor tenker at han kommer til å skrive ei dødsliste i dagboka si når han kommer om bord. På den lista vil filosofistudent Samuel Hopkins trone nest øverst, foran både Terboven og Quisling, bare knepent slått av Adolf Hitler.

Muriel legger fra seg buketten på disken, snur på hælen og går på ny inn i bakrommet. Den ryggen! Den svaien! Det søkket i korsryggen like over der akterspeilet begynner! Og så er det filosof-faen Samuel Hopkins som skal få gleden av å berøre Muriels herligheter, mens han, en hederlig sjøens arbeider, aldri skal få se henne for sine øyne mer. Så ond er verden. Så urimelig. Han må la miss Muriel Shannon gå. Han må la henne vandre inn i de skitne labbene til universitetshyenen Samuel Hopkins. Hvis ikke? Han kan jo kverke fyren. Sorry, Sam, but you are a dead man!

«What did you say?» sier en stemme rett ved ham. Det er ikke Mollys sprukne røst, det er Muriels røst, som er smurt med honning, vaniljekrem, rigabalsam og ... hva mer finnes det å smøre med? ... Østbyes skismurning for silkeføre.

Halvor håper han ikke sa det der med å drepe Sam høyt.

«Since you gave me a gift, I'll give you this little card,» sier Muriel. Hun rekker ham et kort med et fargelagt bilde av en ung dame som bærer en liten gutt på armen. I bakgrunnen skimtes havet, med et skipsvrak og folk som ror i en livbåt. Under motivet står skrevet: «Our Lady Star of the Sea, pray for us and all those who are troubled by water's fury.»

«That's a nice card to give to a sailor,» sier Molly. «Even if it's a card from the Catholic church in Bootle.»

«Who is Our Lady Star of the Sea?» spør Halvor.

«Don't you know?» sier Muriel. «Do I have to tell you?»

«Yes, please,» sier Halvor. «Tell me.»

Muriel gir ham ei forklaring. Halvor gjør seg dummere enn han er, for å få nyte stemmen hennes lengst mulig. Han later som om han ikke skjønner hvem Virgin Mary er. Han behøver ikke late som om han ikke forstår hva Stella Maris er, for det forstår han ikke. Muriel forklarer, tålmodig som om han skulle være et barn. Og kanskje er han som en siklende guttunge som bare står og glaner på leppene hennes og det lille gullglitteret.

For hun sier: «You are not listening to what I'm saying, sailor boy from Norway. Where is your ship sailing? To America?»

«I think so,» svarer Halvor. «United States or Canada.»

«It's a risky trip across the Atlantic,» sier Muriel.

«Yes, the Germany … the German … submarines are very dangerous.»

«I'll give you this card as well,» sier Muriel. Hun gir Halvor et svart-hvitt-kort med bilde av ei lita steinkirke på. «That's the church called Our Lady Star of the Sea. It's in Seaforth, in Bootle. I have to go off to that church right now. We have a bad lack of transport in Liverpool, so I have to use my bicycle.»

«Thank you for the cards,» sier Halvor.

«Next time you come to Liverpool you should go and see Our Lady Star of the Sea.»

«Next time I come to Liverpool I will go and see *you*,» sier Halvor.

Muriel fnyser, men hun smiler også. Det krøller seg i de fortryllende munnvikene hennes.

Kapittel 45

Med jakka over armen trasker Halvor i solsteika i Liverpool, langs Duke Street. Han tenker på Treans kraftsalve i Aden: Fuck the fucking Duke of Fuckington. Burde han ikke sjøl føle seg som en slags Fucking Duke of Fuckington, all fucked up? Var ikke Muriel et bomskudd, rett og slett?

Nøkternt sett var hun det. Irsk og katolsk. Sammen med en annen type. Uoppnåelig. Men han *vil ikke* tenke nøkternt om miss Muriel Shannon. Han vil tenke romantic codswallop om henne!

Bomskudd? Det er alltid verdt å skyte. Den som ikke skyter, treffer aldri noen rev eller elg eller noe som helst.

Han gjentar for seg sjøl Mollys ord, «hang on by the skin of your teeth». Pussig uttrykk. Hud har man jo ikke på tenna. Men han liker uttrykket, og han skal sannelig ha det som rettesnor. Han skal henge på og ikke slippe taket.

Muriel forekommer Halvor å være ham overlegen, høyt hevet over en sjøens sliter som han er, en sjøens trell. Ordinary seaman, høyst ordinary, Halvor Skramstad. Miss Shannon jobber bare som selgerske og sykkelbud i en blomsterbutikk? Nei, hun *er* en blomsterbutikk, ei blomstereng. Et blomsterhav!

Nettopp fordi hun er uoppnåelig, vil han prøve å strekke seg etter henne med alt han har. Han trenger noe som er større enn ham sjøl å hige etter, noe som kan løfte ham ut av sjølivets grå hverdager, noe som kan lede tankene hans vekk fra krig og død, torpedoer og magnetiske miner.

I andres øyne er Muriel kanskje ikke noen drømmekvinne. Mannfolk flest vil heller ha ei sexbombe som Ann. Men i hans øyne er Muriel drømmekvinnen.

Nei! Det er feil tenkt. Kvinner er så viktige for sjømenn fordi de ser så lite til dem. Sjøfolk er menn uten kvinner. I de lange døgnene i sjøen har de ingen form for kvinnelig selskap. De har ikke den naturlige omgangen med kvinnfolk som menn i land har. Derfor lager de seg drømmebilder av kvinner og har drømmer som aldri kan bli innfridd.

Han skal ikke gå i drømmekvinnefella. Han skal tenke på Muriel som *den virkelige kvinnen*. Han skal glede seg til å bli kjent med hennes dårlige sider, aparte vaner, unoter, grimaser. Han håper hun vil ta i bruk en parfyme han ikke kan fordra. At hun vil kle seg i jålete plisséskjørt. At hun vil krangle med ham så busta fyker om Jomfru Marias hellighet. At hun vil være Muriel Umuli'el!

Å, han føler seg lett der han går, som om han skulle være fylt med sånn gass som det er i sperreballongene over Duke Street. Han prøver å huske ei morsom linje av en sovjetisk poet, noe han leste i Arbeidermagasinet. Men han kan ikke komme på verken verselinja eller poetens navn. Var det Manikovskij han het? Madarovskij?

Disse sperreballongene, er de egentlig et krigsvarsel, eller hadde kaptein Nilsen mer rett enn han trodde da han kalte dem karnevalspynt? Kanskje ballongene er hengt opp nærmest som en seremoni, for å vise at England er beredt? At hele krigen vil blåse over for Englands del? Den feite slubberten Göring må få bombe London litt for å vise verden at han har baller. Så tenker Hitler, mannen som vil erobre uten omkostninger, at det vil koste mer enn det er verdt, å prøve å ta England. London og Berlin slutter fred. Paris får steike i sitt eget fett. For Norges del ender det med at England og Tyskland inngår en avtale om å dele malmen fra Narvik fifty-fifty. Dermed kan tyskerne trekke seg ut av Norge med stil.

Det som er noe dritt hvis det ikke blir skikkelig krig, er at the bleedin' pacifist, Samuel Hopkins, vil kunne styrke sine aksjer hos Muriel. Pasifismen er en vakker tanke. Mor Margit er helt oppslukt av den tanken. Far Paul ser også for seg et samfunn fritt for krig, når bare verdenskommunismen får triumfert. Men i en krigssituasjon er pasifismen ikke noe mer enn en drøm. Barker det til for alvor mellom England og Tyskland, er ikke filosofistudenten Sams pasifistiske standpunkt mer verdt enn ei sur sild.

Hvem er han egentlig, denne Sam? Halvor har sett for seg en brilleslange av en student, hulkinnet og duknakket, bøyd over tjukke bøker av Kant, Hegel og Schopensauer, hva de nå heter alle disse gamle skjeggebussene av noen filosofer. Kanskje tar han helt feil? Kan hende Sam er bokser. Engelske studenter driver ofte med litt pen og pyntelig boksing. The noble art of self defence. Muligens er Sam tøffere. Studentmester i weltervekt? Nei, det er *roer* han er.

Akkurat nå driver han sikkert og trener på Themsen, i en av åttemannsbåtene til Oxford eller Cambridge. Hvis Sam vil utfordre sin norske konkurrent til duell om Muriel, da kan han trygt velge roing. Sam vil ro fletta av den norske sjømannen, som bare har rodd litt i en pram på Glomma og tatt noen få åretak under livbåtmanøvrene.

Faen til fyr!

Nærmest uten at han har merka det, har Halvor styrt skrittene sine mot Lime Street og Yankee Bar.

Det er deilig å komme seg ut av solsteika og inn i den svale baren.

Halvor tenker at han får trene på å bli mest mulig engelsk, så han bestiller en gin and tonic, enda han synes gin smaker som en blanding av einebæroppkok og piss.

Det har gått noen timer, og det er blitt en del gin. Halvor har delt ut nelliker til barens damer. De har tatt imot og gitt ham suss på kinnet. Han har latt seg kysse av Maggie Day, for høflighets skyld og for å vise at han er venn av alt som er engelsk, også gamle engelske røyer fra attenhundretallets begynnelse.

Han har diskutert krigens gang med en norskættet turbintankerfyrbøter fra Seattle og en jugoslavisk dampskipsmatros fra Splat. Eller Splot? Nei, *Split*. De har skålt for president Roosevelt, king Haakon of Norway og king Paul of Jugoslavia. Eller var det king Peter? Jugoslavia har i alle fall en konge med samme navn som klippene i Atlanteren som *Tomar* holdt på å brase inn i.

Halvor reiser seg brått opp og går uten å sjangle noe særlig til toalettet for å tørke av seg leppestiften.

Lummer luft slår mot ham da han kommer seg ut på gata. Det har begynt å mørkne, og kvelden er blitt ekstra mørk fordi et tordenvær er i ferd med å trekke inn over Mersey.

Han begynner vandringa langs Regent Road. Voldsomme lyn slår ned borte i Birkenhead på den andre siden av elva. Tordenen kommer rullende så det smæler.

Halvor ler. Torevær har han aldri vært redd for. Han tenker at det eneste han må passe på, er å holde seg unna forankringswirene til sperreballongene.

Regndråper treffer ham. Han tenker at hver dråpe er et lite kyss fra Muriel.

Men det begynner å hølje, nesten like voldsomt som under taifunen i Kinahavet, og *så* mye har han ikke lyst til å bli kyssa av Muriel.

Han søker tilflukt under takframspringet på et lagerskur. Der har han selskap av en gjeng på fem–seks soldater i armeens uniform, noen havnearbeidere med flekkete slips og skyggeluene trukket ned i panna, et par unge damer som holder hver sin sykkel, og en mann iført kontordress og bowlerhatt.

Mannen i bowlerhatten hopper høyt og skriker fælt hver gang et lyn slår ned i nærheten. Han har sånn toreskrekk at Halvor synes synd på ham. Han byr Bowlerhatten en Camel og tenner på for ham.

Et lyn slår ned i mastetoppen på et skip i den nærmeste dokken, det må vel være Bramley Dock. Bowlerhatten hyler i panikk, slenger sigaretten og kaster seg om halsen på Halvor. Der blir han hengende som en skjelvende geléklump.

Lempelig løsner Halvor armene til Bowlerhatten og prøver å si ham noen trøstens ord, «not dangerous», «no big risk», «we are safe here».

Disse ordene ser ut til å ha positiv virkning på Bowlerhatten. Han strammer seg opp og ser kjekkere ut. Plutselig griper han en paraply som står stilt opp mot lagerskurets vegg. Den må være hans egen, for det er ingen som protesterer da han tar den.

Et nytt lyn treffer Bramley Dock.

Bowlerhatten slår opp paraplyen, går ut i regnet som pøser ned, og forsvinner rundt et hjørne.

Halvor føler at noe er riv, ruskende galt.

En av havnearbeiderne kommer bort til ham og sier: «Check your pockets, mate.»

Halvor klapper seg på lommene. Den venstre innerlomma i jakka hans er tom. Det var der han hadde lommeboka.

«What happened?» spør havnearbeideren. «The fucking bastard stole your wallet?»

«Yes, I think so,» svarer Halvor.

«It's the oldest trick in the world,» sier havnearbeideren. «I'm sorry, mate. Don't put too much blame on Liverpool. There are harbour rats in every port.»

Det er riktig, tenker Halvor. Havnerotter finnes overalt. Han er forbanna, men han skal ikke være forbanna på Liverpool. Er det noen vits i å prøve å løpe etter tjuven? Nei, den rotteradden har sikkert gjemt seg i et eller annet høl.

«Did the pickpocket get away with a lot of money?» spør havnearbeideren.

«Not so much,» svarer Halvor. «Six or seven pounds.»

544

I virkeligheten var det nok seksten–sytten pund, men det synes han det er flaut å fortelle havnearbeideren.

«Are you a sailor from Norway, mate?» spør havnearbeideren.

«Yes, I am.»

«They pay you Norwegian sailors well, don't they? Better than the British. You can afford to lose a few quid, can't you?»

«Yes, no problem,» sier Halvor.

Han undersøker de andre lommene sine. Kortene han fikk av Muriel, er på plass i høyre innerlomme, og det samme er Liverpool-kartet. Men den faens frekke lommetjuven har greid å raske med seg sigarettpakka og lighteren hans. Registreringskortet! Han hadde gudskjelov ikke lagt det i lommeboka. Det ligger også i høyre lomme. I venstre ytterlomme ligger en rød nellik.

«Have a nice journey, sailor boy,» sier havnearbeideren.

«Good luck in the Battle of Britain,» sier Halvor.

«Our Spitfires will shoot down all them goddamned Messer-schmitts, I promise you.»

Halvt drukna kommer Halvor fram til Gladstone Dock. På *Tomar* arbeides det, til tross for øsregnet, i alle lasterom.

Er det en eller annen engelsk myndighet som plutselig har funnet ut at det norske skipet har viktig last om bord?

Det glinser i regnvåte tinnbarrer i lysskjæret fra lampene som er slått på, både på kaia og om bord. Lysene står nok på fordi det regnes som usannsynlig at tyske bombefly vil angripe i sånt forferdelig møkkavær.

En gummiballe glipper ut av hiven og spretter bortover kaia. Havnearbeiderne ler og banner.

På fallrepet støter Halvor på Granli, som står iført regnkappe og med en bunke våte dokumenter i nevene. Motormann Smaage, iført oljeflekket T-trøye, lener seg over rekka og tar seg en røyk.

«Fant du dama?» spør Granli.

«Jo da,» svarer Halvor. «Det gikk greit.»

«Skal jeg dømme etter pusten din, Skramstad, hygga du og dama dere med en god del drinker.»

«Det ble noen gin and tonics, ja.»

«Og du fikk henne på kroken?»

«Det kan jeg vel ikke akkurat skryte av.»

Smaage sier de gamle ord fra Norges karrige, men fiskerike kyst: «Det er von i hangande snøre.»

«Det var bra du tipsa meg om Hotchkiss'en fra *Morning Star*,» sier Granli. «Maskingeværet kom om bord i ettermiddag. Tømmermann Tveiten er godt i gang med å bygge ny sandkasse på styrbord bruving. Jeg har et helvetes stress med å lede lossinga. På toppen av det hele er alle lasteplansjene mine blitt gjennomblaute. Så dere får ha meg unnskyldt, mine herrer.»

Granli tar på seg en grønn sydvest som han har hatt hengende bak i nakken, festet i et bånd rundt halsen. Der han skrider ut i regnet, ser han ut som losen Ulabrand på et maleri Halvor har sett.

Halvor spør Smaage: «Du jobber overtid?»

«Babord kjølevasspumpe atter ein gong,» sier Smaage og prøver å gi Halvor ei forklaring på hva som er galt med kjølevannspumpene i *Tomar*s maskinrom. Det blir for teknisk for Halvor.

«Jeg skjønner ikke all den leamikken dere sotengler styrer med,» sier han.

«Helsikes vasspumpe,» sier Smaage.

Det er første gang Halvor har hørt ham banne.

På lugaren sitter Geir Ole på en av pinnestolene, bøyd over ei tegneblokk. Han tegner med en blå fargeblyant på arket og er så konsentrert at han ikke merker at Halvor er kommet inn i det vesle rommet.

«Skip o'hoi!» roper Halvor.

Geir Ole ser opp. Raskt snur han blokka sånn at bakstykket av grå papp vender opp. I farta velter han et stort blikkskrin fullt av blyanter i alle slags farger.

Halvor stikker nelliken oppunder nesa på ham.

«Ka farskęn trur du det her e, Kokkovær?» spør Halvor. «Trur du blomsten e etandes?»

Geir Ole ser på ham med et eller annet i blikket som Halvor ikke har sett der før. Så sier han, nordlendingen: «Det ... der ... er ... en ... nellik.»

Halvor blir stående som fjetret.

Geir Ole fortsetter i den samme stakkato rytmen og med spesielt trykk på de spisse østnorske e-ene: «Den *e*r ikk*e* spiselig annet *e*nn for ap*e*katt*e*r fra jungel*e*n på R*e*na.»

Halvor slipper løs et latterhikst, som blir til et brøl.

Da han har ledd fra seg, sier han: «Herrejemini, Kokkovær. Har du øvd lenge på å parodiere oss østlendinger?»

«*Me*get leng*e*,» svarer Geir Ole alvorlig. «I storm og still*e* ut*e* på hav*e*t.»

«Men så le litt, da gutt!» sier Halvor. «Du er jo jævla morsom.»
Et smil drar seg til i Geir Oles ansikt, men han ler ikke.

«Du driver og tegner også?» sier Halvor. «Er det mye annet du
har holdt hemmelig for lugarkameraten din? Du har kanskje gjemt
ei dame i klesskapet ditt. Ei som …»

Han holdt på å si «kan gi deg sugemerke». Han er glad han ikke
sa det. For plutselig har han skjønt at Geir Oles trang til å få satt
sugemerker på seg egentlig er et uttrykk for den samme kjærlig-
hetshungeren som han sjøl har i seg.

«Æ har fått nye tenner,» sier Geir Ole.

Nå ler han omsider, og sannelig, det er kommet to tenner på plass
som erstatning for dem han fikk slått ut da ankerkjettingen røyk i
Aden.

«Stifttenner,» sier Geir Ole.

«Fine greier,» sier Halvor. «Men nye tenner kosta vel plenty?»

Geir Ole forteller at Gnisten sa at han hadde krav på nye tenner
på Nortraships bekostning. Tannskader som følge av arbeidsuhell
skal man få erstatning for. Han gikk til generalkonsulatet for å få
forskudd til å betale tannlegen. På konsulatet møtte han en jævla
blei som ikke ville gi ham noe forskudd. Men så kom en snål fyr
med lite hår og stor sigar ut fra et kontor. Han sa at forskudd skulle
utbetales, og da ble det slik.

Da tannlegen var betalt, hadde Geir Ole penger til overs til å
kjøpe seg det store skrinet med fargeblyanter som han hadde drømt
om, en boks med 64 Crayola-blyanter i alle regnbuens farger.

«Det var nok generalkonsulen himself du støtte på,» sier Halvor.
«Jeppesen. Har du røyk? En fordømt kjeltring stjal lommeboka og
røykpakka mi.»

«Shit happens,» sier Geir Ole.

«Jøss, har du lært deg engelsk også, nå?» sier Halvor og tar imot
sigaretten han blir budt. «Det er ikke måte på med deg i dag,
Kokkovær. Vis meg hva slags kunstverk du har tegna.»

Geir Ole sier at det er ingenting å vise fram, bare rabbel.

Halvor gir seg ikke, og Geir Ole snur blokka og sier at det han
har tegnet, liksom skal forestille Gaukværøya en sommerdag.

«Men jøss,» sier Halvor. «Det *er* jo Gaukværøya sånn som du
har fortalt meg at den ser ut. Med bratte, grå berg og grønne enger
der det beiter sauer. Det *blir* jo fakta faen et lite kunstverk når du
får tegna ferdig det blå havet. Bare en detalj. Hvorfor har du tegna
måkene brune?»

«Det e ikkje stormåse,» sier Geir Ole. «Det e havørn.»

«Naturligvis,» sier Halvor. «Kor steikandes toskat æ e.»

Geir Ole blar opp et nytt ark.

Motivet er en gigantisk havørn som letter, med et lite lam i klørne, gapende guloransje nebb og et ondt glimt i øynene.

«Huff,» sier Halvor. «Det der var veldig naturtro.»

På neste ark har havørnen slått kloa i et nakent spedbarn.

«Skummelt,» sier Halvor og skutter seg. «Virkelig jævla skummelt, Geir Ole. Har ikke det hendt der oppe i nord at ørn har tatt barn?»

Geir Ole nikker og blir alvorlig igjen.

Halvor kjenner seg litt frøsen og vrenger av seg blaut jakke og skjorte, tar på seg genser.

De blar bakover i blokka, til tegninger laget med svart blyant.

«Det er jo som å *se* Sydney Harbour Bridge,» sier Halvor. «Særlig synes jeg du er flink til å lage skygger, skyggene som tårnene på brua kaster. Har du lært alt dette helt av deg sjøl?»

Geir Ole sier at han har tatt et brevkurs i tegning, og at han har et par lærebøker hjemme.

«Har du tegninger fra Thailand?» spør Halvor.

Opp kommer ei tegning av en gutt og ei jente.

«Det er jo Tae og meg!» sier Halvor.

«Tegna etter fotografiet du har på skottet,» sier Geir Ole. «Æ har ei tegning med levandes modell. Såkalla aktmodell.»

«Show me,» sier Halvor.

Han blir sittende målløs og se på strektegninga lugarkameraten hans har lagd.

«Det må være Sirikit i dusjen,» sier han. «Hun er nesten til å ta og føle på. Hva sa Hemmingsen til at du tegna henne?»

«Han fekk ei tegning av Sirikit liggandes på magen. Mot eit løfte.»

«Løfte om hva da?»

«At han ikkje skulle runke på den.»

«Nei, det er klart,» sier Halvor. «Fy for skam. Hvis det skulle gå deg galt her i verden, Geir Ole, og fisket oppi Gokk skulle slå feil, kan du garantert leve av å tegne nakne damer. Og helvetes havørner.»

Halvor ligger i køya med dagboka oppslått på ei blank side. Han pønsker på den sovjetiske poetens navn.

Majakovskij! Vladimir Majakovskij. Hva var det han skrev som passer så fint på den stemninga lettmatros Halvor Skramstad har vært i etter at han møtte blomsterselgerske Muriel Shannon? Ei sol i skjorte? En måne i strømpe?

Han kommer endelig på det og skriver med store bokstaver på dagboksarket: «EN SKY I BUKSER.»

Midt i natta våkner Halvor av at han er tørst. Han klyver ned fra køya og tenner lugarlampa. Geir Ole pleier ikke våkne av lyset.

Halvor får øye på den røde nelliken. Den er stukket inn i tanngarden på haikjeften. Det må være Geir Ole som har gjort det. Halvor liker ikke det synet. Det vekker ei uhyggestemning i ham. Det skal ikke være nellik i haikjeft!

Han røsker til seg nelliken, går til dusjrommet og spyler blomsten ned i dass. Han tapper vann i vannflaska og går og legger seg igjen. Tenner leselampa og blir liggende og se på kortet med bildet av Our Lady Star of the Sea. Det fyller ham med en følelse av andakt, av at det finnes noe som er hellig i en hard verden, noe som er høyt hevet over hverdagens slit og sut. Han har nok mista Gud. Til gjengjeld har han funnet en lady som er sjøens stjerne.

Han ser på kortet med fotografiet av den lille steinkirka. Enda så lita den er, har kirka to ruvende dører. Over den ene døra står det skrevet med store hvite bokstaver på svart bunn «STAR OF THE SEA», over den andre «PRAY FOR US». Systemet i ei katolsk kirke er kanskje sånn at man går inn gjennom den ene døra for å be og ut gjennom den andre etterpå.

Det rumler av fjern torden. Hjelpemotoren durer og går. Det kviner i en vinsjetrommel som trenger smøring. Det må bety at havnearbeiderne jobber natta igjennom.

Til frokost viser Halvor kortet med Our Lady Star of the Sea til motormann Leif Eiebakke.

«Hvorfor kalles Jomfru Maria også for Stella Maris?» spør Halvor.

«Det er typisk katolsk rot og rør,» sier Eiebakke. «Stella Maris er Polstjerna. Katolikkene i Irland kaller Jesu mor både for Virgin Mary, Our Lady Star of the Sea og Stella Maris. Jeg synes det er avskyelig hvordan katolikkene sauser i hop Jesus og mora hans og Polstjerna. For meg er det bare én frelser, og det er Jesus Kristus. All helgendyrkinga til katolikkene grenser til hedenskap, spør du meg.»

«Men du må innrømme at det er et pent bilde på dette kortet?»

«Pene bilder frelser ingen,» sier Eiebakke. «Du må passe deg for papistene, Skramstad.»

«Papistene?»

«Katolikkene. Blir du katolsk i hodet, har du begynt å vandre på veien mot fortapelsen.»

Det øsregner stadig i Liverpool denne lørdags formiddagen. Men lossinga går for fullt, og Halvor og Flemming fra Fyn står på ei stilling under hekken og svinger malerruller med gråmaling. Oppe på poopen står kaptein Nilsen i full uniform og følger med på malerarbeidet.

Kapteinen har måttet bøye av for et ultimatum fra Nortraship. Hvis ikke *Tomar*s navn og navnet på hjemmehavna blir overmalt, vil skipet ikke få seile. Det er ingen bønn.

Værgudene støtter kapteinen, som av hele sitt hjerte ønsker å unngå å seile anonymt. Blandet med regnvann vil ikke malinga sitte. Den renner nedover som grått, klumpete grums, og det står ennå T og O og M og A i hekken. Bare R-en er delvis dekka.

Båsen og Flise-Guri kommer med ei presenning som de vil rigge til over stillinga. Kaptein Nilsen protesterer, men Halvor hører at det er en spak protest, og at kapteinen har kapitulert for overmakta i Nortraship.

Presenning rigges. En pøs full av tørr twist og en pøs halvfull med white spirit låres ned på stillinga. Halvor og Flemming fra Fyn gnukker og gnir på bokstavene, og begynner å male på ny. Nå sitter malinga.

«Den flyvende hollender,» sukker kaptein Nilsen. Han forlater poopen.

Like før middag dukker Båsen opp etter sin ekspedisjon til London, frisk og rask og rød i kinnene som en konfirmant.

«Gjør unna middagsetinga på en halvtime, gutter,» sier Båsen. «Så tar vi Union-møte den siste halvtimen.»

På slaget tolv begynner folk å hive innpå dagens rett, som er fersk makrell.

Nå ja, tenker Halvor, helt fersk er makrellen ikke. Den har en liten bismak av et eller annet kjemisk. *Kan* det virkelig være salpeter?

Et rykte har bredt seg i Liverpool havn fra det ene norske skipet til det andre: Nortraship har beordret tilsetting av salpeter i skipskosten for å dempe potensen hos mannskapene.

Hvorfor ønsker Nortraship at alle mann skal få hengepikk? Det er angivelig fordi det da vil bli færre utskeielser i havn og større effektivitet i arbeidet.

Åge, som Halvor regner som skutas suverent mest overtroiske mann, er den som tror minst på salpeterryktet.

«Det gikk ille mye rykter om salpeter i maten under den forrige krigen også,» sier Åge. «Bare tøv og tant, alt sammen. Jeg var i min beste alder den gangen. Fyrig som Casanova. Jeg åt alt som ble servert om bord på fem forskjellige skip gjennom krigens fire år. Merka jeg svinn i pungen? Slapp stake?»

Ingen svarer på spørsmål som så åpenbart har et klart svar.

«Jeg kunne ha hesja høy på den stauren jeg hadde da Den store krigen var slutt,» sier Åge.

Ti på halv ett er alle forbundets medlemmer på plass i messa.

«Sjølsagt kommer jeg ikke tilbake fra London med økt krigs-risikotillegg,» sier Båsen. «Sånn funker ikke verden. Likevel var det absolutt ingen bomtur. Vi fikk satt en støkk i storkara.»

«Hvem var 'vi'?» spør Flise-Guri.

«Vi var en gjeng Union-sjøfolk som samla oss på County Hotel. County er blitt det norske sjømannshotellet i London. Vi fikk rede på at det skulle være norsk regjeringsmøte. Gjengen dro av sted til Whitehall, som er regjeringskvarteret i London. Der laina vi opp utafor et kontorbygg. Det varte og det rakk, og jeg trodde kanskje noen hadde bløffa oss om det møtet. Hett som i helsike var det å stå der i sola på fortauet. Vi sendte de yngste gutta for å hente flaskevann. Ikke øl, nei. Vann. Plutselig gikk ei diger dør opp, og ut kom Gubben – det vil si Nygaardsvold – og hele kostebinderiet. Skipsfartsminister Sunde og justisminister Lie og flere som jeg ikke vet navnet på.»

«Kom kongen?» spør Erasmus Montanus.

«Ikkje avbryt,» sier motormann Smaage.

«Kongen var ikke der, nei,» sier Båsen. «Og det var kanskje like bra. Vi hadde nok ikke turt å ta i såpass som vi gjorde, hvis kong Haakon hadde dukka opp. Det var en svenske i flokken vår, en som har seilt i årevis på norske båter. Ingemar Saltsjö, tror jeg han het. Han var en kjempe av en mann. Han flådde av seg skjorta. På over-kroppen hadde han tatoveringer nok til et helt skipsmannskap. Det var slanger og drager og haier. Han så ut som han var sendt rett fra Neptuns rike. Jeg ble nesten fælen ved synet, enda jeg har sett det meste her i verden. Regjeringas folk ble stående stive som salt-støtter ved synet av Saltsjö. Svensken ropte. Han hadde litt pipete stemme. Hva heter det? Fagott?»

«Falsett,» sier Smaage.

«Det at Saltsjö ropte i flasett, gjorde ingenting,» sier Båsen. «Budskapet var klart og utvetydelig. Han ropte: Hør her, Ni stats-ministare Nygaardsvold! Er Ni skeppsredarnas statsministare, eller er Ni skeppsarbetarnas statsministare? Er Ni en tjenare før Nortra-ship eller en tjenare før sjøens folk? Er Ni en lakej før engelskmen-nen, eller er Ni en tjenare før Norjes sak? Er Ni en horkarl før kapitalet, eller er Ni arbetarnas mann? Nu får Ni ta mej tusan visa oss! Ellers kan Ni før fan i helvetet hoppa til hajorna! Har Ni ballor i brallorna eller har Ni potatismos?»

«Eine grausame Schwedische Salbe,» sier Smaage fornøyd.

«Hva svarte Gubben?» spør Hemmingsen.

«Han ble svar gyldig,» sier Båsen. «Hele situasjonen kom nok litt bardun ... bardunst ... på ham. Det var med ei messejente i gjen-gen vår. Pen i tøyet og høyhæla sko og alt i orden. Fra en av båtene til Fearnley & Eger i Oslo. Ei sånn typisk munnrapp Oslo-dame. Hun ropte: De bør skamme Dem inn til margen over å ha krympet krigsrisikotillegget, herr Nygaardsvold! Hvis De *har* noen marg, da. Jeg hadde ikke trodd at Norges London-regjering besto av ryggesløse blautfisker. Har dere testikler i denne regjeringen, eller har dere tentakler?»

«Og Gubben ble stadig svar skyldig?» spør Gnisten.

«Ja, han bare sto der og svetta og vifta seg med hatten sin. En annen statsråd, en som Saltsjö etterpå kalte en typisk gråsosse, sa: Hva mener De med *tentakler*, frøken? Hun svarte: Det skal jeg san-nelig si Dem, herr minister. Med det mener jeg at dere oppfører dere som gyselige blekkspruter som prøver å suge saften ut av sjø-ens kvinner og menn!»

«*Da* må vel Gubben ha tatt til motmæle?» sier motormann Helge Hvasser.

«Nei,» sier Båsen. «Da Oslo-dama hadde ropt dette, slengte flere av gjengen luer og hatter i været og ropte hurra og heia. Nygaards-vold så ut som om han ville snu og gå inn døra igjen. Saltsjö skreik: Er Ni en jækla fegis, herr statsministare? Tør Ni inte se eran eget folk i øgonen? Har Ni personligen stulit våran krigsrisikotillegg? Stanna backa och børja snacka, før tusan!»

«Og Nygaardsvold snakka?» spør matros Rønning.

«Han kremta og skulle til å si noe. Men jeg kom statsministeren i forkjøpet. Jeg hadde fått ånden over meg og ville gi mitt besyvende med. Min trane vo forsnakka jeg meg. Så jeg ropte: Gi oss risikopenga tilbake, din helvetes politiske humlebukk fra Horevik!»

«Da ble det vel atskillig munterhet?» sier Flise-Guri.

«Jo da, folka i gjengen lo så de grein, og til og med en av statsrådene i bakerste rekke begynte å flire. Folka ropte: Risikopenga tilbake, politiske humlebukk fra Horevik! Politiske humlebukk fra Horevik!»

«Det var enda godt at du sa *politiske* horebukk om mannen fra Hommelvik,» sier Gnisten. «Hva Nygaardsvold foretar seg i seksuallivet, hvis han har noe sådant, er oss forbundsmedlemmer uvedkommende. Det er politikken som gjelder. Har vi grunn til å tro at regjeringa legger om kursen og bringer tillegget tilbake til hva det var?»

«Jeg har faktisk en viss tro på det,» svarer Båsen. «Det var ikke bare rop og leven vi kom med til Whitehall. Vi hadde også med oss et seriøst dokument med klare krav og trusler om aksjoner på alle båter der forbundet har medlemmer nok til å sette makt bak krava.»

Halvor synes han bør si noe: «Det gjelder å stå på krava. Men hva sa forbundets folk i London?»

«De sa ikke en dritt,» sier Båsen.

«Det kan du ikke mene,» sier Eiebakke.

«Jo, det er sant. Forbundets folk i London var ikke i byen. Vi fikk beskjed om at de var på et møte i Glasgow. Kanskje var de det, kanskje hadde de stukket av fra London fordi de luktet lunta og ikke ville møte en horde rasende skipstillitsmenn og medlemmer.»

«Noe helt annet,» sier Flise-Guri. «Vi er snart utlossa. Søndag kveld er *Tomar* ei tom skute. Når får vi rede på hvor vi skal seile herfra, og om det blir konvoiseilas på oss?»

«Kaptein Nilsen venter beskjed fra Nortraship i løpet av helga,» sier Gnisten.

Det bøtter ned i Liverpool utover lørdagsettermiddagen, men Halvor og Flemming fra Fyn prøver å male over skipsnavnet i baugen, på babord side. Kaptein Nilsen spaserer fram og tilbake på bakken under en oppslått paraply. De to som står på stillinga, kan høre at kapteinen er der oppe, for han går og grumler og småbanner. Av og til kikker han over svineryggen og ned på de to våte malerne på stillinga.

Malinga sitter litt bedre her forut enn den gjorde i hekken, fordi skipsnavnet her er malt under framspringet på baugen og dermed er i ly for direkte treff av regnet. Likevel renner det gråmalings-grums nedover skutesida, og hele jobben er noe fordømt klin.

Halvor og Flemming fra Fyn mener at de har kamuflert skips-navnet så godt det lar seg gjøre, og klatrer opp leideren og haler opp stillinga.

«Jaha, Skramstad og Stenkjær,» sier kapteinen. «Jeg kan jo ikke legge skylden på dere for at vi nå skal seile som om skipet vårt er med i Richard Wagners berømte opera. Dere gjør en grisejobb, og den vil bli belønnet med en liten påskjønnelse.»

Et stort stykkgodsskip kommer til syne som en grå skygge i reg-net ute på Mersey. Skipet blir slept av to taubåter. Det kommer nær-mere, og de tre som står på bakken på *Tomar*, kan se at det er en havarist med en enorm flenge langt akterut i styrbord skuteside, og sterk slagside. Havaristen siger forbi Gladstone Dock.

Akterskipet er et fryktelig syn. Hele hekken er blåst bort, og det er et gapende hull inn til maskinrommet. Propell og ror må ha gått føyka.

«Hva kan ha hendt med den båten der ute?» sier Halvor.

«Minesprengt, vil jeg tro,» sier kaptein Nilsen.

Flemming fra Fyn sier noe som de to andre oppfatter som at han synes det er rart at en magnetisk mine har sprengt akterskipet, fordi magnetminene gjerne søker seg til baugpartiet på båtene.

«Skipet er neppe truffet av en magnetisk mine,» sier kapteinen. «Jeg tror det må dreie seg om en ny djevelsk innretning tyskerne har funnet opp, en såkalt *akustisk* mine. Den har en søkemeka-nisme som registrerer lyden fra propeller. Seiler vi over en slik mine, vil den søke seg mot propellen vår, detonere mot propellbladene og sprenge akterskipet vårt.»

«Fy faen,» sier Halvor. «De forbannede feige tyskerne vil sprenge ræva av oss!»

«Slik kan man si det med et folkelig uttrykk,» sier kapteinen. «Minevåpen av denne typen burde vært forbudt gjennom inter-nasjonale konvensjoner. Dessverre er det slik at i krig og kjærlighet er alt tillatt. Dermed har ikke utviklingen av den akustiske minen latt seg stoppe.»

«Finnes det noe slags system, sånn som degaussing, som kan beskytte oss mot disse nye djevelminene?» spør Halvor.

«Det er snakk om at det kan lages beskyttelsesnett som kan festes på skroget rundt propellen. Det finnes allerede slike nett, som enkelte skip bruker til vern mot torpedoer. Problemet med sikkerhetsnettene er at de sinker skipenes fart. Dessuten har de dårlig holdbarhet og slites lett av i grov sjø.»

Et nytt tordenvær trekker inn over Mersey.

Halvor og Flemming fra Fyn lårer ned stillinga på styrbord baug. De kliner over T og O og M og A og R med gråmaling så gørra skvetter.

Da de er ferdige, står kaptein Nilsen under paraplyen sin på bakken og venter på dem.

«Jeg får vel si vel blåst, gutter,» sier kapteinen. «Da seiler vi som et navnløst, grått skip blant tusen andre navnløse, grå norske skip. Dere må ha meg tilgitt mitt vemod.»

Kapteinen gir de to hver sin flaske Gammel Dansk.

Halvor står utenfor båtsmannssjappa og vasker av seg gråmalinga med white spirit. Det lyner og tordner. Plutselig blaffer det voldsomt opp på himmelen, på en annen måte enn lyn gjør. Han kikker opp og ser et blendende lysskjær, så hører han lyden av et veldig poff, som om noen skulle ha slått flat en papirpose så stor som en blåhval.

Båsen kommer løpende.

«Lynnedslag og eksplosjon i sperreballongen som hang rett over huet på oss!» roper han. «Søk dekning, i tilfelle wiren kommer rausende!»

Halvor og Båsen søker dekning i sjappa. Wiren kommer ikke, den må ha falt et annet sted. Det som kommer, er brennende flak av ballongduk. De drysser ned på *Tomar*s dekk. Båsen smeller igjen sjappedøra for at ikke glødende flak skal fyke inn og antenne all white spiriten.

«Godt vi ikke er på en bensintanker,» sier Båsen. «Da kunne det ha blitt månelyst. Her om bord kan ikke ballongflaka gjøre særlig skade.»

«Burde vi ikke være med på slukkingsarbeidet?» sier Halvor.

«Det er sikkert nok av folk ved brannslangene allerede,» svarer Båsen. «Verken du eller jeg er satt opp som slangeførere. Du må huske, Skogsmatrosen, at i en krisesituasjon kan ikke *alle* gjøre *alt*. Da blir folk bare flyende i beina på hverandre.»

De står i taushet og ser gjennom ventilen i sjappa at de fleste flakene slukker av seg sjøl på det våte dekket.

«Noe jeg har lurt på,» sier Halvor. «Var alt det artige du fortalte om møtet med regjeringa i London, helt dønn sant?»

«Det meste,» svarer Båsen. «Jeg smørte på litt når det gjaldt han svensken. I virkeligheten tok han ikke av seg skjorta før etterpå, da vi satt med en øl på gressplenen i Hyde Park. Det hadde bare vært så jævla flott om han hadde flådd av seg skjorta midt i fleisen på Gubben og vist fram tatoveringene som en hilsen fra kong Neptun.»

«Humlebukk fra Horevik? Ropte du virkelig det?»

«Ja, bevares. Det har jeg vitner på.»

«Alt dette med snittefik og trane vo og andre rariteter. Er det sånn at du av og til forsnakker deg med vilje?»

«Jeg har et naturlig, medfødt talent for forsnakkelser. Men det hender at jeg finner på for skøy. Det gjør jeg særlig når det trengs at noen går foran for å stramme opp marolen.»

«Marolen?»

«Det var et påhitt. Hadde jeg sagt 'stramme opp moralen', ville du ha glemt det fort. Nå vil du for ever og alltid huske at du sto i sjappa sammen med båtsmann Jørgensen på *Tomar*, at det regna brennende ballongflak som en påminnelse om den jævla krigen vi er midt oppe i, og at han sa 'stramme opp marolen'. Kanskje vil du en gang si det sjøl: Vi må stramme opp marolen, karer.»

«Skjønner,» sier Halvor. «I see your point.»

«Very well. La det jeg her har sagt, bli mellom oss.»

Uværet driver vekk. Mørket faller på.

Flyalarmen går.

Sammen med mannskapet fra dampskipet *Dubrovnik* av Rijeka søker karene fra *Tomar* tilflukt i shelteret. Det er ikke så stuvende fullt av havnearbeidere denne gangen.

En av jugoslavene fikler nervøst med en rosenkrans. Han har bare rukket å telle perlene én gang da faren over-signalet lyder.

Havnearbeiderne som har holdt seg i lasterommene, flirer da mannskapet entrer om bord i *Tomar* igjen.

Hvordan pokker kunne havnas folk vite at det var falsk alarm? tenker Halvor. Han må venne seg til at det er mange gåter i en krig.

Kapittel 46

Byssetelegrammet som er i omløp på *Tomar* om formiddagen søndag 21. juli, går ut på at det blir Canada og korn.

Dette blir bekreftet av ei melding som blir hengt opp på oppslagstavla like før middag:

«M/S TOMAR vil så snart skipet er ferdig utlosset i Liverpool avgå til Canada for å ta inn en last korn. Sannsynlig anløpshavn i Canada er Québec ved St. Lawrence-flodens munning. I henhold til instrukser fra Nortraship, britiske Naval Control og britiske Admiralty vil det av sikkerhetshensyn ikke bli gitt opplysninger om skipets seilingsrute fra skipsfører til offiserer og mannskap før TOMAR har kvittet losen ved Bar Lightship.

Ivar A. Nilsen, skipsfører.»

Halvor har lest oppslaget sammen med motormann Helge.

«En trip til Canada høres all right ut for meg,» sier Halvor.

«Ja, det er greit nok,» sier Helge. «Men *hvordan* skal vi seile til Canada? Blir det i konvoi eller som independent ship? Og hvis vi skal seile aleine, velger kaptein Nilsen den sørlige eller den nordlige ruta?»

De to går til mannskapssalongen, finner atlaset og studerer kartet over De britiske øyer. Fra Liverpool og Irskesjøen er det to muligheter for å komme ut i Atlanteren. Den ene er å seile nordover gjennom North Channel mellom Skottland og Irland. Den andre er å seile sørover gjennom Saint George's Channel mellom Irland og Wales.

«Det ryktes at konvoier fra Liverpool nå har fått ordre om å bruke North Channel,» sier Helge. «Det er pokker ikke så rart.»

Han peker på Fastnet Rock, den lille klippeøya som er Irlands sørligste punkt. Med fingeren slår han en stor bue over farvannet sørvest for Fastnet.

«Dette farvannet har den siste måneden vært det farligste i verden,» sier Helge. «Der har det ligget tjukt av tyske ubåter på lur, og de har fått sitt bytte, det skal være sikkert. Tankeren *Eli Knudsen** ble ved sankthanstider senket hundre nautiske mil sørvest av Fastnet. Jeg har også hørt rykter om torpederinger av andre norske skip her. Det skal ha vært et fra Amerikalinja, en bergensbåt og en liten damper fra Drammen.»

«Vi vet ikke sikkert om *Eli Knudsen* av Haugesund ble truffet av en torpedo,» sier Halvor. «Flise-Guri har hørt at sabotører hadde plassert en sprengladning om bord.»

«Det tror jeg er bare snakk,» sier Helge. «Engelske myndigheter vil liksom ikke ta innover seg hvor stor ubåtfaren er, og så spres det rykter om sabotører. Dekksgutt Harald møtte kjenninger fra båten som var blitt landsatt her i Liverpool. Disse haugesunderne var sikre på at *Eli Knudsen* ble torpedert. Hun kom med oljelast fra Aruba og hadde slutta seg til en konvoi i Halifax. Hvor sannsynlig er det at tyskerne har greid å plassere sabotører på Aruba og i Halifax?»

«Tyskerne er sleipe jævler. De kan ha plassert ut hemmelige agenter mange plasser. Det kan finnes tyske muldvarper her i Liverpool, for alt vi vet.»

«Konvoien fra Halifax ble oppløst på ordre fra commodoreskipet,» sier Helge. «Det skjedde etter at en britisk tankbåt hadde eksplodert midt inne i konvoien. Så sier noen at denne eksplosjonen midt i konvoien tyder på at sabotører hadde montert en sprengladning på den britiske tankeren. Men det kan like gjerne være et eksempel på at de tyske ubåtskipperne er så vågale at de går inn i midten av en konvoi og fyrer av torpedoer. Hvorfor faen skulle commodore oppløse konvoien hvis han ikke trodde at det var ubåter på ferde?»

«Du har et poeng,» sier Halvor.

«*Eli Knudsen* lå aleine på havet da det smalt i forskipet om styrbord. Hun begynte å synke med en gang, men folka fikk båtene på vannet og ble plukka opp av et britisk krigsskip. Skjebnen til haugesunderen viser oss én ting. Det er ikke helt opplagt at det bare er fordeler ved å gå i konvoi. Ubåtene flokker seg ved konvoiene. Dersom en konvoi går i oppløsning på grunn av dårlig vær, eller blir oppløst av commodore, ligger de enkelte båtene der som lett bytte for ubåtene.»

«Like forbanna håper jeg at vi skal gå i konvoi.»

«Jeg er mer usikker,» sier Helge. «Tyskerne vil helt sikkert få rede på at konvoiene kommer til å gå nord om Irland. Da sender de ubåtflåten dit, for å denge løs med alt de har. Og det er ikke all verdens eskorte engelskmennene kan varte opp med. De er jævlig i beita for krigsskip. Det kan bli den reine tyske slakt av konvoiene. Kanskje det beste, når alt kommer til alt, er å seile som independent rundt Fastnet. Har du røyk på deg?»

Halvor byr på en Camel og tenner en sjøl.

«Ja ja,» sier Helge. «Her sitter vi og snakker som eksperter på sjøkrigen, enda vi knapt er blitt tørre bak øra.»

«Du må lære meg kunsten å skrive kjærlighetsbrev,» sier Halvor.

«Har du funnet deg dame i Liverpool?»

«Jeg har ei jente der i kikkerten, ja.»

«Herregud, som jeg skulle ønske at Paulette bodde i Liverpool og ikke i Le Havre. Har du sett *Tåkekaien* med Jean Gabin, den filmen som ble tatt opp i Le Havre?»

«Ja, jeg har sett den,» sier Halvor. «Det er kanskje den beste filmen jeg har sett, selv om den var jævla dyster.»

Seint søndag kveld legges lukene over på *Tomar*. Det regner stadig. Dekksgjengen bakser med lukepresenninger som er blitt tunge av væte.

De kaster loss og haler inn manilatrosser som vannet spruter av.

Halvor går opp for å ta rortørn. Han stopper på båtdekket og ser innover mot sentrum. Det er ikke stort å se, mørklagt som byen er.

«Bye, bye, Liverpool,» sier han og sender et slengkyss til miss Muriel Shannon.

En taubåt assisterer *Tomar* ut av Gladstone Dock.

I Mersey-munningen blåser frisk bris fra sørvest. Vinden tar tak i *Tomar*, som flyter høyt nå som hun seiler i ballast.

Halvor strever for å holde henne opp mot vinden.

De kvitter losen ved Bar Lightship. Alle tre styrmennene er samlet på brua.

Kaptein Nilsen samtaler lavmælt med Trean, Nyhus og Granli.

Hva nå? tenker Halvor.

«Du kan komme babord over, Skramstad,» sier Trean.

«Fastnet, for faen,» sier Halvor.

«Sa du noe?» spør Trean.

«Nei. Babord over skal bli.»

Ved midnatt blir Halvor avløst av Flemming fra Fyn. Nyhus avløser Trean.

«Styrmann Granli og jeg vil informere dere om situasjonen,» sier kaptein Nilsen til Halvor og Åge. «Dere kan sammenkalle alle som har frivakt, til møte i mannskapsmessa. Det gjelder også maskinistene.»

Med maskinistene på plass blir det trangt om saligheta i messa. Kapteinen ankommer i full uniform, med livvest utenpå uniformsjakka. Granli har på seg battledressjakke. Også han bærer vest.

«Jeg kan love dere at jeg ikke kommer til å avholde mange møter ved midnatt,» sier kapteinen. «Nå har vi en spesiell situasjon, og jeg følte behov for å gi dere alle en orientering. I samråd med Nortraship, det norske skipsfartsministerium i London og britiske sjøfarts- og marinemyndigheter er det besluttet at *Tomar* skal seile som independent ship til Québec. Det kan vi gjøre fordi vi er i stand til å holde god fart, og fordi det antas at tyske ubåtkapteiner er mer interessert i å angripe skip som har full last om bord, enn skip som seiler i ballast.

Ved daggry vil vi få lufteskorte av en Sunderland flyvebåt. Denne maskinen vil følge oss ned til Cork på østkysten av Irland. Vi skal så seile rundt Fastnet Rock. Det verserer en del myter om hvor farlig farvannet sørvest for Fastnet er. Styrmann Granli vil si noen ord om det som faktisk har skjedd i dette farvannet i løpet av de siste fire ukene, basert på de opplysninger vi har samlet i Liverpool, og det styrmann Nyhus brakte i erfaring under sitt opphold i London. Jeg ber dere vente med spørsmål og kommentarer til Granli har snakket ferdig, og anmoder dere om å begrense røkingen her i messen. Det er fanden så stint her. Er det mulig å få inn en vifte så vi kan få luftet litt ut?»

Cheng henter en stor ståvifte og plugger den i.

Granli finner fram et notatark og tar ordet: «Jeg vet at de fleste her har hørt om *Eli Knudsen,* fordi noen av dere møtte mannskaper fra haugesunderen i Liverpool. Alle mann på *Eli Knudsen* ble jo berget. Kaptein Nilsen og jeg heller til å tro at skipet ble torpedert. For sikkerhets skyld har vi gjennomført en inspeksjon av *Tomar* for å se etter sprengladninger. Den var negativ, i den forstand at intet ble funnet. Vi skulle gjerne hatt dykkere som kunne ha undersøkt skutesidene, men det var uråd å skaffe slike i Liverpool.

I samme konvoi som tankeren fra Haugesund, seilte m/s *Rands-fjord** av Oslo, tilhørende Den Norske Amerikalinje. Hun var et skip av vår type. Litt mindre, litt mer moderne. Besetningen var på toogtredve mann, seks færre enn vi er. Skipet var blitt lastet i New York med stykkgods, en god del ammunisjon og flere fly. Etter at konvoien ble oppløst, ble skipet den toogtjuende juni torpedert i forskipet om babord, i posisjon sytti nautiske mil sørvest av Fastnet. *Randsfjord* sank i løpet av tre minutter. Mannskapet fikk ut styrbords livbåt og måtte kappe fallene. Det beklagelige skjedde at annenstyrmannen og maskinsjefen ble kvestet mellom livbåten og skutesida. Begge omkom. Kapteinen ble sist sett på vei opp til brua. Han hadde ikke livvest på seg. Det antas at kapteinen gikk ned med skipet.»

Her bryter kaptein Nilsen inn: «Skikken med at kapteinen skal gå ned med sitt skip, er jeg definitivt ingen tilhenger av. Jeg er glad i *Tomar*, men jeg er ikke *gift* med skuta. Skulle det verste skje, vil jeg ikke frivillig bli med henne til bunns. Jeg vil gjøre hva jeg kan for å berge mannskapets liv, og mitt eget.»

Granli sier: «Ubåten som hadde senket *Randsfjord*, kom opp på siden av livbåten. Ubåtskipperen stilte flere spørsmål om skipets last og destinasjon, og om konvoien skipet hadde seilt i. Det ble fra nordmennene svart så knapt som mulig på disse spørsmålene. Ubåtskipperen ga karene i livbåten en flaske brandy, og så dykket ubåten. Folkene i livbåten fra *Randsfjord* satte seil og styrte mot land. Etter to dager ble de niogtjue overlevende tatt opp av et alliert skip. De ble satt i land i Glasgow.

Så har vi bergensbåten *Lenda**, tilhørende det lille rederiet Leif Erichsen. Det var et motorskip lastet med tømmer og på vei fra Port Wade på Nova Scotia til Hull. *Lenda* seilte ikke i konvoi. Hun ble angrepet av en ubåt som seilte i overflatestilling hundreogseksti nautiske mil sørvest for Fastnet den sjuogtjuende juni. Ubåten brukte ikke torpedoer, men skjøt med kanonild. Besetningsmedlemmene på *Lenda* søkte dekning så godt de kunne. Dekkslasten av tømmer tok fyr, skroget fikk hull i vannlinjen. Bombardementet varte i tjue minutter. Da ubåten forsvant, gikk mannskapet i styrbords livbåt. De var sjuogtjue mann. Førstestyrmannen var savnet. *Lenda* brant som en fakkel, men holdt seg flytende på trelasten. Folk greide å ta seg om bord i havaristen. Førstestyrmannen ble funnet drept på brua. Folkene forlot så *Lenda* og gikk om bord i livbåtene igjen. Om bord i havaristen inntraff et par voldsomme eksplosjoner i maskinrommet, og etter noen timer gikk skipet ned. Mannskapet ble tatt om bord i to britiske jagere og satt i land i Plymouth.

Det siste skipet jeg skal nevne, er *Janna**, en liten damper fra Drammen. Rederiet er jeg usikker på. Noen som vet det?»

«Pehrson & Wessel,» sier Flise-Guri.

«Takk,» sier Granli. «*Janna* seilte i konvoi fra Halifax, bestemt for Falmouth med en last av tremasse. I tåke kom *Janna* bort fra konvoien. Hun seilte da de kursene som Admiralty hadde gitt kapteinen ordre om. Den ellevte juli ble *Janna* truffet av en torpedo midtskips. Hun var da i posisjon cirka to hundre nautiske mil sørvest av Fastnet. Vi er litt i tvil om mannskapets størrelse. Det blir sagt at det var femogtjue mann på *Janna*. Det høres mye ut for en såpass liten båt. Alle mann kom seg i alle fall velberget om bord i tre livbåter. Ti minutter seinere gikk *Janna* loddrett ned. Folkene i livbåtene ble tatt om bord i et britisk patruljeskip og landsatt i tankhavna Milford Haven i Wales.»

Kaptein Nilsen svetter voldsomt med livvesten på seg, og tar av seg vesten før han griper ordet: «Det kan jo høres ut som farvannet sørvest av Fastnet er helvetes forgård og vil bli en veritabel skipskirkegård. Jeg skal komme tilbake til hva dette vil ha å si for vår seilas. Men først: Hvilke lærdommer kan vi trekke av de torpederingene Granli har fortalt om? Det ser ut til at tyskerne skyter primært for å *senke*, ikke primært for å drepe. Altså at de tyske ubåtskipperne er ivrige etter å telle senket tonnasje, og ikke så ivrige etter å telle lik.»

«De jævlene vil bli tonnasjemillionærer!» roper Båsen.

«Akkurat, båtsmann Jørgensen,» sier kapteinen. «Vi må kunne konstatere at tapene av menneskeliv på de fire norske skipene var bemerkelsesverdig små, til tross for at to av skipene gikk ned meget raskt. Det var et trist uhell på *Randsfjord* og et sørgelig endelikt for førstestyrmannen på *Lenda*. Men disse forlisene viser oss at vi har gode sjanser til å overleve et torpedotreff. I alle fall i det fine sommerværet vi nå har, og dersom alle mann utviser godt sjømannskap når livbåtene skal på vannet. Mitt mål er naturligvis at vi ikke skal bli torpedert. Merk dere at de fire torpederingene skjedde i relativt stor avstand fra Fastnet Rock. Min plan er å seile kloss oppunder kysten av Irland fra Cork mot Fastnet. Vi skal gå så nær fyret på Fastnet at de av dere som lyster det, kan pisse på fyret, for å si det slik.»

Flise-Guri reiser seg og sier: «Det er noe som er veldig ugreit med en slik plan, kaptein Nilsen. Vi vil komme inn i republikken Irlands territorialfarvann. Siden vi ikke er et nøytralt skip lenger, vil det bli regnet som en krenkelse.»

«Min kjære Tveiten,» sier kapteinen. «Det er nettopp å utnytte irsk territorialfarvann som er kjernen i min plan. De tyske ubåt-skipperne vil neppe angripe i irsk farvann, av frykt for å bringe Irland inn i krigen på Storbritannias side. Som dere alle husker, seilte vi i irsk farvann da vi kom opp fra Sør-Amerika.»

«Da var det regntjukke og elendig sikt,» sier Flise-Guri. «Hva hvis vi skal seile kloss ved Fastnet i klarvær og midt på lyse dagen?»

«La oss si at vi blir observert,» svarer kapteinen. «Hva kan irske myndigheter gjøre med det? Har Irland noen marine å snakke om? Hvis det mot formodning skulle komme ut en eller annen ombygd tråler som leker irsk marine, og tråleren praier oss, hva så? Vi kan si at vi er kommet ut av kurs på grunn av en maskinskade. Sjansen for å bli oppbrakt og tatt i arrest i Irland regner jeg som nær null.»

«Det er ein risikabel plan,» sier motormann Smaage.

«Jeg vil heller kalle det en kalkulert risiko,» svarer kapteinen.

«Okey,» roper Erasmus Montanus. «Men er det ikke meninga at vi skal til Canada? Vi kommer ikke dit hvis vi bare skal seile i irsk farvann, da blir vi jo seilende i ring rundt Irland!»

Halvor er blant dem som ler.

Latteren faller ikke i god jord hos kaptein Nilsen.

«Ingen grunn til å bli frekk, smører Jondal,» sier han. «Mine navigatører og jeg har naturligvis lagt en plan for seilasen videre fra irsk farvann. Den planen vil bli behørig kunngjort i tidens fylde.»

«Jøss, bevares,» hvisker Hemmingsen til Halvor. «Skipperen er virkelig i det høystemte hjørnet i natt.»

«Spør om det nye skytset,» hvisker Halvor tilbake.

«Spør sjøl, for faen.»

Halvor rekker opp handa og sier: «Når vil det bli mulig å prøve-skyte den nye Hotchkiss'en på styrbord bruving?»

«Det blir ikke aktuelt så lenge vi er eskortert av Sunderland-maskinen,» sier kapteinen. «Og vi skal ikke ligge og knalle og skyte i irsk farvann. Prøveskyting får vente til vi er i rom sjø i Atlanteren. Har De noen bemerkning til dette, maskinist Steiro?»

Steiro sier at håndteringa av maskingeværet fra *Morning Star* er nøyaktig den samme som på den gamle Hotchkiss'en. Det er imidlertid en viktig forskjell på ammunisjonen. Den nye Hotch-kiss'en er produsert i USA og bruker amerikansk Springfield-ammunisjon. For å unngå forveksling har han derfor dekorert ammunisjonskassene med en B for britisk ammunisjon og babords gevær og en S for Springfield og styrbords gevær.

Halvor tørner ut grytidlig mandag morgen for å hjelpe Steiro med å gå over den nye Hotchkiss'en. Han stiller på styrbords bruving ved soloppgang. Det er klarvær, og ei rød sol stiger opp over de grønne åsene i Wales.

Tidlig på'n er også Flise-Guri. Han kommer med materialer som han skal bruke til å forsterke den nye sandkassa han har bygd.

Nyhus kommer ut på bruvingen for å si god morgen og vise fram et fotografi han har fått tatt i London av kona og ungene. Fru Nyhus er virkelig ei vakker dame. Halvor holder på å si at hun ser ut som en sigøynerdame, men tar seg i det. *Han* synes at sigøynerdamer er meget smukke. Det er ikke alle som har sansen for sigøynerskjønn-heten.

Halvor og Steiro begynner å plukke fra hverandre maskingevæ-ret i sine enkelte deler. I ei notisbok noterer Steiro opp nummer og navn på alle delene.

Tomar befinner seg i posisjon midtveis mellom Holyhead i Wales og Irlands hovedstad Dublin da et stort fly kommer ut fra den wali-siske kysten. Det har fire propeller og et skrog som minner om en hvalkropp.

«Das fliegende Stachelschwein,» sier Steiro.

Det støkker i Halvor. Er det ikke den lovede Sunderland-maskinen som kommer, men et kjempestort *tysk* bombefly?

«Slapp av, Skramstad,» sier Steiro. «Det e vennan våres som kjem for å fly eskorten.»

Maskinisten forklarer at Fliegende Stachelschwein – flygende pinnsvin – er et navn tyske piloter ga Sunderland-flyet under luft-kampene langs Norges kyst i aprildagene. Tyskerne ble overrasket over hvordan en Sunderland formelig strutta av maskingeværer. Det svære, klumpete britiske sjøflyet så ikke spesielt avskrekkende ut for tyskerne i sine elegante Junker bombefly. Sunderland var egentlig bygd som passasjerfly. Da krigen kom, ble de fleste Sunderland-maskinene ombygd til rekognoseringsfly. Britiske fly-ingeniører fant ut at en Sunderland kunne være plattform for så mange som sju maskingeværer, plassert i nesa, i buken og i halen.

«En jæskla ildkraft,» sier Steiro.

Han forteller at under sjøslaget offiserene fra *Tomar* hadde på Adelphi Hotel, møtte de en flykorporal som var haleskytter på en Sunderland. Han hadde vært med på et tokt til vestkysten av Norge. Der ble den enslige Sunderland'en angrepet av en sveit på seks Junker-bombere. Tyskerne trodde de ville få lett match, men tok skammelig feil. En Junker ble skutt rett ned, en annen forlot åstedet brennende, og de fire siste fant det best å stikke av.

Halvor spør hvordan man på alliert side kan vite hva tyskerne kaller britiske fly. Steiro sier at det sikkert er nedskutte tyske piloter i britisk fangenskap som har fortalt om Das fliegende Stachelschwein og andre oppnavn tyskerne har satt på fiendens fly. Slike oppnavn sprer seg lynfort i flygermiljøene, og blir ofte oversatt. Nå snakker Sunderland-mannskapene med stolthet om at de flyr The flying porcupine.

Sunderland-flyet kommer så lavt inn over *Tomar* at Halvor er redd det vil sneie mastetoppene. Han ser folk i cockpiten og bak noen av ventilene i flykroppen. Det er masse ventiler, han teller femten–seksten stykker.

«Hvor stort er mannskapet?» spør han.

«Ti–tolv på et reko-tokt,» svarer Steiro.

Halvor spør om flyet har bomber om bord. Steiro sier at det har dypvannsbomber beregnet på angrep mot ubåter, og antakelig også andre typer bomber.

Vingene på flyet er montert øverst oppe på flykroppen. Steiro forklarer at dette er gjort for at motorene, som er montert på vingene, skal unngå sjøsprøyt når flyet lander og tar av. På hver vinge er det montert en pongtong. Halvor synes pongtongene ser skrøpelige ut. Steiro sier at det er selve flykroppen som tar trøkken under landing, og at pongtongene på vingene bare er støtteflottører.

Sunderland'en sirkler noen ganger brummende over *Tomar*, og flyr så videre sørover. Flyet har ikke bare som oppgave å eskortere det enslige norske skipet, det skal også patruljere søndre del av Irskesjøen og Saint George's Channel.

Halvor og Steiro har et svare strev med å få skrudd Hotchkiss'en sammen igjen. Omsider peker løpet mot himmelen, og all mekanikk ser ut til å være i orden. Flise-Guri har begynt å snekre ei stor kasse til å oppbevare patronbeltene i.

Halvor har siste rortørn på formiddagsvakta. Det blåser en sommerlig sønnavind langs kysten av Irland.

Utenfor Cork Harbour kommer Sunderland'en inn over *Tomar* i lav høyde, vipper med vingene til avskjedshilsen og vender nesa tilbake mot Wales.

«Du behøver ikke å styre kompasskurs,» sier Trean til Halvor. «Du kan styre ned mot den bratte, svarte pynten vi ser i sørvest, Old Head of Kinsale.»

«Ser du fyret på pynten?» spør kaptein Nilsen.

«Ja, jeg ser et fyrtårn med røde og hvite striper,» svarer Halvor. Han synes også han ser noe som rører seg oppunder Old Head of Kinsale, en lysere grå skygge som beveger seg raskt langs klippeveggen. Åge går utkikk på styrbords bruving. Halvor ser at Åge løfter kikkerten og ser mot stedet der Halvor så den grå skyggen. Åge veksler noen ord med Flise-Guri, som holder på med å snekre ammunisjonskasse.

Åge kommer inn i styrhuset og melder: «Fartøy observert ved pynten. Kan se ut som en moderne motortorpedobåt. Den har kurs rett mot oss.»

«Faen,» sier Trean. «Kan de jævla tyskerne ha MTB-er liggende i skjul her på Irskekysten?»

«Neppe,» sier kapteinen. «Det må være et britisk fartøy.»

Torpedobåten stevner nå for full fart på en kurs som krysser *Tomar*s kurs. Den velter opp store hvite baugsjøer, i hekken vaier et flagg som ikke er Storbritannias.

«Se på flagget,» sier Trean. «Det er grønt, hvitt og oransje.»

Fra torpedobåten kommer kjappe lysblink fra ei morselampe.

«Hva sier de?» roper kapteinen.

«'Stop ship',» svarer Trean. «'Stop ship, order of Irish navy.'»

Granli er kommet opp i styrhuset for å ta over vakta.

«Ja vel, så har Irland fått en marine,» sier kapteinen. «Synes dere vi skal ta imot ordre fra en sånn lilleputtmarine, Kvalbein og Granli?»

«MTB-en ser flunka ny ut,» sier Trean. «Og baugkanonen ser ut som den kommer rett fra fabrikken. Nå melder de 'warning shot will be fired'.»

«De bare bløffer,» sier kapteinen. «Vi holder vår kurs og fart.»

Halvor ser på torpedobåten som glinser av fersk lakk, og på den blankpussede kanonen i baugen. En liten røykdott kommer ut av kanonløpet. Så hører han smellet.

«Granatnedslag rett forut,» roper Åge.

«De fordømte idiotene *skyter* virkelig,» roper kapteinen. «Slå full stopp, Kvalbein.»

Halvor står bak rattet og fryder seg på Irlands vegne. Nå fikk den storsnutede kaptein Nilsen noe å tenke på! Det er ikke bare fritt fram å krenke den unge republikken Irland. Dette skulle Muriel ha sett, hun ville blitt stolt av en så fin torpedobåt under irsk flagg.

Tomar siger sakte framover. Torpedobåten svinger opp langs skutesida. Kapteinen roper ned til Båsen, som står utenfor sjappa si, at han må henge ut losleideren.

Flemming fra Fyn kommer for å løse av Halvor ved roret.

«Hun har nesten ikke styrefart,» sier Halvor.

Han går ut på bruvingen og ser ned på torpedobåten som er i ferd med å legge til ved losleideren. Navnet står med messingbok-staver på styrhuset, *L.É. Cíara*.

Flise-Guri har lagt fra seg hammeren og står også og ser ned på båten fra den irske marinen.

«Hva tror du L.É. står for?» spør Halvor.

«Jeg kan tenke meg at det er gælisk og står for Long Éirean-nach,» svarer Flise-Guri. «Det betyr 'irsk båt'.»

«Hva er Cíara?»

«Nei, *det* vet jeg ikke. Kanskje en figur fra irsk mytologi.»

I ei lita mast fører *L.É. Cíara* et grønt flagg med et gult strenge-instrument som motiv. Det må være den irske marinens flagg. Og instrumentet? Halvor er ganske sikker på at det er ei harpe. Han spør Flise-Guri.

«Jo, det er harpe,» sier Flise-Guri. «Harpa er Irlands symbol og står i republikkens våpenskjold.»

«Jeg synes det er fint at et land har noe så fredelig som ei harpe i riksvåpenet,» sier Halvor. «Jeg har aldri forstått hvorfor Norge har løve med øks som riksvåpen. Hadde det vært opp til meg, skulle Norge hatt en *rødrev* i riksvåpenet.»

En ung offiser kommer ut på torpedobåtens dekk. Han har mørk uniform med skarp press i buksene og gullstriper på jakkeermene. På hodet bærer han lue med blank skjerm og plettfritt hvitt som-mertrekk på pullen. Halvor tenker at Muriel ville likt å se en så ele-gant irsk offiser.

Offiseren entrer opp losleideren. Han har et besluttsomt uttrykk i ansiktet.

Kaptein Nilsen kommer ut på styrbords bruving og snakker til

Halvor, Åge og Flise-Guri: «Dere som ikke er på vakt, får stikke ned fra brua nå.»

Nærmest til seg sjøl sier kapteinen: «Kunne ikke de helvetes revolusjonære irlenderne holdt seg til å kaste bomber mot engelskmennene. Det er da som fanden at de kommer her med en blankpolert torpedobåt og stopper oss. Også denne offiseren, da, som ser ut som en laps i jåleuniformen sin.»

Halvor går ikke inn i messa til middag. Maten får heller bli kald. Han må være på dekk og følge med på hva som skjer.

Torpedobåten fortøyer langs skutesida. *Tomar* siger for sakte fart vestover på nordsida av Old Head of Kinsale. Her er ikke terrenget så bratt som ute på selve pynten. Slake bakker med grønt gras går helt ned til sjøen. Det grønne graset blir til noe rødt, ei rød eng. Rødkløver.

Tomar dreier inn i ei lita bukt.

«Helsike,» sier Hemmingsen, som står ved siden av Halvor ved rekka på poopen. «Skal vi kjøres rett opp i kløverenga her?»

Det slås bakk i maskinen.

Styrbords anker rauser ut med rammel og skrammel fra kjettingen.

En gråmalt tråler kommer stevnende nordfra. Den har montert en skikkelig muskedunder av en kanon i baugen.

Hemmingsen imiterer kaptein Nilsen: «Sjansen for å bli oppbrakt og tatt i arrest i Irland regner jeg som nær null.»

Da kvelden faller på, ligger *Tomar* stadig i arrest ved Old Head of Kinsale, voktet av torpedobåten og den armerte tråleren. De ligger i le for sønnavinden, og det er nesten tropevarmt.

En motorbåt lastet med herrer i hatt og frakk kommer stevnende fra fyret. Det må være irske myndighetspersoner. De tar av seg hattene og frakkene før de entrer opp losleideren.

Halvor sniker seg opp på båtdekket på det forre midtskipet. Fra skippersalongen hører han lyden av voldsomt munnhuggeri.

I mørket på båtdekket støter Halvor på Gnisten.

«Hva skjer?» spør Halvor.

«Vi blir trolig liggende til ankers til i morra tidlig,» svarer Gnisten. «Så får vi nok seile videre. Irlenderne vil ikke noe annet enn å markere at farvannet deres ikke skal krenkes.»

Halvor bærer madrassen sin opp på poopen. Han strekker seg ut og ligger og ånder inn den søte angen av rødkløver.

Kapittel 47

Den skal ha en særdeles kraftig stråle som skal greie å pisse på fyret på Fastnet Rock fra *Tomar*. De passerer drøye tre nautiske mil sør om Fastnet, godt utenfor den irske territorialgrensa.

Halvor står sammen med Trean og Flise-Guri på styrbords bruving. Framme på bakken går matros Otto Rønning vakt som ekstra utkikksmann.

Gjennom kikkerten studerer Halvor det vakre fyrtårnet, som er bygd av lys granitt. Fyret virker større enn den vesle steile, brungrå klippen det står på. Tårnets fot står helt nede i vannskorpa og er blitt farget svart av sjøen, som uavlatelig vasker mot klippen.

«Fastnet er et potent fyr,» sier Trean.

«Ja,» sier Halvor. «Det minner meg om en hestepeis under vårsleppet.»

«Sånn må dere ikke snakke,» sier Flise-Guri med en liten latter, en typisk tømmermannslatter som har en klang av tørr sagflis. «Husk at det er 'Irlands tåre' vi her passerer.»

«'Irlands tåre'?» sier Halvor.

«Det ble Fastnet kalt av irske emigranter som seilte forbi her på vei til Statene,» sier Flise-Guri. «For Fastnet var det siste utvandrerne så av det kjære fedrelandet sitt. Kjært, men fattig. Akkurat som Norge. Irland og Norge er de to landene som har avgitt størst andel av befolkninga som emigranter til USA.»

Himmelen er blank. Sola steiker. En laber bris fra sør får havet til å kruse seg, og solstrålene får småbølgene til å glitre.

Dette solglitteret burde man jo glede seg over. Trøbbelet er at det vil være vanskelig å få øye på boblestripa fra en torpedo i den glitrende sjøen. Rønning har som oppdrag å speide etter periskoper og torpedostriper. Han har fått låne Treans solbriller. Det gjør at han ser ut som en badegjest der han står frampå bakken kledd i shorts og singlet og med et hvitt lommetørkle knyttet på hodet til vern mot sola.

På bakken ligger én av to nye redningsflåter som kom om bord i Liverpool. Disse flåtene har skrog av aluminiumspongtonger og telt av gummiduk. De er festet med slipphaker og skal flyte opp hvis skuta går ned. Den andre flåten er plassert på poopen.

Tomar seiler med alle fire livbåter utsvingt i davitene. Paranaguá-vannet i vanntankene er skiftet ut med friskt vann fra Liverpool.

Flise-Guri fortsetter arbeidet med å forsterke styrbords sandkasse. Han har lagt sin elsk på sandkassene. De begynner å likne fort som ble bygget i Ville Vesten til vern mot indianerne.

Halvor løser av Åge ved roret. Ved føttene sine har Halvor plassert en lerretspose som er gummiert innvendig sånn at den skal være vanntett. I posen har han passet og sjøfartsboka si, dagbøkene, munnspillet, seks pakker Camel og en Zippo-lighter full av bensin, samt ei flaske vann. Posen kan han klipse fast i buksebeltet med en karabinkrok. Redningsvesten sin har han hengt over en av de to store jernkulene som er montert på hver side av natthuset for å motvirke deviasjon på kompasset.

Kvart på tolv kommer Granli opp i styrhuset.

«Ikke noe unormalt?» spør han Trean.

«Alt normalt,» svarer Trean.

«Hva er det røde der inne mellom oss og fyret?»

«De røde seilene på en seilbåt,» svarer Trean. «Kanskje en liten yacht. Båten står opp mot vinden. Det ser ut som den vil krysse aktenom oss, men du får være klar til å vike hvis det blir nødvendig.»

Flemming fra Fyn avløser Halvor, som går ut på styrbords bruving for å se på seilbåten. Granli kommer også ut.

Det *er* faktisk en liten yacht, med to master og rustrøde seil satt på begge mastene. Den gjør overraskende stor fart i den labre brisen. Båten skinner av blank mahogni og messing. Mannskapet består av et halvt dusin kvinner og menn som alle er kledd i hvitt. I hekken fører båten det irske flagget, i toppen på aktermasta vaier Stars and Stripes.

«Det er faen meg helt *perverst*,» sier Granli. «Her seiler vi og kan få en torpedo inn fra babord når som helst, og så får vi denne luksusyachten inn fra styrbord. Jeg vil tro at folka om bord er rike irskamerikanere som er hjemme i gamlelandet på ferie.»

Han roper en ordre til Flemming fra Fyn om å legge hardt styrbord over så *Tomar* vil passere aktenfor yachten.

Mannskapet på yachten vinker. Rønning frampå bakken hytter med neven etter de hvitkledde.

Halvor går ned til middag. Det er tirsdagskost, kjøttpudding, som ikke er blant favorittene hans.

Cheng kommer med tre pletter, plasserer én foran Geir Ole, én foran Halvor og én foran seg sjøl.

«Especial service for deg, Skogsmatros,» sier han til Halvor.

På de tre plettene er det flyndre, rødspette som Geir Ole halte opp da de lå til ankers ved Old Head of Kinsale.

Flyndra Cheng har tilberedt i pantryet, smaker riktig bra.

Alle mann trekker opp på poopen og sitter der med røyk og kaffe og nyter finværet.

«Hadde det bare vært fred i verden, kunne vi ikke hatt det bedre,» sier Flise-Guri.

«Vi mankerer bare én tingen,» sier Båsen. «Det hadde gjort seg med litt fiddeliditte. Men man kan ikke få i både pose og smekk.»

«Det er så sant som det er smakt,» sier Erasmus Montanus.

Og latteren ruller over poopen på *Tomar*.

«Det Båsen trenger, er en kusepatt,» sier Hemmingsen.

Ny latterbølge.

Halvor tenker at det hadde vært fint med en skipskatt om bord. Det var synd at Ramot gjorde italiener av seg.

Geir Ole har nå turt å ta fram tegneblokka si i offentlighet. Han viser stolt fram det siste verket sitt. Det forestiller båten med de røde seilene, med fyret på Fastnet i bakgrunnen. Han har også lagd et par tegninger av Old Head of Kinsale.

«Du er visst en kunstnersjel, du Nordlands Trompet,» sier Hemmingsen. «Jeg trodde du bare tenkte på fisk og atter fisk. Når jeg ser på tegningene dine av pynten på Old Head og landskapet bakom pynten, får jeg en idé. Det hadde vært en faen så fin plass for å anlegge en golfbane.»

«Har *du* peiling på en snobbesport som golf?» sier Halvor.

«I guttedagene var jeg caddie på Bogstad golfbane.»

«Ka e en caddie?» spør Geir Ole.

«Det er en gutt som bærer køllene til golfspillerne. På Bogstad er det forresten ikke så mye bæring. Det er jo en bane for rikinger, og de har råd til trillevogner. Ei sånn vogn med fullt utstyr av køller koster like mye som en motorsykkel. I vogna er det også plenty golfballer. For å trekke vogna rundt til alle de atten hullene er caddiebetalinga vanligvis fem kroner. Men en god caddie, en som har lært seg å finne fram riktig kølle for hvert slag som skal slås, kan ofte få en tier. Da må du vite forskjell på en putter og en driver og slikt. Jeg begynte som tolvåring på Bogstad. Og da jeg var fjorten, var jeg blitt en så god caddie at jeg kunne kreve en tier for en full runde. Noen av spillerne ble jeg faktisk litt kompis med, enda de kom fra en annen verden enn min på Lilleaker. Jeg lærte meg å slå, og det kunne hende at jeg fikk gå makker med en av dem jeg var caddie for. En gang slo jeg skuespiller Maurseth ned i støvlene. Jeg hadde en eagle og to birdier, mens han slo bogey etter bogey og til slutt endte i bunkeren. Ja, dette blir vel gresk for dere gutta?»

«Det blir absolutt gresk, ja,» sier Halvor. «Hva skulle være vitsen med å anlegge en golfbane på et øde, forblåst sted som Old Head of Kinsale?»

«*Så* forbanna øde er det ikke der ute,» sier Hemmingsen. «Det kan ikke være mer enn fire–fem mils vei fra Cork. Og Cork er den nest største byen i republikken Irland. Vinden behøver ikke bli noe problem. Det blåser sikkert stort sett fra sør, og sønnavinden har forma landskapet sånn at mye av det ligger i le. Dere la merke til at Old Head er dekka av beitemarker og kløverenger. Knapt nok et tre eller ei buske. Det er bare å frese over med en slåmaskin og så med en kraftig motorgressklipper, og vips så ligger golfbanen der, med gress så grønt og fint som det bare blir i Irland. Golfere vil strømme til Old Head of Kinsale fra verdens forpestede storbyer for å spille i den frie natur og nyte frisk sjøluft.»

«Men det må jo være fort gjort å slå golfballen på sjøen på Old Head?» sier Halvor.

«Det at du risikerer å slå ballen på havet, gir bare spillet en ekstra piff. Golfere har råd til å miste en ball eller ti. På Bogstad slås hver sesong hundrevis av golfballer ut i Bogstadvannet. Vi caddiegutta fra Lilleaker kjøpte oss dykkermasker og hadde pen ekstrafortjeneste på å dykke etter baller. Vi vasket gjørma av ballene og solgte dem for to kroner per stykk.»

Klokka fire går Halvor opp på brua for å gå ekstravakt som utkikk. Han tar post på babord bruving. Atlanterhavsdønningen har begynt å rulle. Det har skyet over, og det er regn i lufta, men sikten er god. De skimter ennå utskjærene på Irlands kyst, der dønningene får det til å bryte hvitt i grunnbrottene.

Vinden har drei på nord, men er stadig bare laber bris.

Halvor har på seg oljehyra, og det er så varmt i lufta at han svetter under hyra. Nødposen av lerret har han med seg, festet i buksebeltet.

Flise-Guri, skutas evige arbeidsmaur, svetter også mens han holder på å tilpasse presenninger han har sydd til Hotchkiss'ene. Nå er det babord maskingevær han holder på med.

Rønning står til rors iført bare T-trøye og shorts.

Nyhus lar Halvor komme inn i bestikken og ta en kikk i kartet.

«Vi har passert holmene Skellig og Tearaght,» sier Nyhus. «Tvers om styrbord har vi Great Blasket Island. Vi er snart på høyde med Mouth of the Shannon. Selv om Shannon med sine drøyt to hundre engelske mil er Irlands lengste elv, er det ikke rare floden.»

Ikke rare floden! Hvordan våger Nyhus å si noe så nedsettende om Shannon?

«Den lange fjorden utenfor Shannons utløp er det som blir kalt Mouth of the Shannon. Det er en meget vakker fjord.»

Sånn skal det låte!

De kan ikke være for lenge inne i bestikken, og går ut på bruvingen igjen. Det har begynt å regne lett. Halvor har en kikkert hengende i ei reim rundt halsen. Han setter kikkerten for øynene og speider horisonten rundt.

«I.å.m,» sier han til Nyhus.

Det er en kode han vet at Nyhus, som har vært korporal i Hæren, liker godt.

«Bra. Jeg er glad for at vi seiler vekk fra Fastnet-farvannet.»

«Har du vært i Mouth of the Shannon?» spør Halvor.

«Ja,» svarer Nyhus. «Jeg seilte opp den smale fjorden den gangen jeg var jungmann. Det var med en liten nordsjødamper som het *Elvira*, og det er den grønneste og frodigste seilas jeg har vært med på. Vi gikk opp i Shannon-roveret til Limerick. Fin liten plass. Det er Limerick som har gitt navn til en type tøysevers som er veldig populære i Irland og England.»

Kaptein Nilsen kommer ut på bruvingen.

«Her står dere i livlig passiar, ser jeg,» sier kapteinen småsurt. «Noe å melde?»

«Intet å melde,» sier Halvor.

«Godt,» sier kapteinen. «Jeg har en uggen følelse.»

«Hvordan da?» spør Nyhus.

«Bare en vag fornemmelse,» svarer kapteinen. «Slikt man kjenner på gikta.»

Halvor står på bruvingen i det sildrende regnet og drømmer om Mouth of miss Shannon. Så gjerne han skulle ha kyssa den munnen! Leppene som kruser seg så fint når hun smiler!

Han spør Flise-Guri om han vet hva Shannon betyr.

«Jo da, det skulle jeg mene,» svarer Flise-Guri. «Elva er kalt opp etter Sionna. Det var en keltisk gudinne. Altså en gudinne i riktig gamle dager i Irland, før barbarene fra Norge kom og begynte å herje på øya.»

Muriel Keltergudinnen!

Halvor våkner av drømmeriene sine. Han ser en mørk skygge langt forut om babord. Han løfter kikkerten og gransker skyggen. Den er heldigvis for stor til å være tårnet på en ubåt. Det må være hekken på et skip som seiler nordover på samme kurs som *Tomar*.

Han varskur Nyhus.

Nyhus kommer ut på bruvingen sammen med kapteinen.

Tomar, som går for full spiker, haler raskt innpå det andre skipet.

«En eldre, kullfyrt damper, vil jeg tro,» sier kapteinen og sniffer ut i lufta. «Kjenner dere kullrøken?»

«Jo da,» svarer Halvor, selv om han ikke kjenner noen kullrøyk.

Gjennom kikkerten gransker han damperens flagg. Det har tre striper i blått, hvitt og rødt. Kan det være Nederlands flagg? Nei, Nederland har rød stripe øverst og så hvitt og blått.

«Nasjonalitet?» spør kaptein Nilsen.

«Usikker,» svarer Halvor. «Muligens jugoslavisk.»

Det var bra tippa, for nå kan han se navnet i hekken. Skipet er *Dubrovnik* av Rijeka, som de lå sammen med i Gladstone Dock. Det har bare ett midtskip, som den lange, tynne dampskipsskorsteinen stikker opp fra.

Halvor melder fra til kapteinen om skipets navn og hjemmehavn. Nå kjenner også han lukta av brent kull.

Kapteinen tenner en sigarett og går inn i styrhuset.

Tomar er bare fire–fem kabellengder aktenfor *Dubrovnik* da Halvor synes han hører et lite smell.

En stor røyksky stiger til værs fra jugoslaven.

«Det var da voldsomt til fyring,» sier Halvor.

«Faen om jeg vet om det er fyring,» sier Flise-Guri. «Det kommer røyk opp fra maskinrommet gjennom skylightet der borte. Hørte du et smell?»

«Ja,» svarer Halvor. «Men det hørtes ikke ut som noen stor eksplosjon.»

«Jugoslaven kan være truffet av en torpedo som ikke har eksplodert skikkelig,» sier Flise-Guri. «Se, nå mister hun fart.»

Flise-Guri løper til styrhusdøra og roper: «De må styre i sikksakk, kaptein Nilsen!»

Hvor ofte tar en kaptein imot ordre fra en tømmermann? tenker Halvor.

Kaptein Nilsen gjør det. Han roper til Rønning: «Hardt styrbord!»

Rønning snurrer ratt, og *Tomar* krenger kraftig over.

Kapteinen og Nyhus kommer stormende ut på bruvingen.

Fra *Dubrovnik* stiger nå en søyle av røyk som er full av gnister. Skipet har stanset helt opp og ligger nå og blir løftet av dønningene. Mannskapet på jugoslaven er i ferd med å låre livbåten på styrbord side.

«Det *kan* være en motoreksplosjon,» sier kaptein Nilsen. «Eller en eksplosjon i steamkjelen.»

«Hvorfor setter folkene da ut livbåten?» sier Nyhus.

Et voldsomt lysglimt slår opp på babord side av forskipet til *Dubrovnik*. Etter noen tiendedels sekunder hører Halvor smellet.

«Torpedotreff!» roper Nyhus.

Hele baugen på *Dubrovnik* er revet løs. Sjøvannet flommer inn i det forreste lasterommet. Halvor hører lyden av metall som spjæres. Det må være skottene på jugoslaven som ryker på grunn av vanntrykket. En masse planker og drivgods velter ut av skipet.

Nyhus løper inn i styrhuset og utløser ubåtalarmen. Det skingrer i alarmklokkene.

«Kom hardt babord!» roper kapteinen til Rønning. «Prøv å legge oss i le av havaristen.»

Halvor forstår hva ordren innebærer. Kapteinen vil legge skuta i le av *Dubrovnik* for at den tyske ubåten som nå angriper, ikke skal ha fri skuddbane mot *Tomar*. Rønning manøvrerer presist, og *Tomar* dreier opp og legger bi ved jugoslaven.

Nyhus slår stopp på maskintelegrafen. Trean og Granli kommer opp på brua, og det samme gjør Båsen.

Noe varig vern mot ubåten vil ikke *Dubrovnik* være. For damperen synker utrolig fort. Halvor trodde det knapt da han hørte at *Randsfjord* sank på tre minutter. Jugoslaven ser ut til å synke minst like raskt.

Mannskapet der borte går i god orden om bord i livbåten, som legger fra skutesida. Halvor venter å få se jugoslavene stikke ut årer

575

for å ro unna havaristen. Det gjør de ikke. Likevel beveger livbåten på seg. Det går noen sekunder før Halvor skjønner at båten har motor. Han ser at jugoslavene har med seg en hund.

Sjøvannet når fram til maskinrommet på havaristen. Det freser og smeller, og en sky av damp legger seg over skipet, som nå er et sørgelig vrak. Forskipet er helt under vann, og akterskipet løftet seg til værs. Det bobler og surkler, ja det *koker* rundt vraket.

Skipshunden fra *Dubrovnik* er ikke store bikkja. Den må være en liten terrier av noe slag. Den bjeffer så iltert at den høres gjennom undergangslydene fra sitt synkende skip.

«Vi bakker ut!» roper kaptein Nilsen.

«Skal vi ikke ta opp de overlevende?» roper Nyhus.

«Altfor farlig,» svarer kapteinen. «Jugoslavene greier seg fint.»

«Full fart akterover!» roper kapteinen.

Tomar bakker for full fart.

Rønning kjemper ved rattet. Å holde steady kurs under bakking er jævlig vanskelig, det vet Halvor av egen erfaring. Han skjønner hvorfor kapteinen bakker ut. Det er for at *Tomar* ikke skal ligge med bredsida til ubåten når *Dubrovnik* forsvinner.

Nå går jugoslaven ned. Propellen spinner i løse lufta. Så høres en lyd som om noen trekker proppen ut av et gigantisk badekar.

Borte er damperen fra Rijeka.

Tomar fortsetter å bakke. Rønning greier ikke å holde henne steady. Det er kanskje like greit, for nå går hun akterover i en slags sikksakkurs.

Halvor speider etter ubåten. Ingenting er å se. Bare grå, slak dønning og regndråper som plasker mot havet. Samt vrakgods fra skipet som forsvant. Noen lukelemmer, trekasser og en malerflåte. Kan ubåten skjule seg innimellom vrakgodset? Nei, intet periskop er synlig.

Motorlivbåten fra *Dubrovnik* har satt kursen mot land. Halvor tenker at kaptein Nilsen tok en riktig avgjørelse. Jugoslavene vil greit kunne nå land i løpet av en times tid. Hvis motoren fusker eller de går tom for bensin, kan de ta årene fatt.

Halvor griper seg i å misunne disse jugoslavene som nå er på vei inn i Mouth of the Shannon, til tryggheten. Snart sitter de nok på ei kneipe i Limerick og hygger seg med irish coffee.

Han har ikke rukket å bli redd. Nå kjenner han at han skjelver i knærne. De klaprer mot hverandre som spanske kastanjetter.

Kaptein Nilsen beordrer stopp i maskinen, og så full fart forover.

«Den irske marinen kan pisse seg selv i øyet,» sier kapteinen. «Er det Brandon Head vi har der nede i sør, styrmann Nyhus?»

«Det stemmer.»

«Da setter vi kursen tvers over Mouth of the Shannon mot Loop Head. Jeg akter å krenke Irlands nøytralitet som bare fanden for å unngå angrep fra den helvetes ubåten.»

Halvor kan ikke annet enn være enig i kapteinens beslutning.

Kapittel 48

Fra Loop Head har kaptein Nilsen satt kursen rett vestover.

Han grunngir det overfor Halvor og Båsen: «Min tanke er at den tyske ubåten som senket *Dubrovnik*, merket seg at vi gikk inn i irsk farvann. Ubåtskipperen tror nok at vi vil fortsette å seile kloss langs kysten. Derfor gjør vi nettopp *ikke* det.»

Det begynner å skumre. Halvor går stadig utkikk på babord bruving. Kapteinen har satt utkikk også på styrbord bruving og på bakken. Der går Flemming fra Fyn og Geir Ole. Til rors står Hemmingsen. Vaktsystemet har kapteinen, som han sa, «midlertidig suspendert».

Halvor er glad for det. Nå som det er ubåt – eller ubåter – på ferde, vil han mye heller være på brua enn noe annet sted på båten. Det samme tror han gjelder for Båsen. For Båsen har hengt på bruvingen i timevis uten at han egentlig har noe der å gjøre. Byssegutt Kevin har kommet opp med rundstykker med skinke og ost på, og kaffe. Kaffen gjorde Halvor pissatrengt. Han stakk ned på båtdekket og slo lens over rekka. Normalt ville han blitt hengt for det hvis en av styrmennene hadde oppdaget ham. Men nå er ingenting normalt på *Tomar*. Det hersker nervøs unntakstilstand.

Regnet har gitt seg. Ulne skyer jager over Atlanteren, drevet av en vind som ikke merkes i havshøyde. Dønningene er blitt tyngre og vogger *Tomar* inn i en doven rytme som gjør at Halvor begynner å glippe med øyelokkene.

Kapteinen byr Halvor og Båsen sigaretter fra et flatt, rødlakkert blikkskrin som minner om fargeblyantboksen til Geir Ole. Det er Craven A virginiasigaretter.

«Cork tipped,» sier kapteinen. «Det er for å forhindre at man får nikotingule fingertupper, og skal dessuten motvirke sår hals. Og så unngår man å få tobakksrusk i munnen. Smart, hva?»

Halvor har aldri prøvd en sigarett med korktupp før. Det virker rart å stå og patte på en miniatyr av en flaskekork.

«Hva skal man si om den tyske ubåtskipperens prioritering?» spør kaptein Nilsen.

Halvor skjønner ikke hva kapteinen mener med dette spørsmålet, og det gjør visst heller ikke Båsen, som forholder seg taus.

«Jeg synes ubåtskipperen prioriterte merkelig,» sier kapteinen. «Synes ikke dere også det, båtsmann Jørgensen og lettmatros Skramstad?»

«Hva vil De fram til?» sier Båsen.

«Her hadde den tyske skipperen valget mellom å senke to skip,» sier kapteinen. «Det ene var *Tomar*, et moderne motorskip, en titusentonner, i seilas for de allierte. At vi seiler for de allierte, er jo tydelig på grunn av gråmalingen og navnløsheten. Det andre skipet var *Dubrovnik*, en tilårskommen liten damper på tre–fire tusen tonn. Damperen seilte for det nøytrale Jugoslavia, med navn og hjemmehavn tydelig markert. Likevel valgte ubåtskipperen å sende torpedoer mot *Dubrovnik*, ikke mot oss. Det må da kalles besynderlig?»

«Kan hende det er så enkelt som at tyskerjævelen hadde damperen i siktet før vi dukka opp,» sier Båsen. «At tyskeren valgte å fyre mot et sikkert mål. Nøytraliteten ser det ut til at tyskerne driter i.»

«Jeg vil gå så langt som å si at ubåtskipperens valg var *absurd*,» sier kapteinen. «Han utviste rett og slett dårlig skjønn og praktiserte elendig sjømannskap. Her kan han fyre mot et praktfullt skip som vårt, og så velger han å fyre mot en råtten rustholk, en primitiv plimsoller!»

Kapteinen går inn i styrhuset.

Båsen flirer og sier til Halvor: «Kaptein Nilsen er seg sjøl lik. Han er faen fløtte meg en pussig skrue. Nå er han dødelig fornærma for at det ikke var *vi* som ble torpedert. At det går an!»

Framme på bakken slår Geir Ole to slag på klokka.

Halvor får opp kikkerten i en fei og gransker horisonten. Ingenting å se. Jo, langt der framme ser han to grå skygger, en liten og en stor. Kan den ene skyggen være et stort krigsskip og den andre en ubåt i overflatestilling?

«Se du,» sier Halvor og rekker kikkerten til Båsen.

Båsen studerer de to skyggene lenge og vel. Skyggene beveger seg sakte østover. Kapteinen kommer ut på bruvingen igjen.

«Nå?» sier kapteinen og sneiper sigaretten i messingaskebegeret som er montert i underkant av teakrekka på bruvingen.

«Ser ut som en stor tanker og en liten kriger,» sier Båsen. «Krigsskipet kan være en korvett.»

Kapteinen henter sin egen kikkert, den som bare han bruker. Det er en Zeiss med super optikk.

«Tankbåt og korvett, ja,» sier kapteinen. «Fienden kan det neppe være. Jeg finner det lite trolig at tyskerne har tankere og korvetter i dette farvannet. Det som er besynderlig, er at de to skipene beveger seg så langsomt. Hvorfor fanden går de ikke for full speed? De må da ha fått en U-boat warning.»

«Kan hende tankeren har fått maskinskade eller skade på skroget,» sier Båsen. «Og at korvetten skal være eskortefartøy inn til nærmeste havn.»

«God hypotese, båtsmann Jørgensen,» sier kapteinen. Han roper inn til Nyhus: «Hvilken er nærmeste største irske havn?»

Nyhus stikker inn i bestikken for å sjekke i kartet, og kommer ut igjen på bruvingen.

«Nærmeste havn er Kilkee,» sier han. «Men det er en liten tjuvplass hvor det neppe er havn for annet enn fiskebåter. Ei større havn er Galway i bunnen av Galway Bay.»

Kapteinen spør: «Kan de to fartøyene vi ser i horisonten, ha kurs for Galway?»

«Det er meget mulig,» svarer Nyhus.

De to skipene er kommet så nær at det er mulig å se med det blotte øye at det er en tanker og en korvett. Tankeren flyter høyt på vannet, den seiler i ballast. Korvetten styrer i en bue vekk fra tankeren, men vender så tilbake til båten den åpenbart skal beskytte.

«Jeg liker ikke dette her,» sier kapteinen. «En stor tanker som går så tregt, må jo være rene fluepapiret for ubåter. Jeg tror korvetten spaner etter ubåt. La oss styre sikksakkurser, styrmann Nyhus.»

«Styrbord over!» roper Nyhus inn til Hemmingsen.

Tomar girer over mot styrbord.

Halvor synes det er en rar manøver, for den bringer dem nærmere tankeren. Men han sier ingenting. I dette selskapet er han en smågutt som bør holde kjeften sin.

Han løfter kikkerten og synes han kan se at tankeren fører britisk flagg. Jo, det må være Union Jack som vaier fra hekken.

«Det er sannelig godt tankeren ikke har full last om bord,» sier Halvor til Båsen.

«I tilfelle torpedotreff, mener du?»

«Ja.»

«Da kan det være vel så farlig å seile i ballast,» sier Båsen. «Hvis folka om bord av en eller annen grunn ikke har hatt tid og mulighet til å få lastetankene skikkelig reingjort og utlufta, kan det finnes lommer av oljegass om bord. Da kan en torpedo utløse en helsikes gasseksplosjon.»

«Du har rett, Jørgensen,» sier kapteinen, som har overhørt Båsen. «Gass i tankene kan virke som rene luntekruttet.»

Flemming fra Fyn kommer over fra sin utkikkspost på styrbord bruving.

Han sier at han tror tankskipet er dansk. Han mener det dreier seg om *Lula Zeidler* av Marstal, en tolvtusentonner.

«Oppkalt etter den berømte danske filmskuespillerinnen?» spør kaptein Nilsen.

Flemming fra Fyn nikker.

«Hva får deg til å tro at det er *Lula Zeidler*?» spør kapteinen.

Den forklaringa Flemming fra Fyn gir, forstår Halvor ganske mye av. Han har begynt å begripe kaudervelsken til den danske jungmannen. Flemming fra Fyn er sikker i sin sak fordi *Lula Zeidler* er noe så sjeldent i den skandinaviske tankskipsflåten som en turbintanker, bygget i USA. Det er derfor det har en skorstein som er rett og rank og minner om en dampskipsskorstein.

Halvor studerer skorsteinen som stikker opp fra akterskipet, der maskinrommet er. I likhet med *Tomar* er *Lula Zeidler* – hvis det virkelig er *Lula Zeidler* – gråmalt over det hele.

Ifølge Flemming fra Fyn er skipet berømt i Danmark fordi det ble døpt i en stor seremoni i Marstal da det ble innkjøpt fra USA. Det er jo ikke vanlig å ha dåpsseremoni for et brukt skip. For den fordums stolte sjøfartsbyen Marstal, som knapt har noen skip lenger, var dåpen den største begivenheten i det tjuende århundret. Lula Zeidler kom ens ærend fra filminnspilling i Hollywood for å døpe skipet. Det ble snakket mye om at rederen, Morten Mogensen, var dødelig forelsket i Lula Zeidler, ja at de kanskje hadde en affære. Dåpen ble vist i den danske filmavisen, og der fikk man se at reder Mogensen prøvde å kysse Lula Zeidler midt på truten etter at hun hadde knust champagneflaska mot skipets baug.

Et kjennetegn for *Lula Zeidler* er at skipet av en eller annen merkelig grunn ble utstyrt av amerikanerne ikke bare med to ankere i baugen, men også med to ankere plassert i akterstevnen.

Flemming fra Fyn går tilbake til utkiksposten sin.

Halvor nistirrer gjennom kikkerten.

«Hun har to digre ankere i hekken!» roper han.

I det samme gir Nyhus ordre til Hemmingsen om å legge hardt babord over.

Tomar løftes på en dønning og dreier over mot babord. To tomme kaffekrus seiler over dekk på bruvingen og treffer sandkassa. Krusene knuser ikke. De er laget av Wilhelmsens porselen, som er sterkt som armert betong.

Halvor og Båsen klamrer seg til teakrekka. Da skuta roer seg på den nye kursen, rydder Halvor unna kaffekrusene.

«Lula Zeidler, ja,» sier Båsen. «Hun er den flotteste brunetta nord for Alpene.»

«Så faen om hun er!» sier Halvor.

«Hvem er flottere?»

«Jeg vet om ei i Liverpool.»

«Jaså, du fikk deg munettebrus i Liverpool?»

«Du skal bare gi faen i å snakke om brunettemus, Båsen,» sier Halvor.

«Så så,» sier Båsen. «Ro deg ned, Skogsmatrosen. Ingen grunn til å være muggen på en fin aften utpå Atlanten.»

«*Fin aften*, du liksom! Har du alt glemt at *Dubrovnik* gikk til bånns som et blysøkke?»

«De kom seg jo greit fra det, disse slavojugerne,» sier Båsen.

Halvor kjenner sterk trang til å be ham holde opp med ordtullet sitt. Men han vil ikke kritisere Båsen. Han tror han har forstått noe – noe *psykologisk* – når det gjelder Båsen. Halvor lurer på hvor han har ordet psykologisk fra. Det må være fra doktor Marstrander som holdt seksualforedraget på Rena. Hele Båsens væremåte og alle de merkelige ordene skal nok kamuflere frykten hans.

«Har du flere gode snarfokkelser på lager?» sier Halvor.

Båsen ler.

Tomar girer over mot styrbord. Gnisten og Granli er kommet opp i styrhuset.

Halvor løfter kikkerten og studerer *Lula Zeidler*.

«De derre hekkankrene er sikkert beregna på oppankring i Maracaibosjøen i Venezuela,» sier Båsen. «Yankee'ene finner på mye smart, men også mye rart. Turbintankere vil jeg kalle en dårlig oppfinnelse. De har overdimensjonerte steamkjeler og dampturbiner som skjærer seg. *Lula Zeidler* har sikkert fått skjæring i turbinen. Nei, turbin... Hva faen!»

Halvor tror ikke det han ser i kikkerten. Det ser ut som om en usynlig hånd har løfta tankerens skorstein rett til værs. Den tynne skorsteinen svever over akterskipet og ser ut som om den er nærmest vektløs, laget av papp.

Han slipper kikkerten.

Han ser den svevende skorsteinen.

Så hører han et drønn som kommer rullende over havet.

«Svarte helvete!» roper Båsen. «Hun må ha fått et torpedotreff i dampkjelen.»

Skorsteinen lander i sjøen.

Det ser ut som om det er vulkanutbrudd på akterskipet til *Lula Zeidler*. En søyle av damp og aske står høyt til værs. Gnister fyker. Blå stikkflammer skyter opp. Flammene skifter farge og blir oransje.

«Det må være bunkersolja som har tatt fyr!» roper Båsen.

Hele akterskipet blir i løpet av sekunder omspent av slikkende flammer.

Så blir toppen av overbygninga midtskips løftet opp, som om noen løfter øverste etasje av et dukkehus.

Et voldsomt skrall lyder, fulgt av en forferdelig, gnislende lyd som minner Halvor om kritt dratt over ei tørr tavle.

Kommandobrua på *Lula Zeidler* flyr gjennom lufta.

Halvor synes han kan se menn, små som dukkemenn, falle ned fra den flygende brua. Brua lander på fordekket og blir slått til pinneved.

«Nytt torpedotreff midtskips!» roper Båsen.

Vrakrestene av kommandobrua løftes opp fordi fordekket buler som en gjærende brøddeig.

Dekket på tankeren splintres. Et voldsomt lysglimt blender Halvor. Han dukker ned bak rekka og holder seg for ørene for å verge seg mot eksplosjonslyden.

Lyden kommer, men den er lav, som fjern torden.

«Den jævla gassen!» roper en stemme som må være Båsens.

Halvor reiser seg. Fordekket på *Lula Zeidler* er borte. Forskipet ser ut som en åpnet sardinboks.

Vulkanutbruddet raser på akterskipet.

Stormbrua som går over dekk fra midtskipet til akterskipet, ei bru av stål, bukter seg som en slange. Stykker av stormbrua blåser til himmels. Akterdekket revner med den jævlige lyden av kritt mot tavle. Blågrønne flammer slår opp fra lastetankene.

Gjennom lydene fra skipet som rives i filler av eksplosjoner, hører Halvor kapteinens stemme: «Vi går til unnsetning.»

«Det spørs om det er noen å unnsette,» sier Båsen til Halvor.

Alle som befinner seg på *Tomar*s bru, bortsett fra rormann Hemmingsen, kommer ut på babord bruving. *Tomar* setter for full fart kursen mot havaristen.

Alle? tenker Halvor. Er det ikke én som mangler?

Han får ikke tenkt mer på det, for nå blir han oppmerksom på korvetten som fosser fram mellom *Tomar* og det brennende vraket av *Lula Zeidler*. Korvetten tørner rundt i en bue. I kjølvannet står geysirer av skum til værs.

«Dypvannsbomber,» sier Båsen. «Arme jævler fra dansken.»

«Er det ikke ubåten korvetten går etter?» sier Halvor med en stemme som han merker er nær ved å briste.

«Sjølsagt,» svarer Båsen. «Jeg tenker på folka fra *Lula Zeidler*. Hvis noen av dem ligger i sjøen, vil de bli sprengt av dypvannsbombene.»

«Å, faen,» sier Halvor.

Båsen sier noe han ikke oppfatter, et eller annet om å kaste en gubbe i en bekk.

Så går det opp for ham hva Båsen sa: *Dynamittgubbe i en ørretbekk*.

Det er et fryktelig bilde.

Halvor har jo gjort det, kastet dynamittgubbe i ørretbekk, som en rampestrek da han var guttunge. Han og noen kamerater slengte dynamitt i den store bekken Røta, mellom Blikkberget og Bjørbekksetra. Halvor ser for seg døde ørreter som flyter med den hvite buken i været.

Fra korvetten flæsjes et lyssignal mot *Tomar*. Signalet sendes uhyggelig fort. Halvor synes det er umulig å se forskjell på prikker og streker.

«Les signalet du, Roy,» sier Nyhus til Gnisten. «Du er god på rask morsing.»

«Det her går i kjappeste laget for meg,» sier Gnisten. «Jeg får 'keep away' og 'zone'. Nå sender de på ny: 'Keep away from U-boat danger zone'.»

«De vil ha oss vekk herfra,» sier kaptein Nilsen. «Vekk fra ubåten. Send 'please repeat', styrmann Nyhus. Så vinner vi litt tid og kan komme nærmere havaristen. Jeg kan ikke fatte og begripe at en ubåt som er skarpt forfulgt av en korvett skal ha noen mulighet til å angripe oss.»

«Kan hende det finnes flere ubåter i nærheten,» sier Granli.

Nyhus løfter Aldis-lampa og sender det han er blitt bedt om.

Svaret kommer umiddelbart fra korvetten.

«Klar melding,» sier Gnisten. «'Get the fuck out of here'.»

«*Den* var jaggu klar og utvetydelig,» sier Båsen.

Halvor har lyst til å le av Båsen, men han vet at han ikke må finne på å le. Det er ikke av hensyn til Båsen, men fordi latteren hans, hvis han slipper den løs, vil komme til å være hysterisk.

«Da har vi ikke noe valg,» sier kaptein Nilsen. «Vi har stående ordre fra Nortraship, Naval Control og all mulig big brass i land om å følge ordre fra Royal Navy. Det er fanden så beklagelig ikke å kunne bistå *Lula Zeidler*, men vi må tørne vekk.»

Kapteinen roper inn i styrhuset til Hemmingsen, og *Tomar* dreier rundt, bort fra det brennende vraket og den sinte korvetten.

Vinden står mot dem fra *Lula Zeidler* og bringer med seg ram lukt av gass og brent olje. Og av noe annet brent?

Halvor *vil ikke* tenke på hva dette andre kan være. Men så må han tenke på det likevel, at det kan være stanken av svidd menneskekjøtt.

«Må mige,» sier han til Nyhus.

Han løper ned leideren til båtdekket og spyr over rekka. Heldigvis kommer alt han har i seg, ut i et eneste voldsomt oppstøt.

Han har lyst til å bli hengende over rekka, men det kan han ikke. Det er en tanke som plager ham. Han drar en twistdott opp av lomma, og fra lerretsposen finner han fram vannflaska. Han vasker vekk oppkast fra leppene og løper opp på bruvingen igjen.

«Så, der er du, Skramstad,» sier kapteinen. «Matros Hemmingsen har hatt en lang rortørn. Gå og gi ham avløsning.»

«Nei!» roper Halvor.

«Hva fanden skal *det* bety?» sier kapteinen. «Er De obsternasig, Skramstad? Da må jeg si at De har valgt et usedvanlig dårlig tidspunkt for å sette Dem opp mot min kommando. Gå nå inn og løs av!»

«Nei, for svarte helvete om jeg gjør!» sier Halvor. «Ikke før Flemming fra Fyn er kommet til rette.»

«Jungmann Stenkjær?» sier kapteinen. «Hvor pokker er det blitt av ham?»

«Det er jo akkurat det jeg lurer på,» sier Halvor.

«Kanskje han har rømt fra broen i panikk?»

Halvor løper gjennom styrhuset. Ute på styrbord bruving er ingen Flemming fra Fyn å se. Halvor hører et klynk. Hvor kommer det fra? Det kommer fra bakom sandkassa.

Der ligger Flemming fra Fyn sammenkrøpet og skjelvende. Han minner Halvor om en elgkalv han en gang skadeskjøt.

Er dansken skadet? Kanskje av en flygende splint fra *Lula Zeidler*? Nei, det er ikke blod å se på ham. All fargen har forsvunnet fra ansiktet hans og samlet seg i leppene.

Halvor bøyer seg ned og sier lavt: «Hallo, Flemming fra Fyn. Du kan ikke ligge her og være hvit i trynet som ei kokt nepe og med lepper som ser ut som om du har spist blåbærsyltetøy. Jeg skal rope på styrmann Granli. Han vil hjelpe deg.»

Det er ikke nødvendig å rope på Granli. Han er allerede kommet.

«Sjokk, vil jeg tro,» sier Granli. «Nervesjokk.»

Granli tar pulsen på Flemming fra Fyn.

«Svak og bløt puls, og veldig høy pulstakt,» sier Granli. «Skaff noe varmt å drikke. Fort som faen. Ikke kast bort tida på å koke kakao. Hent varmt vann.»

Halvor løper ned i byssa og fyller ei kanne med varmtvann fra springen. Han husker å få med seg et krus. Han kan ikke løpe opp på brua igjen, for da vil vannet skvalpe ut. Han går så fort han kan.

«Takk,» sier Granli. Han løfter Flemming fra Fyn opp i sittende stilling, lent mot sandkassa, og holder kruset med varmtvann foran de blå leppene. Han sier lavt og rolig: «Nå går alt helt all right, du jungmann fra Faaborg på den vakre øya Fyn. Vår kjære danske fjellape her på det trygge skipet *Tomar*, som flyter som en kork på bøljan blå og ikke er blitt det minste torpedert. Hva er det fjellaper som har sett noe grusomt, trenger? De trenger en liten klunk varmt vann. Det er alt fjellapene trenger, så blir de helt fine igjen. Vil du drikke?»

Flemming fra Fyn ser på Granli med oppsperrede øyne og undring i blikket. Svetten pipler fra den fargeløse ansiktshuden.

«Jeg er ingen mann fra Mars, og heller ikke Mannen i Månen,» sier Granli. «Jeg er annenstyrmann Johan Granli på motorskipet *Tomar* av Tønsberg i Norge. Du er jungmann her om bord, og du vet at du alltid seiler fredelig og trygt sammen med oss nordmenn. Vi nordmenn er jo *virkelige* fjellaper. Vi vet alt om hva fjellaper trenger. Ingen i hele den vide verden vet så mye om fjellaper som oss. Vil du drikke? Ikke mye, bare litt?»

«Hvabba,» sier Flemming fra Fyn.

«Hva behager, sier du?» sier Granli. «Du er litt tummelumsk i hodet. Det kan hende den beste, for det har hendt meg. Høres det ut som jeg skryter av meg sjøl? Å, du vet, vi nordmenn er fæle til å skryte av at vi hopper på ski. Sånt tull som fjellaper driver med. Men når det kommer til fotball, da blir vi slått ned i støvlene av de danske drenge. Da spiller de danske drenge skjorta av oss i Idrætsparken i København. Når fjellapene har fått skikkelig drengedeng, og Danmark har vunnet fire–null, da er de danske drenge blitt tørste. Da må de ha litt å drikke. Du trenger også litt å drikke. Så det er fint hvis du kan åpne munnen, Flemming.»

Flemming fra Fyn åpner munnen. Granli heller forsiktig i ham litt varmt vann.

«Jeg ordner denne skiva,» sier Granli til Halvor. «Gutten er på vei ut av sjokket.»

Halvor speider i retning vraket av *Lula Zeidler*. Han kan ikke se skipet, bare en sky av svart røyk som har fasong som en fluesopp.

Han går inn og løser av Hemmingsen ved roret.

«Du kommer faen ikke et sekund for tidlig,» sier Hemmingsen. «Jeg står her og holder på å pisse meg ut.»

Halvor ser på kompasset.

«Er riktig kurs virkelig null–femogåtti grader?» spør han.

«Ja, det stemmer.»

«Da seiler vi jo rett mot land.»

«Ja, vi har seilt forskjellige kurser og har nå kurs mot Hag's Head. Det kan ikke ha vært mange overlevende på *Lula Zeidler*.»

«Nei,» sier Halvor. Det er alt han kan få seg til å si. Sier han noe mer, vil følelsene løpe av med ham og ordene komme som en stri strøm.

«Den torpederinga og eksplosjonene er det verste jeg har sett,» sier Hemmingen. «Det var helt forjævlig.»

«Ja,» sier Halvor. «Stikk nå, og få tømt blæra.»

Etter en time blir Halvor avløst ved rattet av Åge, som har hatt fri til nå og kommer rett fra messa.

«Vi styrer nord-nordvest,» sier Halvor. «De svake lysene du ser inne om styrbord, kommer fra bebyggelsen på Aran Islands som ligger ved innløpet til Galway Bay.»

«Skipperen liker å rote rundt i irsk kystfarvann,» sier Åge.

«Ja, han gjør visst det.»

«Hvorfor går vi bare for halv fart?»

«Halv fart er et ledd i skipperens taktikk for å prøve å unngå ubåten som tok *Lula Zeidler*,» svarer Halvor.

Han går ut på styrbord bruving. Der står kaptein Nilsen, Trean og Rønning og røyker. De tre skikkelsene er opplyst av måneskinn. Fullmånen henger over Irland. Det er ingen skyer på kveldshimmelen.

Halvor avløser Rønning som utkikksmann. Han tenner en Camel.

«Bare røyk, Skramstad,» sier kapteinen. «Vi får slappe av litt på reglene nå som vi befinner oss i en kritisk situasjon. Jeg vil rose deg for at du oppdaget at jungmann Stenkjær lå i sjokk. Det var observant av deg.»

«Takk.»

«Stenkjær fikk nok det som i den forrige krigen ble kalt granatsjokk. Det kan man få selv om man befinner seg et stykke unna stedet der granatene slår ned.»

Kapteinen vender seg mot Trean: «Er det øya Irishman i Arangruppen vi nå ser tvers om styrbord?»

«Det stemmer,» svarer Trean. «Men den heter ikke Irishman, den heter Inishmaan.»

«Ja vel,» sier kapteinen. «Disse øde irske holmene har kronglete navn. Hjemme i Norge er vel tyske soldater ute på holmer og skjær og bader i sommervarmen. Slår det Dem, styrmann Kvalbein, hvor lite nyheter vi får fra Norge nå?»

«Agurktid,» svarer Trean. «Det er jo typisk Norge at det ikke skjer en dritt i juli, selv ikke når landet er okkupert.»

«Jeg må si jeg savner norske jordbær. De engelske jordbærene vi fikk på Adelphi, var vasne greier.»

Halvor lener seg mot rekka og prøver å erstatte bildet han har på netthinnen av den eksploderende tankeren *Lula Zeidler* med bildet av bugnende jordbærkurver fra åkrene i Stange og på Toten.

I kikkerten ser han noe hvitt forut om styrbord. Det må være baugsjøen på et lite skip som går fort.

Han varsler Trean.

Skipet blir synlig i månelyset. Det er et gråmalt, lite krigsskip.

«Det kan være korvetten som jagde oss vekk fra *Lula Zeidler*,» sier Trean.

«Meget mulig,» sier kapteinen. «Send et signal til korvetten om hvem vi er og hvor vi skal.»

Trean henter Aldis-lampa.

Kapteinen sier: «Send følgende: 'Norwegian cargoliner Tomar of Tonsberg bound for Qué...' Nei, ikke nevn vår destinasjon. Send: 'Bound for Atlantic cross.'»

Trean sender morsesignalet i sakte takt.

Det har vært mye diskutert om bord i *Tomar* hvorvidt kaptein Nilsen er i stand til å lese lysmorse eller ikke.

Fra korvetten, som har slakket av på farta, svares det i samme sakte takt som Trean sendte i.

Kaptein Nilsen ønsker kanskje å avlive ryktene om at han ikke kan lese morse. Han vil vise at han kan det, i alle fall når morsinga ikke går for fort. Han roper ut signalet fra korvetten: «'Order from Naval Control to motor vessel Tomar. Proceed along Irish coast well outside three mile sea border to position five miles off Black Rock. Then head due West along five four parallel. Keep absolute radio silence.'»

«Grei melding,» sier Trean. «Marinen vil ha oss opp til Black Rock helt oppe ved nordvestkysten av Irland. Derfra skal vi gå vestover langs den fireogfemtiende breddegraden.»

«Spør om skjebnen til den danske tankeren,» sier kapteinen. «Send: 'What was the fate of Danish tanker torpedoed today? What happened to the crew?'»

Trean sender, og kapteinen leser korvettens svar: «'No Danish tanker torpedoed in these waters today.'»

«For helvete!» roper Trean. «Vi så jo med våre egne øyne at *Lula Zeidler* ble torpedert noe helt inni granskauen forferdelig.»

Kapteinen sier: «Send følgende: 'Danish tanker under British flag.'»

Han leser svaret fra korvetten: «'No information to be given about hostilities.'»

«Jævla britisk pissprat,» sier Trean.

Kapteinen sier: «Da sender De: 'We saw tanker Lula Zeidler heavily hit by torpedoes. Was ship lost with all hands?'»

Trean sender. Det kommer ikke noe svar.

Korvetten setter full fart på maskineriet.

Trean banner så det lyser og sender et signal.

«For fanden, styrmann Kvalbein!» roper kapteinen. «Vil De prøve å få oss skutt igjen, slik De gjorde i Aden? Jeg så jo at De sendte 'Come on, give us information, bloody British bastards'.»

Det kommer ingen kule fra korvetten, det kommer et signal: «'Tanker Lula Zeidler of Marshall torpedoed by German submarine. Three survivors picked up from raft. Five seamen found dead in the sea. Rest of crew and captain missing.'»

«Herrejesus,» sier Trean. «Tre mann på en flåte, og resten er døde.»

Et nytt signal fra korvetten, som kapteinen leser: «'Have a nice journey, bloody Norwegian ...' Jeg fikk ikke tak i det siste ordet. Fikk De, Kvalbein?»

«Ja, og det var 'codfuckers',» sier Trean.

«Hva skal det bety?» spør kapteinen.

«Det betyr vel noe sånt som torskeknullere.»

«Jeg forstår såpass,» sier kapteinen. «Jeg hadde bare ikke ventet å høre et slikt uttrykk fra Royal Navy. Nå skal De besinne Dem, styrmann Kvalbein. Hvis De svarer med en obskønitet som for eksempel 'cocksuckers', vil jeg avskjedige Dem i Québec. De skal svare: 'Thank you, sirs of the Royal Navy.' Forstått?»

«Forstått,» sier Trean og blinker i vei med Aldis-lampa.

«Hva kan britene ha ment med å si at *Lula Zeidler* kom fra Marshall?» spør kapteinen. «Marshall-øyene ligger jo langt borti hutaheiti i Stillehavet.»

«Jeg vil tro det var en feilskrivning for Marstal,» svarer Trean.

Kapteinen roper inn til Åge at han skal komme litt babord over og styre tohundreogåtti grader.

Halvor sitter på lugaren og skriver i dagboka: «Nordvestkysten av Irland, onsdag 24. juli kl. 00.30. Det har vært noen voldsomme kontraster på denne turen langs Irlands kyst.

Natta mellom mandag og tirsdag sov jeg på poopen og sugde inn duften av rødkløvereng.

I denne natta, mellom tirsdag og onsdag, greier jeg ikke å få stanken fra flammehelvetet på Lula Zeidler ut av neseborene.

Kontrastene mellom idyll og katastrofe er nesten ikke til å bære.

Jeg prøvde å få i meg et par brødskiver da jeg gikk av vakt ved midnatt. Jeg greide ikke holde på dem og måtte beinfly opp på poopen for å spy over rekka.

Kaptein Nilsen og Trean diskuterte hvor stort mannskapet på den danske tankeren må ha vært. De mente at mannskapet var omtrent like stort som på Tomar. Dersom alle de savnede virkelig er døde, blir antallet omkomne på Lula Zeidler altså mer enn tredve.

Kapteinen mente at vi hadde vært vitner til et av de verste krigsforlisene for et dansk lasteskip noen gang. Det var i så fall en begivenhet i dansk sjøfartshistorie som jeg gjerne skulle sluppet å være vitne til.

Trean sa at det kanskje ikke var dansk mannskap på Lula Zeidler. At britene kunne ha satt britisk mannskap om bord i tankeren.

590

Hva så? Det er like jævlig om det var briter som strøk med. Men jeg tror ikke det var briter. Instinktet mitt sier meg at det var dansker.

Et menneske måtte være laget av stein hvis det ikke skulle få dødsangst etter å ha sett et skip bli ødelagt slik denne tankeren ble.

Torpedonerver!

Flise-Guri har delt ut små kiler han har laget av teak. Disse kilene skal plasseres under lugardørene slik at dørene står litt på gløtt. Vitsen er at dørene ikke skal komme i beknip dersom en torpedo treffer oss. Det må jo være marerittet: Å bli innestengt på sin egen lugar mens skuta kantrer og synker.

Geir Ole og jeg har stukket en kile under vår lugardør.

Båsen sa, i messa etter midnatt, at folkene som ble drept på Lula Zeidler, døde fort og ble spart for langvarige lidelser. Jeg syntes det var mager trøst.

Båsen beskrev lydene fra det eksploderende skipet som en 'kukkafoni'. Vi som var i messa, lo jo av det, men for mitt vedkommende var det en hul og tvungen latter.

Motormann Eiebakke ba oss bli med på å be et Fadervår for våre døde kolleger på Lula Zeidler. Jeg ble med på det, men også bønnen min var hul og tvungen.

Jeg spurte Flise-Guri om hva slags tro jugoslaver har. Han sa at det er tre religioner i Jugoslavia. Gresk ortodoks kristendom, romersk katolsk kristendom og muhammedanisme. Han regnet med at mannskapet på Dubrovnik kom fra den delen av Jugoslavia som heter Kroatia, siden byene Rijeka og Dubrovnik ligger i Kroatia, ved Adriaterhavet. Kroatene er katolikker.

Da spør jeg deg, Our Lady Star of the Sea: Holdt du din beskyttende hånd over jugoslavene fra Dubrovnik fordi de har den katolske tro? Lot du danskene på Lula Zeidler bli sprengt eller brent til døde fordi de var protestanter?

Jeg kan ikke tro så dårlig om deg, at du er så simpel, Our Lady Star of the Sea. Nei, det kan jeg virkelig ikke!

Men gåten gjenstår: Hvorfor måtte danskene dø en så brutal død?

Kaptein Nilsen hevdet at de tyske ubåtskipperne ikke først og fremst torpederer for å drepe, men for å senke. Det kan så være. Men gudene skal vite at tyskernes ubåter også dreper når de senker!»

Kapittel 49

Halvor skriver: «Nord-Atlanteren, lørdag 27. juli, tidlig kveld. Vi er nå på vei sørover i Danmarkstredet mellom Island og Grønland. Her blåser stiv kuling fra nordøst, og det er bikkjekaldt.

Fra Black Rock (som jeg ikke fikk sett fordi jeg lå og sov) fulgte vi den 56. breddegraden vestover i et døgns tid. Så satte kaptein Nilsen kursen rett mot nord. På et oppslag på tavla ved messa kunngjorde kapteinen onsdag ettermiddag at vi skulle seile nord for Island.

Dette oppslaget vakte oppsikt blant mannskapet, og innholdet ble energisk diskutert. Å gå nord om Island er ikke vanlig under seilas fra Europa til Québec. Noen mente det var en genistrek av kaptein Nilsen, andre mente at det var det glade vanvidd. Jeg stilte meg nøytral.

Vi krysset tvers over konvoiruta som går vestover fra Storbritannia.

På kveldsvakta torsdag gikk jeg utkikk på bakken. Jeg fikk øye på et lys ute til babord som så ut som det kom fra en landsby. Jeg slo to slag på klokka og gikk like etterpå opp for å ta rortørn.

Trean sto på babord bruving og gransket det merkelige lyset gjennom kikkerten. Han sa: Det kan være et tankskip som ligger og brenner der borte.

Jeg gikk inn og avløste Åge ved rattet.

Trean ringte ned til kapteinen.

Kaptein Nilsen kom opp i styrhuset.

Der hvor lyset var, kunne vi nå se lynglimt.

Kapteinen sa: Det kan være kanonild vi observerer. Vi styrer unna.

Jeg fikk ordre om å komme styrbord over, og så rette opp kursen. I den tunge dønningen hadde jeg ingen problemer med å manøvrere <u>Tomar</u>. Det er utrolig hva man lærer seg her i verden. Titusentonneren lystrer meg nå som en lydig hund, som Brakar hjemme.

Noen minutter etter at vi hadde sett lysglimtene, hørtes en fjern rumling som av torden. Det må ha vært kanontorden, for det var ingen tordenskyer på himmelen. Der borte på havet ble det spredt død og fordervelse. Vi kommer kanskje aldri til å få vite hva det var som skjedde. Mangelen på informasjon er noe av det som plager meg mest under denne krigen. All uvissheten! Renkespillet og narrespillet som foregår.

Det er sannelig forskjell på fredens og krigens dyder! I fredstid er godhet, åpenhet og pålitelighet anerkjente dyder. I krigstid regnes falskhet og fordektighet som framifrå dyder, samt lurendreieri og ondskap.

Jeg må innrømme at jeg nå liker meg best om bord når jeg har rortørn eller går utkikk på bruvingen.

Under ledelse av Flise-Guri har vi som går dekksvakter, arbeidet overtid med å sette opp kornskott i lasterommene. Skottene skal hindre at kornet vi får om bord i Canada, forskyver seg. Vi skal ikke laste kornet i sekker, men som 'bulk', i løs vekt. Gamle Åge er fritatt for overtidsarbeidet. Han er for sliten etter alle sine år til sjøs til å være med på det. Ryggen hans tåler det ikke.

Jeg liker jobben med å spikre kornskott. Da jeg jobba på trelasten på Kartongen, lærte jeg meg å håndtere planker, og jeg har alltid vært god til å snekre. Det jeg <u>ikke</u> liker med jobben, er å være djupt nede i lasterommene. Hvis vi blir truffet av en torpedo, ligger vi tynt an, vi som jobber nede i rommene.

Jeg arbeidet sammen med Båsen i treerluka. Etter endt økt sa Båsen: Du er en habil snekker, Skogsmatrosen. Når du får noen år på baken, kan du satse på å bli skipstømmermann. Du kan bli en brukbar flise-guri.

Jeg trodde nesten ikke mine egne ører. Jeg fikk ros av Båsen!

En grunn til at jeg i kveld skriver i dagboka, er at jeg har tenkt en tanke om kaptein Nilsen som jeg ikke har turt å lufte overfor noen av de andre gutta. Når kapteinen ble så fornærmet over at det var jugoslaven og ikke vi som ble torpedert, kan det ha vært fordi han hadde et <u>ønske</u> om å bli torpedert?

En enkel og grei torpedering i sommerfint vær nær kysten av Irland. Så kunne kapteinen etterpå bli værende i land. Han kunne si til norske myndigheter: Jeg har vært utsatt for en torpedering. Jeg har gjort mitt i sjøkrigen. Nå vil jeg ha meg en kontorjobb i London, i Nortraship eller i et av departementene.

Huff, her tillegger jeg kaptein Nilsen en holdning jeg slett ikke er sikker på at han har. Jeg kan da ikke tro at kapteinen vår har noen lengsel etter skipets undergang?

Den forbannede krigen, og redselen som følger med, gjør at man gransker sin egne og andres motiver på en helt annen måte enn i fredstid. Vi er blitt så grusomt mistenksomme når det gjelder alt og alle!

Det virker som om kapteinen har sluttet å ta pillene som gjorde ham så oppskaket, skravlete og oppfarende. Han er roligere nå.

En annen grunn til at jeg skriver, er at Gnisten etter kveldsmaten fortalte oss om skjebnen til damperen Gyda*. Det var ganske skremmende. Etter å ha blitt torpedert styrte Gyda for full fart mot havets bunn, drevet av sin egen propell!

De ni overlevende av mannskapet på 20 fra Gyda kom i land i New York i går. Skuta befant seg den 18. juli nordvest av Irland, i posisjon 56 grader nord, 10 grader vest, da det smalt. Hun var på vei fra Glasgow til Canada med ei last på to tusen tonn salt. Gyda var et dampskip på 2400 tdw, tilhørende William Hansens rederi i Bergen. Hun var bygd i Laksevåg i 1920.

Hun seilte som independent ship, og hadde – slik som oss – flyeskorte av en Sunderland. Flyet hadde sirklet rundt og passet på henne bare seks–sju minutter før torpedoen traff. I de minuttene flyet var borte, så ubåtskipperen sitt snitt. Eksplosjonen rev opp hele skutesida på styrbord side. Førstestyrmann Arne Langeland ble slengt fra brua og femti meter ut i vannet. Folkene i maskinrommet rakk ikke å stoppe motoren. For Gyda sank på ett minutt!

Elleve sjøfolk ble med henne ned. Det var kaptein Birger Larsen, den kanadiske radiotelegrafisten og tre norske dekksfolk: tømmermannen, en matros og en lettmatros. Fra maskinen var det to norske maskinister, en finsk donkeyman og to norske fyrbøtere. Kokken, som var fra Danmark, satte også livet til.

De overlevende kom seg opp på en redningsflåte. De rodde østover mot Irland. Dagen etter forliset ble de tatt om bord i det belgiske lasteskipet Ville d'Arlon*, som brakte dem til New York.

Tyskerne har ennå ikke fått noen 'tonnasjemillionærer'. Men i den propagandaen de sender ut i radio, skryter tyskerne fælt av de råeste ubåtskipperne sine, og kaller dem for ubåt-ess. Ubåtkapteiner som Kretschmer og Prien er ifølge Gnisten blitt store navn i Tyskland, som om de skulle vært filmstjerner. De er blitt dekorert med Jernkorset, og det skal ha vært av Hitler personlig.

Men hvor modig er det å sende en torpedo mot en liten, ubevæpnet damper som Gyda? Ubåtskipperen som gjorde det, må jo ha

594

vært fullt klar over at dersom han fikk inn en fulltreffer, ville den vesle skuta gå nedenom og hjem på et blunk, med mann og mus.

Jeg synes jeg ser et ondt glimt i denne skipperens øyne når han gir ordre om å fyre.

Etter min mening er en tysk ubåtskipper som senker sivile skip, slett ikke noe ess. Han er en jævla knekt! Spar knekt. Svarteper!

Det ble aldri noen prøveskyting med styrbord Hotchkiss. I farvannet nordvest av Irland ville ikke kaptein Nilsen stoppe, og da vi nærmet oss Island, var været for dårlig og sjøen for grov til at vi kunne øve oss på å skyte. Vi var da kommet langt utenfor rekkevidden til tyske bombefly, så det var greit at prøveskyting kunne vente til etter avgang fra Québec.

Rykter går om at en styrke av tyske slagskip skal være samlet i Danmarkstredet. Dersom jeg skulle skyte med styrbord Hotchkiss mot et slagskip, ville det være omtrent like effektivt som å blåse erter mot slagskipet gjennom et blåserør.

Av Sagaøya fikk jeg ikke sett annet enn blinkene fra fyret Fontur på Langanes lengst nordøst på Island.

I dag morges jaget et ullent skydekke over grått, vindpisket hav. Kaptein Nilsen ga ordre om at vi skulle speide etter isfjell og drivis fra Grønland. Jeg gikk utkikk på bruvingen iført vinterklær, to gensere og vindjakke. Likevel greide jeg å fryse på meg en liten forkjølelse.

Flise-Guri sa at det var første gang han seilte gjennom Danmarkstredet. Han håpet å få se isbreene på Grønland. Da vikingene for første gang så landet med isbreene i det fjerne, kalte de landet for Kvitserk.

Jeg skulle også gjerne ha sett Kvitserk. Været ble ikke lettere. Noen isfjell så vi ikke, og vi så heller ikke noe annet, bortsett fra en del sjøfugl. De fleste var grå og var ifølge Geir Ole havhester. Jeg savner albatrossene fra sørlige farvann. Det er rart at magiske fugler som albatrossene ikke finnes her nord.

Cheng har kokt et brygg av ingefær og honning til meg. Han har også lagt oppi noen biter av en gråbrun rot som heter ginseng, og som skal være en vidundermedisin i Østen. Brygget smaker litt av jord, men jeg heller det innpå i håp om å bli mindre snørrete og få kurert den såre halsen.

Jeg har lest gjennom det triste jeg har skrevet på denne lørdagskvelden. Jeg får finne på et eller annet som kan kvikke meg opp. Hva kan det være? Jeg skal få Geir Ole til å tegne Muriel Shannon som Our Lady Star of the Sea!

Nå er det opp og gå vakt. Jeg har mest lyst til å krype til køys og trekke blankisene over meg, men plikten kaller.»

Halvor står på utkikk på bruvingen i den lyse kvelden. En isnende fallvind kommer vestfra, fra Kvitserk. *Tomar* slingrer mer enn noen kunne tro at en titusentonner kunne slingre. Åge slåss med rattet og banner som en tyrk.

Snørr og tårer renner av Halvor.

«Du får komme inn og gå utkikk i styrhuset,» sier Trean.

«Takk for det,» sier Halvor.

Trean tar ham med inn i bestikken og viser ham i overseilings-kartet den ruta *Tomar* skal følge.

«Alle tenker om verdens største øy at den ligger langt mot nord,» sier Trean. «Men Grønlands sørligste punkt, Kapp Farvel, ligger på sekstigraden, på samme bredde som Oslo. Vi seiler såpass langt fra kysten at vi ikke får se Kapp Farvel. Så fortsetter vi over Labra-dorsjøen til vi får landkjenning ved Cape Harrison på kysten av Labrador. Det er en av de mest øde kyststrekninger på kloden. Vi følger Labrador sørover, og så smetter vi inn her.»

Trean peker på Strait of Belle Isle. Det er et ganske smalt sund mellom øya Newfoundland og fastlandet i Canada.

«Vi kommer inn i Gulf of St. Lawrence nordfra,» sier han. «Vi har selvfølgelig brukt lengre tid på denne nordlige crossen enn om vi hadde gått sør om Island. Men kaptein Nilsen valgte safety first for å holde oss lengst unna farvann der tyske ubåter opererer. Det mener jeg var et godt valg. Og noe tid vinner vi på å seile inn ved Belle Isle.»

«De tyske slagskipene?»

«Gnisten har ikke fanget opp radiotrafikk som tyder på at noen tysk slagskipsstyrke er på ferde i Danmarkstredet.»

«Det takker vi for,» sier Halvor.

«Ja, takke faen for det.»

Like før han skal ta over roret fra Åge klokka ni, får Halvor øye på to silhuetter mot vesthorisonten. Han varskur Trean og løper ut på styrbord bruving med kikkerten.

De to silhuettene er svære krigsskip som beveger seg fort og vel-ter opp skummende baugsjøer. Skipene går på en kurs som vil krysse *Tomar*s.

Synet av skipene skremmer Halvor så han begynner å sitre i hele

596

kroppen. Han er sikker på at det er *Bismarck* og *Tirpitz*, verdens frykteligste slagskip. Han kan se de veldige, fryktinngytende kanonene på fordekkene. En eneste salve fra en av disse kanonene vil kunne blåse *Tomar* vekk fra havets overflate. Han venter å se et kanonløp dreie mot *Tomar*, å se munningsflammen og så høre det øredøvende smellet når granaten slår inn i skutesida.

Sekundene går. De går seint som lus på en tjærekost.

«Kan du se noe flagg, Skramstad?»

Det er kapteinens stemme, tett ved øret til Halvor.

«Nei,» svarer Halvor. «Det er vanskelig å holde kikkerten støtt når det slingrer så jævlig.»

Kaptein Nilsen setter sjøbein og løfter Zeiss-kikkerten sin.

«Der har vi et flagg, ja,» sier han.

Så si *hvilket det er*, da, mann! tenker Halvor. Sekunder går, tida flyter sakte og seigt. Kroppen hans dirrer som et aspelauv i vinden.

«Det er heldigvis *ikke* noen fordømt swastika,» sier kapteinen.

Nå kan også Halvor se at det nærmeste og største skipet ikke fører hakekorsflagg, men Union Jack. I lettelse slipper han ut luft fra lungene. Siden han er så tett i nesa, kommer lufta ut av halsen som ralling.

«Er du syk, Skramstad?» spør kapteinen. «Du høres tuberkuløs ut.»

«Bare litt forkjøla.»

«Godt,» sier kapteinen. «Jeg vil nødig ha tub om bord.»

«Hvilke skip er det vi ser?» spør Halvor.

«Jeg vil tro at det største skipet er slagskipet *Hood*,» sier kapteinen. «Det mindre skipet må være en britisk krysser.»

«Skal vi ikke signalisere hvem vi er?» spør Halvor.

«Vi avventer,» sier kapteinen. «Hadde kommandøren på *Hood* trodd at *Tomar* var en tysk raider, hadde vi nok fått en dødelig bredside allerede.»

De to krigsskipene stevner østover mot Island. Der vil de finne trygg havn. Øya er under full britisk kontroll.

Halvor går inn for å ta rortørn. Han sjangler litt der han går. Han griper de trygge knaggene på rattet.

Kapteinen kommer inn i styrhuset og tenner en corktipped Craven. Til Trean sier han: «Noe er i gjerde her i dette øde farvannet. Ellers ville ikke britene patruljert i Danmarkstredet med et slagskip. Det skulle ikke forundre meg om ryktet om en tysk slagskipsstyrke er sant.»

Hjertet synker i brystet på Halvor da han hører dette. Han håper mektige *Hood* har skremt eventuelle tyske slagskip pokkerivold opp mot pakkisen ved Nordpolen.

Da Halvor går av vakt ved midnatt, har fallvindene fra Kvitserk gitt seg. *Tomar* seiler med en stø akterlig kuling inn på låringa. Skipet ånder av fred og ro.

Han leser radiopressa Gnisten har hengt opp på tavla. Tyskerne retter stadig hardere luftangrep mot London og andre byer i det sørlige England. Londonerne bygger tilfluktsrom for å verge seg mot Blitzen. Det står ingenting om bombing av Liverpool.

I messa brygger Halvor seg en kopp te med ingefær og honning og slår seg ned sammen med motormann Helge.

«Det Hitler nå driver med, er forberedelser til invasjonen av England,» sier Helge. «Han vil myke opp – som det så vakkert heter – London og slå ut Royal Air Force. Men jeg hørte i et amerikansk radioprogram at det er mye som tyder på at Luftwaffe har større tap over England enn det RAF har.»

«Sa amerikanerne noe om bombing av Liverpool?»

«Nei, Liverpool ble ikke nevnt. Så dama di i Liverpool er nok foreløpig trygg. Amerikanerne sa noe veldig interessant. Engelskmennene skal ha utviklet et teknisk system som kan registrere tyske fly på lang avstand. Det ble nevnt høyfrekvente radiobølger som gjør at flyene gir et slags ekko. Systemet skal være i stand til å 'se' gjennom skyer og tjukk tåke.»

«Jeg har hørt snakk om dette systemet før,» sier Halvor. «Håper virkelig det finnes. England trenger noen tekniske fordeler i kampen mot et overmektig Tyskland.»

Halvor tvinger seg til ikke å bli sittende i messa, men til å gå til lugaren og krype i køya.

Tomar har nådd fram til kysten av Labrador. Her har skydekket blåst vekk. Julisola varmer faktisk litt. Solskinnet får sjøen til å skifte farge fra grå til grønnblå.

Halvor sitter på poopen etter formiddagsvakta og vasker klær i en pøs.

«Hvalflokk kloss om styrbord!» roper Erasmus Montanus. «Jeg tror det er spekkhoggere.»

Halvor løper til rekka. Spekkhoggerne springer i luftige sprang. Disse her nord er ikke grå slik som de antarktiske spekkhoggerne. De har blanksvart rygg og hvit buk.

«De har samme fargene som taksvaler,» sier Halvor. «Svart og hvitt.»

«Hvor mange taksvaler tror du det går på en velvoksen spekk-hogger?» spør Erasmus.

«Hvem vet? Hundre tusen, kanskje.»

«Jeg vil tippe en million.»

Synet av spekkhoggerne løfter Halvors humør.

Humøret hans daler da *Tomar* lørdag den 3. august stevner innover i Gulf of Saint Lawrence. De seiler langs gulfens nordside. Det skog-kledde landskapet minner Halvor om Østerdalen. Han får et kraftig stikk av hjemlengsel der han står til rors og styrer langs grønne skoger.

Etter middag henger han over rekka på poopen, glaner på skau og røyker altfor mange sigaretter.

Flise-Guri sier til ham: «Ja ja, Skogsmatrosen. Du er ikke den før-ste norske sjømannen som har fått hjemlengsel av å seile inn i Gulf of Saint Lawrence. Vi er snart oppe i Saint Lawrence River. Der oppe i elva, ved en by som heter Rimouski, skjedde et forlis som var nes-ten like stort som *Titanic*s, men som nesten ikke en kjeft i Norge har hørt om, enda en av partene i kollisjonen var et norsk skip.»

«Fortell,» sier Halvor. Han trenger å høre ei historie som kan lede tankene hans bort fra lengselen etter hjemlige trakter.

Flise-Guri sier at det dreier seg om passasjerskipet *Empress of Ireland**, som om kvelden den 28. mai 1914 seilte fra Québec for Liverpool med 1447 personer om bord. På kaia sto et orkester fra Frelsesarmeen og spilte «God be with you till we meet again».

Halvor avbryter og spør: «Betyr ikke 'empress' keiserinne? Jeg visste ikke at det har vært noen keiserinne i Irland.»

«Du har rett i at navnet er merkelig,» sier Flise-Guri. «Dronning Victoria var jo dronning av Storbritannia og Irland. Hun tok navnet keiserinne av India, men kalte seg aldri keiserinne av Irland. Dess-uten hadde hun vært dau i fem år da *Empress of Ireland* ble sjøsatt i Govan ved Clyde'n i nittenhundreogseks. Jeg vil tro at empress-navnet var en del av den jålete stylen i rederiet Canadian Pacific Steamships som eide henne. Hun hadde et søsterskip som het *Empress of Britain*. Kaptein Henry Kendall på *Empress of Ireland* var helt fersk som skipper. Ved midnatt kvitta han losen ved Pointe-au-Père, der vi kommer til å ta elvelosen om bord nå. Opp roveret kom det norske dampskipet *Storstad**. Hun hadde Thom Andersen som kaptein. *Storstad* var det som på engelsk blir kalt en 'collier', et skip spesialbygd for kullfrakt. Hun var en diger rusk, etter datidas mål, på seks tusen tonn. Om bord hadde hun full last av kull fra Sydney på Nova Scotia.»

«Rederiet?» spør Halvor.

«A.F. Klaveness i Oslo. På brua hadde førstestyrmann Alfred Toftenes vakt. Han gjorde en tabbe ved ikke å tilkalle kapteinen da tåka kom. De to skipene så hverandres lanterner godt. Men så la det seg en tåkedott over elva. Det var da det fatale skjedde. Kendall og Toftenes misforsto hverandres manøvrer. Fra brua så kaptein Kendall at *Storstad* kom ut av tåka med kurs rett mot *Empress of Ireland*. Nordmannen rente inn i kanadieren med full kraft og slo et stort høl i skutesida. Hundrevis av passasjerer på de lavere dekkene omkom straks, fordi vannet strømma inn. *Empress of Ireland* sank mye fortere enn *Titanic*, hun sank på fjorten minutter. Men det var jo ikke midt ute på havet. Det var oppe i elva, og det var i slutten av mai, så det var ikke sprengkaldt. Det lyktes å sette ut fem av seksten livbåter. Likevel omkom mer enn tusen mennesker.»

Flise-Guri har de nøyaktige tallene på døde. 840 passasjerer og 172 fra mannskapet. Han sier at det alltid er flest fattige som dør i store passasjerskipskatastrofer. På *Empress of Ireland* døde 80 prosent av passasjerene på andre og tredje klasse, men bare 58 prosent av passasjerene på første klasse.

«Hva hendte med *Storstad*?» spør Halvor.

«Hun fikk trøkt inn hele baugen, men holdt seg flytende. Så å si alle de overlevende ble tatt om bord i *Storstad*. Det betyr at det norske mannskapet greide å berge mer enn firehundreogfemti mennesker. Derav sju av de enogtjue norske passasjerene på *Empress of Ireland*. Men det vanka ingen heltemedaljer på dem for den innsatsen. Tvert imot ble *Storstad*, og særlig styrmann Toftenes, utpekt som syndebukker. Det ble nedsatt en undersøkelseskommisjon i Québec. Den var ledet av Lord Mersey. Det var samme mann som hadde gransket *Titanic*s forlis. Han var altså litt av en størrelse. Spørsmålet er om han var upartisk, eller om han var i lomma på Canadian Pacific. Kommisjonen fikk høre to stikk motsatte forklaringer fra Kendall og Toftenes. Mye tyder på at *Storstad* faktisk manøvrerte riktig. Om dette krangles det ennå blant navigatører og sjøfartsjurister. Lord Mersey valgte å legge skylda på Toftenes fordi han hadde endret skipets kurs i tåka. Kaptein Andersen svarte med å kalle Lord Mersey for en tosk. Andersen trua med å gå til rettssak mot Canadian Pacific. I stedet ble det Canadian Pacific som gikk til rettssak mot Klaveness. Kanadierne krevde to millioner, og de vant. Klaveness greide ikke å betale to millioner daler og måtte selge *Storstad* for et par hundre tusen.»

«Er vi oppe i elva nå?» spør Halvor.

«Ja, nå har vi passert Cap de la Madeleine og seiler på ferskvann,» svarer Flise-Guri.

Halvor ser på det frodige og fredelige landskapet langs Saint Lawrence River. På nordbredden er det mye skog, på sørbredden ligger landsbyer og småbyer med skogholt og åkerland imellom. Det er vanskelig å fatte at et skip kunne gå ned her på elva ei stille mainatt, med tap av mer enn tusen menneskeliv.

«Hvorfor har vi hørt så mye om *Titanic* og så lite om *Empress of Ireland* i Norge?» spør han.

«Den viktigste grunnen er nok at *Storstad*s rolle i forliset ble sett på som pinlig for sjøfartsnasjonen Norge. Sterke krefter ville legge lokk på saka. Og den sterkeste her var vel statsminister Gunnar Knudsen. Han var jo sjøl stor skipsreder. Jeg har hørt snakk om at Knudsen, gjennom sitt rederi Borgestad, hadde eierandeler i Klaveness og dermed i *Storstad*. Men jeg har aldri sett det bevist. Uansett gjorde nok Knudsen hva han kunne for at ikke affæren skulle bli haussa opp i norske aviser. Og så hadde Norge flaks. Verdenskrigen brøt ut, og folk fikk andre forlis å tenke på. Som britiske *Lusitania** som ble senket av en tysk ubåt på Irlands sørkyst i nittenfemten. Der døde fler enn på *Empress of Ireland*. Blant de døde på *Lusitania* var mer enn hundre amerikanere. Det skapte en voldsom antitysk stemning i USA og bidro til at USA gikk inn i verdenskrigen på Storbritannias side.»

«Kanskje vi burde ønske oss en ny *Lusitania* i denne krigen, for å få med yankee'ene på vårt parti?»

«Husj, som du snakker, gutt! Vi har jo allerede hatt britiske *Athenia** som ble senket vest for Irland samme dag som Storbritannia erklærte Hitler-Tyskland krig. Der gikk det med over hundre mennesker, og en fjerdedel var amerikanske statsborgere. Det vakte stor brudulje i USA. Angrepet på *Athenia* var et eklatant brudd på den britisk-tyske avtalen fra nittenfemogtredve om begrensa undervannskrig. Men hva gjorde Hitler? Han blånekta for at det var en tysk ubåt som torpederte *Athenia*. Hvem skal det ha vært hvis det ikke var tyskerne? Kaptein Nemo på *Nautilus*? Og avtalen om begrensa krig? Den bruker vel storadmiral Raeder som dasspapir.»

601

«Seilte *Storstad* videre etter at hun var blitt solgt?» spør Halvor.

«*Storstad* fortsatte å seile med kull,» sier Flise-Guri. «Hun ble torpedert av en tysk ubåt sørvest av Irland i mars nittensytten. Alle mann om bord overlevde. Så sånn sett kan det kanskje sies at *Storstad* var et lucky ship, når alt kom til alt.»

«Det er merkelig at så mange forlis har skjedd ved Irland,» sier Halvor. «Hvorfor har forresten Irland aldri blitt en stor sjøfartsnasjon sånn som Norge?»

«Det har jeg også spekulert på,» sier Flise-Guri. «Den viktigste grunnen er nok at engelskmennene holdt Irland nede. Norsk skipsfart fikk sin blomstring etter at vi ble kvitt det danske styret i attenfjorten. For irlenderne skulle det gå hundre år til før de fikk friheten. Da var det i seineste laget å bygge opp en stor handelsflåte. Og så kan det vel være at den jevne irlender heller ønsker å bli politimann i New York eller Chicago enn sjømann på de sju hav. Det er vanskelig å se for seg en skipsreder som statsminister i Irland eller i Sverige. Men i Norge har skipsreder faktisk vært det vanligste yrket for statsministere så lenge jeg har levd. Først var det skipsreder Christian Michelsen fra Bergen, så var det skipsreder Gunnar Knudsen fra Moland ved Porsgrunn, og så ble faen høvle meg skipsreder Johan Ludwig Mowinckel fra Bergen statsminister tre ganger på rappen. Du kan si mye som er lite smigrende om Nygaardsvold, men han er i alle fall ikke skipsreder.»

Gnisten henger opp ei radiopresse der det står at Administrasjonsrådet i Norge har bestemt at all flagging er forbudt på kong Haakons fødselsdag.

Halvor styrer i kveldinga *Tomar* til kai i Québec. I folketall er byen omtrent like stor som Liverpool, men havna er mye mindre. Etter mørklagte Liverpool kjennes det rart å komme til en fullt opplyst by. Québec ligger og glitrer som et smykke i augustkvelden.

Det er et ekkelt strømdrag i Saint Lawrence River. Halvor står på tuppa og følger losens ordre. Losen snakker engelsk med en aksent som er nesten komisk fransk.

De skal inn forbi en molo til Vieux-Port. Tatt av strømmen kommer *Tomar* farlig nær det røde lyset på molopynten. Men de glir forbi uten å få riper i lakken, og fortøyer ved en majestetisk kornsilo.

Kapittel 50

Halvor sitter på lugaren og skriver: «Québec, mandag den 5. august om kvelden. Arbeiderne på kornsiloens lasteanlegg hadde søndagsfri. Vi begynte lastinga i dag morges. Gyllent korn flommet ned i lasterommene. Her skal det bli brød til et sultent Storbritannia! Nå på kvelden er det stille. Krig eller ikke krig. Siloarbeiderne jobber ikke overtid og tar utskei klokka fem.

Hvor mange taksvaler går det på en spekkhogger? Hvor mange brød kan bakes av ti tusen tonn korn?

Jeg var en liten tur i land etter middag sammen med Geir Ole og motormann Helge. Geir Ole kjøpte seg ei fiskestang og et pent utvalg fargerike sluker. Helge snakket fransk som en innfødt og hjalp Geir Ole med å prute på prisen.

Québec er en nesten helt fransk by. Alle gatene heter 'Rue'. Byen virker litt gammelmodig på meg. Det er rart, siden Canada – for den hvite mann – er et ganske nytt land. Men det er vel sånn at de franske kolonistene som bygde byen, ville at den skulle minne om byer hjemme i Frankrike. Derfor ser rådhuset, som ligger like ovenfor havna, ut som en gammel bygning fra Europa. Det har en kuppel med forseggjorte søyler og urskive.

Vi møtte flere av gutta på en pub i Rue Dauphine, og jeg tok meg et par øl. Helge ville fortsette å utforske byen og teste ut fransken sin. Jeg er ennå plaga av forkjølelsen og gikk tidlig om bord. Geir Ole slo følge. Han står nå ute på moloen og kaster med slukstanga. Han er overbevist om at det går svær laks i river'n.

Her blir noen avmønstringer. For meg er det mest trist at matros Sigurd Hemmingsen går i land her. Han har jo under hele vår seilas sammen vært en mann jeg kunne rådføre meg med. Jeg kommer virkelig til å savne Hemmingsen, og minnes vår siamesiske Ærotiske Æskapade med glede. Hemmingsen har stått to år om bord i <u>Tomar</u>. Han sier at han er møkka lei av å seile for dårlig norsk hyre, og at han vil prøve å få seg en amerikansk båt. Den amerikanske matroshyra skal være tre ganger så høy som den norske.

Så lenge USA ikke er med i krigen, er sjansen for at tyskerne torpederer amerikanske båter, forholdsvis liten. Men det er ikke dette som driver Hemmingsen. Noen folk er mer opptatt av penger enn andre, og Hemmingsen er blant disse.

Salonggutt Ståle Bangsund, som kom om bord i Hong Kong, går også i land. Han fortalte at han har fått en kontorjobb for det norske militæret her i Canada. Han sa at det var hemmelig hva slags jobb det var. Men etter noen øl på puben i Rue Dauphine røpet Bangsund at han skal være med på et prosjekt som går ut på å bygge opp en treningsleir i Toronto for norske flygere fra Hæren og Marinen. Leiren skal ligge på Island Airport, som kanadiske myndigheter har stilt til rådighet for oss nordmenn. Leirens navn blir fint, det blir Little Norway.

Vi skålte for Little Norway.

Motormann Pablo Ortega mønstrer av. Han er kommet i kontakt med et miljø av spanjoler som var på den tapende republikanske siden i Den spanske borgerkrigen, og som lever i eksil her i Canada. Disse folkene har skaffet Ortega jobb som maskinist på et sykehus, der han skal passe fyrkjelene. Det viste seg at Ortega har maskinistutdanning fra Spania, men at denne utdanninga ikke ble godkjent av norske sjøfartsmyndigheter, og at han derfor måtte nøye seg med å seile motormann på norske skip.

Det er vanskelig å få tak i nye folk her. Vi har fått om bord en kanadisk salonggutt som heter Percy Davies og bare er 16 år gammel. Men det ser ikke ut til at vi får ny matros og motormann.

Spørsmålet om kortmannshyre ble derfor tatt opp på et møte i skipsgruppa tidligere i kveld. Det var et dårlig besøkt møte, siden så mange av gutta var i land.

Båsen fortalte at han hadde vært oppe på telegrafen og ringt rikstelefon til Norsk Sjømannforbunds kontor i New York.

Som sekretær i skipsgruppa fører jeg en kladd til referatet som siden skal protokollføres. I kladden noterte jeg meg Båsens ord, og tok også med noen av hans merkverdigheter. For eksempel at han sa 'parlamentarisme' når han mente 'parlamentering'.

Båsen sa: Jeg forlangte å få snakke med forbundets formann, Ingvald Haugen, som befinner seg i New York. Etter en del parlamentarisme med noen hurpete sekretærer av begge kjønn fikk jeg snakke med sjefen sjøl. Jeg fortalte herr kamerat Haugen i utvetydelige ordelag hva vi sjøfolk mener om kuttet i krigsrisikotillegget. Jeg vil tro at Haugen sitter der nede i New York og har øresus ennå. Men hva skjer med tillegget? Haugen sa at Union nå arbeider i det stille med å få justert krigsrisikotillegget opp til det gamle nivået. Det er såkalt 'løpende kontakt' mellom Union, Nortraship og skipsfarts- minister Sunde i London. Clouet er at britene ikke må få vite om at det norske tillegget økes. Jeg sa at det viktigste for oss som seiler, er å få et anstendig tillegg. <u>Hvordan</u> det skjer, er oss knekkende ugyldig, bare <u>det skjer.</u>

Vi lo godt av Båsens 'ugyldig' for 'likegyldig'.

Om det han sa om tillegget, var det stor enighet. Motormann Smaage mente at også den alminnelige hyretariffen måtte økes. Vi vedtok å sende et telegram til Norsk Sjømannsforbunds kontor i New York med et 'utvetydelig' krav om økning i hyretariffen og økt krigsrisikotillegg.

Flise-Guri sa: Jeg regner med at vi får en sosialistisk regjering i Norge når vi har vunnet krigen. Jeg føler meg overbevist om at en slik regjering vil gi oss sjøfolk en real bonus for krigsseilasen.

Båsen sa: Jeg er ikke så overbevist om det. Vi må sørge for at vi får pengene i hånda her og nå, og ikke drømme om framtidige bonuser. Hva fikk sjøfolkene etter den forrige storkrigen? De fikk null og niks. De fikk nada de la puta, som det heter på spansk. Men rederne håvet inn profitt og krigsforsikringer. Derfor må vi under denne krigen arbeide for at vi sjøfolk får best mulige tariffer. Vi risi- kerer livet under krigsseilasen og skal faen tute meg ha noe igjen for det!

Dette ble da siste ord på møtet. I mitt protokollførte referat står det naturligvis ikke 'nada de la puta' eller 'faen tute'.

Geir Ole fikk en laks i dag på fem–seks kilo og gliste fra øre til øre. Den gutten er et unikum som fisker! Jeg kan se for meg at han kommer til en oase midt i Sahara, hiver ut snøret og trekker opp en diger abbor. Cheng tilberedte laksen i pantryet. Han skar noen skiver av det røde kjøttet og spiste skivene rå, etter japansk skikk.

Rå fesk? sa Geir Ole. Ikkje farsken om æ et rå fesk.

I likhet med Geir Ole foretrekker jeg laksen stekt.

Nå sitter Geir Ole og tegner Muriel Shannon som Our Lady Star of the Sea. Jeg har gitt ham instrukser om hvordan han skal tegne ansiktet i forhold til originalbildet. Litt høyere kinnbein, litt mindre øyne, litt større munn. Håret skal ha samme fargen som lys furubark.

I bakgrunnen skal det være et vrak og en livbåt, akkurat som på originalbildet. Men det skal også være ei strand. På den stranda står en fillete og forkommen skipbrudden som skal forestille meg sjøl.

Hvis jeg skal sende Geir Oles tegning i posten til Muriel, må jeg legge ved et brev. Jeg har fått låne <u>Gyldendals norsk-engelsk ordbok</u> av styrmann Granli, og sitter og sjekker i ordboka og <u>Oxford</u> hvilke ord jeg må bruke. Det er fint at det er så mange ord som er ganske like på engelsk og norsk:

Portrett – portrait.

Blasfemi – blasphemy.

Intensjon – intention.

Rolle – role.

Jeg vil skrive til Muriel at det ikke er min intensjon å drive blasfemi ved å tegne henne som jomfru Maria, men at det er godt ment.»

Halvor skriver: «Québec, tirsdag 6. august om kvelden. Milde Måne!

Salonggutt Bangsund sto på fallrepet med suitcasen sin ferdig pakket og ventet på en bil som skulle frakte ham herfra til Little Norway ved Toronto. Jeg sto sammen med flere andre og holdt Bangsund med selskap.

En stor, svartlakkert bil parkerte på kaia. Ut av bilen steg en sjåfør i gråblå uniform. Han begynte å vinke noe voldsomt til oss som sto ved rekka.

Jeg sa til Erasmus Montanus: Det var da svært så begeistret den kanadieren er for å se nordmenn.

Erasmus svarte: Jeg er ikke sikker på at det er en kanadier. Jeg synes det er noe kjent med fyren. Kan det være rømlingen fra Hong Kong?

Jeg sa: Du mener Milde Måne? Han hadde ikke sånn barbussveis.

Men det var Milde Måne, forhenværende jungmann Kristoffer Mildestad fra Tromsø, med militær frisyre.

Det ble stor stas i anledning dette gjensynet. Kokk Fitjar greide å trylle fram ei bløtkake. Alle mann samlet seg i messa for å spise kake og høre på Milde Månes beretning om sitt eventyr.

Han fortalte at han ikke fant noen kommunister i Kina. Kommunistene var oppe i fjellheimen, og dit kom han seg ikke. Han gikk på bommen i Shanghai, og håpet at noen ville shanghaie ham til en båt så han kunne komme seg ut av Kina. Men når man ønsker å bli shanghaia, blir man det jo ikke. Han ble derfor togloffer og kom seg etter mange viderverdigheter opp til grensa til Sovjetunionen. Der stjal han en robåt og rodde ned grenseelva Ussuri. Han nådde fram til Vladivostok, hvor han kom i tøffe avhør hos sikkerhetspolitiet. Russerne mistenkte at han var tysk agent. Han ble satt i en fangeleir. Derfra klarte han å rømme ved å grave et hull under piggtrådgjerdet. I Vladivostok havn greide han å klatre opp langs trossene på et britisk skip. Han gjemte seg om bord og kom ikke fram før skipet hadde passert nord for Japan. Til alt hell viste det seg at skipet skulle til Vancouver i Canada. I Vancouver ble han arrestert av kanadisk politi, mistenkt for å være russisk agent. Han greide å få tak i en onkel som driver et fiskebåtrederi i Vancouver. Onkelen gikk god for ham og smurte nok politifolkene med en del penger. Milde Måne slapp fri. Han hadde hørt nyss om at det skulle bli satt i gang opplæring av norske flygere i Toronto. Så han dro til Toronto og meldte seg til tjeneste. Foreløpig er han sjåfør. Men når Little Norway kommer ordentlig i gang, skal han bli jagerflyger.

Vi applauderte alle sammen kraftig for dette eventyret og ønsket Milde Måne lykke til som pilot.

Han gikk i land sammen med Bangsund, og den svære svarte bilen ga gass og spant bortover kaia som om den skulle vært et jagerfly.

Milde Måne var dagens gode nyhet. Den dårlige nyheten fikk jeg fra formannen for silogjengen. Styrmennene våre har vært hemmelighetsfulle når det gjelder til hvilken havn kornlasta skal. Jeg ga siloformannen tre pakker sigaretter, og han fortalte meg at det var niognitti prosents sannsynlighet for at hveten og byggen vi laster, skal til Glasgow.

Jeg hadde jo håpet på Liverpool. Så blir det fordømte Glasgow istedenfor! Etter at jeg fikk denne beskjeden, satte Båsen meg til å flekke over ruststrimer på skutesida med gråmaling. Jeg gikk langs kaia med malerbakk og malerrulle, bannet og flekka i hytt og pine. Det så faen ikke ut! Så jeg besinnet meg og gjorde ordentlig arbeid. Det er jo ikke <u>skutas</u> skyld at vi ikke skal til Liverpool!

Jeg har vært med på stempelsjau i maskinen. To stempler i hovedmotoren ble trukket opp for å overhales. Siden de er short for folk i maskinrommet, ble Geir og jeg bedt om å være med på jobben. Det var tungt og grisete arbeid. Jeg er glad jeg ikke er sotengel!

Vi avgår her fra Québec ved daggry. Så bærer det da ut igjen på Nord-Atlanteren der de tyske ubåtene herjer. Jeg ville lyve hvis jeg skrev at jeg gleder meg til crossen over Atlanteren. Av og til, både når jeg er våken og når jeg sover, kommer bildet av <u>Lula Zeidler</u> som blir sprengt i stumper og stykker, opp for mitt indre øye.

Jeg trøster meg med en whiskydram fra flaska Geir Ole og jeg fikk av chief Vadheim fordi vi var med på stempelsjauen. Høyvokste, magre Vadheim er en real kar fra Høyanger i Sogn og Fjordane. Da han ga meg flaska, slo vi av en liten prat for første gang. Hjemme har han kone og hele fem barn.

Han sa at når han en gang kommer hjem, er vel ungene hans blitt lange rekler slik han sjøl er.

Geir Ole er i land og har seg det han kaller et hall.

Jeg kunne vel også trengt meg et hall. Men de prostituerte i Québec frister ikke meg. Jeg tar meg en dram til, og drømmer om Muriel Shannon. Så det blir vel til at jeg går til dusjrommet, såper meg grundig inn og tar meg det vi guttene på Rena kalte 'en stille Anders'.

Det er jo ifølge Bibelen en synd, en slik synd Onan begikk.

Men av og til må man la naturen gå over opptuktelsen.

Jeg rakk ikke å skrive noe brev til Muriel her fra Québec. Det hadde jo også vært liten vits i å sende brev herfra, da vi kommer til å krysse Atlanteren like raskt som et brev sendt i posten med et skip vil gjøre.»

Etter avgang fra Québec velger kaptein Nilsen igjen å seile nord for Newfoundland. Kursen blir satt mot Strait of Belle Isle.

Tomar kommer inn i tåke, som er så vanlig på denne kysten. De seiler med sakte fart gjennom stredet som skiller Newfoundland fra Labrador, og hvor det går en sterk strøm.

Halvor går på vakt ved den ubebodde, lave øya Belle Isle kl. 20.00 lørdag den 10. august, og tar rortørn. Tåka letner, og fra styrhuset kan de se blinkene fra fyrtårnet på den nordligste pynten på øya.

Utenfor Battle Harbour på kysten av Labrador beordrer kapteinen prøveskyting med begge Hotchkiss'ene. Battle Harbour er jo et passende sted for å knalle og smelle. Maskingeværene flyttes ned på båtdekket. Det slås stopp i maskinen. Sjøen er smul, og det blåser bare en frisk bris.

Halvor skyter med styrbords Hotchkiss. Han peprer et tomt olje-fat så grundig at fatet synker. Dermed blir han av kaptein Nilsen og maskinist Steiro utpekt som førsteskytter på styrbordsgeværet.

Tomar legges på en kurs nordover mot Kapp Farvel, og det slås full fart i maskinen.

Førstestyrmann Nyhus sier til Trean: «Kaptein Nilsen har tenkt å ta oss nord om Island igjen.»

Trean svarer: «Jeg synes det er en god strategi, ubåtfaren tatt i betraktning.»

«Så får vi bare håpe at tyskerne ikke har sendt slagskip til Dan-markstredet,» sier Nyhus.

Halvor grøsser der han står bak rattet. Tyske ubåter er jævlige å tenke på. Men tyske slagskip er verre. Ubåtene er i alle fall ganske *små*. Slagskipene er havets kolosser.

Nyhus sier: «Vi kommer til å bruke en del ekstra dager på denne crossen i forhold til hvor lang tid det ville tatt oss å gå sør om Island. Det vil vanke kjeft på kaptein Nilsen fra Nortraship.»

Trean ler og sier: «Det tror jeg vår kjære kaptein bryr seg fint lite om.»

Gnisten gir ei kort orientering etter kveldsmaten: «Vi har nå fått første melding om bombing av Merseyside-området. Blitzen har nådd Liverpool. Prenton i Birkenhead ble bombet 9. august. Det er ikke meldt noe om omfanget og antallet skadde og drepte.»

Det er ingen tyske slagskip i Danmarkstredet. Det er *ingenting* i Danmarkstredet annet enn noen forblåste havhester, storm fra nord og grå sjø med hvite skumskavler på.

Tungt lastet med korn ligger *Tomar* godt i sjøen og er grei å styre.

Halvor står på poopen og røyker sammen med Åge, som har fyrt snadda. Han får lyst til å erte Åge, peker på havhestene og sier: «Hva kaller du denne sjøfuglen som heter hav*hest*?»

«Den kaller jeg hav*mann*,» svarer Åge alvorlig.

Torsdag den 15. august om morgenen ser de Islands kyst i sør. Islands kystsletter er grønne og frodige nå på seinsommeren.

Halvor står til rors. Været er stille og fint og skyfritt. Sjøen kruses av en laber bris, og strålene fra morgensola får havet til å glitre.

Ut fra kysten, fra havna Raufarhöfn, kommer et lite krigsskip fossende. Det må være en britisk korvett, for Island har ingen marine.

Tomar blir praiet av korvetten.

Gjennom en ropert roper en mann på korvettens bro: «Heavy German submarine activity reported between Iceland and Faroe Islands!»

Kaptein Nilsen griper skipets ropert og roper tilbake: «Thank you for the information!»

Livbåtene ble svingt inn under stormen i Danmarkstredet. De blir nå svingt ut igjen. Det settes trippel utkikk, én mann på bakken og én på hver bruving.

Tomar seiler langs Langanes, som virkelig bærer sitt navn med rette. Det er et langt, flatt nes, ei landtunge. Helt i øst står det hvitmalte fyret Fontur med en rød hatt på toppen.

Halvor går på utkikk og hilser til Fontur. Han innbiller seg et øyeblikk at fyret løfter på den røde hatten og hilser tilbake.

Island forsvinner under horisonten.

Kaptein Nilsen beordrer en østlig kurs.

Har han tenkt seg hjem til Norge?

Planen må være at de skal gå øst for Færøyene og så sette kursen for Skottland.

Og slik blir det. Været er sommerlig da de passerer øst for Færøyene og setter kursen mot Cape Wrath nordvest i Skottland. De har ikke hatt en eneste ubåtalarm.

Søndag den 18. august 1940 fyller Halvor nitten år. I byssa har de laget ei stor fyrstekake i anledning bursdagen, og etter middag kan Halvor by på kake til alle mann.

Av stuert Dyrkorn får han en kartong Chesterfield i presang, og av lugarkamerat Geir Ole en bunke virkelig lekre tegninger av nakne damer. Disse damene har Geir Ole tegnet av etter et fransk blad.

I styrhuset på kveldsvakta får Halvor en gratulasjon av kaptein Nilsen.

«Den som hadde vært nitten år!» sukker kapteinen. «Du er ennå i ungdommens vår, Skramstad. Det er fælt at dere ungdommer må gjennom en krig. Men nyt din ungdom som best du kan.»

«Skal prøve det,» svarer Halvor.

«Du skal vite at du ikke seiler forgjeves – rent økonomisk – uansett hvordan det skulle komme til å gå med deg,» sier kapteinen. Fra innerlomma på uniformsjakka finner han fram en liten trykksak. «Dette er 'Meddelelser fra skipsfartsdirektøren' for august 1940. Jeg fikk en kopi av heftet fra den norske konsulen i Québec. Han hadde fått det fra New York. I disse 'Meddelelser' oppfordres norske sjøfolk til å seile for Norge. Og her står det at regjeringen 'forbeholder av skipsfartens inntekter et meget betydelig Sjømannsfond'. Det loves 'betydelige utbetalinger til sjøfolk og etterlatte av sjøfolk som satte livet i fare for vårt land og vår sak ved fart gjennom faresonene'.»

«Et sjømannsfond?» sier Halvor. «Vet De mer om dette fondet, kaptein Nilsen?»

«Nei, det er vanskelig å få konkrete opplysninger om det. Min organisasjon, Norges Skipsførerforbund, forteller meg at de der i gården ikke vet mer enn det som står i skipsfartsdirektørens meddelelser.»

«Så det er altså et slags hemmelig fond?»

«Ja, det kan man kanskje kalle det,» svarer kaptein Nilsen. «'Betydelig' er jo et tøyelig begrep. Men det kan under ingen omstendighet dreie seg om småpenger som regjeringen legger i potten for oss sjøfolk. I Glasgow skal jeg sørge for å få kopiert opp et eksemplar av 'Meddelelser fra skipsfartsdirektøren' til hver og en av mannskapet. Så kan dere ha heftet og bruke det som en påminnelse dersom regjeringen skulle løpe fra løftet sitt.»

De får landkjenning av Skottland tidlig om morgenen mandag 19. august, i vakkert høstvær. Sola forgyller det snaublåste landskapet på den skotske nordvestkysten.

Tomar seiler inn i The North Minch, og videre gjennom The Little Minch.

Byssegutt Kevin kommer opp på brua på Halvors vakt. Han får låne en kikkert av Trean for å se på hjemplassen sin.

De passerer øya Skye, og Kevin peker ivrig inn mot den vesle plassen Dunvegan som han kommer fra.

Så seiler de langs Firth of Clyde og opp Clyde-elva. De går til kai i Dumbarton ved Clyde'n, litt vest for Glasgow by.

Lossing av kornet begynner umiddelbart. Her skal det bli brød til folket! Kornet suges opp av store slanger på losseapparatene og havner i siloer på kaia.

Halvor går til førstestyrmann Nyhus og ber om et par dagers fri for å reise til Liverpool.

«Sorry,» sier Nyhus. «Det kan jeg dessverre ikke innvilge. Som du ser, går det radig unna med lossinga her. Vi kan være klare til å seile igjen om to dager. Det er ikke noe kjære mor. Så ille som situasjonen er når det gjelder matforsyning i Storbritannia, må vi raska på over Atlanteren igjen for å hente mer korn.»

Slukøret forlater Halvor det lille kontoret der Nyhus sitter med alle lastepapirene sine.

Halvor skriver i dagboka: «Glasgow, lørdag 24. august om kvelden. Jeg har vært i Liverpool og møtt Muriel Shannon! Jeg er en lykkelig mann.»

Etter at Halvor fikk den nedslående beskjeden og det blanke avslaget fra Nyhus på sin forespørsel om Liverpool-tur, kom et byssetelegram i omløp. Det gikk ut på at *Tomar*, når kornet var utlosset, skulle gå i dokk for høyst nødvendig bunnskraping og bunnsmøring.

Byssetelegrammet viste seg å holde stikk.

Skuta gikk i dokk på Clydeside-verftet torsdag den 22. august om ettermiddagen. Der kom det beskjed om at *Tomar* tidligst kunne være ferdig i dokken mandag 26. august.

Halvor gikk til Nyhus. Ba han på sine knær? Det gjorde han ikke. Men han ba med alt han hadde, og til slutt smelta den alltid litt kjølige førstestyrmannen og sa: «All right, Skramstad. Du kan sette deg på første tog til Liverpool. Jeg vil ha deg tilbake om bord igjen seinest søndag kveld.»

Halvor strena rett i land, bestakk en kontorist på silokontoret med en halv kartong Chesterfield og ringte rikstelefon til Galloway's Flower Shop i Liverpool. Heldigvis var det ikke Muriel som tok telefonen, men den eldre dama, Molly.

«Dear Molly,» sa Halvor. «I am the Norwegian sailor. You told me to hang on to Muriel by the skin of my teeth. Remember?»

«Yes, I *do* remember,» svarte Molly og lo en liten klukkelatter.

Halvor sa: «What time do you close tomorrow, Friday?»

«We close at five o'clock as usual,» sa Molly.

«Will Muriel be there then?»

Molly svarte: «Yes, unless there is a German air raid going on. The goddamned Jerries have bombed Wallasey and the Liverpool Overhead Railway. And, for God knows what reason, they bombed Walton Gaol and killed twenty-two prisoners.»

Halvor sa: «Please say not a word to Miss Shannon about this telephone call.»

«Not a word,» svarte Molly.

«Promise?»

«Promise, Norwegian lad.»

Halvor løp om bord og skifta til hvitskjorte, tweedjakke, bukse med press og blankpussa sko. I siste lita husket han på å stikke Geir Oles tegning av Muriel som Maria i jakkelomma.

På Glasgow Central Station fikk han kasta seg om bord i det han trodde var et nattog til Liverpool. Midt på natta stoppet toget i Leeds. Det viste seg å være endestasjonen. Han stakk sin beskjedne sum av britiske pund i den ene skoen, for ikke å bli robba av enda en engelsk lommetjuv, og tok seg en strekk på en benk på stasjonen i Leeds. Om morgenen tok han første tog til Liverpool og gikk av på Lime Street Station.

Det var såre godt å se at byen ikke var veldig preget av tysk bombing. Stemninga i gatene var avslappet, liverpudliansk. Han så ikke noe til Overhead Railway og skadene der.

Han gikk til Den norske sjømannskirken på Great George Square uten noen forhåpning om at det fantes brev til ham der. Det gjorde det da heller ikke.

Husmor Gjertrud bød ham på kaffe og vafler. Hun fortalte at Nissa Torgeirstuen fra Rustad var blitt rekruttert til en jobb i det militære som er så hemmelig at han ikke kan fortelle noen ting om hva han driver med.

Halvor tillot seg å erte Gjertrud med at hun kanskje hadde et godt øye til Nissa. Da rødma hun.

Hun spurte ham om hva han gjorde i Liverpool. Halvor fortalte at han hadde reist ned fra Glasgow for å møte ei jente han bare hadde truffet to ganger før, på en bar og i en blomsterbutikk.

«Helt fra Glasgow,» sa Gjertrud. «Gurimalla, så romantisk!»

Da rødma *han*.

Halvor dreiv rundt omkring i byen. Han syntes han trengte å shaine seg opp litt, så han stakk innom en barbersalong. Det bestemte han seg for aldri å gjøre mer. Da barbereren skulle rake av skjeggefjonene, gjorde han så voldsomme fakter med barberkniven at Halvor trodde han kom til å skjære strupen over på ham.

Han skriver i dagboka: «Det er to ting jeg virkelig skal prøve å skygge unna her i livet. Det er slagskip og barberere!»

I en butikk i Lime Street kjøpte han tannbørste og tannpasta. Han gikk til Yankee Bar og pussa tennene med vann fra vasken på toalettet. Han ville ikke møte Muriel med en tannbørste stikkende opp av jakkelomma. På den annen side ville det være råflott å kaste en tannbørste som bare var brukt en eneste gang, og en hel tube Beecham's Toothpaste.

Inne i baren støtte Halvor på Maggie Day. Han rakte henne børsten og tannpastatuben. Hun ga ham et undrende blikk, men stappet både børste og tube i den lille veska si.

Han satt en times tid i Yankee Bar og drakk limonade. Tida brukte han på å øve seg på hva han skulle si til Muriel. «Drawing», «portrait», «role», «appreciate», «blasphemy», «intention». Han husket på å skrive «To Miss Muriel Shannon from Halvor Skramstad» nederst på tegninga til Geir Ole.

Klokka halv fem var Halvor oppe i Rodney Street. Der traska han rastløst fram og tilbake på fortauene.

Klokka fem presis sto han utenfor Galloway's.

Molly kom først ut. Hun blunka til ham. Han tolket det som et oppmuntrende blunk.

Muriel kom ut. Hun var iført en beige sommerkjole med mønster av rosa roser.

Han skriver i dagboka: «Jeg holdt på å få dånedimpen, men det hadde jo vært ytterst dumt av meg å svime av der og da. Så jeg holdt meg på beina og fikk sagt: Hello, Miss Shannon.»

«Hello,» sa hun og gransket ham kritisk.

«I am the sailor from Norway,» sa Halvor.

«I remember you,» sa Muriel. «So you are back in Liverpool from America?»

«From Canada,» sa han. «With a cargo of grain so that Britain can make bread. And not in Liverpool, but in Glasgow.»

«What do you mean by saying Glasgow?»

«I came down from Glasgow to give you a drawing.»

«A *what*?»

Halvor trakk Geir Oles tegning opp av jakkelomma, brettet den ut og ga den til Muriel.

Muriel studerte tegninga.

Hun sa: «Is this a caricature of Our Lady Star of the Sea?»

Han tenkte at det er godt at det er så mange ord på engelsk som er like de norske ordene, og at det var derfor han straks forsto at «caricature» betyr «karikatur».

Han sa: «It is not a caricature. It is a portrait of you in the role of Our Lady Star of the Sea.»

«A portrait of *me*?» sa Muriel.

Halvor så at hun ikke ble sint, men nysgjerrig.

«Yes,» sa han. «A portrait of you. It is not my intention to do some blasphemy.»

Nå smilte Muriel. «I hope not,» sa hun og pekte på arket. «I hope you have good intentions. But I am not as beautiful as this woman.»

«Oh, yes, you are,» sa Halvor.

«Who is the artist?»

«He is one of my shipmates.»

Muriel sa: «He is very clever. Did you travel all the way from Glasgow to give me this drawing?»

«Yes,» sa Halvor. «I did travel from Glasgow.»

«You must be mad!»

«Yes,» sa Halvor. «I am mad, Miss Shannon.»

Han skriver i dagboka: «Her var det veldig fristende å si 'madly in love with you, Miss Shannon', men hadde jeg sagt det, tror jeg Muriel hadde smokka til meg midt i planeten.»

Muriel sa: «But why? Why did you take all this trouble?»

Halvor svarte, slik han hadde øvd på: «Because I appreciate very much that you are in this world, Miss Muriel Shannon.»

Det kom litt rødme i fregnekinnene til Muriel.

Hun sa: «Thank you. Thanks a lot.»

«My pleasure,» sa Halvor.

Muriel pekte på mannsfiguren på tegninga og sa: «The young man on the beach with the shipwreck in the background, is that supposed to be you, Mister Skramstad?»

Han skriver i dagboka: «Hun uttalte navnet mitt på engelsk vis så det hørtes ut som Skræmstæd, men je vart itte skræmt, nei. Tvert imot ble jeg meget lykkelig over at hun sa navnet mitt.»

«Yes,» sa Halvor. «That is me.»

Muriel sa: «The drawing is kind of sweet. But it is also kind of ...»

Han skriver: «Her sa hun et ord jeg ikke forsto. Jeg tror ordet må ha vært 'weird'. <u>Oxford Dictionary</u> forklarer dette ordet slik: 'unnatural; unearthly; mysterious'. Men jeg tror ikke at det var akkurat dette Muriel mente. Jeg tror heller hun mente noe sånt som snål, merkelig.»

Muriel bar på ei skulderveske av lerretsstoff. I veska bulte en gassmaske ut med sin karakteristiske form. Hun brettet tegninga pent sammen og la den i skulderveska.

Halvor sa: «Can I invite you for a drink or something?»

Muriel svarte: «I am sorry to disappoint you when you have travelled all the way from Scotland. But I have to go to a dinner party. We do not have too much food in England these days. I have managed to get hold of a couple of rabbits for the dinner party.»

Halvor sa: «Are you going to the dinner party with your boyfriend, Mister Sam Hopkins?»

Muriel ga ham et sylkvasst blikk. Det glimta virkelig til i kattøyeøynene hennes.

Hun freste: «That's none of your bloody business!»

Så låste hun opp sykkelen sin som sto lent mot husveggen, satte seg på den og trilla bortover Rodney Street. Furuhåret hennes blafret i den vesle fartsvinden sykkelen ga henne.

Halvor skriver i dagboka: «'That's none of your bloody business!' klang som søt musikk i ørene mine, og klinger ennå. 'That's none of your bloody business! That's none of your bloody business!' For jeg velger å tolke Muriels sinte utrop som et tegn på at det er slutt mellom henne og den fordømte mister Hopkins. Her har jeg ikke mye å gå på. For alt jeg vet, kan de være forlovet og skal gifte seg. Det dinner partyet hun skulle på, kan ha vært et utdrikkingslag arrangert av venninnene hennes. Men spiser man kaniner i utdrikkingslag? Nei, jeg holder fast ved min optimistiske tolkning.

Før vi forlater Glasgow, skal jeg ha skrevet et brev til Muriel. Jeg skal vokte meg vel for å skrive et søtt, såpete kjærlighetsbrev. Nei, jeg skal – innenfor de rammene krigssensuren setter – fortelle om hva vi sjøfolk som frakter korn til England, driver med.

Hvor skal jeg be henne adressere et svarbrev, hvis hun virkelig finner det for godt å svare? Hvis jeg bruker sjømannskirka som adresse, vil det fort bli en masse sladder. For jeg tror nok at Gjertrud er litt av en Kirsten Giftekniv og gjerne vil stikke nesa si i en mulig kjærlighetsaffære. Hvis jeg ber Muriel adressere brevet til det norske generalkonsulatet, vil vel den gjøken Viggo Steenberg hive det rett i papirkurven.

Jeg får be miss Muriel Shannon skrive til følgende adressat: Mr. H. Skramstad, c/o The Consul General Mr. B. Jeppesen, Royal Norwegian Consulate General, Tower Buildings, Water Street, Liverpool.

Nå husker jeg ikke gatenummeret i Water Street, men det britiske postvesenet er jo kjent for å finne fram.

Jeg dro fra Glasgow til Liverpool og fikk møte mitt hjertes utkårede i fem minutter. Eller kanskje seks–sju minutter. Jeg reiste gjennom halve Skottland og halve England for å få disse minuttene. Var det verdt det? Var det ærlig banna verdt det? Ja, det var verdt hvert sekund!

Etter møtet med Muriel hadde jeg ikke mer å gjøre i Liverpool, bortsett fra å ta meg noen drinker på Yankee Bar.

Jeg gikk til Lime Street Station og kjøpte billett. Jeg forsikret meg om at toget jeg gikk om bord i, virkelig var et nattog til Glasgow. Jeg satt på en vond benk på 2. klasse, men jeg sovna som en stein og hadde behagelige drømmer om Muriel i en rosenhage.

Da jeg kom til Glasgow, gikk jeg hele veien ut til Dumbarton for å få strukket litt på beina. Det er rart med en sjømann. Han får overkropp som en gorilla, men bein som pipestilker.

Jeg kom om bord til middagen, som var fårikål.

I messa satt en ny mann, en lyshåret kar i tredveårsalderen. Han er ny matros om bord. Han er tjømling, altså en fra Tjøme, naboøya til Nøtterøy, der Helge Hvasser kommer fra.

Båsen kom inn i messa, hilste på den nye matrosen og sa: Hva heter så denne karen?

Åge Nilsen, svarte den nye matrosen.

Vi har allerede en Åge om bord, sa Båsen. Og kapteinen heter Nilsen. Har du noen spesielle kjennetegn?

Jeg har bare denne tatoveringa, svarte Åge Nilsen. Han holdt opp høyre hånd, der det var tatovert et kors og fire prikker.

Skal det der forestille bomsemerket? sa Båsen og viste fram sitt eget bomsemerke, de tre prikkene.

Jeg ville lage et vanlig bomsemerke på sjappa til Tattoo-Jack i Skipperstreet'en, svarte Åge Nilsen. Men jeg var drita full, og det tror jeg at også Tattoo-Jack var. Så det ble dette korset.

Båsen sa: Det ser jo faen fløtte meg ut som tegnet i sjøkartet for et skvalpeskjær. Ja, til og med dere gutta i maskinen vet vel at et skvalpeskjær er et skjær som så vidt faller tørt ved lavvann.

Det ante meg da hva som kom til å bli Åge Nilsens oppnavn på Tomar.

Velkommen om bord, Skvalpeskjæret, sa Båsen.

Jeg kom til å huske på min egen 'tatovering'. Så jeg gikk til dusjrommet og studerte rumpa mi i speilet. Jo da, kloremerkene fra Paranaguá er godt synlige som røde striper på min lyse hud.

Hvis jeg nå virkelig skulle havne i køya med Muriel Shannon og hun inspiserer mitt legeme, hvordan skal jeg da forklare åssen jeg fikk disse merkene?

Jeg får si at jeg falt i et buskas under elgjakta.

Hun vil vel da spørre om man går uten bukser på elgjakt i Norway. Jeg får svare at jeg rev meg opp på buskaset under et nødvendig ærend. Det blir litt pinlig å si, men jeg kan jo ikke si noe om Terezinha.

Da Åge Nilsen og jeg tok oss en røyk sammen på poopen etter middag, spurte jeg ham om hva han syntes om å bli kalt Skvalpeskjæret.

Å, det får vel gå, svarte han. Det kunne vært ti reiser verre. På forrige båten min, Fred. Olsens Bretagne, hadde vi tre sørlendinger fra traktene ved Arendal og Tvedestrand. Han ene het faktisk Rævesand og behøvde ikke noe oppnavn. Så var det en som kom fra Kalvøysund. Han ble døpt Bondedypet etter et dyp utenfor hjemplassen. Tredjemann var fra Kilsund og ble kalt Møkkalasset etter fyret Ytre Møkkalasset. Ja, det var de herrer Rævesand, Bondedypet og Møkkalasset. Måtte det gå dem vel her i verden, og måtte de ferdes trygt på alle hav.

Vi har fått om bord en svensk motormann. Han er også i tredveårsalderen, heter Kalle Svanström og kommer fra Ljungskile i Bohuslän. Jeg tror ingen vil tørre å gi ham oppnavnet Kalle Kanin, for han er en kraftig kar med never som steikepanner, flat nese og blomkålører. Vi vet ikke om han har vært bokser, for det passer seg liksom ikke å spørre om slikt. Men vi tror nok han har vært borti boksing. Det han sa, var at han har seilt på norske båter siden han dro ut som femtenåring. Siste båten hans var Stavanger-tankeren Folgefonn til rederiet Bergesen.

Sola skinte over Clydeside-verftet denne lørdags ettermiddagen. Jeg satte meg på poopen og nøt lyden nede fra dokken av skraper mot metall. Jeg er sjeleglad for at det er skotske verftsarbeidere som tar seg av bunnskraping og smøring, og at vi mannskaper slipper den drittjobben.

Jeg begynte å lese i boka jeg holder på med for tida, en roman som heter <u>Ross Dane</u>. Den er skrevet av en forfatter som heter Aksel Sandemose. Han er egentlig dansk, men nå bosatt i Norge. Boka handler om skandinaviske innvandrere i Canada. Den er bra, og spesielt interessant å lese nå som vi har vært i Canada og kanskje skal tilbake dit.

Kalle Svanström kom bort til meg og sa at han hadde med seg ei bok, og at jeg som var et lesende menneske, kanskje ville se på den. Det sa jeg naturligvis ja takk til. Boka har tittelen <u>Resor utan mål</u>, og forfatteren heter Harry Martinson. Jeg har bladd i boka, og den ser fin ut. Martinson har vært sjømann, og boka handler om sjøreiser. Det skal vel gå greit å lese en bok på svensk. Vi nordmenn er jo glade i å synge svenske sanger, og da må vi også kunne lese svenske bøker.

Motormann Svanström sa at han er sanndrømt. Foran kampen om verdensmesterskapet i tungvekt i 1937 drømte han at Joe Louis ville slå knockout på James Braddock. Han har drømt at fotballklubben i Ljungskile, som er et lite sted med et folketall omtrent som det Rena har, kommer til å rykke opp i svensk førstedivisjon. Han har også drømt at Sverige kommer til å arrangere verdensmesterskapet i fotball, at Sverige kommer til finalen på Råsunda stadion i Stockholm og slår Brasil 5–2.

Jeg sa at det ville være en fin hevn for Sverige etter at Brasil vant 4–2 over svenskene i bronsefinalen under vm i Frankrike.

Svanström sa at Sverige kommer til å få en verdensmester i tungvektsboksing. Da tenkte jeg det var greit at jeg spurte om han sjøl hadde drevet med boksing.

Johooo, lite, svarte han.

Jeg spurte om han også er sanndrømt når det gjelder skipsforlis.

Det svarte motormann Svanström nei til. Han sa at han bare er sanndrømt når det gjelder sport.

Jeg spurte om han satte penger på at Louis ville slå Braddock.

Han svarte at drømmer ikke er noe man skal tjene penger på.

Det syntes jeg var godt sagt.»

Kapittel 51

Halvor sitter i mannskapssalongen, lytter til dansemusikk – slow-fox og foxtrot – i radioen, og skriver i dagboka: «Greenock, mandag 26. august. Vi er ferdige på verftet og ligger nå til ankers på Clyde'n ved Greenock og venter på konvoi for å gå over Atlanteren.

Det er blitt meldt i nyhetene at kronprinsesse Märtha og barna er ankommet USA fra Sverige. De kongelige ble hentet av et amerikansk skip i den finske byen Petsamo ved kysten av Ishavet, på ordre fra USAs president Franklin Delano Roosevelt. Da de ankom New York, fikk de æreseskorte av to jagere inn på havna.

Rart å tenke på at lille Harald er arving til den norske tronen. Slik det nå ser ut hjemme i Norge, synes utsiktene hans til noen gang å bli konge ytterst små.

Her om bord diskuterer vi mye det faktum at britene greier seg ganske bra mot tyskerne i The Battle of Britain, luftkrigen over britisk territorium. Tyskerne har overraskende store tap av bombefly og jagerfly. Dette skyldes etter de flestes mening ikke bare at Royal Air Force har gode fly og dyktige piloter. Mange – deriblant jeg – tror nå at det virkelig er sant at britene har et hemmelig system for oppdagelse av fiendtlige fly. Gnisten er overbevist om at det må være et system med elektromagnetiske bølger som gir et slags ekko. Han tror ikke det kan dreie seg om lydbølger.

Vi nordmenn bidrar gjennom tankflåten vår til The Battle of Britain ved å skaffe RAF-flyene den nødvendige bensinen. Snart vil kanskje de første norske pilotene fra Little Norway komme på vingene og delta i kampen mot Luftwaffe.

Jeg har strevd fælt med brevet til Muriel, og det er nå ferdig. Det er virkelig ikke blitt noe klissete kjærlighetsbrev, for et slikt brev tror jeg hun ville ha revet i filler! Jeg skrev bare litt om Tomars cross fram og tilbake over Atlanteren, og om at jeg er stolt over å kunne bringe brødkorn til Storbritannia og at mine landsmenn på tankerne bringer flybensin. Jeg skrev også noe om at vi under crossen hele tida går med en liten angst i oss for tyske ubåtangrep. Ubåter burde aldri vært oppfunnet, skrev jeg. Det er en formulering jeg synes er ganske bra: 'Submarines should never have been invented.'

Utrolig hvor lett det går å skrive <u>et slags</u> engelsk, med hjelp av <u>Oxford</u> og ordboka til Granli. Jeg tror jeg må ha det som kalles godt språkøre. Så er det den hersens grammatikken! Ordboka har en liste over såkalte 'uregelrette verber', fra a til w.

Arise – arose – arisen.

Write – wrote – written.

Av annenmaskinist Dotto har jeg i dag fått låne læreboka <u>Engelsk for norske sjømenn</u> av Ulrik Mørk og P.H. Haaland. Dotto hadde fått rede på at jeg pusler med å utvikle engelsken min, og kom med boka. Den ser ut til å være en liten gullgruve. Jeg trener meg med å skrive av noen setninger:

The crew wash the decks. (Hvorfor skal det ikke være 'washes' når 'crew' jo er entall? Kanskje fordi et 'crew' består av mange personer?)

They took the carpenter to the hospital.

Vi får jo håpe at dette ikke hender i virkeligheten, at de må ta Flise-Guri til hospitalet.

All ships keep a good look-out.

The captain ordered me to go aft.

The boatswain will call me at six o'clock.

The pilot could not see the light.

The second mate works up the dead reckoning.

Hva pokker er 'dead reckoning'? Kan det være å gjøre opp bestikket?

Jeg skrev til Muriel at jeg ville bli glad for å få et svar, men at jeg uansett svar eller ikke vil stikke innom Galloway's Flower Shop neste gang jeg kommer til Liverpool, om så bare for å si 'hello'.

Da vi lå i Dumbarton, gikk vi på Lennox Bar i High Street. Det er en tradisjonell pub. De har radiooverføringer av fotballkamper der. Selv om det er krig, må jo fotballen gå sin gang i Storbritannia! Serien spilles ikke, men det er likevel kamper.

I går dro en liten gjeng fra skuta ut til Lennox i Dumbarton. Vi ville høre på overføringa fra storkampen mellom Glasgow Rangers og Celtic. Kamper mellom disse lagene blir kalt 'The Old Firm'. I går var det finale i Glasgow Cup, og det var enorm interesse for dette lokalderbyet. Vi hadde lurt på om vi skulle gå på selve kampen, men alle billettene var utsolgt. Og prisene for billetter på svartebørsen ble sagt å være skyhøye.

De fleste i Lennox Bar heia på katolske Celtic, men der var også noen protestantiske Rangers-supportere. Jeg har aldri hatt noe forhold til skotsk fotball og Celtic, men den som er forelsket i en katolikk, holder naturligvis med Celtic!

Motormann Helge holdt med Rangers, siden hans Paulette er protestant. Skvalpeskjæret sa at han stilte seg nøytral, da hans britiske favorittlag er Southampton. Han var innlagt for en brokkoperasjon i Southampton, og dermed ble han tilhenger av The Saints, som byens lag kalles.

Motormann Svanström sa at han har seilt mye på havner i Manchesterkanalen og derfor er fan av Manchester United. Etter alle sine år på norske båter snakker Kalle en pussig blanding av svensk og norsk som han kaller for svorsk. I denne kampen ville han holde med Celtic, 'siden dette er det mest proletära laget og jag er en havets proletar'. Det viste seg at han er i slekt med Kurt Svanström fra klubben Örgryte i Göteborg, som i en alder av bare 23 år ble betrodd en plass som half på det svenske VM-laget i Frankrike. Der prøvde svenskene å gjenta det norske bronselagets suksess fra OL i Berlin, men brasilianerne knuste medaljedrømmen deres.

Da Rangers på stillinga 1–0 til Celtic fikk et straffespark i slutten av annen omgang, ble det musestille i Lennox Bar. Han som tok straffen for Rangers, skjøt den høyt over. Vi Celtic-supportere jublet hemningsløst, og dette utløste naturligvis aggresjon hos Rangerstilhengerne. Det brøt ut små slåsskamper hist og her i baren.

En gjeng Rangers-folk kom bort til oss og lurte på hvorfor vi som var utlendinger, holdt med 'the fucking Celtic scumbags'. De hytta med nevene. Da løftet Svanström sin høyre steikepanne og fekta litt med den. Det var nok til at vi fikk være i fred.

Celtic holdt nullen til fløyta gikk. Rangers-tilhengerne luska ut av baren, mens Celtic-folket spanderte øl på Svanström og meg.

Noen whiskyrasjonering er det ennå ikke i Skottland. Vi gikk over fra øl til whisky, og jeg må innrømme at jeg er litt for svak for den skotske whiskyen. Det ble et par drinker for mye, og jeg våknet denne mandags morgenen med et fryktelig kuppelhue.

For første gang skal jeg ut i konvoi. Ordet konvoi er både litt skremmende og litt beroligende. Det betyr ganske enkelt en samling av handelsskip som har krigsskip til eskorte. Oxford kaller 'convoy' 'a number of ships under escort'.

Men ordet har fått en helt spesiell klang for sjøfolk på handelsskip fordi det innebærer at man seiler med beskyttelse. Denne beskyttelsen kan også bestå i eskorte av fly. Ordet har også fått en uhellssvanger klang, fordi konvoiene er et yndet angrepsmål for tyskerne. Særlig for de tyske ubåtene, men også for tyske bombefly.

Når vi seiler ut fra Clyde'n nordvest i Skottland, er sjansen for angrep fra fly ganske liten. På østkysten av England blir konvoier stadig flybombet, men her oppe er vi forhåpentlig utenfor rekkevidde for de tyske bombeflyene. Til gjengjeld vet vi jo at ubåtene ligger og lurer på oss når vi kommer ut i farvannet nord for Irland.

Vi har fått ytterst sparsomme opplysninger om konvoien og vet ikke hvor den skal. Det vi håper, er at vi kommer til å seile i en 'fast convoy' og ikke i en 'slow convoy'. Vi tror at det sannsynlige målet for konvoien er Halifax på halvøya Nova Scotia i Canada. Vi kommer ganske sikkert til å seile sør for Island. Det er mulig at vi vil få følge av fly et stykke på veien. Men sør for Island er det en sone som kalles 'The air gap'. Fly som tar av fra Storbritannia, har ikke rekkevidde fram til denne sonen, og det har heller ikke fly som kommer ut fra Canada for å møte konvoien.

Granli sa til meg at The air gap er selve paradisfarvannet for tyske ubåtskippere.

Vi får håpe at det ikke blir et helvetesfarvann for oss.»

Konvoien blir samlet på Clyde'n utenfor Greenock. Det er en flokk av grå skip, og den vokser for hver time som går, ved at nye skip kaster anker. De fleste av skipene er moderne motorskip, men det er også en del dampskip. Disse damperne er ikke av den eldgamle sorten og bør være i stand til å holde rimelig god fart.

Mannskapet på *Tomar* kjenner igjen Wilhelmsen-skipet *Toscana* og tror at et av de store tankskipene kan være bergensbåten *Flatanger*.

Kaptein Nilsen innkaller til møte i mannskapsmessa. Han stiller i full uniform, og Halvor synes han virker rolig og fattet. Den oppjagede, oppfarende kaptein Nilsen som han husker fra seilasen fra Sør-Amerika til Liverpool, har forandret seg til det bedre. Kan det være fordi han ikke lenger tar piller?

Kapteinen sier: «Det har vært et stort hemmelighetskremmeri

når det gjelder hvilke skip som skal delta i konvoien. Nå seiler vi om et par timer, og det er ingen fare for at noen av dere skal være løsmunnet under et sjappebesøk. Jeg synes at dere som mannskap bør vite hvilke norske skip vi seiler sammen med i konvoien, og kan derfor løfte litt på sløret. Jeg har vært i land på et konvoimøte med andre kapteiner og fått et såkalt konvoikart, som viser konvoiens sammensetning. Vi skal seile sammen med søsterskipet vårt i Wilhelmsen, *Toscana*. I konvoien går det store tankskipet *Flatanger*. Det tilhører rederiet Westfal-Larsen i Bergen, som har vært et av de mest ekspansive norske tankskipsrederiene i mellomkrigstiden. Westfal-Larsen er i dag regnet som det største privateide tankrederiet i verden. Det er bare oljeselskapene som har større tankflåter. Et par mindre skip i konvoien er fruktskipet *Mosmountain* av Farsund, som tilhører rederiet Mosvold, og fruktskipet *Seattle Express* av Oslo. Jeg er ikke sikker på hvilket rederi det sistnevnte skipet tilhører. Noen som vet det?»

Motormann Eiebakke sier: «Jeg har stått om bord i *Seattle Express*. Hun tilhører rederiet Bjørn Bjørnstad. Flott, lita skute. Vi seilte i bananfarta mellom USA og Mellom-Amerika og hadde gode dager når det gjaldt selve seilasen. Men det ble dessverre syndet meget av våre gutter med señoritas i bananhavnene.»

«Ja vel,» sier kaptein Nilsen. «Jeg regner med at de to fruktskipene nå vil bli benyttet til å frakte stykkgods frem og tilbake over Atlanteren. Konvoiseilasen vil bli uhyre krevende, og det må utvises stor aktpågivenhet fra vakthavende mannskaper både på dekk og i maskinrommet. Det vil være full radiotaushet. Vi vil få våre ordre via signalflagg eller morsesignaler fra anførerskipet. Commodore vil være en marineoffiser om bord på et britisk skip, og er gjerne en eldre kar som ikke tåler slinger i valsen. Hvis et skip nær oss i konvoien blir torpedert, skal vi ikke gå til unnsetning. Det er det krigsskipenes oppgave å gjøre. La meg si at jeg har blandede følelser for det å seile i konvoi. Det fratar meg som kaptein friheten til å navigere slik jeg vil. På den annen side har vi beskyttelse av ytterst profesjonelle marinefolk fra Royal Navy, som udiskutabelt har verdens beste marineoffiserer. Det vil være røykeforbud på dekk. En glo fra en sigarett kan være nok til at en ubåt får øye på oss. Er det spørsmål?»

«Ja,» sier Båsen. «Det har vært snakk om en ny type overlevelsesdrakter av gummi som skal være utviklet av en nordmann i USA, en som heter Per Aabel. Ikke skuespilleren, men en annen

Aabel. Er det noen mulighet for at vi kan få slike gummidrakter om bord? Jeg tenker ikke på at vi skal få dem til denne crossen, men at vi kan få dem når vi er kommet over Atlanteren.»

«Vi får se,» svarer kaptein Nilsen. «Jeg har forhørt meg hos Nortraship om gummidraktene. Disse draktene er ennå bare på eksperimentstadiet, og jeg vet ikke om vi kan få slike drakter i Canada eller USA. Vi har imidlertid i dag fått om bord en ny type livvester, som ble brakt ut til oss med en sjalupp fra Greenock. Disse nye vestene har mye bedre flyteevne enn de gamle, og hver vest er utstyrt med en liten lampe som utløses i kontakt med sjøvann. Lampene lyser rødt, og dersom noen av dere må hoppe på havet i mørket, vil dere være godt synlige for redningsfartøyet som går aktenfor konvoien.»

«Om natta vil vi seile uten tente lanterner i konvoien,» sier gamle Åge. «Hvordan pokker kan vi da se de andre skipene, sånn at vi unngår å kollidere med dem?»

«Hvert skip i konvoien vil føre en akterlanterne med et svakt blått lys.»

«Jeg har hørt et stygt navn på redningsfartøyet,» sier Erasmus Montanus.

«Ja vel?» svarer kaptein Nilsen.

«Det blir kalt for 'likpelleren',» sier Erasmus.

«Til det har jeg ingen kommentar,» sier kapteinen. «Førstestyrmann Nyhus vil utlevere de nye redningsvestene til dere. Og nå anser jeg dette informasjonsmøtet for hevet.»

Om ettermiddagen onsdag den 28. august 1940 letter skipene i den hurtiggående konvoien anker i Clyde'n.

Kaptein Nilsen kunngjør på et oppslag på tavla ved messa at målet er Halifax. Konvoien teller 25 skip. Den seiler i fem kolonner med fem skip i hver kolonne. Den er eskortert av to britiske jagere, tre korvetter og en armert tråler. Over konvoien sirkler to svære Sunderland-flybåter.

Tomar har fått plass på ytterste babords flanke, lengst akterut. Det er en utsatt posisjon under et ubåtangrep.

Det er nydelig seinsommervær i Firth of Clyde. En liten sønnabris kruser fjordens overflate. Mellom de små øyene Sanda og Ailsa Craig dreier konvoien over på en vestlig kurs, og så på en nordvestlig. Den stevner ut North Channel mellom Mull of Kintyre i Skottland og Fair Head i Nord-Irland.

Sola synker rød i havet bakom den vesle øya Inishtrahull, som er den nordligste holmen i republikken Irland.

Augustmørket senker seg over hav og skip.

Halvor skriver i dagboka: «Vi passerte nettopp Inishtrahull. Å, du irske huldra mi, jeg lengter allerede etter deg!

Jeg skal straks på vakt. Åge har bedt om å bli flyttet over til fire–åtte-vakta, så jeg skal nå gå åtte–tolv sammen med Skvalpeskjæret. Det passer meg bra. Ingen mann om bord kan være triveligere enn gamle Åge. Men hans repertoar av historier har jeg nå hørt i utallige repriser. Så litt nytt blod på vakta gjør seg. Skvalpeskjæret har vist seg å være en munter fyr. Han fortalte så morsomt om brokk-operasjonen sin i Southampton at man nesten fikk lyst til å pådra seg brokk og bli operert av en absolutt crazy engelsk lege og hersa med av nesevise engelske sykepleiersker.

Dessverre har Skvalpeskjæret dårlig ånde, noe som skyldes en del råtne tenner. Som så altfor mange norske og britiske sjøfolk har han tatt dårlig vare på tanngarden sin. De sjøfolkene i verden som får best tannlegestell, skal være de fra Sovjetunionen. Men hvis en russisk matros mister ei tann, får han satt inn ei ståltann, og det ser jo ikke pent ut.»

Halvor står til rors i den mørke kvelden og følger med på skipet – et britisk stykkgodsskip – som seiler foran *Tomar*. Han har fått ordre om å holde tre kabellengders avstand til dette skipet. I meter tilsvarer denne distansen drøye fem hundre. Den blå akterlanterna til briten er bare så vidt synlig der framme.

Han har hengt den nye livvesten over kompasskula og plassert lerretsposen ved føttene sine. I posen ligger nå også et ark fra «Meddelelser fra skipsfartsdirektøren», der det står å lese om det betydelige sjømannsfondet.

Utpå Atlanteren er det ennå sommervarmt, svak vind og makelige dønninger.

Forut om styrbord kan Halvor se den ruvende tankeren *Flatanger*. Han synes hun ligger djupt i sjøen til å seile i ballast, og spør Trean.

«Kan hende de på *Flatanger* har fylt opp tankene med vann for å unngå gasseksplosjon ved torpedering,» sier Trean. «Jeg har aldri vært på tankbåt og vet lite om hvordan de gjør det med ballastvann på tankere.»

«Har du hørt noe mer om hvorfor *Lula Zeidler* eksploderte så jævlig?»

«Nei, ikke noe håndfast,» svarer Trean. «Vi samlet en del medlemmer av Norsk Styrmandsforening til møte i Glasgow. Der ble *Lula Zeidler*s grumme skjebne diskutert. Men ingen visste sikkert om det var gass som eksploderte, eller om dansken kanskje seilte med en restlast av olje eller bensin om bord.»

Kaptein Nilsen kommer opp i styrhuset og lirer av seg en lang tirade om hvor forferdelig det er at britene har trukket seg ut av Shanghai og overlatt byen til japanerne. Har han tatt piller igjen?

Kapteinen spør Trean: «Hva mener De, styrmann Kvalbein, De som nærer en sunn skepsis til britene? Tror De britene er i ferd med å gi alt de har i Østen, som gavepakker til japsene? At den guddommelige keiser Hirohito og militærjuntaen hans vil få Hong Kong med sløyfe på til jul og Singapore som et jævla påskeegg?»

«Jeg tror britene vil holde fast med nebb og klør på Hong Kong og Singapore,» sier Trean. «Vi får glede oss over at britiske fly nå har gitt tyskerne svar på tiltale og bombet Berlin.»

«Så vidt jeg skjønner, var raidet mot Berlin mislykket,» sier kapteinen. «Det ble sluppet flere flygeblader enn bomber.»

«Royal Air Force hadde uflaks med været. Britiske bombere kommer nok sterkere tilbake. Det viktigste var at Hitler fikk seg et realt sjokk, reine karamellsjokket. Göring hadde jo lovet Der Führer at britene aldri ville greie å bombe Berlin. Nå fikk Hitler smake samme medisin som den han gir London.»

«Men at britene lot en sveit italienske fly få bombe Suezkanalen! Det måtte da gå an å få plaffet ned disse degosflyene. Har de for fanden ikke satt opp skikkelig luftvernskyts fra Port Said til Suez?»

«Det har de nok,» sier Trean. «Vi skal ikke undervurdere det italienske flyåpenet. Italienerne er kløppere når det gjelder å lage hurtiggående motorer. Mussolini råder dessverre over noen av verdens beste og raskeste bombefly.»

Halvor skriver i dagboka: «Atlanteren, søndag 1. september 1940. I dag er det ettårsdagen for Hitler-Tysklands angrep på Polen. Det har sannelig vært et år med enorme forandringer i Europa. Vi 'feiret' dagen med ubåtalarm. Jeg sto til rors da alarmen gikk, på formiddagsvakta. Det regnet kraftig, og det var ganske tung dønning. Trean ga meg beskjed om å ta på meg livvesten.

Vi fikk ordre fra commodore om 90 graders kursendring mot

styrbord. Hele den mektige flåten av skip tørnet da styrbord over i god orden. Etter noen minutter kom det ny ordre. 90 grader babord over. Det så nesten ut som om det foregikk automatisk da konvoien tørnet. Det gjelder å holde tunga rett i munnen under slik sikksakk-manøvrering. Risken for å kollidere med et av de andre skipene i konvoien er stor.

To av korvettene på vår flanke begynte å kaste dypvannsbomber. Slike bomber kalles 'depth charges' på engelsk. Et norsk ord for dem er synkeminer. Men de er jo ikke miner, de er bomber, og vi velger derfor å kalle dem dypvannsbomber.

Vannspruten fra dypvannsbombene sto høyt til værs, og det dirret voldsomt i skroget vårt av trykkbølgene. Det var ganske uhyggelig. Men enda mer uhyggelig må det jo oppfattes av mannskapene nede i ubåtene. En eneste treffer fra en dypvannsbombe er nok til å senke en ubåt, som kanskje har femti mann om bord.

Det var ikke noe å se til ubåten, eller ubåtene. Krigsskipene som eskorterer oss, prøver å lokalisere neddykkede ubåter ved å lytte med såkalte Asdic-apparater etter lyden fra ubåtenes propeller. Når de får inn sterke lydsignaler, begynner korvettene eller jagerne å kaste dypvannsbomber. Det er en jakt i blinde, der man må stole på hørselen og lytteapparatene.

Jeg gikk ut på utkikk på babord bruving, i regnværet, og speidet etter ubåtperiskoper så jeg fikk vondt i øynene. Intet periskop var å se.

Der ute på bruvingen begynte plutselig den vesle røde lampa på livvesten min å lyse. Det må ha vært regnvannet som utløste mekanismen som tenner lampa. Jeg likte dårlig at den røde lampa lyste. Jeg tok det som et ondt varsel. Etter mye fikling fikk jeg slukket den.

Kaptein Nilsen dukket opp i styrhuset. Han snakket med Trean om det han kaller 'wolf packs', ulveflokker av ubåter. Vi vet ikke om vi nå har en wolf pack etter oss, eller om det bare dreide seg om én eller to fiendtlige ubåter.

Ubåtalarmen ble avblåst.

Kapteinen sa at vi må regne med at ubåtene, nå som de har fått ferten av oss, vil følge konvoien. Det vil garantert bli nye alarmer.

Jeg gikk ned til middag. Det var kjøttkaker med ertestuing. Merkelig nok spiste jeg med god appetitt. Til dessert var det bringebærgelé med vaniljesaus. Også desserten gikk ned på høykant.

Vi har fått melding om et stort og langvarig tysk flyangrep på Liverpool. Datoen er litt usikker, men vi tror det dreier seg om natt til den 28. august. Da angrep en styrke på hele 160 bombefly byen. Royal Air Force sendte opp jagerfly for å ta kampen opp med tyskerne. Vi har ikke fått noen opplysninger om hvor mange bombefly som ble skutt ned, eller hvor store skader det er blitt på bakken. Men det er jo grunn til å frykte at 160 bombere kan gjøre voldsom skade. Det er nok særlig havna i Liverpool tyskerne prøver å ødelegge, men det ville likne Hitler og Göring å beordre terrorbombing av boligstrøk.

Jeg tenker naturligvis på Muriel Shannon. Jeg håper hun kom seg til et bombeshelter i tide.»

Halvor har akkurat lagt seg etter kveldsvakta da det går ny ubåtalarm. Han kler på seg og går opp i salongen der resten av mannskapet som ikke er på vakt, sitter samlet. Radioen i salongen står på. De lytter til jazzmusikk fra New York.

Gnisten kommer inn i salongen.

Han sier: «Best at dere slår av radioen, karer. Vi har fått informasjon om at tyske ubåter er i stand til å peile radiomottakere som er påslått. Ikke skjønner jeg hvordan tyskerne kan greie det. Men commodore har gitt oss ordre om å slå av alle radioer, så da gjør vi det.»

Radioen blir slått av.

Stillheten er trykkende. Gamle Åge prøver å tromme sammen et bridgelag. Men folk er ikke i humør til å spille kort. De sitter i taushet og røyker, bak blendede ventiler. De fleste har som Halvor med seg lerretsposer med papirer og småsaker i. Livvestene ligger klare til å bli tatt på.

Det dirrer i skroget. Dypvannsbomber!

Halvor er glad for én ting, og det er at han ikke jobber i maskinrommet. Det er jævlig nok å sitte i salongen og vente på at en torpedo skal detonere mot *Tomar*s skrog. Det må være enda jævligere å gå på vakt i maskinen og vite at dersom de får et torpedotreff i maskinrommet, da er det kvelden. Da er de hjelpeløst fortapt der nede.

Han går ut fra den røykfylte salongen for å trekke frisk luft på dekk.

Han kunne vært hjemme på Rena nå, og jobba på trelasten i påvente av en ny sesong i tømmerskauen. Da skulle han funnet en annen skogeier å hogge for enn nazistelskeren Rudolf Didrichsen.

629

Trelasten kan forresten være utslettet av de tyske bombene. Men på Kartongen er de sikkert i gang med å bygge opp igjen trelasten. Hjemme kunne han ha vært, og ikke her ute på havet. Sjømannsdrømmen hans var en idiotisk drøm!

Men hadde han ikke dratt til sjøs, ville han aldri ha møtt Muriel Shannon.

Nei, det er sprøyt! Han kunne jo godt ha møtt Muriel uten å være sjømann. Nissa Torgeirstuen var der på Yankee Bar da Muriel åpenbarte seg, og Nissa sitter nå sikkert trygt i en eller annen bombesikker bunker og prøver å knekke tyske koder.

Han kunne ha vært i Nissas sted! Hadde han bare lagt opp livet sitt litt lurere. Han skulle ha fullført middelskolen og så tatt gymnaset, med topp karakterer. Så kunne han ha flyktet over Nordsjøen i ei skøyte, meldt seg til tjeneste for det norske militærvesenet i England og fått en trygg jobb. Kanskje ikke som kodeknekker, det har han neppe talent for. Men han kunne blitt operatør i det nye sendesystemet som tyskerne oppfant på 1930-tallet, og som kalles teleks. Militæret i England har sikkert tatt i bruk teleks.

En kontorjobb. Man gjør nytte for folk og fedreland i militær tjeneste, men sitter komfortabelt på ræva foran en maskin og sorterer meldinger som kommer tikkende eller skal sendes. Og man får permisjoner. Uansett hvor han hadde vært stasjonert i England, er landet så lite i utstrekning at han kunne bruke til og med korte helgepermisjoner til å dra til Liverpool.

Han kunne ha vært på perm i Liverpool under det siste, fæle bombeangrepet. Da kunne han ha sittet sammen med Muriel i et shelter og holdt henne i hånda og hvisket trøstende ord i øret hennes. Men hvor er han? Ute på den ville Atlant!

Halvor går opp på båtdekket på det forre midtskipet, på styrbord side. Selv om dønningen er tung, er vinden svak, så de seiler med utsvingte livbåter.

Plutselig ser han et lysblaff forut, og så kommer lyden av et eksplosjonsdrønn rullende.

Halvor løper opp på bruvingen. Der står kaptein Nilsen, vakthavende styrmann Granli og utkikksmann Rønning.

Kapteinen sier til Granli: «Det må være et av de britiske tankskipene som er truffet.»

Nytt lysblaff, og drønn.

Kapteinen sier: «Der fikk de nok en treffer til, arme jævler. Vi får bare holde kursen vår, styrmann Granli.»

Granli løfter kikkerten og skuer ut i mørket. Han sier: «Det ser ikke ut til at hun brenner. Da har de kanskje en sjanse der om bord.» Konvoien stevner videre for full fart.

Kapteinen sier: «Pass på, Granli, så vi ikke kolliderer med vraket.» Ute i mørket om styrbord kan Halvor skimte et stort tankskip som ligger stille. Skipet har fått form som en v. Forskipet og akterskipet stikker til værs. Livbåter fulle av folk dupper på vannet. En av korvettene styrer mot havaristen.

«Torpedotreffere midtskips,» sier Granli til kapteinen. «Godt britene har kommet seg i båtene.»

«Kanskje de har hatt lykken med seg og ikke har noen omkomne,» sier kapteinen.

Vraket forsvinner raskt ut av syne.

Kapteinen får øye på Halvor.

«Hva fanden gjør De her oppe, Skramstad?»

«Jeg ville varsle om at jeg så et eksplosjonsblaff,» svarer Halvor.

«Ja vel,» sier kapteinen. «Vi er jo ikke stokk blinde her oppe på broen. Vi så sannelig eksplosjonsblaffene. Hvor i helvete har De gjort av livvesten Deres?»

Halvor klapper seg på brystet. Han har ingen vest på seg. Den ligger i salongen.

«Kom Dem ned og få på Dem vesten!» roper kapteinen.

Når kaptein Nilsen er i De-humøret, er det best å gjøre som han sier uten å mukke. Halvor piler ned fra bruvingen.

Han kommer inn i mannskapssalongen igjen. Der er det ingen andre enn Åge, som sitter og legger kabal.

«Hvor er alle gutta?» spør Halvor.

«De gikk opp på poopdekket for å se på en båt som ble torpedert,» svarer Åge.

«Men du sitter her, Åge?»

«Ja, jeg sitter her og tar det kuli. Jeg så nok torpederte båter i den forrige krigen. Mange av dem var norske. Norge mista halvparten av handelsflåten i løpet av de fire åra fra nittenfjorten. Femti prosent av flåten gikk ned, Halvor. Kanskje blir det like gæli i denne nye krigen.»

Halvor vet ikke hva han skal svare.

Han mumler at det er ikke sikkert at det blir så galt denne gangen. Men tror han på det? Kanskje det blir *verre*?

Han tar på seg livvesten, spenner på seg lerretsposen og går opp på poopdekket. Der står karene i klynger og snakker lavmælt sammen, som om de er redde for at høyt snakk skal påkalle opp-merksomheten til en tysk ubåtskipper.

En av gutta tenner en sigarett. I mørket kan ikke Halvor se hvem det er, men han ser at sigaretten blir slått bort og gloa trampet ut på dekket.

«Faen, var *det* nødvendig?» sier stemmen til Erasmus Montanus.

«Ja, det var heilt naudsynt,» sier motormann Smaage. «For sik-kerheita vår.»

Var det Smaage som slo vekk sigaretten? Halvor kan ikke se for seg at Smaage ville slå. Men krigen forandrer folk.

Halvor slutter seg til klyngen der Båsen står. Tomar foretar en brå kursendring og får en tung dønning inn tvers. Han må sette sjø-bein så godt han kan, for ikke å tippe over. Røyk kommer inn over poopen. Er det et skip som ligger og brenner der ute i natta? Nei, det er nok bare røyk fra *Tomar*s egen skorstein som slår ned på dekk nå som skipet går på en ny kurs.

«Hvor har du vært hen hele mitt liv, Skogsmatrosen?» sier Båsen.

«Jeg så en eksplosjon og løp opp på brua for å varsle,» svarer Halvor.

«Hvis de ikke går med bind for øya der oppe, så vel skipperen og Granli eksplosjonene sjøl,» sier Båsen. «Hva sa de på brua om hva for et skip som var truffet? Var det en engelsk tankbåt?»

«Ja, de mente at det var en britisk tankbåt,» sier han.

«Sa de noe om hvordan tyskerne greide å ta ut en båt som seilte midt i konvoien?» spør Flise-Guri.

«Nei,» svarer Halvor. «Men de sa at de trodde det kanskje ikke var så mange drepte på tankbåten.»

«Ja, det så jo ut som det var grei skuring å få ut livbåtene,» sier Flise-Guri. «Men det er et mysterium at tankeren ble truffet. Den tyske ubåtskipperen må ha vært faen så djerv for å gå inn mellom skipene i konvoien og fyre to torpedoer.»

«Djerv som en jerv, eller spenna gæren,» sier Skvalpeskjæret.

«Det hadde nesten vært mer naturlig at han hadde tatt *oss*, i vår utsatte posisjon,» sier Båsen. «Det kunne vært *Tomar* som fikk to tette og ei badehette.»

«*Tomar* lucky ship,» sier Cheng. «Lukkelig skip.»

«Vi får tro vi er et lykkelig skip,» sier Flise-Guri. «Åge har så mange bange anelser om hvordan det kommer til å gå med oss. Men han har med seg all mulig overtro fra seilskutetida.»

Det høres fjerne drønn fra dypvannsbomber. *Tomar*s skrog dirrer.

De blå prikkene de kan se forut, danser over mot styrbord, og så endrer *Tomar* kursen for å følge konvoien.

«Jeg tror det er natti-natti for mitt velkommende,» sier Båsen. «Loppekassa venter. Det kunne faen hakke og partere meg vært oss, ja, som den jævla Ubåt-Fritz fyrte av mot.»

«Du får krype i kasseloppa, Georg,» sier Flise-Guri.

Halvor og Båsen ler. Cheng ler også.

Skvalpeskjæret, som ikke kjenner til Båsens snarfokkelser, ler ikke.

Tør Båsen virkelig gå og legge seg på lugaren? Han ønsker nok å framstå som en som prøver å beholde roen. En som bidrar til å stramme opp marolen. Kanskje han går til lugaren sin, men ikke legger seg? Blir sittende på en stol ved bordet, våken og klar til sprang dersom det smeller.

Halvor går til messa. Der sitter eller ligger de fleste av mannskapet som har frivakt. Noen har lagt seg rett på dørken, andre har prøvd å gjøre det litt mer komfortabelt ved å legge seg på et par blankiser. Halvor setter seg på en stol, folder armene på bordet foran seg og legger hodet på armene.

Søvnen vil ikke komme.

Han går til salongen og dumper ned i en av lenestolene.

Han våkner til duften av kaffe. Det er byssegutt Kevin som har brakt ei kanne inn i salongen. Han har også tatt med et brett med kaffekrus.

Halvor skjenker seg et krus og tenner en Camel, og ser ut gjennom ventilen. Regnet strømmer ned.

Skvalpeskjæret har også tilbrakt natta i salongen. Halvor byr ham en røyk.

«Fikk du blund på øynene, Skogsmatrosen?» spør Skvalpeskjæret.

«Ja, jeg duppa av og fikk sove.»

«Det er mer enn jeg fikk. Jeg tror det ble torpedert enda båt i konvoien i natt, i en av kolonnene lengst til styrbord. Jeg hørte et veldig skrall.»

«Kanskje det var et tordenskrall,» sier Halvor. «Det regner jo som om himmelens sluser er åpne.»

«Det er en merkelig ting med *Tomar*,» sier Skvalpeskjæret. «Båten har vært både på Østen og i Sør-Amerika. Likevel har jeg ikke sett en eneste kakerlakk verken i messa, på lugaren eller her i salongen.»

«Cheng er streng,» sier Halvor. «Han tillater ikke kakerlakker. Han sprøyter med et kinesisk vidundermiddel som kverker dem på flygende flekken.»

Klokka er blitt ti over halv åtte. Halvor går til dusjrommet og pusser tennene, skifter på seg ei rein skjorte, går til messa og hiver innpå et par brødskiver.

Presis klokka åtte avløser han Flemming fra Fyn ved roret.

Kaptein Nilsen er på plass i styrhuset.

Trean sier til Halvor: «Hele konvoien flagger på halv stang i dag. Det var det britiske tankskipet *Connemara* som ble truffet. Fem mann omkom i den første eksplosjonen, tre i den andre. Commodore har rapportert om en mulig senket tysk ubåt.»

«Var det en båt til i konvoien som ble torpedert?» spør Halvor.

«Nei, konvoien seilte gjennom et kraftig tordenvær. Granli har notert i dekksjournalen at man hørte et veldig kraftig tordenskrall som man tok for å være en torpedoeksplosjon. Men dette ble avkreftet av commodore.»

«Åtte gode menn på *Connemara*,» sier Halvor. «Det er fælt å tenke på. Og jeg liker heller ikke å tenke på folka i ubåten.»

Trean sier: «Hør på et råd, Skramstad. Ikke tenk for mye på slikt. Tenk heller på dama di i Liverpool.»

«Hvordan vet du at jeg har noe på gang i Liverpool?»

«Sånt ryktes med lynets hastighet her om bord,» sier Trean. «Vi kunne kanskje melde på *Tomar* i verdensmesterskapet for sladrehanker. Take it easy, Skramstad. Om noen dager er vi trygt framme i Halifax.»

«Den britiske tankeren hadde navnet sitt etter et landskap i Irland,» sier kaptein Nilsen. «Jeg har vært der. Det er en liten fjellheim nordvest i Irland, ikke så langt fra kysten der vi opplevde *Lula Zeidler*s tragiske forlis. Vi lå med *Tallahassee* i dokk på Harland and Wolff i Belfast. Det er verftet som bygget *Titanic*. Jeg leide en toseters Bentley Sports Coupé. Rene racerbilen. Så kjørte jeg på fjelltur i det nordvestre Irland. Først til Donegal Mountains og så ned til Connemara Mountains. Det er jo ikke Alpene eller Jotunheimen, akkurat, disse fjellpartiene i Irland. Det er berg på høyde med Skrimfjellene ved Kongsberg. Ingen topper over tusen meter. Myr og hei. Karrig, men vakkert for den som liker øde natur. Fattige landsbyer der folk lever slik vi gjorde i Norge for hundre år siden. Flere steder møtte jeg folk som ikke snakket et kløyva ord engelsk, bare gælisk. Det var like før jul. På noen av toppene lå det litt sne. Et fint dryss, som av melis på en sjokolade-kake.»

«Det sies at det ikke finnes slanger i Irland,» sier Trean. «Vet De om det er sant, kaptein Nilsen?»

«Jeg har hørt det bli sagt. Men om det er sant, vet jeg ikke. Det har vel vært hoggorm i Irland. Kanskje den er blitt utryddet.»

Halvor skulle ønske kapteinen ville fortsette å snakke om Irland. Han liker å høre om Muriels hjemland, og det er beroligende å høre på. Han ser for seg et brunt fjell som ser ut som ei kake drysset med melis. Han har alltid tenkt på Irland som et eviggrønt land, men der faller altså stundom litt snø.

Kapteinen drikker opp morgenkaffen sin og røyker ut morgen-sigaretten. Han går ned fra brua.

Det kommer en ordre om kursendring, og så en ny ordre. Konvoien styrer i mange timer i sikksakkurs. Det er hele tida nerve-pirrende fordi det gir så stor risiko for å kollidere med andre skip.

Da Halvor og Skvalpeskjæret kan gå ned fra brua etter endt vakt, sier Skvalpeskjæret: «Jeg er helt kneskjælven etter all den styringa hit og dit.»

«Jeg kjenner det i arma,» sier Halvor.

«Tenk om vi kommer til å seile i Atlanterhavs-konvoier i årevis framover. Jeg kommer til å se ut som en gammal kall før jeg er fylt femogtredve, og du som en gubbe før du er fylt femogtjue. Vi kommer til å ha svære, svarte ringer rundt øya. Ringer så store som bil-dekk! Og hvis vi overlever den jævla krigsseilasen, kan vi søke om plass på Krokryggen gamlehjem når vi endelig kommer i land.»

Halvor må le.

Sunderland-flyene har for lenge siden returnert til Storbritannia, og det har også den armerte tråleren gjort, hvis den ikke har satt kursen nordover mot Island.

«Vi nærmer oss The Air Gap,» sier Halvor. «Kanskje vi får føling med ubåtene igjen.»

Og det blir kveld, og ubåtalarmen går.

Lang vakt. Ja, åtte–tolv-vakta kjennes for Halvor ut som om den varer ei hele uke, en måned, et år.

Nattevåk. Litt søvn, urolig søvn.

Et smell i natta. Var det en torpedo som detonerte? Nei, det var bare ei dør som slo igjen borte på aktre midtskipet.

Halvor våkner fra en underlig drøm. Han drømte at han var kullskipet *Skramstad* som seilte i tåke på Saint Lawrence River. Så dukket *Empress of Ireland* ut av tåka. Han rente rett inn i den irske keiserinna. Han slo et digert høl i henne, og baugen hans rente langt inn i henne. Det var slett ikke ubehagelig. Det var deilig.

Hva pokker? Halvor kjenner at han er våt i underbuksa. Han har sittet her på en stol i messa og hatt drømmefitte, med *Empress of Ireland* i rollen som Muriel Shannon. Han håper at han ikke stønna og bar seg da det gikk for ham, at ingen av de andre gutta merket noe.

De sitter og ligger og sover eller halvsover, alle mann.

Halvor går til dusjrommet. Hvis *Tomar* får en treffer mens han står i dusjen, vil han kanskje måtte løpe splitter naken til livbåten. Det får våge seg. Han *må* ta en dusj.

Den britiske eskorten blir vest av Irland avløst av eskorteskip som er kommet ut fra Canada. Det er bare én kanadisk jager og tre korvetter.

En høststorm kommer feiende ned fra Grønland. Halvor pakker på seg to gensere under vindjakka før han går opp og tar første tørn som utkikk på formiddagsvakta. Han trekker lua godt nedover ørene. Det er ikke slått ubåtalarm, så han slipper å gå utkikk frampå bakken. Han kan ta post på babord bruving.

Langt framme i konvoien ser det ut til å være noe ugreie med manøvreringa. Halvor speider i kikkerten. Det er den norske tankeren, *Flatanger*, som har mistet styringsfarta. Noe smell fra torpedo eller mine har det ikke vært. Bergenseren må ha fått trøbbel med maskinen.

Stormen fra nord får den lange tankeren til å legge seg på tvers i konvoiens kjøreretning. En britisk stykkgodsbåt som har ligget i posisjonen aktenfor *Flatanger*, girer hardt over mot babord for å unngå kollisjon. Det ser ut som britene skal lykkes.

«Nei!» roper Halvor.

De to skipene treffer hverandre baug mot baug. Halvor håper inderlig at det ikke er gass i tankene til *Flatanger*. Han orker ikke å oppleve et nytt *Lula Zeidler*-smell.

«Det var da pokker til kløneri,» sier kaptein Nilsens stemme, godt hørbar gjennom suset fra stormen.

Halvor snur seg og ser kapteinen stå og speide forover gjennom Zeiss-kikkerten. Kapteinen har på seg en marineblå duffelcoat. Hetta på duffelen blafrer så det ser ut som den vil slite seg hvert øyeblikk.

«Briten bakker unna,» sier kapteinen. «Hun har fått seg en på nebbet, men ser ut til å flyte godt. *Flatanger* har fått en fæl revne bakom ankerklysset. Revnen ser ut til å være over vannlinjen.»

Skipene som nærmer seg briten og bergenseren aktenfra, viker unna. Det kommer en veldig sky av svart røyk opp fra *Flatanger*s skorstein. Er det et tegn på at bergensbåten har fått i gang hovedmotoren igjen, eller er det brann i maskinrommet?

Sakte kommer *Flatanger* i sig og får rettet opp kursen. Det kommer en sprut av skummende vann fra fordekket hennes. Halvor skjønner ikke hva det kan skyldes.

«De kjører lensepumper på *Flatanger*,» sier kapteinen. «De prøver nok å lense de forreste vingtankene for å lette forskipet og få baugen høyere over vannet.»

Duffelhetta til kaptein Nilsen sliter seg og flakser akterover som en underlig, stormslått fugl.

«Fordømte trykknapper,» sier kapteinen. «Jeg skal gi deg et godt råd, lettmatros Skramstad. Stol aldri på et klesplagg med trykk-knapper!»

Røyken fra *Flatanger*s skorstein skifter farge fra svart til grå. Skipet har fått brukbar styringsfart.

Kapteinen sier: «Nå spørs det om bergenseren vil greie å holde følge med konvoien, eller om hun vil bli en straggler.»

«Straggler?» sier Halvor.

«Etternøler. En som kommer bort fra flokken. Blir *Flatanger* en straggler, kan hun være ille ute. Commodore vil neppe avse en av korvettene til å passe på henne.»

Halvor går inn og tar rortørn.

Da han har stått sin time og kommer ut på bruvingen igjen, er *Flatanger* bare så vidt synlig i horisonten langt aktenfor konvoien. Det britiske skipet som fikk trykt inn baugen, stamper i stormsjøen, men greier på mirakuløst vis å holde konvoiens fart.

Halvor skriver i dagboka: «Halifax, Nova Scotia, Canada, tirsdag den 10. september om kvelden. Vi kom vel fram hit tidlig i dag morges. Vi hadde klart, fint høstvær. Og vindstille! Det var herlig å slippe vind og regn etter mange døgn med storm og et jævlig ruskevær, og herlig å få landkjenning. Jeg tørnet ut ved daggry for å se Nova Scotia stige av havet.

Båsen var også tidlig på'n. Vi sto på poopen med kaffe og røyk.

Halifax ligger rett ut mot Atlanterhavet. Byen steg av hav. De fleste skipene i konvoien skulle, som oss, inn til Halifax for å ankre. Noen skip forlot konvoien og stevnet sørover.

Båsen pekte mot en park på en pynt ved innseilinga.

Point Pleasant Park, sa han.

Og parken så virkelig pleasant ut, med store løvtrær som morgensola skinte på så bladverket – i høstfarger – så ut som gull og bronse.

Jeg hadde en hyrdestund med ei frodig enke i den parken, sa Båsen. Under et lønnetre, som seg hør og bør i Canada.

Jeg synes Halifax i likhet med Québec har et litt gammelmodig preg. Her dominerer bygninger av grå granittstein. Byen er delt i to av stredet The Narrows. På begge sider av stredet ligger moderne havneanlegg og verft.

Båsen fortalte at et par tusen mennesker ble drept da et ammunisjonsskip eksploderte på Halifax havn i 1917. Han visste verken hvilket skip det var eller hvorfor det eksploderte.

Jeg får spørre Flise-Guri, sa jeg.

Flise-Guri er dessverre blitt klein med bronkitt, sa Båsen. Han tåler bronkitt dårlig på grunn av den jævla tub'en han hadde i ungdommen. Så han må holde køya.

Vi seilte gjennom The Narrows og kom inn i det store Bedford Basin. Det er en trygg ankerplass for skip som ankommer fra konvoi eller samles for å seile i konvoi.

Båsen sa at han trodde det blir spent ut antiubåtnett over The Narrows hver eneste kveld, så ingen dumdristig tysk ubåtskipper skal greie å seile inn i Bedford Basin og skape en katastrofe som den i Scapa Flow da slagskipet Royal Oak ble senket.

Båsen måtte gå forut og lede ankringa i Flise-Guris fravær.

Vi ankret i et mylder av skip. For Halifax by er nok denne nye verdenskrigen en gullgruve, slik forrige verdenskrig var. Båsen sa at han var her under depresjonen tidlig på 1930-tallet. Da så Halifax ut som en spøkelsesby som var på konkursens rand, med øde kaier og dørgende stillhet på verftene.

Seint på ettermiddagen opplevde vi det gledelige at <u>Flatanger</u> kom inn i Bedford Basin. <u>Tomar</u> hilste <u>Flatanger</u> med tre langer støt i fløyta. Bergenseren ankret kloss ved oss. Vi vinket alt vi kunne til folkene om bord der, og de vinket ivrig tilbake. De er nok utrolig lettet over at det gikk bra etter at båten deres ble en straggler.

Hvor skal vi herfra? Det blir ikke kanadisk kornlast slik vi regnet med, for vi har fått beskjed om at vi skal begynne å rive kornskottene i morgen.

Et byssetelegram går ut på at vi skal til New York for å laste 'general cargo', altså diverse stykkgods. Et annet byssetelegram vet å fortelle at vi skal til Baltimore for å laste fly og flydeler.

Jeg har naturlig nok mest lyst på New York. Man er liksom ikke ordentlig sjømann før man har satt sine bein i New York. Men det er jo også all right å skulle bringe viktige saker som fly og flydeler til Storbritannia.

En taubåt kom stevnende forbi oss. Den hadde en litt uhyggelig last på fordekket. Det var en stabel hvitmalte likkister. Taubåten la til ved et av de britiske fartøyene, en av damperne. Vi tror at kistene kan være beregnet på noen av de drepte på <u>Connemara</u>. Det må da være slik at mannskapet på <u>Connemara</u> berget noen av sine døde skipskamerater om bord i livbåtene. Eller det kan være slik at det er sårede som døde i livbåtene eller om bord i redningsfartøyet, kistene er beregnet på. Da redningsfartøyet returnerte til Storbritannia sammen med resten av den britiske eskorten, må de døde ha blitt brakt om bord i den britiske damperen.

Vi synes det er bra hvis de døde blir ivaretatt slik at de kan få en begravelse i land.»

Skvalpeskjæret kommer og holder Halvor med selskap.

«Du skriver dagbok, Skogsmatrosen?»

«Ja, jeg skriver litt dann og vann.»

«Det skulle jeg også ha gjort,» sier Skvalpeskjæret. «Heldigvis har jeg ennå husken i orden. Jeg husker for eksempel at jeg havnet på kanonfylla her i Halifax for et par år siden. Jeg gikk meg dønn bort i havnestrøket og fant ikke igjen skuta. Det var forresten *Bordeaux* til Fred. Olsen. Jeg fant et plankeskur med noen halmballer i. Der sovna jeg i halmen. Da jeg våknet om morran, trodde jeg ikke mine egne auer. Jeg var i en negerlandsby! Det var bare svartinger all over the place, mann. Var jeg helt på bærtur og hadde havnet i Afrika? Det viste seg at det helt siden slavetida har vært en liten bydel her i Halifax som bare er befolket av folk av afri-kansk herkomst. Den blir kalt for Africaville eller Africville. Hvis den ikke er rivi siden sist, finnes negerlandsbyen her ennå, midt i en hvit by.»

«Jeg visste ikke at det hadde vært negerslaver i Canada,» sier Halvor.

«Det må jo ha vært det,» sier Skvalpeskjæret. «Selv om de var veldig få her i forhold til i Sørstatene. Hva tror du om neste havn vi skal til? Blir det New York, skal jeg rive i en Jack Daniel's på deg på Nordkapp Bar i Brooklyn.»

Det kommer aviser om bord i *Tomar*. Halvor leser at Liverpool har vært angrepet annenhver natt siden storangrepet i slutten av august. Avisene skriver om The Liverpool Blitz, og at byen er den i Stor-britannia som, nest etter London, er mest angrepet. Det har vært mange mindre tyske raid mot byen, men også noen store. Ei natt skal en formidabel styrke på 300 bombefly fra Luftwaffe ha vært over Liverpool. Det meldes om betydelige skader i havneområdet og i byens sentrum og mange omkomne sivilpersoner, uten at det blir oppgitt noe tall på døde.

Halvor går til lugaren sin, kneler på dørken med bildet av Our Lady Star of the Sea foran seg og ber en bønn for Muriel Shannon.

Det er som om bønnen hans ikke har noen kraft og ikke når fram til Our Lady Star of the Sea. Hun smiler til ham med Mona Lisa-smilet sitt, men det virker ikke som om hun lytter til ham.

Kapittel 52

Fredag den 13. september kommer ordren. *Tomar* skal avgå til Baltimore for å laste. Ankeret blir hevet opp, og Halvor spyler det reint for søla fra sjøbunnen i Bedford Basin.

Tomar stevner ut fra ankerplassen klokka ni om morgenen. Halvor står til rors gjennom The Narrows. Nå skal skuta igjen seile som independent ship. Det finnes ikke noe konvoisystem på ruta mellom Halifax og byene på USAS østkyst.

Er det tyske ubåter i farvannet? Ifølge meldingene de har fått, virker det som om de tyske ubåtskipperne holder seg på respektfull avstand fra USAS territorialfarvann. Hitler ønsker ikke å provosere Roosevelt slik at amerikanerne går med i krigen på alliert side.

Men utenfor sørkysten av Nova Scotia kan det hende det kryr av ubåter som er på utkikk etter lett bytte. For her må skipene som skal til USA fra Halifax, passere.

Det er drømmevær for ubåtskipperne. Kuling fra nord og krappe bølger på et par meters høyde som gjør det vanskelig å oppdage et periskop. God sikt.

Og det er fredag den trettende. Det har Åge minnet Halvor på. Vanligvis har ikke Halvor vært redd for katastrofer på fredag den trettende. Nå er han skvetten.

Etter endt vakt må Halvor og Skvalpeskjæret jobbe overtid med å rive kornskott. Siden Flise-Guri ligger sjuk med bronkitt, er det Båsen som leder rivingsarbeidet. Båsen later også til å være i nervøst fredag-den-trettende-lune. Han kjefter og bærer seg nesten som han gjorde før Norge kom med i krigen. Åge er fritatt fra arbeidet i lasterommet, men har måttet ta vakta til Flemming fra Fyn, som er satt til å jobbe i enerluka der rivinga foregår.

Den danske jungmannen misforstår en ordre fra Båsen. Båsen roper at han *ikke* skal slå løs en labank. Dansken slår løs labanken. Dermed raser en liten vegg av planker ned like foran nesa på Båsen.

Han går helt av skaftet og brøler ord som er uforståelige for Halvor og sikkert for alle de andre.

Flemming fra Fyn er ikke skåret for tungebåndet, og tar igjen. Også hans banneord er uforståelige.

«Hold snavla på deg, din forbannade danske snadderand!» roper Båsen.

Flemming fra Fyn tar sats og sier høyt og tydelig: «Du skraldemand, du hører hjemme i et skraldespand.»

«Hva faen sa du?» roper Båsen.

Dansken svarer ikke. Han står bare og gliser, tydelig fornøyd med replikken sin.

Båsen ser seg rundt, og roper: «Hva faen sa han, karer?»

«Jeg har seilt mye på København,» sier Skvalpeskjæret. «En 'skraldemand' er en søppeltømmer, og et 'skraldespand' er et søppelspann.»

Båsen begynner å le, høyt og skingrende. De andre gutta regner med at det er ufarlig å le med ham, så de ler, de også.

«Den var fakta faen ikke dårlig,» sier Båsen og tørker lattertårer. «Jeg er en søplemann som hører hjemme i et søplespann. Den var ny. Den skal jeg lære meg. På pære dansk. En skraldemand i et skraldespand! Da sier vi at det står én–null til Danmark over Norge. Vi tar oss fem minutters røykepause, karer. Opp på dekk med dere, jævla søplehuer.»

Flemming fra Fyn er i Halvors øyne dagens helt.

Halvor skriver i dagboka: «Tvers av fyret på Cape Sable, Nova Scotia, fredag 13. september etter kveldsmat. Jeg sitter på poopen og rabler. Det er surt, men etter å ha vært nede i lasterommene i timevis vil jeg gjerne være i friluft. Vi har vinden inn aktenfra, så jeg blåser ikke bort.

Cape Sable, sørpynten på halvøya som er oppkalt etter Skottland, er ikke noe skikkelig kapp. Det er en lav, sandete landtunge som ser ut som Langanes på Island. Fyret på Cape Sable minner også om fyret Fontur, men er kanskje dobbelt så høyt. Vi seiler såpass langt unna at det er vanskelig å vurdere høyden. Fyret vi ser der inne tvers om styrbord, er hvitmalt og har, som Fontur, en rød hatt.

Selv er jeg ikke særlig høy i hatten. Jeg har en uggen følelse av at det ligger en veritabel wolf pack av ubåter akkurat her ved Cape Sable. Det må være en drømmeplass for ubåtskipperne. Inne ved det lave neset er det sikkert langgrunt. Kanskje ubåtene ligger der inne og vil overraske ved å skyte torpedoer fra en uventet posisjon? Oppe på brua nistirrer sikkert skipperen, Nyhus og utkikksmann Geir Ole etter periskoper og boblestriper om babord, og så kommer en torpedo i rasende fart inn fra styrbord ...

Det er også dette idiotiske at jeg under rivingsarbeidet greide å rote bort arbeidshanskene mine. Kornskottplankene er uhøvlede bord og like fulle av fliser som et pinnsvin er av pigger. Jeg tror jeg har fått flis i hver eneste finger, bortsett fra i ringfingeren på høyre hånd – den som nå ligger som en bleknet knokkel på bunnen av Stillehavet.

Jeg fortalte Flemming fra Fyn at han hadde en strålende replikk til Båsen. Det ble vår danske jungmann glad for å høre.

En guttedrøm i oppfyllelse når vi nå er på vei til Statene. Hvilken norsk gutt har ikke drømt om en gang å komme til det forjettede Junaiten?

Kanskje jeg bør finne fram munnspillet og dra 'Fanitullen' og gi faen i hele fredag den trettende-tullet?»

Tomar krysser Gulf of Maine og tøffer videre sørover ganske nær kysten av USA.

Gnisten henger opp ei radiopresse der det heter at tyskerne har bombet Buckingham Palace i London i et forsøk på å utslette den britiske kongefamilien. De kongelige er imidlertid i sikkerhet.

På slutten av kveldsvakta lørdag kan Halvor i det fjerne se lysene fra Long Island og New York City. Det føles betryggende å ha så kort avstand til New York. Det jager bort ubåtangsten. Den blir erstattet av en søtere kribling i magen.

USA venter på ham. Here I come, Baltimore!

Kaptein Nilsen kommer inn fra styrbords bruving, der han har stått og sett på byens lys. Han sier til Trean: «Det er godt vi har United States of America. For jeg frykter at United Kingdom snart er en saga blott. Jeg tror vi kan vente en tysk invasjon i Storbritannia hvilken dag som helst. Hadde jeg kunnet bestemme, skulle kong Haakon vært i eksil her i USA sammen med svigerdatteren sin og barnebarna. Kronprins Olav kan godt være i London. Han er jo i stridsdyktig alder og kan være med på å kjempe når Fritz kommer.»

«Kan hende Hitler ikke våger å angripe nå,» sier Trean. «Han kan umulig ha vært forberedt på at Luftwaffe ville lide så betydelige tap i The Battle of Britain.»

«De har et poeng, styrmann Kvalbein. Så får vi se om det poenget holder. Jeg ser for meg at Fritz kommer brasende opp Themsen i amfibiefartøyer. Har De hørt ryktet om at det langs østkysten av England er lagt ut rør som det kan pumpes bensin inn i?»

«Ja,» svarer Trean. «Men tror De det er noe i ryktet?»

«Det kunne likne Churchill å sette i gang et slikt drastisk prosjekt. Når bensinen antennes, blir hele kysten en eneste stor flammekaster. Da vil tyskerne få svidd seg på strendene. Det er derfor jeg tror Hitler vil prøve å iverksette et sjokkangrep på London ved å sende kommandosoldater opp Themsen.»

Mandag morgen henger Gnisten opp ei blodfersk radiopresse: «BBC melder at i løpet av ett døgn, søndag den 15. september, ble det skutt ned 58 tyske bombefly.»

Det er stor stemning i messa under frokosten. Stuert Dyrkorn spanderer speilegg. Speilegg på en mandag!

Flise-Guri er på beina igjen. Han er bleik, og sier med rusten røst: «Åtteogfemti bombefly. Det er verdenshistorisk, karer.»

«Kanskje Churchill blir dritsur når han får regninga,» sier Erasmus Montanus.

«Regninga for *ka*?» spør motormann Smaage.

«Jeg vil tro at pilotene og luftvernskytterne har skrevet søndagsovertid for jobben med å gønne ned alle de flya,» svarer Erasmus.

Han høster stor latter. Søndagsovertid for piloter og skyttere!

Tomar seiler inn mot kysten av Maryland. Halvor har siste rortørn på formiddagsvakta idet de runder Fisherman's Island og begynner seilasen opp den langstrakte Chesapeake Bay. Landskapet på begge sider av bukta er flatt og ennå sommergrønt.

«Du ser alle fiskebåtene?» sier Trean. «Mange av dem er nok østersfangere. Det skal være store østersbanker og mye bra østers her i Chesapeake Bay. Har du smakt østers?»

«Nei, aldri.»

«Både konsistensen og smaken minner om ... Nå ja. Det kan være det samme.»

«Syng ut,» sier Halvor.

«Har du noen gang kyssa ei dame som har bada lenge naken i saltvann? Altså kyssa henne på et strategisk sted?»

«Niks,» sier Halvor. «Har *du?*»

«Det har muligens forekommet,» svarer Trean. «Det kan ha skjedd da jenta mi og jeg svømte ut fra den badeplassen hjemme i Holmestrand som heter Hagemannskogen. Det var seinsommernatt, og vi svømte ut for å se om det var morild i sjøen. Hvem bryr seg på ei slik morildnatt med å ha badetøy på seg? Etter at vi hadde bada lenge og vel, kom hun opp av vannet og glitra av morild. Særlig der du vet.»

«På dotten, mener du?» sier Halvor.

«Ja, det kan vel være det jeg mener. Det glitra av morild på saltvannsfuktet mus. Det må ha glitra et visst sted på meg også. For det var hun som begynte kyssinga. Og så hadde vi oss en riktig fortreffelig sixtynine i Hagemannskogen.»

Kaptein Nilsen kommer inn i styrhuset.

«Hva er det dere to står og smiler så fordektig av, Kvalbein og Skramstad?» spør han.

«Vi snakket bare om smaken av østers,» svarer Trean.

«Østers spiser jeg ikke,» sier kapteinen. «Nei, det skalldyret forekommer meg motbydelig. Østers overlater jeg til østerrikerne.»

Halvor skriver i dagboka: «Baltimore, mandag 16. september ved midnatt. Så er jeg da i USA! Det er litt annerledes her enn jeg hadde ventet. Jeg hadde rortørn da <u>Tomar</u> i kveldinga var kommet opp i roveret som heter Patapsco River og tok om bord havnelosen for å gå til kai i Baltimore.

Losen var akkurat slik jeg hadde forestilt meg en amerikansk los. En kraftig kar med kjøttfullt ansikt, lærjakke og skyggelue. Lua var svart med en stor oransje O på, og oransje skygge. Han hadde med seg en mystisk liten ryggsekk, en miniatyrsekk av lerret som det stakk ei antenne opp fra.

Trean spurte: Is the o the symbol of the Orioles baseball team?

Det spørsmålet var losen veldig fornøyd med, og han la ut på bredt amerikansk om Orioles bragder.

Trean spurte om en baby Ruth var født i Baltimore.

Losen var veldig fornøyd også med dette spørsmålet, og svarte at baby Ruth ganske riktig var født i Baltimore.

But, sa losen, baby Ruth unfortunately never played for the Orioles. He played for the Boston Red Sox and the New York Yankees.

Jeg forsto ikke stort der jeg sto bak rattet mens skuta var i sakte sig inn mot havna, med byens lys både om babord og styrbord. Jeg skjønte jo at lagene i Boston og New York var baseball-lag. Om baseball vet jeg ikke annet enn at man slår til en liten ball med ei stor kølle, og så løper for sitt bare liv for ikke å bli stukket med ballen. Hvilken nytte kunne en baby gjøre for seg i baseball?

Kaptein Nilsen spurte losen: What is in your little rucksack?

Sorry, captain, svarte losen. Can not tell you. Military secret.

Både kapteinen, Trean og jeg ble naturligvis nysgjerrige på hva slags militær hemmelighet som befant seg i ryggsekken.

Vi hadde fått beskjed om at vi skulle gå til kai ved Locust Point, et stort havne- og industriområde sørøst for Baltimore sentrum.

Det kom en sprakende lyd fra den militære hemmeligheten.

Kjapt åpnet losen lokket på sekken og halte fram en mikrofon. Jeg forsto det slik at han snakket med havnemyndighetene. Jeg hørte navnet Fell's Point bli nevnt.

Losen sa 'over and out' i mikrofonen.

Well, sa han til oss nordmenn. You guys are lucky.

Vårt hell besto i at vi skulle gå til kai i Fell's Point, som ligger nærmere sentrum, Downtown, enn Locust Point.

Losen sa at nå som vi hadde hørt ham bruke apparatet i sekken, kunne han fortelle oss at det var 'a new invention', en ny oppfinnelse. Det dreide seg om en transportabel radiosender og -mottaker til bruk over korte distanser. Havnelosene i Baltimore hadde fått i oppdrag av fabrikken å teste ut slike apparater.

We call them walkie-talkies, sa losen.

Vi passerte Locust Point der skip lå i flomlys og lastet og losset ved hjelp av store, moderne kraner som kan kjøres fram og tilbake i skinner på kaiene.

Så seg vi langsomt inn i Northwest Harbor.

Losen snakket med kaptein Nilsen om <u>Tomars</u> dypgående. Han brukte walkie-talkien sin. Jeg forsto det slik at han var bekymret over om det var dypt nok ved kaia i Fell's Point til å ta imot en ti-tusentonner.

Vi fikk etterpå vite at kaiene i Fell's Point egentlig var nedlagt under depresjonen, men at de nå var tatt i bruk igjen på grunn av den økte skipstrafikken krigen hadde skapt.

Det var utrolig kronglete å manøvrere inn til Fell's Point. Og der var køla mørkt. Ja, kaia vi skulle fortøye ved, lå i stummende mørke, så det var nesten som å være tilbake i mørklagte Liverpool og Glasgow.

Skvalpeskjæret kom for å løse meg av klokka ni. Kapteinen sa at avløsning fikk vente. Han sa at han ville ha meg til rors til vi lå trygt ved kai, siden jeg hadde erfaring med å styre <u>Tomar</u>. Hvis Skvalpeskjæret ble fornærmet over dette, lot han seg ikke merke med det.

Han kunne være glad til, for det var et lite helvete å legge til uten assistanse av taubåt. Losen, som hadde vært i så godt humør, bannet nesten som Båsen og ga kommandoer i ett kjør. Vi traff kaia med baugen, med et sabla dunk. Heldigvis var det hengt ut traktordekk som fendere langs bryggekanten.

Karene på poopen greide å få kastet i land ei hiveline på en avstand som var tredve–førti meter, trossa ble trukket opp av folk på land, og vi kunne hale oss inn til kai.

Omsider var vi fortøyd i United States of America.

Losen sa at de som skulle gå i land her på den mørke kaia, burde gå i flokk, og passe seg, for her kunne det dukke opp gangstere.

Not big gangsters, but small gangsters, sa losen. Så gikk han i land, og ble plukket opp av en ventende bil som så ut som en gangsterbil.

Da losen var gått i land, spurte jeg Trean om denne baby Ruth. Trean svarte at det dreide seg om <u>Babe Ruth</u>. Han regnes som USAS beste baseballspiller og av mange amerikanere som USAS største idrettsmann gjennom alle tider.

Det kom et par biler på kaia, og folk i hatt og frakk entret opp gangveien.

Jeg hadde skrevet meg på pengelista med svimlende 50 dollar. Det er fordi jeg har tenkt å kjøpe meg ei pilotjakke med saueskinnsfôr, og slike jakker koster flesk.

Vi fra mannskapet stilte i samlet flokk ved Gnistens kontor. Gnisten sa at han dessverre ikke hadde fått penger om bord, men at han hadde en del dollarsedler som vi kunne få så vi hadde til ølpenger.

Båsen spurte: Hvorfor er ikke Immigration kommet om bord? Jeg skulle gjerne blitt ferdig med den jævla kukk-kontrollen så jeg kan komme meg på land og få meg en dram. Med denne kontrollen siktet Båsen til en undersøkelse alle fremmede skipsmannskaper må gjennomgå ved ankomst USA. Mannskapene må paradere foran en lege og vise fram penis, som så blir gransket av legen. Hensikten er å oppdage kjønnssykdommer. Det er en forhatt kontroll fordi den virker så nedverdigende.

Gnisten syntes det var rart at heller ikke Customs var kommet om bord. Også for Gnisten var det første gang han var i USA, og han sa at han var forundret over at alt i forbindelse med vår ankomst virket så dårlig organisert.

Båsen spurte Gnisten om vi kunne få passene våre utlevert så vi kunne gå en tur på første sjappa. Gnisten gikk for å rådføre seg med kapteinen.

Da han kom tilbake, sa han: Dere kan få passene, men dere går i land på egen risiko. Hvis dere blir tatt av Immigration og bura inne, så ikke skyld på kapteinen eller meg.

Jeg spurte Gnisten om han hadde hørt om walkie-talkie. Det hadde han ikke, men han visste at det både i Europa og Amerika arbeides intenst for å utvikle bærbare radiosett til militært bruk. Et problem har vært å lage batterier som er sterke nok, og som har en viss varighet. Han sa at det var imponerende hvis amerikanerne allerede hadde greid å løse det problemet.

Vi fulgte losens råd og gikk i land som en hel bøling. Vi hadde også fått lokket med oss Flise-Guri, selv om han ikke var helt i form.

Han fortalte at Fell's Point var et kjent sted i seilskutetida. Her ble de berømte Baltimore Clippers bygd. Dette var raske seilere som egnet seg godt både til å utkjempe sjøstrid med engelskmennene og til piratvirksomhet. Flise-Guri sa at Fell's Point var blitt befolket med innvandrere fra Irland og Polen.

Å komme til Fell's Point var som å komme til Grünerløkka i Oslo. På Løkka har jeg vært noen ganger for å besøke onkel Severin, mors bror, som bor i Fossveien. I Fell's Point var det sannelig ingen skyskrapere og brede avenyer. Her var lave murhus på et par–tre etasjer, og mange av dem så slitne og morkne ut. Vi har jo hørt så mye om asfaltjungelen i USA. Fell's Point var ingen asfaltjungel. Her var det smale, brusteinsbelagte gater, og det var irske puber på hvert gatehjørne.

Hadde det ikke vært for at det sto store biler parkert langs fortauene, ville vi ikke hatt noen følelse av å være i USA.

Båsen sa at han hadde lyst på spaghetti og rødvin. Flemming fra Fyn, Skvalpeskjæret og jeg ble med på det. Vi fire vandret vestover gjennom Fell's Point og kom inn i neste bydel. Det var som å komme til Genova! Vi var altså i Little Italy.

Her var det tavernaer på hvert gatehjørne. Vi fant ei matsjappe som het La Napolitana. Der fikk hver mann en porsjon spaghetti carbonara som hadde holdt til en hel familie. Rødvinen på karaffel var god og rimelig.

Da regninga kom, hadde vi for lite dollar. Båsen hadde en bunke britiske pund, og etter en runde med det Båsen kaller 'parlamenta-risme', ble pundene akseptert av vertinna.

Jeg ville ta en tidlig kveld. De tre andre ble igjen for å drikke et brennevin som kalles grappa. I Fell's Point gikk jeg innom flere puber uten å finne noen av de andre gutta. Jeg bestemte meg for å gå aleine om bord. Certina'en stappet jeg i underbuksa. Hvis små-gangstere skulle finne på å robbe meg, ville utbyttet deres bli 25 cent, tre sigaretter og en Zippo-lighter nesten tom for bensin.

Alt jeg møtte nede på den øde, mørke kaia, var to lausbikkjer og en stor, brannet katt uten hale.

Vel om bord støtte jeg på styrmann Granli som sin vane tro satt på treerluka og røykte og så på stjernene.

Så du er kommet levende fra land, Skramstad, sa Granli.

Det gikk greit, sa jeg.

Vet du hvorfor Baltimore kalles Body-more? spurte Granli.

Nei, svarte jeg.

Det er fordi det drepes så jævlig mange folk i denne byen.

Jeg spurte Granli om hva en 'oriole' er.

En sangfugl, svarte Granli. Oriolus oriolus på latin. På norsk kal-ler vi fuglen pirol. Den er på størrelse med en trost, er gul og har svarte vinger og hale. Den er en sjelden gjest i Norge, men jeg hørte en pirol en gang da vi lå i Brevik med <u>Tampico</u> og lastet sement. Pirolen har en fin og sterk, fløytende sang: Diddeliduuu.

Jeg tenker på tante Reidun som bor i Harrisburg i Pennsylvania, kvekerstaten. Jeg har bare møtt henne to ganger da hun var på besøk i Norge, og sist var jeg vel ni–ti år gammel. Da kom hun fra Kenya, der hun hadde vært misjonær for kvekerne. Som presang til meg hadde hun med en sebrahale. Jeg husker at jeg ble skuffa da jeg pakket den ut, fordi den ikke var hvit med svarte striper, men gråsvart. Den var fin til å daske fluer med.

Siden vi skal ha full last her i Baltimore og blir liggende en god stund, kunne jeg kanskje rekke å besøke tante Reidun. Problemet er at jeg ikke har noen adresse til henne i Harrisburg og ikke vet hva hun nå heter til etternavn. Da hun var i Norge, sa hun at hun hadde en kommende ektemann i kikkerten. Jeg vet så lite om henne at jeg ikke aner om det ble noe av det giftermålet. Kanskje lever hun som enslig og har beholdt pikenavnet Løyning. Kanskje har hun amerikanisert navnet til Loyning.

Hadde det ikke vært for den fordømte krigen, hadde det jo vært en smal sak å finne fram til tante Reidun. Det hadde bare vært å sende et telegram til mor og spørre.»

Tirsdag morgen kan mannskapet beskue kaiområdet i Fell's Point i daglys. Det er et trist skue. Lagerskurene har knuste vinduer og avblåste takplater. Skurene er blitt hekkeplasser for måker, og det er strimer av måkeskitt overalt. Kaia de ligger ved, ser ut som ei skrapdynge. Her ligger hauger av rustent jernskrammel, og her står vaklevorne stabler av bulkete tomfat.

«Jeg trodde vi skulle laste fly,» sier Båsen. «Men på denne kaia går det jo faen ikke an å få kjørt inn så mye som en liten propell.»

Trean sier: «Når ting først begynner å forfalle her i Statene, forfaller de fort og grundig. Det virker som om også rust og møll og råte holder amerikansk tempo.»

Det er en gåte for mannskapet hvordan lastebiler skal kunne komme ut på kaia. Gåten blir løst. Av en bulldoser.

De tror nesten ikke sine egne øyne da en diger, gulmalt bulldoser av merket Caterpillar kommer svingende inn på kaia. Bulldoseren måker skrammel og tomtønner rett utfor kaikanten!

«The American way,» sier Nyhus. «Effektivt, ja visst. Men hvis det er rester av olje, kjemikalier og giftig dritt i alle de tomtønnene, er det ikke særlig bra for fisken, østersene og badegjestene i Chesapeake Bay.»

Dekksgjengen har full sjau med å få av lukelemmer og skjærstokker helt ned til laveste dekk. Lastebommene rigges. Flise-Guri og maskinist Dotto prøvekjører de elektrisk drevne vinsjene. Alle vinsjene fungerer bra. Og godt er det. Hvis ikke skipets vinsjer fungerer prikkfritt i amerikansk havn, kan havnearbeiderne komme til å boikotte skipet.

Lastebiler med fullt av store trekasser på planet kommer kjørende ut på kaia. Nyhus vil ikke si hva som er i kassene. Båsen er overbevist om at det er flymotorer og flydeler.

Havnearbeidere kommer om bord. Flere av dem er norskamerikanere som tester ut sin mer eller mindre glemte norsk på gutta om bord.

Halvor og Geir Ole greier å tigge til seg fri etter middag. Det er indian summer i Baltimore. De to går i land uten jakker, i bare skjorta.

Halvor har sine femti dalere liggende løst i en bunt i baklomma på penbuksa. Å gå med lommebok i havnebyer er bare å friste lommetjuver, det har han lært the hard way.

Oppe i Downtown møter de det USA de har drømt om.

«Drømmenes land,» sier Halvor.

Geir Ole nikker.

Her er akkurat som på film. Brede avenyer, svære biler som skinner av blankt krom, raffe damer av både lys og mørk kulør. Noen av damene har meget dristige antrekk som overlater lite til fantasien. Her sitter blusene stramt over duvende bryster, og skjørtene like stramt over voggende rumper. Det er så en stakkars norsk sjømann kan bli helt skjeløyd av å se på så mye kvinnelig herlighet. Skjeløyd kan man også bli av å glane i butikkvinduene som bugner av varer. Her er en velstand som får krigens Liverpool og Glasgow til å fortone seg som fattige byer. Men Baltimores prangende velstand er selvfølgelig en velstand for dem som har bra med grønne pengesedler. Her er det The Yankee Dollar som teller! Det er en skjærende kontrast mellom det rike Downtown og fattigslige Fell's Point med sine skeive hus og ruskete kaier.

De har stått over fiskegratengen som ble servert til middag om bord. Derfor finner de veien til en hamburgerbar.

Det går greit å bestille burgerne.

Halvor stusser da jenta bak disken spør ham hva han vil ha å drikke til. Coke? Betyr ikke det koks eller køl?

Jenta holder opp ei flaske Coca-Cola.

«Two coke, please,» sier Halvor og føler seg ovenpå. De langer innpå hver sin gigantiske cheeseburger. Neste stopp er en iskrembar. Der går det i banana split, med fire iskuler store som tennisballer og krem og sjokoladesaus.

I et butikkvindu i ei sidegate til East Lombard Street får Halvor øye på ei råstilig, beintøff pilotjakke av lær med ullfôr. Det er akkurat ei sånn jakke han har ønska seg. Men prisen er drøy. 39 dollar og 50 cent. Kjøper han den jakka, må han suge på labben resten av tida de er i Baltimore.

Han får tenke på det over en kjølig øl.

De finner en pub som heter Mick O'Shea's Irish Pub. Ingenting kunne passe Halvor bedre enn en irsk pub der han liksom kan fornemme Muriel Shannons ånd. De er forberedt på at de kan bli spurt om alderen, for det er strenge skjenkebestemmelser i USA. Men Mick O'Shea, hvis det er han som står bak bardisken, spør ikke om alderen, og tapper uten videre opp store glass fatøl til dem.

De skåler for at de har holdt ut med hverandre som lugarkamerater. Hele jorda rundt har de seilt. På alle store hav – bortsett fra Nordishavet – har de vært, hvis de regner farvannet ved Kapp Horn som en del av Sørishavet. I alle verdensdeler har de vært, siden Suezkanalen hører til Afrika. Og de har ikke krangla annet enn om etterbarberingsvannet til Geir Ole.

Da ølglasset er tomt, har Halvor bestemt seg. Han *skal* ha den jakka. Geir Ole vil gå og se etter tegnesaker. De avtaler å møtes igjen på Mick O'Shea's etter handlerunden.

Halvor finner greit tilbake til East Lombard Street. Men alle sidegatene er så fordømt like, og han finner ikke gata med jakkebutikken. Han var et fehue som ikke merka seg navnet på gata. Det nytter ikke å rote rundt. Han må gå systematisk til verks og sjekke hver bidige sidegate.

Han traver langs East Lombard, puster inn eksos fra alle bilene og peser i varmen. Så – vips! – er han i riktig gate. Pilotjakka henger der den hang i butikkvinduet, og han synes et øyeblikk at jakka løfter et erme og ønsker ham velkommen.

Jakka passer som om den skulle være skreddersydd til ham. Halvor legger førti dollar på disken. Han får tilbake femti cent. Bør han gi den halve dollaren i tips? Nei, han har aldri hørt at man tipser i klesbutikker.

Ekspeditøren har nok ikke venta seg noe tips. Han virker blid og fornøyd med salget da han pakker jakka inn i gråpapir.

Halvor vandrer stolt ut av butikken. Nå har han kjøpt sin andre lærjakke i Amerika! Én i sør og én i nord. Buenos Aires, Baltimore. Å, det er flotte navn med en fabelaktig klang.

Så slår det Halvor at ekspeditøren kanskje var *for* blid og fornøyd. Kanskje han er blitt snytt. Lurt opp i stry. Hva er det de kaller nordmenn her i USA? Han har hørt Trean si ordet. Det har å gjøre med hodefasongen. *Squareheads*. Han er en dust av en naiv squarehead, en bonde i by'n. Han skal vedde på at hvis han finner en ny jakkebutikk, vil det henge ei pilotjakke der som koster 29 dollar og 50 cent. 19 dollar og 50 cent!

Han er kommet inn i East Pratt Street. I et butikkvindu er det stilt ut alle slags jakker. Der henger også ei pilotjakke med ullfôr.

Den ser ut til å være prikk lik jakka han kjøpte. Han lister seg bort til vinduet og kaster et kjapt blikk på det lille skiltet der prisen på jakka står.

49 dollar og 50 cent!

De ti dollarene ekstra er kanskje for et merke på jakka der det står US Air Force over bildet av en ørn. Han er ikke i US Air Force. Han er i the Norwegian Merchant Marine. Så hva faen skulle han med et jålete ørnemerke til ti dollar?

Plystrende går Halvor videre. Hvor er Mick O'Shea's? *Nå* er han *virkelig* i asfaltjungelen, i en fremmed indian summer-varm storbys labyrintiske gatenett. Han vandrer ikke under skyskrapere, for det er ingen skyskrapere i Baltimore. Men her er store, monumentale bygninger, og han krysser ei gate og kommer inn i skyggen av et ruvende granittpalass. Hva var det gata med puben het? Var det North Broadway, eller var det South Broadway? East? West? What the fuck?

Folk haster forbi på fortauet, i typisk amerikansk travelhet. Det virker umulig å stoppe noen i farta for å spørre etter en pub.

Halvor går til et hjørne der det står en aviskiosk.

Han spør avisselgeren, en gammal krok som sitter med fillete strikkejakke på seg i varmen og skyggelua trukket ned foran øynene.

«Just around the corner,» sier gamlingen. «You a Norwegian sailor, boy?»

«Yes.»

«Okey, en landsmann,» sier gamlingen. «Je kjem fra Romedal på He'mærken. Samme bygda som'n Andrew Furuseth. Je var med i union hanses, International Seamen's Union. Furuseth'n ordna opp med hyrekontrakter for oss sailors. I'm sorry to say at han itte fikk gjort no' med pensjon'. Je seilte donkeyman og pump man i mange år. Itte fem flate cent har jeg i pensjon. Derfor sitt je her og må selge bla'er, enda je snart er i støvets år. And you, boy, where do you come from in the old country?»

Halvor kommer i kattepine. Han vil nødig ljuge for gamlingen. Men hvis han sier at han kommer fra Rena, regner han med at den gamle vil få vann på mølla og snakke i det uendelige om Hedmark. Det har han ikke tid til. Geir Ole begynner sikkert å bli engstelig for hvor det er blitt av ham.

«Arendal,» sier Halvor.

«Je syntes du såg ut som en døl,» sier gamlingen. «Østerdøl eller gudbrandsdøl.»

Jøss, tenker Halvor, ligger det *så* tjukt utapå ham at han kommer fra Østerdalen?

«Jeg må raska på,» sier Halvor. «Jeg skal møte en venn.»

«I see,» sier gamlingen. «You are lucky to have a friend. All my friends are dead.»

«Det var trist å høre,» sier Halvor. Og det *er* jo virkelig trist. Men sånn er vel livet. Blir du gammal nok, dør du venneløs.

Han kjøper The Baltimore Sun av gamlingen, ruller avisa sammen, stikker den under armen og sier høflig farvel.

Da Halvor endelig kommer inn på Mick O'Shea's, er Geir Ole blitt fin i farta. Han viser stolt fram et malerskrin han har kjøpt.

Halvor åpner skrinet. Det inneholder en drøss små, firkantede bokser i alle mulige farger.

Geir Ole forklarer at det ikke er vanlige vannfarger, det er et akvarellskrin.

«Æ skal male akvarella,» sier han. «Nydelige akvarella.»

Han har også kjøpt et par pensler og en stor bok som det står Sketchbook på.

Halvor henter en øl til seg sjøl og en til Geir Ole.

De skåler for fortsatt hell og lykke. De skåler for malerskrinet til Geir Ole og jakka til Halvor. Og så skåler de for de døde på *Lula Zeidler* og *Connemara*.

«Vi får komme oss om bord før vi blir dritings,» sier Halvor.

De bryter opp. Geir Ole sier at det er et Washington-monument her, et flott tårn som han gjerne skulle sett.

«Det får bli neste gang vi kommer til Baltimore,» sier Halvor. «Jeg er helt pumpa av varmen og alt maset.»

Geir Ole sier at han ikke er sikker på om det blir noen neste gang. Halvor advarer ham og sier at sånn må han ikke snakke, sånn må han ikke tenke.

«Klart vi vil komme tilbake til Baltimore med tid og stunder,» sier Halvor.

Geir Ole rister på hodet.

«Æ har fått skrækken,» sier han.

«Skrekk for torpedoer har vi alle fått,» sier Halvor. «Det blir ikke bedre hvis vi snakker om redsel hele tida. Da pisker vi bare opp stemninga og ser død og dævel for oss. Vi tar om bord krigsviktig last og vil sikkert få en god posisjon i konvoien tilbake til England. Vi kommer til å bli godt beskytta. Og snart senker sikkert

Royal Navy like mange ubåter som Royal Air Force knerter ned tyske bombefly.»

På et fortau i Little Italy har en ung mann rigga seg til med et lite staffeli og et par pinnestoler. Ei ung jente sitter på den ene pinnestolen, kunstneren på den andre. Han bruker fargefettstifter til å tegne et portrett av henne.

Geir Ole blir stående helt henført og se på.

Det går radig unna med tegninga, og portrettlikheten er slående, selv om kunstneren gjør jenta litt slankere og penere enn hun i virkeligheten er.

«Det kunne vært mæ,» sier Geir Ole.

Halvor skjønner ikke med en gang hva han mener, men så forstår han at Geir Ole mener at *han* kunne vært kunstneren.

Geir Ole sier at han kunne tenke seg å rømme fra *Tomar*.

«Til Frisco,» sier han.

«Du må ikke finne på å rømme,» sier Halvor. «Du blir tatt av Immigration fort som faen og satt i en leir. I verste fall blir du sendt hjem til Nazi-Norge.»

«Frisco,» sier Geir Ole. Han babler i vei om at det går flere tusen norske sjøfolk i land i USA, at nesten ingen blir tatt, og at folk finner seg jobber. Han har ikke tenkt å bli lasaron og gå på bommen. Hvorfor skulle ikke han kunne slå seg opp som gatekunstner i Frisco? Han har en fetter der som vil ordne husly for ham. Mislykkes han som kunstner, kan han dra opp til Seattle og få seg jobb på fiskebåt.

«Hør her, Geir Ole,» sier Halvor og prøver å anlegge en så streng tone som mulig. «Det kan umulig være *tusenvis* av norske sjøfolk som befinner seg i USA uten gyldige papirer. Det kan toppen dreie seg om et par hundre. Selv om du skulle komme deg helt til San Francisco og få bo hos fetteren din, vil Immigration før eller seinere slå kloa i deg. Du blir bura inne eller pælma på trynet ut.»

Geir Ole begynner å snufse. Tårene triller.

Halvor har en serviett fra iskrembaren i lomma og gir den til Geir Ole, som tørker tårene.

De rusler videre til Fell's Point.

Geir Ole sier at han trenger et hall. Selv om det er lyse ettermiddagen, trenger han et hall.

«Gå og se om du kan få deg et hall i en av bakgatene her,» sier Halvor. «La meg ta malerskrinet så du ikke knuller det bort.»

De skiller lag.

En svart mann står på et gatehjørne og spiller saksofon, «Basin Street Blues». Halvor synes det låter veldig bra. Det er merkelig at en så dyktig saksofonist ikke spiller i et jazzorkester. Kanskje gjør han det om kveldene, og så prøver han å tjene noen ekstra slanter som gatemusikant om dagen. Halvor slenger en nickel og en dime i sixpencelua saksofonisten har plassert foran seg på fortauet. Det er bra med penger i lua, til og med et par dollarsedler.

Halvor får en idé. Det er en helt sjuk idé, og han prøver å slå den ut av hodet.

Nede ved havna kommer to svarte gutter ut av et smug. De er yngre enn Halvor, den ene er kanskje ikke mer enn fjorten–femten år. Men de ser farlig tøffe ut. De er kanskje smågangstere.

De to sperrer veien for Halvor.

«You want to buy coke?» spør den største gutten.

«No, thank you,» sier Halvor. «I'm not thirsty.»

De to guttene ler rått. De har flotte hvite tenner som enhver norsk sjømann kunne misunne dem.

«Coke is very good for you,» sier den største gutten. «You take a little coke and you fuck like a lion. We sell very cheap coke.»

Halvor har aldri hørt om at Coca-Cola øker potensen.

«No, thank you,» sier han.

«What's in your big parcel?» spør den minste gutten.

«You mean in the packet?» sier Halvor. «A blanket. Old blanket.»

«Don't give us that shit,» sier den største gutten. «Do you think we have brains like monkeys because we are niggers? Open the parcel and show us!»

Nå er gode råd dyre, tenker Halvor. Hvis han begynner å slåss med de to gutta, vil de slå ham paddeflat. Han har aldri vært noe tess til å slåss. Musklene fra tømmerskauen har ikke gjort ham til slåsskjempe. Hvis han prøver å løpe fra gutta, vil de ta ham igjen. De spurter sikkert som Jesse Owens. De vil knabbe førtidollarsjakka hans og malerskrinet, skisseblokka og penslene til Geir Ole.

«Hello there,» roper en stemme bak Halvor.

Han bråsnur. Der står Kalle Svanström. Han bærer en papirpose under hver arm. Han setter fra seg posene. Det klirrer i dem, sikkert av ølflasker.

«You want trouble?» sier Kalle til de to smågangsterne. «I'll give you big trouble.»

De to gutta vurderer situasjonen.

Kalle bretter opp skjorteermene.

«You want fist fight?» sier han. «I'll fight you so your mama will not know who you are when you come home.»

«We just want to sell a little coke,» sier den største gutten.

«You can put your coke up in your asshole,» sier Kalle. «Now, you mummy's boys, get going!»

Kalle sender et prøvende svingslag i retning den største gutten.

De to gutta stikker halen mellom beina og pigger av gårde, inn i smuget de kom ut fra.

«Tackar så mycket,» sier Halvor til Kalle. «Du kom faen meg i grevens tid. Jeg har ei jakke til førti daler i denne pakka.»

Kalle ler.

«Bare hyggelig,» sier han.

De går ut på en av kaiene, i solskinnet. Også denne kaia er full av skrot og skrammel. De setter seg på ei kasse. Kalle tar opp to flasker Budweiser fra den ene papirposen.

«Tack som bjuder,» sier Halvor.

De har ingen øljekk. Halvor prøver trikset med å jekke av flaskekorken med ei hjørnetann. Det går bra med den første korken. Da han skal jekke av den andre, hører han en ekkel knekkelyd. Han har greid å slå et lite skall av emaljen på tanna.

Pytt, tenker han. Det har skjedd verre ulykker.

De klinker flasker og drikker.

Kalle Svanström er nysgjerrig på jakka til førti dollar. Halvor pakker ut og viser fram.

«Bra jacka,» sier Kalle. «Blodpris, men bra jacka. Kan bli god å ha när vi kommer ut på den höstliga Atlanten.»

Halvor: «Hva er dette 'coke' som de to negergutta maste om? Jeg trodde de mente Coca-Cola, men det er vel plent umulig å putte Coca-Cola opp i rasshølet.»

«Kokain,» sier Kalle. «Det er blant de droger som er populäre her.»

«Droger?»

«Narkotika. Kokain kommer från Syd-Amerika.»

«Har du prøvd det?»

«Nei, fy faen. Ingen vettug kille pröver den jävla rottegiften.»

De drikker ut ølet og går om bord.

Halvor henger fra seg pilotjakka på en kleshenger i skapet sitt. Han har en veldig god følelse for den jakka.

Kapittel 53

Halvor sitter på poopen, drikker kaffe og skriver i dagboka: «Baltimore, søndag 22. september. Her er søndagsstille om bord etter dager med hektisk lasting. Stadig er det vakkert høstvær med varmende sol.

Vi ligger nå ved kai i havna på Locust Point (Gresshoppeneset), dit vi forhalte tidligere i uka. Jeg trodde at ordet 'forhale' bare ble brukt når man halte skuta etter trossene langs ei kai. Nå har jeg lært at man sier forhale om enhver forflytting av et skip innen én og samme havn, selv om distansen er flere nautiske mil.

Jeg var litt redd for at Geir Ole ikke skulle komme om bord etter at vi hadde vært i land sammen. Jeg fryktet at han ikke hadde gått for å ta seg et hall, men for å ta toget til San Francisco. Han kom tumlende inn på lugaren utpå morrasida og lagde sånt rabalder da han sparket av seg skoene at han vekket meg.

Jeg spurte om hva han hadde fått i seg. Han sa at det var kake.

Jeg sa: Hva faen kan det være for slags kake som har gjort deg så surrete?

Han sa at det ikke var kake, akkurat, men det som pleier å være på kaker, melis.

Melis? spurte jeg

Det viste seg at han hadde fått i seg noe han trodde ble kalt 'cake', men som må ha vært <u>coke</u>. Dama han hadde funnet og kjøpt og betalt for oppe i Fell's Point, hadde dryssa ut et stoff som så ut som melis på glassplata på nattbordet på hotellrommet. Dette stoffet sniffet de opp i nesa ved hjelp av sugerør.

Du er spenna gæren, Kokkovær, sa jeg. Hadde stoffet noen virkning?

Jo da, svarte han. Det hadde farsken til virkning. Æ ble som en brunstig hingst.

Jeg kikka på halsen hans og sa: Men noe sugemerke fikk du deg ikke her i Baltimore.

Da flirte Geir Ole og kneppet opp skjorta. På det bleike brystet sitt hadde han en masse ganske små sugemerker som dannet en figur som forestilte et hjerte.

Herrejemini, Kokkovær, sa jeg. Du er en så underlig skapning at du kunne vært med i en roman av Knut Hamsun, hvis han hadde skrevet pornografiske bøker.

Dagen etter lagde Geir Ole sin egen lille forretning om bord. Vi hadde da kommet til Locust Point. Det var sikkert hundreogfemti havnearbeidere som holdt på med lasting av stål i alle fasonger – plater, stenger og bjelker – i alle lasterom. Vi fikk også om bord en del kasser med maskiner, og bunter med aluminiumsbarrer. Flyene det var snakk om at vi skulle laste, har vi ikke sett noe til.

Det ble middag for oss og lunchtime for havnearbeiderne. Siden det var lang vei til nærmeste kantine, hadde mange av arbeiderne med seg lunsjbokser og termosflasker med kaffe.

Geir Ole stilte opp ei stor treplate på et stativ ved treerluka og satte fram to stoler. Han stifta opp et tegneark på plata og fikk overtalt meg til å sitte modell på den ene stolen, mens han satt på den andre og tegnet et portrett av meg med fargeblyantene sine.

Portrettet ble faktisk ganske bra. Geir Ole viste det til en gjeng arbeidere som satt ved treer'n og spiste sandwicher.

Han pekte på en av dem, en kar med italiensk utseende og flott snurrebart.

Portrait, sa Geir Ole. Only fifty cents.

Så lagde han et stilig portrett av Snurrebarten og fikk sin halve dollar. Straks var det flere som ville la seg tegne.

Dagen etter la Geir Ole på prisen til én dollar. Havnearbeiderne sto i kø for å bli tegnet.

Det var virkelig big business!

Vi har hatt en livbåtmanøver. Siden vi ligger med styrbord side til kai, var det livbåtene på babord side som ble satt ut. Det gikk som smurt. Granli har kommandoen i motorlivbåten på babord side på det forre midtskipet der jeg har min plass, mens Trean har kommandoen i babords livbåt på det aktre midtskipet. Skipperen er sjef i forre styrbords livbåt og Nyhus i aktre styrbords.

Førstestyrmann Nyhus var bekymret for at vi lastet så mye stål i dekkene høyt oppe, og kalkulerte den berømmelige metasenterhøyden i det vide og det breie. Nyhus sin bekymring for skutas stabilitet smittet over på oss menige mannskaper.

På lørdag begynte vi heldigvis å laste inn lastebiler på de øverste dekkene. Det er lastebiler malt i grønn militærfarge. Vi fikk vår fulle hyre med å stemple av og surre lastebilene. De er tunge beist, men skaper ikke sånne problemer for stabiliteten som stål i tilsvarende volum ville ha gjort.

Til middag i dag hadde vi svinesteik. Jeg sto sammen med Flise-Guri på poopen etter middag og bød ham en sigarett. Han avslo, for han mener at røyking ikke er bra for den hosten han har fått. Det er en lei hoste av den typen mor pleide å kalle for 'krimhoste' når vi ungene hostet slik.

Der kommer sannelig en bokjøde, sa Flise-Guri og pekte ned på kaia.

Der gikk en gammel, svartkledd mann med langt, grått skjegg og trakk ei tralle etter seg. I tralla var det fullt av bøker.

Vi var flere av gutta som gikk ned for å se på bøkene den gamle jøden kunne tilby. Erasmus Montanus fant en roman på norsk. Det var Syndere i sommersol av Sigurd Hoel. Jeg forhørte meg med jøden om innholdet i Ulysses, en roman av den irske forfatteren James Joyce. Jeg ble fortalt at hele handlinga foregår i Dublin i løpet av én dag i 1904. Det fanget min interesse, siden jeg jo på grunn av miss Muriel Shannon er blitt opptatt av alt som er irsk.

Prisen på den pent innbundne og kjempetjukke boka var 1 dollar og 50 cent. Jeg greide å prute prisen ned til én daler. Blakk som jeg var, fikk jeg låne en greenback av Geir Ole, som vi nå har begynt å kalle Kunstnermillionæren.

Jeg har begynt å lese i Ulysses. Det går tregt, for boka er skrevet på et veldig komplisert engelsk. Jeg synes heller ikke at alt romanfiguren Stephen Dedalus foretar seg er så fryktelig spennende. Denne James Joyce, som døde i fjor, er mer opptatt av underlige tankesprang og finurligheter enn av handling.

Jeg lurte på navnet Ulysses, og spurte Granli. Han sa at Ulysses er det engelske navnet på den greske sagnfiguren som vi i Norge kaller Odyssevs. Det er han som Homer skriver om i Odysseen.

Brukte ikke han jævlig lang tid på en sjøreise? spurte jeg.

Jo, han brukte ti år på å seile fra Troja og hjem til den greske øya han kom fra, svarte Granli. Hva øya het, husker jeg ikke, men kona hans som satt hjemme og ventet på ham, het Penelope.

Hadde hun vært trofast i alle disse årene?

Homer skriver at hun hadde mange friere, svarte Granli. Men hun innlot seg ikke med noen av dem. Det er etter Odyssevs at vi har uttrykket odyssé, som betegner en lang ferd til sjøs. Vi får håpe at vår odyssé under denne krigen ikke blir like langvarig som den greske sjøheltens. Og så er det et sted Odyssevs kom til, som jeg håper vi slipper å besøke.

Hva slags sted er det? spurte jeg.

Underverdenen, sa Granli.

I morgen skal vi ta om bord et stort parti lastebiler som <u>dekkslast</u>. Nyhus liker det ikke, på grunn av stabiliteten. Vi gutta liker det heller ikke, fordi det blir en helsikes jobb med surringer. Vi kan komme ut i høststormer i Atlanteren og kan ikke ta risken på å få løpske lastebiler på dekk.

Gnisten har informert oss om at det forhandles mellom nordmenn og tyskere om opprettelsen av et såkalt 'Riksråd' hjemme i Norge. De som forhandler med Reichskommissar Terboven fra norsk side, skal være medlemmer av Administrasjonsrådet og folk fra Stortingets presidentskap, altså ledere i Stortinget som ble igjen i Norge da regjeringa flyktet. Gnisten talte med forakt om 'Riksrådet'. Han sammenliknet det med den franske marskalk Pétains regjering i Vichy, som tyskerne har i sin hule hånd.

Jeg legger merke til at jeg skrev 'regjeringa' og ikke 'regjeringen'. Under skrivinga bruker jeg flere a-endinger nå enn da jeg begynte å skrive dagbok. Det er nok fordi språket i dagligtalen om bord smitter av på min skrivemåte.»

Tirsdag den 24. september surres de siste lastebilene fast på *Tomar*s dekk. Lastebilene er satt inn med grease for å tåle overfarten over Atlanteren. Dermed er de ekstra vanskelige å surre. Tauverk, wirer og kjettinger glipper i det glatte smørefettet.

Båsen banner så gresshoppene sikkert letter og flyr forskremt vekk fra Locust Point.

Tirsdag kveld kastes det loss, og *Tomar* forlater Baltimore bestemt for Halifax. For den nattlige ferden sørover i Chesapeake Bay er det montert sterkere lamper i lanternene, som vil lyse med normalt lys så lenge skuta er i amerikansk farvann.

Halvor går opp til første rortørn klokka åtte.

Kaptein Nilsen er på plass i styrhuset. Han sier til Trean: «Halifax for konvoi. Det er en grei ordre vi har fått fra direktør Øivind Lorentzen på Nortraships nye kontor i New York. De høye herrer i Nortraship ble ikke blide da jeg sa i telefonen at jeg har tenkt å gå gjennom Cape Cod-kanalen på vei nordover. Men når vi seiler som independent ship langs kysten av USA, er det jeg som bestemmer seilingsruten, og da seiler vi så nær land som bare mulig.»

«Cape Cod-kanalen?» sier Trean. «Jeg trodde den stort sett ble brukt av skip som seiler mellom New York og Boston, for at de skal slippe å runde Cape Cod-halvøya i Massachusetts.»

«Det stemmer, styrmann Kvalbein. Men det finnes ingen regel som forbyr oss å bruke kanalen. Dessuten har Nortraship råd til å betale noen timers lønn til kanallosen.»

«Er det ikke en avgift for å seile gjennom kanalen?»

«Nei, Cape Cod-kanalen var privateid, men ble kjøpt av USAs myndigheter for tolv–tretten år siden. Fra da av har det vært fri ferdsel der.»

«Har De hørt noe om hvilken havn i Storbritannia vi skal til med konvoien?» spør Trean.

«Det får vi først vite i Halifax,» svarer kapteinen. «Jeg regner med at vi går med konvoien til Clyde'n. Men jeg tviler på at vi skal losse i Glasgow. Jeg er ganske overbevist om at Liverpool blir lossehavn.»

Halvor begynner å plystre der han står bak rattet.

«Hva er det du plystrer på, Skramstad?» spør kapteinen.

«Det er 'Bojarenes inntogsmarsj',» svarer Halvor.

«Johan Halvorsen, ja,» sier kapteinen. «Han er etter min mening en mer fengende komponist enn Edvard Grieg. Men jeg må be deg slutte med den plystringen. Å plystre på broen blir av de mer overtroiske her om bord, som matros Sildebogen, betraktet som å bryte et strengt tabu.»

Halvor gir seg med plystringa. Inni seg bobler han av fryd. Liverpool!

Kapteinen vender seg til Trean: «Vet De hva man absolutt *ikke* skal gi til en tysk ubåtskipper, styrmann Kvalbein?»

«Torpedoer uten sprengladning?» sier Trean.

«Godt svart,» sier kapteinen. «Men det jeg tenkte på, er *blomsterbuketter*. Blomster i potte går bra, men tyske ubåtmannskaper fikk det under forrige krig for seg at blomster med avkuttet stilk betyr den visse død.»

Halvor går på utkikk på bruvingen. Det har begynt å regne lett, og det er et kjølig drag av høst i lufta over Chesapeake Bay. Men temperaturen er ennå ikke så lav at han synes han kan innvie pilotjakka.

Om morgenen torsdag den 26. september stevner *Tomar* nordover i Buzzards Bay, tar los om bord utenfor Fairhaven og seiler for halv fart inn i den femten nautiske mil lange Cape Cod-kanalen.

Halvor står til rors. Her gjelder det å holde tunga rett i munnen. Det er ingen sluser i kanalen, og tidevannsstrømmen går såpass sterk at det er som å seile på ei elv med stri strøm. Det har han ikke gjort siden han seilte opp Glomma til Sarpsborg med *Flink*.

Landskapet på begge sider av kanalen er flatt og bevokst med buskas som har fått høstfarger, særlig okergult. Kanalen er ganske grunn, bare tredve fot djup på det grunneste. De passerer noen sandbanker, og det rister i hele skuta.

Losen står trygg og bredbeint med en utent sigarstump i munnviken og forsikrer at det er 'no risk'.

Kaptein Nilsen ser ikke ut til å være så sikker på det.

Til Trean sier han: «Hvis vi grunnstøter her, har jeg foretatt et dårlig valg.»

«Det vil helst gå bra,» sier Trean.

«Sagamore Bridge,» sier losen og peker på et bruspenn av stål som krysser kanalen.

Helvetes jævler, tenker Halvor. Mastetoppen på formasta vil kræsje med den brua, og så ramler brua ned, og vi får den i huet. Sagamore Bridge! Vi vil bli en saga blott. There will be no saga no more.

Det er ikke mange meters klaring. Kanskje bare noen millimeter.

Halvor puster letta ut.

Skvalpeskjæret løser ham av.

«Du må være på alerten og følge losens minste vink,» sier Halvor. «Hold deg midt i renna. Langs breddene er det sikkert så grunt at unger kan vasse der.»

Tomar kommer lykkelig gjennom kanalen og ut i Cape Cod Bay. Losen kvittes og går fra borde med ei flaske Linjeakevitt i veska.

De styrer godt klar av de forræderiske grunnene ved Race Point og kommer ut i Gulf of Maine. Her blåser det skarpt fra nord, og det er vinterlig kjølig.

Halvor går ned for å hente kaffe til kapteinen og Trean.

«Ta med fire krus,» sier kapteinen. «Jeg venter telegrafist Borge opp på broen med viktige nyheter hjemmefra.»

Halvor går til lugaren og tar på seg pilotjakka.

Han bringer et brett med kaffekanne og fire krus opp i styrhuset. Kapteinen skjenker i tre kopper.

«Ta deg en kopp, Skramstad,» sier han. «Det har du fortjent etter god styring gjennom kanalen.»

Halvor takker og bukker. Det er godt å få oppleve kaptein Nilsen i solskinnshumør.

Gnisten kommer inn i styrhuset, og griper kaffekoppen kapteinen byr ham. Han har med seg en bunke papirer.

«Terboven holdt en dramatisk radiotale i går,» sier Gnisten. «Riksrådsforhandlingene har brutt sammen. Terboven har avsatt kongen og Nygaardsvolds regjering og oppløst alle politiske partier unntatt Nasjonal Samling. Han har innsatt ei slags regjering bestående av nordmenn. De er såkalte kommissariske statsråder. Så vidt jeg vet, er alle sammen nazister. De vil neppe få noen virkelig makt. Makta ligger hos det tyske Reichskommissariat og Terboven. Dette er et langt skritt i retning av å nazifisere Norge.»

«Det høres slik ut,» sier kapteinen. «Likevel må jeg si jeg er glad for at det ikke ble noe av Riksrådet. Jeg syntes det luktet sur sild av det rådet. Fishy, for å si det med engelskmennene. Nå blir det klarere linjer hjemme i Norge. Det tror jeg er bra. Har De en liste over de nazistiske statsrådene, telegrafist Borge?»

Gnisten finner et ark i bunken og gir det til kapteinen.

Kapteinen setter på seg lesebriller og studerer lista.

«Jonas Lie er blitt politiminister,» sier han. «Det var ingen stor overraskelse. Gulbrand Lunde, den lille skurken, er blitt minister for folkeopplysning og kultur. Han kan neppe bidra mer til folkets opplysning enn hva en jævla fjøslykt kan. Men hva fanden er dette? *Kjeld Stub Irgens.* Er De sikker på at De har fått navnet riktig, Borge?»

«Ja, navnet er Kjeld Stub Irgens, og yrkestittelen er sjøkaptein.»

«Er det virkelig den kaptein Irgens som i alle år var skipsfører i Den Norske Amerikalinje, på *Stavangerfjord**? En riktig paradeskipper på et av våre norske flaggskip.»

«Ja,» svarer Gnisten. «Det skal være skipperen på *Stavangerfjord.* Han er blitt sjøfartsminister i et eget Sjøfartsdepartement.»

«Det finner jeg høyst merkelig. Kaptein Irgens har aldri fremstått som noen nazist. Han har neppe mer greie på politikk enn jeg har på å hekle grytekluter. Hvordan kan *Stavangerfjord*s kaptein ha havnet i dette gyselige selskapet av en regjering?»

«Kaptein Irgens er gift med søstera til nazisten Albert Hagelin,» sier Gnisten. «Hagelin figurerer nå som innenriksminister. I aprildagene fikk Quisling og Hagelin overtalt kaptein Irgens til å dra til Elverum sammen med den tyske ambassadøren Curt Bräuer. De to skulle prøve å overtale kong Haakon til å frasi seg tronen og utpeke Quisling til statsminister.»

«Hvorfor i all verden ble kaptein Irgens sendt til Elverum?»

«Det som blir sagt, er at Quisling og Hagelin sendte ham fordi Irgens kjente de kongelige. Han hadde hatt dem som passasjerer om bord i *Stavangerfjord*. Bräuer og Irgens kom seg til Elverum, men kongen ba dem ryke og reise. Ja, han brukte neppe slike ord, men det var dette som var kjernen i kongens budskap.»

«Ja vel,» sier kaptein Nilsen, og byr på corktipped Craven til alle, også Halvor og rormann Skvalpeskjæret. «Én ting er å være Quislings kurer i en opphetet og uoversiktlig situasjon. Noe ganske annet er det jo å bli med i en nazistisk regjering. Vet man om kaptein Irgens er ved sine fulle fem? Kanskje han har fått en sjakkel i hodet om bord i *Stavangerfjord*?»

Trean griper ordet: «Det kan vel være så forbanna enkelt som at kaptein Irgens er blitt lokket med en fjong tittel og et eget sjøfartsdepartement. Så har han latt seg friste og takket for tilbudet.»

«Kjødet er skrøpelig,» sier kaptein Nilsen. «Hadde det vært *meg* som hadde vært hjemme i Norge og blitt bedt om å bli sjøfartsminister, hadde jeg kanskje takket ja.»

«Nei, fy faen, kaptein Nilsen,» sier Trean. «Slik må De ikke snakke!»

«Nei, jeg bør vel ikke det,» sier kapteinen.

Halvor er blitt svett der han står i pilotjakka. Han får helt vondt i magen av å tenke seg kaptein Nilsen som statsråd i ei regjering av landsforrædere. Quislinger!

Halvor skriver i dagboka: «Gulf of Maine, torsdag 26. september. Da jeg sa til Geir Ole at han kunne risikere å bli sendt hjem til Nazi-Norge, tenkte jeg etterpå at det å snakke om Nazi-Norge var feil. Hvis ikke alt er gått ad undas hjemme i Norge, er det jo bare et lite fåtall av folket som er nazister. Nå har noen av disse norske nazistene fått litt makt, støttet på tyske bajonetter.

Quiz Ling, for å si det med Cheng, er det ikke lenger snakk om. Det ser ut til at Terboven har skjøvet ham ut i skyggen.

Nå er Norges Kommunistiske Parti blitt forbudt. Vil partiet gå i oppløsning, eller fortsetter NKP å arbeide under jorda? Og hva med far? Mor har aldri sagt hva hun stemmer på. Hun påberoper seg at vi har (vi hadde!) hemmelige valg i Norge. Jeg tror hun har stemt Venstre. Dette partiet er også blitt forbudt.

Er det noen fare for at Nasjonal Samling som enerådende parti skal greie å få en viss oppslutning? Det er vel kanskje det. Mange mennesker ønsker å mele sin egen kake. Hva er det de kalles? Opportunister.

Hvordan vil Norge bli seende ut hvis NS får 100 000 medlemmer og støtte fra en million mennesker?

Norge har tatt et skritt i retning av å bli Nazi-Norge. Det gjør meg kvalm, forbanna og ulykkelig.

Vi seiler i frisk motbør mot Halifax. Jeg har juksa litt med Ulysses og sett på hvordan boka ender. Den slutter med et langt kapittel med en endeløs strøm av ord uten det minste punktum eller komma imellom.

Jeg tror jeg passer bedre til å lese Mikkjel Fønhus enn til å lese James Joyce. Sorry, my darling Muriel! Jeg skulle gjerne ha lest om en dag i Dublin, men den dagen blir for drøy kost for meg.»

Tomar stevner inn mot Halifax på Halvors kveldsvakt fredag 27. september. Losen kommer om bord. Halvor styrer gjennom The Narrows, og de kaster anker i Bedford Basin.

Klokka åtte lørdag morgen går Halvor opp og avløser Åge som går ankervakt på brua.

Åge sier: «I grålysninga så jeg tre svære, svarte kråker som landa frampå bakken. Jeg har aldri sett kråker lande på en båt før, og jeg likte det ikke.»

«Hvorfor ikke?» spør Halvor.

«Jeg syntes det var ille gæli med de kråkene. Et dårlig tegn.»

«Du mener et varsel?»

«Ja, et ondt varsel,» svarer Åge. «Vi hadde det firbeinte dyret som kom drivende om bord nede ved Australia. Og nå disse kråkene som satt frampå bakken og sa kræ-kræ. Det var faen så guffent.»

Kapittel 54

Ingen kråker lander på skuta i løpet av Halvors første halvtime på ankervakt i Halifax.

Trean kommer opp i styrhuset klokka halv ni.

«London har svart på Terbovens utspill,» sier Trean. «Det kommer gudskjelov klar tale fra London-regjeringa vår, som i radioen har skjelt ut det nye nazistyret i Norge. De nye såkalte statsrådene blir stempla som forrædere mot Norge og mot Grunnloven. Jeg har aldri hatt noe til overs for Nygaardsvold, men nå viser han at han har baller.»

Halvor må le. Han kan ikke helt se for seg Nygaardsvolds baller.

«Her har du Gnistens referat av vår *virkelige* regjerings tale over London radio,» sier Trean og gir Halvor et tettskrevet papirark.

Halvor leser: «Det nye styret har ingen som helst selvstendighet, og det representerer ikke noe fritt og selvstendig rike. Det betyr i virkeligheten at den norske Grunnlovs første og helligste paragraf er brutt ... Det er med sorg og skam en må være vitne til at Terboven har kunnet finne nordmenn som ville ta imot hans utnevning til medlemmer av et slikt styre og dermed gjøre seg skyldig i forræderi mot Grunnlovens første bud, frihet og selvstendighet.»

«Det klinger bra, hva?» sier Trean.

«Ja, det er velsigna klar tale.»

«I praksis er Norge nå blitt et lydrike under Hitlers Tyskland. Og den jævla banditten Quisling prøver å mobilisere til den fordømte 'nyordninga' til Terboven. Quisling gjør det med en masse pisspreik som liksom skal være nasjonalt, med vikingsymboler og solkors. Nå har han holdt en triumferende tale til ei forsamling norske nazister i Håndverkeren i Oslo om 'Det nye Norge'. Det er sannelig litt av et nytt Norge, som blir styrt av diktatoren i Berlin og hans håndgangne mann Terboven i Oslo! Du vet hva partiavisa til Nasjonal Samling heter?»

«Det er vel Fritt Folk?» sier Halvor.

«Ja, avisa som skal bidra til å gjøre folket vårt ufritt og slavebundet, våger å kalle seg Fritt Folk,» sier Trean. «Den avisa kunne like gjerne hete *Dritt* Folk. For Terboven, Quisling og Hitler kommer til å behandle det norske folket som dritt, som dritten under støvla sine. Ifølge hva Gnisten har hørt fra London radio, skriver Dritt Folk at 'Norge nå står på terskelen til en ny tid, og at solkorsets nye dag bryter fram'. Jeg kunne tørke meg i ræva med solkorset! Det er bare en heimeavla Quisling-variant av hakekorset. Det Norge quislingene vil ha, kommer til å være under hakekorsets svøpe inntil vi får befridd det.»

«Hva om Quisling greier å lure en hel del nordmenn med talemåtene og vikingsvadaen sin?»

«Jeg tror ikke nordmenn flest er så kørka dumme,» sier Trean. «Og så håper jeg folk hjemme får greie på det som skjer i lufta over England. Tyskerne skal denne høsten ha hatt dobbelt så store tap i luftrommet over Storbritannia som det britene har hatt.»

«Det takker vi for,» sier Halvor. «Og vi gjør vårt for å hjelpe England. Det *er* flymotorer i de kassene vi lasta i Fell's Point, ikke sant?»

«Av sikkerhetshensyn gis det ikke ut informasjon om alle typer last vi fører.»

«Men det *er* flymotorer?»

Trean gliser og nikker. Han har et rart smil på grunn av hareskåret, men Halvor synes det er et fint smil.

Tirsdag den 1. oktober om ettermiddagen er konvoien samlet og klar til avgang fra Halifax. Konvoien teller tredve skip og er eskortert av to kanadiske jagere og fire korvetter. Med her er flere norske skip.

Det største er tankeren *Høegh Valiant* av Oslo, en tolvtusentonner som tilhører Leif Høeghs rederi. Skipsreder Hilmar Reksten – av kaptein Nilsen kalt en oppkomling fra Bergen – har med et lite motorskip med et stort navn, *Augustus*. Fred. Olsens rederi i Oslo er representert med det lille, moderne linjeskipet *Bordeaux*. Et noe større motorskip er *Borgheim*, som tilhører rederiet Borgestad i Porsgrunn.

I siste lita slutter en rusk av et skip fra Sandefjord seg til konvoien. Det er motortankeren *Jacaranda*, som tilhører rederen Anders Jahre.

Annenstyrmann Granli har hørt at Jahres kompanjong fra hvalfangsten i Sørishavet, den greske rederen Aristoteles Onassis, visstnok eier en part i denne tankeren. Med sine drøye 15 000 tdw blir Sandefjord-skipet det største i konvoien.

Tankskipene ligger tungt i sjøen, lastet med olje – eller kanskje bensin. Hva slags last de har om bord, er en krigshemmelighet. Det er også hemmelig hvilke havner de kommer fra. Det er sannsynligvis oljehavner i Texas og Karibien.

Konvoien siger ut fra Bedford Basin i vakkert høstvær. Den lave sola er så sterk at den blender Halvor, som står på poopen sammen med Flise-Guri og følger med på seilasen gjennom The Narrows.

Med en gang de er kommet ut i rom sjø, finner skipene plassene sine i konvoien. *Tomar* har enda en gang fått en ugunstig posisjon, som akterste skip på konvoiens styrbords flanke. Foran *Tomar* seiler et gresk stykkgodsskip, *Olympic Star* av Pireus, som virkelig ikke er noen rustlørje, men som skinner av hvitmaling og blankpolert teak. Siden Grekenland stadig er et nøytralt land, kan greske skip seile med fullt navn og hva slags farger de vil. I forhold til flotte *Olympic Star* virker *Tomar* som et grått og traurig skip.

«Olympic-navnet er et Onassis-navn,» sier Flise-Guri. «Så det er nok Onassis som eier hele skuta, eller har en part i den. Han har en finger med i shippingspillet på alle hav. Han heter ikke bare Aristoteles, men også Socrates. Det er ikke verst for en liten greker fra Smyrna å være oppkalt etter to store filosofer. Han er forresten ikke greker som alle sier. Han er greskargentiner. Det sies at han emigrerte til Buenos Aires ved hjelp av et Nansen-pass. Der slo han seg opp som tobakkshandler. Han tjente sin første million dollar før han var femogtjue. I begynnelsen av trettiåra, under depresjonen, begynte han å kjøpe skip som han fikk billig. Han har slått seg opp som skipsreder i et svimlende tempo.»

Halvor byr Flise-Guri en Camel, og tømmermannen takker ja. Halvor tenner. Flise-Guri tar et par trekk, får ei hostekule og slenger sigaretten på sjøen.

«Sjøl er jeg oppkalt etter en spydspiss,» sier Flise-Guri. «Odd betyr jo spiss på gammelnorsk. Av en eller annen merkelig grunn var jeg ikke esla til å bli shippingmillionær.»

«Det er ennå ikke for seint,» sier Halvor. «Du kommer til å få en feit bonus for seilasen under krigen. La oss si at den blir *gørrfeit*. Så investerer du i gjenoppbygging av handelsflåten etter krigen. Du satser på bensintankere. Ratene stiger fordi hele verden skal ha bensin til biler. Du håver inn gryn.»

«Jøss, bevares,» sier Flise-Guri og smiler skeivt. «Kanskje jeg har tjent min første million dollar når jeg er femogsytti.»

«Det vil være deg vel unt,» sier Halvor.

To kanadiske Catalina-fly sirkler over konvoien.

Det begynner å blåse opp fra nord. Halvor og Flise-Guri trekker ned i salongen. Der har motormann Smaage stilt opp en sveivegrammofon han har kjøpt i Baltimore. Han sier at han har anskaffet grammofonen for at de skal ha noe å lytte til når de ikke kan lytte på radioen. Han har bare plater med musikk av to komponister, Ludwig van Beethoven og Louis «Satchmo» Armstrong.

«Kan vi høre på symfonier av tyskeren Beethoven nå som vi er i krig med Tyskland?» spør motormann Eiebakke.

«Klart vi kan,» sier Erasmus Montanus. «Det er jo ikke *Beethovens* Tyskland vi er i krig med. Men jeg vil heller høre Armstrong, fordi han gjør meg i godt humør.»

Dermed blir det Armstrong, og jazztrompeten hans gjaller mellom skottene i salongen.

«Kanskje tyske ubåter kan høre musikken når vi spiller så høyt?» sier Eiebakke.

Det er en kommentar Halvor og Erasmus flirer av. Flise-Guri tar Eiebakkes spørsmål alvorlig og sier: «Tyskernes lytteapparater vil fange opp duren fra hovedmotoren og slagene fra propellen før de hører Armstrong.»

Tomar begynner å slingre så mye i kulingen fra nord at grammofonstiften spretter ut av rillene.

«Finito de la musica,» sier Båsen. «Disse platene skal vare mange turer, så vi vil ikke ha hakk i dem, hva?»

Halvor går opp og tar rortørn. Han styrer etter den blå akterlanterna til *Olympic Star*. Været er klart, med sterkt skinn fra en fullmåne som henger lavt over bølgetoppene.

Kaptein Nilsen står og glaner gjennom styrhusvinduet. Han er i det tause hjørnet, og veksler ikke ett eneste ord med Trean. I måneskinnet ser kapteinens runde fjes ut som det er knadd av gulhvit voks.

Chief Stanley Vadheim kommer opp i styrhuset. Han er iført en møkkete blå overall og har svarte strimer av olje i ansiktet. Kapteinen og chiefen samtaler lavmælt. Halvor kan ikke høre alt de sier, men fanger opp at chiefen melder om trøbbel med en av kjølevannspumpene.

«Jeg trodde vi hadde fått ordnet pumpene i Baltimore,» sier kapteinen høyt. «Det var en ubehagelig overraskelse, like før avgang fra Halifax, å få høre at ikke alt er i den skjønneste orden nede i kjeller'n din.»

Halvor oppfatter bare bruddstykker av det chiefen svarer, «flikke på dei helsikes pumpene», «nye pumper, ikkje berre reservedeler», «gjerrigknarker på innkjøpskontoret til Nortraship».

«Du må for Guds skyld få fikset kjølevannssirkulasjonen!» sier kapteinen.

«Me jobbar på spreng heile maskingjengen,» sier chiefen. «Og eg står faen ikkje skolerett for deg, Ivar.»

Halvor skvetter av at chiefen sier «deg, Ivar» til kapteinen. Han har ikke tenkt på at noen om bord i *Tomar* er dus med skipperen og kaller ham for Ivar.

Chiefen forsvinner ned fra brua.

Halvor krysser fingrene for at Vadheim og hans gjeng med sotengler vil greie å mekke pumpene.

Vinden øker. Da Halvor overlater rattet til Skvalpeskjæret og går ut på styrbords bruving for å ta sin første utkikkstime, blåser det liten storm. Vinden har gravd opp styggelig grov sjø.

Han bretter opp kragen på pilotjakka. Den kan festes med to metallspenner slik at kragen danner et hylster rundt halsen og hodet opp til over ørene.

Trean kommer ut på bruvingen. Han er kledd i en vattert parkas og har byttet ut styrmannslua med ei strikkelue av ull.

Han snakker til Halvor, som må brette ned saueskinnskragen for å høre hva Trean sier.

«Det var voldsomt så gruvlete sjø vi har fått,» sier Trean. «Og så den forbannede månen. Den lyskasteren på nattehimmelen kunne vi greid oss uten.»

En ekstra stor bølge får *Tomar* til å krenge over mot babord. Lastebilene på fordekket får seg en omgang med sjøsprøyt. Det tar unormalt lang tid før skuta retter seg opp igjen.

«Har vi dårlig stabilitet?» spør Halvor.

«Nei, skuta er bare litt stiv i skroget på grunn av all stållasta.»

«Vi får håpe Nyhus har beregna metasenterhøyden riktig.»

«Det har han nok,» sier Trean. «Nyhus tuller ikke med sånt. Han er en ordensmann uten griller i huet. Han hater å gjøre feil.»

«Så vi kommer ikke til å kantre?»

«Nei da, vi kapseiser ikke.»

De står i taushet og hører stormen ule rundt styrhuset.

Trean sier: «Det er typisk for farvannet her ved Newfoundland at det blir stor sjø av liten storm. Nå har det vel forresten økt på til nær full storm.»

Den hvitmalte grekeren slingrer av gårde foran dem.

«I måneskinnet ser *Olympic Star* ut som den reineste blink for ubåtene,» sier Trean. «Onassis kunne ha spandert et strøk grå-maling på henne.»

Igjen taushet. Stormens ensformige ul.

«På neste båten ...» sier Trean, og stopper midt i setninga.

«Ja?» sier Halvor. Han har ikke tenkt på at det blir en neste båt også for ham. Nå har han vært så lenge på *Tomar* at det er vanske-lig å tenke seg noen annen båt.

«På neste båten håper jeg å få en skipper som er mindre lunefull enn kaptein Nilsen.»

Halvor liker ikke det han hører. Han synes ikke det er bra at en av offiserene om bord snakker negativt om kapteinen til ham, en skarve lettmatros. Hvis styrmennene vil slenge dritt om skipperen, får de gjøre det seg imellom.

Han går ned i messa, tar seg en røyk og rigger til et kaffebrett til kapteinen og Trean. En må være litt av en balansekunstner for å få brettet opp på brua uten at det skvulper ut kaffe.

Han løser av Skvalpeskjæret ved rattet.

«Ser jeg grønn ut i trynet?» spør Skvalpeskjæret.

«Grønn som kål,» svarer Halvor. «Bare fleipa. Du ser helt okey ut.»

«Det er rart med det når du kommer ut i skikkelig storm for første gang med en ny båt. Selv den mest sjøvante kan bli småkvalm og klein.»

Da Halvor går sin siste utkikkstime før midnatt, er bølgene blitt høye som hus. Av og til blir en av de små kanadiske korvettene borte i en bølgedal. Så dukker den opp igjen, i en kaskade av hvitt skum. En annen korvett forsvinner, dukker opp, blir borte igjen.

Trean kommer ut på bruvingen.

Han sier: «Du har fortalt at du har vært en del på Rørosvidda, Skramstad. Har du sett reinsdyr bli gjett på vidda?»

«Jo da, det har jeg.»

«Jeg forestiller meg at korvettene gjeter konvoien slik samenes bikkjer gjeter en reinsdyrflokk på vidda.»

«Det er ikke noe dårlig bilde,» sier Halvor.

«Vi får takke for stormen,» sier Trean. «Uværet holder kanskje de tyske ulveflokkene borte.»

«La oss håpe det.»

«Værvarselet sier at det kommer til å blåse storm fra nord helt til vi er oppunder Island.»

Etter endt vakt sitter Halvor en stund i messa og drikker en kopp te med honning og sitron før han går ned på lugaren. Der sitter Geir Ole lys våken ved bordet. Foran ham ligger Nefertiti-figuren han kjøpte i Suezkanalen.

Halvor spør ham om han skal tegne Nefertiti.

«Æ skal kaste ho på sjyen,» svarer Geir Ole.

«Hvorfor faen skal du det?»

Geir Ole sier at han tror han aldri vil komme hjem noen gang, at han aldri vil få gitt Nefertiti som gave til tante Jemima. Det er også en annen grunn. Hvis *Tomar* går til bunns, vil skuta kanskje bli funnet av arkeologer om ti tusen år. Hvis de finner Nefertiti-figurene, vil arkeologene sikkert tro at de to som bodde i den nest akterste lugaren på styrbord side om bord i skipet *Tomar* av Tønsberg, tilba den egyptiske dronning Nefertiti. At de var hedninger. Slik hedenskap vil ikke Geir Ole ha sittende på seg.

«Hva da med haikjeften?» spør Halvor. «Skal du slenge den også på sjyen? Arkeologene vil nok heller tro at vi tilba haikjeften enn at vi tilba Nefertiti. Nei, Kokkovær, kom deg til køys og få deg litt søvn. Det er spådd full storm resten av uka. Vi har slitsomme dager foran oss.»

Slitet med styring i grovsjøen og økter på utkikk i isnende kulde blir en vane. Stormværet gir Halvor en følelse av trygghet. Så lenge stållasta ikke får skuta til å kapseise, kjølevannspumpene funker som de skal, konvoien holder seg samlet, og ubåtene holder seg unna, er det ingenting farlig som kan hende *Tomar*. Han håper at stormen ikke vil gi seg ved Island, men vare helt fram til Irland.

Det hender at skip kommer ut av posisjonen sin i konvoien, eller sakker akterut. Men skip som er kommet ut av kolonnen sin, stamper og slingrer og finner tilbake til riktig plass.

Commodore tar sjansen på å la konvoien seile i noen timer for redusert fart for at etternølere skal komme tilbake i folden.

Halvor står til rors på formiddagsvakta fredag den 4. oktober. Gjennom gløtter i skydekket titter sola fram. Solstrålene får bølgene til å skinne som om de skulle være av kvikksølv.

Kaptein Nilsen er i styrhuset. I solskinnet ser han ikke så voks-bleik ut, og han synes å være i godt lune.

«Commodore i denne konvoien er en avdanket admiral,» sier kapteinen. «Men jeg må si at han styrer konvoien som en *fullverdig* admiral.»

«Ja, commodore er en prins,» sier Trean. «Men hva er det med grekeren? Jeg synes hun styrer litt vinglete.»

Halvor speider mot *Olympic Star*. Trean har rett. Grekeren, som har styrt stødig og fint helt fra Halifax, veiver hit og dit. Har hun fått skade på roret? På styremaskinen?

Plutselig blir *Olympic Star* liggende på tvers av konvoiens kurs. Det hvitmalte skipet løftes opp på en bølgekam rett foran *Tomar*.

Før Trean eller kapteinen har fått gitt en ordre, gir Halvor hardt babord ror.

«Hardt babord!» roper Trean.

«Hardt babord er i gang!» svarer Halvor.

Han ser at kapteinen står klar til å slå «full speed astern» på maskintelegrafen. Han forstår hvorfor kapteinen nøler. Slår han full fart akterover, vil *Tomar* miste styringsfart og kanskje ikke greie å gjennomføre en unnvikende manøver.

Med hjertet i halsen og hamrende puls prøver Halvor å styre unna baugen på grekeren. Vil de kræsje baug mot baug?

Skvalpeskjæret kommer stormende inn fra utkikk på bruvingen. Han har mistet all farge i ansiktet.

Olympic Star kommer i sig akterover. Folkene på grekerens bru må ha gitt ordre til maskinen om full fart akterover. Grekeren sjangler styringslaus som en fyllik på bølgekammene.

Men vakthavende på grekerens bru har gjort det eneste riktige da han slo bakk. *Tomar*s baug går klar av grekerens baug med et par meters klaring. Skutesida på *Tomar* gnurer mot grekerbaugen. Det låter som når et lokomotiv må bråbremse på skinnegangen. En sverm av gnister står til værs da stål skraper mot stål.

Så er de klar! Grekeren driver bort, og *Tomar* stevner videre.

«Fabelaktig,» roper kaptein Nilsen. «Vi unngikk en front-mot-front-kollisjon. Vi fikk bare noen riper i lakken. Det var glimrende manøvrert, Skramstad.»

«Kom styrbord over igjen!» roper Trean.

De er kommet farlig nær *Borgheim*, som går som akterste skip i kolonnen på babord side. Halvor spinner ratt og får *Tomar* på rett kurs.

Hjertet hamrer som en damphammer i bringa hans, men det er et stolt hjerte. Han skulle ønske at Muriel Shannon hadde sett ham nå.

Kapittel 55

Om morgenen lørdag den 5. oktober løyer stormen.

Etter frokost går Halvor ut for å sjekke været. Det blåser stiv, iskald kuling fra nord, sjøen er grov, og det er bare et par grader pluss her på 60 grader nordlig bredde. Lufta biter i kinnene, og den er full av fuktighet.

Tomar seiler inn i en regnbyge. Det er en liten byge, som de passerer fort. Sola kikker fram.

Halvor tar med seg kaffekruset og går helt akterut på poopen. Der blafrer det værslitte og sotete flagget på hekkmasta i fartsvinden. De må få vaska det flagget. De seiler ikke for Norge i rødt, svart og blått.

Han tenner morrarøyken og ser etter grekeren. Det burde være lett å få øye på et hvitt skip på det grå havet. Men ingen *Olympic Star* er å se.

Konvoien går for full peising.

Halvor og Skvalpeskjæret går opp på vakt.

Halvor tar som vanlig første rortørn. Det er blitt en uskreven regel mellom ham og Skvalpeskjæret at Halvor tar den første timen bak rattet.

Nyhus og Trean står i samtale med kaptein Nilsen.

«Jeg kan ikke fatte det,» sier kapteinen. «Jeg kalte commodore en fullverdig admiral. Men han har latt *Olympic Star* bli en straggler. Vi har kjørt for full speed siden grekeren fikk rortrøbbel og forsvant ut av syne, og ingen av korvettene har gått for å beskytte grekeren. Alle fire korvetter er her ved konvoien.»

«Commodore kan ha fått sendt ut et fly som holder øye med *Olympic Star*,» sier Nyhus.

«Det tillater jeg meg å tvile på,» sier kapteinen. «Disse Catalina-ene har neppe så lang rekkevidde ut fra Gander flyplass på Newfoundland.»

«Det kan være et fly fra Keflavík på Island.»

«Mulig, men jeg tviler.»

«Det gjør jeg også,» sier Trean. «Jeg kalte commodore en prins. Nå angrer jeg på det. Jeg vil kalle det råttent å la grekeren seile sin egen sjø.»

Søndag den 6. oktober befinner konvoien seg sørvest av Island. Det er blitt kaldere i været, et par minusgrader. Sluddbyger veksler med snøbyger. Vindstyrken er liten kuling, men av og til kommer voldsomme vindrosser.

Halvor har hatt ei natt med torpedoangst og lite søvn. Han gjesper seg gjennom formiddagsvakta.

Etter middag, saftige biffer, setter han seg i en lenestol i salongen. Der sovner han, og våkner ikke før han blir vekket av Skvalpeskjæret.

Halvor rekker å drikke et par kopper kaffe og røyke et par sigaretter før han må opp på kveldsvakt.

Kulingen blåser, og halvmånen henger på en himmel som er sopt rein for skyer.

Halvor tar rutinemessig første rortørn. Ved siden av ham ligger livvesten og lerretsposen. Han styrer etter den blå lanterna til et britisk stykkgodsskip som nå seiler foran *Tomar* i konvoien.

Kaptein Nilsen er inne i bestikken og samtaler med Trean. Halvor kan ikke høre hva de sier, men det aner ham at noe er galt fatt.

Døra til styrbords bruving trekkes opp, og chief Vadheim kommer inn i styrhuset. I lyset fra månen ser Chiefen ut som om han ikke har vært ute av overallen siden sist Halvor så ham på brua. Han er grimete av skitt i ansiktet og på underarmene og hendene. Man skulle tro han jobba i en kullgruve og ikke i et maskinrom.

«Skipperen?» sier chiefen.

Halvor peker med tommelen mot bestikken. Han sier: «Har pumpene skjært seg?»

«Ikkje enno,» svarer chiefen. «Men eg trur det er like før.»

Chiefen går inn i bestikken. Halvor hører et høyt, skjærende rop – som et måkeskrik – fra kaptein Nilsen.

Kapteinen, Trean og chiefen kommer inn i styrhuset.

Kapteinens ansikt er så hvitt som trynet på en snømann. Trean tripper nervøst fram og tilbake.

Det klinger i maskintelegrafen. Halvor har aldri før opplevd at det er vakta i maskinrommet som slår første signal på telegrafen. Det har alltid vært vakthavende på brua som har gjort det. Nå følger han messinghendelen på telegrafen. Den beveger seg fort fra «full», til «half», «dead slow» og «stop».

«Da har vi altså ikke kjølevann?» roper kapteinen.

«Nei, me har nok ikkje det,» svarer chiefen. Han forlater brua, sikkert for å gå ned og fortsette arbeidet med de elendige pumpene.

Tomar mister styringsfarta.

Båsen kommer springende inn i styrhuset.

«Hva foregår?» roper han.

«Vi har et lite problem med kjølepumpene,» svarer kapteinen. «Bra De kom, Jørgensen. Purr ut alle mann og be dem straks sette seg stand by i messene. Få folkene til å kle godt på seg. Den som ikke tar på seg livvest, vil bli avskjediget i England.»

Hvis vi kommer til England, tenker Halvor.

Kapteinen roper til Båsen, som er på vei ut: «Sving livbåtene ut i davitene!»

«I denne kulingen?» roper Båsen tilbake.

«Skit i kulingen! Sving ut båtene.»

Skvalpeskjæret avløser Halvor ved rattet.

«Du får legge roret hardt i borde,» sier Halvor. «Men du greier ikke å holde henne opp mot vinden, så hun får bare drifte.»

«Hva faen er på ferde?» spør Skvalpeskjæret med lav stemme.

Halvor svarer med like lav stemme: «Full krise med de jævla pumpene. Vi har mista kjølevannet på hovedmotoren.»

«Å, i helsike! Blir vi en straggler?»

«Ja, det kan se ut til at vi mister konvoien.»

«Tror du på Gud, Skogsmatrosen?»

«Jeg tror i alle fall på Our Lady Star of the Sea.»

«Henne har jeg aldri hørt om. Men hvis det er noe kraft i dama, kan du be henne skru av månelyset og sende oss en diger, tjukk tåkebanke som vi kan gjemme oss i?»

«Skal prøve,» svarer Halvor.

Han tar på seg livvesten. Den blir sittende stramt utenpå pilotjakka og oljehyra. Han klipser fast lerretsposen i beltet. Av Trean har han fått ei strikkelue av blå ull. Han trer lua godt ned over ørene og går ut på styrbords bruving.

En av korvettene kommer pløyende mot *Tomar*, som nå ligger og driver i kulingen med sjøsprøyt vaskende inn over fordekket.

Halvor roper inn i styrhuset: «Eskortefartøy i anmarsj!»

Kapteinen og Trean kommer ut. Trean har med seg Aldis-lampa.

Fra korvetten kommer et raskt lyssignal.

«Hva sier de?» spør kapteinen.

«'What is your problem?',» svarer Trean.

«Svar: 'Breakdown cooling water pumps. Can you be stand by until repair is done?'»

Trean sender.

Svaret kommer umiddelbart.

«De sier: 'Canadian escort ships have to return to Halifax due to lack of fuel. Await arrival of British escort.'»

«Det var som svarte fanden,» sier kapteinen. «Send: 'What is ETA of British escort?'»

Hva pokker er ETA? tenker Halvor. Kan det bety «expected time of arrival»? «Estimated time»?

Trean sender, og leser svaret: «'ETA of British escort was eight PM. Will hopefully be here soon. Over and out.'»

Trean morser et signal som Halvor tror må være «over and out».

«Jeg håper for faen at det ikke blir noe kluss i vekslinga,» sier Halvor. Han sier det nærmest til seg sjøl, men han må ha sagt det høyt.

For kapteinen spør: «Hva pokker sa De, Skramstad?»

«Nei, det var ingenting,» svarer Halvor.

Korvetten foretar en krapp svingemanøver og setter kursen vestover.

Til Trean sier kapteinen: «Det var da en helvetes situasjon vi er havnet i. Kanadierne må returnere fordi de har brukt opp all bunkersen sin i stormen. Den britiske eskorten skulle vært her klokken åtte. Nå er klokken kvart over ni, og vi har ikke sett snurten av britene. 'Will hopefully be here soon.' Hva gir De for et slikt utsagn, styrmann Kvalbein?»

«Ikke fem flate penny,» svarer Trean.

Langt i øst kan Halvor se konturene av de akterste skipene i konvoien. Han skulle ønske at han *ikke* kunne se disse skipene. Det er på grunn av månelyset at han kan se dem. Og når *han* kan se skip på fire–fem nautiske mils avstand, da kan også en tysk ubåtskipper det.

Kapteinen sier til Trean: «Her ligger vi fanden ta meg som en sitting duck for de tyske jegerne.»

Halvor er ikke sikker på hva en sitting duck er. Han forestiller seg at det er ei sånn lokkeand – pent skåret ut av tre og malt i gilde farger – som andejegere bruker.

Kapteinen og Trean går inn i styrhuset.

Halvor slår floke og stamper med føttene for å holde varmen. Han har mors raggsokker i sjøstøvlene og ullfôrede hansker på hendene. Likevel er han frøsen på fingre og tær. Han vikler skjerfet sitt rundt ansiktet for ikke å fryse nesa av seg.

Det virker merkelig nok kaldere nå som de ligger stille, enn da han sto her ute i fartsvinden.

En snøbyge nærmer seg. Det er en prektig byge, stor og svart! Den inneholder sikkert en milliard snøkjerringer, som snart vil drysse over *Tomar* og kamuflere skipet.

Men hva er det han skimter der borte i sjøen mellom *Tomar* og snøbygen? Det ser ut som noe en rørlegger har mista i havet.

Så skjønner han hva det er, og det kjennes som om lynet har slått ned i pappen på ham, som om håret er blitt elektrisk. Han står som frosset fast til dekket i noen tiendedels sekunder før han greier å bevege seg. Han røsker opp styrhusdøra og roper: «Periskop om styrbord! Femogførti grader på baugen. Avstand tre til fire hundre meter.»

«Periskop?» sier kapteinen. «De *spøker vel ikke*, Skramstad?»

«Jeg spøker da for svarte faen ikke!»

«Slå ubåtalarm, Kvalbein!» roper kapteinen.

Alarmbjellene begynner å skingre.

Kapteinen løper ut mot bruvingen og holder på å velte Halvor i farta. Som troll av eske dukker Båsen opp på bruvingen.

Kapteinen speider utover farvannet på styrbords baug, og roper: «Hvor fanden er det fordømte periskopet Deres hen, Skramstad?»

Igjen kjenner Halvor det som om lynet har truffet ham. Der hvor han så et periskop, er det ikke lenger noe periskop å se.

En eneste tanke farer fram og tilbake i det elektriske hodet hans: Jeg har driti meg loddrett ut og slått falsk alarm!

Båsen roper: «Ubåten kan ha fyrt en torpedo og dyk...»

Et voldsomt lysblaff på styrbord side blender Halvor. Han huker seg instinktivt ned bak rekka.

«Ja!» roper han. Det var ikke falsk alarm, det var faen ikke falsk alarm!

Ropet hans drukner i det vanvittige eksplosjonsdrønnet. Det er som om tusen tordenskrall har samlet seg til ett eneste brak. Det er ikke en øredøvende lyd, det er en *øresprengende* lyd. Halvor er sikker på at trommehinnene hans er blitt blåst i filler.

Han kommer seg på beina. Det flimrer for øynene hans. Det kjennes som om det er blitt slått en plugg inn i begge ørene.

Han ser Båsens ansikt. Det er dekket av blod. Han ser kapteinens ansikt. Det er hvitt som kritt.

Han hører Båsen rope: «Torpedotreff i toer'n!»

Og han hører kapteinen rope: «Slå livbåtalarm, Kvalbein.»

Da har han i alle fall ikke mista hørselen.

Alarmklokkene går. Trean bruker også skipsfløyta. Han gir sju korte støt og ett langt. Ulene går gjennom marg og bein på Halvor.

Han roper til Båsen: «Du blør i trynet, du har ei flenge i panna.»

Båsen tar seg til hodet. Han ser på hånda som er full av blod. Han sier ingenting, bare gnir av seg blodet på buksebeinet. Halvor slenger til ham skjerfet sitt så Båsen kan vikle det om hodet.

Flimmeret for Halvors øyne gir seg. Han ser utover fordekket, som opplyses av ubarmhjertig måneskinn. *Det som er igjen* av fordekket. Hele toerluka er borte. Det er bare et stort, gapende hull der toer'n var. Formasta har brukket like over mastehuset og henger utover rekka på babord side. Tungløftsbommen er borte.

Det ser ut som om skuta er blitt skeiv, at den har vridd seg.

Han kjenner den stramme lukta av sprengstoff. Hva er det slikt sprengstoff kalles? Det er ikke dynamitt. Korditt?

Det lukter også røyk. Hvor brenner det? En stikkflamme slår opp fra ener'n. Hva er det som kan brenne der? Stålet de har lasta, brenner jo ikke. Det må være materialene de bygde kornskott av, som har tatt fyr.

I sjøen driver to lastebiler. Det ser helt sjukt ut med de lastebilene som dupper i bølgene. Han håper de vil synke fort som faen.

Han ser at Flise-Guri går framover på dekk, og at han stopper ved en taggete kant der dekksplatene er revet opp. Flise-Guri lener seg over rekka og lyser med ei lommelykt.

Halvor hører at vann fosser inn i skuta. Det må også renne vann inn i ener'n, for han hører at det freser av vann mot ild, og ser at det stiger en sky av damp til værs derfra.

Bak seg hører Halvor stemmen til Nyhus: «Skal vi låre livbåtene, kaptein Nilsen?»

«La oss se det an,» svarer kapteinen. «Vi flyter jo ennå. Vi får høre hva tømmermann Tveiten melder.»

Kapteinen setter roperten for munnen og roper til Flise-Guri: «Hva ser De, Tveiten?»

Flise-Guri former hendene til en trakt foran munnen og roper tilbake: «Tjue meter bredt høl i skutesida. Vannet flommer inn.»

«Kan vi holde oss flytende?» roper kapteinen.

«Umulig å si! Tror ikke det.»

Tomar begynner å krenge over mot styrbord.

Halvor hører chiefens stemme si at maskinrommet er evakuert. Han snur seg og ser chief Vadheim, stadig iført den møkkete overallen. Stuert Dyrkorn er også kommet opp på brua, kledd i full uniform, men uten livvest.

Halvor hører Båsen rope: «Best å låre båtene før det er for seint, kaptein Nilsen!»

Han ser på Båsen. Det har ikke kommet noe blod gjennom skjerfet, så flenga kan ikke være så djup.

«Hva gjør De her på broen, Jørgensen?» spør kapteinen. «Tror De at *De* kan gi *meg* ordre?»

«Drit nå i det,» svarer Båsen. «Få ut båtene før det er for seint!»

«Vil De pelle Dem ned fra broen, Jørgensen!»

Halvor venter spent på Båsens reaksjon.

Båsen tørker blod av leppene og sier, høyt og klart: «De kan få pule meg i ræva om De vil, kaptein Nilsen. Men De kan faen ikke jage skipets tillitsmann ned fra brua nå som vi er i en nødssituasjon.»

Det var drøyt sagt, tenker Halvor. Det var drøyt selv til å være Båsen.

«Hvilken uhørt frekkhet!» roper kapteinen. «Hvis vi må sette ut båtene, får De fravike Deres plass i forre styrbords livbåt, Jørgensen. Jeg vil ikke ha Dem i samme båt som meg. De kan gå i forre babords livbåt.»

Halvor får, etter mye fomling, tent en sigarett. Han løper inn i styrhuset og gir en sigarett til Skvalpeskjæret, som ikke har forlatt posten sin bak rattet.

«Går skuta ned?» spør Skvalpeskjæret.

«Vet da faen,» svarer Halvor. «Det ser ikke bra ut.»

Han må så jævla pisse. Hvis skuta virkelig går ned, vil han ikke at det siste han gjør om bord i *Tomar,* er å pisse i en krok i styrhuset. Han går inn på toalettet bakom bestikken. Strålen blir visst aldri ferdig. Han må bli ferdig! Han kan ikke vente, det får ikke hjelpe om litt av pisset kommer i buksa.

Han hører en lyd nede fra styrmannslugarene. En bankelyd. Det er vel et eller annet som henger og slenger og dunker i skottene. Hvis noen er i nød der nede, vil han jo rope på hjelp, og det kommer ingen rop.

Halvor kommer inn i styrhuset, der dekket liksom står på skeive. *Tomar* krenger enda mer over nå. Han ser at Trean står ute på babord bruving med kikkerten foran øynene. Trean slipper kikkerten som om han har brent seg på den. Han kommer farende gjennom styrhuset som en rakett, med kikkerten dinglende i reima rundt halsen.

Halvor følger etter ham ut på styrbord bruving.

«Periskop om babord!» roper Trean.

«Det var da som svarteste fanden,» roper kapteinen. «Har den jævla ubåten gått rundt oss?»

«Ser slik ut,» svarer Trean.

Det er som om *Tomar* treffes av en kjempemessig knyttneve. Det kommer ikke noe lysblaff, men rullende torden, et regn av gnister.

«Treff i det aktre midtskipet!» roper Båsen. «Halve midtskipet er blåst bort.»

Du er en utrolig stabukk, Båsen, tenker Halvor. Bare faen sjøl kunne få jagd deg ned fra brua.

«Vi lårer livbåtene,» roper kapteinen. «Vi kan glemme livbåtene på det aktre midtskipet. Alle mann i båtene på det forre midtskipet! La oss prøve å holde båtene samlet.»

Torpedotreffet på babord side gjør at *Tomar* ikke krenger mer over til styrbord. For nå flommer vannet inn også på babord side.

Krenger ikke, tenker Halvor. Men synker fort. Fryktelig fort.

Han løper ned på båtdekket. Der har Flise-Guri og Rønning tatt ledelsen i arbeidet med å låre motorlivbåten. Den er allerede halvveis nede ved vannskorpa.

«Hold an!» roper Flise-Guri. «Bølgene slår så jævlig at båten kan bli knust mot skutesida. Vi må ha folk ned i båten som kan holde unna med årene.»

Trean dukker opp på båtdekket. Han bærer på ei stor veske.

Hvorfor kommer Trean og ikke Granli? tenker Halvor. Det er da Granli som skal ha kommandoen i motorlivbåten? Kanskje Trean og Granli skal være i samme båt? Kanskje det går rundt for ham, eller kanskje det er foretatt et kommandobytte han ikke vet om?

Livbåtleideren hives ut.

«Hvor er styrmann Granli?» roper Halvor.

«Vi vet ikke,» svarer Trean. «Vi tror han må ha vært på det aktre midtskipet og kan være omkommet.»

«Å faen,» sier Halvor. «Å helvetes faen!»

Trean roper: «Jeg har fått kommandoen i motorlivbåten. Rønning, Skramstad, Gaukvær og Nilsen! Dere entrer ned.»

683

Nilsen? tenker Halvor. Kommanderer Trean kaptein Nilsen ned i feil livbåt?

Det er Skvalpeskjæret, naturligvis. Åge Nilsen.

Halvor entrer ned som andremann etter Rønning, fulgt av Skvalpeskjæret. Geir Ole kommer sist. Han glipper taket i leideren, men blir tatt imot av de tre som er på plass i båten.

Livbåten treffer vannflata og blir straks løftet av en høy bølge. De fire får dratt fram årene. Når de skal skyve livbåten unna, glipper årene mot skutesida. De skjønner ikke med en gang hvorfor. Så skjønner de det – årene glipper fordi *Tomar* nå synker som en stein!

De tar nye tak med årene mot skutesida, som glir raskt ned i sjøen. Årebladet på åra til Rønning knekker. Han skyver med den brukne årestumpen.

Flise-Guri kommer ned leideren, fulgt av Båsen. Så kommer Cheng, som ser ut som han er utstoppet. Han har vel pakket sigarettkartonger under jakka. I raskt tempo følger motormennene Helge og Svanström. Svensken har fått en real blåveis på det ene øyet. Maskinist Steiro kommer. Han blør kraftig fra et øre. Motormann Eiebakke. Smører Erasmus Montanus.

De fire som har årer, dytter alt de kan mot den synkende skutesida.

Livbåten får en sjø innover babord reling, løftes himmelhøyt av en bølge, raser nedover igjen.

Hvor er Åge, gamle Åge?

Han kommer ned leideren. Å, det går smått! Men det er ingen som roper raska på til Åge, og han blir tatt imot av mange hender da han deiser ned i livbåten.

Gnisten klyver ned leideren. Det går enda saktere enn med Åge. Det ser ut til at Gnisten ikke kan bruke den høyre hånda.

«Hopp, Roy!» roper Båsen. «Vi tar deg imot.»

Gnisten hopper og lander i utstrakte armer og hender. Han ynker seg, og Båsen hjelper ham med å sette seg på en av toftene i båten.

Det ropes oppe fra dekk. Halvor tror det er stuertens stemme. Hva er det han roper, at det kommer en sekk *død*?

Nå roper han igjen, og Halvor skjønner at han roper at det kommer en sekk *brød*.

Sekken kommer ramlende og blir tatt imot.

Halvor skyver og skyver, men han har snart ikke mer krefter igjen i armene.

«Får jag lösa av?» spør Kalle Svanström.

«Gjerne,» svarer Halvor.

Svensken får hans åre. Erasmus Montanus tar Geir Oles åre, Båsen – som ser fæl ut med det blodige trynet – tar Rønnings åre, og Steiro tar Skvalpeskjærets.

«Vi har mer enn full båt nå,» sier Flise-Guri.

Stuerten kommer, fulgt av Flemming fra Fyn. Det går raskt med dem, for nå har *Tomar* sunket så djupt at de har kort vei ned leideren.

«Har noen sett kokken, annenkokken og byssen?» roper stuerten.

«De er vel i den andre båten,» svarer Flise-Guri.

Trean roper at han kaster veska si.

Veska kastes og blir tatt imot.

Trean kommer. Leideren får en sleng, og det knaker i Treans fingerknoker som blir slått mot skutesida.

Han lander i båten med blødende knoker.

«Legg fra!» roper han.

«Hvor er styrmann Granli?» roper Båsen. «Granli skulle være sjef i denne båten.»

«Vi vet ikke hvor han er. Legg fra!»

«Hva med Granli?»

«Vi kan ikke vente!» roper Trean. «Vi blir tatt av dragsuget. Gjør som jeg beordrer, for faen! Jeg har kommando i båten. Legg fra!»

De fire med årene greier ikke å skyve båten vekk fra skutesida.

Steiro har fått start på motoren. Trean tar rorkulten. De bakker unna.

Sjøen er grovere enn Halvor trodde den ville være. Har kulingen økt til storm i den korte tida etter at den første torpedoen traff?

Sjøsprøyten fyker inn over båten, og hver mann dekker seg så godt han kan.

Trean manøvrerer båten opp mot vinden og bølgene. Det bryter over baugen.

Trean roper til Steiro at han må slakke av på farta.

Steiro reduserer til halv fart.

De er kommet femti–seksti meter unna da *Tomar* krenger voldsomt over mot babord.

«Hun kantrer!» roper Flise-Guri.

Og skipet kantrer. Halvor synes det er uvirkelig å se toppen på aktermasta treffe vannflata. Han skulle ønske den helvetes månen forsvant så han slapp å måtte ta innover seg synet av *Tomar* som synkende vrak.

Skorsteinen, black and blue, knekker da den treffer vannet. Baugen synker fortere enn akterskipet. Baugen forsvinner. Det forre midtskipet går under. Det freser som i en kokende kjele av luftbobler som presses ut av skuta. Brua blir borte. Ingen skal lenger stå bak rattet der oppe. Ingen skal pusse natthusets messing blank. Ingen skal stå der og måle solhøyden med sekstanten.

Kartene i bestikken vil råtne bort på havets bunn.

Lastebiler sliter seg fra akterskipet og driver på havet. Sjukt.

Hvor djupt er det her? To tusen meter? Tre tusen? Det er ufattelig djupt.

Akterskipet løfter seg.

I livbåten er det ingen som sier et eneste ord.

Det røde bunnstoffet, ferskt fra Glasgow, ser i månelyset ut som kopperet i en kopperkjele.

Månestråler reflekteres fra bronsepropellen. Propellen dreier sakte rundt, drevet av vinden.

Skipets dyrebare last av flymotorer, stål og aluminium trekker *Tomar* under. Last som England trenger, last som skulle gjøre det vanskeligere for Hitler å ta England, går rett til bånns og vil bli til verdiløst skrap nede på havbunnen.

Der begynner poopen å forsvinne!

Nå trenger sjøvannet, det salte atlanterhavsvannet, inn i lugaren som har vært Halvors hjem på havet i nesten ett år. Geir Oles og hans hjem. Nå drukner Nefertiti. Nå vil haikjeften stå og gape på de tusen favners djup. Et malerskrin går til bunns, og fargene vil langsomt løse seg opp. Fotografiet av Tae, som han lot bli hengende på skottet etter at han traff Muriel, vil også gå i oppløsning.

Det er som om han sjøl går litt i oppløsning.

Et par gode sko fra Fremantle skal aldri ha noen lettmatrosføtter i seg mer. Blåtøysskjortene aldri sitte på en lettmatroskropp.

En snøbyge kommer feiende med vinden. Gjennom snødrevet ser Halvor at flagget på hekkmasta, det de aldri fikk vaska, blir borte i vannmassene.

Så er det ikke mer.

Halvor har aldri vært i et innendørs teater. Men han tenker at det han nå har opplevd, må være som å se teppet gå ned etter ei forestilling. Teppefall.

Den som har talens bruk, er Cheng: «Adiós!» roper han.

Flere av de andre gutta stemmer i, og det gjør også Halvor.

«Adiós, adiós.»

Kapittel 56

Adiós-ropene forstummer.

Halvor tenker: Det var Det vilde Kor.

Hvor har han dette fra, Det vilde Kor?

Ei bok mora hans elsker. Dikt. Av Hamsun. Men Hamsun skrev da ikke dikt? Jo, han skrev ei bok med dikt. Et av disse diktene er mors favoritt.

«Skjærgårdsø» heter det.

Nu glider Baaten
mod Skjærgaardsøen,
en Ø i Havet
med grønne Strande.
Her lever Blomster
for ingens Øine,
de staar saa fremmed
og ser mig lande.

Å, han skulle ønske han var i en båt som gled mot ei skjærgårdsøy! Med grønne strande.

Trean roper: «Karer, kan noen av dere se den andre livbåten?»

Snøen kommer ikke som milde kjerringer, men som isnende piler.

«Hvor faen var denne snøbygen da vi trengte den?» sier Flise-Guri.

Halvor speider etter kapteinens båt. Snødrevet er blitt for tett. Forbannede snøtjukke!

Trean prøver å styre båten opp mot vinden, i den retninga der de tror at kapteinens båt må være. Sjøsprøyten står innover baugen.

«Finn fram seilet!» roper Trean. «Vi får bruke seilet som presenning.»

Livbåtseilet trekkes fram av ivrige hender. Andre finner fram tauverk. Seilet strekkes ut og tampes fast til relinga. Det er så stort at det dekker den forreste delen av båten.

«Gamlekara kan trekke inn under seilet!» roper Trean.

Åge, Eiebakke og stuert Dyrkorn kryper inn under seilet. Stuerten tar med seg brødsekken så den skal ligge tørt.

Flise-Guri kryper ikke under seilet. Han har funnet fram førstehjelpsskrinet og skal bandasjere Båsens hode. Flenga er djupere enn Halvor trodde. Det lyser hvitt av skallebeinet gjennom såret.

Halvor rekker en stor plasterlapp til Steiro, som fester lappen på det blodige øret sitt og trekker skinnlua si godt ned.

«Bjønnfetta mi,» sier Steiro og klapper lua si. «Nu e ho god å ha.»

Halvor prøver å plastre Treans blødende knoker. Plasteret vil ikke sitte.

«Vent med det, Skramstad,» sier Trean. «Jeg blør ikke *så* mye. Hold utkikk etter den andre båten, karer! Kan noen gi tilsyn til Gnisten?»

Flise-Guri og Cheng ser til Gnisten, som ikke greier å sitte på tofta, men har lagt seg rett ut.

«Brukket håndledd!» roper Flise-Guri.

«Kan du spjelke det?» roper Trean.

«Jeg får se om jeg finner noe å spjelke med.»

«Er Gnisten ved bevissthet?»

«Ja.»

«Har han talens bruk?»

«Jo da.»

«Spør ham om han fikk sendt SOS.»

Flise-Guri snakker inn i Gnistens øre, og legger så sitt øre mot Gnistens munn for å høre hva han svarer.

«SOS-signal ble *ikke* sendt,» roper Flise-Guri. «Kaptein Nilsen mente at vi ikke skulle sende SOS over radioen.»

«Hvorfor faen skulle vi ikke sende SOS etter et fullt havari?» roper Helge Hvasser.

«Gnisten sier at kapteinen mente et radiosignal fra *Tomar* kunne røpe konvoiens posisjon for ubåtene. Gnisten har fryktelige smerter. Kan jeg gi ham ei sprøyte morfin?»

«Sett i gang med morfin,» svarer Trean.

Flise-Guri kjører sprøyta inn i låret til Gnisten. Han har kniv i slira i beltet, trekker kniven og skjærer et erme av en regnfrakk.

Med ermet får han laget en fatle til Gnistens høyre arm. Han dekker Gnisten med resten av regnfrakken.

Båsen sier: «Godt du har kniv, Flise-Faen. En sjømann uten kniv er som ei hore uten fitte, ikke sant karer? Det er vi alle enige om. Det har vi vedtak om i Union. Ingvald Haugen går aldri på kontoret sitt i New York uten en jemenittisk dolk fra Aden i beltet. Skaftet på dolken er av neshornhorn. Slira er laget av kukkskinnet til en kamel.»

«Jeg foreslår at du ikke snakker så mye, Georg,» sier Flise-Guri til Båsen.

«Hva tror du om vindstyrken, Trean?» spør Skvalpeskjæret.

«Stiv kuling.»

«Fra nord?»

«Vet ikke. Skal sjekke.»

Fra veska finner Trean fram et lite, håndholdt kompass og ei lommelykt. Siden han må tviholde på rorkulten, gir han kompasset og lykta til Rønning.

Rønning huker seg for sjødrevet, lyser på kompasskiva og peiler vindretninga.

«Vest-nordvest,» melder han.

«Det er ikke så hakkende gæren vindretning for oss hvis vi skal seile til Island,» sier Trean. «Hold stadig skarp utkikk etter den andre båten! Hvor mye bensin har vi, Steiro?»

Steiro mener de har til to–tre timers kjøring.

Flise-Guri åpner ei kasse.

«Her er regnfrakker til alle som trenger det,» roper han. «Bra frakker med hette.»

Regnfrakkene blir kjapt delt ut. Siden det er et par frakker til overs, tar også Halvor en frakk og trekker utenpå oljehyra.

Flemming fra Fyn spør Halvor om et eller annet.

«Om vi kan *rygge*?» sier Halvor. «Hvorfor faen skal vi rygge?»

«Ryge,» sier Flemming fra Fyn og later som han holder en sigarett foran leppene.

«Kan vi røyke, Steiro?» roper Halvor. «Eller er det fare for eksplosiv bensindamp?»

«Berre røyk, guta,» svarer Steiro.

Halvor må krype under ei tofte for å få fyr på sigaretten sin. Under tofta lukter det bensin. Han tar sjansen og knipser med Zippo'en. Han tenner en sigarett til seg sjøl, og så til alle som vil ha.

Båsen vil ikke ha. Han ville ikke ha regnfrakk heller. Med blodig bandasje på hodet ser han mer ut som en sjørøver enn noensinne.

«Jeg har slutta å røyke,» sier Båsen.

«Nei, men faen, Georg,» sier Flise-Guri. «Det er *jeg* som har trappa ned på røykinga, på grunn av hosten. *Du* røyker som et damplokomotiv, Georg.»

«Slutta,» sier Båsen. «Ble kaputta, slutta. Ble slappkukka, slutta. Finito de la sigaretta. Fitta de de la sigarra de la gitarra.»

«Nå må du klappe igjen, Georg,» sier Flise-Guri.

Båsen himler med øynene så bare det hvite i øyeeplene synes. Flise-Guri trekker en regnfrakk på Båsen og sørger for at hetta blir snørt igjen.

«Har du vondt i huet, Georg?» spør Flise-Guri.

«Det er litt banka-dunka inni nøtta, ja,» svarer Båsen. «Tok noen vare på splinten som traff meg? Jævla flott splint. Stor som en slaktekniv.»

Ingen svarer.

Flise-Guri finner fram et blikkrus og tapper vann fra drikkevannstanken.

«Bare et halvt krus til hver mann!» roper Trean. «Vi må rasjonere. Alle bør få i seg det halve kruset nå på rappen.»

Flise-Guri ber Båsen gape opp, slenger en liten neve Globoidpiller inn i kjeften på ham og får ham til å svelge med vann.

Så finner Flise-Guri fram flere blikkrus, måler opp et halvt krus til hver mann og sender rundt.

Han bryter i filler lokket på kassa regnfrakkene lå i.

Hvorfor gjør han det? tenker Halvor. Båsen er åpenbart ikke i sitt livs beste form sånn reint mentalt. Har det klikka for Flise-Guri også?

«Materialer til spjelking,» sier Flise-Guri.

Gudskjelov, tenker Halvor.

Han speider for harde livet etter den andre båten. Han ber en stille bønn til Our Lady Star of the Sea om at båten skal dukke opp. Med Granli om bord. Han *vil* at Granli skal være i kapteinsbåten. Hvorfor stilte ikke Granli ved båten han skulle ha kommandoen i? Kan det ha vært Granli han hørte banke nede i korridoren der styrmannslugarene ligger? Der lugarene *lå*. Nå er de ikke lugarer mer, de er øde rom nede i havsens mørke.

Var Granli innestengt? Har Granli gått ned med skipet, blitt dratt med nedover og nedover mot havets bunn? Umulig! Store, sterke

Granli ville kunnet slå i filler lugardøra si med én arm på ryggen. Kloke, snarrådige Granli ville ha kommet seg ut.

Eller?

Nei, umulig!

Halvor har lyst til å betro seg til noen om bankelydene han hørte. Men han *kan ikke* det.

Hvorfor stakk du ikke ned og sjekka hva som var på ferde? vil gutta spørre.

Han vil svare: Hvis noen hadde vært i nød, ville han vel ropt. Han ville ropt om hjelp! Ropt!

Men det holder ikke å svare sånn.

Du skulle for faen ha sjekka, vil gutta si. Det var din simple plikt å sjekke. Men du turte ikke gå ned i korridoren. Du tenkte bare på å berge deg sjøl etter det første torpedotreffet. Du feiga ut. Du mygga ut. Du er en mygg, skogsmatros Skramstad!

Og han vil bli svar skyldig.

Han kan ikke si noe til en levende sjel. Han må bære på en dyster hemmelighet.

Han speider ut i den forbannede snøen. Drevet er tett som en vegg.

Vil du være så inderlig snill at du åpner ei brei dør i den veggen, Our Lady Star of the Sea?

Halvor hører en ritsjelyd. Revner livbåten?

På lokket til regnfrakkassa er det et trekk av seilduk. Lyden skyldes at Flise-Guri river seilduken i strimler.

«Ta disse fillene, gutter,» sier han.

«För vad då?» spør Kalle. «Jag behöver intet bandage för min blåsippa. Min blåveis.»

«For å vikle seilduken rundt de stygge trynene deres,» sier Flise-Guri. «Duken kan gi litt beskyttelse mot frostskader på de små, søte nesetippene deres.»

«Jeg vil faen ikke bli vikla inn som en jævla *mumie*,» sier Erasmus Montanus.

Men han vikler seilduk over nesa.

Motormann Eiebakke kommer krypende fram fra innunder seilet.

Han har tulla en blankis rundt seg. Han roper gjennom blesten. «Vi har funnet ei kasse med tørre, fine blankiser framme i skarpen. Hvis noen trenger blankiser, så si ifra. Vi burde vel hatt opptelling og navneopprop, styrmann Kvalbein?»

«Vi har tatt det viktigste først,» roper Trean tilbake. «Utkikk etter skipperens båt, førstehjelp, vindretning, bekledning og vannutdeling.

Jeg har full oversikt. Vi er sytten mann om bord, og jeg vet jævla godt hvem alle er. For ordens skyld tar vi likevel et opprop. Etter prinsippet age before beauty. Matros Sildebogen?»

«Her,» ropes det fra under seilet. «Jeg må melde at jeg har helvetes hjerteflimmer. Det er bare så vidt blodpumpa går.»

«Vi skal hjelpe deg så snart vi kan, Åge,» roper Trean. «Tømmermann Tveiten?»

«Hoi!» roper Flise-Guri, som holder på å spjelke Gnistens håndledd.

«Æ ser nokka!» roper Geir Ole.

«Hvor?» roper Trean.

«Tvers om babord, størmann!» svarer Geir Ole og peker.

Halvor bråvender og ser i den retninga Geir Ole peker. Hva faen er det som har dukka opp i snøkovet? En livbåt er det *ikke*. Det må være det gråmalte førerhuset på en av lastebilene som har holdt seg flytende, sjukt, helt sjukt.

Men førerhuset på en lastebil er da ikke *så* stort. Det var da ingen antenner som pekte til værs på lastebilene de tok om bord i Baltimore. Og det var da virkelig ingen av lastebilene som hadde kanon montert på panseret?

Hva er det for et uhyggelig, grått, ruststrimet sjøuhyre som har dukka opp? Er det draugens farkost? *Den flygende hollender?* En hittil ukjent spøkelsesfarkost?

Så skjønner Halvor hva det er han ser. *Det er tårnet på en ubåt.* Og det er kanonen på fordekket til ubåten.

Som i sakte kino dreies kanonen slik at løpet peker rett mot ham. Han ser to mann som står på post bak kanonen. To gaster i blygrå uniformer, med båtluer på hodet, båtluer kjekt på snei.

Uvilkårlig rekker Halvor hendene i været, som om noen hadde ropt «hands up!» i en cowboyfilm.

Han burde kaste seg ned. Men han greier det ikke. Han har stivna i posituren med hendene over hodet. Han ser en fillete hakekorsvimpel på ubåtens tårn blafre i kulingen. Han står og venter på prosjektilet.

Farvel, mor og far, Stein, Britt og Karin! Good bye, my sweetheart, miss Muriel Shannon!

Dekkslys blir slått på om bord i ubåten. Det drypper vann fra kanonløpet. Vannet samler seg i en liten dam på dekket. Det må være litt olje eller smørefett i vannet, for i lyset fra dekkslampene ser Halvor at vanndammen har fått alle regnbuens farger.

Dette, en fargerik vasspytt på dekket til en tysk ubåt, skal altså bli det siste han ser her i livet.

Så skyt, da, for faen! Bli ferdig med det!

Ropte han det, eller bare tenkte han det?

«Take it easy, sailors!» roper en fremmed, metallisk røst. Halvor skjønner ikke hvor lyden kommer fra. Røsten uttalte s-en i easy som om den skulle være en z.

«Ganz ruhig!» roper en av gastene bak kanonen. «Wir wollen nicht schiessen.»

To gaster til kommer opp fra ei luke på livbåtens akterdekk. De bærer maskinpistoler.

Schmeissere, tror Halvor.

De to gastene stiller seg på en platting i akterkant av ubåtens tårn. Schmeisserløpene rettes mot livbåten.

Wollen *sie* schiessen? tenker Halvor.

Det kom ingen kanonkule. Kan han vente seg en skur av maskinpistolkuler?

«You have weapons?» roper den metalliske røsten.

Halvor kikker opp og ser en mann som står i ubåttårnet og holder en ropert foran munnen. Det er en skjeggete mann med lue med blank skygge. Han må være ubåtskipperen.

En lyskaster blir slått på og sveiper over livbåten. Halvor blendes av det skarpe lyset. Han lar armene han har strukket i været, falle ned.

«If you have guns, show them and drop them,» roper skipperen i roperten, med tydelig tysk aksent.

«We have no guns!» roper Trean.

«Sehr gut!» roper skipperen. «Very good. Come closer!»

Trean gjør ingen mine til å ville manøvrere livbåten nærmere ubåten.

«Closer!» roper skipperen.

En av gastene på plattingen løfter Schmeisser'en og fyrer av en salve som går høyt over hodene på folkene i livbåten.

Trean manøvrerer bort til ubåten. Ubåten fungerer som bølgebryter og gir litt le for vinden og de isende snøkrystallene.

Ei ram lukt river Halvor i nesa. Har han gjort i buksa da kanonløpet pekte på ham? Nei, det er fra *ubåten* drittlukta kommer. Han har hørt om sånn lukt. *Ubåtlukt.* Tremenningen hans, Viktor, var på ubåt. Viktor sa at til å begynne med var de to jævligste tingene på ubåt det å være innestengt og det at det lukta så sterkt av svette,

693

piss og promp, dritt og møkk. Og diesel. Og matos når kokken steikte flesk. Etter hvert ble Viktor vant til lukta. Men da han mønstra av fra ubåten i Bergen og tok Fløybanen iført ubåtuniformen sin, holdt de fine bergensfruene i kupeen seg for nesa. Oppe på Fløyen fyrte Viktor opp et bål og brente uniformen og resten av ubåt-klærne sine. Han gikk ikke naken ned fra Fløyfjellet, han hadde tatt med seg en suitcase med sivile klær.

Ubåtskipperen har lagt bort roperten.

«What nationality?» roper han.

«Norwegian,» roper Trean.

«Yes, we think so when we see you. We think: Das ist ein Nor-weger. But your flag was very dirty. What is name of Schiff...ship?»

«*Tasmania* of Kristiansand,» svarer Trean.

«Why did you stop ship?»

«Engine trouble.»

«You were in big convoy from Halifax?»

«No,» roper Trean. «We sail as independent ship.»

«How many tons your ship?»

«Six thousand gross tons. Ten thousand tons dead weight.»

«What cargo you carry?»

«Coal,» roper Trean. «And trucks on deck.»

«Yes, we see the trucks. Panzer trucks?»

«No, ordinary trucks.»

«Port of departure?»

«Philadelphia.»

«Port of destination?»

«Belfast in Northern Ireland,» roper Trean.

«Are you the captain?»

Nå ser Halvor hvor ung ubåtskipperen er. Han har hørt at tyske ubåtmannskaper kaller skipperen sin for Der Alte. Denne skipperen er virkelig ingen gamling. Han kan ikke være stort eldre enn Granli.

Granli! tenker Halvor. Granli, hvor er du?

«I am not captain,» roper Trean. «I am first officer on deck.»

Der steg Trean et par hakk i gradene. Det er ham vel unt.

«Is your captain in this boat?» roper skipperen.

«No!»

«Where is the captain?»

«I do not know! Maybe he has gone down with the ship.»

«Are you hiding the captain under the canvas?»

«No!» roper Trean.

«Are there men under the canvas?»

«Yes, old men.»

«Tell the men under the canvas to come out.»

Trean roper at karene under seilet skal komme fram.

Eiebakke kommer, og Dyrkorn. Åge kommer ikke.

«More men under canvas?» roper skipperen.

«No!»

En av gastene retter Schmeisser'ens løp mot seilet.

«Don't shoot!» roper Trean. «Kom fram, Sildebogen!»

Åge kommer kravlende på alle fire. Ansiktet hans er rødfiolett som ei plomme. Han prøver å reise seg, men blir stående på knærne.

«Any of you are the captain?» roper skipperen til de tre oldtimerne.

«Motorman,» svarer Eiebakke.

«You mean Mechaniker...mechanic?»

«Yes, he is Mechaniker!» roper Trean.

Åge prøver å rope «matros», men det er ingen kraft i stemmen hans, så det blir Trean som roper «able bodied seaman».

«Chief steward,» roper stuerten.

«You are not the captain?»

«No!»

«What is your name?»

«Bjarne Dyrkorn.»

«Do you have uniform under your Regenrock?»

«Regenrock?» sier stuerten spørrende.

«*Regnfrakk*, for faen,» sier Trean.

«Yes, I have uniform,» sier stuerten.

«Take off your Regenrock!» kommanderer skipperen.

Stuerten tar av seg regnfrakken og en genser han har trukket over uniformsjakka. Jakka med sølvstripene på ermet blir synlig.

«You see, Herr Kapitän?» roper Trean. «This is a steward's uniform, it is not a captain's uniform.»

«You have passport, Herr Dyrkorn?» roper skipperen. «Any legitimation?»

Stuerten åpner lerretsposen han bærer i beltet og finner fram det røde norske passet sitt. En av gastene bak kanonen har funnet fram en håv. På håven er det en teleskopisk stang som han strekker ut i full lengde. Håven rekkes mot livbåten. Akkurat i det stuerten skal legge passet sitt i håven, blir livbåten løftet av en bølge. Stuerten holder på å falle over bord, men blir holdt igjen av Eiebakke. Passet havner i håven, som blir løftet opp slik at skipperen i tårnet kan ta passet og studere det.

«Stuert?» roper han. «That is not a Norwegisches word for ships Führer?»

«No,» roper Trean. «Stuert means steward. You also say Steward in German, I know.»

«*Stuert* it is, then,» svarer skipperen. «What is the name of your captain?»

«Olsen,» svarer Trean. «Nils Olsen.»

«What is your name, first officer?»

«Beinkval,» svarer Trean. «Harry Beinkval.»

«Very well, Herr Beinkval,» roper skipperen. «You want to go to Iceland?»

«Yes.»

«The distance to Reykjanestá lighthouse is hundred and seventy nautical miles. A good course for you will be forty-five degrees.»

«Okey,» svarer Trean.

Ubåtskipperen kaster en gjenstand mot livbåten. Halvor tenker at det er en stor håndgranat, formet som ei flaske. Han huker seg sammen, forberedt på smellet.

Trean griper gjenstanden i flukten.

Den er av glass! Ei flaske, ingen granat.

Trean legger flaska i bunnen av båten.

«Gute Reise!» roper ubåtsjefen og gjør honnør med ei hånd til skipperlua.

Trean svarer ikke, men gjør honnør med ei hånd til strikkelua.

En av Schmeisser-gastene skyter en salve rett opp i snølufta.

«Bist du blödsinniger, verdammte Idiot!» roper skipperen til gasten.

Halvor tenker at ubåtskipperen er dus med folka sine. Han sa ikke «Sie», men «du».

Gastene bak kanonen kaster noen små esker av tre ned i livbåten. Så trekker de med vante bevegelser et deksel av gummiduk over kanonen, fester dekselet i klamper på dekk og surrer lynraskt et reip stramt rundt foten av stativet kanonen er montert på.

De fire gastene forsvinner ned i luka på dekket. Luka skalkes nedenfra.

Skipperen blir borte fra brua.

Det bruser vann over ubåtdekket. I løpet av sekunder er bare tårnet synlig.

Raskt som en sel dykker ubåten. Det siste Halvor ser av den, er radioantennene på tårnet og vimpelen med det fordømte hakekorset.

Jøss, tenker han. Tyskerne seiler under vann med vimpelen vaiende. Det er et spesielt folkeferd, det tyske.

Helvetes forbannede pølsetyskere!

Sa han det, eller bare tenkte han det?

Selv om de ikke lenger er i le av ubåten, biter ikke vinden så kraftig. Har det løya litt? Eller er det bølgene som er blitt mindre? Det fyker i alle fall ikke lenger så mye sjøskvett opp i båten.

«Du var god til å bløffe, Trean,» sier Flise-Guri.

«Det var i samsvar med instruksen vi styrmenn har fått,» svarer Trean. «Vi skal gi fra oss minst mulig informasjon til fienden.»

«Ingen grunn til å gi de satans, forjævlige ubåtsvina riktige opplysninger,» sier Eiebakke.

Når begynte *han*, kristeligheten personlig, å banne?

Trean ber om at Gnisten flyttes inn under seilet, og at han får blankiser å ligge på og blankiser tulla rundt seg.

De flytter Gnisten. Han ynker seg ikke. Morfinen må ha gjort sin virkning.

«Varför var den tyske skepparen så interesserad av vår skeppare?» spør Kalle Svanström.

«Tyske ubåtskippere har tatt britiske kapteiner på torpederte handelsskip til fange,» svarer Trean. «Jeg vet ikke om det har hendt med noen norske kapteiner ennå. Tyskerne prøver å pumpe kapteinene de kidnapper, for kunnskap om alle mulige allierte hemmeligheter som gjelder konvoiene. Kommunikasjon, koder, seilingsruter.»

«Använder tyskarna tortyr?» spør Kalle.

«Det sies at det har vært brukt torturmetoder om bord i ubåtene. Og det spekuleres i om tyskerne holder britiske kapteiner som gisler for å bytte dem mot tyske piloter som er blitt skutt ned over England, men som har overlevd på grunn av fallskjermene.»

«Hvorfor spurte du ikke om tyskerne hadde sett den andre livbåten?» spør Helge.

«Jeg ville ikke røpe at det finnes en livbåt til,» svarer Trean. «Da kunne tyskerne ha begynt å jakte på den andre livbåten i håp om å finne kapteinen.»

Halvor tenker at vinden *må* ha løya, siden det er mulig å oppfatte det Trean sier, selv om han ikke roper.

«Hvordan faen fant ubåten *oss*?» spør han.

«Ubåten må være utstyrt med en veldig avansert hydrofon,» svarer Trean. «Ubåtskipperen har nok funnet oss ved å bruke lytteapparatet. Han har greid å høre den vesle lyden livbåtpropellen vår lager. Kan noen løse meg av ved roret? Rønning?»

Rønning tar rorkulten.

«Kurs?» spør han.

«Hold bare opp mot vinden,» sier Trean. «Vi skal ikke prøve å finne den andre livbåten. Vi risikerer bare å lede ubåten til kapteinens båt. Dessuten er det som å lete etter nåla i høystakken i dette snøværet. Vi setter kursen mot Island. Er vi enige om det?»

Det ropes «ja» og nikkes. Til og med kverulanten Eiebakke nikker.

«Jeg må sjekke i kartet før du får en kurs, Rønning,» sier Trean. «Og før det må jeg få plaster på fingra. Ellers blir det et jævlig blodsøl i kartet. Det skal finnes dassruller her i båten. Kan noen finne en rull til meg?»

Skvalpeskjæret finner dassruller i et skap.

«Dere skal ikke få gleden av å se meg sitte og drite over rekka,» sier Trean.

Han tørker av de blodige fingrene med papiret. Halvor setter på plasterlapper. Nå sitter plasteret.

Trean finner fram et sammenbrettet kart fra veska si. Han bretter ut kartet. Det blafrer, og Halvor er redd det skal bli tatt av vinden.

«Femogførti grader var ikke noen dum kurs,» sier Trean. «Vi justerer for avdrift og misvisning på kompasset. Har vi noen lærreimer?»

Flise-Guri spør om det holder med et par bukseseler.

«Seler er bra,» svarer Trean.

Flise-Guri tar av seg regnfrakk og vindjakke, hutrer, fikler med bukseselene sine, får dem av og gir dem til Trean. Trean surrer kompasset fast til aktertofta med selene. Han lyser på kompasset med lommelykta.

«Du kan styre femogtredve grader, Rønning. Ta lykta, men bruk den bare en gang iblant. Vi må spare på batteriene.»

«Det lå ekstra batterier i skapet med dassrullene,» sier Skvalpeskjæret.

«Bra,» sier Trean. «Likevel sparer vi på batteriene.»

«I skapet lå det også nødraketter.»

«Nødrakettene, ja, for faen!» sier Trean. «Jeg min tulling hadde glemt nødrakettene.»

Rønning spør om noen kan låne ham et par votter.

Geir Ole har gode sjøvotter på seg. Han leiter under jakka si og finner fram et par ekstra votter som han gir til Rønning. Han finner også fram ei vinde med et fiskesnøre og blanke kroker.

«Skal du dorge?» spør Erasmus. «Makrellsesongen er vel over nå?»

Geir Ole svarer ikke.

Trean løfter opp flaska ubåtskipperen kastet til dem. Han åpner en av eskene.

«Captain Morgan's rom og brasilianske cerutter,» sier han. «Vi kan vel trenge en støyt og en liten sigar?»

«Vent litt!» roper Eiebakke. «Brennevinet kan være forgifta.»

«Tullpreik,» sier Flise-Guri. «Hvis tyskerne ville drepe oss, hadde de plaffa oss med kanonen eller maskinpistolene. De tyske ubåtfolka er livsfarlige fiender. Men de er også sjøfolk. De er ikke uhyrer som forgifter motstanderne sine.»

«Jeg synes det er galt å ta imot gaver fra fienden,» sier Eiebakke.

«Kyss meg i ræva,» sier Erasmus.

«Jeg er motormann og din overordnede,» sier Eiebakke. «Jeg finner ingen grunn til å ta imot sleivkjeft fra deg.»

«Her i livbåten er vi vel alle en slags likemenn,» sier Erasmus.

Demonstrativt tenner Erasmus en av de små sigarene.

«Forkastelig!» fnyser Eiebakke.

«Sildebogen, du får få den første drammen,» sier Trean.

Et krus med rom blir rakt til gamle Åge. Han drikker begjærlig og sier: «Prosit!»

«Tveiten er nestemann,» sier Trean.

Flise-Guri sier «skål!» og løfter kruset. Får han drammen i vrangstrupen? Han hoster skrekkelig. Det er ikke en dram-i-vrangstrupen-hoste. Det er en rallende hoste.

Alle, bortsett fra Eiebakke, tar seg en real støyt rom.

«Vi får vel snart få i oss noe brød,» sier Trean. «Men før det er jeg nødt til å holde en liten prediken. Kan alle mann høre meg?»

Det ropes «ja» og «greit».

«Vi er i havsnød. Det er heldigvis ingen *akutt* havsnød. Vi er ganske godt utstyrt for å takle brasene. Vi hadde uflaks med snøvær og kulde så tidlig i oktober i dette farvannet. Samtidig ser vi ut til å ha flaks med at vinden har minka til liten kuling. Vårt største problem er at vi er altfor mange mann om bord i forhold til det båten er beregna på. Det betyr at jeg må være knipen med vannrasjoneringa, og kanskje også med skipskjeksen etter hvert. Det blir trangt om plassen og vanskelig å få strakt seg ut når dere skal sove.

Men dere *må* sove, om dere så må ligge tvikroka. Det viktigste for oss nå er *disiplin*. Det er noe som heter å ha system i galskapen. Vi må ha system for å *unngå* galskapen. Hver mann må sette kollektivet foran seg sjøl. *Alles* overlevelse foran sin egen overlevelse. Er vi enige om dette, karer?»

Det ropes «ja», og Cheng roper «yes!».

«Viktigst er vaktsystemet. Så lenge været er såpass bra som nå, og vi går for motor, går vi totimersvakter med fire mann på hver vakt. En fra maskinen passer motoren. Dekksfolkene skal løse hverandre av ved rorkulten hver halvtime. De som ikke har rortørn, holder skarp utkikk. Det viktigste er å se etter *skip*. Hundreogsytti nautiske mil høres kanskje ikke så langt ut. En sånn distanse gjorde *Tomar* unna på elleve–tolv timer. Vi må regne med ei seilingstid på kanskje ti–tolv *døgn*, i verste fall, med kontrari vind. Da vil det gå på stumpene mot slutten, både når det gjelder mat, vann og krefter. Vår største sjanse for livberging er at vi blir plukka opp av et skip. Jeg skal vise hver og en av dere hvordan nødrakettene fyres av. Det skal være et dusin raketter. Stemmer det, matros Nilsen?»

Skvalpeskjæret kikker inn i skapet og sier: «Ja, det er like mange raketter som Jesus hadde disipler.»

«Bruk ikke formastelige ord om Herren!» roper Eiebakke.

Trean overhører ham.

«Hvis skip observeres, fyrer vi heller av én rakett for mye enn én for lite,» sier han.

«Hva gjør vi når vi begynner å seile, eller hvis vinden hardner?» spør Flise-Guri.

«Da får vi vurdere å sette timesvakter med fire mann på hver vakt. Klokka er nå straks toogtjue, og vi setter første vakta.»

Er ikke klokka mer enn ti? tenker Halvor. Han synes det har gått uendelig lang tid siden *Tomar* gikk ned.

«Hvem tar første vakta?» spør Trean. «Rønning, du er allerede på plass. Du tar vakt. Okey?»

«Okey.»

«Tveiten?»

«Vet ikke om det er så fornuftig,» sier Flise-Guri. «Jeg kjenner meg jævla heit og tror jeg har feber. Kjenn på panna mi, Trean.»

Trean legger hånda på panna til Flise-Guri.

«Ja, du er veldig varm,» sier Trean. «Ta deg en dose Globoid, kryp under seilet og tull deg inn i en blankis.»

«Har vi nok Globoid?»

«Globoid er det eneste vi har nok av. Vi har en blikkboks som er stappa full. Det vi har lite av, er morfin. Den får vi spare til Gnisten. Da er det altså forbudt å skade seg alvorlig, karer!»

Noen ler, og Halvor er blant dem.

«Maskinfolka får finne seg i å gå dekksvakter,» sier Trean.

Igjen blir det ledd. Halvor legger merke til at Geir Ole ikke ler.

«Smører Jondal, tror du at du kan greie å styre båten?» spør Trean.

«Ja, jeg tror det,» svarer Erasmus. «Da jeg var guttunge, rodde jeg laksefiskere på Numedalslågen. Så jeg er båtvant.»

«Godt. Da tar du vakt.»

«Jag kan styra,» sier Kalle Svanström. «Jag var en jättebra kajak-padlare i unga år.»

«Da tar du vakt,» sier Trean.

«Hva gjør vi med dekke for sjøsprøyt når vi setter seilet?» spør gamle Åge.

Flemming fra Fyn tar ordet. Det tar litt tid før de forstår hva forslaget hans går ut på. Men det virker vettugt. Dansken foreslår at de skal sy sammen regnfrakker og bruke til presenning.

«Eiebakke, passer du motoren?» spør Trean.

«Naturligvis, hva tar du meg for? Ei pyse?»

«På ingen måte. Da kommer mitt siste predikenord,» sier Trean. «Det er disiplin, disiplin og atter disiplin.»

Båsen har vært helt fraværende under Treans tale. Nå rykker han til.

«Hvem snakker om disiplin?» roper Båsen og ser seg omkring. Han har litt fråde i munnvikene. «Disiplin er for *kadavre*, ikke sant gutter? Hvorfor er ikke kaptein Ditleff i båten her?»

«Kaptein Ditleff?» sier Trean.

«Har dere latt kaptein Ditleff gå ned med *Tranquebar*?»

«Nå rører du fælt, Georg,» sier Flise-Guri.

«Hvorfor kaller du meg Georg, gamlefar? Alle på *Tranquebar* kaller meg Goggen. Dekksgutt Goggen, det er meg.»

«Vi kommer ikke fra *Tranquebar*,» sier Flise-Guri. «Vi har havarert med *Tomar*.»

«Ja, du kan spøke, gamle ørn,» sier Båsen. «Vi skal liksom ha havarert med en *tomat*?»

«Skipets navn var *Tomar*.»

«*Tomat*? Det skulle tatt seg ut som skipsnavn! M/S *Tomat* av Grønnsakhavn. M/S *Tomat* av Gartnerløkka! M/S *Tomat* ble sjøsatt fra verftet Drivhuset, hva?»

«Nå må vi få slutt på dette tøvet,» roper Trean. «Skjerp deg, båtsmann Jørgensen!»

«Hvem er du som prøver å gi meg ordre?»

«Jeg er tredjestyrmann Kvalbein, og jeg har kommandoen i denne livbåten.»

«*Du*? Kommandoen? Du er jo bare en valp. En haramynt valp!»

«Hold kjeften, Georg!» roper Flise-Guri. «Vi vet at du er grovkorna, men nå går det over støvleskaftene.»

«Ett drittord til fra deg, Jørgensen, og jeg får deg lagt i reimer!» roper Trean.

«Hold tåta, din oppblåste drittsekk,» roper Båsen. Han griper den brukne åra og begynner å fekte med den. «Vi gjør *mytteri*, gutter! Mytteri!»

Et av slagene hans med den oppflisede åretuppen sneier rett under nesa på Trean.

«Få'n uskadeliggjort!» roper Trean.

«Mytteri, mytteri, tyttebærli!» roper Båsen og svinger voldsomt med åra. De fire som sitter nærmest ham, må dukke.

Halvor gir et tegn til Kalle Svanström, som gir tegn til Cheng. Cheng gir tegn til Flemming fra Fyn. Det er disse fire som sitter nærmest Båsen.

«Mytteri, mytteri, tyttebærli og skolefri!»

Kalle spretter opp fra tofta og slår et svingslag som treffer Båsen i magen, rett i solar plexus. Båsen brekker sammen som en knekt fyrstikk. Flemming fra Fyn river beina vekk under ham. Halvor og Cheng griper tak i hver sin av Båsens armer.

Flise-Guri har kappet stumper av linene til seilet. Mens de fire holder, binder han Båsen fast til den midtre tofta. Båsen remjer som en stut.

«Sett knebel på'n,» roper Trean.

Flise-Guri får seilduksstrimler fra flere av gutta og knebler Båsen. En blankis pakkes rundt ham.

«Bra jobba,» sier Erasmus til Halvor. «Det var sannelig en internasjonal operasjon dere gjennomførte mot den ravgale Båsen, med deltakere fra fire forskjellige land. Reine Folkeforbundet, bare mer effektivt.»

Stuerten kommer fram med brødsekken.

«Hvordan greide du å få med deg en sekk brød?» spør Trean.

«Jeg hadde sekken stående på lugaren for påkommende tilfeller,» svarer stuert Dyrkorn. «Det er tørt brød, men helt all right.»

«Del ut et kvart brød til hver mann,» sier Trean. «Dere må greie dere uten vann til brødet, karer. Neste vannutdeling blir ved daggry. Du ser så innihelvetes bekymra ut, Dyrkorn.»

«Jeg frykter for hva som kan ha skjedd med mine folk,» svarer stuerten. «Etter det første torpedotreffet sendte jeg kokken, annenkokken og byssen til byssa for å fylle noen spann med varm suppe. Jeg tenkte suppa ville komme godt med hvis vi måtte gå i båtene. Jeg er redd for at hele kabyssen ble sprengt bort da den siste torpedoen traff det aktre midstkipet.»

«Vi får tro at de tre er i kapteinens båt,» sier Trean. «Dere andre som var ved livbåtene på det aktre midtskipet, hvordan kom dere unna eksplosjonen?»

«Vi flög som faen,» sier Kalle. «Motormann Eiebakke ropade at han såg en periskop. Vi tenkte at ubåten kom til å fyra en ny torped. Eiebakke ropade 'spring, i Jesu namn'. Og vi sprang alla mann för livet mot forra mittskeppet. Så small det i aktra mittskeppet.»

«Stemmer dette, Eiebakke?» spør Trean.

«Det stemmer,» svarer Eiebakke.

«Det var en våken observasjon av periskopet.»

«Herren så i miskunn til meg og ga meg klarsyn.»

«Akkurat,» sier Trean, uten synderlig overbevisning om at det var Herren som viste Eiebakke periskopet. «Skramstad og Gaukvær, dere har frivakt fram til midnatt. Kan dere jobbe litt overtid?»

«Ja vel?» svarer Halvor.

«Jeg regner med at motoren kutter ved midnatt. Da må vi sette seilet. Kan dere to snurpe sammen regnfrakker til ei slags presenning?»

«Greit,» sier Halvor.

Trean gir ham et læretui med seilmakernåler, seilmakerhanske og saks, og en bunt seilgarn.

«Jeg forlanger ikke noe korsstingsbroderi,» sier Trean.

Halvor må flire. Geir Ole trekker ikke på smilebåndet.

De to skjærer opp regnfrakker. Halvor syr. Det er ikke lett i mørket. Han får låne lommelykt av Rønning, og da går syinga bedre. Geir Ole svinger saksa, mutt og stille.

«Opp med humøret, Kokkovær,» sier Halvor. «Dette går bra. Legg merke til at vinden har spakna, og at snøværet ikke er så tett. Se hvordan en sotengel som Erasmus styrer båten som om han aldri skulle ha gjort annet.»

Vinden har kanskje ikke spakna noe særlig. Det blåser stadig liten kuling fra vest-nordvest, og vinden har med seg tett snødrev. Erasmus styrer ganske vinglete, så det av og til slår sjøsprøyt over båten.

«Æ frys på køddan,» sier Geir Ole. «Og på fingran.»

«Kødderasket er det siste vi fryser av oss,» sier Halvor. «Nå syr jeg fire regnfrakkermer om til overtrekk som du kan bruke på vottene dine og jeg på hanskene mine. Jeg kan ofre regnfrakken min siden jeg har oljehyre på meg. Men jeg ofrer faen ikke hetta. Klipp den av.»

Geir Ole klipper av hetta.

«Nå syr du hetta fast til kragen på pilotjakka mi,» sier Halvor. «Prøv å la være å stikke meg til blods med nåla.»

Geir Ole gjør som han blir bedt om.

«Bra,» sier Halvor. «Resten av denne presenningsjobben greier jeg aleine. Kom deg inn under seilet til gamlekara og ta deg en times strekk.»

Geir Ole kryper inn under seilet.

«Da har vi laga en slags presenning,» sier Halvor til Trean, og lyser med lykta på den improviserte regnfrakkpresenninga.

«Sånn skal det være,» sier Trean. «Nød lærer naken kvinne å spinne.»

De tenner hver sin sigarett og skjermer gloa mot vinden i hulhånda. Halvor ser på Båsen, som sitter bastet og bundet til tofta.

«Hva tror du det var, det som gikk av Båsen?» spør han.

«Det vet da faen,» svarer Trean. «La du merke til fråden rundt kjeften hans?»

«Ja.»

«Kanskje Båsen fikk et slags epileptisk anfall.»

Trean og Halvor blir sittende i taushet. De lytter til vindens uling og bølgenes brus.

«Har du trua på at vi kan nå Island?» spør Halvor.

«Ja,» svarer Trean. «Får vi så god bør vestfra som vi har nå, kan vi være ved neset utafor Reykjavik om tre–fire døgn. Det er toppmålt tåpelig at vi ikke har en batteridrevet radio i båten så vi kunne høre værmeldinger. Jeg tenkte jeg skulle foreslå radioer i livbåtene før vi avgikk fra Halifax. Men så kokte det bort i kålen.»

«Vi skal greie oss, akkurat som Odyssevs,» sier Halvor.

«Får håpe vi slipper å reke rundt på havet like lenge som den greske sjøfareren,» sier Trean.

Kapittel 57

Like før midnatt stopper motoren. Det er tomt for bensin. Snøværet har gitt seg. Månen skinner nå på livbåten med sytten mann om bord. De fleste sitter lent opp mot ripa. Noen har lagt seg ned i bunnen av båten. Der ligger de tett som sardiner i boks. Alle har lagt blankiser over seg eller tulla seg inn i dem. Mange sover, andre sitter og døser.

«Hva gjør vi nå med Båsen?» sier Trean. «Vi trenger linene han er surra fast med, for å bardunere masta og ha som skjøte for seilet.»

Ingen svarer.

«Vi får slippe Båsen fri,» sier Trean. «Hold god vakt over ham.»

Halvor og Cheng løsner knutene. Halvor står klar med den brukne åra for å lappe til Båsen hvis han slår seg rebelsk igjen. De fjerner knebelen fra Båsens munn.

Båsen reiser seg fra tofta. Han ser seg forundret omkring, men sier ingenting. Han strekker på lemmene, slår floke og dumper ned på tofta igjen.

Masta reises og barduneres. Trean setter seg på aktertofta og avløser Kalle ved rorkulten. Seilet settes. Regnfrakkpresenninga strekkes over forre del av båten og tampes fast.

Det kommer så mye vind i seilet at båten krenger kraftig mot styrbord og får et fribord på bare et par tommer. De må ta et rev i seilet.

Trean kommanderer dem som er våkne, til å trekke over til babord, på lo side, for å få bedre balanse i båten.

Cheng haler noe fram fra under jakka. Det er ei flaske Cutty Sark. Flaska går rundt til dem som er våkne. De tar seg en liten sup rett fra flaska.

Cheng finner også fram ei mindre flaske.

«Medicina tradicional de China,» sier han. «Very good for crazy hombre.»

«Det må bety tradisjonell kinesisk medisin for mann som har tørna gæren,» sier Trean.

«Bosun,» sier Cheng. «Gi for Bosun.»

«Det kan vel ikke skade om Båsen får seg en støyt kinamedisin,» sier Trean. «Okey, Cheng. Give a little to our Bosun.»

Cheng godsnakker med Båsen, får ham til å åpne munnen og heller i ham halvparten av innholdet i den lille flaska. I måneskinnet ser det ut som det er noe gusjegrønt skval Båsen drikker. Han hoster og harker. Cheng dunker ham i ryggen og heller i ham det som er igjen på flaska. Båsen gir fra seg hikkelyder. Så begynner han å kvekke.

Halvor tenker en stakket stund at kinamedisinen kanskje vil omskape Båsen til en grønn frosk.

Det skjer ikke. Kvekkinga gir seg, og blankisen blir pakket rundt Båsen igjen.

«Har du seilt en båt noen gang, Skramstad?» spør Trean.

«Nei,» svarer Halvor. «Men Geir Ole har. Jeg skal tørne ham ut.»

Geir Ole er blant dem som har lagt seg i bunnen av båten. Halvor røsker liv i ham.

«Æ vil søv,» mumler Geir Ole.

«Du har seilt sjuøring eller åttebøring eller hva faen det heter der oppe i Vesterålen. Vi har satt seil, og du trengs som rormann.»

«Æ frys så førjævlig.»

«Vi fryser som bikkjer, hele gjengen. Du får stå han av, Kokkovær.»

«Æ får stå han av,» sier Geir Ole. «Æ får stå han av.»

«Hvis du er støl og lemster, får du slå floke og tøye og strekke,» sier Halvor.

Geir Ole tøyer og strekker. Han setter seg på aktertofta og griper rorkulten.

Trean ber Halvor se til Gnisten og gamlekara under regnfrakkpresenninga.

Flise-Guri snorksover. Nei, han snorker ikke. Han har en ralling i pusten som Halvor ikke liker å høre. Panna hans er varm som en vedfyrt ovn i ei tømmerhoggerkoie.

Gnisten ynker seg da Halvor tar i ham.

«Har vi mer morfin?» spør Gnisten.

«Trean sier at vi må spare på den morfinen vi har. Du får varsku hvis smertene blir uutholdelige.»

Eiebakke ligger våken med foldede hender og mumler. Halvor tror motormannen fra Stokke ber.

«Du burde ha noe på henda,» sier Halvor.

«Bare hedninger har hansker på når de ber,» svarer Eiebakke. «Ikke bry deg med meg, gutt, jeg har lagt min skjebne i Herrens hender.»

Gamle Åge våkner av døsen og sier: «Jeg synes det lukter whisky av deg, Halvor. Er det en whiskydråpe å få seg her om bord?»

«Ja visst,» svarer Halvor. «Om en liten stund, når vi har lært oss å styre for seil, kommer jeg med flaska.»

Mutt og taus sitter Geir Ole ved rorkulten. Men han styrer godt og er flink til å gi akkurat så mye eller lite ror som trengs for at det ikke skal slå sjøsprøyt inn i båten. Halvor og Skvalpeskjæret følger med for å lære seg knepa.

Mens de to lærer seg kunsten å styre en båt under seil, holder Cheng utkikk. Han bruker en kikkert som Trean hadde med seg i veska si, og sveiper horisonten systematisk, trehundreogseksti grader rundt.

Trean har lent seg opp mot aktertofta og sovnet som et barn. Han sitter i veien for rormannen. De som går vakt, har ikke hjerte til å vekke den sovende styrmannen og be ham finne seg en annen plass. Det er da heller ingen annen plass i den fullpakkede båten hvor Trean kan sitte noenlunde komfortabelt.

Halvor tenker at hvis sjøfolk fra en annen norsk båt kunne se dem nå, ville de synes det er merkelig at en kinamann – en messemann! – er betrodd den livsviktige oppgaven å holde utkikk. Men sjøfolk fra andre båter kjenner ikke Cheng.

Folket han kommer fra, i det fattige Kina der levealderen bare er tredve år, blir kalt «Asias syke mann». Cheng er ikke representativ for dette sjuke Kina. Hvis han representerer Kina, må det være et annet, nytt og friskere Kina.

Cheng speider. Han melder ikke om at han ser noe annet enn det Halvor ser, brytende bølger med hvite skumskavler som lyser trolsk i skjæret fra månen. Hav så langt øyet rekker.

Og havet er veldig og øde.

Halvor lyser med lommelykta på kompasset for at Geir Ole skal sjekke kursen. Han holder kursen bra, men seilet blafrer litt.

Geir Ole ber om at skjøtet teites. Det blir gjort.

Gamle Åge kommer kravlende fram, skubber til to sovende

menn og setter seg møysommelig på det vesle som blir av ledig plass på den midtre tofta.

«Hvor ble det av den whiskyflaska?» spør han.

«Sorry,» sier Halvor. «Glømte det.»

Halvor må lyse med lykta for å finne Cutty Sark-flaska. Han ser på den flotte fullriggeren på etiketten. Det var en sånn man skulle ha vært om bord i, den gangen det ikke var krig i verden. Under fulle seil på fredens hav!

Åge vil ikke drikke av flaska. Halvor finner et blikkrus og skjenker opp en slant. Han lyser så Åge skal se.

«Ta meg tusan, den drammen satt,» sier Åge. «Jeg tror jeg trenger en i det andre beinet.»

Halvor skjenker og lyser.

Hva er det med fargen i Åges ansikt? Han var plommerød. Nå er ansiktet hans blitt gulhvitt som skallet på et glasseple.

«Ojsann!» sier Åge. «Det stikker noe jævlig i venstrearmen min.»

Han tømmer kruset.

«Jeg visste at vi kom til å få ei ulykke med *Tomar*. Du husker at jeg sa det, Halvor? Det var de kråkene i Halifax og ... huff, nå stikker det som ville nøkken i brøstet ... og så var det ...»

Åge slipper kruset. Han holder seg til brystet med begge hender.

«Og så var det ... nede ved Australia ...»

«En firbeint skapning,» sier Halvor.

«Ja, det var ...»

Åge smiler.

«Jeg kan si det nå,» sier han. «Ja, nå kan jeg si det, for nå farer jeg.»

«Du farer ingen steder!» roper Halvor. «Vi skal få deg til Island og hospitalet i Reykjavik.»

«For seint,» sier Åge og smiler enda breiere. «Det var den *hesten* ved Australia. En *hest*.»

Åge faller baklengs fra tofta. Han lander på Erasmus Montanus, som ligger i bunnen av båten, og som roper: «Hva faen?»

Halvor ber Erasmus holde kjeft og hjelpe ham med å kjenne etter om Åge har puls. Halvor lyser på Åges hals og prøver med fingertuppene å finne halspulsåren. Han leiter rundt på halsen, men finner ingen puls. Han lyser på Åges øyne. De er vidt oppsperrede. Han gir Åge et par kilevinker. Åges øyne fortsetter å stirre ut i tomme lufta.

Halvor har sett døde folk før. Han så en druknet tømmerfløter bli halt opp fra Glomma. Han så en gamling som ble kalt Migaren, bli trukket fram fra under et tømmerlass som hadde velta over ham. Og en gang han var med faren sin og kjørte lokomotiv, kjørte de over en selvmorder som hadde lagt seg på skinnene nord for Koppang. Faren hans prøvde å få konduktørene til å skjerme gutten sin så han ikke skulle se den maltrakterte kroppen til den overkjørte. Halvor sneik seg til å kikke mellom beina på konduktørene.

Ja, han har sett døde. Men han har aldri før sett noen dø.

«Er gamle Åge dau?» spør Erasmus. «Er han stein dau?»

«Det ser sånn ut,» svarer Halvor. «Vi får purre Trean.»

Han hører en stemme bak seg. Det er Båsens stemme. Er Båsen i ferd med å gjøre mytteri igjen?

Halvor blender Båsen med lommelykta.

«Gi nå faen i å blende meg, Skogsmatrosen!» roper Båsen. «Hvor er vi?»

«I motorlivbåten,» svarer Halvor og senker lykta, men holder et skarpt øye med Båsen. Båsen har ingenting i hendene som han kan slå med.

«Jeg ser da vel for svarte balla at vi er i motorlivbåten,» sier Båsen. «Er det noen som kan ut og inn på livbåtene, så er det meg. Jeg mente hvilken posisjon vi er i.»

«Sørvest av Island. Kanskje hundreogseksti nautiske mil fra neset sør for Reykjavik. Hva kaller folk deg om bord?»

«Hva de *kaller* meg? Det vet du da faen så godt, Skogsmatrosen! Alle kaller meg Båsen.»

«Og du var båtsmann på *Tomar* inntil vi ble torpedert?»

«Om jeg var *båtsmann*? Hva skulle jeg ellers ha vært om bord i *Tomar*? Salongpike? *Fender*? Det er jævlig merkelige spørsmål du stiller. Har det klikka for deg, Skogsmatrosen?»

«Det var *deg* det klikka for,» sier Halvor.

«*Meg?*»

«Ja, du var i villelse og oppførte deg helt sinnssjukt.»

«Gjorde *jeg*? Har du en røyk å by på?»

Halvor tenner en sigarett og gir til Båsen. Han vil også gi en til Erasmus, men Erasmus henger over ripa og spyr.

«Hva husker du fra torpederinga?» spør Halvor.

«Jeg fikk en splint i panna. En stålsplint. Det så ut som det var en beta av dekket. Jeg blødde som en gris. Så sa jeg et eller annet som fikk skipperen til å blåse på topp. Kaptein Nilsen beordra meg over i forre babords livbåt. Jeg husker at jeg stussa over at Granli ikke hadde kommandoen i den båten.»

«Og så?»

«Nei, og så? Faen om jeg vet.»

«Tenk deg om.»

«Jeg tenker,» svarer Båsen. «Men jeg kommer ikke på noe. Var jeg på bærtur?»

«Du var langt oppi tyttebærlia. Du ropte på mytteri og prøvde å slå ned Trean med ei åre.»

«Å, i helsike! Hva gjorde dere gutta da?»

«Vi slo deg ned, bandt deg til tofta og knebla deg.»

Båsen blir stille. Han skjermer sigarettgloa mot vinden og tar noen reale magadrag.

«Da får jeg takke dere for at dere gjorde det eneste rette,» sier han. «Ser jeg all right ut nå?»

«Du er flek, men battet,» sier Halvor.

«Ikke driv ap med meg, gutt,» sier Båsen. «Er jeg bleik?»

«Ikke så bleik som du var da galskapen sto på.»

«Hvorfor henger han smører'n over rekka og vrenger seg? Hvorfor ligger Åge på ryggen og glaner på månen?»

«Jeg tror Åge er død,» sier Halvor. «Jeg tror det var hjertet som svikta. Erasmus så at han døde, og det var vel et syn han ble kvalm av.»

«Åge? Åge Sildebogen?» sier Båsen. «Gamle Åge *død*? Når skjedde det?»

«Nå nettopp.»

«Gi meg lykta,» sier Båsen.

«Er du sikker på at du er i orden i huet? Du finner ikke på noe dævelskap?»

«Gi meg lykta.»

«Purr på Kalle Svanström!» roper Halvor til Skvalpeskjæret.

Skvalpeskjæret røsker liv i svensken.

«Det var Kalle som knocka deg ut, Båsen,» sier Halvor. «Det minste sprell fra deg, og Kalle slår deg paddeflat.»

«Bra du tar dine forsiktighetsregler, Skogsmatrosen. Hvem har kommandoen i båten?»

«Det er Trean.»

«Hvor er han?» spør Båsen.

«Han sitter ved aktertofta.»

«Sover'n?»

«Ja.»

«Hvorfor er ikke Trean purra når en mann har krepert?»

«Jeg skulle til å purre Trean, men så kom du.»

«Og Granli? Hvor er han?»

«Det ble kaos etter at vi fikk det andre torpedotreffet. Granli er i den andre livbåten,» sier Halvor. Men han tror ikke på det han sier. Han kjenner på seg at Granli *ikke* er i den andre livbåten.

«Hvorfor seiler ikke båtene i følge?» spør Båsen.

«Vi kom bort fra hverandre i snøtjukke.»

«Ja vel. Gir du meg lykta?»

Halvor gir Båsen lykta.

Båsen lyser på Åge og legger en hånd på panna hans.

«Kald,» sier Båsen. «Død. Hold lykta for meg mens jeg lukker øya hans.»

Halvor lyser på den døde Åge mens båsen trekker ned øyelokkene.

«Få lykta tilbake,» sier Båsen.

«Her,» sier Halvor.

«Vindstyrke?» sier Båsen. «Og vindretning?»

«Liten kuling fra vest,» svarer Halvor.

«Temperatur?»

«Rundt null.»

«Hvor mange mann er vi i båten?»

«Sytten, medregna Åge.»

Båsen lyser på mann etter mann med lykta. Fra dem som bare halvsover, kommer det misfornøyde grynt når de får lysbunten i øynene.

«Jeg teller bare tretten inkludert meg sjøl og den døde,» sier Båsen.

«Tre av gamlekara og Gnisten ligger innunder presenninga vi har lagd av regnfrakker.»

«Hva er det med Roy?»

«Brukket håndledd. Det er spjelka, og han har fått morfin.»

«Hvordan presterte han å brekke hånda?»

«Vet ikke,» svarer Halvor.

«Er Flise-Guri en av gamlekara som ligger under presenninga?»

«Ja, og Flise-Guri har feber. De andre to er stuerten og motormann Eiebakke.»

«Feber?» sier Båsen. «Det tåler Flise-Guri dårlig, så skrale lunger som han har. Presenning av regnfrakker var bra funnet på. Men vi skulle for helvete hatt *overbygd* livbåt! Overbygde båter blir et krav fra Union, det kan du ta deg faen på. Hva har Flise-Guri fått for medisin mot feberen?»

«Bare Globoid.»

«Hvem har kommando når Trean sover?»

«Eldstemann som er på vakt; Skvalpeskjæret.»

«Har Trean ordna et vaktsystem?»

«Ja, det er Skvalpeskjæret, Gaukvær, Cheng og jeg som har to-timers vakt nå.»

«*Fire* mann på vakt?»

«Ja, Gaukvær lærer Skvalpeskjæret og meg å seile. Cheng holder utkikk. Skal jeg purre Trean?»

«La'n sove,» sier Båsen. «Nå er været ikke det verste vi kan ha i dette farvannet. Trean trenger å hvile ut så han kan være pigg hvis vi får møkkavær. Jeg skal se til Flise-Guri.»

Båsen tar med seg lykta og kryper inn under presenninga.

Han blir der ikke veldig lenge.

«Ikke bra,» sier han til Halvor da han kommer ut. «Flise-Guri er jævlig maroder. Han sier han får frysetokter. Vi må dekke'n bedre til. Hjelp meg med å trekke pjekkerten av gamle Åge.»

«Trekke pjekkerten av'n? Det kan vi da ikke gjøre!»

«Det *må* vi gjøre, Skogsmatrosen. Åge trenger ingen pjekkert nå. Det gjør Flise-Guri. Dette er ikke tida for å bli sentimental. Sentimentale kan vi bli når vi sitter på første sjappa i Reykjavik.»

Halvor hjelper Båsen med å dra pjekkerten av Åge. Det er en prektig pjekkert av tjukk ull, med blanke messingknapper.

Båten vingler. Det er Skvalpeskjæret som har tatt over ved rorkulten.

Geir Ole kommer framover i båten.

Halvor er redd Geir Ole skal få samme reaksjon som Erasmus ved synet av den døde. Men Geir Ole reagerer ikke i det hele tatt.

Han sier: «Kan æ få buksa? Æ frys så bannsatt.»

Halvor og Båsen tar av Åge støvlene, trekker buksa av liket og gir den til Geir Ole. Det er ei god bukse. Vadmel.

Geir Ole trekker på seg buksa, går mellom sovende og halv-sovende menn, strammer seilskjøtet litt og setter seg ved siden av Skvalpeskjæret på aktertofta.

«Tar du skjerfet til Åge, Skogsmatrosen?» spør Båsen.

«Jeg vil gjerne ha mitt eget skjerf,» svarer Halvor.

«Ja vel?» sier Båsen.

«Det er du som har skjerfet mitt, Båsen. Vi brukte det til å forbinde huet ditt med.»

Båsen tar av seg skjerfet han har rundt halsen, og lyser på det med lykta.

«Skjerfet ditt er stivt av blod,» sier han.

«Det gjør ingenting,» svarer Halvor. «Jeg vil heller ha et blodig skjerf enn Åges skjerf.»

Båsen rekker Halvor skjerfet og vikler Åges skjerf rundt halsen sin.

«Så er det genseren,» sier Båsen.

«Vi kan for faen ikke kle Åge naken!» roper Halvor.

«Tyst, gutt, så du ikke vekker kara! Stuerten så også ganske gåen ut. Han trenger genseren til Åge. Hva er det med stuert Dyrkorn? Hvorfor virker han så klein?»

«Han er lei seg fordi han tror han mista tre av sine folk,» svarer Halvor. «Da den andre torpedoen traff, var kokken, secondkokken og byssegutt Kevin i byssa for å fylle spann med varm suppe. Torpedo nummer to blåste bort halve det aktre midtskipet. Stuerten tror hele kabyssen ble smadra.»

«Hva med alle de andre folka på det aktre midtskipet?»

«Alle sammen sto ved livbåtene. Eiebakke oppdaget periskopet. Han ropte at gutta skulle løpe forover, og det gjorde de. Dermed unngikk vi en total katastrofe.»

«Bra,» sier Båsen. «Det var da enda godt.»

Halvor og Båsen trekker genseren av Åge. Det er en svart- og hvitprikkete islender. Halvor tenker på lusekofta og skautet mora hans hadde på seg da de tok farvel.

Vi sees til sommeren! ropte han så kjekt den gangen.

Kanskje de vil se hverandre igjen en sommer. Kanskje ikke. Aldri mer?

«Skjorta til Åge,» sier Båsen.

«Nå får du for faen gi deg!»

«Roy trenger noe varmt å vikle rundt den spjelkede hånda. Da har vi ikke råd til å la ei god flanellsskjorte bli sittende på en død mann.»

De knepper opp skjorta og tar den av.

«Spurte du Gnisten hva som hendte med ham?» spør Halvor.

«Han skulle dumpe kodebøker som var pakka i ei blykasse,» svarer Båsen. «Kassa var tyngre enn han trodde. Han snubla, falt forkjært, og så sa det knekk. Roy har helvetes vondt, men han greier seg ellers bra, og det samme gjør Eiebakke, som ligger og ber bønner som bare faen.»

Båsen tar på seg Åges lue, som har øreklaffer og fôr av kaninpels. Han får med seg lykta og kryper inn til Gnisten og gamlekara med pjekkerten, genseren og skjorta av ullflanell.

Erasmus sitter og drikker av et krus.

«Har du tappa vann fra tanken?» spør Halvor.

«Ja,» sier Erasmus. «Jeg måtte få vekk den jævlige spysmaken jeg hadde i kjeften.»

«Skjønner,» sier Halvor. «Men du må faen ikke tappe mer. Husk at vi har rasjonering. Det er to kjipe små vanntanker vi har i denne båten. Vi må få Union til å kreve større og bedre utrusta livbåter, beregna på lang seilas.»

«Hvorfor har ikke Union krevd det for lenge siden?» spør Erasmus.

«Vet ikke. Du får spørre Båsen.»

«Hva gjør vi hvis Båsen går bananas igjen?» spør Erasmus.

«Jag är redo,» sier Kalle Svanström. «Jag planerar en högre hook. Rakt åt kjakan på Båsen. Jag skal slå honom til Kvikkjokk.»

Åge ligger død. De er mer enn hundre lange mil fra Island. Likevel må Halvor smile av Kalles ord.

«Hvor er Kvikkjokk?» spør Erasmus. «*Finnes* det virkelig et sted med et sånt navn?»

Kalle sier at Kvikkjokk er en liten plass i Lappland, oppunder fjellet Sarek. Han har vært der på fisketur, og i den trakten er det mange merkelige navn. Han bodde i ei hytte på en plass som het Tjåmotis, og gikk opp på fjelltoppen Ultevis.

Halvor tenker på om han burde ha purra Trean. Kan de stole på at Båsen er okey, at det bare var et forbigående blaff av galskap han ble rammet av?

Båsen kommer ut.

«Jeg får lyse meg sjøl i trynet så dere ser at jeg ikke er klin kokos,» sier han og vender lykta mot sitt eget ansikt.

«Du ser forrykende normal ut,» sier Erasmus.

Båsen vender lykta nedover.

«Jeg mistenker at Flise-Guri kan ha fått et anfall av gammal malaria,» sier han. «Jeg har ikke noe særlig nattsyn ... Hoi!»

Båten krenger over med blafrende seil, og Halvor er redd de vil kullseile.

Han ser at Geir Ole hjelper Skvalpeskjæret med rorkulten. Båten retter seg opp, og seilet buler som det skal.

«Hoisann, ja,» sier Båsen. «Det er godt vi har den rakkeren av en nordlending til å bistå med styringa. Du, Skogsmatrosen, får gå gjennom medisinkista og se om du finner kinin.»

Båsen lyser. Halvor leiter i medisinkista. Han finner et glass merket «Kinin», og et annet merket «Benzedrin». Kinin-glasset gir han til Båsen. Benzedrin-glasset smyger han ned i høyre hanske uten at Båsen ser det.

Det var da Benzedrin kaptein Nilsen tok, og som holdt ham våken?

Båsen kryper inn for å gi Flise-Guri kinin. Halvor tar et par Benzedrin-tabletter. Han håper pillene kan holde ham våken. Så lenge han ikke kan stole helt på Båsen, og Trean må få sove, bør han være våken.

Båsen kommer ut igjen. Halvor kan ikke se ansiktet hans ordentlig i månelyset, men han innbiller seg at Båsen ser trist ut.

«Har vi noe å ete?» spør Båsen.

«Du kan ta et kvart brød,» svarer Halvor og peker på brødsekken.

«Vann?»

«Et halvt krus er rasjonen.»

Båsen sparker borti noe som klirrer. Han lyser med lykta på Cutty Sark-flaska.

«Dæsken,» sier han. «Det hadde gjort seg med en dram.»

«Jeg tror du skal stå over whiskyen,» sier Halvor. «Vi kan ikke risikere at du tipper over igjen.»

«Helvete,» sier Båsen. «Skal jeg stå her og la meg kommandere av en lettmatros fra inni granskauen? Men du har sikkert rett, Skogsmatrosen.»

Halvor tar av seg de fillete seildukssstrimlene, vikler skjerfet rundt ansiktet, setter seg på aktertofta og tar over rorkulten fra Skvalpeskjæret.

Han ber Geir Ole om å bli sittende en stund og rette på ham hvis han gjør feil.

Cheng spør Halvor: «Onde vamos?»

«No comprende,» svarer Halvor.

«Hvor gå?»

«Vi seiler mot Island.»

«What island?»

«Iceland.»

«Islândia?»

Halvor regner med at det må bety Island, så han svarer: «Yes. Islândia.»

Månen seiler over himmelen og daler.

Klokka blir to.

Halvor kjenner at han er oppkvikka. Han mestrer styringa. Bare en sjelden gang blafrer seilet.

«Vaktskifte?» sier Båsen.

«Ja,» svarer Skvalpeskjæret. «Vi får purre motormann Hvasser og maskinist Steiro. Og hvem flere var det?»

«Jeg husker ikke,» sier Halvor. «Jo, det var Eiebakke.»

«Vi kan ikke seile med bare sotengler på vakta,» sier Båsen. «Jeg tar utkikken. Skogsmatrosen ser lysvåken ut og holder sikkert ut ved roret en stund til. Så purrer vi folk når det blir nødvendig. Dere tre som går av vakt, får trøkke dere tett sammen for å holde varmen.»

«Hæslig,» sier Geir Ole.

«Hva er hæslig?» spør Båsen.

«Havet,» svarer Geir Ole. «Storhavet. Ikkje nokka land å se. Ingen øya, ingen fyrløkta. Ikkje en jævla mannskit.»

«Havet er den samme gamle grå Atlant som alltid før,» sier Båsen. «Og du, Gaukvær, er en fiskergutt fra havgapet. Du burde tåle synet av hav bedre enn en sånn innlandstype som Skogsmatrosen. Du har skua hav siden du var en neve stor. Han hadde ikke skua annet enn kongler og granbar før han ble konfirmert.»

«Jeg er ikke konfirmert,» sier Halvor.

Båsen ler og sier: «Nei, kristendommen er vel ennå ikke nådd fram til de innerste dalstrøka.»

Halvor må også le, men Geir Ole ler ikke.

«Æ vil se land når æ e på havet,» sier han.

«Få deg en blund på øya,» sier Båsen.

Geir Ole haler i den døde Åge for å lage seg en liggeplass. Halvor synes det er rart at lugarkameraten hans – den *tidligere* lugarkameraten – synes havet er så fælt, men ikke ser ut til å være skremt av døden.

Cheng leter under den vatterte jakka si, finner en kartong Chesterfield og legger den på aktertofta.

«Muito obrigado,» sier Båsen.

Han tar over kikkerten fra Cheng og setter seg ved siden av Halvor.

De seiler stødig og pent.

«Hva sa du til Cheng?» spør Halvor.

«Jeg sa noe sånt som 'mange takk',» svarer Båsen. «Muito obrigado er det man sier når man har fått seg fitte på sympati av ei enke i Rio de Janeiro.»

«Har du det?»

«To ganger, gutten min. Hun ene var mulatt, og hun andre var køla svart. De var ingen ungmøer noen av dem. Men du vet at jeg foretrekker årgangskvinnfolk.»

Ved tanken på den svarte minnes Halvor sin heite natt med Terezinha. Men han lar tanken vandre videre til Muriel Shannon.

De seiler i natta, og de seiler skarpt, men støtt.

Kanskje odysseen kan ende lykkelig?

Det er fælt å tenke på gamle Åge som ligger død og halvnaken i bunnen av båten. Men han hadde fått levd sitt lange liv, Åge.

Det begynner å lysne i himmelranda i øst.

«Slengte jeg jævla mye dritt da jeg var i villelse?» spør Båsen.

«Ikke jævla mye,» svarer Halvor. «Men det du sa, var no fucking good. Du skylder Trean ei unnskyldning.»

«Hva sa jeg til Trean?»

«Det vil jeg helst ikke gjenta. Og det vil du nok helst ikke vite.»

«Nei vel,» svarer Båsen. «Jeg har ikke for vane å be folk om unnskyldning.»

«Det er du pokka nødt til nå,» sier Halvor. «Hvis du vil gjenvinne respekten hos gutta, må du be Trean om unnskyldning så alle hører det. Høyt og utvetydelig.»

«Jøje meg,» sier Båsen. «Her får jeg ordre av en jypling. En grønnskolling. En liten måsabjønn fra dalom.»

Halvor må glise og sier: «Det får du pent ta imot, Båsen. Det får du la sive inn i treskallen din.»

Vinden spakner.

Båsen løser opp lina de har brukt til å reve seilet.

De seiler og seiler, med Halvor ved rorkulten. Det er som i en merkelig drøm, som verken er et mareritt eller en våt drøm.

«Vi kan vel unne oss en liten tår?» sier Båsen.

«En whiskydram hadde smakt bra,» svarer Halvor. Han tenker: Vi har mista Åge, men fått tilbake Båsen. Og Båsen er en sånn type som overlever alt.

De to drikker slanten som er igjen i flaska.

Halvor gir rorkulten til Båsen, reiser seg og trekker ned oljehyrebuksa, åpner smekken i buksa han har under.

«Hva skal du?» spør Båsen.

«Pisse over ripa.»

«Ikke gjør det. Piss i tomflaska.»

«Hvorfor det?»

«Vanntankene våre er usselt små. Pisset ditt kan vise seg å bli dyrebare dråper.»

Er Båsen i ferd med å bli tussete igjen? Nei, i det svake morgenlyset ser Båsens ansikt helt normalt ut.

«Mener du at jeg kan bli nødt til å drikke mitt eget piss?» sier Halvor.

«I verste fall, ja.»

«Men, for faen, vi ser snart land! Vi seiler med bra bør mot Island.»

«Så lenge det varer,» sier Båsen. «Rundt Island skifter været fort. Nå dabber vinden kanskje helt bort.»

«Da får vi ro,» sier Halvor.

«Det hjelper ikke mye å ro hvis vi får en nordastorm midt i fleisen.»

Fordømte pessimist, tenker Halvor. Men han sier det ikke, og han gjør som Båsen sa. Det er ikke lett å treffe flasketuten, så noen dråper går til spille.

Han gjemmer pisseflaska under en av tiljene i bunnen av båten.

Kapittel 58

Morgenen gryr mandag den 7. oktober.

Halvor dulter forsiktig til Trean.

Trean slår ikke opp gluggene. Han mumler og harker.

«Er du våken?» spør Halvor.

«Ja,» sier Trean. «Men jeg er faen så gruggen.»

«Vi er i livbåten. Du har kommandoen i båten. Båsen gikk berserk. Bli ikke redd når du ser ham. Han er helt i orden igjen.»

«Båtsmann Jørgensen,» sier Trean, stadig med lukkede øyne. «I orden?»

«Ja, Båsen og jeg har gått ei lang nattevakt sammen. Han klikka, men er okey igjen. Været er fint. Det er nesten havblikk. Matros Åge Sildebogen er dessverre død.»

Trean åpner øynene.

«Hva sa du, Skramstad? *Hvem* er død?»

«Gamle Åge. Det var hjertet som svikta.»

«Hvorfor purra du meg ikke da Sildebogen ble dårlig?»

«Han døde momentant. Vi tenkte det var bra at du fikk sove så lenge som mulig. Så du skulle være uthvilt hvis det blir nye strabaser.»

«Hvem er *vi*?»

«Båsen og jeg,» sier Halvor.

«Har du rotta deg sammen med Båsen mot meg?» sier Trean og griper den brukne åra som ligger ved siden av ham.

«Nei, nei. Båsen er i form igjen. Han sitter og styrer båten nå.»

Trean vrir hodet og ser mot plassen ved rorkulten. Halvor synes han skimter et glimt av panikk i Treans øyne.

«Mornings, styrmann Kvalbein,» sier Båsen. «Jeg fikk en splint i huet og et påkommende anfall. Anfallet er over. Du kan være trygg på meg.»

Trean holder åra klar til slag. Han blir sittende og stirre på Båsen uten å si noe.

«Du kan stole på meg,» sier Båsen.

«*Kan* jeg virkelig det?» sier Trean. «Hvis du går amok igjen, blir du bunta sammen og dumpa på sjøen. Er det forstått?»

«Forstått,» svarer Båsen. «Jeg skal ikke gå verken amok eller amøkk.»

«Se her,» sier Halvor og rekker en tent Chesterfield til Trean. «Ta deg en morrasigg.»

«Takk,» sier Trean. Med sigaretten mellom leppene reiser han seg, strekker på seg og tar et overblikk over havet.

«Vindstille og klarvær,» sier han, nærmest til seg sjøl. «Et par–tre varmegrader. Svarte cumulusskyer i nord. Har dere sett noe til den andre livbåten?»

«Nei,» svarer Båsen.

«Andre fartøyer?»

«Nei,» svarer Båsen. «Hadde vi sett skip, hadde vi naturligvis varsla deg. Flise-Guri ligger under regnfrakkene og har høy feber. Han har fått kinin.»

«Kinin?»

«I tilfelle det er gammal malaria han sliter med.»

«Telegrafist Borge?»

«Roy blir ikke lei seg om du setter ei sprøyte morfin i ratata på'n,» sier Båsen.

«Øvrige mannskap?»

«Har det etter omstendighetene greit. Mange har fått seg bra med søvn.»

«Du går med matros Sildebogens pelslue, Jørgensen,» sier Trean. «Hvorfor gjør du det?»

«Vi fordelte Åges klesplagg til dem som trengte det,» svarer Båsen. «Jeg hadde bare en bandasje på huet og tok lua hans.»

Båsen tar av seg pelslua. Morgenlyset faller på den blodige bandasjen.

«Vi må få skifta bandasjen din,» sier Trean.

«Vent med det,» sier Båsen. «Se til Flise-Guri først. Og stuerten.»

«Hvor ligger den døde?»

«Mellom midtre og forre tofte,» sier Halvor.

Trean finner et termometer i medisinkista. Han tar med seg blankisen og går forsiktig framover i båten, innimellom menn som ennå sover, eller som sitter og glipper med øynene mot lyset.

Halvor ser at Trean bøyer seg over liket og legger blankisen over det, og at han så kryper inn under den improviserte presenninga.

Halvor tenner en sigarett. Han burde kanskje ikke røyke. Man blir så tørst av røyken.

Trean kommer ut igjen. Han gransker termometeret og kommer akterover i båten.

«Tømmermann Tveiten har førti komma fem,» sier han. «Jeg tror ikke det er gammal malaria. Lungebetennelse, vil jeg anta. Stuert Dyrkorn virker motløs, men det er ikke noe synlig i veien med ham. Ingen symptomer som jeg kunne registrere.»

«Roy?» sier Båsen.

«Borge spurte om morfin. Det vil jeg vente med å gi ham.»

«Det er sikkert riktig å spare på morfinen,» sier Båsen. «Vi bør begrave Åge.»

«*Begrave?* Hva faen mener du?» spør Trean.

«Vi bør senke liket i havet.»

«Det kan vi virkelig ikke gjøre! Vi må få Åge til Island.»

«Ved å ta vare på en død setter du de levendes liv i fare,» sier Båsen. «Se på de svarte uværsskyene i nord. Her kan begynne å storme når som helst. Vi er altfor mange folk i båten. Vi har minimalt med fribord. Ved å lette båten for åtti kilo flyter vi bedre. Vi bør forresten vurdere å demontere motoren og hive den. Motoren er bare unødig vekt.»

«Jeg hører hva du sier,» sier Trean. «Skramstad, kan du skifte bandasje på Båsen mens jeg studerer kartet?»

Halvor får en rull gasbind. Han vikler av Båsens blodige bandasje. Båsen skjærer tenner da skorpene løsner.

«Blødninga er stoppet,» sier Halvor. «Det blør bare litt der noen skorper ble revet av. Såret ser reint ut. Ingen sårverk.»

«Bra,» sier Båsen. «Kunne du se rett inn på skallebeinet?»

«Nei da,» svarer Halvor. Det er løgn, for han fikk et glimt av Båsens kranium. Men det er en hvit løgn, som skal tjene et godt formål. Det Båsen ikke vet om skaden sin, har han ikke vondt av.

Halvor vikler på gasbind til en turban og fester de løse endene med sikkerhetsnåler.

«Ser jeg ut som en sjeik?» sier Båsen.

«Du ser ut som en indisk slangetemmer.»

Båsen skoggerler.

«Har jeg vondt?» sier han. «Bare når jeg ler.»

Trean må ha pakket veska si med omhu før han gikk i livbåten. Han er godt utstyrt for å utføre kartseilas, med passer og linjal, blyant og viskelær.

«Hvor langt kan vi ha seilt i natt?» spør Trean.

«Vi seilte bra,» sier Båsen. «Men båten er ikke noen skarpseiler, for å si det mildt. Og vi er tungt lasta. Dessuten bremser propellen farta. La oss si at vi gjorde fire–fem knop i gjennomsnitt.»

«Holdt vi kursen greit?»

«Ja.»

Trean måler ut avstanden med passeren og gjør notater i kartet med blyanten. Han sier: «Da har vi gjort unna førti–femti nautiske mil og har kanskje bare hundreogtjue mil igjen.»

Halvor regner på det. Hvis han tar i litt og tenker at én nautisk mil er to kilometer, har de 24 norske mil å seile til Reykjanestá. Fra Rena til Røros er det atten mil. De har altså en bra bit å tilbakelegge. Men ingen uoverkommelig distanse.

Steiro kommer akterover og ber om å få skiftet bandasje på øret. Halvor løsner bandasjen hans, også den er blodig.

«Hva skjedde med deg?» spør Halvor.

«Tryna,» svarer Steiro.

Han forteller at han falt ned fra leideren på vei opp fra maskinrommet etter å ha stoppet hovedmotoren. Da han skulle ta seg for, traff han svensken, Svanström, i øyet med en albue. Akkurat hva det var som gjorde at han reiv opp øret, vet han ikke. Han hadde annet å tenke på. Det gjaldt jo å berge livet.

Øret til Steiro er nesten avrevet. Det henger løst. Halvor sier ikke noe om det til maskinisten. Steiro trenger ikke å vite om det løse øret sitt. Halvor legger på bandasje.

«Jeg ser røyk i nord!» roper Båsen.

De tre andre som er akter i båten, ser i den retninga Båsen peker. Trean løfter kikkerten og gransker røyken.

«Det kan være røyken fra en kølafyrt damper,» sier Trean. «Det er fristende å sende opp en nødrakett, men jeg er redd avstanden er for stor.»

Båsen nikker.

Steiro sier at det kan være røyk fra et vulkanutbrudd på Island.

«Ikke umulig,» sier Trean. «Kanskje vi er nærmere Island enn hva bestikket viser.»

Røyken i nordhorisonten løser seg opp og forsvinner. Da er det ikke en av Sagaøyas vulkaner som har gitt dem et røyksignal.

Båsens rop har vekket flere av de sovende.

«Jeg tørner ut alle mann,» sier Trean. «God morgen, karer. Våkn opp! Det er frokost.»

Søvndrukne gutter og menn våkner til live.

«Som dere ser, er været prima,» sier Trean. «Klokka er halv åtte, og det er tirsdag morgen. Vi har seilt bra i natt og kanskje gjort unna så mye som en tredjedel av distansen til Island. Dessverre har vi hatt et dødsfall. Matros Åge Sildebogen døde i natt, av naturlig årsak. Beklageligvis har vi ikke observert kapteinens livbåt.»

Det mumles og snakkes mann og mann imellom.

«Sildebogen døde av hjerteinfarkt,» sier Trean. «Han hadde lenge hatt trøbbel med hjerteflimmer. Nå blir det utdeling av et kvart brød og et halvt krus vann til hver mann. Vi har brukbart med sigaretter og har ennå ikke begynt på røyklageret vi har i båten. Likevel vil jeg begrense antallet sigaretter per mann til fire per dag. Før dere eter og røyker, vil jeg at dere skal ta litt morra-gym. Opp og tøy og bøy!»

«Skal vi hoppe bukk?» sier Erasmus Montanus.

«Nei,» sier Trean med en liten latter. «Men dere skal snart få svinge årene og ro. Det er en ting vi må avgjøre. Her vil jeg ta dere med på råd. Kan noen hente motormann Eiebakke?»

Eiebakke blir hentet.

«Vi har to muligheter når det gjelder Åge Sildebogen. Vi kan gi ham en begravelse i havet. Da letner vi båten, noe som kan være en fordel hvis vi får uvær. Eller vi kan bringe Åge til Island.»

Eiebakke roper: «Det finnes bare ett alternativ! Det er å bringe den døde til Island, slik at han kan bli begravd i kristen jord. Skal vi kaste ham på havet når vi ikke er i virkelig havsnød? Nei, det vil være en forbrytelse i Herrens øyne. Det vil være barbari!»

Det nikkes samtykkende, og det sies «Island», «Åge til Island».

«Da beholder vi Åge om bord,» sier Trean. «Det er et annet tiltak vi kan gjøre for å letne båten. Vi kan dumpe motoren.»

«Dumpe en førsteklasses motor fra Fredrikstad?» roper Eiebakke. «Det er meningsløst!»

«Nei,» sier Steiro. «Det gir bra meining. Vi treng ikkje motoren.»

«Da går motoren på havet,» sier Trean. «Er det noen mulighet for å få skrudd av propellen?»

Steiro sier at da må det sendes en mann i sjøen med en skifte-nøkkel. Det vil han fraråde, fordi vedkommende kommer til å fryse bæra av seg. Det er også mulig å trykke ut propellakslingen. Men det kan bli vanskelig å plugge den åpne hylsa.

«Da beholder vi propellen,» sier Trean. «Vi har bare fem hele årer. Derfor ror vi med fire mann. Hvem melder seg til å ro?»

«Hoi!» roper Eiebakke.

«De gamle er eldst,» sier Trean.

Det leites og rotes under blankiser og tiljer før alle de fire nødvendige åregaflene og seilduksposen med motorverktøy kommer til rette.

Seilet tas ned og pakkes sammen. Steiro og Kalle Svanström begynner å skru løs motorfestene.

Motoren løftes av mange mann, dumpes og lager et realt plask.

«Vi beholder motordekselet,» sier Trean. Dekselet er av godt olja kryssfiner og vanntett.

Årene stikkes ut.

«What shall we do with the drunken sailor?» roper Trean.

«Put him in the longboat and wet him all over!» svarer roerne, ikke helt i takt.

«Hold takta! What shall we do with the drunken sailor?»

«Put him in the longboat 'til he's sober!»

Halvor gomler brød og kjenner øyelokkene sige igjen. Han vil ikke tørne inn før han ser sola stige av hav.

Klokka åtte kommer sola opp, rød og stor.

«Et fly!» roper Helge. «Et fly rett foran sola.»

Halvor speider mot sola. En svart silhuett med vinger synes foran solskiva.

«Fuggel,» sier Geir Ole.

Det er han som får rett. For aldri har noe sjøfly landet på vannet og foldet vingene sammen.

Hva er det som kommer nordfra? Ikke stormvær, men tåkedotter. Det er da merkelig at tåka kommer når sola stiger? Vanligvis driver jo solas stråler bort tåka.

Farvannet ved Island må være et fordømt bakvendtfarvann.

Halvor setter seg på plassen der Trean satt. Han døser bort.

Han våkner av at det ropes, det brøles, det dunkes og bankes. Er det nytt mytteriforsøk på gang? Har alle mann tørna gærne? Han gnir søvnen ut av øynene. Det er ingen som slåss. Men folk uler som ulver og dunker årene mot ripa. Helge står og slår på Globoid-boksen med en skiftenøkkel så det høres ut som han spiller på skarptromme.

Båten ligger innhyllet i tjukk tåke.

Så hører Halvor det, gjennom ropene og bankinga. Motordur. Nær ved, veldig nær ved. Lyden av en hurtiggående dieselmotor, kanskje motoren på et lite krigsskip, en korvett.

Trean fyrer av en nødrakett. Den freser rett til værs.

Hva er vitsen med å fyre av en rakett opp i tåka? Selvfølgelig! Hvis tåkedekket er veldig lavt, kan folkene høyt oppe på kommandobrua på båten som de hører motorduren fra, kanskje se raketten når den bryter gjennom tåka og blir hengende i fallskjermen sin og lyse rødt.

Trean sender opp enda en rakett.

Motorduren kommer nærmere.

Helge slår på Globoid-boksen så den sprekker, og eskene med piller triller ut.

Alle mann gauler, og Halvor blir med i dette nye vilde Kor.

Duren er så nær at hvert stempelslag høres, og Halvor føler at han snart kan *ta* på båten som lager lyden. Hvert øyeblikk venter han å se et skipsskrog komme ut av tåka.

Sekunder går og blir til et minutt.

Motorduren fjerner seg.

Ja, duren forsvinner. Den forsvinner i tåka. Den forstummer helt.

«Faen!» roper Trean. «Så jævlig nær ved, og vi ble for faen i helvete ikke oppdaga.»

De som har ropt i kor, banner nå i kor.

«Stopp den ukristelige banninga deres!» roper Eiebakke. «Vil dere påkalle onde ånder eller selveste Satan?»

Halvor ser på klokka si. Den viser tolv, og det er lyst, så det må være tolv på dagen.

«Så du er våken, Skogsmatrosen?» sier Båsens stemme.

Halvor snur seg og ser Båsens ansikt. Båsen sitter ved rorkulten. Pelslua har glidd bak i nakken. Det er blodflekker på Båsens bandasjeturban.

«Vi har opplevd én dårlig ting og én god ting,» sier Båsen. «Den dårlige tingen er at vi ikke ble oppdaga.»

«Og hva pokker er den gode tingen?» spør Halvor.

«At vi ikke ble rent rett i senk. Det hørtes ut som det var en liten kriger som gikk der ute, og krigeren gikk for full spiker.»

«Hvor lenge har vi hatt denne tåka?»

«Siden du sovna.»

«Har ikke du sovet, Båsen?»

«Et par timer. Så våkna jeg og hadde skallebank som om jeg hadde gått på fylla i Katendrecht i to uker i strekk. Kanskje den vesle hjernen jeg har, er løsna? Jeg har hørt om folk som har fått balla i hjulaksel'n, men aldri om folk som har fått *hjernen* i hjulaksel'n.»

Enda så bittert det er at motorduren forsvant, må Halvor flire av Båsen.

Han legger merke til at årene ikke er ute.

«Hvorfor ror vi ikke?» spør han.

«Gutta ble så tørste av å ro,» svarer Båsen. «Og vi har lite vann igjen. *Seriøst* lite.»

Halvor tenner en sigarett.

«Skal vi bare ligge her og drive?» spør han.

«Vi får vente på vind.»

«Hvorfor har en topp moderne motorlivbåt så lite bensin og så små vanntanker?»

«Fordi båten *ikke* er det minste topp moderne,» sier Båsen. «Den er bygd og utrusta ut fra erfaringene som ble høsta i den forrige verdenskrigen. Den gangen ble skutene stort sett torpedert i Nord-sjøen og kystnære farvann. Livbåtene hadde kort vei til land. Nå har vi en krig der ubåtene kan operere i hele Atlanteren. Men vi har ikke livbåter beregna på lang seilas. Det er på grunn av stute-dumme vedtak fra pampeveldet. Jeg skulle gjerne hatt et par pamper fra Union og skipsfartsdirektøren om bord her nå. Så kunne storkara fått seg ei lekse når Trean kunngjør hva vi skal ha til middag i dag.»

«Hva skal vi ha?»

«Maten er ikke noe problem. Det er det forbannede vannet som er problemet. Flise-Guri svetter vanvittig i feber og har voldsomt væsketap. Han trenger mye vann. Ellers blir han ... ja, det er et eller annet fint ord som minner om Norsk Hydro.»

Karene setter seg.

«Da er det middagsleite,» sier Trean. «Jeg øker brødrasjonen til et halvt brød per mann. Men jeg er nødt til å knipe på vannrasjonen. Så den blir et snaut kvart krus. Hvis noen synes de kan avse en slant, trengs den slanten til Flise-Guri. Han er i ferd med å bli dehydrert.»

Rønning spør om det ikke finnes bokser med corned beef om bord.

«Jo, vi har corned beef,» sier Trean. «Men jeg har ikke villet dele ut boksene fordi jeg er redd kjøttet er så salt at det vil øke tørsten deres. Vi har en del sjokolade. Alle vet hvor jævlig tørst man blir av sjokolade, så den venter vi også med.»

«Rosiner?» sier Erasmus Montanus. «Finnes det ikke rosiner?»

«Jo,» svarer Trean. «Godt du minner meg på det. Jeg har aldri likt rosiner. Blir man tørst av rosiner?»

Det mumles «nei», og «nei, ikke spesielt».

«Da blir det ei lita pakke Sunmaid på hver mann.»

Eska med rosinpakker går fra mann til mann.

Vannet blir målt opp og delt ut.

«Jeg sender rundt kruset til Flise-Guri,» sier Trean. «Det er frivillig å gi en liten skvett i det kruset.»

Båsen kan bære et fullt krus inn til Flise-Guri.

Men det er en trist Båsen som kommer krypende ut fra under regnfrakkpresenninga.

Halvor vil ikke spørre. Han tror han vet hva som skjer. Flise-Guri synger på siste verset.

Å, det orker ikke Halvor tenke på!

Han vil heller følge med på Geir Ole. For Geir Ole har slengt ut fiskesnøret og sitter og pilker med vante bevegelser.

«Koss det går, Kokkovær?» hvisker Halvor i Geir Oles øre. «Bit snart fesken?»

«Det e svart hav,» svarer Geir Ole.

«Det er aldri svart hav for en gutt med sånn himla fiskelykke som du har,» sier Halvor.

Trean kommer borttil og spør om Geir Ole kan gi ut hele snøret og se om det tar bunnen. Tar snøret bunn, kan de være kommet så langt nord at de er inne på fiskebankene ved Islands kyst.

Geir Ole gir ut hele det lange snøret sitt.

«Inga botn,» sier han. «Havet e botnlaust. Svart hav, og hæslig hav.»

Trean deler ut twistdotter og gir ordre om at ripa langs hele båten skal tørkes av.

«Dere tørker bort alt saltet som har samlet seg på ripa,» sier han. «Og så sparer dere litt av twisten. Tåka vil kondensere på ripa. Med de reine twistdottene samler dere opp kondensen. Så kan dere suge på dottene for å minske tørsten. Den som fleiper med at han kunne tenke seg en annen dott å suge på, vil bli slengt til haiene.»

«Skal ikke fleipe med dott,» sier Erasmus. «Men jeg vil gjerne gjøre oppmerksom på at det er mange år siden mora mi sa at jeg kunne slutte å bruke sutteklut.»

Det er ingen som ler.

Trean ber Steiro skru løs bensintanken.

Steiro sier at han vil be om at noen andre gjør den jobben. Han synes det kjennes som om det skadde øret hans er i ferd med å falle av, og tror han må ta det litt kuli.

«Varför skal vi skruva lös bensintanken?» spør Kalle Svanström. «Hvis vi er så heldige at vi får regn, trenger vi tanken til å samle regnvann,» sier Trean. «Da må vi først ha skylt bensinrestene grundig ut med sjøvann.»

Kalle skrur løs tanken og skyller den mange ganger med sjøvann.

Halvor har lånt blyanten til Trean, funnet fram dagboka fra lerretsposen og skriver: «Atlanteren sørvest av Island, tirsdag 8. oktober 1940, kl. 17.30.

Tragisk, tragisk.

Flise-Guri, tømmermann Odd Egil Tveiten, trakk sitt siste sukk for en halvtime siden. Båsen satt ved hans side da han døde. Jeg hadde aldri trodd jeg skulle se hardhausen Båsen gråte. Men han grein. Det gjorde vi vel alle. Så forferdelig synd at en mann med all den historiekunnskapen tømmermannen vår hadde, har gått ut av tida, inn i evigheten. Det er ikke til å fatte. Hadde han vært på et hospital i land, hadde livet hans sikkert stått til å redde. Doktorene har mange slags remedier mot feber og lungebetennelse.

Han etterlater seg kone hjemme i Svelvik. De tre barna hans er heldigvis for lengst voksne.

Vi hadde en tåpelig og uverdig diskusjon om hvilket fylke Svelvik ligger i. Erasmus påsto hardnakket at det er Buskerud, som han selv kommer fra. Han ville ikke høre på flertallet, som sa at Svelvik ligger i Vestfold. Vanligvis er Erasmus en vittig hund, men nå framsto han som ei nervøs gneldrebikkje.

Tåka, som har ligget tjukk som graut hele dagen, har nå drevet bort. Vi ser et lite streif av kveldssolas stråler på skybankene på vesthimmelen.

Ingen skip i sikte.

Et lite vinddrag. Fra sør. Ikke fra nord som vi hadde ventet. Vinden monner ikke nok til at vi har satt seil. Alle mann ber til de guder de har, om god bør fra sør.

Jeg skal ha rortørn og håper å kunne styre en båt med vind i seilet.

Tørsten plagsom. Brødet slutt. Vi fikk skipskjeks, populært kalt beskøyter. Vanskelig å få ned tørr kjeks uten å kunne svelge med noe å drikke.

Da tåka forsvant, forsvant også fuktigheten fra ripa.

Vi seiler nå med to døde mann i båten. Det kjennes trist – ulidelig, usigelig trist. De døde ligger under presenningen. Der vil ikke de levende være. Gnisten er i stand til å sitte på ei tofte. Han er medtatt av smertene, men ved godt mot. Eiebakke ser ut til å være i riktig bra slag. Bare han kan få fremme sin tro og kverulere litt, er det neppe noe som kan ta knekken på ham. Stuerten? Hos stuert Dyrkorn virker det som om det ikke er noen hjemme, så fjern er han. Alt han kan snakke om, er at han sendte tre mann i døden for noen spann med suppe.

Det er bra at en skipsoffiser har omsorg for sine underordnede og får dårlig samvittighet når han har gitt dem en ordre som muligens har ført til katastrofe. Men for stuerten har det bikket helt over, inn i tungsinn og svartsyn.

Vi har ikke fordelt Flise-Guris plagg. Trean sa at vi skulle pakke dem tørt og ha dem i reserve. Vi pakket jakke, genser etc. i den tomme brødsekken og fikk stua sekken inn i motordekselet.

Geir Ole fisker. Jeg håper han får noe på kroken, slik at han blir i bedre humør og får tilbake livsgnisten.»

Vinden kommer i små byger. Da blaffer det til i seilet, og Halvor kan styre båten. Så stilner det av, og han mister styringsfarta.

Havet ligger flatt. Det går dønninger, men de er så lange og slake at de knapt merkes.

Det ropes fra karene som følger med på Geir Oles fisking.

«Fast fisk!»

«En diger skrei!»

«Det der er da vel faen ikke en skrei,» sier Helge. «Skreien har skjegg. Dette må være en sei.»

Geir Ole haler inn mer fisk. Det er stor, gild sei på et par–tre kilo. Han fyller en hel pøs med fisk.

Skvalpeskjæret avløser Halvor, som går fram for å se på fisken. Cheng har begynt å skjære en sei i tynne skiver.

«Jævlig bra, Kokkovær,» hvisker Halvor til Geir Ole. «Den fisken trengte vi.»

Geir Ole ber Halvor finne fram primusen.

«Primus?» sier Halvor. «Vi har vel ikke primus om bord?»

«Kordan i hælsike ska vi få kokt fesken?» sier Geir Ole.

Cheng tygger på ei rå fiskeskive.

«Jøss, spiser du *rå* fisk?» sier Erasmus.

«Muito bem!» sier Cheng. «Japan folk spise rå fisk. Japan folk sterk folk.»

Trean åpner corned beef-bokser med bokseåpneren og deler ut.

«Dere kan rulle et par fiskeskiver rundt en klump corned beef,» sier han. «Fuktigheten i fisken vil forhåpentlig nøytralisere saltet i kjøttet.»

Det er verdt et forsøk, tenker Halvor og lager seg en rull.

Huttetu, for en kvalm smak!

«Verdens gourmeter må forberede seg på en ny delikatesse,» sier Gnisten. «Corned beef med rå sei. Skal ikke du prøve, Gaukvær, du som dro fisken?»

«Æ et farsken ikkje rå fesk,» svarer Geir Ole.

Den som virkelig ser ut til å nyte den nye delikatessen, er Flemming fra Fyn. Han stapper i seg fire ruller og klapper seg på magen.

Trean sier at de skal spare på det som er igjen av fisken, filetere den og legge den i lag i pøsen med corned beef som mellomlegg. Da vil saltet i kjøttet bidra til å konservere seifiletene.

Vinden øker på utover kvelden og bringer med seg et lavt skydekke. Det er frisk bris fra sør og ganske mild luft. De fosser mot Island!

Med vinden i ryggen styrer Skvalpeskjæret som en prins.

Halvor gransker horisonten gjennom kikkerten. Ser han et rødt lys i øst? Ei babords lanterne? Nei, det var ingenting, bare innbilning. Det flimrer for øynene hans.

Båsen tar over kikkerten, Kalle tar rorkulten.

Halvor tørner inn. Han setter seg ved siden av Geir Ole, som snakker i søvne, utydelig. Halvor kan bare skille ut enkelte ord, «land», «vatn», «primus», «kokfesk» og «mølje».

Halvor trekker blankisen over seg. Søvnen vil ikke komme. Han *må* ha en røyk, uansett om han blir tørr i kjeften av det.

Ei lita sigarettglo i det store mørket på havet.

Kapittel 59

Halvor bråvåkner av at han hører et smell og så en voldsom blafrelyd. Hva pokker er det som skjer?

Han hører Trean rope, men oppfatter ikke hva som ropes. For det er kraftig vindsus.

Lommelykta blir slått på.

Lyset fra lykta opplyser masta og seilet. Masta er brukket på midten. Seilet henger og slenger som en brukken vinge på en skadeskutt tiur.

«Berg seilet!» roper Trean. «Tørn til alle mann og berg seilet før det fyker faenivold!»

Halvor stuper fram og får tak i den nederste kanten på seilet, den som blir kalt liket. Folk tumler over hverandre for å få tak i hver sin del av seilet. Det virker som om seilet er levende, at det slåss som et vilt dyr. Men de får temma det.

Båten driver med bølgene. Ved rorkulten sitter Rønning. Han prøver å styre så godt det lar seg gjøre. Han har vikla ei rødrutet flanellsskjorte utenpå hetta på regnfrakken sin. Skjorteermene flagrer om ørene på ham og gir trønderen et krigersk utseende. Han kunne vært rytter i hæren til Djengis Khan, som herja på steppene i Asia.

Sjøsprøyten fyker i skumflak inn over båten. I mørket har skummet samme lyse gråfarge som reinlav.

«Båsen, Skramstad, Gaukvær og Nilsen!» roper Trean. «Sett i gang med å reparere masta. Bruk et par årer, og lag ei surring.»

Herregud, som det har blåst opp! Det må da være stiv kuling, minst? Og vinden bringer ikke med seg varm luft sånn som sønnavinden gjorde. Det er en iskald vind. Isvind!

Halvor kjenner frosten hogge til i kinnene og vikler skjerfet rundt ansiktet.

Geir Ole har ikke våknet av mastebrekket og Treans rop.

Halvor røsker liv i ham.

«Vi må fikse masta, Kokkovær.»

«Han tykje kan fikse masta,» svarer Geir Ole. «Æ blir liggandes. Æ streike.»

«Streike? Det er da faen ingen som streiker om bord i en livbåt! Kom igjen.»

Geir Ole rører på seg, men reiser seg ikke.

Båsen har funnet fram to årer og ei line. Halvor og Skvalpeskjæret surrer årene fast til masta og teiter lina så hardt de makter. Halvor trekker av seg buksebeltet og bruker det som ekstra surring.

«Lag rev i seilet!» roper Trean. «Vi får seile med minst mulig seilføring. Det holder med seil så lite som et badehåndkle.»

«Badehåndkle skal bli!» svarer Båsen.

De får opp seilet. Det blafrer vilt, så får de gjort fast skjøtet. Det knaker stygt i masta. Men den holder. De seiler med vinden aktenfra. Rønning får styring.

Selv om de lenser unna for vinden, graver baugen seg ned slik at sjøen bryter inn over båten.

Båsen går akterover og får lykta av Trean, kommer forut igjen, lyser på regnfrakkpresenninga.

«Faen, det er en svær revne i presenninga!» roper han. «Sjøen renner rett gjennom revna. Vi må få ut stuerten.»

«Er stuerten innunder der?» roper Halvor.

«Ja, han krøyp inn og la seg ved de døde.»

Halvor og Skvalpeskjæret får løftet opp stuerten. Han er søkkvåt og kald som en ispinne.

«Er det liv i deg, Dyrkorn?» roper Halvor.

Han hører et svakt «ja».

«Dere får ta og masturbere ham!» roper Båsen.

«Hva i helvete er det du sier?» roper Skvalpeskjæret.

«Båsen mente nok *massere*,» sier Halvor.

De masserer stuerten. De får av ham den våte jakka og genseren, finner fram Flise-Guris genser og jakke fra motordekselet og kler på ham. De gir ham mer massasje.

«Det får holde med knaing,» sier stuerten. «Jeg er for faen ingen brøddeig.»

De river løs et par regnfrakker og lager et slags telt stuerten kan sitte under.

Halvor og Skvalpeskjæret går akterover.

«Kan dere to ta over vakta for Rønning og Stenkjær?» spør Trean.

«Hva er klokka?» spør Skvalpeskjæret.

Trean lyser med lykta på armbåndsuret sitt.

«Klokka er halv to, og vi er altså inne i hundevakta onsdag morgen. Vi får kjøre timelange vakter. Totimers blir for hardt med denne jævla vinden.»

«Hva skjedde med vinden?» spør Båsen.

«Det sprang plutselig opp en kuling fra øst,» svarer Trean. «Jeg har aldri før sett et så brått vindskifte. Nå har vinden dreid på nordøst. Lite gunstig for oss. Vi må bare seile unna vinden. Nytter ikke å styre opp mot en stiv kuling. Hadde enda det lave skydekket kunnet gi oss litt regn.»

Det bryter over baugen.

En eller annen roper: «Hele helsikes havet kommer inn her!»

«Vi får ha et krigsråd, styrmann Kvalbein,» sier Båsen. «Nå *må* vi kvitte oss med de døde. Hvis ikke går båten under, og vi dauer alle mann.»

«Vi behøver ikke noe krigsråd,» sier Trean. «Jeg er faktisk enig med deg. Jeg har ikke lyst til å lide drukningsdøden. Nei, jeg vil faen ikke dø på grunn av Eiebakkes religiøse nidkjærhet.»

Trean lyser med lykta på de forhutlede skikkelsene som sitter og ligger, kledd i oljehyrer og regnfrakker, innhyllet i blankiser – havaristene fra *Tomar*.

Han roper gjennom vinden: «Hør etter, alle mann! Vi må lette båten. Derfor vil det bli en maritim begravelse. Matros Sildebogen og tømmermann Tveiten vil bli senket i havet, i pakt med gammel sjømannsskikk.»

Det kommer ingen protester, selv ikke fra Eiebakke.

Halvor har tatt over rorkulten fra Rønning. Han er glad han slipper å være med på å løfte de døde og lempe dem over ripa.

De døde legges på midtre tofte.

«Reis opp, karer!» roper Trean. «Av med luene, alle sammen. Ber du et Fadervår, Eiebakke?»

«Nei!» roper Eiebakke. «Jeg kan ikke be ved en sådan seremoni.»

«Da kan faen meg *jeg* be Fadervår!» roper Halvor.

Han lirer av seg et raskt Fadervår.

Først slippes Åge, så Flise-Guri. De to hvite kroppene driver bort på det mørke havet.

«Fred være med dere,» roper Trean.

Han gir lommelykta til Halvor og sier «god vakt».

Det er bitterlig kaldt å sitte ved rorkulten. På overtrekket Halvor har lagd til vottene sine, har det dannet seg et lag av rim. Er det saltvannsrim eller kondens fra lufta? Han slikker i seg litt av rimet. Det smaker ikke salt. Han slikker i seg resten.

Skvalpeskjæret løser ham ved roret etter et kvarter. Halvor slår floke, skyggebokser, bøyer og strekker.

Han greier å finne en sitteplass mellom Båsen og Trean, som sitter lent opp mot aktertofta i le for vinden. Han lyser på ansiktene deres. Har Båsens bandasje glidd ned? Nei, Båsen har viklet gasbind rundt ansiktet for å beskytte seg mot frostskader. Trean har fått noen skummelt røde roser i kinnene. Han sitter og dormer, og Halvor vil ikke vekke ham.

Med mye plunder greier Halvor å få tent en sigarett.

«Jeg tar gjerne noen trekk av en røyk,» sier Båsen.

Halvor gir ham sigaretten. Båsen lager ei glipe i gasbindet, får plassert sigaretten på leppene og sier: «Det må se jævla rart ut. En mumie som sitter og røyker.»

Halvor svarer ikke.

Båsen gir ham sigaretten tilbake.

«Har vi nubbesjans?» spør Halvor.

«Til å berge oss? Hvis vinden ikke blir verre og kulda hardere, skal det vel gå.»

«Vi greier ikke å holde kurs mot Island.»

«Vi får håpe vinden dreier igjen.»

Og vinden dreier. Det som er så fordømt, er at den begynner å blåse rett fra nord.

Da timesvakta er gått, overlater Halvor og Skvalpeskjæret styring og utkikk til Rønning og Flemming fra Fyn. Rønning har med seg sin egen lommelykt, så Halvor beholder vaktlykta.

«Bytt plasser hvert kvarter,» sier Skvalpeskjæret til de to. «Den som ikke styrer, får slå floke og steppe for å holde varmen.»

Til Halvor sier Skvalpeskjæret: «Får jeg by Dem opp på en sakte vals, lettmatros Skramstad?»

«Jeg vil heller bokse,» svarer Halvor.

De bokser. De bryter.

De synger, lavt, for ikke å vekke de sovende, og hopper og danser på de kvadratcentimeterne de har til rådighet: «Hoppe sa gåsa, danse sa reven. Så hopper vi, så danser vi, så setter vi oss på huuuuk.»

De blir sittende på huk. Halvor foretar et sveip med lykta.

Skvalpeskjærets øyelokk har glidd igjen. Greier han å sove sittende på huk? Nei, han tipper bakover og lander i fanget til Gnisten. Der blir han liggende. Gnisten dekker ham til med en bit seilduk, en regnfrakk og en del av sin egen blankis.

«Hånda di?» spør Halvor.

«Vondere enn vondest,» svarer Gnisten. «Jeg håper bare det ikke går koldbrann i den.»

«Har du mer seilduk?»

«Et lite flak.»

«Kan jeg få det til å vikle utapå støvlene?»

«Her,» svarer Gnisten og rekker Halvor seilduksflaket.

Halvor tenker at han bør ta en kikk på stuerten. Men han er mer opptatt av hvordan det går med Geir Ole. Han greier å smyge seg ned ved siden av ham. Han strever en stund med å kappe opp seilduken og surre den rundt støvlene sine med seilgarn. Så klyper han Geir Oles nesebor sammen. Nesa er kald som en istapp.

Geir Ole våkner og hiver etter pusten.

«Det var bare meg som kløyp deg i nesa for å få deg til å våkne,» sier Halvor. «Koss det e, Kokkovær?»

«Kulda går gjønna marg og bein.»

«Du må stå opp og røre litt på deg.»

«Æ ligg bra her æ ligg.»

«Du kommer til å fryse deg forderva.»

«Æ vente på taxien.»

«Taxien?»

Geir Ole sier at det snart kommer en taxi. I taxien er det kokekar, primus og dundyner. I taxien kan de koke fisk og ligge under dynene mens de blir kjørt til land.

«Du må ikke tulle sånn, Kokkovær,» sier Halvor. «Jeg blir reint redd for at det skal skje noe med deg.»

Geir Ole svarer ikke.

Halvor finner det lille pilleglasset med Benzedrin i en av lommene sine. Han legger to tabletter på tunga. Vil han greie å svelge dem uten vann? Det går greit med den ene tabletten. Den andre får han i vrangstrupen. Han tror han skal bli kvalt. Han greier å harke opp tabletten, men våger ikke å prøve å svelge den igjen. Han spytter den ut.

Brått reiser Geir Ole seg opp.

Like brått dumper han ned igjen.

«Æ kunne se taxien,» sier han.

«Ikke tull!»

«Æ så frontlyktan.»

«Det finnes ingen taxi ute på sjyen,» sier Halvor. «Du har sett syner. Det er farlig å se syner. Det kan gå trill rundt oppi nøtta di.»

«Frontlyktan,» sier Geir Ole. «Gule frontlykta. Æ må gå og ta den taxien. Ellers må æ dø.»

«Du skal ikke dø, Kokkovær. Går du for å ta taxien, kommer du til å dø. Men du skal ikke gå. Jeg har tatt piller som holder meg våken. Jeg passer på deg.»

«Æ dør.»

«*Du* skal ikke dø,» sier Halvor inn i Geir Oles øre. «Det er de gamle kara som dør i denne båten. Du er ung og sprek. Husker du at jeg sa til deg at du er seig som bikkjeskinn? Bevis at du er det!»

«Æ orke ikkje.»

«Du orker! Tenk på alt hva du kan tegne og male i framtida, Kokkovær. I Reykjavik får vi så mye gryn at du kan kjøpe deg alt en kunstmaler trenger. Hva er det sånne saker heter? Staffeli. Palett. Du kan male akvarella. Du kan ha modella. Islandske jenter skal være de peneste i verden. Du kan male nakne islandske jenter i lange baner. Du kan lage en kalender med nakne damer. Den kan du kalle Geirole's Glamorous Girls. Kalenderen kommer til å selge som hakka møkk. Du vil tjene milliona, Kokkovær. Og du vil få deg så mange hall som du orker. Mannfolka på Island er jo fiskere, hele bunchen. Dermed er naturligvis islandske kvinnfolk eksperter på å gi grundige hall. Hvem vil få flere hall i Reykjavik enn en berømt kunstmaler? Du vil kunne plukke damer like lett som du plukker morella. Kantarella.»

«Kantarella?» sier Geir Ole med svak stemme.

«Kantareller er en sopp vi har sørpå i Norge. En gul, fin matsopp. Der det vokser kantareller, vokser de i mengdevis. Stekte kantareller er godt til laks. Du behøver ikke fiske i havet mer, Kokkovær. Du vil kunne fiske storlaks i de beste lakseelvene på Island. Og du vil kunne velge og vrake i islandske damer, Kokkovær. Tenk på alle de flotte sugemerkene du vil få! Du vil få sugemerker på halsen, på brøstet, på magan. Ja, du vil få sugemerker på selveste snurrebassen.»

Geir Ole svarer ikke. Han har lukket øynene.

Det vil ikke Halvor gjøre. Han vil sitte og stirre ut i natta med åpne øyne. Hjalp det litt for de forfrosne føttene hans at han vikla seilduk rundt støvlene? Det hjalp ikke stort. Han får prøve å sprelle med tærne. Sprelle er umulig. *Bevege* tærne går an.

Det er ei lykke at han har pilotjakka. Den var sannelig verdt sine førti daler!

Han *skal* komme seg velberget i land på Sagaøya. Skjærgårdsøya.

Mit Hjærte blir som
en Fabelhave
med samme Blomster
som Øen eier.
De taler sammen
og hvisker sælsomt,
som Børn de møtes
og ler og neier.

Hvordan var det videre? Halvor synes han hører mors stemme lese.

Mit Øie lukkes,
en fjærn Erindring
har lagt mit Hode
ned til min Skulder.
Saa tætner Natten
ind over Øen
og Havet buldrer
Nirvanas Bulder.

Ja, natta tetner og havet buldrer Nirvanas bulder. Halvors øyne lukkes, som i diktet, og den fjerne erindring om mors stemme legger hodet hans ned til skulderen.

Han må ikke sovne! Han tvinger øynene opp. Tunga er som en tørr svamp i munnen hans. Han skulle gitt en finger for et krus vann.

Nirvana, det er paradis.

Nirvanas bulder.

Bulder, bulder, bulder.

Men hva er dette for en lyd? Det er virkelig ikke Nirvanas bulder, det er lyden av seilet som blafrer. Sjøsprøyt treffer Halvor midt i fleisen, som om noen har slengt en frossen glassmanet på ham. Hvorfor har de tørna båten opp mot vinden?

Månen er framme.

Den lyser på Båsen, som holder rorkulten. Den lyser på Trean, som står med ei stang i hånda, en båtshake.

Hvor er Geir Ole? Halvor famler med hendene etter Geir Ole. Han finner ham ikke! Hånda hans treffer noe mjukt. Det er ei bukse. Det er vadmelsbuksa til gamle Åge, den som Geir Ole tok på seg. Her ligger mere mjukt. Ei jakke. En genser.

«Hva faen har skjedd?» roper Halvor til Båsen.

«Vi har dreid rundt og leiter!» roper Båsen tilbake.

«Etter Geir Ole? Etter *Geir Ole*?»

«Ja, vi leiter etter lugarkameraten din.»

Halvor forstår. Han forstår bare så altfor godt. Det han skulle avverge, har skjedd. *Det har skjedd!*

Sjøen velter inn i båten.

«Vi må tørne rundt igjen!» roper Trean.

«Nei!» roper Halvor.

«Jo, for faen, Skramstad,» roper Trean. «Det er ikke håp om å finne Gaukvær i live. Vi risikerer å drukne, alle mann. Tørn rundt, Båsen!»

Båsen dreier båten så kulingen kommer inn aktenfra.

«Dere er gærne!» roper Halvor.

«Vi gjør det vi må,» roper Båsen. «Det er ikke *vi* som er gærne. Det var kameraten din som var gæren.»

«Geir Ole var for faen ikke gæren!»

«Hold kjeft og ro deg ned, Skramstad!» roper Trean.

Halvor sitter sammenkrøket ved Båsens føtter. Han har prøvd å gråte, men han er så uttørka at det kommer ingen tårer.

«Ta og drikk dette her,» sier Båsen og rekker ham en liten, langsmal blikkboks.

«Hva er det?»

«Tomato juice, kaller de det i Statene. Hermetisk tomatsaft.»

«Hvor kommer den boksen fra?»

«Jeg kjøpte et lite lager i Baltimore. Tomato juice er bra for potensen. Jeg putta et par bokser i jakkelommene før det smalt på *Tomar*. Én boks drakk jeg forrige natta. Av denne har jeg bare drukket halvparten.»

Halvor smaker på tomatsafta. Fysj!

«Jeg tror heller jeg tar en øl,» sier han.

«Sånn skal det låte, Skogsmatrosen. Opp med humøret!»

Halvor tenner en sigarett. Han svelger et par små slurker tomatsaft.

«Hvordan skjedde det?» spør han. «Kledde Geir Ole av seg og hoppa?»

«Ja,» svarer Båsen. «Trean og jeg var på vakt. Månen hadde kommet fram. Plutselig ser jeg en kar stå på den midtre tofta. Naken. Bare iført underbuksa. Det tok noen tiendedels sekunder før jeg fatta hva som var på ferde. Så ropte han. Og sprang på havet.»

«Ropte han om en taxi?»

«Ja, åssen kunne du vite det?»

«Han holdt på å fable om at han skulle ta taxi. At han hadde sett en taxi ute i bølgene.»

«Skjønner,» sier Båsen. «Det hendte også under forrige krig. At folk gikk på sjøen for å ta taxi. Ta trikken. Ta hest og karjol.»

«Hva er det som skjer i huet på folk når de ser en taxi midt i Atlanteren?»

«Lov meg at du ikke tar dette benærmelig opp på vegne av kameraten din,» sier Båsen.

«Jeg skal ikke bli fornærma.»

«Det finnes bare ett ord for det,» sier Båsen og nøler.

«Og det ordet er?»

«Sinnssykdom.»

«Geir Ole var faen ikke sinnssyk!»

«Ikke *varig* sinnssyk, nei. Men *akutt* sinnssyk.»

Halvor gir sigarettstumpen til Båsen. Båsen bøyer seg framover, skjermer stumpen med den ledige hånda og holder den andre hånda på rorkulten. Han tar noen dryge trekk og slenger sneipen på sjøen.

Halvor drikker små slurker tomatsaft. Det er synd at safta er litt saltet og pepra. Tomato juice er ingen tørstedrikk.

«Geir Ole hopper,» sier han. «Og dere bråtørner båten?»

«*Jeg* bråtørner,» sier Båsen. «Trean sto oppreist og glante i kikkerten. Han holdt på å miste balansen og gå på havet i samme slengen.»

«Jeg våkna jo med en gang av at seilet blafra. Dere kan ikke ha lett lenge etter Geir Ole.»

«Du våkna, ja. Jeg hadde mer enn nok med styringa, men så med et halvt øye at du satt en stund og så fortumla ut og klappa på klærne Gaukvær hadde lagt igjen på tofta. Vi lette så lenge det var håp om å finne gutten i live.»

«Det var faen ikke i mange minuttene!»

«Men kjære vene, Skogsmatrosen. Nordlendingen *hadde ikke* mange minuttene. Hvor lang tid har du i dette iskalde vannet, naken og netto, før du stryker med? Toppen to minutter.»

«Han var kanskje blitt sprø, men han var seig. God til å svømme.»

«Om han så hadde vært verdensmester i butterfly, ville han ikke overlevd mer enn et par minutter. Det er én ting du skal håpe på for kameraten din.»

«Ja?»

«Det er at han døde på flekken, av sjokket da han traff sjøen.»

Halvor sitter og prøver å ta dette innover seg. Båsen har sikkert rett. Det beste for Geir Ole ville være at han slapp å bli seigpint. At han slapp å angre på hoppet sitt da han så livbåten forsvinne!

«Jeg prøvde å holde meg våken for å passe på'n,» sier Halvor.

«Det var jo fint tenkt,» sier Båsen. «Men om så hver bidige mann i båten hadde passa på'n, ville Gaukvær sett sitt snitt til å hoppe.»

«Det kan du ikke mene?»

«Jo, det mener jeg. De som utvikler akutt sinnssykdom, utvikler også en slags jævla smartness. I et bevoktet øyeblikk ville Gaukvær gjort det han hadde satt seg fore.»

«Du mener *ubevoktet* øyeblikk.»

«Ja, naturligvis. Jeg og talegavene mine.»

Treans stemme sier: «Jeg har hørt på dere. Det du har sagt, Båsen, er fornuftig. Du er faen ikke så dum som du ser ut til.»

«Takk, styrmann Balkvein,» sier Båsen.

Det begynner å lysne av dag.

«Jeg går litt i surr med dagene,» sier Trean. «Har vi torsdag morgen nå?»

«Nei,» svarer Båsen. «Vi har onsdag den niende oktober.»

«Vi gikk i livbåtene mandag kveld. Det virker som om det er mye lenger siden.»

«Tida faller lang når kusa er for trang,» sier Båsen.

«Spar oss for vulgaritetene dine,» sier Trean.

Men Halvor må flire. Midt oppe i galskap, kulde og død må han flire.

«Jeg går fram til stuerten med genseren Gaukvær la igjen,» sier Trean. Han gir kikkerten til Halvor.

Halvor sveiper horisonten. Det er nesten bedre å være i båten om natta enn om dagen. Havet ser så ødslig ut i det gryende dagslyset. Blygrå sjø. Bølgekammer så hvite som dødningknokler.

Og der ute driver Geir Ole for vær og vind.

Der driver Åge og Flise-Guri. Hvis de ikke har sunket mot havsens bunn.

Ikke et skip å se.

«Fryser du på beina?» spør Båsen.

«Ja, noe jævlig,» svarer Halvor.

«Dra på deg vadmelsbuksa til gamle Åge.»

«De to som har hatt den buksa på seg, har dødd,» sier Halvor. «Jeg kan ikke ha på meg den daumannsbuksa.»

«Pissprat, Skogsmatrosen. Ei bukse dreper ingen.»

Jeg er et moderne menneske, tenker Halvor. Jeg står ikke med én fot i seilskutetidas overtro sånn som gamle Åge gjorde.

Han trekker på seg vadmelsbuksa.

Trean kommer akterover. Halvor synes han ser mye eldre ut nå enn han gjorde før *Tomar* ble torpedert.

«Faen,» sier Båsen til Trean. «Du ser ut som om du skal i din egen begravelse.»

«Det er ikke *min* begravelse jeg skal i,» svarer Trean. «Det er stuertens begravelse.»

«Stuerten er død?» sier Båsen.

Trean nikker.

«Hvordan?»

«Han satt der i bunnen av båten, helt stivfrossen,» svarer Trean. «Han satt rett opp og ned. Som en statue.»

Ingen av de tre ved aktertofta sier noe.

Vinden uler, sjøen buldrer. Ikke Nirvanas bulder, tenker Halvor, men Helvetes bulder.

Båsen bryter stillheten: «Du må passe deg for frosten sjøl, Trean. Du har knallrøde frostbitt i kinnene. Smør på vaselin og dekk til trynet ditt.»

«Jeg får tørne ut alle mann og varsku om nattas begivenheter,» sier Trean. Han reiser seg opp og roper: «Dagen gryr, folkens. Våkn opp!»

Folk setter seg opp. Gnir seg i øynene, strekker seg.

«Det er onsdag morgen,» sier Trean med så høy stemme at den bærer gjennom vindsuset. «Vi har hatt uflaks med vinden og er dessverre ikke kommet nærmere Island. Jeg beklager å måtte melde at vi mistet to mann i natt.»

«Hvem?» roper en stemme. Halvor tror det er Erasmus.

«Lettmatros Geir Ole Gaukvær og stuert Bjarne Dyrkorn.»

Det kommer ingen rop. Folk lar dødsbudskapet synke inn.

Trean taler: «Gaukvær fikk suicidal sinnslidelse og gikk på sjøen. Vi lette, men fant ham ikke. Stuerten døde av forfrysning. Av dette må vi trekke lærdom. De av dere som begynner å se syner, må varsle så vi kan få tatt grep. Alle mann må bevege seg med jevne mellomrom. Opp og stå, karer! Slå floke! Fik til hverandre! Dans tango!»

Lemstre skikkelser reiser seg og begynner å fekte med armene.

«Ingen må slå Roy!» roper Båsen.

«Og ingen må gi Steiro en ørefik,» roper Trean. «Men den som vil kitte igjen det andre øyet på svensken Svanström, er velkommen til det.»

«Jag är redo!» roper Kalle. «Attakera bara, norrbagger! Du också, danske dreng.»

Kalle slår sveipende svingslag rundt seg. Flemming fra Fyn dukker og får inn et balleslag på Kalle.

«Slag under beltestedet er forbudt!» roper Trean.

Halvor tenker at hvis Gud ser dem nå, må de være et underlig syn for Ham. Voksne menn og gutter som bokser med hverandre i en liten båt ute på ville havet!

Men kan det finnes en Gud, en Gud som har så forunderlige veier at han lot Geir Ole se en taxi i bølgene og gå i døden på havet i bare underbuksa?

«Da holder det med slåssing,» roper Trean. «Frokost. Det er bare en skvett vann igjen til hver mann. Jeg vil dele ut sjokolade. Vi har ennå halve pøsen med sei igjen. Spis litt fisk til sjokoladen.»

«Verden har fått enda en ny delikatesse,» sier Gnisten til Halvor. «Lettsaltet, rå sei med Freia kokesjokolade. Menyen på de beste restauranter i Paris må toppes med den vidunderlige retten sei med sjokolade. Hva blir det på fransk, motormann Hvasser?»

«Jeg vet ikke hva sei heter,» svarer Helge. «Men torsk heter 'morue', og torsk og sei blir vel omtrent det samme for pariserne. Så da kan vi kalle retten morue naturel aux chocolat.»

Det høres flott ut på fransk. Morue naturel aux chocolat!

De må le av det, alle tre.

Halvor tygger og tygger på slintrer av sei.

De røyker.

Stuerten senkes i havet. Eiebakke ber Fadervår.

Halvor har frivakt. Han har fått genseren stuerten fikk av ... Hvem var det stuerten overtok genseren fra? Det kan være det samme. Han ruller genseren sammen og legger den som hodepute mellom den stive nakken sin og ripa. Med gamle Åges vadmel på seg fryser han ikke lenger så gruelig på beina og føttene. Men det varer vel ikke lenge før tærne blir som isklumper igjen.

Vindens ul er en voggesang. Han lukker øynene. De skal vel dø, nå, i tur og orden. Stuertens død var som ei pølse i slaktetida.

Han begynner å fnise. Det er jo passende at en stuert dør som ei pølse i slaktetida, og at det siste ordet noen hørte stuerten si, var «brøddeig».

Han må holde opp med den fjollete fnisinga! Han må ikke bli tummelumsk i huet.

Hadde han bare våget å svelge den andre pilla! Da ville Benzedrinen kanskje ha holdt ham våken sånn at han kunne passet på Geir Ole. Men han feiga ut. Han turte ikke svelge ei lita pille!

Hvorfor er han i denne helvetes livbåten? Han skulle gjort som Geir Ole sa. De skulle ha rømt sammen i Baltimore. Han husker ideen han fikk da han hørte saksofonisten på gatehjørnet i Fell's Point. Det var ideen om at Geir Ole kunne slå seg opp som gatemaler, og han som gatemusikant. Der og da var det om å gjøre for ham å få slått denne ideen ut av huet. Men den var god. Den beste av ideer.

De kunne vært i San Francisco nå, Geir Ole og han. De kunne stått på et gatehjørne ved en av de bratte bakkene i Frisco, som han har sett på film. Bakker så bratte at det bare er med nød og neppe sporvognene greier å klatre opp dem. Geir Ole kunne sope inn dollar på å tegne eller male folk. Han sjøl ville spille «Fanitullen», og norskamerikanere som passerte, ville slenge nickels og dimes i lua hans.

San Francisco! Sol. Speilegg. Skåldheit kaffe. Saftige steiker. Vannkarafler med isbiter i, og sitronskiver, for smakens skyld.

Men nå sitter han her i båten og skal fryse seg forderva og dø av tørst og kulde, og den forbannade nordakulingen blåser over det hæslige havet. Hva slags tullinger er det som sier at havet er sjømannens venn? Når havet slår seg vrangt, er det sjømannens verste fiende. Helvetes hav!

Han kunne akkurat nå sittet i en tørr og lun gruvesjakt i Australia. Ja, han kunne vært i landet der små, koselige bjørner ramler ned fra trærne.

Han skulle gjerne vært nede i ubåten som senket *Tomar*. Der har de det godt og varmt. Der steiker kokken koteletter. Det blir en voldsom matos, men den er de vant til. De gnafser i seg feite kjøttstykker. En av ubåtgastene har et trekkspill. En annen kan jodle. Ja, det er sånn de har det nede i ubåten. De spiser og spiller og jodler av hjertens lyst.

Sjøl skal han dø.

Dø? Han kan da ikke finne på å dø? Han skal ikke dø i livbåten! Han skal da vel få se Muriel igjen? Miss Muriel Shannon i Liverpool. Han må holde seg i live for Muriels skyld. Den pasifistiske dritten

Sam Hopkins er ikke noe for henne! Han kan ikke overlate miss Shannon til en falsk fredsengel som mister Hopkins.

Nei, Muriel er *hans*. De skal møtes i heite omfavnelser. De skal krype under ei god, varm dyne og ligge tett, tett sammen. Da skal de elske med hverandre. Det er *dette* som venter ham. Den varme elskoven med Muriel, ikke dødens iskalde kjærtegn.

«Drøm om Muriel!» sier han.

Sa han det så høyt at noen hørte det?

Nei.

De er tretten gjenlevende i livbåten. Det er ikke noe godt tall. Han får la være å tenke på det.

Halvor døser av.

Han våkner av at han får vann i ansiktet. Sikkert sjøsprøyt. Han smaker på væsken som sildrer inn i munnvikene hans. Den smaker ikke salt.

For faen, er det noen som pisser ham i trynet? Har ikke folk lært av Båsen at de må spare på pisset sitt?

Halvor slår opp øynene. Han ser at flere av gutta holder på med et eller annet ved vanntankene. De lager en slags trakter av seilduksflak og regnfrakker.

Det regner! Det regner i strie strømmer, fra herlige regnværsskyer. Vinden har løya.

Halvor lener hodet bakover og lar det regne inn i munnen.

De har spist middag. Fire beskøyter, to striper sjokolade og en halv kopp regnvann til hver mann.

Riktig et herremåltid.

Og vinden har dreid. Nå blåser det liten kuling fra sør.

Gnisten sier: «Klimaet ved Island må sannelig være en gåte for meteorologene.»

Det regner mindre, men stadig sipler det litt dyrebart vann ned i vanntanken, bensintanken og pøsen som det var fisk i.

Klokka ett tar Halvor over ved rorkulten. Skvalpeskjæret gransker horisonten med kikkerten. Sikten er ikke så verst.

Halvor sitter og tenker på gamle Åges smil, smilet før han for. At han kunne si «hest». At han skulle til et sted – hvor det nå måtte være – der det ikke finnes noen tabuer. Ikke Himmelen. Ikke Helvete. Den Store Evighetens Ingenting ved Polstjerna.

«Skip i sikte!» roper Skvalpeskjæret. «Skip ute om babord!»

Trean spretter opp, imponerende kvikt til å være en støl og frossen mann. Han får kikkerten fra Skvalpeskjæret.

«Jaggu er det skip, ja!» roper Trean. «Stykkgodsbåt. Gråmalt. Gjør god fart. Kanskje en nordmann som seiler independent.»

Ropet om skip har fått de fleste i båten til å våkne og speide i den retninga Skvalpeskjæret peker.

Etter et par minutter kan Halvor se skipet med det blotte øye. Det styrer østover på en kurs som vil krysse livbåtens kurs på tre–fire nautiske mils avstand, nord for dem.

Trean finner en nødrakett.

Han fyrer av.

Rødt og vakkert blir blusset hengende i den lille fallskjermen.

Det er det fineste fyrverkeri Halvor har sett. Det er en livreddende rakett.

Han venter på at skipet skal foreta ei kursendring og styre ned mot dem. Der endrer skipet kurs. Men hva i huleste heite? Skipet tørner skarpt *babord over*. Det seiler *vekk fra dem*.

«Helvetes feige jævler!» roper Båsen. «De er ikke sjøfolk på båten der borte, de er forbannede blodhorer!»

«Hva faen tenker de på?» roper Trean.

«De tror at vi er ei ubåtfelle,» svarer Båsen. «De tror at nødraketten ble skutt opp av en ubåt for å lokke dem i fella.»

«Men de må da ha sett livbåten vår?» sier Halvor.

«Båten har de sett, det kan du ta deg faen på, Skogsmatrosen,» sier Båsen. «Jeg vet ikke hva de feigingene har tenkt. At båten var en juksebåt tyskerne har laga av kryssfiner. At vi som er om bord, var pappfigurer. Og så stakk de av med halen mellom beina uten å undersøke.»

«De vil få en grum skjebne!» roper Eiebakke. «De vil se sitt kjød bli fortært i Helvetes svovelpøl.»

«Slapp av, motormann Eiebakke,» roper Trean. «Ingen grunn til å piske opp stemninga.»

Halvor ser akterskipet på feigingbåten forsvinne.

Det er et syn til å grine av, men han griner ikke. Han prøver å holde stø kurs nordover mot Island.

Ett døgn har gått. Kaldt og grått. Men de lever, alle tretten. Ingen har sprunget på sjøen, ingen er blitt frosset til en statue. Skuffelsen over skipet som stakk, gnager i dem. De snakker ikke om det. De snakker i det hele tatt lite.

Det er middag torsdag den 10. oktober.

Samme servering som dagen før, bortsett fra at vannrasjonen er litt mindre og antallet beskøyter og sjokoladestriper litt større. De har ennå bra med røyk, men det begynner å bli dårlig med fyrstikker i de vanntette fyrstikkbeholderne, og lite bensin i lighterne. Hver sigarett som tennes, blir derfor tent med gloa fra en annen.

Det blir mye røyking. Dårlig for tørsten, men bra for marolen.

Vinden har økt på til sterk kuling.

Halvor har satt seg sammen med Gnisten.

«Hvor bliver Island?» spør Gnisten. «Burde vi ikke se Island snart?»

«Kanskje Island ikke finnes i virkeligheten,» svarer Halvor. «Kanskje hele øya er en bløff. Den kalles Sagaøya. Kan hende det ikke er på grunn av de islandske sagaene, men fordi øya bare er et eventyr. Vikingene måtte ha noe å skryte av. Så fant de opp Island.»

«Kan østavinden vi hadde, ha ført oss så langt vest at vi seiler *forbi* Island?» sier Gnisten. «At vi tror vi har kurs mot Island, mens vi egentlig styrer like lukt opp i Danmarkstredet?»

«Det ville være århundrets tabbe å bomme på Island,» svarer Halvor. «Jeg skal spørre Trean når han våkner, om hvordan det er med posisjon og kurs. Akkurat nå sover'n middag.»

Treans ansikt er rødt av frostbitt og glinsende av vaselin. Han burde dekke til ansiktet. Hvorfor gjør han det ikke? Kanskje fordi han vil vise ansiktet sitt til mannskapet.

Halvor og Skvalpeskjæret tar over vakta klokka fire.

Trean er våken, men Halvor spør ham ikke om posisjonen og kursen. Hvis det er en sjanse for at de ikke vil treffe Island, vil han helst ikke vite det.

Halvor styrer mot det som forhåpentligvis er Islands kyst.

Vinden kommer i rosser.

«Jeg liker ikke disse vindrossene,» sier Trean til Halvor. «Det er storm i kastene nå. Vi får ta et rev i seilet.»

Trean roper på Båsen.

«Ta rev i seilet, Båsen! Sett seil på størrelse med en gryteklut.»

«Gryteklut skal bli,» svarer Båsen.

Men før Båsen rekker å omskape seilet til en gryteklut, kommer ei voldsom vindkule som røsker seilet ut av nevene hans. Seilet sliter seg fra skjøtet, det buler seg ut, det river med seg mast og barduner og årene masta var reparert med. Alt sammen fyker på havet og driver unna.

«Skal jeg prøve å vende?» roper Halvor.

«For farlig!» svarer Trean.

Båsen og Skvalpeskjæret er allerede i gang med å sette opp nødrigg. De surrer fast to loddrett stilte årer på styrbord og babord side av den midterste tofta. Så knytter de sammen to gule oljehyrejakker og spenner jakkene ut som et tversoverstilt seil, festet til årene.

Kan det fungere?

Ja, nødriggen fungerer på et vis.

Halvor får styring på båten.

Vindrossene blir verre og verre.

Halvor hører at noe knekker. Han faller framstups og lander på folk som ligger i bunnen av båten.

Hva er det han holder i hånda, i et krampaktig grep? *Det er halve rorkulten.*

«Rorkulten brukket!» roper han.

Båten sjangler som en full mann.

Båsen har greid å trylle fram hammer og spiker. Han spikrer fast den brukne åra han for en halv evighet siden trua Trean med, til det som er igjen av rorkulten. Han dæljer inn spiker. Han vikler rundt lina som var seilskjøte. Teiter lina.

Det blir en slags rorkult av det.

Skvalpeskjæret tar et prøvende grep i nødrorkulten. Han får styring.

Så er de ikke fortapt!

Vill natt på havet. Det blåser full storm fra sør. Båten danser vanvittig fra bølgekam til bølgekam.

Ingen kan sove i slik ei natt.

Det kunne vært en trøst at stormlufta ikke er iskald, den er ganske mild. Men hva hjelper det når de uavlatelig dynkes av iskald sjøsprøyt?

«Se i nåde til oss!» roper Halvor. Han kan godt rope, for det er ingen som hører ham i stormkavet. «Se i nåde til oss i vår bitre nød på havet, Our Lady Star of the Sea! Stella Maris! Santa Maria! Hellige Jomfru!»

Eiebakke har hørt ham. Eiebakke kommer kravlende bort til ham.

«Du skal ikke be som en katolikk!» roper Eiebakke.

«Kyss meg i rasshølet!» roper Halvor tilbake. Skal *det* bli hans siste ord her i verden? Båten raser ned i en bølgedal, den raser og raser. De går under!

Nei, baugen løfter seg.

Halvor får en skjelvetokt. Den gir seg ikke. Han sitter og skjelver som et aspelauv. Han hakker tenner. Han sluker salt sjøsprøyt.

Saltet på leppene gjør ham avsindig tørst.

Regnvannet er for lengst drukket opp.

Han leiter under tilja. Der finner han whiskyflaska. Hadde han noen gang trodd at han skulle drikke sitt eget piss? Nei, det hadde han aldri trodd.

Med valne hender skrur han korken av flaska.

Jeg får innbille meg at det er whisky, tenker Halvor. Årgangswhisky. Lagret i tolv år. På eikefat. De skotske eikefatene gir whiskyen en sur og bitter smak, ikke sant?

«Skål, for faen!»

Han svelger en slurk. Det kunne vært verre. Han stikker flaska innunder pilotjakka.

«Takk, jakke, uten deg hadde jeg vært dødsens.»

Skjelvinga gir seg.

Halvor greier å sette seg opp så han ser det kokende havet og himmelens mørke. Det er et lys der ute. Et skarpt, hvitt lys. Han har sett det lyset før. Hvor var det han så det? I Gudbrandsdalen. På Otta stasjon. Dit hadde han reist sammen med mor. Han hadde potetferie fra skolen. Han var femten år. Men barnslig stolt. Hvorfor var han så stolt? Hva var det de venta på, der i høstmørket i Dalenes dal? Å, det var et beist! Det var et beist som veide hundreogfemti tonn, hvis tenderen med kull og vann var medregnet. For full stim kunne beistet utvikle to tusen hestekrefter og få opp en hastighet på nitti kilometer i timen. Og beistet var bygd i Norge. På Hamar Jernstøberi og på Thune Mekaniske Verksted i Oslo, med deler fra Krupp i Tyskland.

Dovregubben. Det største damplokomotiv Norge noen gang hadde sett. Hvem satt bak spakene, som vikarierende lokomotivfører på Dovrebanen? Det gjorde faren hans. Han hadde kjørt Dovregubben over fjellet som hadde gitt lokomotivet navn.

Nå hørte de den mektige fløyta ule oppe i dalen, tjooo. Nå så de frontlyset på den enøyde Dovregubben.

Og det er dette lyset han nå ser, akkurat som den gangen. Skarpt

748

og hvitt. Litt av lyset reflekteres fra den runde, svartlakkerte front-plata som liksom er ansiktet til Dovregubben. Det er helt utrolig så tydelig han ser Dovregubbens ansikt.

Han nynner: Dovregubben, Dovregubben, tjoooo, tjoooo, tjooo.

Kan han høre de svære hjulene skrike mot skinnene? Nei, det kan han ikke. For faren hans bremser forsiktig opp.

Far vil ikke ha noe ulyd, sier mor. Han vil føre Dovregubben stille og pent inn til Otta stasjon. Stille som en stålorm.

Du får ikke leie meg, mor, sier han. Jeg er voksen gutt og kan gå sjøl.

Ja, han kan gå sjøl. Han skal gå og stige opp til far i førerhytta på det mektige lokomotivet. Han er klar.

Klar for hva faen?

Med et rykk reiser Halvor seg opp. Han krabber over sittende og liggende kropper. Han finner svensken og røsker liv i ham.

«Tjänare, grabben,» sier Halvor. «Du må gjøre meg en tjeneste, Kalle Svanström.»

«Vad då?»

«Du må slå meg knockout.»

«Varför då?»

«Jeg har begynt å se syner. Du må knocke meg ut.»

Kalle reiser seg og svaier i den vilt gyngende båten. Han gir Halvor et dask på kinnet.

«Hardere,» roper Halvor.

Kalle slår ham med et lett slag på haka.

«Mye hardere!»

«Då svimmar du,» sier Kalle.

«Det er besvime jeg *vil*, for pokker!»

Halvor kjenner treffet mot hakespissen. Så blir det svart.

Han våkner av en gnurende lyd. Er haka hans av knust glass? Den kjennes sånn ut. Han hører fremmede stemmer som roper på et språk som likner norsk, men som ikke er norsk.

Hva er det som lager gnurelyden?

Han slår opp øynene. Det er lyst, svakt morgenlyst.

Livbåten ligger og gnisser mot et skrog av tre. Det er et brunbeisa skrog. Det brune skroget hiver på seg i bølgene, men det blåser ikke så grønnjævlig lenger.

Han ser opp. Ved rekka på skipet står menn og roper. Språket må være hollandsk.

Så treig han er blitt i oppfattelsen! Skipet er naturligvis *Den flygende hollender*. Mennene som roper, er mannskap på den legendariske skuta. De er altså spøkelser.

Han har fått den ære å møte *Den flygende hollender*. Det er en tvilsom ære, for det betyr den visse død. Det er *den siste ære*.

Han får takke for den æra.

Et kraftig lys blender Halvor. Det er vel ikke den forbannede frontlykta på Dovregubben? Nei, lyset beveger seg i sveip hit og dit. Det må være lyset fra en dreibar lyskaster. Ikke visste han at de hadde så moderne utstyr om bord i *Den flygende hollender*.

«What nationality?» roper en mann der oppe, en mann med skipperlue.

«Norwegian,» roper Trean. «And you?»

«We are fishermen from Reykjavik,» svarer mannen med skipperlua. «Our boat is *Akranes*. Your ship?»

«Our ship was *Tomar* of Tønsberg. She was torpedoed by a German u-boat.»

En leider av reip låres ned fra fiskebåten.

Halvor klyper seg hardt i armen, mange ganger, så det gjør vondt. Nei, han drømmer ikke.

Erasmus Montanus entrer opp leideren, kjapp som en apekatt. Eiebakke følger. Han stopper halvveis oppe i leideren og rekker ut hånda si til Gnisten. Gnisten griper hånda med sin uskadde venstre hånd og hales opp. Steiro følger etter. Så mann etter mann.

Båsen sier til Halvor: «Sett ræva i gir, Skogsmatrosen. Vi har ikke hele dagen på oss.»

Halvor er så stivfrossen og lemster at han ikke vet om han vil greie å klatre opp leideren. Men de andre greide det, så da får det vel gå.

Han tar tak rundt et leidertrinn av manilatau. Han griper om et trinn lenger opp. Han klatrer!

Islendinger lener seg over rekka, sterke never griper tak i ham og løfter ham om bord i *Akranes*.

Kapittel 60

Halvor sitter trengt opp i et hjørne i den knøttlille messa om bord i *Akranes* og skriver i dagboka: «Vest for Skagaflös fyr på Island, fredag 11. oktober 1940 kl. 11.00, om bord i islandsk fiskebåt Akranes ført av skipper Stefán Einarsson.

Vårt første spørsmål da vi var reddet av islendingene, var naturligvis om de visste noe om den andre livbåten fra Tomar. Stort ble vårt sjokk da de fortalte at en annen islandsk fiskebåt for et par dager siden hadde funnet en tom livbåt med navnet Tomar påmalt. Denne livbåten var blitt funnet flytende med kjølen i været ved Nyey, langt ute i havet sørvest for Reykjanestá.

Trean sa da: Vi skal ikke gi opp håpet, karer. Skipskameratene våre i den andre båten kan være i god behold. Den tomme båten som ble funnet, behøver slett ikke være kapteinens båt. Den kan være en av livbåtene fra det aktre midtskipet.

Båsen sa: Jeg støtter styrmann Kvalbein i dette synet. Vi må regne med at babords livbåt på det aktre midtskipet ble smadret av det andre torpedotreffet. Men styrbords livbåt ble kanskje ikke skadd, og kan ha flytt opp da Tomar gikk ned. Jeg velger enn så lenge å tro at det var denne båten islendingene fant drivende tom.

Eiebakke spurte om det var noen mulighet for at folkene fra kapteinens båt kunne ha tatt seg i land på Nyey.

Trean svarte: Nei, øya Nyey finnes dessverre ikke.

Svaret skapte atskillig forvirring, og vi kom med forundrede utrop.

Trean sa at skipper Einarsson hadde gitt ham følgende forklaring: Nyey oppsto under et vulkanutbrudd for noen hundre år siden. Da ble det dannet ei lita øy av lava. Denne øya sank siden i havet. Når islandske fiskere snakker om Nyey, mener de det grunne punktet der øya en gang lå.

Islendingene behandlet oss på beste vis da vi var kommet om bord i Akranes. Det første vi ba om, var vann. Vann!

Og vi fikk vann i bøtter og spann.

Trean ba oss drikke forsiktig, så ikke magesekkene våre skulle svulme opp. Det var ikke lett å beherske seg.

Erasmus Montanus bælma innpå så mye at alt vannet kom opp igjen gjennom truten hans, som den reineste fontene.

Så fikk vi kaffe. Islendingene beklaget at det var tynn krisekaffe, siden kaffe på grunn av krigen er strengt rasjonert på Island. Men for oss smakte kaffen vidunderlig.

Det var et skår i gleden at vi ikke kunne ta oss en røyk til kaffen mens vi oppholdt oss i messa. Skipper Einarsson er av den underlige oppfatning at tobakksrøyking er helseskadelig. Det er derfor røyke-forbud i messa.

Vi måtte ut i blesten på dekk for å røyke. Hva gjorde egentlig det? For det var herlig å stå med et trygt skipsdekk under føttene igjen. Og et glovarmt kaffekrus i hånda!

Da vi kom inn i messa, hadde islendingene satt fram ei vaskebalje som lot til å være full av såpeskum. Vi trodde det var fordi de ville at vi skulle vaske oss. Og det hadde vi jo trengt! Det lukter ganske barskt av oss skipbrudne fra Tomar.

Men det som var i balja, viste seg å være eggedosis. Islendingene hadde lagd den ganske tynn, så den ikke skulle bli for kraftig for utrente mager.

Trean kom med advarende ord om at vi ikke måtte forspise oss.

Da vi kom om bord, tenkte vi at Akranes ville seile rett inn til Reykjavik for å sette oss i land. Men den gang ei. I stormværet hadde Akranes mistet et helt garnbruk, en mengde garn. Disse garnene er skipper Einarsson og hans mannskap på tre trauste fisker-karer svært oppsatt på å finne igjen. Det er forståelig, siden det dreier seg om store verdier for fattige fiskere. Ja, fattige er de vel ikke, men her er enkle forhold om bord. Et ord rant meg i hu: spartansk.

For oss som er berget, er det irriterende at vi ikke kan gå til land. Vi ser fyret på Skagaflös liksom blunke velkommen til oss, og vi kan se Reykjaviks lokkende hus i det fjerne i øst. Og her ligger vi og stamper og hogger og ruller i grov sjø fordi Akranes krysser fram og tilbake i jakta på garnene.

Trean er redd for at livbåten vår, som er tatt på slep, skal slite seg.

Båsen, den store sjøulk, forlot plutselig messa i all hast.

Da han kom inn igjen, sa han: Jaggu faen, gutter, nå har jeg endelig fått noe jeg kan fortelle til barnebarna fra mitt liv på sjøen. Jeg kan fortelle om den gangen bestefar spøy opp en liter eggedosis i havet vest for Fløgstadnes.

Ikke Fløgstad, men Skagaflös, sa Eiebakke.

Gnisten og Steiro har fått skiftet bandasjer på hånd og øre. Gnisten sier at han tror han vil få full førlighet i hånda igjen, slik at han kan fortsette å bruke morsenøkkel. Steiro meldte at øret hans henger i en tynn tråd, men at det kanskje kan reddes av en god kirurg i Reykjavik. Båsen sier at han kan vente med bandasjeskift til han kommer på hospitalet.

Det viser seg at det voldsomt vekslende været vi hadde under livbåtseilasen, er helt unormalt for farvannet ved Island i oktober.

Hvis vi hadde fortsatt på den kursen vi holdt da vi seilte for nødrigg, ville vi neppe kommet ut i Danmarkstredet. Men vi ville kommet ut i den store bukta Faxaflói nordvest for Reykjavik. Hadde vi overlevd seilasen på Faxaflói, kunne vi faktisk havnet i Dritvik! Trean har vist oss det i kartet. Sønnastormen ville satt oss opp mot Snæfellsnes. Og der, ved foten av Snæfellsjökull, ligger en liten tjuvplass som bærer det klingende navnet Dritvik.

Det hadde for så vidt vært et passende sted for oss. For det er kø utenfor vannklosettet på Akranes. Gutta sliter og driter til den store gullmedalje!

Personlig kan jeg ennå ikke delta i den konkurransen. Jeg føler meg som en bjørn som nettopp er kommet ut av hiet om våren. Når bjørnen går i dvale, dannes det en propp i endetarmen. Denne proppen må trykkes ut når bamse våkner til liv om våren. Det skjer nok med atskillig besvær. Jeg har sett en slik propp som ble funnet ved et hi i Trysil, og som av tryslingene ble kalt bjønnplugg. Bjønnpluggen var forbausende stor og kompakt.

Jeg tror jeg har fått en skikkelig bjønnplugg under livbåtferden.

De andre gutta har kanskje fått mindre plugger. Det høres lykkelige stønn fra dassen når de blir kvitt dem.

I messa er det så varmt at vi har tatt av oss det meste av klær. Alle plaggene våre ligger i en haug i et hjørne og gir fra seg en sterk aroma. Oppi haugen ligger Flemming fra Fyn og sover.

Jeg sitter i bare skjorte og lang underbukse. Jeg var spent da jeg undersøkte tærne mine. Var de frostskadde? De er unormalt røde, men de er i alle fall ikke blå.

Rønning har fått blå tær og kan vel kanskje kalles Ridder Blåtå.

Men vi tør ikke spøke med slikt før en doktor har sett på tærne hans.

Jeg har gransket mitt åsyn i speilet. Haka, som er øm som faen, har ingen synlige spor etter Kalles slag. Jeg har svarte ringer under øynene. Og forbausende mye skjegg. <u>Kler</u> jeg skjegg?

Vi har en stilltiende overenskomst om ikke å snakke om de fire som døde i livbåten. Vi snakker heller ikke om dem vi håper er overlevende i kapteinsbåten.

Vi gjør egentlig ingenting, annet enn at vi sitter og kjenner på hvor godt det er å være i live.»

Halvor skriver: «Fredag ettermiddag. En annen fiskebåt, <u>Stykkisholmur</u>, la til ved <u>Akranes</u>. Det viste seg at denne båten hadde funnet garnlenkene til <u>Akranes</u> og meldt fra om det over skipsradioen. Det ble veldig kjefting mellom skipper Einarsson og skipperen på <u>Stykkisholmur</u>. Vi fra <u>Tomar</u> gikk ut fra at diskusjonen dreide seg om finnerlønn for garnbruket. Til slutt ble de to skipperne enige.

Skipperen fra <u>Stykkisholmur</u> kom over på 'vår' båt. Han var kanskje nysgjerrig på å se de norske skipbrudne.

Han kom i samtale med Trean. Vi nordmenn og islendinger burde jo kunne forstå hverandres språk, siden det ene er gammelt norsk og det andre er nytt norsk. Men det blir til at vi snakker engelsk sammen.

We lost four good men, sa Trean.

Da jeg hørte dette, tenkte jeg at Geir Ole var en av disse fire gode mennene. Og så begynte jeg å strigråte.

Ta det rolig, Skogsmatrosen, sa Båsen og la hånda på skulderen min. Take it easy.

Vi stevner nå inn mot Reykjavik. Jeg har vært ute på dekk og sett byens lys bli tent for kvelden. Et vakkert syn.»

Akranes klapper til kai i Reykjavik. På kaia er det et overraskende stort oppbud av mennesker og biler. En av bilene er en stor ambulanse. Menneskene er stort sett menn i hatt og frakk, men det er også uniformert personell og et par sykepleiersker.

Halvor har ikke tenkt på det, men det er jo sjølsagt at skipper Einarsson har varslet over radioen om at han har skipbrudne om bord.

Trean går først i land. Ei blitzlampe fyres av og blender Trean så han holder på å snuble i gangveien.

«Jøss, er det pressefolk her,» sier Erasmus Montanus. «Og jeg som ikke har fått gredd meg. Jeg ser vel ut som et takras?»

«Det gjør du,» svarer Halvor.

Da alle fra *Tomar* er kommet ned på brygga, presenterer fotografen seg som utsendt fra avisa Morgunblaðið. Den geskjeftige pressefotografen får dem oppstilt til gruppebilde.

«Say cheese!» ber fotografen.

«Ikke faen, gutter!» roper Trean. «Vi står ikke her og gliser. Ikke når vi har mista fire mann i vår båt og kanskje alle mann i den andre båten.»

Sykepleierskene tar hånd om Gnisten, Steiro, Båsen og Rønning. De blir plassert i ambulansen. En av pleierskene spør Trean om han også vil på hospitalet, for å få behandling for frostskadene i ansiktet. Trean svarer at det kan vente.

Hvem er de uniformerte herrene? De er vel politi og tollere. Og de med hatt og frakk? Den norske konsulen, antakelig, og representanter for Nortraship.

Motormann Benjaminsen omfavner en av frakkemennene. De to må være slektninger, kanskje de er brødre.

En offiser i marineuniform tar runden og hilser.

Halvor strekker fram hånda og sier hva han heter.

«Willy Karsteinsrud,» sier marineoffiseren. «Løytnant i Den Kongelige Norske Marine. Velkommen til Island.»

Halvor hilser også på konsulen, som han ikke får tak i navnet på – om det er Holmen eller Holmsen?

Representantene fra Nortraship presenterer seg som Andor Benjaminsen og Guttorm Hellevik. Benjaminsen er fra Bodø, Hellevik fra Måløy i Sogn og Fjordane. Det viser seg at Benjaminsen er den eldre halvbroren til *Tomar*s motormann fra Svolvær.

To av de uniformerte går om bord i livbåten, lyser med lommelykter og løfter på tiljer.

«Tollere er tullinger verden over,» sier Skvalpeskjæret. «Disse to tufsene kan da vel for faen ikke tro at vi har smuglergods i livbåten?»

Halvor har pilleglasset med Benzedrin i lomma på pilotjakka. Tenk om tollere eller purk ransaker ham? Det kan hende han havner i kalabossen for å ha brakt i land et narkotisk stoff.

Politifolkene ber om å få se pass og papirer. Halvor finner fram passet sitt fra lerretsposen. Han er en av de få fra *Tomar* som har fått med seg passet sitt.

Temmelig bryskt spør politifolkene etter navnene på dem som ikke har pass, og noterer navn og nasjonalitet.

Benjaminsen fra Nortraship forteller at mannskapet fra *Tomar* skal bli innkvartert i et hjem for færøyske fiskere. Fiskarheimen, som han kaller stedet, står tom nå som det på grunn av krigen ikke kommer fiskere til Island fra Færøyene. Selv om både Island og Færøyene er besatt av britiske tropper, er det minimalt med sivil skipstrafikk mellom Reykjavik og Torshavn på Færøyene.

Det er ikke så langt å gå til Fiskarheimen – det er ikke så langt å gå til noen steder i lille Reykjavik – men de skal bli kjørt i bil.

Karene setter seg inn i bilene.

Politifolkene vil ikke la Cheng sette seg inn.

Hvorfor pokker vil de ikke det? tenker Halvor. Det må være fordi han er kineser og de ikke er vant til kinesere på Island.

Trean protesterer: «Mister Cheng is coming with us.»

Politimennene vil ikke la Cheng gå.

Løytnant Karsteinsrud argumenterer med politiet. Det blir en høylytt diskusjon.

«Jeg visste ikke at islendingene var sånne kranglefanter,» sier Helge. «De krangla om fiskegarn, og nå krangler de om en kineser.»

«Det er vel vikingblodet,» sier Eiebakke. «Vikingene var hissige før de ble kristnet. Gud vet om hele Island er skikkelig kristnet, forresten. Her lever kanskje hedenskap og avgudsdyrkelse i mørke kroker.»

Enden på visa blir at løytnanten vinner, og Cheng får bli med i en av bilene. Den som er blitt minst opphissa av episoden, ser ut til å være Cheng sjøl.

Fiskarheimen til færøyingene er ikke akkurat noe luksushotell. Her er firemannsrom og en matsal med slitte voksduker på bordene.

Bestyrerinna, den ferme enkefru Dagny Djurhuus fra Torshavn, er ei myndig dame. Fordi det i tida før krigen også bodde en del norske fiskere i Fiskarheimen, snakker fru Djurhuus ganske bra norsk. Med én besynderlighet. Hun sier at hun har «fitta det fint opp for sine norske gjester». Det må bety at hun har gjort det reint og ryddig. Og det har hun. Her er ikke et støvkorn å se.

Hun vil være noe for Båsen, tenker Halvor. Han går jo ikke etter sjarmtroll, det er barske enker som er hans lidenskap. Fru Djurhuus er gråhåret, men har litt dun på overleppa. Og den mustasjen er svart. Jo, hun vil være midt i blinken for Båsen.

To ting takker de fru Djurhuus for. Den ene tingen er at hun har husket på å slå på varmtvannet før de kom. Det er en elektrisk fyrt varmtvannsbeholder i dusjrommet. Kolben er ikke stor, men den bør ha vann nok til ett minutts glovarm dusj for hver mann. Den andre tingen er at hun har foretatt ei innsamling av tøy til dem. Tøyet er brukt, men alt er reint og helt og til og med nystrøket. Det er undertøy, sokker og skjorte til hver mann.

De dusjer og sprader rundt i reine skjorter. Den som synes å nyte badet og skjorta mest, er Cheng. De har aldri sett ham smile så bredt før. Kanskje er det fordi han er den eneste som har fått *hvit* skjorte?

Buksene deres er jo skrukkete og salte og stinkende, men pytt-sann!

Hellevik fra Nortraship lovet å stille med penger lørdags morgen så de kan få kjøpt seg klær.

To unge jenter kommer for å hjelpe fru Djurhuus med å servere kveldsmat.

Halvor husker at han, da han prøvde å bringe Geir Ole til fornuft, sa at jentene på Island er de peneste i verden. Det stemmer kanskje ikke helt for disse to frøknene. De er bleike og kunne trengt sol og sommer. Hun yngste er ei radmager skolejente, hun andre må være på Halvors egen alder og er mørkhåret og ganske lubben.

Under guttas blikk – hundeblikk! – rødmer den yngste og blir så forfjamsa at hun mister en porselensplett rett i dørken. Pletten går i knas, i tusen biter. Gutta ler, og fru Djurhuus kjefter.

Hva skal de få til kvelds? Et byssetelegram kan melde at det er biff.

Og det *er* biff. Men det er *seibiff*, med stekt løk på.

De vet ikke om de skal le eller gråte. De velger å le. Fru Djurhuus kunne jo ikke ane at de måtte ete sei med corned beef og sei med sjokolade under livbåtferden.

Skvalpeskjæret spør om det er mulig å få en øl til maten.

Da ler fru Djurhuus for første gang siden de ankom. Øl? På Fiskarheimen? Øl? På Island?

«Er dere ikke riktig vel bevart?» spør fru Djurhuus. «Kjenner dere ikke Islands alkohollovgivning?»

«Nei, det gjør vi ikke,» sier Eiebakke. «Er alkoholloven her i pakt med Bibelens og pietismens bud?»

«Ja, det kan man vel si,» svarer fru Djurhuus.

«Det var da inderlig synd,» sier Eiebakke.

757

Alle mann brøler av latter. Halvor kan ikke huske at Eiebakke noensinne har sagt noe som har fått dem til å le.

Til dessert er det fruktsuppe. Det er den eldste jenta, hun frodige, som svinger sleiva. Da hun heller opp suppe til Halvor, kommer hun til å søle litt på buksa hans.

«No problem,» sier Halvor. «I'm dirty anyway.»

«So, you are a dirty young man?» sier jenta. Hun gir ham et pussig smil. Hva er det et slikt smil heter. Skjelmsk?

Jenta løper for å hente en klut.

Hun tørker av flekken på buksa. Blir ikke hånda hennes hvilende et lite sekund lenger enn nødvendig på låret hans? Han ser opp og møter blikket hennes. Det er et djervt blikk, hvis det ikke er småfrekt, rett og slett?

«Thank you very much,» sier Halvor. Han prøver å se litt frekk ut i blikket, han også. Får han det til? Pokker om han vet, han er ute av trening når det gjelder å blunke til damer.

«Bare hyggelig,» svarer jenta.

«Jøss, du snakker norsk, jo.»

«Det skulle bare mangle,» sier hun. «Jeg er konsul Holmens datter.»

Halvor skulle gjerne vekslet flere ord med henne, men hun må travle videre og servere fruktsuppe.

Han konsentrerer seg om suppa, som er søt, men tynn.

«Denne suppa mankerer bare litt frukt,» sier Erasmus Montanus.

De andre hysjer ham ned, sier at de får takke for det de får, og at Island jo ikke er noen Edens hage.

Vokser det i det hele tatt epler og pærer på Island? Plommer, kanskje?

Om dette emnet går diskusjonen livlig.

Da de bryter opp, kommer konsulens datter bort til Halvor. De håndhilser. Han legger merke til at det ravnsvarte håret hennes er lyst innerst ved hårrøttene, og tenker at hun nok har farget håret. Hadde hun bare fått litt solskinn i fjeset, ville hun tatt seg riktig bra ut.

«Halvor Skramstad.»

«Judith Holmen,» sier hun. «Alle kaller meg Judy. Jeg må gi deg en liten advarsel.»

«Ja vel?» sier Halvor. Har han vært for frekk i blikket han ga henne?

758

«Du må *ikke* være i dusjrommet klokken tre i morgen ettermiddag. For da kommer jeg for å vaske der.»

Mer sier ikke Judy, og så fordufter hun. Halvor blir stående og klø seg i huet. Det var da en merkelig advarsel. Eller var det en invitasjon?

På Fiskarheimen finnes en liten salong med radio. Dit trekker karene inn. De deler broderlig på sine siste sigaretter. På langbølgen på radioen får de inn en stasjon som spiller dansemusikk.

Halvor sier at han tror det må være Bert Ambroses berømte orkester. Hallomannen som annonserer neste melodi, snakker engelsk: «Now, listen to Vera Lynn sing with the Bert Ambrose Band.»

Halvor gjør et V-tegn og får applaus.

Så må de være stille og høre Vera Lynn synge «Sailing Home With the Tide». Hun følger opp med «A Star Fell Out of Heaven». Kunne noen sanger passet bedre for anledninga?

Cheng reiser seg og begynner å småsteppe. Hva er det som faller ut av Chengs bukser? Det er ikke ei stjerne. Det er først en kartong Chesterfield fra venstre buksebein og så en kartong Camel fra høyre buksebein.

«Du store kineser!» ubryter Trean.

Ellevill jubel.

«Cheng lurte faen steike meg tollerne trill rundt,» sier Erasmus.

«Sikke stupide toldere,» sier Flemming fra Fyn. For en gangs skyld forstår alle hva dansken sier.

«Tullinger från tullen,» sier Kalle Svanström.

De røyker som om de skulle ha betalt for det. Til og med Eiebakke damper i vei. Skravla går som i en syklubb.

Inn i salongen kommer løytnant Karsteinsrud. Han bærer på en tøypose.

Stemmene forstummer brått. Radioen spiller en sirupsseig vals.

«Har du noe nytt om den andre livbåten?» spør Trean.

«Nei, sorry, karer,» svarer løytnanten. «Det er intet nytt. Jeg kommer fordi jeg har med en liten presang fra Royal Navy. Dere har kanskje hørt hvor strengt det er med alkohol på Island?»

«Det har vi hørt av fru Djurhuus, ja,» svarer Trean.

«Britene har jo sine egne forsyninger,» sier løytnanten.

Et forventningsfullt brus går gjennom forsamlinga på ni mann.

«Gaven er fra baren til Royal Navy.»

Bruset øker.

«Men det klirrer ikke i påsan?» sier Skvalpeskjæret skeptisk.

Løytnant Karsteinsrud løfter opp en gjenstand pakket inn i et håndkle. Med utstudert langsomme bevegelser vikler han av håndkleet.

Ei flaske Johnnie Walker Red Label!

Løytnanten løfter opp en gjenstand til. Nå somler han ikke med håndkleet. Black Label!

«Hvorfor håndklær?» spør Trean.

«For at fru Djurhuus ikke skulle høre klirring. Jeg sa til henne at det var tannpasta og tannkrem i posen. Det kunne dere saktens trengt, men det får vente til i morra. Jeg tror dere trenger mer til en dæsj whisky.»

«Absolutt,» hvisker Trean. Han hvisker antakelig av frykt for at fru Djurhuus står utenfor og lytter.

«Slapp av, karer,» sier løytnanten. «Da jeg var på vei inn, møtte jeg frua på vei ut. Hun skulle hjem til sitt eget hus. Dere har kåken for dere sjøl. Jeg har med pappkrus. Følger dere mitt råd, så nøy dere med ett krus hver. Husk at dere har vært gjennom store påkjenninger både fysisk og mentalt. Dere tåler ikke all verden, og minst av alt grøftefyll.»

«Grøftefyll er ikke vår stil,» sier Skvalpeskjæret. «Når vi sjøgutter går på fylla, havner vi ikke i grøfta, men en gang iblant i havnebassenger.»

«Jeg ser fram til en dram,» sier Eiebakke. «Men før vi skjenker oss, foreslår jeg at vi tar en bønn for våre døde skipskamerater.»

Den er de med på. Også Cheng, som vel egentlig er buddhist. Alle mann folder hender, og det bes en stille bønn.

«Får jeg slå meg ned?» spør løytnant Karsteinsrud. «I Den Kongelige Norske er det ikke ofte at det vanker Black Label.»

«Så klart», «sjølsagt», «hjertelig velkommen».

«Takk,» sier løytnanten. «Kall meg Willy.»

Trean åpner den svarte flaska og heller høytidelig opp i ti krus. Det skåles.

«Dæsken han røske og fortære!» sier Skvalpeskjæret.

De har overlevd. De har kåken. De har fått seg en dram.

Halvor begynner å hikke av whiskyen. Han forsyner seg med vann fra en karaffel som står ved radioen. Han drikker tretten slurker. Det pleier hjelpe.

Tretten slurker, og han kunne drikke *tretten tusen* om han ville.

Vann har de nok av på Island. Det har jo selveste Vatnajökull! En million tonn frossent vann, hvis det ikke er en *milliard* tonn.

«Vi får inn en britisk radiostasjon på langbølgen,» sier Trean til løytnanten. «Hvordan er det mulig, Willy?»

«Det er fordi det britiske militæret har en stasjon her på Island. Den ligger ute ved flyplassen i Keflavík, så vidt jeg vet. Jeg er ganske fersk her på Island. Nettopp kommet over fra Skottland.»

«Kom du til Skottland fra Norge?» spør Helge.

Løytnanten nikker.

«Det vil si, jeg kom over til Shetland i juni i år, og så kom jeg til Dumbarton i Skottland.»

«Hvordan kom du deg til Shetland?»

«Med skøyte fra Øklandsvågen på Bømlo til Lerwick.»

«Men du er ikke fra Bømlo,» sier Skvalpeskjæret. «Du snakker ikke bømling eller hva det nå heter på Bømlo.»

«Nei, jeg er fra Geithus i innlandet,» sier løytnant Karsteinsrud. «Geithus ved Dramselva like sør for utløpet av Tyrifjorden. Jeg jobba på papirfabrikken og sto i mål på fotballaget. Vi har jo et bra lag på Geithus. Jeg hadde aldri drømt om å bli marinemann. Jeg hadde vært sjantis i Hæren. Men i Skottland ble jeg – som en følge av forsvarsledelsens uutgrunnelige visdom – løytnant i navyen.»

«Fortell om flukten over Nordsjøen,» sier Trean.

«Dere fra *Tomar* har kanskje behov for å fortelle om hva *dere* har opplevd? Få det ut, liksom. Torpederinga. Livbåtseilasen.»

«Nei, den historia kjenner vi så altfor godt,» sier Trean. «Gjør vi ikke det, karer?»

Det nikkes.

«Vi trenger å høre et eventyr om flukt til friheten,» sier Trean.

«Noe eventyr var det kanskje ikke,» sier løytnanten. «Men vi ble skutt på. Med maskingevær fra fly. Det som redda oss, var antakelig at det tyske bombeflyet gikk tomt for ammo.»

Ordet «maskingevær» utløser en sær følelse i Halvor. Han må tenke på de to Hotchkiss'ene som nå står på Atlanterhavets bunn, på hver sin bruving på vraket av *Tomar*. De fikk aldri gjort nytte for seg, Hotchkiss'ene. Det er forbanna trist å tenke på. Han kjemper med tårene. Han biter tenna sammen. Han lytter til det løytnant Willy Karsteinsrud forteller om seilasen ut fra Øklandsvåg en regntung kveld i juni. Om Junker'en som kom. Om lettelsen da maskingeværsalvene fra oven opphørte. Om dekket som var fullt av flisete kulehull.

De skåler for den vellykkede flukten, og for død over Luftwaffe og Ubootwaffe.

Løytnanten sier at han må ta kvelden.

Det må de plutselig alle mann. Det er som om de på kommando er blitt overvelda av en veldig trøtthet.

De subber av gårde i sokkelesten til rommene sine. Halvor deler lugar – rom! – med Skvalpeskjæret, Cheng og Flemming fra Fyn.

De har fått tjukke blankiser som må være laget av fineste islands-ull. Blankisene lukter mildt av sau og såpe.

Hjemlig, tenker Halvor.

Puter har de også fått. Mjuke, fine puter med hvite putevar. Kan det være ekte ederdun i putene?

Halvor rekker bare å legge hodet på puta og la det synke ned i dunet, så sovner han.

Til frokost klokka sju er det glissent frammøte. Det er bare Trean, Eiebakke, Cheng og Halvor som stiller. De andre nekta å la seg purre ut og ville bare sove. Det kunne også Halvor tenkt seg, men han kom seg opp fordi han følte sterk trang til å helle innpå kaffe som løsningsmiddel for bjønnpluggen.

Kaffen fru Djurhuus serverer, er kruttsterk. Hun forteller at hun begynte å hamstre et kaffelager da Tyskland angrep Polen.

Cheng og Eiebakke lovpriser teen hennes, som er ekte Darjeeling fra India.

Halvor smører fire tjukke brødskiver. Én med leverpostei, én med hvit geitost og to med hjemmelagd appelsinmarmelade.

Fru Djurhuus kommer inn med ei avis.

«Dere er på forsiden av Morgunblaðið,» sier hun.

De fire hiver seg over avisa. Der er de sannelig, på et stort foto-grafi. Han som tok gruppebildet, må være en kanonfotograf, for bildet er sylskarpt og alle tretten mann godt synlige. Det er ingen av dem som smiler. De ser passe morske ut.

«Bra at vi greide å holde oss alvorlige,» sier Trean.

Halvor må løpe et visst sted. Kruttkaffen greier å skyte ut bjønn-pluggen.

Det er røykeforbud i matsalen. De fire forhaler inn i salongen, med kaffekopper og tekopper. Den britiske radiostasjonen er ikke på lufta. De får inn islandsk radio, med nyhetssending.

«Det var da faen så sørgmodig han nyhetsoppleseren er,» sier

Trean. «Han snakker som om verdens undergang skulle være nær.»

«Det er den kanskje,» sier Eiebakke. «Jeg føler det på meg.»

«Gi deg, mann,» sier Trean. «Du er bare i bakrus etter gårsdagens whisky.»

De tre nordmennene spisser ørene da de hører at Norge blir nevnt i nyhetene. De skjønner at det dreier seg om politiet, for det snakkes om politiminister Jonas Lie. Hva er det med politimester Welhaven i Oslo? De forstår det slik at han er blitt avsatt, antakelig fordi han ikke vil bøye seg for nazistene. Oppleseren nevner Nasjonal Samling og Jonas Lies propaganda. Kan det dreie seg om at alle norske politifolk nå må melde seg inn i Quislings naziparti?

Trean prøver å stave seg gjennom Morgunblaðiðs artikkel om *Tomar*s forlis.

«'Tundurskeyti',» sier han. «Kan det være torpedo?»

Han leser videre. «'Skjóta tundurskeytum'. Det må vel bety å skyte torpedoer?»

«Det vil jeg tro,» sier Halvor. «Flott ord de har her på Island for det helvetes drittvåpenet. *Tundurskeyti.*»

Fru Djurhuus kommer inn i salongen, vifter bort sigarettrøyk fra ansiktet og sier: «Telefon til tredjestyrmann Dagfinn Kvalbein.»

«Til meg?» sier Trean.

«Ja, til Dem. Fra Vestmannaeyjar.»

«Ja vel,» sier Trean. «Fra hvem da på Vestmannaeyjar? Jeg kjenner ingen der.»

«De får gå og høre selv,» sier fru Djurhuus. Hun ser ut som om hun er sprekkeferdig av lyst til å fortelle hvem telefonen kommer fra, men hun holder seg, snur på hælen og forsvinner.

Trean sneiper sigaretten sin i askebegeret.

«Vestmannaeyjar,» sier han. «Det var da merkelig.»

Han børster aske av skjorta og går for å ta telefonen.

«Vestmannaeyjar har man jo hørt om,» sier Eiebakke. «På grunn av vulkanene. Det er navnet på ei lita gruppe vulkanske øyer. Ved utbrudd dannes nye øyer. Det er også navnet på byen, hvor det er ei stor fiskehavn. Det de frykter der i byen, er at den nærmeste vulkanen skal gå av. Jeg husker hva vulkanen heter fordi den heter det samme som søstera mi, Helga. Helgafell er navnet. Smeller den, kan Vestmannaeyjar bli et nytt Pompeii, begravd i aske og lava.»

Halvor får en tanke. Det er en vill tanke.

Han skjelver litt i stemmen da han spør: «Hvor ligger Vestmannaeyjar?»

«Det er vel langt oppe på nordvestkysten,» sier Eiebakke.

«Å, faen,» sier Halvor. «Jeg tenkte bare ...»

«Hva tenkte du, Skramstad?»

«Glem det.»

«Vent litt,» sier Eiebakke. «Jeg har aldri vært i land på Island før. Men jeg har jo seilt forbi Island mange ganger på vei fra Europa til Statene. En gang var vi så tett oppunder land at vi så holmer og skjær. Vi hadde en diskusjon om hva som er Islands sørligste punkt. Hva heter den fuglen de hadde på Island i gamle dager? En fugl som ikke kunne fly, og som derfor ble utrydda.»

«Kan det være greifugl?» sier Halvor.

«*Geirfugl.* Geirfuglen kunne ikke fly. De skjæra som er Islands sørligste punkt, heter Geirfuglskjæra. Og jeg mener at de tilhører Vestmannaeyjar.»

«Så Vestmannaeyjar ligger altså på sørkysten?»

«Ja, det må jo øyene nødvendigvis gjøre hvis de er de sørligste i landet.»

Halvor reiser seg, tenner en ny sigarett, trekker fra gardinene og glaner ut gjennom vinduet. Det regner i Reykjavik, og det regner flatt. Vinden blåser regnet rett på ruta. Heldig er den som nå er i hus og ikke ute på de ville vover.

Han hører skritt, snur seg og ser Trean.

Trean har det merkeligste ansiktsuttrykk Halvor noen gang har sett på et menneske. Munnen smiler, men øynene gråter.

«Det var kaptein Nilsen,» sier Trean. «De er kommet inn med den andre livbåten. Til Vestmannaeyjar.»

Halvor dumper rett ned i en lenestol. Eiebakke åpner vinduet, vender blikket mot himmelen og roper: «Takk, Gud!»

Regnet fyker inn.

Trean tørker øynene med skjorteermet.

«Det er både gode og triste nyheter,» sier han. «Johan Granli var ikke i kapteinens båt.»

Halvor reiser seg og roper: «*Ikke Granli?*»

«Nei,» svarer Trean. «Kaptein Nilsen sa at han hadde håpet at Granli var i vår båt.»

Halvor begynner å slå i veggen med knyttede never. Slår og slår. Han kjenner sterke hender rundt seg og hører Chengs stemme: «Tranquilo, tranquilo. Easy, boy. Ta med ro, ta med ro!»

Halvor frigjør seg fra Chengs grep, setter seg i lenestolen, drar til seg en liten kniplingsduk som ligger under ei blomsterpotte uten blomst og tørker de blodige knokene med duken.

«Det var ikke bare Granli som manglet i kapteinsbåten,» sier Trean. «Det var også byssefolka. De tre som stuerten sendte etter suppe. Kokk Fitjar, annenkokk Antoniussen og byssegutt Dunvegan. Ingen av dem var i kapteinens båt.»

«Triste,» sier Cheng. «Muito triste.»

«De hadde ikke så mange dødsfall i båten som vi hadde. Men de hadde ett. Mest sannsynlig av blodforgiftning i et stygt sår. Hold deg fast, Eiebakke. Det var bestekameraten din som gikk heden.»

«Osvald!» roper Eiebakke.

«Ja, Osvald Smaage døde i kapteinens båt like før de fikk landkjenning.»

«Det kan ikke være sant!»

«Jo, dessverre,» sier Trean.

Eiebakke river ned et gardin, ruller det sammen og tørker ansiktet sitt med det. Han roper ut av vinduet. Halvor får ikke tak i hva Eiebakke roper, annet enn at ett av ordene er Gud.

«Andre gutta?» sier Cheng. «Tudo bem? Okey?»

«Ja, de andre karene i kapteinsbåten er visst helt i orden,» sier Trean. «Jeg fikk ikke spurt så mye i telefonen. Kaptein Nilsen sa at han ville vente med å fortelle det meste til han kunne møte oss. Så vidt jeg forsto, har noen fått småskader, og et par har lungebetennelse. Men det er ikke noe livstruende.»

Halvor greier å tenne en sigarett. Eiebakke bretter gardinet pent sammen og legger det oppå radioen.

«Hvordan kom kapteinens båt seg inn til Vestmannaeyjar?» spør Halvor.

«De seilte inn. Det holdt på å gå helt gærent i grunnbrottene ved de ytre skjæra. Så kom de seg til sjuende og sist velberga i havn.»

Eiebakke har også greid å tenne en sigarett.

«Må vi forutsette at styrmann Granli gikk ned med *Tomar*?» spør han.

«Ja, det må vi,» svarer Trean.

Halvor kjenner at det knyter seg i magen. En stram knute, som om tarmene snurper seg sammen.

«Når kan vi vente kapteinen og folkene hit til Reykjavik?» spør Eiebakke.

«Hvis været tillater det, skal de ta ei ferje ved middagstid. Ferja går langs kysten til et sted som heter Þorlákshöfn. Det er bare tre norske mil fra Reykjavik. Nortraship sender biler og henter karene i Þorlákshöfn.»

Det blir stille i salongen, bortsett fra at radioen sender islandsk preik. Eiebakke slår den av.

«Ja ja,» sier Trean. «Jeg får vel gå og informere de andre gutta. Vi tar ei samling i messa.»

«I matsalen, mener du,» sier Eiebakke.

«I matsalen.»

Halvor ligger på køya og studerer springfjærene i overkøya. Det er litt uvant for ham å ha underkøye. Han er blitt så vant til å ha over-køye at han automatisk krabbet opp i overkøya da han gikk til lugaren – rommet! – for å ta seg en strekk.

Det har vært en voldsom dag. Først nyheten fra Vestmannaeyjar. Så var det samlinga i matsalen, som var så merkelig sorgmunter at det nesten ikke var til å holde ut. Deretter et møte med marineløyt-nanten, Willy Karsteinsrud. Han var grei nok, og spurte flokken på ni mann om det han sikkert *måtte* spørre om. Det var ubåtens manøvre, torpedoenes baner, detonasjonenes styrke, mannskapets reaksjonsevne da alarmen gikk.

Men de syntes ikke de greide å svare ham skikkelig. Det ble stot-ring og stamming, og innimellom et sårt hulk.

Til slutt måtte Trean be løytnanten holde opp.

«Du ripper opp i for mye som er fælt for oss,» sa Trean. «Du må gi oss litt tid.»

«Jeg kan komme tilbake i morgen,» sa løytnanten. «Jeg håper dere skjønner at jeg spør for å få vital informasjon til både vår egen marine, Royal Navy og Royal Canadian Navy. La meg tilføye at United States Navy også har bruk for opplysninger vi kan innhente om de tyske ubåtene. Ja, det tilflyter også admiralene i Rio de Janeiro en del info, fordi London ønsker å få Brasil til å ta parti for de allierte mot Hitlers Tyskland.»

«Vi skjønner,» sa Trean. «Så må *du* bare skjønne at alt det som har hendt, er ei tung bør å bære for alle oss fra *Tomar*. De får smøre seg med tålmodighet, admiralene i London, Ottawa, Washington og Rio.»

Til middag var det fårikål. Den var til og med lagd av lammekjøtt, siden det er midt i slaktesesongen for lam på Island.

Halvor ble sittende og pirke i maten. Han greide ikke å få vekk bildene av styrmann Granli som ble trukket under, innesperra på lugaren sin, og byssegutt Kevin som ble sprengt i filler da byssa blåste til himmels.

Etter middag kom Hellevik fra Nortraship og tok dem med på byen for at de skulle kle seg opp. Under normale omstendigheter ville det ha vært en hyggelig affære. Hvem vil ikke like å få seg påspandert en ny blådress av ekte kamgarn?

Han prøvde dress, den første dressen i sitt liv.

Han fant en dress som satt som «den var skøten i ræva på ham», som gamle Martinius Skorobekken hjemme på Rena ville ha sagt.

Han studerte seg sjøl i klesbutikkens store speil.

Opp med haka, for faen! tenkte han da. Du er ikke noe hengehue, Skogsmatrosen!

Han kikker bort på kleshengeren der blådressen henger. Og på hengeren med den kritthvite skjorta og det stripete slipset i Islands og Norges nasjonalfarger. Siden det er et islandsk slips, er de største stripene blå. På dørken står et par skikkelige jålesko. Reine lakkskoa!

Det vil kle ham bra, alt sammen.

Jo da, jo da.

Han ligger og lytter til Flemming fra Fyn som ligger i overkøya og purker. Dansken har et makeløst sovehjerte som noen hver av de skipbrudne kan misunne ham.

Skipbrudne? Han er ikke skipbrudden lenger. Han er på trygt land. Is-land.

Skvalpeskjæret har allerede iført seg finstasen og gått på by'n for å se om det er mulig å finne noe børst i en eller annen hemmelig oase i den alkoholens ørken som Reykjavik er. Cheng har dratt til det portugisiske konsulatet for å ordne med pass og papirer.

Hva kan muntre Skogsmatrosens sinn?

Tollerne! Trean og tollerne.

Halvor finner fram dagboka, setter seg opp i køya og skriver: «Reykjavik, lørdag 12. oktober kl. 14.30. To uniformerte tollere dukket opp på Fiskarheimen da vi gutta satt og drakk kaffe i salongen etter middag. Tollerne holdt fram et par sigarettkartonger som de hadde funnet i livbåten. Han ene snakket et slags dansk og forkynte at vi alle sammen ville bli bøtelagt for ulovlig innførsel av tobakk til Island.

Da sprakk det for Trean, akkurat som det i sin tid gjorde i Aden. Bortsett fra at nå sprakk det på et språk som nok skulle forestille dansk.

Hut Eder at helvede til, tolderpakk! ropte Trean. Forsvinn fra mitt åsyn, I hunde. Forpulte, skabbete køtere! Åtselspisere! Horers og hallikers avkom fra Nyhavns og Reeperbahns søle og dynd! Avskum. Berme.

Og så videre, inntil Trean sank sammen av utmattelse.

Tollerne måtte gå med uforrettet ...»

Halvor legger vekk blyanten og ser på klokka. Var det ikke et eller annet han skulle klokka tre? Han kommer ikke på det. Hadde det noe med lammekjøtt å gjøre? Hva er det snobbefolk kaller for «lammekjøtt»?

Unge jenter!

Advarselen om ikke å dusje klokka tre.

Det var sikkert bare noe tøys fra hun som blir kalt Ruby. Nei, *Judy* var det.

Men dusje bør han uansett, før han tar på seg de nye klærne. Det bør være plenty varmtvann på denne tida av døgnet.

Halvor kler av seg, tuller et håndkle rundt livet, finner et såpestykke og går barbeint på den kalde linoleumen bort til dusjrommet.

Han oppdager at døra til dusjrommet kan låses med en innvendig smekklås. Den låsen ble vel installert av de færøyske fiskerne så de kunne ta seg en såperunk i fred og ro.

Halvor lar det varme vannet bruse over kroppen sin. Han såper seg inn. En runk er virkelig det siste han kunne tenke seg akkurat nå.

Gjennom dusjens brus hører han at det banker på døra. Han skrur av vannet og vikler på seg håndkleet.

«Hallo, det er vaskepiken!» hører han en stemme rope. «Jeg er kommet for å rundvaske her.»

Halvor åpner døra.

Der står Judy. Hun har på seg en lyseblå vaskekittel. Men hun har ikke med seg verken vaskepøs eller vaskekost.

«Jeg står i dusjen,» sier Halvor.

Judy ler.

Halvor skriver i dagboka: «Reykjavik, lørdag 12.10. kl. 18.30. Tollerne gikk altså med uforrettet sak. De må ha forstått hvor hinsides kravet deres om bøter var, eller kanskje de ble redde for at vi andre gutta skulle bli like rabiate som Trean.

På vei ut døra pekte den ene tolleren på Trean, og så førte han høyre hånds pekefinger opp til tinninga og dreide den rundt. Han ropte: Kleppur! De, styrmand, burde bringes til Kleppur!

Tegnet forsto vi jo. Men hva var dette Kleppur?

Det vanket mange lovord til Trean for at han fikk jaget utyskene på dør.

Klokka 15 var jeg på plass i dusjrommet. Jeg trodde ikke at jeg ville være i stand til å gjennomføre et samleie i den mentale tilstanden jeg var i. Der tok jeg feil. Til å begynne med, da Judy var kommet inn i dusjrommet, trodde jeg at det ville være umulig for meg å være med på den Ærotiske Æskapaden hun inviterte til. Det var meg det sto på. Rettere sagt: Det var meg det ikke sto på.

Med sin utrolige frimodighet og sitt røffe språk var det Judy som reddet situasjonen og ga meg det løftet som trengtes så vi kunne sette i gang.

Tenkte jeg ikke på at jeg er stormforelsket i Muriel Shannon? Jo, det tenkte jeg på. Men jeg tenkte også: Jeg har ikke fått så mye som en klem av Muriel. Kan hende hun aldri vil vite av meg, at hun har revet Geir Oles tegning og mitt brev fra Glasgow i fillebiter.

Judy var der og da og bød på seg sjøl. Hun ga meg noe jeg trengte. Ikke bare utløsning, men også en forløsning i mitt sinn.

Vi hadde også en ganske lang samtale, sittende på golvet i dusjrommet. Hun sto for snakket, og jeg lyttet. Det var en vederkvegelse å høre en kvinnestemme. Og det var deilig, helt suverent, å høre henne fortelle i det vide og det breie om alle sine problemer. For det var problemer fra en helt annen virkelighet enn den vi sjøfolk baler med. Og, vil jeg si, i en helt annen og mindre skala. Ingen torpedoer, ingen død.

Hun fortalte meg at hun er ivrig rytter.

Takk, jeg merket det, svarte jeg.

Det som skjedde i dusjrommet, kan være et minne å hente fram ei mørk og stormfull natt ute på Atlanteren. Et søtt minnedrops å suge på.

Nå skriver jeg bare dette om Judy: Judith Holmen er enogtjue år (og veldig stolt av at hun dermed er blitt myndig), halvt jøde og helt anarkist. Hun er med i et hemmelig politisk forbund som ønsker Islands løsrivelse fra Danmark, med væpnet kamp om det blir nødvendig. Hun vil at Island skal bli republikk slik som Finland.

Hun regner seg som fullstendig seksuelt frigjort. Kjærligheten er etter hennes mening et sterkt oppskrytt fenomen, ja noe dill som borgerskapet har funnet opp.

Jeg fikk dessuten vite at Kleppur er navnet som brukes på folkemunne om Kleppsspítali, som er gærnehuset i Reykjavik.

Jeg må nå stålsette meg for å gå ned og møte skipskameratene fra kapteinens båt. De er kanskje allerede kommet. Jeg hører rop og halloi.

Dette møtet blir både godt og fælt.

Jeg ser ut som en spradebass i den nye dressen og med slips og lakksko. En riktig laps fra Lapsetorvet i Oslo! Fra Bygdøy allé.»

Det er blitt kveld, og i matsalen på Fiskarheimen holder løytnant Karsteinsrud på med å henge opp et norsk flagg, et av Marinens splittflagg, på veggen.

Forsamlinga som sitter benket ved bordene, er preget av kontrasten mellom de veldressede folkene fra Treans båt og folkene fra kapteinens båt, som ikke har fått seg nye klær. Dette at halvparten av gutta ser ut som lasaroner og halvparten som utspjåka jålebukker, har vakt atskillig munterhet. En nokså *tvungen* munterhet. Men likevel: munterhet.

Gledesscenene og sorgscenene er heldigvis overstått. Nå er det tid for det seremonielle.

Flagget kommer på plass. Det blir satt fram kringler og kaffekanner på bordene.

Kaptein Nilsen reiser seg. Han er blitt slunken. Han har på seg kapteinsuniformen, som Halvor er blitt fortalt at han hadde på seg under hele livbåtferden, under oljehyre og gensere. Uniformen er blitt pressa, men er ikke helt fri for skrukker og flekker.

«Mine damer og herrer,» sier kapteinen.

Halvor frykter at dette kan være åpningsordene i en svulstig tale, en lang harang. Han håper kapteinen ikke har tatt Benzedrin. Sjøl spanderte han på seg ei lita pille før han forlot rommet.

Kapteinen ønsker gjestene velkommen. De er fru Djurhuus, fru konsul Rebekka Holmen og konsul Bård Holmen, Benjaminsen og Hellevik fra Nortraship og kapteinløytnant Malvin Brudevold og løytnant Karsteinsrud fra Marinen.

«Jeg skal hilse fra tre av de overlevende fra *Tomar*,» sier kapteinen. «De er innlagt på hospitalet i Reyjavik og kan ikke være til stede her i kveld. Det dreier seg om maskinist Steiro, båtsmann Jørgensen og matros Rønning, som trenger operative inngrep. De er alle tre i de beste hender på Landspítali, som er et flunkende nytt sykehus og en av Islands stoltheter. Jeg er glad for at radiotelegrafist Roy Borge fikk permisjon fra sykehuset og er blant oss nå. Jeg vil be om unnskyldning for det ikke helt presentable antrekket mitt. Så vil jeg be alle reise seg og hedre de omkomne fra *Tomar* med ett minutts stillhet.»

Det skraper i stoler, og det hostes.

Alle reiser seg. Chief Vadheim gjør det møysommelig og må støtte seg til ei krykke. Halvor vet ikke hva som feiler ham, annet enn at det er noe med en fot. Forstuing, kanskje.

Stillheten varer lenger enn ett minutt. Det er som om ingen av mannskapet vil sette seg igjen. Kaptein Nilsen ser på armbåndsuret sitt.

«Stillhetens minutt er over,» sier han. «Da synger vi 'Ja, vi elsker'. Fru Holmen, vil De komme frem og være forsanger?»

Fru Holmen går fram. Hun er kledd i en kjole av fløyel som er like svart som håret hennes. Om halsen bærer hun et perlekjede.

«Ja, vi elsker» hadde ikke Halvor regnet med. Huff, var *det* nødvendig? De kunne vel greid seg uten nasjonalsangen. Han gruer seg og ranker ryggen.

Fru Holmen går opp i en tonehøyde som mannfolkene ikke greier å nå.

Halvor står og prøver å synge. Ordene han kjenner så godt, blir forvrengt i munnen hans, «saganatt som lenker drømmer på vår mor».

Han kjenner tårene sile nedover kinnene. Redninga blir at han kaster et stjålent blikk i retning konsul Holmen. Tanken på at konsulen gudskjelov ikke vet hva dattera hans nettopp gjorde med en viss lettmatros, gjør at stemninga av oversørgmodig høytid slipper taket i Halvor. Han ser seg omkring og finner trøst i at han ikke er den eneste som er blitt ei tåreperse.

Etter at siste vers er sunget, blir det atskillig snufsing.

Kapteinen tar ordet: «Dette var Norges sang. Jeg skylder gjestene å gjøre oppmerksom på at det blant mannskapet også er representanter for Danmark, Sverige og Canada, samt Portugals kinesiske koloni Macao. Jeg ber disse menn om forståelse for at vi ikke kan synge deres nasjonalsanger.»

Canada? tenker Halvor. Ja, selvfølgelig, salonggutten Percy, som kom om bord i Québec. Han levde en anonym tilværelse om bord i *Tomar*.

Kapteinen sier: «Blant dem som forsvant med *Tomar,* var en statsborger fra Storbritannia. I et cocktailselskap i Baltimore hørte jeg ordet 'multinational' bli brukt om store industriselskaper som opererer i mange land og har ansatte av mange nasjonaliteter. *Tomar* var også multinational, eller, for å si det på norsk, et *multinasjonalt* skip. Det var et godt skip vi mistet, som ble et offer i den brutale sjøkrigen. Og en dyrebar, krigsviktig last gikk tapt. Men først og fremst mistet vi dyrebare menneskeliv. Jeg regner med at fire av disse livene gikk tapt som følge av selve torpederingen. Så mistet vi fem mennesker i livbåtene våre. Tanken på dette er, kjære alle sammen, smertelig. Trøsten er at det kunne gått verre. Torpedoene kunne ha drept flere. Den krevende livbåtseilasen i storm og kulde kunne ha blitt den rene dødsseilas. Jeg vil rose tredjestyrmann Kvalbein og alle dere andre i motorlivbåten for godt utført sjømannskap og heltemot. Og jeg vil rose dere som var i båten jeg førte, for seig vilje til å overvinne uværet, sulten og tørsten. En spesiell hyllest vil jeg gi til skipets yngste dekksmann, haugesunderen vår, dekksgutt Harald Ottesen. Han kjenner dere mannskaper som en rolig og sindig type.»

Halvor ser bort på dekksgutt Harald. Han er blitt like rød i toppen som han var da han ble solbrent i Rødehavet.

Kapteinen sier: «Da vi nærmet oss Vestmannaeyjar og redningen, så vi at det brøt uhorvelig stygt i passasjen mellom småøyene Brandur og Suðurey. I en slik situasjon er det kapteinens plikt å styre livbåten. Det gjorde jeg, men jeg hadde så forferdelig krampe i armene at det ville være uforsvarlig at jeg skulle holde rorkulten. Den eneste som satt klar til å ta over, var Ottesen. En eiendommelig situasjon oppsto. I farens stund måtte kapteinen gi styringen til dekksgutten! Den sinnsro med hvilken Ottesen førte båten gjennom brott og brenning, burde etter min mening gjøre ham fortjent til en medalje. Mine damer og herrer, give him a big hand, som de sier i Statene. Applaus for Ottesen!»

Det klappes voldsomt. Dekksgutt Harald overrasker Halvor ved at han greier å stå oppreist og til og med presterer et bukk som ser belevent og verdensvant ut.

Kapteinen gir ordet til Trean.

«Jeg vil ikke framheve noen bestemt i båten jeg hadde kommandoen i,» sier Trean. «La meg bare nevne at en del av vår livberging besto i at lettmatros Geir Ole Gaukvær greide å fiske en hel del sei som vi kunne spise. Det kjennes derfor ekstra leit at unge Gaukvær var blant dem som mistet livet. Dødens krefter herjet i båten vår, men heldigvis greide flertallet å overvinne disse kreftene. Jeg har fått et hilsningstelegram fra Norsk Styrmandsforenings avdeling i New York. Foreningens motto er 'Samhold seirer!'. Samholdet i vår båt ble satt på prøve, men det seiret.»

Trean får varm applaus.

«Maskinmester Stanley Vadheim, vær så god,» sier kapteinen.

Cheifen reiser seg, setter fra seg krykka og sier at han beklager at de fikk de problemene med kjølevannspumpene som førte til at *Tomar* mistet konvoien og ble et enkelt mål for den tyske ubåten. Under oppholdene i Québec og Baltimore rettet han gjentatte henvendelser til Nortraship i New York om å få nye pumper til erstatning for de gamle, som var så utslitte at de var vanskelige å reparere. Slike pumper ville enkelt la seg anskaffe både i Canada og USA. Men han fikk avslag fra Nortraship, under henvisning til kostnadshensyn. Denne gjerrigheten til Nortraship kostet *Tomar* dyrt, og kostet Norge dyrt. Først og fremst i tap av menneskeliv. Dernest i tap av skip og last, som var ti tusen ganger mer verdt enn noen skarve nye kjølevannspumper.

«Derfor har eg ei henstilling til Nortraships representantar her i kveld,» sier Vadheim. «Bring vidare til hovudkontora i London og New York at folka i Nortraships anskaffingsavdeling må verta mykje meir lydhøre for høgst betimelege krav frå skipa! Det er me som seglar, som har skoa på og veit kor dei trykker.»

Applaus for Vadheim.

Maskinist Dotto griper ordet uoppfordret: «Vi sjøfolk bringer inn millioner av dollar og pund til Nortraship. Midlene til nyanskaffelse av utstyr finnes i rikt monn. Unødig sparsommelighet fra Nortraship kan føre til store tap av menneskeliv og tonnasje. For å si det med et folkelig uttrykk vi bruker på maskindørken: Nortraship må for pokker få ut finger'n!»

Sterk applaus og bravorop.

Benjaminsen og Hellevik har sittet tause. Hellevik bryter tausheten: «Me tek dette til oss. Det skal bli meldt til London og New York.»

Halvor går bort til Gnisten og spør: «Siden Båsen ikke er her, kan du si noen ord på vegne av Union?»

«Helst ikke,» svarer Gnisten. «Jeg er ikke helt i slag. De tok en røntgen av hånda mi på Landspítali, og jeg fikk en dårlig nyhet. Si noe du.»

«*Jeg?*»

«Du er sekretær i skipsgruppa.»

Halvor går tilbake til plassen sin og setter seg. Han teller til ti, rekker hånda i været, får et nikk fra kaptein Nilsen og reiser seg.

Er det virkelig *han*, Skogsmatrosen, som lar sin stemme bli hørt i Fiskarheimens matsal? Ja, det er det: «Vår tillitsmann, båtsmann Georg Jørgensen, ligger på hospitalet der de forhåpentlig vil greie å lappe sammen et stygt kutt han fikk da en eksplosjonssplint traff ham i panna. Det faller derfor i mitt lodd, som sekretær i skipsgruppa, å si noen ord på vegne av Norsk Sjømannsforbund. Vi har nå, både vi unge og dere eldre og mer erfarne, fått oppleve på kropp og sjel hvor ubarmhjertig krigen på havet kan være. Det er opplagt at vi i handelsflåten trenger bedre livbåter, bedre utstyr i båtene og ikke minst større rasjoner av drikkevann. Kaptein Nilsen nevnte tørsten i sin båt. Tørsten var også en voldsom plage i vår båt. Hadde det ikke vært for fisken til Kokkovær ... jeg mener Gaukvær ...»

Halvor må ta en pause.

Han svelger klumpen i halsen og fortsetter: «Forbundet vil helt sikkert stille krav om forbedringer. Men allerede nå kan vi fra *Tomar* komme med praktiske forslag. Jeg vil be representantene for Nortraship om å bringe slike forslag til topps i organisasjonen, og konsul Holmen om å bringe forslagene videre til de rette norske myndigheter. Våre veier vil nå skilles, og vi vil havne på forskjellige båter. Jeg vil oppfordre alle dere som er medlemmer i Union, til å fortsette arbeidet med å bygge et sterkt forbund der hvor dere kommer. Vi har lært oss et nytt ord her i Reykjavik. Det er 'tundurskeyti', som betyr torpedo. Flott ord på fælt våpen. Vi skal seile videre for Norge, mot nazismen. Vi skal faen ikke la de tyske tundurskeyti kue oss. Vi skal faen ikke la Hitler vinne krigen på havet!»

Stor applaus. De som klapper lengst, er faktisk kapteinen, Trean, Nyhus og Rebekka Holmen.

Mo i knærne detter Halvor ned på stolen.

Han får et dask i ryggen av Kalle Svanström som holder på å slå pusten ut av ham.

«Väl talad,» sier Kalle. «Til å være en knäppskalle från dom stora skogarna.»

Kaptein Nilsen sier at sjøforklaring vil bli holdt i løpet av den kommende uka.

«De av dere som var på vakt på dekk og i maskinen da torpedoene traff, må belage dere på å møte i sjøforklaringen,» melder kapteinen.

Det kommer spørsmål om erstatning for bekledning og tapte effekter. Kapteinen sier at han henviser alle slike saker til konsulen og Nortraship-kontoret i Reykjavik.

Motormann Eiebakke spør hvordan folkene skal komme videre fra Island til Canada, USA eller Storbritannia.

Kapteinen sier at det har han ikke rukket å tenke på. Han vil ta det opp med Nortraship, Marinens folk og konsulen.

«Da avslutter vi med 'Millom bakkar og berg' før vi går løs på kringle og kaffe,» sier kapteinen.

Halvor har munnspillet i baklomma på nydressen. Han begynner å akkompagnere på munnspillet. Tanken på at Granli ikke er der og kan akkompagnere på gitar, griper ham så sterkt at han må putte spillet tilbake i lomma.

Forsamlinga løser seg opp. De dødstrøtte karene fra kapteinens båt går for å vaske seg og sove.

Halvor spør Gnisten: «Hva er galt med hånda di?»

«Røntgenbildet viste at beina i håndleddet er grodd feil sammen. Hele stasen må brytes opp igjen for å få vokse sammen riktig. Jeg er blitt tilbudt en sekretærjobb på Nortraship-kontoret. Der får jeg vel sitte og hakke på skrivemaskin med venstrehånda.»

Søndagen opprinner med fint, klart høstvær. Etter frokost rusler Halvor en tur i byen. Han går aleine. Han har behov for å være litt for seg sjøl.

Han morer seg over å gå langs Hverfisgata. Hver-fis-gata! Navnet betyr kanskje Verftsgata.

Det er gudstjeneste i domkirka. Han går ikke inn dit. Han velger heller å slå et slag opp mot Landspítali. Det er virkelig et flott sykehus. Gammeldags arkitektur, tung og pompøs. Men alt inventar er nytt og moderne.

Båsen sitter i sykesenga med turban på hodet.

«Synd jeg ikke kunne komme på Fiskarheimen i går kveld,» sier han. «Jeg hadde en helvetes krangel med doktordusten. Han ville bruke en ny teknikk som de har utvikla i Statene. Jeg trengte en hudbeta for å dekke flenga i panna. De kan ta hud fra ett sted på kroppen og sy fast til et annet. Det kalles plantasje, transplantasje.

Doktoren ville bruke hud fra rumpeskinnet mitt. Jeg sa: Jeg kan da vel for faen ikke gå rundt med ræva i trynet! Jeg prøvde å si det på islandsk, rompur i trynur. Det ble til at doktoren skar en bit av låret mitt og sydde på.»

En sykepleierske kommer inn.

«Can I show my friend the transplantasje?» spør Båsen.

Sykepleiersken vikler turbanen av Båsens hode. Midt i panna har han fått en stor, firkantet hudbit, som er sydd på med temmelig grove sting.

«Hva synes du, Skogsmatrosen?»

«Du ser *litt* penere ut enn Frankensteins monster,» svarer Halvor.

«Frankensteins monster! Ikke dårlig. Det finnes sikkert en bråta enker som kunne tenke seg et nummer med Frankensteins monster. De vil synes det er – hva kalles det – eksosisk?»

«Eksotisk. Kan hende enkefru Djurhuus vil like oppsynet ditt.»

«Hvem faen er enkefru Djurhuus?»

«Bestyrerinna på Fiskarheimen, der vi bor.»

«Er hun et drabla støkke?»

«Ja, det vil jeg nok si,» svarer Halvor. «Myndig madam. Med en mørk liten mustasje.»

«Mustasje?» sier Båsen. «Oh la la! Jeg tilbrakte noen hyrde-stunder med ei barteberte i Constanta. Det er en havneby i Romania. Hun var så heit på levra som noen mann kan ønske seg.»

«Du får drømme om fru Djurhuus, Båsen. Jeg får besøke de andre to.»

Rønning har måttet amputere de to minste tærne på venstre fot, og lilletåa på høyre. Han mener at han vil få et voggende ganglag som kler en sjømann.

Steiros avrevne øre lot seg ikke redde. Han er blitt tilbudt en øre-protese av hardgummi. Den tror han at han kommer til å avslå. Han vil heller la håret gro langt og dekke over hullet. De indre organene i øret er ikke skadd, og han hører helt all right, bortsett fra at det suser og piper inni der.

Halvor går tilbake til Fiskarheimen. Der er det søndagsstille. Karene fra kapteinsbåten ligger ennå og sover ut, de fleste karene fra Treans båt har gått på byen for å leite etter øl.

Skvalpeskjæret tror ikke på muligheten for å finne en ølkilde.

Han setter seg i røykesalongen sammen med Halvor. De drikker kaffe og spiser stykker av kringla fra i går.

Løytnant Willy Karsteinsrud kommer inn i salongen. Han bærer på en brun konvolutt. Opp fra konvolutten trekker han et fotografi. Han legger fotografiet på salongbordet. Den som er portrettert, er en eldre mann med rufsete skjeggvekst.

«Kjenner noen av dere denne mannen?» spør løytnanten.

Skvalpeskjæret griper fotografiet og studerer det.

«Nei,» sier han. «Er det en som har rømt fra gamlehjemmet?»

«På ingen måte,» sier løytnanten. «Det er en mann som er funnet om bord i en redningsflåte som drev i land på et øde sted på kysten. Han er i live, men i elendig forfatning. Han kan ikke gjøre rede for seg, så legene regner med at han har mistet hukommelsen.»

Halvor får fotografiet. Det er noe kjent med mannen. Hva er det? Jo, han minner om Halvors grandonkel Arnljot fra Grue Finnskog. Men Arnljot Skasberget så vel aldri noen gang havet og har dessuten vært død i mange år.

«Vi kjenner ikke mannens nasjonalitet,» sier løytnanten.

«Var det ikke navn og kjenningsnummer på flåten?» spør Skvalpeskjæret.

«Nei. Flåten hadde antakelig ligget og gnuret mot fjæresteinene en stund. Alle merker var slitt bort.»

«Hvor ble flåten funnet?» spør Halvor.

«På en ubebodd plass som heter Hvalsiki. Det er navnet på en munning i en av de mange bekkene som renner ned fra Vatnajökull. Landskapet heter Skeiðarársandur. Det består av øde sandsletter.»

«Er det på sørkysten?»

«Ja, det er på sørkysten, en bra bit øst for Vestmannaeyjar. Det var bare et tilfelle at mannen ble funnet. Et eldre ektepar gikk langs stranda for å sanke rekved. Da så de flåten og fant mannen som satt oppi og spiste tang.»

«Tang?» sier Skvalpeskjæret.

«Tang og tare, ja.»

Halvor griper fotografiet. Han legger hånda over mannens underansikt og dekker de hule kinnene. Han stirrer på øynene, som liksom stirrer tilbake på ham. Han gripes av en fullkommen vanvittig tanke. Hjertet begynner å hamre i brystet på ham.

«Hvor er mannen nå? Er han undersøkt? Hadde han noen spesielle kjennetegn?»

«Han er brakt til hospital,» sier løytnant Karsteinsrud. «Han er undersøkt og medisinsk behandlet. Han har et markant kjennetegn, en tatovering av en sigøynerpike på venstre overarm.»

«Sigøynerpike?» sier Halvor og kjenner at hjertet faller i brystet på ham.

Men? Men! Han husker ei merkelig, langermet badedrakt, ei drakt som så ut som ei bryterdrakt.

«Hold an og vent her!» roper Halvor.

«Hvor faen skal du?» spør Skvalpeskjæret.

«Jeg har noe jeg må spørre kaptein Nilsen om.»

Halvor bykser opp trappene til annen etasje og løper til døra til skipperrommet der kaptein Nilsen bor. Han banker på døra.

«Kom inn!» roper kapteinens stemme.

Halvor river opp døra.

«Hva vil du, Skramstad? Jeg skal i et middagsselskap og står som du ser midt i barberingen.»

«Hadde styrmann Granli tatovert en sigøynerpike på venstre overarm?»

«Det var da et besynderlig spørsmål,» sier kapteinen. «Skal vi ikke la styrmann Granli få hvile i fred i sin våte grav?»

«De må svare meg, kaptein Nilsen!»

«Vel, vel. Vi har alle våre små hemmeligheter, har vi ikke? En skavank vi må skjule. Et leit utslett. Selv får jeg av og til psoriasis på albuene. Da går jeg med langermede skjorter.»

«Men Granli!» roper Halvor. «Sigøynerpike?»

«Når du først bringer det på bane, Skramstad, får du få et svar. Styrmann Granli hadde en tatovering som han skammet seg over. Han kalte den en ungdomssynd og viste den aldri til noen. Det var først en gang da vi tok badstu sammen i Kotka i Finland, at jeg fikk se tatoveringen.»

«Forestilte den en *sigøynerpike*?»

«Hvorfor er du så oppsatt på å få vite det?»

«Det kan være faen så viktig.»

«Det var portrettet av en pike, ja. Om hun var sigøyner, vet jeg ikke. Men hun var sånn sigøynervakker, og tatoveringen var gjort i Valencia i Spania.»

«På venstre overarm?»

«Ja, så vidt jeg husker.»

«Da kan styrmann Granli være funnet på en flåte på kysten, faenivold ute i ødemarka.»

«*Hva?*» roper kapteinen. «Hva pokker er det du sier? *Granli funnet?* Jeg kommer til å få deg svartelistet i handelsflåten for all framtid hvis dette er en råttent dårlig spøk.»

Kaptein Nilsen sitter i salongen og studerer fotografiet av mannen fra flåten. Kapteinen ser pussig ut med barberskum i halve ansiktet.
«Granli,» sier han. «Det kan absolutt være styrmann Granli. Og det stemmer jo på en prikk med tatoveringen. Hvor er han nå?»
«Han har gjennomgått alvorlig behandling på Landspítali. Nå er han overført til et annet sykehus,» sier løytnant Karsteinsrud.
«Hvilket sykehus?» spør kapteinen.
«Jeg har fått beskjed av legene der om at det er konfidensielt. Mannen fra flåten spesialbehandles av psykiater slik at han forhåpentligvis skal gjenvinne hukommelsen. Minst av alt trenger mannen nå et renn av besøkende.»
«Men til *meg*, skipets kaptein, må De da i herrens navn kunne si hvor mannen er, løytnant Karsteinsrud?»
«Hvis De blir med meg et øyeblikk, kaptein Nilsen,» sier løytnanten.
De to forlater salongen.
De går ikke langt.
Halvor lister seg til døra og lytter.
«Det var da et forferdelig kronglete navn De ga meg på det sykehuset,» sier kapteinen.
«Det er kanskje lettere å huske kallenavnet,» sier løytnanten. «Stedet kalles Kleppur.»
«Kan jeg dra dit nå straks, bare jeg får tørket av meg dette forbaskede barberskummet?»
«De kan dra, kaptein Nilsen. Jeg har en av Marinens biler og kan kjøre Dem. Men da må De love meg at De strengt følger legenes og sykepleierskenes ordre. Skjønner jeg det rett, svever styrmann Granli – hvis det virkelig er ham – i fare for å gli inn i en sinnslidelse. Ett uoverveid ord kan visstnok være nok til å tippe ham den veien. Det er også noe annet jeg må fortelle Dem.»
Kapteinen og løytnanten går noen skritt bortover i retning matsalen. Dermed kan ikke Halvor høre ordentlig hva løytnanten sier. Var det amputere? Kanskje Granli – hvis det *er* Granli – har fått kappet av noen tær, slik som Rønning?

Halvor står på trappa og ser at Marinens mørkeblå bil, en Buick, svinger ut fra Fiskarheimen med løytnant Karsteinsrud bak rattet og kaptein Nilsen i passasjersetet foran.

Han går til fru Djurhuus og ber henne ringe etter drosje til ham.

«Har du penger til drosje?» spør hun.

«Ja, jeg har fått en slant av Nortraship.»

Han kler seg med dress, hvitskjorte og slips og tar med seg pilotjakka og skjerfet sitt, som han har fått vasket reint for Båsens blod.

Drosjen kommer.

«Drive me to Kleppur,» sier Halvor til sjåføren.

«You mean Kleppsspítali?»

«Yes, please.»

Det er ingen lang reise til Kleppsspítali, som ligger ved sjøen et stykke utenfor bysentrum. Halvor går ut av drosjen. Han ser Marinens blå Buick stå parkert i oppkjørselen til hospitalet. Bygninga er i tre etasjer med et loft som det også er vinduer i. Den er gråmalt og dyster. Taket er av irrgrønne kopperplater.

Halvor tenker at bak de buede loftsvinduene sitter kanskje de mest alvorlig sinnssyke. Han går i dekning bak en parkert lastebil, tenner seg en røyk og venter. Det er ennå klarvær, men det begynner å bli hustrig. Han tar på seg pilotjakka utenpå dressjakka.

Han hører at det smeller i ei dør, kikker fram og ser kaptein Nilsen og løytnant Karsteinsrud komme ned trappa fra hovedinngangen.

Halvor har aldri før sett et så alvorstungt uttrykk i kaptein Nilsens ansikt. Han får lyst til å storme fram og spørre: «Var det Granli, var det Granli?» Men han vil se mannen fra flåten med egne øyne.

Marinebilen kjører.

Halvor venter ti minutter. Han går opp trappa, åpner den tunge døra og stiger inn. Det er ingen resepsjon, bare en liten disk med en telefon og noen papirer. Ikke et menneske å se. Fra et sted langt borte i bygninga kommer et langtrukkent rop, et ul.

Han hører klakking av hæler mot golv.

En godt voksen sykepleierske kommer til syne. Hun har på seg hvit kittel og et sånt hvitt hodeplagg som sykepleiersker bruker.

«Hello,» sier Halvor. «Can we speak English?»

«Yes.»

«I am here to visit a Norwegian ship's officer. Mister Johan Granli.»

Sykepleiersken klakker bort til disken, leter i papirene og finner et dokument som antakelig er ei pasientliste. Hun setter på seg lesebriller.

«The name?» spør hun.

«Granli.»

«We have no patient called Granli.»

Halvor har mest lyst til å grine, men han kan ikke gi seg så lett.

«A man found on a fleet at Hvalsiki,» sier han. Han vet at det ikke heter 'fleet', men kan ikke komme på det riktige ordet.

«I see. You mean the man found on a raft at Skeiðarársandur.»

«Yes. Yes!»

«He is not identified. We do not know his name.»

«His name is Granli,» roper Halvor. «Johan Granli.»

«Well, but you can not see him. He is a protected person.»

«But he is my half-brother!» sier Halvor. «You just had captain Nilsen here. Captain Nilsen asked me to come to Kleppur to identify my halfbrother.»

«This hospital is called *Kleppsspítali*,» sier sykepleiersken. «Will you please show me some legitimation.»

Halvor viser fram passet sitt. Hun gransker det.

«Your name is not Granli,» sier hun.

«We are not brothers. Half-brothers. Different names.»

«Well. You can come with me and see him. But only see. No talking.»

Halvor dilter etter sykepleiersken langs en korridor. Selv om dette ikke er et vanlig sykehus, lukter det sykehus. Karbol, som de vasker sykehus med.

Sykepleiersken åpner ei dør. Hun holder fingeren foran munnen.

De stiger inn. Lyset i rommet er svakt.

I ei seng, støttet opp av puter, sitter en mann med lukkede øyne. Han har ikke skjegg som på fotografiet. Han må ha barbert seg, eller er blitt barbert.

Det både *er* Granli og *er ikke* Granli.

«Can I go closer?» spør Halvor.

«Yes, but only one meter.»

Halvor skritter fram et par meter. Sykepleiersken klakker etter.

Klakkinga vekker mannen i sykesenga. Han slår opp øynene. Blikket stirrer rett fram.

«Granli!» sier Halvor.

«Hush,» sier sykepleiersken. «Silence, please.»

Granli, tenker Halvor. Visst faen er det Granli! Det er annen-styrmann Johan Granli fra m/s *Tomar*. En avmagret og herja Granli. Men gode, gamle Granli. Vi-liker-ikke-ryggsekker-her-i-Wilhelmsen-Granli. Han-som-vet-alt-mulig-Granli. Han som liker å sitte på treerluka og titte på stjernene. Han som gir godkjent for Glittertind som Norges høyeste fjelltopp. Det-heter-ikke-delfiner-til-sjøs-Granli. *Han* er det, og ingen annen. Mannen fra det lille stedet med det småpussige navnet. Huggen? Hyggen!

«So, this is your half-brother?» hvisker sykepleiersken.

«Yes, this is Johan Granli.»

Kroppen til Granli er dekket av ei tynn dyne. Det er et eller annet som er feil med hvordan dyna ligger. Eller det er noe som mangler. *Hva* er det som mangler? Beina!

Halvor kan se konturene av lårene under dyna. Men så er det slutt. Ingen knær, ingenting der hvor leggene skulle ha vært.

«What happened to his legs?» hvisker Halvor.

«Amputation,» svarer sykepleiersken. «Amputated at Landspí-tali.»

«But why?»

Hun svarer med et ord Halvor ikke forstår. Gængrin? Hva er det?

«Can you please write the word?» spør Halvor.

Sykepleiersken har en skrublyant i brystlomma på kittelen. Hun skribler i margen på navnelista.

Halvor lener seg fram og leser: «Gangrene.»

Ordet sier ham ingenting.

«In Icelandic?» sier han.

«Drep í holdi,» svarer hun.

Det høres jo forferdelig ut. Drep i holdi!

«I do not understand,» sier Halvor.

«Kolbrandur,» sier sykepleiersken.

Koldbrann.

Det samme som tok Rønnings tær, har tatt Granlis bein.

Halvor kjenner tårene sile. Han synes han snart burde være tom for tårer.

Men hva faen? Det viktigste er at Granli ikke ligger i et vrak på havsens bunn. Han er i live. I levandes live! Han er av den typen som kan greie seg uten bein her i livet. Og det finnes da vel *trebein*? Proteser. Granli vil komme opp og stå.

«We have to go,» sier sykepleiersken.

«Okey,» sier Halvor. «Thank you very much.»

Det er blitt mandag ettermiddag. Klokka ti på tre går Halvor til dusjrommet i Fiskarheimen. Han har ingen avtale med Judy. Men det er jo lov å ha en forhåpning, en søt forhåpning.

Han legger Certina'en på kanten av håndvasken, skrur på varmtvannet og såper seg inn. Han dusjer og dusjer, til vannet begynner å bli lunkent. Klokka er blitt ti over tre.

Det banker på døra.

«Hallo, det er vaskepiken! Litt forsinket.»

Halvor tar ikke på seg håndkleet. Han åpner døra.

Judy kikker inn, smiler bredt og sier: «Det var her det skulle rundpules, ikke sant?»

Hjelpe meg! tenker Halvor.

Tirsdag den 15. oktober avholdes det sjøforklaring etter *Tomar*s forlis, i et rettslokale i Reykjavik. Administrator er en islandsk skipsfartssakkyndig, herr Steingrímur Jónasson. Han er en fetladen mann med plirende øyne og snakker et slags dansknorsk som nordmennene ikke har vanskelig for å forstå. Bisittere er konsul Holmen og kapteinløytnant Brudevold.

Benjaminsen er til stede som Nortraships representant, og løytnant Karsteinsrud er på plass. Alle de overlevende fra *Tomar* er der, også sykehuspasientene. Med unntak av Granli, naturligvis. For Granli vet, ifølge kaptein Nilsen, ennå ikke hvem han er.

Kaptein Nilsen stiller i en uniform som er ulastelig, den er renset og pressa. Han forklarer seg om torpedotreffene, om livbåtene som kom bort fra hverandre i snøværet, om seilasen mot Vestmannaeyjar.

Jónasson spør hvorfor kapteinen valgte å gå inn i passasjen mellom Brandur og Suðurey istedenfor å seile rundt og gå inn en sikrere vei til Vestmannaeyjar by.

«Det var ikke noe bevisst valg,» sier kaptein Nilsen. «Vi var i en slik tilstand av utmattelse at vi bare måtte la det stå til og prøve å nå land.»

Jónasson spør hva som ble gjort for å redde livet til motormann Osvald Smaage, som omkom i kapteinens båt.

«Alt som sto i vår makt,» svarer kapteinen. «Smaage hadde pådratt seg et stygt sår i hoftekammen etter et fall på båtdekket idet han skulle entre styrbords livbåt. Vi vasket såret med jodtinktur og skiftet regelmessig bandasje. Dessverre greide vi ikke å forhindre blodforgiftning, som er den sannsynlige dødsårsaken.»

Turen kommer til Trean.

Han forklarer seg uten avbrytelse fra Jónasson om de tre første dødsfallene i båten han førte.

Jónasson spør: «Hvad gjorde De, styrmand Kvalbein, for å forhindre at den tydeligvis sindssyge letmatros Gaukvær sprang på sjøen?»

Trean svarer at han var blitt fortalt av lettmatros Skramstad at Gaukværs mentale tilstand var labil, men at spranget skjedde så brått og uventet at det var umulig å forhindre det.

«Leteaksjonen måtte avbrytes etter kort tid for at ikke båten og de ombordværendes liv skulle settes i fare,» sier Trean.

«Nu vel,» sier Jónasson. «Da kommer vi til et meget alvorlig punkt. Hvorfor fant De det for godt, Kvalbein, å kaste de tre avdøde eldre menn på havet? Burde de ikke vært ivaretatt slik at de kunne få en begravelse i vigslet jord på land?»

«Det ble gjort for å redde de levende,» sier Trean. «Båten måtte lettes, skulle vi overleve.»

«Men, dog,» sier Jónasson. «Det forekommer meg å være lite humant, nesten barbarisk.»

«Lite *humant*?» roper kaptein Nilsen. «De er ikke her for å belære oss om humanisme, herr Bjørnsson. De var ikke ute på det iskalde havet og måtte ta beslutninger som gjaldt liv eller død. I min båt kunne jeg ta vare på avdøde Smaage fordi vi var like oppunder land da han døde. Styrmann Kvalbein var i en helt annen situasjon. Han har min fulle støtte for sine handlinger.»

«Mener De virkelig det De der sier, kaptein Nilsen?» spør Jónasson bryskt.

«Visst fanden mener jeg det! La meg tilføye at mens vi sloss for livet på havet, satt De her i Reykjavik på Deres fede røv.»

Halvor må legge hånda for munnen for å skjule gliset sitt. Han vet at han resten av livet kommer til å huske kaptein Nilsens ord til den oppblåste islendingen om at han satt på «sin fede røv». Det er en *Tomar*-klassiker på lik linje med Fuck the fucking duke of Fuckington. *Tomar* finnes ikke lenger, ikke det seilende, levende skipet *Tomar*. Men *ordene* finnes.

Raskt må Halvor prøve å tørke bort gliset. Det er hans tur til å forklare seg. Den nye dressbuksa hans er litt for vid i livet, og han glemte å sette i buksebeltet da de dro til sjøforklaringa. Med det samme han reiser seg, glir buksa ned, men han greier å holde den oppe med hendene. Det skulle tatt seg ut om han avga sitt vitneprov med rumpa bar!

Steingrímur Jónasson er nok dødelig fornærmet over kaptein Nilsens salve. Han har bare et par korte spørsmål til Halvor angående skytset på *Tomar*. Halvor forklarer at Hotchkiss'ene var plassert på bruvingene som luftvernskyts, og at de ikke kunne ha gjort noen nytte i strid med en ubåt som fyrte av torpedoer fra periskopdybde.

Han forteller om hvor han var da alarmene gikk, og hvordan han kom seg i livbåten.

Det er greit å svare på. Han frykter et spørsmål om Geir Ole, om hva han gjorde for å forhindre Geir Oles sprang. Da må han svare at alt han kunne gjøre, var å prøve å berolige og oppmuntre Geir Ole, og at det forsøkte han.

Jónasson stiller ikke flere spørsmål til ham.

Skvalpeskjæret, chief Vadheim, maskinist Dotto og motormann Eiebakke avgir korte forklaringer.

Gnisten blir spurt om hvorfor han ikke sendte sos.

«På kapteinens ordre,» svarer Gnisten. «Vi ønsket ikke å bruke radioen slik at vi kom til å røpe konvoiens posisjon.»

«Men *Tomar* var jo blitt en straggler og seilte ikke i konvoien,» sier Jónasson.

«Vi kjente ikke vår nøyaktige avstand til de andre skipene,» sier Gnisten. «Tyskerne kunne ha brukt en sos-melding fra oss til å peile konvoien. Derfor opprettholdt vi radiotaushet i henhold til instruksen.»

«Helt korrekt handlet,» sier kapteinløytnant Brudevold. Det er det eneste han har sagt under hele seansen, og det blir siste ord.

De overlevende fra *Tomar* samler seg på fortauet utenfor rettslokalet. Det tennes sigaretter. Som vanlig blåser det i Reykjavik, og sigarettrøyken driver bort med vinden.

«Vel overstått, karer,» sier kaptein Nilsen. «Det er kommet et tilbud om transport til Halifax med frakteskuta *Langjökull*. Det er et lite skip som skal seile med en last salt sild. Skuta kan bare ta fire mann som passasjerer. Hvem melder seg?»

Tre hender går i været.

«Da noterer jeg meg motormann Helge Hvasser, jungmann Flemming Stenkjær og motormann Karl Johan Svanström. Hva med deg, Skramstad?»

«Jeg blir enn så lenge,» svarer Halvor. «Jeg har et uforrettet ærend her i Reykjavik.»

Han kjenner at han rødmer. Hva om skipperen og gutta har fått nyss om ham og Judy og tror han blir på grunn av henne?

«Jeg blir med over til Canada,» sier Eiebakke.

«Godt,» sier kapteinen. «Da får vi med en av veteranene våre på *Langjökull.* Dere får bare stikke bort til Fiskarheimen og pakke det vesle pargaset dere har, for skuta seiler om et par timer.»

Eiebakke sier til Benjaminsen at de som skal reise, trenger mer penger fra Nortraship for å kjøpe oljehyrer, støvler og vinter-bekledning.

De som blir, og de fire som skal dra, tar høytidelig farvel med hverandre. De fire setter seg inn i Benjaminsens bil.

Kaptein Nilsen inviterer dem som ikke skal reise, på kaffe og wienerbrød på en kafé i nærheten. Han beklager at han ikke kan skaffe sterkere saker.

Det er blitt torsdag den 17. oktober, og klokka er halv fire på etter-middagen. Halvor sitter utmattet og lykkelig på dørken i dusj-rommet.

«Hva om fru Djurhuus får greie på hva vi driver med?» spør han.

«Hun vet det nok utmerket godt,» svarer Judy.

Etter frokost fredag den 18. oktober sitter Halvor og Skvalpeskjæret i salongen og lytter til radionyhetene sammen med fru Djurhuus.

Det meldes om en hendelse i Bergen. Noe med Quisling.

«Hva var det som skjedde i Bergen?» spør Skvalpeskjæret.

«Den forferdelige Quisling holdt tale,» sier fru Djurhuus. «Det ble opptøyer. Folk ropte 'ned med forræderen' og sang den norske kongesangen. Det ble slagsmål mellom gode nordmenn, slike som nu kalles jøssinger, og folk fra Hirden til Quisling. To mennesker omkom under slagsmålet.»

«Vi får håpe det var hirdmenn,» sier Halvor.

«Kanskje kan vi håpe på enda mer,» sier Skvalpeskjæret. «At opprøret i Bergen kan spre seg. Ja, at det er begynnelsen til slutten for nazismen i Norge.»

Cheng har fått seg jobb som kokk og altmuligmann på det portu-gisiske konsulatet.

Et byssetelegram er kommet i omløp. Det går ut på at Portugals konsulat er et tysk spionreir, og at Cheng er blitt plassert der av britisk etterretning for å infiltrere reiret.

«Espionagem?» sier Cheng. «Consulado? No possible. Consul mye gammel mann.»

Han holder begge hender i været med utstrakte fingre og gjentar bevegelsen åtte ganger for å vise at Portugals konsul er åtti år gammel. Han legger hendene foran øynene for å demonstrere at konsulen er blind, eller i alle fall svaksynt.

«Madam consul ikke hore,» sier han.

«Ingen har påstått at konsulkjerringa er hore,» sier Skvalpeskjæret.

«Ikke hore. Surdo,» sier Cheng. Han stikker fingrene i ørene for å vise at fru konsulen er døv, eller tunghørt.

Skvalpeskjæret mener at det kan være et utspekulert tysk spiontriks å plassere en blind portugisisk konsul og en døv konsulinne i Reykjavik.

Gnisten og Steiro kommer innom etter å ha blitt skrevet ut fra hospitalet. Gnisten har gips på høyrehånda. Steiro har en stor, hudfarget plasterlapp der øret hans satt. De to tar ikke inn på heimen. De skal dele en leilighet i byen. Gnisten begynner som Nortrashipsekretær. Steiro har fått jobb på et motorverksted.

Wilhelmsens M/S *Tunsberg* anløper Island underveis fra USA til Storbritannia for å losse et mindre parti stykkgods.

Nyhus, Trean, chief Vadheim og Dotto går om bord for å bli med til Liverpool. Halvor skulle gjerne slått følge med dem, men han venter i Reykjavik.

Båsen flytter inn på Fiskarheimen. Han sier til Halvor at vertinna er et flott kvinnfolk. Klokka fem går han for å ta seg en dusj. Halvor tenker at fru Djurhuus kanskje vil gå for å «vaske dusjrommet», men det gjør hun ikke. Båsen har nok ikke fått napp hos frua.

Bare kaptein Nilsen, Båsen og Halvor er igjen på Fiskarheimen. De andre gutta har fått transport med en britisk jager som skal til Boston for reparasjon. Det har vært høytidelige avskjeder, der omkvedet har vært «vi sees igjen i New York eller Liverpool».

Judy ble med jageren til Boston. Hun er kommet inn på Harvard University i Cambridge, Massachusetts, der hun skal studere juss. Halvor lurer på hvordan det skal gå med anarkisten blant de borgerlige studentene på Harvard.

De kysset hverandre farvel i dusjrommet. Det var første gangen de kysset, og det ble nok kanskje den siste.

Båsen har et problem som han forteller Halvor om mens de sitter i salongen og røyker. Han får foreløpig ikke mønstre ut.

«Doktorene på Landspítali tror jeg kan lide av fallesyke,» sier Båsen. «De har et fin navn for den sjukdommen. Eple-hva-faen.»

«Epilepsi,» sier Halvor.

«Jeg nekter å tro at jeg er eple...»

«Epileptiker.»

«La oss kalle det noe enklere,» sier Båsen. «*Epletekniker*. Jeg tror faen ikke at jeg er det. Jeg fikk en smell i huet og et anfall i livbåten. Siden da har jeg ikke hatt noen anfall. Et par kraftige skjelvetokter. Men ingen anfall der det skummer om kjeften på meg. Trøbbelet er å *motbevise* overfor doktorjævlene at jeg er epletekniker.»

«Du får ta tida til hjelp.»

«Jeg er tilbudt midlertidig arbeid på et garnbøteri. Det skal være en jobb med en god del spleising av liner til garn og wire til nøter.»

«Den jobben synes jeg du skal slå til på,» sier Halvor.

Kaptein Nilsen har også et problem. På grunn av de mange senkningene av skip i Nortraship-flåten er det blitt overskudd på skipsførere.

Kapteinen går og grumler og småbanner.

«Jeg vil ut og føre et skip,» sier han til Halvor. «Ut vil jeg, over de høye fjelde! Du får også se til å komme deg ut, Skramstad. Piloter som er blitt skutt ned og har overlevd, bør komme seg fortest mulig på vingene igjen. Det samme gjelder for oss torpederte sjøfolk. Vi må få et skipsdekk under føttene så snart som råd er.»

«Jeg reiser ingen steder før jeg har fått hilst på styrmann Granli,» sier Halvor.

Det er blitt fredag 25. oktober. Kapteinen drar til Kleppur etter middag.

Da han kommer tilbake, smiler han: «Styrmann Granli vet nå hvem han er. Han husker også mye av hendelsesforløpet under torpederingen. Ellers har han store huller i hukommelsen.»

«Kan Båsen og jeg dra på besøk til ham?» spør Halvor.

«Det kan dere gjerne gjøre,» svarer kapteinen.

Lørdag etter middag går Båsen og Halvor langs gata Sæbraut mot Kleppur. Det blåser stiv vestakuling.

Båsen og Halvor sitter ved Granlis sykeseng. Samtalen med ham har gått forbausende lett og ledig.

«Du får gå inn i politikken,» sier Båsen.

«Da hadde det vært greit å vite hvilken politisk oppfatning jeg har,» sier Granli. «Men det husker jeg faen ikke.»

«Du ligger langt til høyre,» sier Båsen. «Du er nok i bunn og grunn Høire-mann, ja. President Roosevelt greier å styre USA fra rullestolen sin. Da burde du kunne styre Røyken som ordfører for Høire. For Hyggen ligger da i Røyken kommune?»

«Jo, det er i Røyken.»

«Ser man det,» sier Båsen. «Du husker alt mulig, Granli.»

Halvor sier til Båsen at han gjerne vil ha noen ord med Granli under fire øyne. Båsen trekker ut for å ta en blås.

Halvor sier: «Etter at vi ble truffet av den første torpedoen, gikk jeg til toalettet bakom bestikken for å slå lens. Da hørte jeg bankelyder nede fra korridoren der styrmannslugarene ligger. Jeg tenkte at det var noe som hang og slang, for jeg hørte ingen rop. Derfor stakk jeg ikke ned for å undersøke.»

«Det var nok bankinga mi du hørte,» sier Granli. «Jeg hadde satt kile i lugardøra. Den hadde jeg sparket for hardt fast. Og det var litt dum fasong på den kilen. Det må du forresten faen ikke si til Flise-Guri.»

«Flise-Guri døde, dessverre, i den livbåten jeg var i.»

«Oj,» sier Granli. «*Det* har ingen fortalt meg. Det var jævlig trist å høre.»

De sitter en stund i stillhet.

«Jeg hamret på døra, men fikk den ikke opp,» sier Granli. «Så begynte skuta å gå ned. Jeg fikk opp døra, svømte ut gjennom styrhuset, fant redningsflåten og startet på det som skulle bli en iskald ferd som kostet meg beina.»

«Men hvorfor ropte du ikke om hjelp?»

«Jeg syntes det var flaut ikke å få opp min egen lugardør. Jeg var for stolt til å rope. Den stoltheten fikk jeg sannelig betale dyrt for.»

På nattbordet ved sykesenga til Granli ligger et brev med Røde Kors-merke på.

«Du har fått brev?» sier Halvor.

«Ja, jeg har utrolig nok fått Røde Kors-brev fra mor mi. Gudene vet hvordan det brevet kom fram til meg her i Reykjavik. Det er skrevet i august, så det har vært lenge underveis. Det flimrer litt for øya på meg når jeg leser. Kan du lese det høyt for meg?»

I slike brev som formidles verden over av Røde Kors, kan det ikke skrives mer enn femogtjue ord. Halvor leser: «Kjære Johan! Det er nå blitt august. Savner deg meget. Håber alt er vel. Du burde komme hjem og bli lærer i zoologi. Mor.»

«Jeg har forhørt meg om en studieplass på Háskóli Íslands,» sier Granli. «Det er universitetet her i Reykjavik. Der kreves egentlig norsk artium i realfag for en nordmann som vil studere zoologi. Kanskje rektor kan være villig til å gi dispensasjon til en mann som har styrmannsutdanning fra Sjømannsskolen i Oslo. Og så teller det kanskje litt at jeg er krigsinvalid.»

Halvor hører hva Granli sier, men sitter med en klump i halsen og kan ikke la være å se mot det stedet på dyna der beina skulle vært.

Halvor skriver i dagboka: «Reykjavik, fredag 25. oktober. Hadde jeg fått et Røde Kors-brev fra mor, ville hun kanskje skrevet at jeg burde komme hjem og bli forstmann. Kanskje et slikt studium til forstkandidat er mulig for meg når Norge er blitt fritt og jeg kan vende hjem? Da må jeg køle på og fullføre middelskolen og ta realartium. Så kan jeg søke meg til skogbrukslinja på Landbrukshøyskolen på Ås.

Ja, å bli forstmann i storskogen hadde nok vært noe for meg. Storhavet har jeg fått nok av! Men slik verdenssituasjonen er nå, har jeg ikke noe valg. Jeg må seile. Jeg må ut i den forbannede sjøkrigen.

Men jeg lager meg en forstmannsdrøm. Som forstmann behøver jeg ikke å holde meg til hjemlige trakter i Østerdalen og på Finnskogen. Jeg kan reise ut i verden på eventyr. I Oregon i USA kan jeg hogge oregon pine. Ja, jeg kan dra ned og kjøpe urskogen på Kapp Horn og drive tynningshogst der!

Jeg fikk faktisk et brev i dag. Det var dessverre ikke hjemmefra, det var fra Nortraship-kontoret her i Reykjavik. Det dreide seg om hyreavregning fra Tomar. Nortraship har beregnet vår hyre for oktober fram til den dagen da Tomar ble senket! Hyra sluttet å dreie da vi gikk i livbåtene! Det er så skammelig at jeg finner ikke ord.

Jeg tenkte jeg skulle ringe til Benjaminsen og Hellevik og skjelle dem ut. Men de to karene er jo ikke skyldige i Nortraships ufattelige og avskyelige gjerrighet. Kommer jeg til New York, skal jeg oppsøke de høye herrer på Nortraships kontor og si dem min hjertens mening.

Etter at Båsen kom ut fra sykehuset, hadde han en krangel med Nortraships to representanter her om erstatning for tap av effekter. Det endte med at Båsen fikk medhold. De av mannskapet fra Tomar som ennå var igjen i Reykjavik, fikk utbetalt en bra slump penger. Beløpet fikk vi i islandske kroner. De er mindre verdt enn norske kroner, så det ble en drøss med sedler.

Jeg tør ikke tenke på hvordan Båsen vil reagere når han får brevet fra Nortraship om at vi var å regne som avmønstrede i det øyeblikket skuta sank. Jeg håper han ikke får epleteknisk anfall!

Så har jeg skrevet et brev i dag, til Muriel Shannon. Der forteller jeg ganske kortfattet om torpederingen og livbåtseilasen. Brevet må jo gjennom krigssensuren. Derfor var det mangt og meget jeg ikke kunne skrive om.

Jeg har hørt at det kan være mulig å sende brev til England som luftpost med militærfly som skal over Atlanteren fra Island. Derfor har jeg skrevet på tynt luftpostpapir og satt et lyseblått Air mail-merke på konvolutten.

Kaptein Nilsen er strålende fornøyd. Han har fått hyre som skipsfører på Wilhelmsens Tien An Men og venter nå på skipsleilighet til USA. Der vil han gå om bord i skipet i Galveston i Texas, hvor det ligger i dokk for reparasjon.

Kapteinen fortalte at Tien An Men er navnet på en stor paradeplass i Peking. Det betyr Den himmelske freds plass. Han sa at vi får håpe at den himmelske fred snart vil senke seg på vår lille jord.

Søndag skal vi tre som er igjen fra Tomar her i Reykjavik, ha en minnestund for motormann Smaage. Vi skal samles ved urnen hans. Smaages siste ønske før han døde i livbåten, var å bli kremert, og at urnen hans skulle bli sendt hjem til Aukra.

Det har vært et eller annet problem i forbindelse med kremasjonen fordi kremering ikke er så vanlig på Island. Derfor har det tatt tid. Enda lenger tid kan det vel ta før Smaage blir stedt til den siste hvile på øya der han kommer fra.

Jeg gruer meg til minnestunden, men ønsker å få sagt et siste farvel til Smaage.»

Mandag den 28. oktober kommer Benjaminsen fra Nortraship til Fiskarheimen. Han sier at han kan tilby Halvor hyre på et skip som ligger i havna i Keflavík og trenger ny lettmatros etter en sykeavmønstring.

Halvor spør hva slags skip det er, og hva slags last det fører.

Han får svar.

Han tenker seg om.

«Jeg aksepterer den hyra,» sier han.

Båsen og kaptein Nilsen kommer tilbake til Fiskarheimen etter en tur på byen. Båsen ser stadig ganske skummel ut med det store, firkantede arret i panna.

Halvor ber ham bli med for å ta en røyk i salongen.

«Jeg har fått meg båt,» sier Halvor. «Jeg mønstrer på i dag.»

«Hvilken båt?» spør Båsen.

«Motortankeren *Iberia* av Oslo.»

«*Iberia!*» roper Båsen. «Er du spenna gæren, Skogsmatrosen? Du vet hva slags båt det er?»

«Ja,» svarer Halvor. «Det er en av tankerne til Texas Company of Norway, Texaco.»

«Du vet hva slags *last* hun fører? Kaptein Nilsen fortalte meg da vi var på by'n at *Iberia* ligger ute i Keflavík og losser flybensin.»

«Jeg vet det,» svarer Halvor. «Og jeg vet at hun skal videre til Liverpool med resten av lasta.»

«Du går frivillig om bord i en jævla *bensintanker*?»

«Ja, noen må jo frakte bensin til England.»

«Jeg har hørt at du har forelska deg i ei jente i Liverpool,» sier Båsen.

«Det stemmer.»

«Hvis du mønstrer på den jævla bensintankeren for å imponere jenta di i Liverpool, er du en enda større tosk enn båtsmann Georg Jørgensen fra Hurum,» sier Båsen.

«Jenta i Liverpool er kanskje en medvirkende årsak til at jeg sa ja til hyra,» svarer Halvor. «Men jeg mener alvor med det jeg sa om at noen må ta jobben med å frakte bensinen.»

Halvor pakker suitcasen han har fått kjøpt, og sjøsekken med oljehyre, støvler og vinterklær.

Han tar farvel med kaptein Nilsen.

«Måtte det gå deg vel på *Iberia*, Skramstad,» sier kapteinen. «Du gjorde aldri skam på *Tomar* i din tid der om bord. Styrmann Kvalbein sier at du gjorde manns jobb i livbåten. Slike gutter det vil gamle Norge ha.»

«Takk,» sier Halvor.

Han føler seg ille berørt av kapteinens store ord, men lar dem samtidig synke inn.

Han støter på fru Djurhuus og gir henne en klem. Han hvisker inn i øret hennes: «Jeg tror herr Jørgensen har et godt øye til Dem.»

Fru Djurhuus ler.

Halvor hadde aldri trodd han skulle gi Båsen en klem, men det gjør han.

«Bon voyage,» sier Båsen.

Benjaminsen svinger opp ved Fiskarheimen med en flott bil, det er Opels nye flaggskip, en Admiral. Han kjører Halvor vestover fra Reykjavik. De veksler ikke mange ord. Benjaminsen er like fåmælt som sin halvbror motormannen.

På veien langs Stakksfjörður får de på lang avstand øye på det gråmalte skipet som ligger ved kai i Keflavík. Kaia ser altfor liten ut til den svære tankeren.

Fjorten tusen tonn. Kaptein er Nicolay Owren. Og hun er full av bensin.

Halvor kjenner at pulsen slår om til en raskere takt. Han tenner en sigarett.

Admiralen stoppes i en port voktet av britiske soldater. En soldat tar en rask kikk på Benjaminsens legitimasjon og Halvors sjømannspass. Bilen vinkes gjennom porten og parkerer på kaia.

Halvor stiger ut.

Benjaminsen ruller ned sidevinduet og roper: «Kapp røyken!»

Halvor stumper sigaretten og knuser gloa under skohælen. Det skulle tatt seg ut om han gikk om bord i en bensintanker med en tent sigarett i hånda!

Han begynner å gå mot gangveien med suitcasen i neven og sjøsekken over skulderen.

Iberia ruver foran ham.

Et nytt skip. En ny verden.

Etterord

I denne romanen er alle personer om bord i skipene og i havnene oppdiktede. Dette gjelder også norske konsuler i Sydney og Liverpool. Historiske personer, politikere fra ordførernivå og oppover, ledende fagforeningsfolk, betydelige kulturpersonligheter, store idrettsutøvere og medlemmer av kongehus som nevnes, er virkelige personer.

Romanen er skrevet tett opp mot virkeligheten på sjøen og på krigsskueplassene i perioden fra høsten 1939 til oktober 1940. De større militære og politiske hendelsene som beskrives i denne epoken, er virkelige hendelser. Politiske vedtak og idrettsresultater på høyt nivå er virkelige vedtak og resultater.

En episode der Norges eksilstatsminister Johan Nygaardsvold og hans regjering møter en delegasjon norske sjøfolk i London, er oppdiktet.

Fotballklubben Celtics seier med 1–0 over Rangers i Glasgowcupen skjedde ikke i 1940, men året etter.

Navn på norske og utenlandske handelsskip er i all hovedsak fiktive navn som jeg har brukt for å unngå forveksling med virkelige skip. For eksempel hadde ikke rederiet Wilh.Wilhelmsen noe skip ved navn *Tomar* i 1939. Det virkelige skipet *Tomar* ble først sjøsatt i Trieste i Italia i 1948 og var mitt første skip da jeg mønstret ut som dekksgutt i 1962. Den Norske Amerikalinje hadde aldri noe skip som het *Trondhjemsfjord*. Men det skipet jeg har gitt dette navnet, og som observeres i noen glimt, er veldig likt NALs *Bergensfjord*. At et av NALs store passasjerskip kan ha vært på vei til Oslo etter krigsutbruddet i september 1939, bestrides av sjøfartshistorikere jeg har vært i kontakt med. Men jeg støtter meg her på Oddmund Ljones dokumentarbok *Bergensfjord*, som åpner med at *Stavangerfjord* har avgang fra Oslo i begynnelsen av april 1940.

Marinefartøyer som er større enn korvetter, og som nevnes ved navn, er uten unntak virkelige fartøyer. Der jeg nevner virkelige lasteskip og passasjerskip ved navn, er navnet markert med ei stjerne. Hendelser knyttet til disse skipene er dokumenterbare hendelser.

Mannskapet på det oppdiktede skipet *Tomar* blir bedre orientert om krigsbegivenhetene i Norge enn det som var vanlig i handelsflåten. At mannskapet er godt orientert, er viktig for romanens dramatikk. Jeg har her frigjort meg fra den nøkterne realismen ved å dikte opp et unikum av en radiotelegrafist.

Jeg har latt svenske m/s *Kronprinsessan Margareta* anløpe Sydney, noe skipet nok aldri gjorde. Fotballkampen det svenske mannskapet spiller mot mannskapet på *Tomar*, er oppdiktet.

Geografiske navn er de navnene som ble brukt i perioden boka beskriver. Eksempler er Nederlandsk Ostindia, som er dagens Indonesia, og Fransk Indokina, som er dagens Laos, Kambodsja og Vietnam.

Alle utseilte distanser på *Tomar*s reiser er basert på ganske grove beregninger av de oppdiktede skipenes kurs og fart, og på anslag av vind- og værforhold. Reisene samsvarer i all hovedsak med sjøreiser jeg sjøl har foretatt. Med unntak av Halifax, Québec og Glasgow har jeg i mine sjømannsdager vært i alle de havnebyene det oppdiktede skipet *Tomar* anløper. Jeg har siden besøkt Glasgow som forfatter, og jeg har vært i Lightning Ridge som reporter.

Jeg holder meg strengt til almanakkens datoer. Men jeg har tatt meg den frihet å bruke månen som ei lykt når jeg trenger den, uavhengig av månens virkelige faser på de aktuelle tidspunktene.

Det kan finnes barer, puber og restauranter som er nevnt i boka, som ikke fantes i krigsårene.

Jeg har tillatt meg å skrive om det norske generalkonsulatet i Liverpool under 2. verdenskrig. I virkeligheten hadde Norge bare et konsulat i byen. Det syntes jeg ble litt fattigslig og smått tatt i betraktning at Liverpool var Storbritannias viktigste havneby i krigsårene. Herfra gikk britenes pulsåre over Atlanteren til USA. Liverpool fortjente etter min mening en generalkonsul.

Om språket i romanen min er det et par–tre ting å si. Når det gjelder norsken som er brukt, er jeg så språklig inkonsekvent som en/man må kunne tillate seg å være i bruken av det merkelige, svingende og mangslungne bokmålet vårt. Om jeg skriver «kasta» eller «kastet», kan være avhengig av hvem som sier det, hvilken situasjon ordet skal dekke, eller rett og slett av språkmelodien jeg ønsker å få fram.

Bruken av norske dialekter er begrenset til det jeg har funnet nødvendig. Min hovedperson Halvor Skramstad kommer fra Rena i Hedmark, men er fra en innflytterfamilie og snakker ikke hedmarksdialekt. Han skriver dagbøker på et bokmål som nok er noe mer radikalt enn det som ville vært vanlig for en ung mann på den tida, og han taler mer radikalt bokmål enn han skriver.

Når det gjelder bruken av engelsk i dialoger der det faller naturlig å anvende engelsk, har jeg prøvd å gjøre engelsken så lettfattelig som mulig. Ord og uttrykk på svensk, dansk, finsk, islandsk, gælisk, fransk, spansk, portugisisk og tysk forekommer bare der de trengs for å gi språklig farge til teksten.

Takk til direktør Tore L. Nilsen ved Bergens Sjøfartsmuseum, som leste manuskriptet mitt grundig, kom med gode forslag til korrigeringer – og som naturligvis ikke er ansvarlig for tabber jeg har begått. Takk til forlagsredaktørene mine i Oktober, først Cis-Doris Andreassen og deretter Cathrine Narum, for tålmodighet og nøyaktighet, gode innspill og tøffe strykninger. Takk til personalet på Rena Bibliotek for svar på spørsmål om lokalhistorie. Takk til Rygge Bibliotek og Moss Bibliotek for bistand med å finne kildemateriale. Takk til Riksarkivet for hjelp til å finne fram i det enorme Nortraship-arkivet.

Den drukner ei som henges skal. Kriminalroman, 1975

Mellom barken og veden. En roman om supermaktspionasje i Norge, 1975

Jernkorset. En roman mot nazisme og nynazisme, 1976

Jernkorset. Kapitlet som ble vekk, 1976

Orions belte. En roman fra Svalbard, 1977

Tiger Bay. Roman, 1977

Angrepet på Longyearbyen. En kort fremtidsroman, 1978

7800 demonstranter sporløst forsvunnet! og andre merkelige historier fra 1970-åra, 1978

Matros Tore Solem og hans skip. Skuespill (med Gunnar Bull Gundersen), 1979

Hvit som snø. Kriminalroman, 1980

Den gule djevelens by. Kriminalroman, 1981

Terra roxa. Roman, 1982

VM *i fotball 1982* (med Dag Solstad), 1982

Jerv (jervere, jervest?). En norsk, og dermed tragisk romansyklus, 1983

Panamaskipet. Kriminalroman, 1984

Mannen på motorsykkelen. Kriminalroman, 1985

VM *i fotball 1986* (med Dag Solstad), 1986

Vår afrikanske eksplosjon. Barnebok, 1986

Brevet til Fløgstad. Brev fra Afrika. With a message from Larkollen. Essays, 1987

Den flygende brasilianer. Bind 1. Ungdomsroman, 1987

Den flygende brasilianer. Bind 2. Ungdomsroman, 1988

Le Coconut. Roman, 1988

Den flygende brasilianer. Bind 3. Ungdomsroman, 1989

Thygesens terrorist. Kriminalroman, 1989

VM *i fotball 1990* (med Dag Solstad), 1990

Vuka! Pamflett om Sør-Afrika, 1991

Farvel til en prins. Roman, 1993

VM *i fotball 1994* (med Dag Solstad), 1994

Leve republikken (og Märtha Louises privatliv). Artikkelsamling, 1995

Grønland på langs. Ekspedisjonsberetning, 1997

VM *i fotball 1998* (med Dag Solstad), 1998

Den frosne kvinnen. Kriminalroman, 2001

Aftensang i Alma Ata. Fortelling, 2003

Thygesen-fortellinger. Kriminalfortellinger, 2005

Høyt mot nord, langt mot sør. Reisebrev per satellitt fra Arktis og Antarktis, 2006

Havets velde. Sjøfortellinger, 2007

Den siste krigsseileren. Biografi, 2007

Mordet på Woldnes. Kriminalroman, 2008

Brev fra de troende. Ei bok om tro og tvil, 2008

Snøfonnenes geograf. Sju fortellinger, og et dikt av min mor, 2009

Døden i Baugen. Kriminalroman, 2010

En krigsseilers dagbok. Biografi, 2010

Mappa mi. En beretning om ulovlig politisk overvåking, 2011